EDUARD NORDEN

DIE ANTIKE KUNSTPROSA

Athenae nobilissima Graecorum urbs, quae cunctis nationum linguis tribuit totius flores eloquentiae.

Vita S. Gisleni AA. SS. O. S. B. II 757.

EDUARD NORDEN

DIE ANTIKE KUNSTPROSA

VOM VI. JAHRHUNDERT V. CHR.
BIS IN DIE ZEIT DER RENAISSANCE

ZWEITER BAND
FÜNFTE UNVERÄNDERTE AUFLAGE

B. G. TEUBNER
VERLAGSGESELLSCHAFT · STUTTGART
1958

Printed in Germany

Fotomechanischer Nachdruck: Fotokop Darmstadt

Zweites Kapitel.

Die griechisch-christliche Literatur.

I. Allgemeine Vorbemerkungen.

Niedergang hellenischer Beredsamkeit.

Libanios berührt in seinen Reden öfters eine ihm sehr unangenehme Tatsache: das Sinken des Interesses an der Beredsamkeit. Am ausführlichsten äußert er sich darüber in der, wie mir scheint, literarhistorisch wichtigen 65. Rede (*πρὸς τοὺς εἰς τὴν παιδείαν αὐτὸν ἀποσκώψαντας*, vol. III 434 ff. R.). Seine Gegner hielten ihm vor, daß er keine Schüler heranbilde. Er weist den Vorwurf von seiner Person zurück, indem er die allgemeine Weltlage als Ursache angibt. Von den einzelnen Momenten, die er hervorhebt, geht uns hier nur das folgende an.[1]) Seitdem Konstantin die Tempel niedergerissen und alle heiligen Gesetze getilgt hat, ist es mit der Beredsamkeit zu Ende: denn die *λόγοι* sind unlöslich verknüpft mit den *ἱερά*, das wissen Redner, Philosophen, Dichter; wem fällt es jetzt noch ein, sich der Rhetorik zu befleißigen, wo er sieht, daß der Kaiser auf die Gebildeten weder hört noch sie anredet, sondern zu Ratgebern und Lehrern bestellt *βαρβάρους ἀνθρώπους, καταπτύστους καὶ μεθύοντας εὐνούχους*? Die natürliche Folge ist, daß die Väter ihre Söhne nicht mehr zu den Rhetoren schicken, denn *ἀσκεῖται τὸ ἀεὶ τιμώμενον, ἀμελεῖται δὲ τὸ ἀτιμαζόμενον.* Wir atmeten, sagt er, auf, als Iulian diesem Treiben ein Ende machte, aber ein feindlicher Dämon zeigte ihn uns zugleich und nahm ihn uns (p. 436 ff.).

1) Doch bemerke ich, daß p. 441 f. eine interessante Stelle über die nach Libanios Ansicht übermäßige Zunahme des juristischen Studiums in Berytos zu lesen ist.

Diese Ausführung erscheint uns wunderlich: zu derselben Zeit, wo die christliche Beredsamkeit in dem Dreigestirn Gregorios-Basileios-Ioannes in bisher ungeahntem und später nie wieder erreichtem Glanze strahlte, spricht der Sophist von einem Niedergang der Beredsamkeit. Und doch hat er recht, denn er meint ja nur die Beredsamkeit der selbst im Niedergang begriffenen Weltanschauung, deren Adept er ist; der Stoff, mit dem die heidnische Rhetorik wirtschaftete, hatte tatsächlich in der neuen Weltordnung den Lebenskeim verloren. Aber klingt es nicht wie eine tragische Ironie, wenn der Sophist sagt, *ἱερά* und *λόγοι* seien unlöslich verbunden und da die ersteren fehlten, sei es auch mit den letzteren zu Ende? Nun, bei der anderen Partei gab es *ἱερά* und in ihren Dienst hatten sich die *λόγοι* gestellt. Wie waren sie beschaffen? Immer wieder und wieder zieht es uns in jene Zeiten, wo eine tausendjährige greisenhafte Kultur, die den Menschen das Herrlichste in Fülle gebracht hatte, in den Kampf trat mit einer jugendfrischen Gegnerin, einen Kampf, wie er gewaltiger nie ausgefochten worden ist, und der mit einem Kompromiß endete, wie er großartiger nie geschlossen worden ist. Viel ist darüber seit den Zeiten Plotins geschrieben worden, aber noch immer fehlt uns eine Verständigung in prinzipiellen Fragen: ich muß auf sie in aller Kürze wenigstens insoweit eingehen, als sie den Gesamtcharakter der literarischen Produktion beider Kämpfer betreffen.

1. Die prinzipiellen Gegensätze zwischen hellenischer und christlicher Literatur.

Hellenismus und Christentum sind zwei Weltanschauungen, die sich im Prinzip ausschließen. Der Ring der Vergangenheit hat sich geschlossen, es beginnt eine neue *περίοδος*, zunächst — das kann gerade heute für sog. kritische Philologen gar nicht genug betont werden[1]) — ohne Zusammenhang mit der vorigen. Daher sind auch die beiden Literaturen sich im Prinzip entgegengesetzt. Um die Verschwommenheit, die darüber bei vielen besteht, zu klären und zugleich den Gang meiner spe-

1) v. Wilamowitz, Weltperioden, Kaisergeburtstagsrede 1897, hat darüber das Richtige in tiefen Worten ausgesprochen.

ziellen Untersuchungen zu motivieren, hebe ich — zunächst mit absichtlicher Übergehung von Ausnahmen im einzelnen — die konträren Punkte hervor, indem ich die beiden Literaturen als große ganze Einheiten sich gegenüberstelle.

Aufhebung des antiken Individualismus.

1. Der christlichen Literatur fehlt die Freiheit der antiken. Das Altertum hat in seiner Blütezeit keine Autoritäten anerkannt, selbst seinen Göttern stand es in stolzer Menschlichkeit gegenüber; dafür war die Unabhängigkeit des Individuums um so größer: dieses hatte sich nur der Macht der Tradition zu fügen, die aber keine autoritative war, sondern ein Ausdruck des allgemeinen Fühlens und Denkens, dem sich daher der Einzelne leicht unterordnete. Das Christentum brachte die Autorität und hob daher die Individualität auf und zwar in doppelter Weise: einmal gegenüber der Gottheit, denn die Religion war eine historische und geoffenbarte und bot als solche den Gläubigen absolute Garantie ihrer Wahrheit, aber zugleich auch absolute Überzeugung der individuellen Machtlosigkeit; zweitens gegenüber den kirchlichen Dogmen: alle, die an ihnen zu rütteln sich unterstanden, haben hellenisch gefühlt, und ihre individuellen Lehrmeinungen, die sie sich selbst, wie einst die griechischen Philosophen, 'wählten' (*αἱρετικοί*)[1]), sind von der allgemeinen Kirche verdammt worden. Durch diese Aufhebung der Freiheit des Individuums ging das stolze Gefühl der Selbstherrlichkeit verloren, durch eigene, bis zum Übermenschlichen angespannte Kraft des Wollens die Leidenschaften zu knechten und auf Erden ein Gott zu werden: Stoa und Christentum sind prinzipiell Gegensätze, was heute wohl hervorgehoben zu werden verdient, wo es Mode wird, die scharfen Grenzlinien zu verwischen, die einst Lorenzo Valla, der Feind aller Unklarheit des Denkens und Vater der kritischen Philologie, in seinem Dialog von der Lust erkannt hat. *Λύσει μ' ὁ δαίμων αὐτός, ὅταν ἐγὼ θέλω* ruft der stoische *ἀθλητής*, bevor er zum letzten Gang sich aufmacht; *πάτερ μου, εἰ δυνατόν ἐστιν, παρελθέτω ἀπ' ἐμοῦ τὸ*

1) Cf. Th. Zielinski, Cicero im Wandel der Jahrhunderte (Leipz. 1897) 78 mit Berufung auf Tert. de praescr. haer. 6: *nobis nihil ex nostro arbitrio indulgere licet, sed nec eligere quod aliquis de arbitrio suo induxerit. apostolos domini habemus auctores, qui nec ipsi quicquam ex suo arbitrio quod inducerent elegerunt, sed acceptam a Christo disciplinam fideliter nationibus assignaverunt.*

ποτήριον τοῦτο. πλὴν οὐχ ὡς ἐγὼ θέλω, ἀλλ' ὡς σύ der christliche; *oderunt peccare boni virtutis amore* ist der Ausdruck des antiken Sittlichkeitsidealismus, *τὰ ὀψώνια τῆς ἁμαρτίας θάνατος* der des christlichen Dogmas. Verloren ging auch jene Freude, durch eigenes Wollen und eigenes Können die Wahrheit zu suchen, jener Mut zu irren, jenes stolze Siegesgefühl, gefunden zu haben, also gerade das, wodurch die antike Wissenschaft so Gewaltiges geleistet hatte; der Zweifel war aus der Welt geschafft und mit ihm die Kritik, es galt fortan das Credo ut intelligam, während für den antiken Menschen ein Glauben im christlichen Sinne nicht existiert hatte: *πίστευσον* ist christlich, *μέμνασο ἀπιστεῖν* hellenisch; *quid Athenis et Hierosolymis? quid academiae et ecclesiae? nobis curiositate opus non est post Christum Iesum nec inquisitione post evangelium. cum credimus, nihil desideramus ultra credere* (Tert. de praescr. haer. 7) und *mitte illos semper quaerentes sapientiam et numquam invenientes* (Paul. Nol. ep. 16, 11) ist christlich, die Lobpreisung eines der Erforschung des Wahren und Seienden geweihten *βίος θεωρητικός* ist hellenisch. So ist es mehr als ein Jahrtausend geblieben: ein Scotus Erigena, der in Zweifelsfällen die Vernunft über die Autorität stellte, ist eine isolierte Erscheinung (er hat an Platon, den individuellsten Hellenen, angeknüpft); erst die Renaissance hat mit ihrer Negierung einer tausendjährigen Vergangenheit das antike Fühlen auch auf diesem Gebiete wiedergebracht: sie war in den ersten Jahrhunderten ein revolutionäres Auflehnen gegen den Autoritätsglauben, ihr Heros wagte es, von der kanonischen Autorität des kirchlich-scholastisch ausgelegten Aristoteles zu behaupten, er sei ein Mensch und als solcher nicht bloß a priori Irrtümern ausgesetzt, sondern er habe notorisch in den größten und wichtigsten Dingen geirrt[1]); die Folgenden wagten sich an scheinbar historisch verbriefte Urkunden der Kirche, zuletzt an das kirchliche Dogma selbst. Der fundamentale Unterschied ist den Hellenen selbst nicht verborgen geblieben: Galen spricht von den *ἀναπόδεικτοι νόμοι* der Christen (VIII 579 K.) und Iulian sagt stolz (bei Greg. Naz. or. 4 c. 102; vol. 35, 637 Migne): *ἡμέτεροι οἱ λόγοι καὶ τὸ ἑλληνίζειν, ὧν καὶ τὸ σέβειν τοὺς θεούς· ὑμῶν δὲ ἡ ἀλογία καὶ ἡ*

---

1) Petrarca de ignorant. p. 1042 (Opera ed. Basil. 1581).

ἀγροικία, καὶ οὐδὲν ὑπὲρ τὸ Πίστευσον τῆς ὑμετέρας ἐστὶ σοφίας. — Mit der individuellen Freiheit der antiken Literatur im Gegensatz zu der korporativen Geschlossenheit und Gebundenheit der christlichen hängt aufs engste zusammen das größere schriftstellerische Selbstbewußtsein, das Hervordrängen der Persönlichkeit in jener; verstärkt wurde dies Moment durch die spezifisch christliche Tugend der Demut, wofür dem Altertum, das im persönlichen Ruhm in der irdischen Unsterblichkeit das höchste Ziel des Lebens und Strebens sah, Begriff und Wort gefehlt hatte. Derselbe Boden der Campagna, der die Riesendenkmale mit pompösen Inschriften trägt, birgt die Gebeine zahlloser Christen, von deren Ruhestätte oft nur Tafeln mit dem schlichten *in pace* Kunde geben, während ihre Namen unbekannt von ewiger Nacht gedeckt werden; derselbe Gegensatz bei der literarischen Individualität: *exegi monumentum* und was weiter folgt, ist antik, *δοθήσεται ὑμῖν τί λαλήσετε, οὐ γὰρ ὑμεῖς ἐστὲ οἱ λαλοῦντες ἀλλὰ τὸ πνεῦμα τοῦ πατρὸς ὑμῶν τὸ λαλοῦν ἐν ὑμῖν* ist christlich. So blieb es mehr als ein Jahrtausend. „Noch für Dante ist die Ruhmbegier, *lo gran disio dell' eccellenza*, verwerflich, die armen Seelen im Inferno verlangen von ihm, er möge ihren Ruhm auf Erden erneuern"[1]); Ciceros Bücher über den Ruhm hat bezeichnenderweise das Mittelalter nicht tradiert, aber Petrarca, dessen Leben, Denken und Dichten mit der Sehnsucht nach Ruhm ausgefüllt war, bildete sich ein, sie einst besessen zu haben, indem er seinen heißen Wunsch durch eine Art von Halluzination realisierte.

Aufhebung der antiken Heiterkeit.

2. Der christlichen Literatur fehlt die Heiterkeit der antiken. Der weltflüchtige Gedanke, nach dem das irdische Leben das Jammertal war, gab jener einen ernsten, die unantike Tugend der Entsagung einen schwermutsvollen Charakter; heiter war sie nur, wo sie die Freuden des Jenseits schilderte: da entlehnte sie die Farben dem Elysium; aber während sie hier die pindarische Farbenpracht nicht erreichte, hat sie die homerisch-orphisch-vergilische Hölle ins Grausige und durchaus Unantike ausgemalt. *Sponte miser, ne miser esse queat*[2]), ist der christliche Mönch, *φάγωμεν καὶ πίωμεν, αὔριον γὰρ ἀποθνήσκο-*

1) J. Burckhardt, Die Kultur d. Renaiss. I [4] (Leipz. 1885) 156.
2) Rutil. Nam. de reditu suo 444 von den Mönchen.

μεν sagt der antike Plebejer, *aequam memento* und was folgt der ästhetisch gebildete antike Genußmensch. So blieb es wiederum mehr als ein Jahrtausend: bei Dante sind die fleischlichen Sünder in der Hölle und mittelalterliche Mönche haben Ovids Liebeslieder allegorisch ausgelegt zum Lobe der Jungfrau Maria. Aber in der Renaissance hat man wieder das *πίνειν καὶ παίζειν* nicht bloß in Versen verhimmelt, die nach der Maxime Catulls ebenso *molliculi* wie *parum pudici* sind, sondern auch praktisch geübt, ohne sich dadurch bei einer Gesellschaft unmöglich zu machen, die — ganz im antiken Sinne — die strenge Moral gern der graziös-heiteren Ausprägung freier Individualität zum Opfer brachte.

Aufhebung der nationalen Exklusivität der Antike.

3. Der christlichen Literatur fehlt die nationale Exklusivität der antiken. Die hellenische Literatur war in ihrer Blütezeit exklusiv national: daß die Barbarenseele knechtisch gesinnt sei, war die stolze Maxime, nach der praktisch verfahren wurde. Dagegen ist die christliche Literatur von Anfang an international gewesen und hat gerade in der Verbindung der Völker, durch Nivellierung der Unterschiede ihre höchste Kulturmission bewußt vollzogen. *Χρῶ τοῖς μὲν Ἕλλησιν, ὡς Ἕλλησιν, τοῖς δὲ βαρβάροις ὡς βαρβάροις* ist die Weisung, die der griechische Philosoph einer Tradition zufolge seinem die Welt erobernden Schüler Alexander auf den Weg mitgab; *πορευθέντες μαθητεύσατε πάντα τὰ ἔθνη* sagte der Stifter der christlichen Religion zu seinen Schülern, als er sie in die Welt aussandte. — Der christlichen Literatur fehlt ferner die soziale Exklusivität der antiken. Populär ist die antike Literatur bei den Griechen nur in der ältesten Zeit gewesen, als das Volksepos geschaffen wurde, und dann im perikleischen Athen, weil in diesem das Durchschnittsmaß der ästhetischen und intellektuellen Bildung so hoch war wie nie wieder nachher. In Rom hat es eine eigentliche populäre Literatur überhaupt nicht gegeben, da sie von Anfang an unter dem Zeichen des Hellenismus stand: auch Plautus war Kunstdichter, und die Atellane, die in der Republik noch am meisten volkstümlich war, wurde von den stadtrömischen Dichtern sofort stilisiert, verschwand auch ganz von der Bildfläche, als die soziale Bewegung, von der sie getragen wurde, beseitigt war. In der Kaiserzeit besaß der Grieche nur seinen Homer, aus dessen Vorstellungskreisen er

Aufhebung der sozialen Exklusivität der Antike.

entwachsen war, der Lateiner seinen Virgil, der doch eigentlich nur für das Rom der Julier gedichtet hatte. Dagegen brachte das Christentum eine volkstümliche Literatur, die durch ihren rein menschlichen, an keine bestimmte Zeit und Verhältnisse gebundenen Inhalt unmittelbar auf die Gemüter auch der Armen im Geiste wirkte; und zu einer Zeit, wo der Hellene an Poesie kaum mehr etwas hatte als den Homer, dessen Mythenwelt ihm nur noch durch allegorische Umdeutung verständlich war, der nichtgläubige Occidentale nichts als den Virgil, den er als allwissenden Zauberer mehr fürchtete als liebte, pries der Christ in Antiochia und Konstantinopel die Jungfrau Maria, in Gallien und Mailand Gott Vater und Sohn in Versen, die von den Dichtern formell und inhaltlich dem Fühlen und den Ideenkreisen des Volkes angepaßt waren.[1] Ob es damals heidnische Volkslieder gab? Es ist wahrscheinlich, da der Häretiker Areios nach der Schilderung des Athanasios an sie angeknüpft zu haben scheint, aber sie hat kein Mensch zur Literatur gerechnet. *Ἐχϑαίρω πάντα τὰ δημόσια* ist antik, *πορεύεσϑε ἐπὶ τὰς διεξόδους τῶν ὁδῶν, καὶ ὅσους ἐὰν εὕρητε καλέσατε* ist christlich.

4. Die christliche Literatur als Ganzes betrachtet ermangelt der antiken Formenschönheit. Der sozusagen äußere Grund ergibt sich unmittelbar aus dem zuletzt Erörterten. Es findet sich, wie ich im Laufe dieser Untersuchungen schon öfters bemerkt habe, in der ganzen antiken Literatur (abgesehen von einzelnen fachwissenschaftlichen Schriften), kein stilistisches *ἄτεχνον*, was sich eben aus ihrem dem gemeinen Leben abgewandten, aristokratischen Grundcharakter erklärt. Behandelte einmal ein Schriftsteller realistische Stoffe des täglichen Lebens, so stilisierte er sie doch mehr, als uns modern empfindenden Menschen lieb ist, man denke an Herondas, Theokrits Adoniazusen, Petron. Hätten wir die Inschriften nicht, so würde uns außer den paar zufällig überlieferten Soldatenversen kein

Aufhebung der Formenschönheit der Antike.

1) Es ist aber bezeichnend, wie langsam sich die auch in der Form populären Gedichte die Anerkennung der Gebildeten erwarben: Commodian wird von Hieronymus ignoriert und erst von Gennadius mit zweifelhaftem Lob genannt. Augustin (retr. I 20) entschuldigt sich geradezu wegen der volkstümlichen Art seines Psalms gegen die Donatisten.

heidnisches lateinisches Dokument verraten, wie sich das Volk mit der Metrik abfand. Dagegen haben wir unter den christlichen Gedichten die des Commodian und den Psalm des Augustin gegen die Donatisten, um von den späteren gar nicht zu reden. Ebenso die Prosa: die Evangelien mußten auf das formale Gefühl eines antiken Lesers ebenso verletzend wirken wie aus der späteren christlichen Literatur etwa die Predigten des Augustin; wir werden später sehen, daß unter den christlichen Autoritäten ein Jahrhunderte langer Kampf geführt wurde über die Frage, ob man gut oder schlecht schreiben solle, eine Diskussion, die für einen antik empfindenden Menschen a priori gegenstandslos war: ein (wenn auch übertreibender) Ausspruch wie der Gregors d. Gr. (moral. praef. i. f.): *ipsam loquendi artem despexi. . . ., quia indignum vehementer existimo, ut verba caelestis oraculi restringam sub regulis Donati*, verglichen mit einem beliebigen Ausspruch eines griechischen oder lateinischen Rhetors, zeigt deutlich die Kluft, die zwischen antikem und christlichem Empfinden gähnte. — Aber wenn wir diesen Verzicht auf äußere Formvollendung der christlichen Literatur einzig aus ihrem Zweck, auf die Massen des Volkes zu wirken, ableiten wollten, so würden wir den Fehler begehen, ein bloß sekundäres und mehr äußerliches Moment geltend zu machen, das eigentlich treibende zu übersehen. Den Kampf zwischen Griechentum und Christentum kann man, wenn man eine und zwar eine wesentliche Seite ins Auge faßt, einen Kampf zwischen Form und Inhalt nennen. Nach Schönheit lechzend hatte das Hellenenvolk kein Mittel verschmäht, den Durst zu stillen: die schöne Form war sein Ein und Alles, und in seiner größten Zeit war sie tatsächlich mit dem Inhalt kongruent gewesen. Dann aber war ihm die Fähigkeit, einen tiefen neuen Inhalt zu schaffen, langsam abhanden gekommen, während die Kraft kunstvoller Gestaltung der Form ihm geblieben war, ja auf Kosten des Inhalts sich einseitig gesteigert und zu einer Art von Virtuosentum ausgebildet hatte. An dieser Form berauschten sich nach wie vor die schönheitsdurstigen Seelen, sie wußten, daß es nicht der Saft lauterer Wahrheit war, den sie einsogen, aber so mächtig war die Sinnlichkeit des Empfindens, daß sie mit vollem Bewußtsein das Gift schlürften, weil es süß war und sie in einen Taumel befriedigten ästhetischen Genusses versetzte: die

Lüge hat den Hellenen nicht als verwerflich gegolten, wenn sie in geschmackvoller Form auftrat und dem Schönheitsgefühl neue Nahrung zuführte. Die Richter und das Volk haben gewußt, daß die Männer, auf deren Lippen die Peitho saß, sie gelegentlich belogen: Cicero hat das ja selbst einmal mit göttlicher Naivität den Richtern expliciert und aus jedem beliebigen Lehrbuch der Rhetorik seit den Zeiten des Kallikles konnte man sich darüber unterrichten. Daher war auch der Kampf der Philosophie gegen die Rhetorik von Anfang an ein hoffnungsloser, zwischen den Gebieten des Seins und des Scheins war kein Kompromiß möglich: in einer varronischen Satire trat an einen von der *sophistice aperantologia* Übersättigten heran *cana Veritas, Attices philosophiae alumna.*

Diese Wahrheit, aber nicht die durch philosophische Spekulation verstandesmäßig abstrahierte, sondern die unmittelbar durch den Glauben in das Herz gesenkte, erschloß die neue Religion den sehnsuchtsvoll nach einem Positiven ausblickenden Menschen, das die innere Öde ausfüllen könnte. So wurde die Sprache des Herzens wieder geboren. Seit dem Hymnus des Kleanthes war in griechischer Sprache nichts so Inniges und zugleich so Grandioses geschrieben wie der Hymnus des Paulus auf die Liebe. Es ist bezeichnend, daß uns vor allen noch die der neuen Religion so nahe stehenden neuplatonischen Schriftsteller ergreifen, wenn sie uns in ihrer Verzückung, in der das Schauen fast zum Glauben wird, mit sich raffen ins Reich der Ideen zur Vereinigung mit der Gottheit. Aber wohin wir sonst blicken: eine gleichförmige Wüste, aus der dem ermüdenden Wanderer nur selten Oasen entgegenlächeln: so steht mitten unter den abgeschmackten Reden des Himerios ein tiefergreifender ϑρῆνος auf den Tod seines hoffnungsvollen Sohnes (or. 23), packend durch Wärme des Gefühls, Einfachheit der Sprache und Mangel an Raffinement. Wer diesen Erguß liest, wer den Sophisten in vollem Glauben reden hört von dem Todesdämon, der den Sterbenden würgt, von den Erinyen mit ihren Fackeln, dem Neid der Götter, denen er flucht, der begreift, daß Millionen, die sich in ähnlichen Qualen verzehrten, und die für die Philosophie teils zu sehr Gefühlsmenschen teils zu ungebildet, für die Magie zu sehr aufgeklärt, für die Mysterien zu arm waren, sich der neuen Religion in die Arme warfen, die brachte, wonach die ganze Welt sich sehnte: Erlösung durch bloßen Glauben.

2. Der Kompromiß zwischen Hellenismus und Christentum.

Allgemeines.

Aus den großen Antinomieen durch berechnende Steigerung des Gemeinsamen und geschickte Nivellierung des Verschiedenartigen eine *παλίντονος ἁρμονία* gemacht zu haben, ist die größte Geistestat der alten Kirche und der gewaltigste Akt in diesem Weltendrama überhaupt gewesen: gerade dadurch, daß sie nicht ausschließlich zerstörend vorging, sondern in gegebenen Grenzen Toleranz übte, ist die katholische Kirche Siegerin über das Pantheon geworden. Nicht völlig ist es freilich gelungen, die ungeheuere Kluft zwischen den sich widersprechenden Anschauungen auszufüllen, die Ringe der beiden Ketten haben nie ineinandergegriffen, sondern sich stets nur an einigen Punkten berührt. Solange die Menschheit zur antiken Kultur ein inneres Verhältnis gehabt hat, ist in einzelnen tiefer angelegten Naturen der alte Kampf immer wieder von neuem ausgefochten worden: wie Hieronymus hat mancher mittelalterliche Mönch visionäre Qualen wegen der Beschäftigung mit der alten Literatur geduldet und wie Augustin hat noch Petrarca gerungen. Erst seitdem die Welt vom Jugendrausch der Renaissance sich ernüchtert und die antike Kultur als einen Tempel ewiger und vorbildlicher Schönheit in objektiver Ruhe und Kühle zu betrachten angefangen hat, ist der große Kampf zu Grabe getragen, denn auf die neuesten Schmährufe literarischer Proleten und Herostrate auch nur zu antworten, dafür denken wir alle zu stolz und fühlen zu heilig. Es gibt noch kein Werk, in dem alle diese Verhältnisse wissenschaftlich dargelegt wären — nur für das Dogma und den Kultus haben Harnack und Usener die Fragen vorbildlich gestellt und beantwortet —, und hier ist selbstverständlich nicht der Ort, irgendwie näher darauf einzugehen; nur die Momente, die den Verschmelzungsprozeß der beiden Literaturen bewirkten, berühre ich. Denn während oben nur von deren unvereinbaren Hauptströmungen die Rede war, werde ich nun kurz zeigen, daß in der hellenischen Literatur besonders der späteren Zeit Unter- und Nebenströmungen vorhanden waren, die bis zu einem gewissen Grade einen Ausgleich der Gegensätze ermöglichten.

Sinken des antiken Individualismus.

1. Als das Altertum seine jugendlichen Kräfte zuerst in titanischem Wagemut, dann in idealistischer oder auf den Tatsachen gegründeter Forschung erschöpft hatte, begann es, sich seine Autoritäten zu setzen: die nacharistotelischen Systeme legen redendes Zeugnis davon ab. Platon hatte die Seligkeit des ζητεῖν gepriesen, aber für seine späten Adepten galt: *ut rationem Plato nullam adfert, ipsa auctoritate frangit* (Cic. Tusc. I 49); für die Epikureer und Pythagoreer waren die Stifter der Systeme die alles erleuchtenden Sonnen, die offenbarenden Götter, und Chrysipp galt als inkarnierte Stoa. So war der Boden für die Aufnahme eines δόγμα im christlichen Sinn[1]), d. h. eines autoritativen, vorbereitet. Es ist doch höchst bezeichnend, daß Gregor von Nazianz l. c. (oben S. 454) dem Iulian auf seine Worte οὐδὲν ὑπὲρ τὸ Πίστευσον τῆς ὑμετέρας ἐστὶ σοφίας erwidert, er solle doch auf die Pythagoreer sehen, οἷς τὸ Αὐτὸς ἔφα τὸ πρῶτον καὶ μέγιστόν ἐστι τῶν δογμάτων, und in gleichem Sinn hat es einmal Hippolytos gewagt, die h. Schrift als Offenbarungsurkunde mit den Dogmen der Philosophen zusammenzustellen: hom. adv. Noet. 9 (p. 50, 15 Lag.): εἷς θεός, ὃν οὐκ ἄλλοθεν ἐπιγινώσκομεν ἢ ἐκ τῶν ἁγίων γραφῶν. ὃν γὰρ τρόπον ἐάν τις βουληθῇ τὴν σοφίαν τοῦ αἰῶνος τούτου ἀσκεῖν, οὐκ ἄλλως δυνήσεται τούτου τυχεῖν, ἐὰν μὴ δόγμασι φιλοσόφων ἐντύχῃ, τὸν αὐτὸν δὴ τρόπον ὅσοι θεοσέβειαν ἀσκεῖν βουλόμεθα, οὐκ ἄλλοθεν ἀσκήσομεν ἢ ἐκ τῶν λογίων τοῦ θεοῦ: tatsächlich heißt ja φησί für die Platoniker Πλάτων wie für die Christen θεός oder Ἰησοῦς oder ὁ ἀπόστολος oder ἡ γραφή überhaupt. Aber solange die philosophischen Satzungen als solche von Menschen, wenn auch von göttlichen Menschen aufgestellte galten, blieb doch immer ein gewichtiger Unterschied bestehen, den christliche Schriftsteller gelegentlich hervorheben, z. B. Markellos von Ankyra (s. IV) fr. bei Euseb. contra Marcell. I 4 p. 43 ed. Gaisford: τὸ δόγματος ὄνομα τῆς ἀνθρωπίνης ἔχεται βουλῆς τε καὶ γνώμης. ὅτι δὲ τοῦθ' οὕτως ἔχει, μαρτυρεῖ μὲν ἱκανῶς ἡ δογματικὴ τῶν ἰατρῶν τέχνη, μαρτυρεῖ δὲ καὶ τὰ τῶν φιλοσόφων

---

1) Cf. für das Allgemeine auch E. Hatch, Griechentum und Christentum, übers. von E. Preuschen (Freib. 1892) 88 f.

καλούμενα δόγματα. ὅτι δὲ καὶ τὰ συγκλήτῳ δόξαντα ἔτι καὶ νῦν δόγματα συγκλήτου λέγεται οὐδένα ἀγνοεῖν οἶμαι. Auch diesen Unterschied hat daher charakteristischerweise Porphyrios, der Christenfeind, aufgehoben, indem er durch die Heranziehung der Orakel den Grad der heidnischen Offenbarung so steigerte, daß auch sie zu einer absoluten wurde. So begegneten sich die beiden Mächte im Streben nach Positivismus, und der Kompromiß ging unmerklich von statten. — Die im Prinzip unvereinbaren Weltanschauungen der Stoa und des Christentums, d. h. der Selbstherrlichkeit des auf sich gestellten Weisen und der Seligpreisung des geistig Armen, haben sich an entscheidenden Punkten berührt: vor allem konnte bei der stoischen Theodicee die Willensfreiheit nur theoretisch aufrecht erhalten werden, in der Praxis hat sie fast zur Aufhebung des Individualismus geführt. Auch auf heidnischer Seite ist daher das Bewußtsein und Streben nach schriftstellerischer Individualität gesunken: man vergleiche die stolze Anmaßung des Empedokles mit der zurückhaltenden Bescheidenheit des Lucrez (I 921 ff. gilt nur der dichterischen Formgebung), Platon mit Plotin. Der persönliche Ruhm ist von sämtlichen Philosophenschulen in der Theorie verworfen worden: die grimmige Polemik der Christen, z. B. des Gregor von Nazianz, gegen die *εὐδοξία* oder *κενοδοξία* konnte daher mit den Waffen der Hellenen geführt werden und fand bei den Gebildeten unter diesen keinen Widerspruch; in der Praxis sind sich die Christen der entwickelten katholischen Kirche so wenig konsequent geblieben wie die hellenischen Philosophen: die Lebensgeschichte des Gregor von Nazianz beweist, daß er von unstillbarer Ruhmessehnsucht durchglüht war, und in den Katakomben liegen neben den Gebeinen der Namenlosen und Unbeweinten die der Päpste und Märtyrer, welche an dem genialen Damasus ihren heiligen Sänger gefunden haben.

Trübe Stimmungen in der Antike. 2. Nur in ihrem Gesamtcharakter ist die antike Literatur heiter: breite Flächen sind mit dem Schatten trüber, weltflüchtiger Reflexion und Resignation bedeckt. Es hat seit sehr alter Zeit nicht an solchen gefehlt, die den Körper als Grab, die Erde als Hades bezeichnet haben, und diese Anschauungen drangen durch die Mysterien, in denen dem Gläubigen ein strahlendes Jenseits verheißen wurde, in weite Kreise. Die Stoa ferner macht mit ihrem asketischen Bestreben von vornherein keinen ganz rein hellenischen Eindruck; ein um so wichtigeres Bindeglied wurde sie in dem großen Kompromiß: Paulus, Seneca, Epiktet, alle drei *ἀϑληταὶ τῶν παϑῶν*, konnten leicht zusammengebracht werden; die finstere Rede des Dion (Charid. 10 ff.) von dem großen Weltengefängnis, in dem die irdischen Menschen schmachten, sowie die Meditationen des kaiserlichen Philosophen über die Nichtigkeit dieser Welt müssen auf christliche Leser großen Eindruck gemacht haben; das Gefühl des politischen, sozialen und moralischen Rückganges ist in der heidnischen Literatur der ersten Jahrhunderte sehr stark zum Ausdruck gekommen und die auffällige Bevorzugung der Kulte von Heilsgöttern beweist, daß das Bewußtsein von der eigenen Machtlosigkeit und von der Notwendigkeit einer Erlösung seitens höherer Mächte damals überhaupt aufs stärkste ausgeprägt war.

Internationaler Hellenismus.

3. Dieselbe Stoa hat dazu beigetragen, die Exklusivität im Leben der Völker unter einander aufzuheben; und wenn sie, anknüpfend an den Kynismus, die *νόμιμα βαρβαρικά* in der Theorie mit den hellenischen gleichstellt, ja sie in Gefühlsanwandlungen von im Grunde unhellenischer Sentimentalität sogar als vorbildlich für diese erklärt hat, so hat das Zeitalter Alexanders d. Gr. diese kosmopolitischen Theorien zum erstenmal in die Praxis übertragen, und seitdem sind die völkerverknüpfenden Tendenzen dieses über sich selbst hinausgewachsenen Hellenismus nicht wieder zum Stillstand gekommen. Aber das ist ja gerade das Großartige gewesen, daß die Leistungen weniger Generationen von Thukydides bis Aristoteles für die Äonen vorbildlich geworden sind: dasjenige, was jene Heroen unter den Menschen in stolzer einseitiger Beschränkung für exklusiv national gehalten hatten, war in seinem innersten Wesen so sehr der Ausdruck edelster Menschlichkeit überhaupt, daß es, alle nationalen Schranken durchbrechend, das völkerverbindende Ferment der intellektuellen, ästhetischen und ethischen Bildung künftiger Jahrtausende hat werden können: *graeca leguntur in omnibus fere gentibus* sagt Cicero, *τὸ ἀκριβῶς Ἕλληνα εἶναι, τουτέστι δύνασϑαι τοῖς ἀνϑρώποις ἐξομιλῆσαι* Synesios. Diese die nationalen Unterschiede nivellierende allgemeine Menschenbildung ist die Basis gewesen, auf der die christliche Kirche,

diese große völkerverbindende Macht, ihren stolzen Bau aufführen konnte. — Dieselbe Stoa hat auch den im Grunde gleichfalls unhellenischen Begriff des allgemeinen Menschenrechts innerhalb der verschiedenen Stände eines und desselben Volkes zum ersten Mal mit ausschlaggebender Energie — die Keime liegen, wie für die gesamte stoische Ethik, schon in der sokratischen Lehre — in der Theorie aufgestellt und, wie die römischen Gesetze zeigen, bis zu einem gewissen Grad in die Praxis einzuführen vermocht. — Da nun die Ideen der Stoa überhaupt in das Allgemeinbewußtsein aller Gebildeten, ganz unabhängig von ihrem philosophischen Standpunkt, übergegangen sind, so erklärt es sich, daß der exklusiv aristokratische Charakter der antiken Literatur leicht einem volkstümlichen Platz machen oder ihm wenigstens eine geduldete Existenzberechtigung zuerkennen konnte: zu den Füßen des phrygischen Sklaven hat im zweiten Jahrhundert der Herr der Welt gesessen, und das kommunistische Staatsideal des Gnostikers Epiphanes lehnt sich aufs deutlichste an die berüchtigte zenonische *πολιτεία* an.

Sozialismus im Hellenismus.

Theoretische Gleichgültigkeit gegen Formenschönheit.

4. Auch in ihrer Verachtung der schönen Form der Darstellung hatten die christlichen *φιλόσοφοι* an den hellenischen ihre Vorgänger: denn in der Theorie haben auch diese seit dem *θεῖος Πλάτων* auf die äußere Form nichts gegeben und einige, wie der Aristoteles der pragmatischen Schriften, Chrysipp und Epiktet haben die Theorie auch in die Praxis umgesetzt: im allgemeinen aber haben sie trotz aller ihrer Versicherungen mit Bewußtsein sorgfältig und schön geschrieben. Ebenso die christlichen Schriftsteller: es soll im folgenden gerade dargelegt werden, wie die christliche Literatur seit dem Moment, in dem sie in die Sphäre des Hellenismus trat, trotz aller Theorieen und trotz heißer Konflikte zwischen Sollen und Wollen doch kraft des Gesetzes der immanenten Notwendigkeit sich in steigendem Maße die äußeren Mittel der hellenischen Darstellungsart angeeignet und so auch auf diesem Gebiet die große Erhalterin gewesen ist. Wie in der bildenden Kunst, so mußte sie, wenn sie verständlich sein und wirken wollte, auch in der redenden die antiken Formen beibehalten: das Große aber war, daß sie diese Formen, die bei dem mangelnden Gehalt Selbstzweck geworden und wie ein für sich selbst bestehendes

Der Ausgleich in Kunst und Literatur.

Ornament der Schnörkelei anheimgefallen waren, mit neuem Inhalt gefüllt und dadurch dem Menschengeschlecht für alle Zeiten übermittelt hat. Das ist ihre literarische Mission gewesen, das ist es, was sie auch uns Philologen lieb und wert macht, die wir uns durch den Inhalt oft befremdet fühlen. Wer nicht ohne das Gefühl heiligen Schauers, das der große weltbewegende Zug der Ideen auf die Menschen ausübt, die Kirche im Pantheon, den guten Hirten im Gewande des Orpheus, die Madonna mit dem Kinde in der Kaiserin-Mutter mit dem künftigen Herrscher dieser Welt schaut, wer in der gnostischen Legende das 'Mädchen' Persephone als Maria, in der katholischen die listenreiche Tochter des Zeus als die schöne Sünderin Pelagia, die Symbole der Mysterien im Kultus der (konstituierten) Kirche, die altheidnischen Sühnfeiern in den kirchlichen Bittgängen, den christlichen Märtyrer oder Bischof im Philosophenmantel wiedererkennt, wer den Asklepios-Soter, den der Apostat dem galiläischen Iesus-Soter als unvereinbar höhnend gegenübergestellt hatte, mit diesem sich in Wort und Bild freundlich verbinden sieht, der wird ohne Verwunderung das herrliche Gebet am Schluß des platonischen Phaidros nur leise umgebogen aus dem Mund eines Bischofs des sechsten Jahrhunderts ertönen hören, der wird ohne ästhetisches Mißempfinden am Symposion der Nonnen teilnehmen, die nicht den Eros und die Kallone, sondern ihren himmlischen Bräutigam preisen, der wird von den innigen Herzensergüssen, die der große Nazianzener in den klassischen Formen hellenischer Poesie niedergelegt hat, ergriffen werden, der wird die kynisch-stoische Homerexegese und die aristarchische Homerkritik durch den gewaltigen Alexandriner gern auf die heiligen Urkunden der Christen übertragen sehen, der wird endlich, was uns vor allem näher beschäftigen wird, als etwas Selbstverständliches die Tatsache entgegennehmen, daß die (entwickelte) christliche Predigt im Gewande der sophistischen Rhetorik erscheint: τάδε γὰρ μεταπεσόντα ἐκεῖνά ἐστι κἀκεῖνα πάλιν μεταπεσόντα ταῦτα.

3. Prinzipielle Vorfragen.

Entlehnung u. Analogie.

Bei allen Untersuchungen, die sich bewegen „auf der breiten Fläche gemeinsamen Besitztums, die zwischen dem Felsen der

Lehre Christi und dem rein heidnischen Lande liegt, auf dem Watt, über das einst die Flut des Heidentums sich ergoß"[1]), ist die größte Vorsicht notwendig, wenn man nicht ausgleiten oder versinken will. Zwar die Zeiten sind vorüber, wo man Hellenismus und Christentum wie durch eine Mauer dauernd geschieden glaubte, wo man die beiden um den Besitz der Welt kämpfenden Mächte als zwei Gewalten ansah, zwischen denen ein *ἄσπονδος καὶ ἀκήρυκτος πόλεμος* bestanden habe, ein Krieg des *κακὸς δαίμων* gegen das Prinzip des Guten: in jenes Dunkel der *ἀνιστορησία* hat das helle Licht der geschichtlichen Auffassung, das *ὄμμα τηλαυγές* der so einfachen und doch so lange verborgenen Wahrheit vom Werden alles Gewordenen hineingeleuchtet. Aber infolge des gerade unser Jahrhundert auszeichnenden Forschungsdranges, überall das höchste Gesetz der Entwicklung in seinem Walten zu erkennen, überall die Wurzeln bis in ihre feinsten Fasern zu zergliedern, gehen einige auf diesem Gebiet meiner Überzeugnng nach oft zu weit und treiben mit dem Begriff der 'Entlehnung' Mißbrauch: die Fälle, in denen eine Entlehnung in dem rein äußerlichen Sinn der direkten Herübernahme seitens der Christen erfolgt ist, sind weitaus die selteneren, und wo sie erfolgt ist, handelt es sich nie um die Idee als solche, sondern nur um die Formen, in welche sich die Idee in der Welt des Hellenismus eingekleidet hat: wo immer wir direkte Entlehnung einer treibenden Idee des Christentums aus dem reinen (d. h. dem nicht judaisierten) Hellenismus angenommen haben, da haben wir geirrt. Man muß bei Behandlung dieser Fragen die einzelnen Fälle nach inneren Gründen streng zu scheiden suchen, wenn man zu irgend welcher Klarheit und Sicherheit der Resultate gelangen will: daß die Untersuchung dadurch erheblich schwieriger wird als wenn man sie nach rein äußerlichen Gesichtspunkten anstellt, ist freilich gewiß. Folgendes scheint mir dabei wesentlich zu sein.

Allgemeine Analogien.

1. In vielen Fällen, wo einige von 'Entlehnung' sprechen, handelt es sich in Wahrheit um spontanes Wachsen auf dem Grunde von Ideen, die als „Gemeingut des menschlichen Denkens überhaupt betrachtet werden

1) Usener, Religionsgesch. Unters. I (Bonn 1889) p. IX.

müssen."[1]) Hier muß also an die Stelle des Begriffs 'Entlehnung' der der 'Analogie' treten. Gibt es nun Kriterien, beide zu scheiden? Vieles wird hier immer dem subjektiven Gefühl überlassen bleiben, aber oft bietet der ganze Charakter eines Schriftstückes die Möglichkeit zu unterscheiden, ob es sich um Entlehnung oder um Analogie handelt. Das Bild des Paulus vom Wettkämpfer (ad Cor. I 9, 24ff.) stammt, wie jeder in der griechischen Literatur Bewanderte zugeben muß, aus der popularisierten stoischen Moralphilosophie[2]), deren Gedanken damals in das allgemeine Bewußtsein übergegangen waren. Das Bild von den zwei Wegen in der Bergpredigt (ev. Matth. 7, 13 ff., also aus dem spätesten Teil) erinnert zwar gleichfalls aufs stärkste an das seit der Zeit Hesiods und der alten Sophisten so überaus populäre Bild von den zwei Wegen, von denen der eine, eng und dornig, zur Tugend, der andere, breit und glatt, zum Laster führt: aber von einer direkten Beziehung kann gar keine Rede sein[3]); es stammt vielmehr, wie uns der Barnabasbrief und die Lehre der zwölf Apostel zeigt, aus jüdischen Vorstellungskreisen.[4]) Je näher also ein Schriftsteller dem Hellenismus steht, um so größer ist die Wahrscheinlichkeit einer unmittelbaren 'Entlehnung': bei Gregor von Nazianz größer als bei den Mönchen der nitrischen Wüste, bei jedem Häretiker größer als bei jedem Katholiken usw.

2. In vielen Fällen brauchen wir uns nicht innerhalb der Hellenische Analogien.

---

1) Usener l. c.

2) Aber wahrscheinlich nur indirekt durch Vermittlung der jüdisch-hellenischen Literatur (s. weiten unten sub 3), cf. Sap. Sal. 4, 2 (von der *ἀρετή*): *ἐν τῷ αἰῶνι στεφανηφοροῦσα πομπεύει τὸν τῶν ἀμιάντων ἄϑλων ἀγῶνα νικήσασα* und 10, 12 (von der *σοφία*): *ἀγῶνα ἰσχυρὸν ἐβράβευσεν αὐτῷ.* Wie beliebt das stoische Bild auch in der späteren alexandrinischen Schule war, weiß man aus Philon, cf. z B. P. Wendland, Phil. u. d. kyn.-sto. Diatr. (Berl. 1895) 44, 1.

3) So wenig wie das Gleichnis vom Gottesreich mit einem Gastmahl (ev. Luc. 14, 15ff.) etwas zu tun hat mit dem ähnlichen Bilde, das in der griechischen Popularphilosophie häufig ist (cf. besonders Dio Chrys. or. 30, 28ff.).

4) Cf. besonders die interessanten Nachweise von C. Taylor, The teaching of the twelve apostles with illustrations from the Talmud, Cambridge 1886; auch Harnack, D. Apostellehre u. die jüdischen beiden Wege² (Leipz. 1896) 28ff. 57ff., F. Spitta, Z. Gesch. u. Lit. d. Urchrist. II (Leipz. 1896) 384. Der Ausgang war Jeremias 21, 8.

sehr weiten Sphäre der allgemein menschlichen Ideen zu bewegen, sondern können die Grenze enger ziehen. Seit Jahrhunderten hatten die hellenischen Ideen auf die ganze zivilisierte Welt stärker oder schwächer eingewirkt, der Boden war vorbereitet, auf dem die weltgeschichtliche Macht des Synkretismus zwischen Heidnischem und Christlichem feste Wurzeln fassen konnte, zumal der Hellene, so exklusiv er sonst war, gerade in religiösen Dingen von jeher synkretistischen Ideen gegenüber sich sympathisch verhielt. Da also im Glauben und Denken sowie in gewissen Kulthandlungen die charakteristischen Merkmale dem Prozeß einer allgemeinen Nivellierung leicht unterworfen wurden, so war die Möglichkeit gegeben, daß gleiche Erscheinungen aus gleichen Ursachen durch spontanes Entstehen sich entwickelten. Wir haben also auch in diesen Fällen bloße Analogien zu konstatieren, die sich aus gleichartigen Grundvoraussetzungen erklären. Die Sammlung solcher Analogien hat deshalb einen wenigstens relativen Wert, weil sie die Möglichkeit einer so schnellen Ausbreitung der neuen Weltanschauung in ein helles Licht rückt[1]) und uns z. B. eine Persönlichkeit wie Synesios verständlich macht: man muß sich nur hüten, diesen relativen Wert zu einem absoluten zu steigern, indem man für bewußte Entlehnung hält, was in Wahrheit nur Fortwuchern einer Idee ist. Von diesem Gesichtspunkt aus betrachtet sind Parallelen, wie sie Gataker in seinem Kom-

1) Cf. C. Weizsäcker, D. apostol. Zeitalter² (Freib. 1892) 99f.: „Die Beweise des Paulus für den Monotheismus sind schon durchaus gerichtet auf die Herstellung des Verlangens nach einer Erlösung. Wir können nur vermuten, wie weit die monotheistische Richtung, welche von der Philosophie ausging, damals auch schon in die Bevölkerung eingedrungen war; und ebenso wie es sich in der gleichen Hinsicht verhält mit der Anerkennung eines allgemeinen sittlichen Verderbens in der Welt und der Verzweiflung an den bestehenden öffentlichen Zuständen. Das aber läßt sich mit Sicherheit sagen, daß der Eingang, welchen das Christentum zuerst bei den Heiden gefunden hat, durch nichts anderes vermittelt ist und keinen anderen Grund hatte, als daß diese Motive der reinsten Religion, der andächtigen Weltbetrachtung und des lebendigen Gewissens ihren Widerhall in den ersten heidnischen Hörern fand.“ Wer die Entwicklung der Philosophie seit Aristoteles, vor allem die populären, in das allgemeine Denken aufgehenden Ideen der späteren Stoa kennt, kann sich das alles selbst belegen.

mentar zu M. Aurel (1652) z. B. zwischen Stellen der Bergpredigt und der Stoa und Baur zwischen Sokrates und Christus, Seneca und Paulus zog, höchst dankenswert und lehrreich, aber wenn derselbe Gelehrte in der dritten seiner berühmten Abhandlungen nach Vorgang von vielen anderen dem Philostratos in seiner Lebensbeschreibung des Apollonios von Tyana die bewußte Tendenz unterschiebt, in seinem Heiligen ein Gegenstück zu Christus zu geben, so ist das ein Irrtum[1]), vergleichbar demjenigen, der viele (seit Gregor von Nazianz) verführt hat, das für christlich anzusehen, was vielmehr von kynischen, stoischen oder pythagoreischen Moralphilosophen herrührt[2]: das alles sind vielmehr bloße Analogieen, die deutlich beweisen, wie in dem aufgeklärten Hellenismus jener Zeit Strömungen wirksam waren, die vermöge der gleichen Tendenz sich mit der großen, alle Dämme durchbrechenden Überflutung durch das Christentum

1) Die Einzelheiten, die Baur vorbringt, lassen sich alle aus den Zeitverhältnissen selbst erklären (jetzt bieten auch die Zauberpapyri Material). Das Fundament der ganzen Behauptung ist unhaltbar: Damis, der Jünger des Apollonios, den Philostratos selbst als seine Hauptquelle nennt, soll eine „apokryphische" Person sein, denn — das gibt auch Baur zu — gleich nach dem Tode des Apollonios (um 100) sei eine Tendenzschrift gegen die Christen nicht glaublich. Nun aber liegt nicht der leiseste Grund vor, Damis, von dem und von dessen Schrift Philostratos allerlei Detail angibt, aus der Welt zu schaffen: das gesteht auch Zeller, Phil. d. Gr. III 2^3 (Leipz. 1881) 181 Anm. zu, behauptet aber, jene Schrift sei auf den Namen des Damis gefälscht, und Philostratos habe sich täuschen lassen; allein er gibt keine Gründe für diese Ansicht an. Es muß also dabei bleiben, daß Hierokles der Erste gewesen ist, der das Werk den Christen mit Hinweis auf Christus entgegengehalten hat, daß aber dem Philostratos bzw. Damis dieser Gedanke ganz fern lag.

2) Werden wir es denn nie lernen, in solchen Fragen wissenschaftlicher zu urteilen, als im Jahrhundert der *ἀνιστορησία*? Th. Zahn hat in seiner Rede 'Der Stoiker Epiktet u. sein Verhältnis zum Christentum' (Erlangen 1894) beweisen wollen, daß Epiktet die Evangelien und die Briefe des Paulus gelesen habe und von ihnen beeinflußt sei. Gegen alles und jedes, was da vorgebracht wird, muß laut Protest erhoben werden: eine Widerlegung erspare ich mir, da der Philologe wie der der griechischen Philosophie kundige Theologe die ganz haltlosen Argumente ohne weiteres aus seiner eigenen Kenntnis widerlegen wird (ganz verständig urteilt A. Braune, Epiktet u. d. Christentum in: Z. f. kirchl. Wiss. u. kirchl. Leben V [1884] 477ff) Wie in Fragen dieser Art zu urteilen ist, habe ich an ein paar konkreten Fällen gezeigt in meinen 'Beiträgen z. Gesch. d. griech. Philos.' in Fleckeisens Jhb. Suppl. XIX (1892) 386ff.

leicht verbinden und schließlich unterscheidungslos in ihr aufgehen konnten. Aufgeklärte christliche Schriftsteller haben das Verhältnis schön so ausgedrückt, daß in den edelsten der Hellenen, wie Heraklit, Sokrates, Platon Gott sich schon vorher offenbart habe, und der in gleichem Sinn geäußerte, noch von Luther wiederholte Wunsch Augustins, Christus möchte jene Männer, die vor der Offenbarung des Heils durch ihre Tugenden exemplarisch und allgemeiner Bewunderung teilhaftig geworden seien, aus der Hölle erlösen, hat doch etwas ebenso Großartiges wie Rührendes.[1]) Auch Einzelheiten sind von solchen Gesichtspunkten aus zu beurteilen. Wer z. B. den Kult der Märtyrer aus dem der Heroen erklären wollte, würde einen Fehler begehen, gegen den schon Theodoret und Cyrill zu kämpfen hatten[2]); wer sich aber etwa aus Pausanias und Philostratos' Heroicus die frommgläubige Stimmung der hellenischen Welt in Sachen der Heroenverehrung vergegenwärtigt, wird begreifen, daß die verwandte Märtyrerverehrung bei den Hellenen leicht Eingang finden und sich in ihrem Bewußtsein mit jener innig vermischen konnte. Ebenso ist die Idee des Mönchtums keineswegs direkt aus der hellenischen philosophischen Askese herübergenommen, sondern hat sich im Christentum wie in Religionssystemen anderer Völker infolge einer Reaktion einzelner gegen die laxere und mit der Welt paktierende Moral der Gesamtheit[3]) durchaus spontan entwickelt; aber in ihren Erscheinungsformen hat sich diese in der Christenheit seit den Zeiten des Hermas vorhandene Forderung einer höheren, auf der Askese begründeten Moral mit gleichartigen, gerade damals im stoisch beeinflußten Neuplatonismus besonders kräftigen[4]) Grundströmungen des Hellenismus vereinigt, so daß für Origenes, Eusebios usw. der Mönch mit dem stoischen *σπουδαῖος*, seine Ideale mit den stoischen *προηγμένα* zusammenfielen. Wer ferner bei den Sym-

1) Augustin ep. class. 144 III c. 4 vol. 33, 710 Migne (cf. Beil. z. Allg. Zeit. 1893 nr. 89 p. 6). Die Stelle aus Luthers Tischreden bei Th. Zielinski, Cic. im Wandel der Jahrh. (Leipz. 1897) 36.

2) Cf. dafür Belege bei A. Seitz, D. Apologie d. Christentums bei den Griechen des IV. u. V. Jh. (Würzburg 1895) 37.

3) Cf. Harnack, D. Mönchtum, seine Ideale u. seine Geschichte (4. Aufl. Giessen 1895) 22 ff.

4) Cf. darüber Hatch l. c. 121 ff.

bolen der Taufe und des Abendmahls an eine direkte Entlehnung aus den Eleusinien denkt, irrt: wer aber zeigt, welche Macht die Idee von Mysterien mit Kultsymbolen[1]) auf die Gemüter der Menschen jener Zeit ausübte und daraus die mit innerer Notwendigkeit sich vollziehende Anlehnung spezifisch christlicher Symbole an altüberlieferte heidnische erklärt[2]), steht viel mehr auf dem Boden historischer Forschung als jene anderen, die da glauben, daß das Wesen jeder Fortentwicklung nur in bewußter Herübernahme und Entlehnung besteht.

Jüdische Einflüsse.

3. Man darf den Einfluß des Judentums auf das Urchristentum nicht unterschätzen, muß im Gegenteil a priori für die früheste Zeit ihn höher taxieren als den des Hellenismus. Prinzipiell sind darüber alle, die eine klare Vorstellung von der Entwicklung des Christentums haben, einig[3]), aber der Grad der Beeinflussung durch das Judentum

---

1) Cf. G. Anrich, D. antike Mysterienwesen in seinem Einfluß auf das Christentum, Göttingen 1894, übrigens nach Vorgang von C. Schmidt in seinem an ausgezeichneten Beobachtungen reichen Werk: Gnostische Schriften in koptischer Sprache in: Texte u. Unters. VIII (1892) 514 ff.

2) Cf. Harnack l. c.

3) Cf. Weizsäcker l. c. 370: „Die größte Gefahr, welche in letzter Absicht den großen Zielen des Paulus drohte, war das Zerfahren der Sache, das Übergewicht der zuwachsenden Einflüsse des fremden Bodens, die Umbildung des Glaubens, das Auseinandergehen in verschiedenartige Schulen, welche nach eigenem Urteil und Geschmack sich aneigneten, was ihnen gut dünkte. Es ist nicht zu ermessen, wie viel zur Überwindung gerade dieser Gefahr das Fortbestehen des historischen Ausgangspunktes, das Richtmaß, welches hierfür von der Urgemeinde ausging, beigetragen hat. Dadurch vor allem kam das Christentum zu den Heiden als ein neuer Glaube und doch als eine historische Religion, ja als eine Religion überhaupt, die sich nicht in eine Philosophie auflösen ließ.“ Gerade uns Philologen, die wir das nachfühlen können, was die Ἕλληνες jener Zeit fühlten, leuchtet das, sollt' ich meinen, ein und nur der, welcher nicht genügend nachgedacht hat, kann es leugnen. Aus dem genannten Grunde schreibt auch der Verf. des Kolosserbriefs (2, 8): *μή τις ὑμᾶς ἔσται ὁ συλαγωγῶν διὰ τῆς φιλοσοφίας καὶ κενῆς ἀπάτης κατὰ τὴν παράδοσιν τῶν ἀνθρώπων, κατὰ τὰ στοιχεῖα τοῦ κόσμου καὶ οὐ κατὰ χριστόν*: hätten die häretischen Gnostiker, deren einer ganz im Sinn des exklusiven Hellenismus das alte Testament verwarf und damit die historische Garantie unserer Religion aufhob, gesiegt, so wäre es um das Christentum als Religion geschehen gewesen, sie hätte sich in *αἱρέσεις*, in *διδασκαλεῖα* aufgelöst und sein Stifter wäre als Religionsphilosoph *εἷς πολλῶν* gewesen

ist kontrovers, da alle modernen jüdischen Gelehrten diese Beziehungen maßlos zu übertreiben[1]), manche modernen christlichen Gelehrten ihn auf ein Minimum zu beschränken lieben[2]); bei der ungenügenden Chronologie der in Betracht kommenden jüdischen Urkunden, besonders des Talmud, ist eine Einigung hier schwer zu erzielen. Für die uns interessierende Frage kommt aber das Judentum als Ganzes auch gar nicht in Betracht, sondern nur das hellenisierte Judentum. — a) In vielen Fällen, wo man in den frühesten Urkunden des Christentums einer hellenischen Vorstellung begegnet, wird man sich hüten müssen, sie direkt aus dem Hellenismus abzuleiten, sondern wird vorsichtig zu sagen haben, daß dieses hellenisierte Judentum[3]) das vermittelnde Glied gewesen sein kann. Die Entscheidung wird im einzelnen schwierig sein, weil die Tatsache der sehr frühen Verbreitung des alexandrinischen Judentums in Palästina durch historisch beglaubigte Fakta feststeht, nicht ihr Umfang. Wer in dem Stoff der synoptischen Evangelien irgendwelchen hellenischen Einfluß annimmt, begeht nach meiner festen Überzeugung einen prinzipiellen Fehler: die Übereinstimmungen sind aus dem sub 1) erörterten Gesichtspunkt als allgemeine Analogieen aufzufassen. — b) Etwas anders steht es mit der religionsphilosophischen, vom Verf. frei komponierten Einleitung des aus einem Zentrum hellenischer Kultur hervorgegangenen johanneischen Evangeliums. Der Satz: „Im Anfang war der λόγος und der λόγος war Gott, alles wurde durch ihn und ohne ihn

---

und jener Kaiser, der ihn neben Orpheus und Apollonios von Tyana anbetete, hätte recht behalten.

1) Z. B. F. Nork, Rabbinische Quellen u. Parallelen zu neutest. Schriftstellern, Leipz. 1839. M. Friedländer, Zur Entstehungsgesch. d. Christentums, ein Exkurs von der Septuaginta zum Evangelium, Wien 1894. Während ersterer einige Einzelheiten richtig beobachtet, gelangt letzterer durch tendenziöse Interpretation zu ganz perversen Folgerungen. — Übrigens ist die Quelle für alle Untersuchungen jüdischer wie christlicher Gelehrter das heutzutage — wie es scheint, mit Recht — der Vergessenheit anheimgefallene große Werk J. Lightfoots, Horae Hebraicae et Talmudicae (1658—1664; ich kenne nur den Nachdruck Leipz. 1675—1679).

2) Richtig urteilt natürlich Harnack in seinem Nachwort zu Hatch, Griechent. u. Christent. (Freib. 1892) 266 und Dogmengesch. I³ (Freib. 1894) 47, 1; cf. auch H. Vollmer, Die alttest. Zitate bei Paulus (Freiburg 1895) 80f.

3) Cf. Harnack l. c. 53ff. und besonders 103ff.

wurde nichts, was geworden ist" hätte wörtlich so von einem Stoiker geschrieben werden können, und Heraklit hat ja wirklich, wie der Evangelist, sein Werk begonnen mit den Worten, daß der *λόγος* von Ewigkeit her war und eine vernehmliche Sprache zu den Menschen redete, die ihn aber nicht begreifen wollten; wenn man nun bedenkt, wie populär die Ideen der Stoa waren — man kann sich diese Popularität gar nicht groß genug denken —, daß ferner das heraklitische Werk von Christen — orthodoxen wie häretischen — gern gelesen wurde (Iustin apol. I 64 rechnet Heraklit zu den *Χριστιανοί*, da er *μετὰ λόγου* gelebt habe, ähnlich Origenes c. Cels. I 5), daß, wie die Zitate zeigen, gerade sein Anfang hochberühmt war, daß endlich diese Einleitung des johanneischen Evangeliums nach dem glänzenden Nachweis Harnacks (Z. f. Theol. u. Kirche II [1892] 189 ff.) nicht — oder wenigstens, wie auch die Gegner Harnacks zugeben, nicht sehr eng — mit dem Evangelium selbst zusammenhängt, sondern sich an Leser wendet, die über eine Logoslehre orientiert waren: so wird man meiner Ansicht nach die Vermutung aussprechen dürfen, daß in einer der grandiosesten Schöpfungen menschlichen Geistes eine direkte und bewußte Reminiszenz an das gedankengewaltige Proömium des ephesischen Philosophen vorliegt; aber interessant ist nun gerade zu sehen, wie die hellenischen Vorstellungen[1]) hier durch hellenistisch-jüdische leise beeinflußt sind: Heraklit begann (vorher ging nur etwa: *Ἡράκλειτος Ἐφέσιος τάδε λέγει*): *τοῦ δὲ λόγου τοῦδ' ἐόντος αἰεί*, der Evangelist ersetzte *αἰεί* durch *ἐν ἀρχῇ*

1) Die meisten alten Exegeten kommen in Behandlung der Stelle ganz mit dem A. T. aus, so Hippolytos adv. Noet. p. 52, 3 ff. Lag., Origenes comm. in ev. Ioh. I c. 42. II c. 1 ff. (vol. I 83 ff. Lomm.). Dagegen überträgt Clemens Al. Paed. 251 P. den heraklitisch-stoischen *λόγος* unmittelbar auf den christlichen (cf. über die Stelle des Clemens J. Bernays, Die heraklit. Briefe [Berl. 1869] 40 Anm.). Beides beweist aus einem im Text sub 6 anzuführenden Grunde für uns nichts. Aber interessant ist doch, daß Amelios, der Schüler Plotins, den Anfang des Heraklit mit dem des Iohannes zusammengestellt hat, was sich Eusebios, der dies berichtet (pr. ev. XI 19, 1), wohl gefallen läßt. — Daß übrigens der hochgebildete, in Ephesos lebende Verf. des Evangeliums das heraklitische Werk kannte, darf mit Bestimmtheit behauptet werden: kannten es doch gerade zu jener Zeit so elende Skribenten wie die Verfasser der Heraklitbriefe, darunter ein hellenistischer Jude.

wegen Gen. 1, 1, statt des λόγος, den die Menschen in ihre tauben Ohren nicht aufnahmen, führte er das aus jüdischer Theosophie stammende φῶς ein, welches die Finsternis nicht zu ergreifen vermochte, und in die ganz heraklitisch-stoischen Worte „Im Anfang war der λόγος und der λόγος war Gott" fügte er ein „und der λόγος war bei Gott", Worte, die absolut unstoisch gefühlt sind, aber, wie sich sicher nachweisen läßt[1]), aus jüdischen Vorstellungskreisen stammen. — c) Diejenigen, die, wie es jetzt Mode wird, bei Paulus nach hellenischen Gedanken suchen und, sobald sie einen solchen gefunden zu haben glauben, daraus die Folgerung ziehen, der Apostel müsse in der Literatur der Ἕλληνες bewandert gewesen sein, mögen sich nur sagen lassen, daß sie meist einen Trugschluß begehen, weil sie die hellenisch beeinflußte jüdische Literatur, die dem Apostel bei seiner ganzen Stellung viel näher lag[2]) als irgend ein rein hellenischer Schrift-

1) Das ist wohl noch nicht bemerkt, scheint mir aber wichtig. Daher macht es auch dem Theophilos (ad. Autol. II 10. 22), der über den Logosbegriff auf Grund des A. T. und der stoischen Lehre handelt, Schwierigkeiten, gerade diese Worte zu deuten. Er zitiert dafür, da er hier mit der Stoa nicht auskommt, offenbar mit Recht (freilich ohne die feine Nuance des πρός wiederzugeben) die in den Prov. Salom. 8, 27 ff. von der Σοφία gesprochenen Worte: ἡνίκα δ' ἡτοίμασεν (θεὸς) τὸν οὐρανὸν συμπαρήμην αὐτῷ . . . ., καὶ ὡς ἰσχυρὰ ἐποίει τὰ θεμέλια τῆς γῆς, ἤμην παρ' αὐτῷ ἁρμόζουσα' cf. auch Sap. Sal. 9, 4: τὴν τῶν σῶν θρόνων πάρεδρον σοφίαν. Über die Bedeutung des 'Wortes' Gottes bei den Juden cf. Nork l. c. LXXII und 162 f., H. Cremer, Bibl.-theol. Wörterb. d. neut. Graec.[8] (Gotha 1895) 601 f., bei orientalischen Theosophen überhaupt A. Dieterich, Abraxas (Leipz. 1891) 21 f.

2) Wir haben lange nicht alles, was von dieser Literatur dem Paulus und den unter seinem Namen Schreibenden vorgelegen hat. Er hat ep. ad Cor. I 2, 9 ein Zitat (καθὼς γέγραπται), welches nach dem Zeugnis des Origenes (und Hieronymus) aus der uns zufällig nicht erhaltenen Apokalypse des Elias stammt: die gegen das ausdrückliche Zeugnis des Origenes von A. Resch, Agrapha (in: Texte u. Unters. V 4 [1889] 154 ff.) vorgebrachten Argumente haben mich in keinem Punkte überzeugt. — Über Teile des Römerbriefs urteilt Weizsäcker l. c. 97: „Die ganze Ausführung erinnert lebhaft an das Urteil über das Heidentum im Buch der Weisheit c. 13. Ob Paulus dieses Buch gekannt hat, läßt sich nicht sagen": es ist aber aus inneren Gründen a priori höchst wahrscheinlich. Dazu kommt, daß Paulus ep. ad Cor. I 1, 24 den Sohn θεοῦ δύναμιν καὶ θεοῦ σοφίαν nennt, Ausdrücke, die gerade aus diesem Buch und dem ihm verwandten Sirach geläufig genug sind (cf. Friedländer l. c. 28; cf. auch oben S. 17, 2).

steller, aus Unkenntnis sowohl der allgemeinen Verhältnisse wie der erhaltenen Schriften jenes Kreises nicht berücksichtigen. Selbst wenn ich z. B. zugeben wollte — was mir als Philologen natürlich nicht einfällt —, daß die Rede, die der Verfasser jenes Teils der Apostelgeschichte den Paulus auf dem Areopag halten läßt, von diesem gehalten worden sei[1]), so würde ich noch immer nicht zugeben, daß aus dem Aratcitat *τοῦ γὰρ καὶ γένος ἐσμέν* (act. ap. 17, 28) folge, der Apostel habe den Dichter gelesen, denn Aristobul hatte denselben Vers zitiert (Euseb. pr. ev. XIII 12, 6), und daß dessen Schriften dem Paulus bekannt waren, hat bei seinen notorischen Beziehungen zu alexandrinischen

— Folgendes ist wohl noch nicht bemerkt. Der Vf. des Briefs an die Kolosser kann 1, 15 die Bezeichnung des Sohnes als *πρωτοτόκος πάσης κτίσεως* deshalb nicht aus sich selbst haben, weil derselbe Ausdruck (nur für den *λόγος*) gebraucht wird von Theophilos (ad Autol. II 22), der nirgends die paulinischen Briefe (bzw. was man damals für paulinisch hielt) zitiert; man erkennt auch aus den folgenden Worten des Briefes (v. 16 ff.), daß der Vf. bemüht ist, einen ihm überlieferten Ausdruck seiner Gedankenreihe durch Interpretation einzufügen. Nun kennt auch Philon diesen und den analogen Ausdruck *πρωτογόνος* vom *λόγος* (H. Cremer, Bibl.-theol. Wörterb.[8] 600). Daraus folgt also, daß eine uns nicht erhaltene Schrift, in welcher der Logosbegriff vom Standpunkt des alten Bundes behandelt war, für den Vf. des Kolosserbriefs, Philon und Theophilos die Quelle gewesen ist. — Nach solchen Gesichtspunkten müßte man einmal den paulinischen Nachlaß untersuchen; dazu wäre freilich vor allem eine — auch an sich dringend erwünschte — Bearbeitung der griechisch-jüdischen Literatur erforderlich (Benutzung Philons durch Paulus ist trotz Vollmer l. c. [S. 472, 2] unerweislich).

1) Der Beweis der Unechtheit gehört zu den a b s o l u t sicheren Ergebnissen der Forschung, cf. Baur, Paulus I[2] (Lpz. 1866) 191 f., de Wette, Erkl. d. Apostelgesch. 4. Aufl. von Overbeck (Leipz. 1870) 277 ff.; was kürzlich vom archäologisch-topographischen Standpunkt für die Echtheit vorgebracht ist, hat sich als nichtig herausgestellt. Wer den jedem Kompromiß in prinzipiellen Fragen abgeneigten Paulus des Römerbriefs und den kampfesmutigen Paulus des Galaterbriefs liebt, der wird der langen Reihe vernichtender Indizien, die gegen die Urkundlichkeit sowohl der konzilianten Rede in Athen wie der inkonsequenten Briefe an Timotheus und Titus vorgebracht sind, gern Gehör leihen, weil die Gestalt des Apostels aus der Athetese reiner und geschlossener hervorgeht. Wenn einmal ein wissenschaftliches Buch über die Beziehungen des Christentums zur griechischen Philosophie geschrieben wird, so hat die Rede in Athen als frühester (s. II, erste Hälfte) katholischer Kompromißversuch zwischen Christentum und rein hellenischer Stoa, wie der Prolog des johanneischen Evangeliums zwischen Christentum und jüdisch-hellenischer Stoa, zu gelten.

und griechisch gebildeten palästinensischen Juden[1]) große Wahrscheinlichkeit, ja, ist für mich ebenso begreiflich, wie ich mich gegen die Behauptung, Paulus habe 'hellenische' Schriftsteller gelesen, skeptisch verhalte: worüber ich weiter unten noch Genaueres zu sagen habe.

Mischung von Hellenischem u. Christlichem.

4. In einigen Fällen wird man trennen müssen, indem man Heidnisches neben Christlichem (oder Jüdischem) gelten läßt. Für das Proömium des Johannesevangeliums ist das soeben versucht worden, wahrscheinlich zu machen. Es erinnert ferner z. B. in den jüdisch-christlichen Vorstellungen vom Jenseits, wie uns kürzlich vor allem durch die Petrusapokalypse klar geworden ist, vieles an das Elysium und den Tartarus: einiges darunter — z. B. die Bestimmung über die ἄωροι — ist so eigenartig, daß man eine Beeinflussung von heidnischer Seite wird annehmen dürfen und das um so mehr, weil die Brücke gebildet wird durch die orphisch-pythagoreische Ausmalung des Jenseits, die durch apokryphe Literaturwerke und durch die Mysterien große Verbreitung erhalten hatte: aber anderes — z. B. das Feuer an dem Marterort und einzelne der Strafen — ist teils zu allgemein teils auch in spezifisch jüdischer Apokalyptik zu sehr ausgeprägt, als daß man dabei an heidnische Elemente denken könnte.[2])

Sonderung der Zeiten und Strömungen.

5. In allen Fällen hat man die Zeiten und die verschiedenen Strömungen aufs schärfste auseinanderzuhalten. Es ist un-

1) Sein Freund und Mitarbeiter Apollos war ein alexandrinischer Jude (ep. ad Cor. I 3, 6ff., act. ap. 18, 24ff.). In Jerusalem saß Paulus wenigstens nach dem Bericht der Apostelgeschichte (22, 3) zu Füßen des Gamaliel, von dem der Talmud berichtet (cf. Friedländer l. c. 104), daß in seinem Hause unter tausend Knaben fünfhundert in der griechischen Weisheit unterrichtet wurden, selbstverständlich in der jüdisch-griechischen, d. h. der alexandrinischen Weisheit.

2) Cf. meinen Aufsatz: Die Petrusapokalypse u. ihre antik. Vorbilder in der Beilage z. Allgem. Zeit. 1893 n. 29 (ich füge hier hinzu, daß eine sehr interessante Stelle einer Hadesvision im Martyr. Perpetuae c. 7 p. 49 ed. Harris-Gifford [Lond. 1890] wohl sicher aus Übertragung des Tantalusmythus zu erklären ist, cf. auch Theophil. ad Autol. I 14. Pseudoiustin coh. ad gent. 27f. Pseudohippolytos ad Graec. p. 68ff. Lagarde). Über die jüdische Apokalyptik außer A. Hilgenfeld, D. Ketzergesch. d. Urchristentums (Leipz. 1884) 129f. besonders A. Dieterich, Nekyia (Leipz. 1893) 214ff. Über diese ganze Frage jetzt auch E. Hennecke, Altchristl. Malerei und altkirchl. Lit. (Leipz. 1896) 183ff.

historisch und innerlich pervers, die neutestamentlichen Schriftsteller, die häretischen Gnostiker, die katholischen Gnostiker, die Kirchenväter des IV. Jahrhunderts mit demselben Maßstab zu messen. Die Geschichte der Verweltlichung der Kirche beweist, daß der hellenische Einfluß in den ersten vier Jahrhunderten gestiegen ist und zwar stetig, wenn man absieht von der 'akuten Hellenisierung' (Harnack) in den Kreisen der häretischen Gnostiker. Wenn also z. B. im Matthäusevangelium das Gleichnis der zwei Wege gebraucht wird, so ist das, wie bemerkt, jüdisch: wenn es spätere, z. B. Hieronymus und Ambrosius, anführen, so tragen sie unwillkürlich die Farben des so ähnlichen prodikeisch-xenophonteischen Gleichnisses hinein.[1]) Für den Verfasser des Johannesevangeliums liegt in *μονογενὴς υἱός*, wie man es auch immer fassen mag, jedenfalls keine heidnische Vorstellung[2]); aber Valentinos hat daraus den *μονογενὴς θεός* der Orphiker gemacht.[3]) Bei Paulus ist *σφραγίζεσθαι* noch durchaus aus jüdischem Vorstellungskreis herausgewachsen: erst nach ihm — freilich sehr bald — sind damit Begriffe der hellenischen Mysterien verbunden worden.[4]) In der Apostelgeschichte (7, 48f.) beweist Stephanus, daß die Welt der Tempel Gottes sei, mit einem prophetischen Spruch des A. T., aber Basileios und viele andere jener Zeit tragen in ihren Homilien über die Schöpfungsgeschichte die so ähnlichen Lehren der Stoa in den Gedanken hinein. Wer also die christlichen Schriften nicht aufs strengste scheidet nach den Zeiten, in denen sie entstanden sind, und den Kreisen, aus denen sie stammen, begeht genau denselben Fehler, der bis auf unsere Tage die Beurteilung zweier alttestamentlichen Schriften verwirrt hat: die Weisheit Salomos ist, wie jedem bekannt, ein von griechischer Philo-

---

1) Cf. Ambros. in psalm. I 25 (14, 933 Migne), z. B.: *si ad sempiterna intendat, virtutem eligit; si ad praesentia, voluptatem praeponit.* Auch Hieronymus ep. 148, 10 (I 1100 Vall.) läßt auf dem Wege des Lebens die *virtutes* wohnen.

2) Cf. Cremer l. c. 230. Harnack l. c. (oben S. 472, 2) 198 und besonders H. Holtzmann in: Z. f. wiss. Theol. N. F. I (1893) 389ff.; in der Sap. Sal. 7, 29 steht *μονογενὲς πνεῦμα*.

3) Cf. G. Wobbermin, Religionsgesch. Studien (Berl. 1896) 114ff.

4) Cf. Anrich l. c. (oben S. 471, 1) 120ff. 143, 3; er urteilt richtiger als Wobbermin l. c. 144ff., der die Zeiten nicht genügend scheidet. Cf. auch E. Rohde in: Berl. phil. Wochenschr. 1896, 1580f.

sophie durchtränktes spätes Produkt, aber daraufhin auch in dem noch ganz hebräisch empfundenen Prediger Salomos auf Hellenismen (und gar Heraklitismen) Jagd zu machen, ist eine ungeheure Perversität, die von einsichtigen philologischen und theologischen Kritikern mit Recht gebrandmarkt ist.

Prüfung der alten Zeugnisse. 6. In allen Fällen sind die Zeugnisse der christlichen Schriftsteller über die Beziehungen des Christentums zum Hellenismus nur mit größter Vorsicht zu benutzen, aus folgenden drei Gründen. Erstens. Sie gingen oft zu weit in der Ablehnung jeder Beziehung von Christlichem zu Heidnischem: die Häretiker hatten sie gelehrt, welche Folgen die völlige Fusion haben konnte, so daß man fortan mißtrauisch gegen alle derartige Zusammenhänge wurde. Zweitens. Sie gingen oft absichtlich zu weit in der Annahme solcher Beziehungen, wobei die Gründe wieder verschieden waren. a) In den Nachweisen des Hippolytos über den *Ἑλληνισμός* der Gnostiker ist ja sehr vieles treffend, wie uns die erhaltenen gnostischen Urkunden und die empedokleische *Νῆστις* auf der Aberkiosinschrift beweisen; aber auf der andern Seite geht er oft viel zu weit, weil ihm daran liegt, die Häretiker eben wegen ihres *Ἑλληνισμός* zu brandmarken. b) Aber auch im Dienst der eigenen Sache sind einige Katholiken zu weit gegangen, wenn es nämlich für sie darauf ankam, ihre Kunst der Auslegung für den Synkretismus der Religionen nutzbar zu machen, d. h. den Hellenen zu beweisen, daß Hellenismus und Christentum wohl vereinbar seien, weil die Hauptvertreter der hellenischen Religion, Platon und die Stoiker, ihre meisten und besten Gedanken aus denjenigen Religionsurkunden gestohlen hätten, die auch für das Christentum die Grundlage bildeten, nämlich aus den Büchern des alten Bundes: wie man weiß, ein altprobates Mittel, das schlaue Juden, erfolgreich spekulierend auf die *ἀνιστορησία* der meisten Menschen, in den Zeiten des beginnenden Synkretismus ausfindig gemacht hatten, und das von den intelligentesten Christen, wie Clemens, Origenes, Eusebios und Augustin, wie ich bestimmt glaube, ohne Arg[1]) gebraucht worden ist. Drittens. Sie haben

---

1) Denn die *ἀνιστορησία* war in diesen Dingen groß und die Hellenen selbst haben ja, wie man z. B. aus dem Proömium des Laertios Diogenes weiß, den Einfluß des Orientalischen auf ihre Philosophie sehr hoch an-

gelegentlich geirrt in der Annahme solcher Beziehungen, z. B. hat Simeon der Metaphrast die Aberkiosinschrift wegen des *ποιμήν* und wegen des *ἰχθύς* für christlich gehalten, was einige der modernen Interpreten lange irregeführt hat, bis kürzlich der Sachverhalt besonders durch die glänzende Entdeckung A. Dieterichs aufgeklärt wurde. —

Alle diese Bemerkungen mußte ich vorausschicken, weil ich den vorsichtigen Standpunkt, den ich im folgenden einzunehmen beabsichtige, motivieren zu müssen glaubte gegenüber jenen Heißspornen[1], die, ohne lange, wie es sich gehört, über diese Dinge nachgedacht zu haben, *ἀπλύτοις τοῖς ποσὶν εἰσπηδῶσιν εἰς τὰ καλά* oder doch Wahres mit Falschem mischen und dadurch den Gegnern die Waffen zur Widerlegung selbst in die Hand geben. — Ich bin durch die Lektüre der Quellen sowie durch das Studium der für mich vorbildlichen Arbeiten Harnacks und Useners und deren Schüler genug fortgeschritten, um erkannt zu haben, daß derjenige, der über diese Dinge mitreden will, viel gelesen, viel gedacht und viel im eigenen Inneren geirrt haben muß, bevor er lernt, daß es, wenn irgendwo, so auf diesem Gebiete Schranken gibt, an denen es sich ziemt, Halt zu machen und an denen das *ἐπέχειν* der Skeptiker oder das *ἠγνόηται* des Stagiriten ehrlicher und klüger ist als wüstes Kombinieren oder planloses Raten.

II. Die Literatur des Urchristentums.

Allgemeines.

Über die Formengeschichte der christlichen Literatur gibt es eine sehr wichtige Abhandlung von Fr. Overbeck, Über die Anfänge der patristischen Literatur in: Histor. Zeitschr. N. F. XII (1882) 417ff. Es ist hier der Nachweis erbracht worden, daß die Urkunden des sog. Urchristentums, also die neutestamentlichen Schriften und die Schriften der sog. apostolischen

---

geschlagen. Dazu kam, daß literarischer Diebstahl im Altertum noch häufiger war als in der Jetztzeit, so daß man, die Tatsachen oft verdrehend, eine förmliche Literaturgattung *περὶ κλοπῆς* schuf, wie aus Athenaios und Macrobius bekannt ist. Übrigens hat Celsus den Spieß umgedreht und behauptet, daß die Sprüche Jesu aus (mißverstandenen) Sätzen Platons abgeleitet seien: die Stellen aus Origenes bei Harnack, Dogmengesch. I[3] 224, 1.

Väter, den Hermas miteingeschlossen, nicht zur Literaturgeschichte gerechnet werden dürfen, weil sie sich nicht der Formen der eigentlichen Literatur bedient und daher auch nicht für die Fortentwicklung, d. h. die Geschichte, der christlichen Literatur die Grundlage gebildet haben. Diese beginnt vielmehr erst, nachdem die urchristliche Literatur ihren Abschuß gefunden hat, also seit der Feststellung des Kanons in der zweiten Hälfte des zweiten Jahrhunderts. Dieser Zeitpunkt fällt mithin zusammen mit dem Beginn des Eintritts der neuen Religion in die Kreise des gebildeten Heidentums, d. h. also mit dem Beginn ihrer Verweltlichung. Die Apologeten eröffnen die eigentliche Literatur, aber da sie sich nicht an die Christen selbst wenden, gehören sie noch nicht zu der spezifisch christlichen Literatur; diese wird eröffnet durch Clemens von Alexandreia, den frühesten konstruktiven christlichen Schriftsteller wenigstens auf katholischer Seite; denn daß die von Overbeck nicht unabsichtlich übergangene, sondern prinzipiell ausgeschlossene Gnosis, wie sie ja überhaupt in ihrer 'akuten Hellenisierung' den späteren katholischen Standpunkt antizipiert hat, auch auf dem Gebiet der Literatur vorangegangen ist, indem sie fast alle Formen ausprägte, ist ein wichtiger Nachtrag, den Harnack (Dogmengesch. I³ 230, 1) zu der Abhandlung des genannten Forschers gemacht hat. Wenn nun also auch jene Urkunden einen literarhistorischen Zusammenhang weder nach rückwärts noch nach vorwärts aufweisen, so bieten sie doch gerade wegen dieser Isolierung ein zu großes Interesse, als daß ich die wichtigsten unter ihnen hier einfach übergehen möchte, zumal sich unter ihnen doch wieder gewisse Gradunterschiede in der äußeren Formengebung zeigen, die mich für meine Zwecke interessieren.

1. Die Evangelien und die Apostelgeschichte.[1]

Evangelien. Die Evangelien stehen völlig abseits von der kunstmäßigen Literatur. Auch rein äußerlich als literarische Denkmäler betrachtet tragen sie den Stempel des absolut Neuen zur Schau.

1) Als nachstehendes längst geschrieben war, erschien das neueste Buch von F. Blaß, Grammatik des neutestam. Griechisch, Göttingen 1896. Wo ich mit ihm zusammentreffe, werde ich es bemerken. In einer prinzipiellen Frage weiche ich freilich von ihm ab; er erklärt (p. VI), die

Als Literaturgattung bieten zu ihnen die nächste Analogie (aber auch nur dies) die acht Bücher des Philostratos mit dem Titel *Τὰ ἐς τὸν Τυανέα Ἀπολλώνιον*: dafür scheint mir ganz bezeichnend zu sein, daß Iustin die Evangelien *ἀπομνημονεύματα* nennt, denn so hatte — in Anlehnung natürlich an die Schüler des Sokrates, Musonios und Epiktet — Moiragenes, ein Vorgänger des Philostratos, seine Aufzeichnungen über Apollonios genannt (Orig. c. Cels. VI 41); dieser Name paßt besonders gut, wenn man an die älteste, durch Papias bezeugte und für uns allem Anschein nach in den Resten des berühmten Fayûm-Papyrus noch nachweisbare Einkleidung der Evangelien in *λόγια*[1]) denkt, welche die Schüler aufzeichneten, cf. Usener, Religionsgesch. Unters. I 95f.[2]) Auch die Apostelgeschichte steht als Literaturgattung ziemlich isoliert da, war aber hellenischem Empfinden lange nicht so fremdartig wie die Evangelien; denn wenn die falsche Vorstellung, daß sie zur Geschichtsschreibung zu rechnen sei, auch abgetan ist, so mußte sich der Hellene doch schon bei dem — natürlich eben deshalb gewählten — Titel an seine einst recht umfangreiche *πράξεις*-Literatur erinnert fühlen.

Von den drei Synoptikern — das vierte Evangelium habe

---

höhere Kritik über die Verfasser der einzelnen Schriften beiseite lassen und z. B. alles unter Paulus' Namen Überlieferte als paulinisch ansehen zu wollen: zweifellos mit Recht, wo es lautliche und formale Dinge betrifft (denn in ihnen herrscht wohl ziemlich völlige Identität), fraglich ob mit Recht, wo es sich um Syntaktisches handelt, sicher nicht mit Recht in der Stilistik, wo man eine Stellungnahme zu den sicheren Ergebnissen der Forschung erwarten darf: denn der Verf. z. B. des Briefs an die Ephesier schreibt doch anders als Paulus z. B. an die Korinthier, und der echte Lukas anders als der Interpolator. — Das wirre Buch von Chr. Wilke, Die neut. Rhetorik, Leipz. 1843, darf aber durch die klare Anordnung des Stoffs bei Blaß als endgültig beseitigt betrachtet werden.

1) Cf. Harnack in: Texte u. Unters. V 4 (1889) p. 483ff. Usener l. c.; eine glänzende Bestätigung für Weizsäcker, Unters. üb. d. evang. Gesch. (Gotha 1864) 129ff. (cf. Das apost. Zeitalter 373ff.) und eine urkundliche Widerlegung dessen, was gegen ihn von A. Hilgenfeld in Z. f. wiss. Theol. 1865, 189ff. vorgebracht ist.

2) Die Bezeichnung *εὐαγγέλιον* war bekanntlich nicht die literarische, cf. Harnack, Dogmengesch. 1^4 150, 2. Man lese nach, wie sich Origenes im ersten Bande seines Kommentars zum Johannesevangelium (I 10ff. Lomm.) abmüht, zu explizieren, was darunter zu verstehen sei.

ich noch nicht daraufhin untersucht — schreibt, wie ja wohl auch schon gelegentlich von anderen bemerkt ist, Lukas, der griechische Arzt und als solcher bei der damaligen Bildung der Ärzte auch Literat[1]), den relativ besten Stil, was übrigens schon dem Hieronymus aufgefallen ist: Damasus hatte bei ihm angefragt, was *osianna* bedeute, Hieronymus ep. 19 erklärt es als eine weder im Griechischen noch im Lateinischen wiederzugebende Interjektion und führt aus, daß die Evangelisten Matthäus (21, 2), Marcus (11, 9) und Johannes (12, 14) es unverändert beibehalten hätten, dagegen Lukas (19, 38): *qui inter omnes evangelistas graeci sermonis eruditissimus fuit, quippe ut medicus et qui evangelium Graecis scripsit, quia se vidit proprietatem sermonis transferre non posse, melius arbitratus est tacere quam id ponere quod legenti faceret quaestionem*, worin nur der Grund nicht ganz scharf angegeben ist: Lukas hat, einem griechischen Stilprinzip gemäß (s. o. S. 60, 2), das hebräische Wort als eine *βάρβαρος γλῶσσα* vermieden, wie er überhaupt in der Angabe der palästinensischen Lokalitäten zurückhaltender ist, wie er der einzige Evangelist ist, der bei dem Ort der Kreuzigung nicht den hebräischen Namen angibt, sondern nur die Übersetzung, wie bei ihm das Wort *ἀμήν* am seltensten vorkommt, wie er (hier mit dem vierten Evangelisten übereinstimmend) die letzten Worte Jesu nicht in aramäischer Sprache anführt. Nach solchen und ähnlichen Gesichtspunkten sind die Evangelien noch nicht systematisch untersucht worden, und doch scheint mir derartiges charakteristisch genug zu sein. Ich will, was Lukas betrifft, die Methode angeben, nach der man meiner Meinung nach hier zu verfahren hat, mit einigen speziellen Proben. Erstens. Man hat das Evangelium von der Apostelgeschichte gesondert zu betrachten. Denn einmal hat der Verf. in jenem durchweg Quellen benutzt, in dieser teilweise frei komponiert, und ferner hat er in jenem die Quellen nicht so stark überarbeitet wie in dieser, mit gutem Grunde und feinem Gefühl: denn, wie das von späteren Christen den spöttischen Bemerkungen der Hellenen sehr richtig entgegen-

Stil des Lukas

1) Noch Symeon Metaphrastes läßt in seinem romanhaften *ὑπόμνημα* über das Leben des Lukas diesen aller hellenischen *παιδεία* teilhaftig werden (115, 1129 Migne).

gehalten wurde, ein Evangelium in einer Kunstsprache wäre ein Unding gewesen. Zweitens. In dem Evangelium hat man den einzigen Satz, den der Verf. ganz frei komponierte, durchaus abzutrennen vom übrigen: das ist der eine Satz, in dem das ganze Proömium enthalten ist und der neben dem Anfangssatz des Hebräerbriefs anerkanntermaßen[1]) die bestgeschriebene Periode im ganzen N. T. ist: *ἐπειδήπερ πολλοὶ ἐπεχείρησαν ἀνατάξασθαι διήγησιν | περὶ τῶν πεπληροφορημένων ἐν ἡμῖν πραγμάτων, | καθὼς παρέδοσαν ἡμῖν οἱ ἀπ' ἀρχῆς αὐτόπται καὶ ὑπηρέται γενόμενοι τοῦ λόγου, ‖ ἔδοξεν κἀμοὶ παρηκολουθηκότι ἄνωθεν πᾶσιν ἀκριβῶς | καθεξῆς σοι γράψαι, κράτιστε Θεόφιλε, | ἵνα ἐπιγνῷς περὶ ὧν κατηχήθης λόγων τὴν ἀσφάλειαν.* Wenn der Mann, der diesen nach Inhalt und Form hellenisch gedachten Satz geschrieben hat, im Evangelium selbst einen ganz verschiedenartigen Stil zeigt, so beweist er damit, daß er — aus dem angegebenen Grunde — hier nicht so hat schreiben wollen. Drittens. In der Apostelgeschichte sind die verschiedenen Schichten, deren Vorhandensein von der höheren Kritik unwiderleglich festgestellt worden ist[2]), durchaus zu scheiden. a) Es gibt Partien, die gut stilisiert sind, und wieder solche, an denen der griechisch empfindende Leser sofort Anstoß nimmt. Zu ersteren gehört der vermutlich von Lukas selbst geschriebene Bericht des Augenzeugen, der sog. „Wir-Bericht", z. B. läßt sich nichts Klareres und Sachlicheres denken als die Darstellung der Seefahrt und des Schiffbruches (c. 27 f.); von dem Verfasser dieses Berichts ist auch ziemlich sicher das kurze Proömium, dessen Verfasser bekanntlich identisch ist mit dem des Lukasevangeliums: wenn nun dieses Proömium nach dem wieder echt griechischen Anfang *τὸν μὲν πρῶτον λόγον ἐποιησάμην περὶ πάντων, ὦ Θεόφιλε κτλ.* kläglich in die Brüche geht, so begrüßt man ein absolut sicheres, auf Gründe von unantastbarer Gewähr gestütztes Ergebnis

Stilistische Verschiedenheit einzelner Teile der A.-G.

1) Cf. Blass l. c. 274. M. Krenkel, Iosephus u. Lukas (Leipz. 1894) 50 ff., dessen weitere Folgerungen aber unhaltbar sind.

2) Cf. u. a. Weizsäcker l. c. 199 ff. A. Gercke im Hermes XXIX (1894) 374 ff., dessen scharfsinnige Darlegungen und Schlüsse für mich überzeugend sind, während ich mit der neuesten Hypothese so wenig mitkommen kann wie Harnack (Sitzungsber. d. Berl. Ak. 1895, 491 f.) u. a.

der Kritik[1]) auch vom stilistischen Standpunkt aus mit Genugtuung: diese Vorrede ist schwer interpoliert und dadurch ist der Satz gründlich verdorben worden. Aber nicht bloß der Verfasser des „Wir-Berichts“ schreibt gut, sondern auch der unzuverlässige Berichterstatter, dessen Erzählung von der jerusalemischen Gefangenschaft des Paulus mitten zwischen die Wir-Stücke eingekeilt ist (21, 18 Mitte bis 26, 32), auf den die Schilderung des inhaltlich in dieser Form undenkbaren Apostelkonzils (c. 15; hier z. B. dreimal, V. 22. 25. 28, das echt griechische *ἔδοξεν αὐτοῖς*, sonst nur noch ev. Luc. 1, 3, sowie der vortrefflich geschriebene Brief V. 23 ff.) und des ebenfalls so unerhörten Aufenthaltes des Paulus in Athen (17, 15 ff.) zurückgeht. Alle diese und andere gut geschriebenen Partien zeigen eine gewisse Übereinstimmung in einigen Einzelheiten, z. B. kommt nur in ihnen die gut griechische Figur der Litotes vor, darunter ein so griechischer Ausdruck wie *οὐχ ὁ τυχών* (19, 11. 28, 2).[2]) Ob der Verf. der Wir-Stücke (Lukas) und der Anonymus gleich gut schrieben, oder ob der endgültige Redaktor auch stilistisch uniformiert hat, wird nicht sicher festzustellen sein, aber wahrscheinlicher ist das erstere, weil man sonst nicht begreifen würde, warum der Redaktor eine so große Zahl von Partien stilistisch nicht gebessert haben sollte. b) Wer sich von dem Stil dieser schlecht geschriebenen Partien eine Vorstellung machen will, der lese z. B. die Rede des Stephanus c. 7 und vergleiche sie mit den Reden, die Paulus c. 22 ff. hält: der Mann, der jene verfaßt hat (inhaltlich der Sachlage wenig angemessen: Weizsäcker l. c. 56, und durch ihre sonderbaren Abänderungen der Septuaginta-Überlieferung aus allem übrigen herausfallend), fühlt und schreibt ungriechisch: wer von Judengriechisch eine deutliche Vorstellung hat und beispielsweise weiß, daß eins seiner Spezifika die maßlose Häufung der obliquen Kasus von *αὐτός* ist (außer den jüdischen Schriften bieten auch die Evangelien massenhafte Belege[3])), findet das hier wieder, z. B. in folgendem

1. Cf. M. Sorof, Die Entstehungsgesch. d. Apostelgesch. (Berlin 1890) 51 f. und (unabhängig davon) Gercke l. c. 389 f.

2) Cf. Krenkel l. c. 328; 336.

3) Cf. A. Buttmann, Gramm. d. nt. Sprachgebrauchs (Berlin 1859) 93 ff., 105 f.

Satz: V. 4 f.: *τότε ἐξελθὼν ἐκ γῆς Χαλδαίων κατῴκησεν* (sc. *Ἀβραάμ*) *ἐν Χαρράν. κἀκεῖθεν μετὰ τὸ ἀποθανεῖν τὸν πατέρα αὐτοῦ μετῴκισεν αὐτὸν εἰς τὴν γῆν ταύτην εἰς ἣν ὑμεῖς νῦν κατοικεῖτε, καὶ οὐκ ἔδωκεν αὐτῷ κληρονομίαν ἐν αὐτῇ οὐδὲ βῆμα ποδός, καὶ ἐπηγγείλατο δοῦναι αὐτῷ εἰς κατάσχεσιν αὐτὴν καὶ τῷ σπέρματι αὐτοῦ μετ' αὐτὸν οὐκ ὄντος αὐτῷ τέκνου.* In der ganzen Rede (53 Verse) findet sich kein einziges *μέν*, geschweige denn *μέν—δέ* (cf. darüber oben S. 25, 3), auch sonst ist der Partikelgebrauch, dieses sicherste Kriterium für den griechisch Denkenden, von grenzenloser Dürftigkeit, dagegen allenthalben Hebraismen in Fühlen und Sprechen. Doch verfolge ich diesen Gesichtspunkt hier nicht weiter für andere Stücke der Apostelgeschichte: das Gesagte mag genügen, einerseits zu beweisen, daß es bedenklich ist, trotz solchen Kennern wie Holtzmann (Z. f. w. Theol. 1881, 414) und kürzlich wieder Blass, philologische Untersuchungen sprachlicher Natur über die Apostelgeschichte wie über ein einheitliches Werk anzustellen, andererseits zu zeigen, wie hier m. E. in engster Fühlung mit der höheren Kritik methodisch vorgegangen werden muß.

Sprachlicher und stilistischer Vergleich der drei Synoptiker.

V i e r t e n s. Bei dem unter Lukas' Namen überlieferten E v a n g e l i u m ist die sprachliche Analyse deshalb einfacher, weil wir hier die anderen Evangelien, vor allem also Matthaeus und Marcus, zum Vergleich heranziehen können; ich bemerke aber, daß Lukas aus dem oben angegebenen Grunde nur mit sehr schonender Hand gefeilt hat. Ich habe an der Hand der äußerlich bequem eingerichteten „Synopse der drei ersten Evangelien" von A. Huck (Freiburg 1892) eine stilistische Vergleichung — wenigstens oberflächlich — vorgenommen, wobei sich mir das Resultat ergab, daß Lukas an einer überaus großen Anzahl von Stellen das vom klassizistischen Standpunkt aus Bessere hat (besonders bemerkenswert sind die von mir in den Anmerkungen angeführten Stellen der attizistischen Lexika), während die gegenteiligen Fälle quantitativ und qualitativ kaum in Betracht kommen. Ich will die wesentlichsten Punkte hier tabellarisch zusammenstellen, wozu ich nur bemerke, daß überall da, wo ich die eine Tabelle leer lasse, der betreffende Evangelist den betreffenden Stoff nicht aufgenommen hat; da ich bei den Lesern sprachliches Gefühl voraussetze, werde ich nur selten nähere Motivierungen anzugeben brauchen; die Beispiele sind einigermaßen sachlich geordnet; von den Fällen, in denen Lukas mit einem der anderen gegen den dritten das Bessere hat, sind nur ganz wenige aufgenommen.[1])

Marcus.	Matthaeus.	Lukas.
	5, 26 κοδράντην	12, 59 λεπτόν
12, 42 λεπτὰ δύο, ὅ ἐστιν κοδράντης		21, 2 λεπτὰ δύο
15, 15 τὸν Ἰησοῦν φραγελλώσας παρέδωκεν	27, 26 ebenso	23, 25 φραγελλώσας fehlt
12, 14 κῆνσον	22, 17 ebenso	20, 22 φόρον
15, 39 κεντυρίων	27, 54 ἑκατοντάρχης	23, 47 ἑκατοντάρχης
11, 9 f. ὡσαννά	21, 9 ebenso	19, 38 ὡ. fehlt
14, 45 ῥαββεί	26, 49 ebenso	22, 47 ῥ. fehlt
15, 22 ἐπὶ τὸν Γολγοθᾶν τόπον, ὅ ἐστιν μεθερμηνευόμενον Κρανίου τόπος	27, 33 εἰς τόπον λεγόμενον Γολγοθᾶ, ὅ ἐστιν Κρανίου τόπος λεγόμενος	23, 33 ἐπὶ τὸν τόπον τὸν καλούμενον Κρανίον
15, 34 ἐλωῒ ἐλωῒ λαμὰ σαβαχθανί	27, 46 ebenso	23, 46 abgeändert mit Auslassung des Aramäischen
	24, 47 ἀμήν	12, 44 ἀληθῶς und so öfters[2])
	23, 39 οὐ μή με ἴδητε ἀπ' ἄρτι ἕως ἂν εἴπητε	13, 35 οὐ μὴ ἴδετέ με ἕως ἥξει ὅτε εἴπητε
	26, 29 ἀπ' ἄρτι	22, 18 ἀπὸ τοῦ νῦν
	26, 64 ἀπ' ἄρτι[3])	22, 69 ἀπὸ τοῦ νῦν
13, 16 ὁ εἰς τὸν ἀγρὸν μὴ ἐπιστρεψάτω εἰς τὰ ὀπίσω („zurückkehren")	24, 18 ὁ ἐν τῷ ἀγρῷ μὴ ἐπιστρεψάτω ὀπίσω	21, 21 οἱ ἐν ταῖς χώραις μὴ εἰσερχέσθωσαν εἰς αὐτὴν (sc. τὴν πόλιν)
	24, 38 τρώγοντες[4]) καὶ πίνοντες, γαμοῦντες καὶ γαμίζοντες	17, 27 ἤσθιον ἔπινον, ἐγάμουν ἐγαμίζοντο

1) Was C. Nösgen in: Theol. Stud. u. Krit. 1877, 472 ff. über die Sprache des Lukas anführt, ist wertlos; einiges (nur z. T. Richtige) Krenkel l. c. 44 f.; besser schon J. Hug, Einl. i. d. N. T. II³ (Stuttg. 1826) 159.

2) Cf. Cremer l. c. (o. S. 474, 1) p. 144: „Bei L. findet sich ἀμήν am seltensten, er ersetzt es durch ἀληθῶς (9, 27; 12, 44; 21, 3), ἐπ' ἀληθείας (4, 25), ναί (11, 51), πλήν (10, 14; 22, 21), λέγω ὑμῖν, λέγω σοι (cf. L. 7, 9 ~ Mt. 8, 10, und so öfters)." — Fremdsprachliche Worte fehlerhaft: s. o. S. 60, 2; über κοδράντης u. κῆνσος cf. auch Th. Zahn, Einl. in das N. T. (Leipz. 1897) 46.

3) ἀπ' ἄρτι für ἀπὸ τοῦ νῦν wird von den Attizisten gerügt: cf. Lobeck zu Phryn. p. 21.

4) Phot. p. 231 N. τρώγειν οὐχὶ τὸ ἐσθίειν ἁπλῶς, ἀλλὰ τὰ τραγήματα

	24, 28 ὅπου ἐὰν ᾖ τὸ πτῶμα[1]), ἐκεῖ συναχθήσονται οἱ ἀετοί.	17, 37 ὅπου τὸ σῶμα, ἐκεῖ καὶ συναχθήσονται οἱ ἀετοί.
	24, 45 τίς ἄρα ἐστὶν ὁ πιστὸς δοῦλος καὶ φρόνιμος, ὃν κατέστησεν ὁ κύριος ἐπὶ τῆς οἰκετείας αὐτοῦ	12, 42 τίς ἄρα ἐστὶν ὁ πιστὸς οἰκονόμος ὁ φρόνιμος, ὃν καταστήσει ὁ κύριος ἐπὶ τῆς θεραπείας αὐτοῦ
	24, 49 συνδούλους[2])	12, 45 τοὺς παῖδας καὶ τὰς παιδίσκας
	24, 51 ὑποκριτῶν („Heuchler")	12, 46 ἀπίστων[3])
	25, 14 ἐκάλεσεν τοὺς ἰδίους δούλους	19, 13 καλέσας δὲ δέκα δούλους ἑαυτοῦ
	25, 19 συναίρει λόγον μετ' αὐτῶν („hält Abrechnung mit ihnen")	19, 15 durch Umschreibung beseitigt
	25, 20. 22 ἐκέρδησα[4]) πέντε τάλαντα	19, 16. 18 beidemal durch Umschreibung beseitigt.
	25, 21 εὖ	19, 17 εὖγε[5])
	25, 24. 26 διεσκόρπισας[6])	19, 21. 22 beidemal ἔσπειρας
	3, 9 μὴ δόξητε λέγειν ἐν ἑαυτοῖς („tragt euch nicht mit der Einbildung zu sagen")	3, 8 μὴ ἄρξησθε λ. ἐ. ἑ.
1, 35 πρωῒ ἔννυχα λίαν		4, 42 γενομένης δὲ ἡμέρας

καὶ τρωκτὰ καλούμενα, cf. *manducare*. Auch das asyndetische τετράκωλον ist gewählte Diktion, cf. meine oben (S. 289, 3) genannte Abhandlung.

1) Πτῶμα gebrauchten οἱ νῦν für den Toten, die Alten hätten dann aber immer νεκροῦ hinzugefügt: Phryn. 375 L., in Wahrheit ist aber nicht einmal πτῶμα νεκροῦ attisch, cf. Lobeck z. d. St.

2) Moeris p. 273 P. ὁμόδουλος ἀττικῶς, σύνδουλος ἑλληνικῶς.

3) Doch hat er sonst öfters das in diesem Sinn unantike Wort beibehalten: Cremer l. c. 570 f.

4) Unattisch: Lobeck l. c. 740.

5) Als Akklamation beliebter als εὖ.

6) Unattisch: Lobeck l. c. 218.

6, 35 ἤδη ὥρας πολλῆς γενομένης	14, 15 ὀψίας δὲ γενομένης	9, 12 ἡ δὲ ἡμέρα ἤρξατο κλίνειν
14, 17 ὀψίας γενομένης	26, 20 ebenso	22, 14 ὅτε ἐγένετο ἡ ὥρα
15, 42 ὀψίας γενομένης	27, 57 ebenso	23, 50 ὀ. γ. fehlt
1, 32 ὀψίας γενομένης	8, 16 ebenso	4, 40 δύνοντος δὲ τοῦ ἡλίου [1])
9, 42 μύλος ὄνικος	18, 6 ebenso	17, 2 λίθος μυλικός [2])
12, 20 οὐκ ἀφῆκεν σπέρμα („hinterließ keine Nachkommenschaft")	22, 25 μὴ ἔχων σπέρμα ἀφῆκεν τὴν γυναῖκα αὐτοῦ τῷ ἀδελφῷ αὐτοῦ	20, 29 ἀπέθανεν ἄτεκνος
12, 22 οὐκ ἀφῆκαν σπέρμα		20, 31 οὐ κατέλιπον τέκνα [3])
14, 38 γρηγορεῖτε [4])	26, 41 ebenso	22, 46 ἀναστάντες (προσεύχεσθε)
14, 49 ἐκρατεῖτέ με („suchtet mich zu greifen")	26, 55 ἐκρατήσατέ με	22, 53 ἐξετείνατε τὰς χεῖρας ἐπ' ἐμέ
12, 12 ἐζήτουν αὐτὸν κρατῆσαι	21, 46 ζητοῦντες αὐτὸν κρατῆσαι	20, 19 ἐζήτησαν ἐπιβαλεῖν ἐπ' αὐτὸν τὰς χεῖρας
	5, 39 ὅστις σε ῥαπίζει	6, 29 τῷ τύπτοντί σε
14, 65 ῥαπίσμασιν αὐτὸν ἔλαβον	26, 68 τίς ἐστιν ὁ παίσας σε	22, 64 wie Matthaeus
10, 25 ῥαφίς	19, 24 ebenso	18, 25 βελόνη [5])
5, 41. 42 κοράσιον [6])	9, 24. 25 ebenso	8, 51. 54 beidemal ἡ παῖς

1) Ὀψία substantivisch wird von den Attizisten gerügt, cf. R. Reitzenstein, Gesch. d. gr. Etymologika (Leipz. 1897) 393; gut ist Mr. 11, 11 ὀψίας ἤδη οὔσης τῆς ὥρας; ὥρας πολλῆς (ohne γενομένης) hellenistisch (Polyb. V 8, 3), ἡ ὥρα die bestimmte Zeit gut griechisch.

2) Die Attizisten (Moeris 262) unterscheiden μύλος (der untere Mühlstein) und ὄνος (der obere M.), also kann danach μύλος ὀνικός nicht gesagt werden.

3) Es ist doch sehr bezeichnend, daß Lukas das in diesem Sinn hebraisierende Wort σπέρμα (cf. darüber die feinen Erörterungen Cremers l. c. 898 ff.) nur an zwei Stellen hat, von denen die eine (20, 28) ein Zitat aus der Septuag., die andere (1, 55) eine direkte Beziehung auf diese ist.

4) Unattisch und von den Attizisten gerügt: Lobeck l. c. 119. Lukas hat es zweimal, aber da, wo die ursprüngliche Bedeutung durchschimmert: 12, 37. 39.

5) Phryn. 90 L. βελόνη καὶ βελονοπώλης ἀρχαῖα. ἡ δὲ ῥαφὶς τί ἐστιν οὐκ ἄν τις γνοίη.

6) Wird von den Attizisten einstimmig mit den schärfsten Ausdrücken gerügt: Lobeck l. c. 73.

15, 21 ἀγγαρεύουσι („sie nötigen“)	27, 32 ἠγγάρευσαν	23, 26 durch Umschreibung beseitigt [1])
1, 38 κωμοπόλεις		4, 43 πόλεις
3, 6 συμβούλιον ἐποίησαν κατ' αὐτοῦ, ὅπως αὐτὸν ἀπολέσωσιν	12, 14 συμβούλιον ἔλαβον κτλ.	6, 11 διελάλουν πρὸς ἀλλήλους, τί ἂν ποιήσαιεν τῷ Ἰησοῦ
	5, 25 ὑπηρέτης	12, 58 πράκτωρ („Gerichtsvollzieher“)
	6, 26 οὐχ ὑμεῖς μᾶλλον διαφέρετε τῶν πετεινῶν; („seid ihr nicht viel besser als die Vögel“)	12, 24 πόσῳ μᾶλλον ὑμεῖς διαφέρετε τῶν πετεινῶν
11, 2 εὑρήσετε πῶλον δεδεμένον, ἐφ' ὃν οὐδεὶς ἀνθρώπων οὔπω [2]) κεκάθικεν [3])		19, 30 ἑ. π. δ., ἐ. ὃ. οὐδεὶς πώποτε ἀνθρώπων ἐκάθισεν
	8, 9 ἄνθρωπος ὑπὸ ἐξουσίαν	7, 8 ἄ. ὑ. ἐ. τασσόμενος
15, 42 Ἰωσὴφ εὐσχήμων βουλευτής		23, 50 Ἰ. βουλευτὴς ὑπάρχων
	11, 21 πάλαι ἂν ἐν σάκκῳ καὶ σποδῷ μετενόησαν	10, 13 πάλαι ἂν ἐν σάκκῳ καὶ σποδῷ καθήμενοι μετενόησαν
12, 7 πρὸς ἑαυτοὺς εἶπαν	21, 38 εἶπον ἐν ἑαυτοῖς	20, 14 διελογίζοντο πρὸς ἀλλήλους λέγοντες
6, 39 ἐπέταξεν αὐτοῖς ἀνακλῖναι πάντας συμπόσια συμπόσια ἐπὶ τῷ χλωρῷ χόρτῳ. καὶ ἀνέπεσαν πρασιαὶ πρασιαί, κατὰ ἑκατὸν καὶ κατὰ πεντήκοντα		9, 14 κατακλίνατε αὐτοὺς κλισίας ἀνὰ [4]) πεντήκοντα
10, 22 ἦν γὰρ ἔχων κτήματα πολλά	19, 22 ebenso	18, 25 ἦν γὰρ πλούσιος σφόδρα
12, 44 αὕτη πάντα ὅσα εἶχεν ἔβαλεν, ὅλον τὸν βίον αὐτῆς		21, 4 αὕτη ἅπαντα τὸν βίον ὃν εἶχεν ἔβαλεν

1) Das Wort gehört der *κοινη* an und wird als *βάρβαρος φωνή* von den Klassizisten nicht gebraucht; cf. auch Zahn l. c. (486, 2) 46 f.

2) Hier ist die doppelte Negation nicht griechisch.

3) Das Perf. ist nur hellenistisch

4) *ἀνά* in distributivem Sinn ist der *κοινή* unbekannt, von den Attizisten restituiert: W. Schmidt, Der Attizismus IV (Stuttg. 1896) 626.

13, 2 οὐ μὴ ἀφεθῇ λίθος ἐπὶ λίθον („es soll nicht ein Stein auf dem andern gelassen werden“)	24, 2 ebenso	21, 6 οὐ μ. ἀ. λίθος ἐπὶ λίθῳ
26, 16 ἐζήτει εὐκαιρίαν, ἵνα αὐτὸν παραδῷ		22, 6 ἐ. εὐκαιρίαν τοῦ παραδοῦναι αὐτόν
15, 38 τὸ καταπέτασμα ἐσχίσθη εἰς δύο ἀπὸ ἄνωθεν ἕως κάτω	27, 51 τὸ κ. ἐ. ἄνωθεν ἕως κάτω εἰς δύο	23, 45 τὸ κ. ἐσχίσθη μέσον
14, 71 οὐκ οἶδα τὸν ἄνθρωπον	26, 74 ebenso	23, 60 οὐκ οἶδα ὃ λέγεις
	25, 12 οὐκ οἶδα ὑμᾶς	13, 25 οὐκ οἶδα ὑμᾶς πόθεν ἐστέ[1]
14, 30 τρίς με ἀπαρνήσῃ	26, 34 ebenso	22, 34 τρὶς ἀπαρνήσῃ μὴ εἰδέναι με[2]
12, 28 προσελθὼν εἷς γραμματεύς	8, 19 ebenso, cf. 22, 35	10, 25 νομικός τις ἀνέστη, cf. 9, 57
10, 17 προσδραμὼν εἷς ἐπηρώτα αὐτόν	19, 16 εἷς προσελθὼν αὐτῷ εἶπεν	18, 18 ἐπηρώτησέν τις αὐτόν
14, 66 μία τῶν παιδισκῶν	26, 69 μία παιδίσκη	22, 56 παιδίσκη τις
13, 8 ἔσονται σεισμοὶ κατὰ τόπους, ἔσονται λιμοί	24, 7 ἔσονται λιμοὶ καὶ σεισμοὶ κατὰ τόπους	21, 11 σεισμοί τε μεγάλοι καὶ κατὰ τόπους λιμοὶ καὶ λοιμοὶ[3] ἔσονται

Auch einige Perioden bildet Lukas besser als die beiden anderen (ohne daß er durchweg gut periodisierte), doch habe ich mir aus vielem nur weniges notiert, z. B.:

1, 10 f. καὶ εὐθὺς ἀναβαίνων ἐκ τοῦ ὕδα-	3, 16 f. εὐθὺς ἀνέβη ἀπὸ τοῦ ὕδατος. καὶ ἰδοὺ	3, 21 f. ἐγένετο δὲ ἐν τῷ βαπτισθῆναι ἅπαντα

1) So wird es erst gut griechisch.

2) Luc. 22, 57 steht ἠρνήσατο αὐτόν nur in einigen Ausgaben, die Hss. haben αὐτόν nicht; aber Luc. 22, 61 hat ἀπαρνεῖσθαι c. acc. der Person wie Mr. 14, 71. Mt. 26, 75 und ἀρνεῖσθαι c. acc. d. Pers. 12, 9.

3) Eine seit Hesiod und Platon äußerst beliebte alliterierende Verbindung. In den Evangelien kommt nur noch ein Wortspiel vor, und zwar ein sehr berühmtes: Mt. 16, 18 κἀγὼ δέ σοι λέγω ὅτι σὺ εἶ Πέτρος, καὶ ἐπὶ ταύτῃ τῇ πέτρᾳ οἰκοδομήσω μου τὴν ἐκκλησίαν: selbstverständlich ist das λόγιον so nicht ursprünglich, sondern erst von einem griechischen Bearbeiter zurecht gemacht, denn über den Standpunkt, wie er im vorigen Jh. z. B. von dem Neapolitaner D. Diodati in seiner Schrift De Christo graece loquente (1767) vertreten wurde, sind wir hoffentlich ein für alle Mal hinaus (den Iosephos anzuführen wird sich der Kundige hüten; cf. auch Zahn l. c. 8, 1; 40, 1). Cf. über jene Stelle Weizsäcker l. c. 467.

τος εἶδεν σχιζομέ-νους τοὺς οὐρανοὺς καὶ τὸ πνεῦμα ὡς περιστερὰν καταβαῖ-νον εἰς αὐτόν. καὶ φωνὴ ἐγένετο ἐκ τῶν οὐρανῶν Σὺ εἶ ὁ υἱός μου ὁ ἀγαπη-τός, ἐν σοὶ εὐδό-κησα	ἠνεῴχθησαν οἱ οὐρα-νοί, καὶ εἶδεν πνεῦ-μα θεοῦ καταβαῖνον ὡσεὶ περιστερὰν ἐρ-χόμενον ἐπ᾽ αὐτόν. καὶ ἰδοὺ φωνὴ ἐκ τῶν οὐρανῶν λέγου-σα κτλ.	τὸν λαὸν καὶ Ἰη-σοῦ βαπτισθέντος καὶ προσευχομένου ἀνε-ῳχθῆναι τὸν οὐρανὸν καὶ καταβῆναι τὸ πνεῦμα τὸ ἅγιον σω-ματικῷ εἴδει ὡς πε-ριστερὰν ἐπ᾽ αὐτόν, καὶ φωνὴν ἐξ οὐρα-νοῦ γενέσθαι κτλ. [1]

Besonders eine bestimmte Art der Periode, nämlich die durch Partizipialkonstruktion gebildete hat Lukas oft gegenüber der λέξις εἰρομένη der anderen:

10, 28 ἰδοὺ ἡμεῖς ἀφή-καμεν πάντα καὶ ἠ-κολουθήκαμέν σοι	19, 27 ebenso	18, 28 ἰδοὺ ἡμεῖς ἀφέν-τες τὰ ἴδια ἠκολου-θήσαμέν σοι
11, 7 καὶ φέρουσιν τὸν πῶλον πρὸς τὸν Ἰη-σοῦν καὶ ἐπιβάλλου-σιν αὐτῷ τὰ ἱμάτια ἑαυτῶν καὶ ἐκάθι-σεν ἐπ᾽ αὐτόν	21, 7 ἤγαγον τὸν ὄνον καὶ τὸν πῶλον καὶ ἐπέθηκαν ἐπ᾽ αὐτῶν τὰ ἱμάτια καὶ ἐπε-κάθισεν ἐπάνω αὐ-τῶν	19, 35 καὶ ἤγαγον αὐ-τὸν πρὸς τὸν Ἰησοῦν καὶ ἐπιρίψαντες αὐ-τῶν τὰ ἱμάτια ἐπὶ τὸν πῶλον ἐπεβίβα-σαν τὸν Ἰησοῦν
14, 49 καθ᾽ ἡμέραν ἤ-μην πρὸς ὑμᾶς ἐν τῷ ἱερῷ διδάσκων καὶ οὐκ ἐκρατεῖτέ με	26, 55 καθ᾽ ἡμέραν ἐν τῷ ἱερῷ ἐκαθεζόμην διδάσκων καὶ οὐκ ἐ-κρατήσατέ με	22, 53 καθ᾽ ἡμέραν ὄν-τος μου μεθ᾽ ὑμῶν ἐν τῷ ἱερῷ οὐκ ἐξε-τείνατε τὰς χεῖρας ἐπ᾽ ἐμέ
cf. 12, 18	22, 23	20, 27
cf. 14, 16		22, 13
	cf. 25, 14	19, 13
	cf. 8, 21	9, 59
10, 17 τί ποιήσω, ἵνα ζωὴν αἰώνιον κληρο-νομήσω	19, 16 τί ἀγαθὸν ποι-ήσω, ἵνα σχῶ ζωὴν αἰώνιον	18, 18 τί ποιήσας ζωὴν αἰώνιον κληρονομή-σω
	25, 29 τῷ γὰρ ἔχοντι παντὶ δοθήσεται καὶ περισσευθήσεται τοῦ δὲ μὴ ἔχοντος, καὶ ὃ ἔχει ἀρθήσεται ἀπ᾽ αὐτοῦ	19, 26 παντὶ τῷ ἔχοντι δοθήσεται, ἀπὸ δὲ τοῦ μὴ ἔχοντος καὶ ὃ ἔχει ἀρθήσεται.

Dagegen habe ich das umgekehrte Verhältnis so gut wie nie

1) Wer das ἦθος der Stelle besser getroffen hat, Lukas oder einer der anderen, fühlt wohl jeder.

gefunden, doch vgl. Mt. 24, 45 *τροφήν* Lc. 12, 42 *σιτομέτριον* (Phryn. 383 verbietet, statt *σῖτον μετρεῖσθαι* zu sagen *σιτομετρεῖσθαι*, Diodor hat *σιτομετρία*, Plutarch *σιτόμετρον*). Mt. 24, 48 *χρονίζει μου ὁ κύριος*, Lc. 12, 45 fügt *ἔρχεσθαι* hinzu. Mt. 19, 25 *τίς ἄρα δύναται σωθῆναι*, besser als Mc. 10, 26 und Lc. 18, 26 *καὶ τίς δύναται σωθῆναι*; Mt. 21, 46 *ζητοῦντες αὐτὸν κρατῆσαι ἐφοβήθησαν τοὺς ὄχλους* gegenüber Mc. 12, 12 *ἐζήτουν αὐτὸν κρατῆσαι καὶ ἐφοβήθησαν τὸν ὄχλον* und Lc. 20, 19 *ἐζήτησαν ἐπιβαλεῖν ἐπ' αὐτὸν τὰς χεῖρας καὶ ἐφοβήθησαν τὸν λαόν*.

Die Wichtigkeit solcher denkbar einfachen, rein sprachlichen Analysen, deren Vermehrung dringend erwünscht wäre, leuchtet ein, z. B. belehrt mich für den vorliegenden Fall mein Kollege A. Gercke, daß dadurch die Benutzung des Matthaeusevangeliums seitens des Lukas endgültig erwiesen werde, da es ja undenkbar sei, daß im umgekehrten Fall Matthaeus die stilistisch guten Ausdrücke des Lukas absichtlich vulgarisiert haben solle.

2. Die Briefe des Paulus.

Literaturhistorische Stellung. Auch sie will Overbeck l. c. (oben S. 479) 429 noch nicht zur eigentlichen Literatur gerechnet wissen. Denn, wie er sagt, „das geschriebene Wort ist hier, ohne als solches etwas bedeuten zu wollen, weiter nichts als das durchaus kunstlose und zufällige Surrogat des gesprochenen. Paulus schrieb an seine Gemeinden nur um ihnen schriftlich zu sagen, was er ihnen mündlich gesagt hätte, wenn er jedesmal an Ort und Stelle gewesen wäre." Das ist richtig: Paulus selbst hat auf seine schriftstellerische Tätigkeit gewiß noch weniger Gewicht gelegt als Platon; aber die Briefliteratur, selbst die kunstlose, hat nach den Anschauungen der damaligen Welt doch eine viel größere literarische Existenzberechtigung gehabt als wir heute nachempfinden können: der Brief war allmählich eine literarische Form geworden, in der man alle möglichen Stoffe, gerade auch wissenschaftliche, in zwangloser Art niederlegen konnte. So erklärt es sich, daß die paulinischen Briefe dem hellenischen Empfinden wieder um einen Grad näher stehen mußten als die Apostelgeschichte.

Allgemeines über den 'Hellenismus' des Paulus. Der Apostel Paulus hat in dem 2. Brief an die Korinthier das berühmte Wort von sich gesprochen (11, 6), *ἰδιώτης τῷ* λόγῳ, ἀλλ' οὐ τῇ γνώσει, und an dieselben schreibt er (I 2, 1 ff.): κἀγὼ ἐλθὼν πρὸς ὑμᾶς, ἀδελφοί, ἦλθον οὐ καθ' ὑπεροχὴν λόγου ἢ σοφίας καταγγέλλων ὑμῖν τὸ μαρτύριον τοῦ θεοῦ. . . . . . καὶ ὁ λόγος μου καὶ τὸ κήρυγμα μου οὐκ ἐν πειθοῖ σοφίας λόγοις, ἀλλὰ ἐν ἀποδείξει πνεύματος καὶ δυνάμεως. Man muß sich die Zeitverhältnisse vergegenwärtigen, um das Gewicht dieser Worte ganz zu fassen: er schrieb das zu einer Zeit, als die Kunst der Rede alles galt, Weisheit ohne sie nichts, er schrieb es vor allem an Bürger einer Stadt, in der die Rhetorik anerkanntermaßen in hohem Ansehen stand.[1]) Wie verhält sich nun zu diesen Äußerungen der Stil, in dem er tatsächlich schreibt? Wollte ich genau darauf eingehen, so müßte ich zuvor die äußerst schwierige Frage behandeln, inwieweit Paulus Kenntnis der heidnischen Literatur besaß, überhaupt wie er sich zum Hellenismus stellte. Meine allgemeine Ansicht in dieser Frage[2]) habe ich schon oben (S. 472 ff.) ausgesprochen. Während ich früher, wenn ich seine Briefe las, geneigt war, zwischen den Zeilen Platon und die Stoa zu lesen, bin ich jetzt längst über einen solchen — unwissenschaftlichen — Standpunkt hinausgekommen, den, wie ich zu meiner Verwunderung sehe, sogar einige Theologen noch einnehmen.[3]) Unter den Neueren hat wohl keiner das hellenische Element der Briefe des Apostels maßloser übertrieben als G. Heinrici, Erklärung der Korinthierbriefe II, Berlin 1887. Gegen die Methode, mit der in diesem Werk die hellenische Literatur, vor allem die Redner und Philosophen, herangezogen werden, muß ich laut Protest erheben. Ich bitte denjenigen, der etwas von antiker Rhetorik

---

1) Cf. besonders die oben (S. 422 ff.) behandelte korinthische Rede des Favorin. Das hat übrigens schon Iohannes Chrys. de sacerdotio IV 5 (48, 667 Migne) bemerkt: διαρρήδην ὁμολογεῖ ἰδιώτην ἑαυτὸν εἶναι καὶ ταῦτα Κορινθίοις ἐπιστέλλων τοῖς ἀπὸ τοῦ λέγειν θαυμαζομένοις καὶ μέγα ἐπὶ τοῦτο φρονοῦσιν.

2) Cf. auch E. Hicks, St. Paul and Hellenism in: Studia biblica et ecclesiastica IV (Oxford 1896) 1 ff., der gleichfalls vorsichtig urteilt; ebenso Harnack, Dogmengesch. I³ 91.

3) Wenn einige aus der Tatsache, daß Paulus die wenigsten Briefe mit eigener Hand geschrieben hat, eine Ungeübtheit im Griechisch-Schreiben glauben erschließen zu müssen, so ist das natürlich wieder nach der andern Seite viel zu weit gegangen; wie darüber zu urteilen ist, habe ich im Anhang II g. E. auseinandergesetzt.

versteht — der Verfasser scheint seine wesentliche Kenntnis aus Volkmann zu schöpfen — die Kapitel 10—12 des zweiten Korinthierbriefs zu lesen und sich zu fragen, ob er darin „die bewährten Mittel der antiken Verteidigungsrede“ (p. 403) erkennt: gewiß, insofern jeder Mensch, der sich zu verantworten hat, verwandte Töne anschlägt, aber muß er die von anderen erlernen? Von demselben Genre ist, was p. 573 nach Cornificius und Aphthonios über die Chrienform — *ὦ θεοὶ καὶ θεαί* — von ep. ad Cor. I 8—10 vorgetragen wird, und anderes der Art, was, wer Lust hat, bei dem Verf. selbst nachlesen mag. Paßt etwas nicht ganz genau, dann heißt es: „selbstverständlich ist hier nicht eine schulmäßige Nachahmung, sondern eine freie und zweckentsprechende Ausnutzung bewährter Beweismittel behauptet“ (p. 573, 2), oder es wird von bloßer 'Analogie' gesprochen. In letzterem Punkt befinde ich mich ausnahmsweise mit dem Verf. in Übereinstimmung: aber die ganze Haltlosigkeit seines Standpunktes ergibt sich gerade aus dem Mißbrauch, den er mit diesem Wort treibt; er ist sich offenbar selbst darüber völlig im Unklaren, wo er von 'Analogie', wo er von direkter 'Benutzung' reden soll; ganz rätselhaft ist mir, was er meint mit Worten wie p. 403: „Paulus könnte sich für dies Verfahren die Worte des Demosthenes aneignen: 'So verschlagen du auch bist, Aeschines, so hast du doch dies ganz töricht geglaubt usw.'“ Nicht selten operiert der Verfasser mit Autoritäten: Augustin, Calvin, Casaubonus, Mosheim werden als Zeugen für die technische Beredsamkeit des Apostels angeführt. Nun, mit welcher Vorsicht Urteile der Kirchenväter in diesen Dingen benutzt werden müssen, darüber werde ich späterhin zu handeln haben[1]); was aber die Autoritäten der vorigen Jahrhunderte betrifft[2]), so dächte ich,

1) Übrigens zitiert der Verf. einmal (p. 78) die Worte Augustins (de doctr. Chr. IV 7): *sicut ergo apostolum praecepta eloquentiae secutum fuisse non dicimus, ita quod eius sapientiam secuta sit eloquentia non negamus.* Merkt er denn nicht, daß er damit sich selbst widerlegt?

2) Es existierten zwei Parteien, von denen die eine Paulus als universalen Gelehrten, die andere als Ignoranten in weltlicher Bildung hinzustellen liebte: beide glaubten damit dem Apostel den größten Dienst zu erweisen und befehdeten sich heftig. Auf beiden Seiten finden wir die größten Namen: dort vor allem Salmasius und Casaubonus, hier Melanch-

wären wir darüber hinaus, den naiven Standpunkt der Humanisten und Gelehrten einzunehmen, als ob unsere religiösen Urkunden in glänzender Sprache geschrieben und mit antiker Erudition vollgestopft sein müßten: eine Anschauung, die sich jenen ebenso unwillkürlich aufdrängte, wie sie für uns absurd ist.[1]) Zu den nichtigen Argumenten gehört auch der fortwährende Rekurs auf Tarsos, z. B. p. 78, 3: „Wir werden auf diese Beziehungen noch öfters hinzuweisen haben, welche beweisen, daß Paulus nicht mit geschlossenen Augen in der Pflanzstätte rhetorischer und stoischer Weisheit aufgewachsen ist" (u. ö. ähnlich). 'Tarsos' ist ja überhaupt seit Jahrhunderten[2]) das Schlagwort, welches immer und immer wieder in die Wagschale geworfen wird, wo es sich um diese Frage handelt. Dagegen ist aber zweierlei zu bemerken: erstens sagt Paulus selbst in seiner Rede in der Apostelgeschichte (22, 3), er sei „geboren in Tarsos, aufgezogen in Jerusalem, zu den Füßen des Gamaliel gebildet nach der Genauigkeit des väterlichen Gesetzes", und wenn man dagegen einwenden könnte, daß diese Rede wie die ganze Episode der jerusalemischen Gefangenschaft nicht ganz zuverlässig sei[3]) und daß

thon, Erasmus, Sturm, Grotius. Im vorigen Jahrh. haben dann kleine Geister das Material jener großen wieder hervorgekramt: da wuchsen seitens der einen Partei aus dem Boden Abhandlungen mit Titeln wie 'de stupenda eruditione Pauli', seitens der andern kam es so weit, daß ein angesehener Theologe (bei G. W. Kirchmaier, Παραλληλισμὸς Novi Foederis et Polybii [Wittenberg 1725] 7) schreiben konnte: „Paulus hat die größte Erudition, Wohlredenheit und andere hohe Gaben, und was er in der Akademie gelernet, allgemach wieder ausgeschwitzet: ie einfaeltiger er wurde, ie mehr er an dieſsen abnahm, ie mehr Geist war in ihm. Man sehe nur die letzte Epistel ad Timotheum, die kurtz vor seinem Todt geschrieben."

1) Ein starkes Stück ist, daß der Verf. p. 578, 3 wagt, das ungeheuer lächerliche „Longin"-Fragment eines Evangelienkodex, wonach Paulus auf eine Linie gestellt wird mit Demosthenes, Lysias, Aischines, 'Timarchos' (den der elende Fälscher offenbar mit Deinarchos verwechselte) usw., für echt zu halten, wozu, soviel ich sehe, seit J. A. Fabricius, der wohl zuerst die Fiktion erkannte (bibl. Gr. IV c. 31 p. 445), keiner den Mut gehabt hat, cf. Chr. Thalemann, De eruditione Pauli Iudaica non Graeca (Leipzig 1769) 40 f.

2) Z. B. M. Strohbach, De eruditione Pauli (Diss. Leipz. 1708) 14 ff.

3) Cf. Weizsäcker l. c. 439. Obwohl gerade die zitierten Worte solches Detail enthalten, daß sie schwerlich ganz erfunden sind. Daß Paulus

dem Apostel, als er von den Juden bedrängt in Jerusalem diese Rede hielt, daran liegen mußte, das jüdische Element seiner Erziehung geflissentlich zu betonen, so ist zweitens zu bemerken, daß er, der Sohn rechtgläubiger, auf ihren Zusammenhang mit den Pharisäern stolzer Eltern, der vor seiner Bekehrung mehr als irgend ein anderer für das jüdische Gesetz geeifert hatte, selbst wenn er in Tarsos länger geblieben wäre, dort von der hellenischen *σοφία* schwerlich irgendwie tiefer beeinflußt sein würde. Daß er in Jerusalem zu denjenigen Schülern des Gamaliel gehört habe, die von ihm in griechischer Weisheit unterrichtet wurden (s. oben S. 476, 1), wird zwar nicht überliefert, ist aber jedenfalls als sehr wahrscheinlich zu bezeichnen: aber wer von den griechischen Strömungen im damaligen Palästina eine klare Vorstellung hat, der weiß, daß darunter nicht rein hellenische, sondern jüdisch hellenische Weisheit verstanden werden muß, und zwar in Palästina eine solche, in der nicht wie in Alexandria das hellenische, sondern das jüdische Element überwog.[1]) Daß Paulus, als er seine Mission in der hellenischen Welt ausführte, sich eine Kenntnis der Fundamente verschafft habe, auf denen diese Welt ruhte, ist zwar selbstverständlich[2]); aber man darf dies Moment nicht zusammenwerfen mit der Frage, inwieweit hellenische Ideen in seinen Schriften nachzuweisen sind: daß Paulus z. B. etwas von Platon gelesen haben könne, wage ich nicht zu bestreiten (so sehr sich mein subjektives Gefühl dagegen auflehnt), aber was nützen uns solche problematischen Urteile? Auf den Beweis käme es an und den zu führen, dürfte schwer halten. Denn man mache

in seiner Jugend nach Jerusalem kam, hat ja auch gar nichts Auffälliges: dort gab es in der Synagoge eine Partei *τῶν ἀπὸ Κιλικίας* act. ap. 6, 9.

1) Über die Partei der act. ap. 6, 1 ff. erwähnten *Ἑλληνισταί* in Jerusalem cf. Weizsäcker l. c. 51. Die *Ἀλεξανδρεῖς* werden als eine besondere Partei neben diesen genannt ib. v. 9.

2) Cf. Weizsäcker l. c. 211: „Wie Paulus das Christentum in die griechische Sprache eingeführt hat, so hat er sich auch der griechischen Bildung gewachsen gezeigt; bei aller jüdischen Grundlage hat er eine Weise des Denkens entwickelt, welche auch auf diesem Boden fesseln und siegen konnte.“ Vor allem zeigt es die Polemik des Römerbriefs: Weizsäcker 98. Vgl. auch E. Curtius in: Sitzungsber. d. Berl. Ak. 1893, 928 ff., der aber in Einzelheiten viel zu weit geht, und Zahn l. c. (o. S. 486, 2) 33 ff.

sich klar: bei einem christlichen Schriftsteller des vierten Jahrhunderts, also der Zeit der vollzogenen Verbindung zwischen Hellenismus und Christentum, genügt uns eine auch nur annähernde Konkordanz des Ausdrucks mit Platon, um dadurch zu dem Schluß berechtigt zu sein, jenem Schriftsteller sei Platon bekannt gewesen; dagegen bei Paulus, dem der Gedanke eines Kompromisses zwischen Christentum und Hellenismus noch fern lag, berechtigt eine solche annähernde Übereinstimmung nicht zu dem gleichen Schluß, sondern wer hier etwas Sicheres beweisen will, von dem verlange ich, daß er schlagende Beispiele bringe, und die sind bisher nicht gebracht, oder besser noch: nicht einmal Anklänge sind weder an Platon noch an irgend einen anderen hellenischen Schriftsteller nachgewiesen worden, denn was man als Beweise oder Anklänge auszugeben pflegt, erweist sich bei auch nur flüchtigem Zusehen als ganz und gar nichtig.[1]) Ist es denn nicht klar, daß dem Apostel, selbst an-

---

1) Geradezu kindlich ist (um von Früheren ganz zu schweigen), was F. Köster (Ob St. Paulus seine Sprache an der des Demosthenes gebildet habe? in: Theol. Stud. u. Krit. 1854 I 305 ff.) vorbringt; man höre z. B. „1. Cor. 4, 4 *οὐδὲν ἐμαυτῷ σύνοιδα.* Wörtlich ebenso sagt Aeschines: *μηδὲν αὑτῷ συνειδώς* und ähnlich Demosthenes: *εὔνοιαν ἐμαυτῷ σύνοιδα.* Col. 1, 18: *ἵνα γένηται ἐν πᾶσιν αὐτὸς πρωτεύων.* Ebenso bei Dem.: *τὸ πρωτεύειν ἐν πᾶσιν*“ usw. seitenlang. Was Heinrici für Platon vorbringt, mag man bei ihm selbst nachlesen, z. B. p. 575; was er p. 576, 1 sagt: „Merkwürdig stimmt in dem rhetorischen Charakter das Fragment des Kleanthes (gemeint ist der Hymnus) mit ep. ad Cor. I 15, 39 f. überein, bis zu wörtlichen Berührungen“ ist mir total unerfindlich. Kürzlich hat Mayor in: Classical Review X (1896) 191 behauptet, daß die bekannten angeblichen Worte Platons (cf. Plut. Mar. 46 u. a.), er danke seinem Dämon, daß er ihn habe werden lassen einen Menschen, einen Mann, einen Hellenen und einen Zeitgenossen des Sokrates, von Paulus gekannt worden seien, als er an die Galater schrieb 3, 28 *οὐκ ἔνι Ἰουδαῖος οὐδὲ Ἕλλην, οὐκ ἔνι δοῦλος οὐδὲ ἐλεύθερος, οὐκ ἔνι ἄρσεν καὶ θῆλυ· πάντες γὰρ ὑμεῖς εἷς ἐστὲ ἐν χριστῷ Ἰησοῦ* (cf. ad Col. 3, 11): credat Iudaeus Apella. — Auf viel näher Liegendes scheint dagegen noch nicht hingewiesen zu sein. Der Satz (Röm. 2, 14 f.) *ὅταν ἔθνη τὰ μὴ νόμον ἔχοντα φύσει τὰ τοῦ νόμου ποιῶσιν, οὗτοι νόμον μὴ ἔχοντες ἑαυτοῖς εἰσιν νόμος, οἵτινες ἐνδείκνυνται τὸ ἔργον τοῦ νόμου γραπτὸν ἐν ταῖς καρδίαις αὐτῶν* ist, wie der Philologe weiß, ganz griechisch empfunden: die Identität der *ἄγραφοι νόμοι* und der *φύσις* wurde seit der Zeit der alten Sophisten aufs lebhafteste diskutiert; aber der Philologe weiß auch, daß gerade diese Idee durch die Vermittlung der Stoa in das Allgemeinbewußtsein aufging, so daß sie von keinem

genommen, er habe die hellenische Literatur gekannt, daran liegen mußte, das eher zu verbergen als zu zeigen? Man halte mir nicht die bekannten hellenischen 'Zitate' entgegen[1]): das sind geflügelte Worte, bei denen kein Mensch an ihren Ursprung dachte, geschweige denn daß daraus folge, Paulus habe Menanders Komödien gelesen, eine Perversität der Vorstellung, der sich schon Hieronymus schuldig gemacht hat.[2]) Und da möchte ich doch fragen: wer Paulus liebt und bewundert, würde ihn der sich lieber etwa wie einen Clemens von Alexandria denken, geschmückt mit den Floskeln platonischer Diktion und gewappnet mit dem Rüstzeug hellenischer Sophisten, oder so wie er ist, ganz aus sich selbst heraus verständlich in seiner einzigen Eigenart?

Der Stil des Paulus. Das unhellenische Element[3]) zeigt sich nun auch im Stil des Paulus.

---

aus Büchern entnommen zu werden brauchte, so wenig wie das paulinische Bild vom *ἀθλητής* (s. oben S. 465).

1) Die Stellen hat schon Clemens strom. I c. 14 gesammelt, cf. auch E. Maass, Aratea (= Philol. Unters. XII 1892) 255 f. Aber das 'Zitat' der ep. ad Tit. 1, 15 (ebenfalls ein geflügeltes Wort) muß ausscheiden, weil sie nicht paulinisch ist; ebenso muß ausscheiden das Zitat der Apostelgesch. 17, 28 (s. oben S. 475). Es bleiben also als paulinisch nur die beiden sich unmittelbar folgenden 'Zitate' in der ep. ad Cor. I 15, 32 f.

2) Hieron. comm. in ep. ad Tit. c. 1 (VII 706 Vall.): *ad Corinthios quoque, qui et ipsi* (nämlich wie die Athener, deren angebliche Altaraufschrift der angebliche Paulus zitiert act. ap. l. c.) *Attica facundia expoliti et propter locorum viciniam Atheniensium sapore conditi sunt, de Menandri comoedia versum sumpsit iambicum 'corrumpunt mores bonos colloquia mala'*. Dem Hieronymus war es natürlich dienlich zu behaupten, der Apostel habe heidnische Autoren gelesen: auch Clemens l. c. hat die 'Zitate' gewissermaßen zu seiner Selbstverteidigung gesammelt. Den sprichwörtlichen Charakter menandrischer Monosticha (gegen Zahn l. c. 36; 50, 19) beweisen jetzt auch die Papyri. Ähnlich zu beurteilen sind die Anklänge an griechische und römische Anschauungen des täglichen Lebens, auf die Weizsäcker l. c. 99. 101 hinweist.

3) Es ist doch höchst bezeichnend, daß gerade in dem eigenhändig von ihm geschriebenen Grußwort (bekanntlich diktierte er meist) des ersten Briefs an die Korinthier zwei aramäische Worte vorkommen (die einzigen in seinen Briefen): *ὁ ἀσπασμὸς τῇ ἐμῇ χειρὶ Παύλου. εἴ τις οὐ φιλεῖ τὸν κύριον, ἤτω ἀνάθεμα· μαράν ἀθά* (d. h. 'der Herr kommt', auch in der Didache 10, cf. Taylor l. c. [oben S. 467, 4] 77 f. und besonders schon Lightfoot l. c. [oben S. 472, 1] 258 ff.) *ἡ χάρις τοῦ κυρίου 'Ιησοῦ μεθ' ὑμῶν· ἡ ἀγάπη μου μετὰ πάντων ὑμῶν ἐν χριστῷ 'Ιησοῦ.*

Paulus ist ein Schriftsteller, den wenigstens ich nur sehr schwer verstehe; das erklärt sich mir aus zwei Gründen: einmal ist seine Art zu argumentieren fremdartig[1]), und zweitens ist auch sein Stil, als Ganzes betrachtet, unhellenisch. Mir bestätigt sich diese Erklärung durch die Tatsache, daß wenigstens ich den sog. Hebräerbrief, an dem man schon in alter Zeit eine ganz andere, unter hellenischem Einfluß stehende Stilistik bemerkte[2]), von Anfang bis Ende ohne jede Schwierig-

1. Unhellenischer Gesamteindruck.

1) Cf. F. Nork l. c. (oben S. 472, 1): „In den alten jüdischen Schriften erblickt man ganz dieselbe mystische Weise der Parabeln, Allegorien usw., wie sie in den Büchern des N. T., besonders in den Paulinischen Briefen vorkommen, wie auch Paulus' Darstellung und Sprache überhaupt die frappanteste Ähnlichkeit mit den Midraschim hat, was auch jeder bezeugen wird, der dieselben nur einigermaßen kennt.“ Belege im einzelnen haben schon Gelehrte früherer Jahrhunderte gegeben, cf. die Zitate bei J. Schramm, De stupenda eruditione Pauli (Herborn 1710) 16; dann Nork l. c. 217ff., der aber sehr übertreibt; einige treffende Beispiele bei Harnack, Dogmengesch. I³ 95, 2, Weizsäcker l. c. 111, Taylor l. c. 24 u. ö. Was Friedländer l. c. 166ff. (nach Vorgang anderer) von dem 'alexandrinischen Anflug' in Paulus' Sprache und Exegese sagt, ist verwirrend und falsch. Der klassische Philologe fühlt sich — was natürlich bloße Analogie ist — oft an die Beweisführung der Sophisten erinnert; auch Hieronymus schildert Paulus ganz wie einen griechischen Sophisten, die Worte sind für Hieronymus höchst charakteristisch; ep. 48, 13 (I 222 Vall.): *Paulum apostolum quotienscumque lego, videor mihi non verba audire sed tonitrua. legite epistolas eius et maxime ad Romanos, ad Galatas, ad Ephesios, in quibus totus in certamine positus est, et videbitis eum in testimoniis quae sumit de vetere testamento, quam artifex, quam prudens, quam dissimulator sit eius quod agit. videntur quidem verba simplicia et quasi innocentis hominis ac rusticani..., sed quocumque respexeris, fulmina sunt. haeret in causa, capit omne quod tetigerit, tergum vertit ut superet, fugam simulat ut occidat. calumniemur ergo illum atque dicamus ei: testimonia quibus contra Iudaeos vel ceteras haereses usus es, aliter in suis locis aliter in tuis epistolis sonant.* Übrigens machte das Verständnis der Briefe schon in sehr früher Zeit Schwierigkeit, cf. ep. Petr. II (s. II, 1. Hälfte) 3, 16: *ἐν αἷς ἐστιν δυσνόητά τινα.* Später hat Paulinus von Nola dem Augustin eine ganze Serie von Fragen über Stellen des Paulus, die ihm dunkel blieben, vorgelegt (ep. 50, 9ff.).

2) Cf. das bekannte Zeugnis des Origenes bei Euseb. h. e. VI 26, 11ff.: *ὅτι ὁ χαρακτὴρ τῆς λέξεως τῆς πρὸς Ἑβραίους ἐπιγεγραμμένης ἐπιστολῆς οὐκ ἔχει τὸ ἐν λόγῳ ἰδιωτικὸν τοῦ ἀποστόλου ὁμολογήσαντος ἑαυτὸν ἰδιώτην εἶναι τῷ λόγῳ, τουτέστι τῇ φράσει, ἀλλά ἐστιν ἡ ἐπιστολὴ συνθέσει τῆς λέξεως ἑλληνικωτέρα, πᾶς ὁ ἐπιστάμενος κρίνειν φράσεων διαφορὰς ὁμολογῆσαι ἄν.* Da aber die Gedanken durchaus paulinisch seien, so vermute er, daß ein

keit durchlese, ebenso den sog. Barnabasbrief, dessen Verfasser gelegentlich mit Absicht kunstvoll periodisiert, und den (ersten) Clemensbrief, in dem wenigstens die Gedankenentwicklung und die ganze Art der Beweisführung griechisch ist.[1]) Ich finde dieses subjektive Gefühl ferner bestätigt durch eine Ausführung Renans (Saint Paul [Paris 1869] 231), die der Philologe als berechtigt anerkennen muß: Renan sagt u. a.: *Le style épistolaire de Paul est le plus personnel qu'il y ait jamais eu. La langue y est, si j'ose le dire, broyée; pas une phrase suivie. Il est impossible de violer plus audacieusement .... le génie de la langue grecque ..; on dirait une rapide con-*

Schüler des Apostels sie aufgezeichnet habe, nach einigen Clemens Romanus, nach anderen Lukas (cf. Euseb. III 38, 2. VI 14, 2). Cf. H. v. Soden in: Hand-Kommentar zum N. T. von Holtzmann usw. III 2 (2. Aufl. Freib. 1892) p. 5: „Der Verf. ist ein vielseitig und fein gebildeter Christ. Er verfügt über einen reichhaltigen Wortschatz (140 ἅπαξ λεγόμενα), in dem sich eine große Anzahl der Bibelsprache fremder, dem Profangebrauch angehörender Worte finden (z. B. νέφος, νόθοι, αἱματεκχυσία, μισθαποδοσία). Die sprachliche Diktion ist gewandt, blühend, sobald er es für angebracht hält (z. B. 1, 3), reich an feinen syntaktischen Wendungen, an schöngebauten Perioden, nicht ohne Wortspiele (5, 8. 9, 15f. 10, 38f. 11, 37. 13, 14 [darunter ein seit Aischylos berühmtes: ἔμαθεν-ἔπαθεν, eins, welches ich mich erinnere auch sonst gefunden zu haben: μένει-μέλλει]), treffend durchgeführten Bildern (6, 7. 12, 1—3), scharf beleuchteten Gegensätzen." Cf. auch Blaß l. c. 274. 290f. (was er aber über angebliche Hiatvermeidung vorbringt, widerlegt sich aus dem von ihm selbst vorgelegten Material) und B. Weiß in seinem Kommentar (6. Aufl. Götting. 1897) p. 9f. Bezeichnend ist auch, daß z. B. c. 7 nicht weniger als siebenmal μέν-δέ vorkommt, d. h. in einem Kapitel so oft wie in ein paar paulinischen Briefen zusammen (s. oben S. 25, 3).

1) Z. B. ist ganz griechisch, wie er c. 4ff. durch Anführung einer langen Reihe von ὑποδείγματα beweist, daß ζῆλος καὶ φθόνος verderblich seien. (Wenn man freilich behauptet, daß er je einmal Sophokles und Euripides nachahme, so ist das völlig illusorisch, um gar nicht zu reden von der Torheit, daß er auf eine Stelle des — Horaz anspiele!) Der Stil ist gelegentlich hochrhetorisch, cf. z. B. die starken ὁμοιοτέλευτα c. 1 p. 10 Lightfoot; 2, 12f.; 3, 20; 6, 34; 21, 76f.; 45, 137; 59, 174, sowie die fast übermäßigen Anaphern c. 4 p. 23ff.; 32, 98f.; 36, 111f.; 48, 147; 49, 148f., ein Wortspiel vielleicht c. 5 p. 25: λάβωμεν τῆς γενεᾶς ἡμῶν τὰ γενναῖα ὑποδείγματα. Bemerkenswert aber ist, daß in den 65 Kapiteln nicht ein einziges Mal μέν-δέ vorkommt. Ganz anders auch im Stil ist der sog. zweite Clemensbrief (die Homilie): keine rhetorische Figur, aber in 20 Kapiteln doch zweimal μέν-δέ (3 u. 10).

versation sténographiée et reproduite sans corrections. Ich habe dann vor allem gesucht, wie die großen Begründer einer christlich-hellenischen Bildung im vierten Jahrhundert über Paulus als Schriftsteller geurteilt haben, obwohl ich nicht verkenne, daß diese Zeugnisse mit Vorsicht benutzt werden müssen; denn, wie wir weiter unten sehen werden, hat man in dem instinktiven Bestreben, den Standpunkt des vierten Jahrhunderts mit dem des ersten zu identifizieren, oft den Tatsachen Gewalt angetan, so daß diese Zeugnisse für uns nur da beweiskräftig sind, wo wir an den Tatsachen selbst die Kontrole der Richtigkeit üben können. Von den Griechen führe ich an Ioannes Chrysost. de sacerdot. l. IV c. 5f. (48, 667ff. Migne). Die Gewalt der Rede sei für den Prediger das wichtigste Mittel zu wirken. Dann läßt er sich den Einwurf machen: warum denn Paulus *διαρρήδην ὁμολογεῖ ἰδιώτην ἑαυτὸν εἶναι καὶ ταῦτα Κορινθίοις ἐπιστέλλων τοῖς ἀπὸ τοῦ λέγειν θαυμαζομένοις καὶ μέγα ἐπὶ τούτῳ φρονοῦσι;* Darauf weist er sehr ausführlich nach, daß Paulus bei Christen, Juden und Heiden gerade wegen seiner Redegewalt bewundert worden sei, die bis ans Ende der Dinge den Menschen aus seinen Briefen entgegentönen werde. Freilich sei es nicht die Beredsamkeit der Welt: *εἰ μὲν τὴν λειότητα Ἰσοκράτους ἀπῄτουν καὶ τὸν Δημοσθένους ὄγκον καὶ τὴν Θουκυδίδου σεμνότητα καὶ τὸ Πλάτωνος ὕψος, ἔδει φέρειν εἰς μέσον ταύτην τοῦ Παύλου τὴν μαρτυρίαν· νῦν δὲ ἐκεῖνα μὲν πάντα ἀφίημι καὶ τὸν περίεργον τῶν ἔξωθεν καλλωπισμόν, καὶ οὐδέν μοι φράσεως οὐδὲ ἀπαγγελίας μέλει· ἀλλ' ἐξέστω καὶ τῇ λέξει πτωχεύειν καὶ τὴν συνθήκην τῶν ὀνομάτων ἁπλῆν τινα εἶναι καὶ ἀφελῆ, μόνον μὴ γνώσει τις καὶ τῇ τῶν δογμάτων ἀκριβείᾳ ἰδιώτης ἔστω.*[1]) Unter den lateinischen Zeugnissen sucht der Briefwechsel des Paulus mit Seneca (jedenfalls vor Hieronymus, der ihn kennt) an köstlicher Naivität seinesgleichen: ep. 7 mahnt in Seneca: *vellem, cures et cetera, ut maiestati earum* (nämlich der Briefe) *cultus sermonis non desit;* ep. 9 schickt er ihm ein Buch *de verborum copia;* ep. 13 schreibt er: *allegorice et*

Antike Zeugnisse.

1) Cf. auch Greg. Nyss. adv. Eunom. l. I (45, 253 B Migne), er wolle nicht die *σχήματα* des Eunomios nachahmen, *ἐπεὶ καὶ ὁ γνήσιος ὑπηρέτης τοῦ λόγου Παῦλος μόνῃ τῇ ἀληθείᾳ κοσμούμενος αὐτός τε ταῖς τοιαύταις ποικιλίαις αἰσχρὸν ᾤετο κατασχηματίζειν τὸν λόγον καὶ ἡμᾶς πρὸς τὴν ἀλήθειαν μόνην ἀφορῶν ἐξεπαίδευσε, καλῶς καὶ προσηκόντως νομοθετῶν.*

aenigmatice multa a te usquequaque opera concluduntur et ideo rerum tanta vis et muneris tibi tributa non ornamento verborum sed cultu quodam decoranda est. nec vereare, quod saepius te dixisse retineo, multos, qui talia affectent, sensus corrumpere, virtutes rerum evirare. ceterum mihi concedas velim latinitati morem gerere, honestis vocibus speciem adhibere, ut generosi muneris concessio digne a te possit expediri, worauf ihm Paulus antwortet (ep. 14): *novum te auctorem feceris Iesu Christi praeconiis ostendendo rhetoricis irreprehensibilem sophiam.* Hieronymus, in Theorie und Praxis einer der feinsten christlichen Stilisten, spricht ihm in seinen Kommentaren öfters eine gewisse Kenntnis der *litterae saeculares* zu, so comm. in ep. ad Gal. II c. 4 (VII 471 Vall.); dagegen geringe Kenntnis des Griechischen, cf. l. c. III c. 6 (p. 520): *Hebraeus ex Hebraeis et qui esset in vernaculo sermone doctissimus, profundos sensus aliena lingua exprimere non valebat, nec curabat magnopere de verbis, quum sensum haberet in tuto* und besonders in ep. ad. Ephes. l. III c. 5 (p. 587): *nos quotiesquumque soloecismos aut tale quid annotavimus, non apostolum pulsamus, ut malivoli criminantur, sed magis apostoli assertores sumus, quod Hebraeus ex Hebraeis, absque rhetorici nitore sermonis et verborum compositione et eloquii venustate nunquam ad fidem Christi totum mundum transducere valuisset, nisi evangelizasset eum non in sapientia verbi, sed in virtute dei.*[1])

2. Die 'moderne' Rhetorik in Einzelheiten.

Wenn man nun aber auf Grund des allgemeinen Gesamteindrucks, den die Briefe des Apostels in stilistischer Hinsicht auf alte und moderne Leser machen, glauben wollte, daß sie auch im einzelnen jedes Aufputzes durch die kunstmäßige Rhetorik entbehrten, so würde man sehr fehlgehen. Man ist oft frappiert, mitten in Partien, die nur mit der Rhetorik des Herzens in ungefeilter Sprache geschrieben sind, alte Bekannte aus der zünftigen griechischen Kunstprosa anzutreffen: Röm. 1, 29 μεστοὺς φθόνου φόνου ἔριδος. 31 ἀσυνέτους ἀσυνθέτους.[2]) — Cor. II 8, 22 ἐν πολλοῖς πολλάκις σπουδαῖον.

---

1) Zur Zeit Karls d. Gr. rühmt ihn der Grammatiker Petrus wegen seiner vollendeten Sprache, worauf Paulus antwortet, er wisse nichts und schreibe ganz ungelehrt (Poet. aevi Carol. I p. 48 f.).

2) Darüber gibt es eine ganz nützliche Zusammenstellung von J. Fr. Böttcher, De paronomasia finitimisque ei figuris Paulo apostolo frequentatis, Leipz. 1824; nur wird hier das Syrische und Hebräische statt des Griechischen herangezogen.

9, 8 δυνατεῖ δὲ ὁ θεὸς πᾶσαν χάριν περισσεῦσαι εἰς ὑμᾶς, ἵνα ἐν παντὶ πάντοτε πᾶσαν αὐτάρκειαν ἔχοντες περισσεύητε εἰς πᾶν ἔργον ἀγαθόν. [Ephes.] 3, 6 εἶναι τὰ ἔθνη συγκληρονόμα καὶ σύσσωμα καὶ συμμέτοχα τῆς ἐπαγγελίας. — Cor. II 1, 4 ὁ παρακαλῶν ἡμᾶς ἐπὶ πάσῃ τῇ θλίψει ἡμῶν, εἰς τὸ δύνασθαι ἡμᾶς παρακαλεῖν τοὺς ἐν πάσῃ θλίψει διὰ τῆς παρακλήσεως ἧς παρακαλούμεθα αὐτοὶ ὑπὸ τοῦ θεοῦ. ib. 13f. οὐ γὰρ ἄλλα γράφομεν ὑμῖν ἀλλ' ἢ ἃ ἀναγινώσκετε. ἐλπίζω δὲ ὅτι ἕως τέλους ἐπιγνώσεσθε καθὼς καὶ ἐπέγνωτε ἡμᾶς ἀπὸ μέρους. — Röm. 2, 1 ἐν ᾧ κρίνεις τὸν ἕτερον, σεαυτὸν κατακρίνεις. 5, 16 τὸ μὲν γὰρ κρῖμα ἐξ ἑνὸς εἰς κατάκριμα. Cor. II 3, 2 γινωσκομένη καὶ ἀναγινωσκομένη. Röm. 14, 23 ὁ δὲ διακρινόμενος, ἐὰν φάγῃ, κατακέκριται.[1]) — Cor. I 13, 8 ἀγάπη οὐδέποτε πίπτει. εἴτε δὲ προφητεία, καταργηθήσεται· εἴτε γλῶσσαι, παύσονται· εἴτε γνῶσις, καταργηθήσεται (wo aber die Wiederholung des letzten Wortes wieder stillos ist). ib. 15, 39ff. οὐ πᾶσα σὰρξ ἡ αὐτὴ σάρξ, ἀλλὰ ἄλλη μὲν ἀνθρώπων, ἄλλη δὲ σὰρξ κτηνῶν, ἄλλη δὲ σὰρξ πτηνῶν, ἄλλη δὲ ἰχθύων. καὶ σώματα ἐπουράνια καὶ σώματα ἐπίγεια· ἀλλὰ ἑτέρα μὲν ἡ τῶν ἐπουρανίων δόξα, ἑτέρα δὲ ἡ τῶν ἐπιγείων. . . . . . σπείρεται ἐν φθορᾷ, ἐγείρεται ἐν ἀφθαρσίᾳ· σπείρεται ἐν ἀτιμίᾳ, ἐγείρεται ἐν δόξῃ· σπείρεται ἐν ἀσθενείᾳ, ἐγείρεται ἐν δυνάμει· σπείρεται σῶμα ψυχικόν, ἐγείρεται σῶμα πνευματικόν u. dgl. sehr viel.

Natürlich ist derartiges einem so feinen Kenner wie Augustin nicht entgangen. Er warnt davor zu glauben, daß der Apostel diese Redefiguren deshalb angewandt habe, weil er durch ihre Effekte habe wirken wollen: darin hat er vielleicht recht, aber wir sehen doch, daß Paulus sie gekannt und an passenden Stellen halb bewußt halb unbewußt angewendet hat. Die Ausführungen Augustins sind auch für Philologen interessant genug, um sie hier ziemlich vollständig mitzuteilen.[2]) De doctr. Antike Zeugnisse.

1) Mehr Beispiele für jede dieser Figuren bei Böttcher l. c.

2) Die rhetorische Analyse einer großen Anzahl von Bibelstellen, die er in dieser Schrift gibt, ist auch deshalb interessant, weil man daraus erkennt, wie elend, das Verständnis erschwerend und oft verhindernd die in den heutigen, über alle Welt verbreiteten Bibeln eingeführte Verseinteilung ist. Ihr Erfinder war ein Mann, der sich durch andere Werke besser um das Menschengeschlecht verdient gemacht hat: Robert Stephanus,

Christ. IV 7, 11: *quis enim non videat, quid voluerit dicere et quam sapienter dixerit apostolus* (Röm. 5, 3—5) καυχώμεθα[1]) ἐν ταῖς θλίψεσιν, εἰδότες ὅτι ἡ θλῖψις ὑπομονὴν κατεργάζεται, ἡ δὲ ὑπομονὴ δοκιμὴν ἡ δὲ δοκιμὴ ἐλπίδα. ἡ δὲ ἐλπὶς οὐ καταισχύνει, ὅτι ἡ ἀγάπη τοῦ θεοῦ ἐκκέχυται ἐν ταῖς καρδίαις ἡμῶν διὰ πνεύματος ἁγίου τοῦ δοθέντος ἡμῖν. *hic si quis, ut ita dixerim, imperite peritus, artis eloquentiae praecepta apostolum secutum fuisse contendat, nonne a Christianis doctis indoctisque ridebitur? et tamen agnoscitur hic figura, quae* κλῖμαξ *graece, latine vero a quibusdam est appellata gradatio, quoniam scalam dicere noluerunt, cum verba vel sensu conectuntur alterum ex altero, sicut hic ex tribulatione patientiam, ex patientia probationem, ex probatione spem conexam videmus. agnoscitur et aliud decus, quoniam post aliqua pronuntiationis voce singula finita, quae nostri membra et caesa, Graeci autem* κῶλα *et* κόμματα *vocant, sequitur ambitus sive circuitus, quem* περίοδον *illi appellant, cuius membra suspenduntur voce dicentis, donec ultimo finiatur. nam eorum quae praecedunt circuitum, membrum illud est primum 'quoniam tribulatio patientiam operatur', secundum 'patientia autem probationem', tertium 'probatio vero spem'. deinde subiungitur ipse circuitus, qui tribus peragitur membris, quorum primum est 'spes autem non confundit', secundum 'quia caritas dei diffusa est in cordibus nostris', tertium 'per spiritum sanctum qui datus est nobis'. at haec atque huiuscemodi in elocutionis arte traduntur.* Besonders dann ib. c. 17 ff. Er unterscheidet nach teilweisem Vorgang Ciceros drei Arten der Rede: *is erit eloquens, qui ut doceat poterit parva submisse, ut delectet modica temperate, ut flectat magna granditer dicere.* Bei der zweiten, die es auf *delectatio* abgesehen hat, kommen *ornamenta* zur Anwendung (19, 38. 20, 42. 25, 55. 57), für sie gibt er ein Beispiel 20, 40 freilich aus dem unpaulinischen Brief an Timoth. I 5, 1 f.: πρεσβυτέρῳ μὴ ἐπιπλήξῃς, ἀλλὰ παρακάλει ὡς πατέρα, νεωτέρους ὡς ἀδελφούς, πρεσβυτέρας ὡς μητέρας,

---

und zwar fertigte er sie an 1551 *inter equitandum,* wie sein Sohn bemerkt, cf. C. Gregory in seinen Prolegomena zum N. T. ed. Tischendorf, ed. mai. 8 (Leipz. 1894) 167 ff. und E. Reuss, Gesch. d. h. Schriften des N. T. 6. Aufl. (Braunschweig 1887) 433 f.

1) Weil es uns auf die Worte des Paulus ankommt, habe ich sie da, wo Augustin sie in extenso anführt, griechisch zitiert, während ich hinterher bei der Einzelanalyse das Lateinische habe stehen lassen.

νεωτέρας ὡς ἀδελφάς. Dann fährt er fort: *et in illis* (Röm. 12, 1) παρακαλῶ οὖν ὑμᾶς, ἀδελφοί κτλ. *et totus fere ipsius exhortationis locus temperatum habet elocutionis genus, ubi illa pulchriora sunt, in quibus propria propriis tanquam debita debitis reddita decenter excurrunt, sicuti est* (ib. v. 6ff.): ἔχοντες χαρίσματα κατὰ τὴν χάριν τὴν δοθεῖσαν ἡμῖν διάφορα, εἴτε προφητείαν κατὰ τὴν ἀναλογίαν τῆς πίστεως, εἴτε διακονίαν ἐν τῇ διακονίᾳ, εἴτε ὁ διδάσκων ἐν τῇ διδασκαλίᾳ, εἴτε ὁ παρακαλῶν ἐν τῇ παρακλήσει, ὁ μεταδιδοὺς ἐν ἁπλότητι, ὁ προϊστάμενος ἐν σπουδῇ, ὁ ἐλεῶν ἐν ἱλαρότητι (das letzte ein isokolisches τρίκωλον). ἡ ἀγάπη ἀνυπόκριτος. ἀποστυγοῦντες τὸ πονηρόν, | κολλώμενοι τῷ ἀγαθῷ, ‖ τῇ φιλαδελφίᾳ εἰς ἀλλήλους φιλόστοργοι, | τῇ τιμῇ ἀλλήλους προηγούμενοι, ‖ τῇ σπουδῇ μὴ ὀκνηροί, ‖ τῷ πνεύματι ζέοντες, | τῷ κυρίῳ δουλεύοτες, | τῇ ἐλπίδι χαίροντες, | τῇ θλίψει ὑπομένοντες, | τῇ προσευχῇ προσκαρτεροῦντες, | ταῖς χρείαις τῶν ἁγίων κοινωνοῦντες, | τὴν φιλοξενίαν διώκοντες. ‖ εὐλογεῖτε τοὺς διώκοντας, εὐλογεῖτε καὶ μὴ καταρᾶσθε. χαίρειν μετὰ χαιρόντων, κλαίειν μετὰ κλαιόντων. *et aliquanto post* (13, 6f.): εἰς αὐτὸ τοῦτο προσκαρτεροῦντες ἀπόδοτε πᾶσιν τὰς ὀφειλάς, τῷ τὸν φόρον τὸν φόρον, τῷ τὸ τέλος τὸ τέλος, τῷ τὸν φόβον τὸν φόβον, τῷ τὴν τιμὴν τὴν τιμήν. *quae membratim fusa clauduntur etiam ipsa circuitu, quem duo membra contexunt* (ib. 8, anschließend an die zitierten Worte): μηδενὶ μηδὲν ὀφείλετε, εἰ μὴ τὸ ἀλλήλους ἀγαπᾶν. *et post paululum* (ib. 12ff.): ἡ νὺξ προέκοψεν, | ἡ δὲ ἡμέρα ἤγγικεν. ‖ ἀποθώμεθα οὖν τὰ ἔργα τοῦ σκότους, | ἐνδυσώμεθα δὲ τὰ ὅπλα τοῦ φωτός. ‖ κτλ. Dann geht Augustin 20, 42 über zum *grande genus dicendi*, in dem jene *ornamenta* sein könnten, aber nicht müßten; als Stellen, die *ornamenta* haben, führt er an Cor. II 6, 2—11 (wo v. 4ff. viele Antithesen), Röm. 8, 28—39 (ebenfalls); dann zitiert er eine Stelle, die bloß *granditer*, nicht aber auch *temperate* oder *ornate* gesagt sei (Gal. 4, 10—20), und es ist charakteristisch, daß er an ihr den Mangel von Isokola, Antitheta usw. ausdrücklich hervorhebt: *numquid hic aut contraria contrariis verba sunt reddita aut aliqua gradatione sibi subnexa sunt, aut caesa et membra circuitusve sonuerunt? et tamen non ideo tepuit grandis affectus, quo eloquium fervere sentimus.*

3. Charakter der paulinischen Rhetorik.

Den von Augustin zitierten Stellen ließe sich noch eine

große Anzahl hinzufügen.[1]) Aber das Angeführte genügt, um daraus mit Sicherheit zu schließen, daß der Apostel trotz seiner souveränen Verachtung der schönen Form dennoch oft genug von den — in den Evangelien fehlenden — geläufigen Mitteln zierlicher griechischer Rhetorik[2]) Gebrauch gemacht

1) Einiges bei Blaß l. c. 292 ff., z. B. darunter ein so starkes Stückchen wie ep. ad Rom. 12, 3 μὴ ὑπερφρονεῖν παρ' ὃ δεῖ φρονεῖν, ἀλλὰ φρονεῖν εἰς τὸ σωφρονεῖν. Sehr beachtenswert ist die Entdeckung von Weizsäcker l. c. 427 f., daß Paulus öfters als man sonst annahm, Worte der Gegner zitiert (ohne sie ausdrücklich als solche zu bezeichnen), um sie dann sofort zu widerlegen; das ist ganz die Art der im Diatribenstil üblichen dialektischen Disputation; einmal führt Paulus sogar den unbestimmten Gegner mit dem jedem Philologen z. B. aus Bion, Epiktet, Seneca geläufigen φησί ein: ep. ad Cor. II 10, 10: 'αἱ ἐπιστολαὶ μέν', φησίν (einige Ausgaben absurd φασίν), 'βαρεῖαι καὶ ἰσχυραί, ἡ δὲ παρουσία τοῦ σώματος ἀσθενὴς καὶ ὁ λόγος ἐξουθενημένος'· τοῦτο λογιζέσθω ὁ τοιοῦτος, ὅτι, οἷοί ἐσμεν τῷ λόγῳ δι' ἐπιστολῶν ἀπόντες, τοιοῦτοι καὶ παρόντες τῷ ἔργῳ. Einige gute Beispiele für σχήματα διανοίας in seiner Argumentation bei Blaß l. c. 296 f.

2) Dagegen gelingen ihm Perioden meist schlecht, z. B. Röm. 1, 1—7; 3, 23—27 und andere Stellen z. B. bei W. Schmidt in seinem Artikel 'Paulus' (Real-Encycl. f. prot. Theol. u. Kirche X² [Leipz. 1883] 380), sowie bei Blaß l. c. 273 ff. Die Hauptursache der langen, formlosen, anakoluthischen Sätze sind, wie die Leser der Briefe wissen, die überaus häufigen Parenthesen, was einige auf die Vermutung geführt hat, das seien Randbemerkungen, die er nachträglich seinem Diktat hinzugefügt habe, cf. Chr. Wilke l. c. (oben S. 480, 1) 216. Übrigens teilt er den Mangel an Kunst des Periodisierens mit griechischen Schriftstellern jener Zeit, wofür ich oben (S. 295 ff.) den Grund angegeben habe. Gelegentlich baut er aber seine Sätze auch besser, z. B. im Proömium des zweiten Korinthierbriefs. Wenigstens sind aber seine Perioden nie von der ermüdenden Langeweile derjenigen, die sich in den unpaulinischen Briefen an die Ephesier und Kolosser finden (die beiden Briefe gleichen sich auch sonst, cf. Eph. 4, 16 ∼ Col. 2, 19. Eph. 6, 1 ff. ∼ 3, 18 ff., s. außerdem Weizsäcker l. c. 542 f.): hier wird oft innerhalb einer Periode ein Satz an den anderen angeleimt, z. B. Eph. 1, 6 ff. drei Relativsätze, noch mehr Col. 1, 3—23. 2, 8 ff. (auch die massenhafte Anhäufung der obliquen Kasus von αὐτός Eph. 1, 4 ff. 17 ff. ist, soviel ich mich erinnere, durchaus unpaulinisch, aber für den in der Septuaginta und sonstiger griechisch-jüdischer Literatur Bewanderten nichts Neues, cf. oben S. 484 f.). Die Seltenheit rhetorischer Figuren, an denen die echten Briefe so reich sind, ist für die genannten Briefe sowie den zweiten an die Thessalonicher (dagegen halte man den ersten an dieselben!) doch auch recht bezeichnend. Ich habe mich übrigens in dem, was ich als paulinisch zitiert habe, an die Ansicht der Männer an-

hat, freilich — das hebe ich, um Mißverständnissen zuvorzukommen, ausdrücklich hervor — nicht von solchen, die er sich aus der Lektüre von griechischen Schriftstellern angeeignet hat, sondern vielmehr von solchen, die in der damaligen 'asianischen' Sophistik geläufig waren: von den Rhetoren, die dieser Richtung angehörten, ist aber oben gerade im Gegenteil nachgewiesen, daß sie die Literatur der Vergangenheit ignorierten, was zu beherzigen ich dringend alle die bitte, die sich einbilden, Paulus habe, weil er die Waffen der Rhetorik gelegentlich so schneidig zu handhaben versteht, den Demosthenes studiert, eine ungeheure Perversität der Anschauung, beleidigend für Demosthenes nicht weniger als für Paulus. Im Gegensatz zu den gleichzeitigen Rhetoren waren aber für Paulus die äußeren rhetorischen Kunstmittel bloßes Beiwerk, sie dienten nur dazu, der *δεινότης* und *σεμνότης* seiner Gedanken Ausdruck zu geben. Daß die Antithese dominiert, ist sehr begreiflich. Wir haben früher (S. 20f.) festgestellt, daß im V. Jahrh. v. Chr., als alles Bestehende in Frage gestellt wurde, die gewaltigen Revolutionen der Ideen sich in einer antithetischen Sprachform gewissermaßen hypostasierten: wieder stand man jetzt an einem Wendepunkt und die Negation des Bisherigen war eine ungleich schroffere; ist es da zu verwundern, daß der kampfesmutige Mann, der sich daran machte, eine Welt der Schönheit in Trümmer zu schlagen,

---

geschlossen, die für mich in diesen Fragen Autoritäten sind, z. B. Weizsäcker. Der Philologe, der es so oft mit Falsa zu tun hat, die er als solche mehr fühlen als beweisen kann, muß den Theologen geradezu beneiden wegen der Evidenz, zu der er es in gleicher Lage oft bringen kann. Z. B. wünschte ich, daß irgend ein heidnisches Falsum durch eine so ungeheure, wahrhaft erdrückende Masse von Kriterien innerer und äußerer Art entlarvt wäre wie die beiden Briefe an Timotheus und der an Titus: Motive und Art dieser Fälschung sind auch für den Philologen von eigenartigem Interesse: die beste Zusammenfassung bei Holtzmann, Die Pastoralbriefe, Leipz. 1880, cf. auch Usener Rel. Unters. I 88, 21. (Es scheint übrigens noch nicht notiert zu sein, daß Hegesippos bei Euseb. h. e. III 32, 8 die berüchtigten Worte *τῆς ψευδωνύμου γνώσεως* = ep. ad Tim. I 6, 20 zitiert. Daß die Fälschung vor M. Aurel fällt, wußten wir freilich ohnehin.) Inwieweit Harnack, Die Chronol. d. altchr. Lit. bis Euseb. I (Leipz. 1897) 480ff. mit Recht in einigen Fällen eine Überarbeitung echter paulinischer Briefe annimmt, vermag ich nicht zu beurteilen, glaube aber nicht, daß der Beweis erbracht ist (vgl. über den Ursprung von Fälschungen g a n z e r Briefe Harnack selbst in: Texte u. Unters. II 1 [1884] 106, 22).

seine umstürzenden Ideen in antithetische Formen kleidete, indem er die Gegensätze von Himmel und Erde, Licht und Finsternis, Leben in Christus und Tod in der Sünde, Geist und Körper, Glauben und Unglauben, Liebe und Haß, Wahrheit und Irrtum, Sein und Schein, Sehnsucht und Erfüllung, Vergangenheit und Gegenwart, Gegenwart und Zukunft in oft schroffen, bis zur Dunkelheit zusammengedrängten, monumentalen Antithesen offenbarte? *Θεὸς ἀποδώσει ἑκάστῳ κατὰ τὰ ἔργα αὐτοῦ, τοῖς μὲν καθ' ὑπομονὴν ἔργου ἀγαθοῦ δόξαν καὶ τιμὴν καὶ ἀφθαρσίαν ζητοῦσιν ζωὴν αἰώνιον· τοῖς δὲ ἐξ ἐριθείας καὶ ἀπειθοῦσιν τῇ ἀληθείᾳ, πειθομένοις δὲ τῇ ἀδικίᾳ, ὀργὴ καὶ θυμός* (Röm. 2, 6ff.), oder: *ὁ λόγος τοῦ σταυροῦ τοῖς μὲν ἀπολλυμένοις μωρία ἐστίν, τοῖς δὲ σωζομένοις ἡμῖν δύναμις θεοῦ ἐστίν* (Cor. I 1, 18), oder: *ἡμεῖς μωροὶ διὰ χριστόν, ὑμεῖς δὲ φρόνιμοι ἐν χριστῷ· ἡμεῖς ἀσθενεῖς, ὑμεῖς δὲ ἰσχυροί· ὑμεῖς ἔνδοξοι, ἡμεῖς δὲ ἄτιμοι. ἄχρι τῆς ἄρτι ὥρας . . . λοιδορούμενοι εὐλογοῦμεν, διωκόμενοι ἀνεχόμεθα, βλασφημούμενοι παρακαλοῦμεν* (ib. 4, 10ff.), oder: *ἐν παντὶ συνιστάνοντες ἑαυτοὺς ὡς θεοῦ διάκονοι . . . διὰ τῶν ὅπλων τῆς δικαιοσύνης τῶν δεξιῶν καὶ ἀριστερῶν, διὰ δόξης καὶ ἀτιμίας, διὰ δυσφημίας καὶ εὐφημίας, ὡς πλάνοι καὶ ἀληθεῖς, ὡς ἀγνοούμενοι καὶ ἐπιγινωσκόμενοι, ὡς ἀποθνήσκοντες καὶ ἰδοὺ ζῶμεν, ὡς παιδευόμενοι καὶ μὴ θανατούμενοι, ὡς λυπούμενοι ἀεὶ δὲ χαίροντες, ὡς πτωχοὶ πολλοὺς δὲ πλουτίζοντες, ὡς μηδὲν ἔχοντες καὶ πάντα κατέχοντες* (Cor. II 6, 4ff.)[1]): das ist der Ton, der wie

---

1) Diese Stelle war gerade wegen ihrer Antithesen hochberühmt. Sie wird dafür zitiert vom schol. Pers. 1, 86, cf. besonders noch Augustin. de civ. dei XI c. 18: *neque enim deus ullum, non dico angelorum, sed vel hominum crearet, quem malum futurum esse praescisset, nisi pariter nosset quibus eos bonorum usibus accommodaret atque ita ordinem saeculorum tamquam pulcherrimum carmen etiam quibusdam quasi antithetis honestaret. antitheta enim quae appellantur in ornamentis elocutionis sunt decentissima, quae latine ut appellentur opposita vel, quod expressius dicitur, contraposita, non est apud nos huius vocabuli consuetudo, cum tamen eisdem ornamentis locutionis etiam sermo latinus utatur, immo linguae omnium gentium. his antithetis et Paulus apostolus in secunda ad Corinthios epistula illum locum suaviter explicat, ubi dicit: ʻPer arma iustitiae dextra et sinistra: per gloriam et ignobilitatem, per infamiam et bonam famam; ut seductores et veraces; ut qui ignoraremur et cognoscimur; quasi morientes et ecce vivimus; ut coerciti et non mortificati; ut tristes, semper autem gaudentes; sicut egeni multos autem ditantes; tamquam nihil habentes et omnia possidentes'. sicut ergo ista contraria contrariis opposita sermonis pulchritudinem reddunt, ita quadam non*

eine *παλίντονος ἁρμονία* aus Paulus' Schriften zu uns herüberklingt, und es ist gewiß nicht zufällig, daß das Christentum gerade zur Zeit seines Kampfes auch in nachpaulinischer Zeit in Rede und Schrift keine Figur mehr bevorzugt hat als die Antithese. Wie muß Paulus aber erst gesprochen haben, wenn es nicht galt zu kämpfen oder kontroverse Meinungen zu entscheiden, sondern Gott und seine Werke zu preisen, die Menschen zu einigen in der Liebe zu ihm und untereinander. Nur selten klingt in seinen Briefen dieser Ton an, aber dann schlägt auch die Flamme seiner Begeisterung mit hinreißender Gewalt empor: jene beiden Hymnen auf die Liebe zu Gott und die zu den Menschen (Röm. 8, 31ff. Cor. I 13) haben der griechischen Sprache das wiedergeschenkt, was ihr seit Jahrhunderten verloren gegangen war, die Innigkeit und den Enthusiasmus des durch seine Einigung mit Gott beseligten Epopten, wie er uns in solcher Heiligkeit nur bei Platon und zuletzt bei Kleanthes begegnet. Wie muß diese Sprache des Herzens eingeschlagen haben in die Seelen der Menschen, die gewohnt waren, der albernen Geschwätzigkeit der Sophisten zu lauschen. An diesen Stellen erhebt sich die Diktion des Apostels zu der Höhe der platonischen im Phaidros, und es war für mich eine wohltuende Bestätigung dieses Gefühls, als ich fand, daß Paulus in jenem Kapitel des ersten Korinthierbriefs, wo seine Sprache den höchsten Schwung nimmt, unwillkürlich zu demselben Mittel gegriffen hat wie Platon: beide haben da den Ton der Hymnen angeschlagen, der Attiker den des Dithyrambus (s. o. S. 109f. 111f.), der orientalische Hellenist den des Psalms: denn Paulus, der sonst den unhellenischen Satzparallelismus der Septuaginta und vieler Partien der Evangelien nicht kennt[1]), hat sich an

verborum sed rerum eloquentia contrariorum oppositione saeculi pulchritudo componitur. apertissime hoc positum est in libro ecclesiastico isto modo (Sirach 33 [al. 36], 15): '*contra malum bonum est et contra mortem vita, sic contra pium peccator. et sic intuere in omnia opera altissimi, bina bina, unum contra unum*'. — Hieronymus hat natürlich auch gemerkt, um was für *σχήματα* es sich in der Stelle des Korinthierbriefs handle: man lese nur seine Übersetzung, um zu sehen, wie er sich bemüht, die *ὁμοιοτέλευτα* wiederzugeben, z. B. einmal *egentes* (für *egeni*), weil vier solche Partizipia damit korrespondieren.

1) Es gibt viele *ἀναίσθητοι*, die auch bei den deutlichsten Fällen nicht unterscheiden können, was hebräischer Gedanken- und hellenischer

dieser einen Stelle, selbst emporgehoben durch das was er sagen wollte, dieses Mittels bedient:

> ἐὰν ταῖς γλώσσαις τῶν ἀνθρώπων λαλῶ καὶ τῶν ἀγγέλων, ἀγάπην δὲ μὴ ἔχω, γέγονα χαλκὸς ἠχῶν ἢ κύμβαλον ἀλαλάζον.
>
> καὶ ἐὰν ἔχω προφητείαν καὶ εἰδῶ τὰ μυστήρια πάντα καὶ πᾶσαν τὴν γνῶσιν, κἂν ἔχω πᾶσαν τὴν πίστιν ὥστε ὄρη μεθιστάναι, ἀγάπην δὲ μὴ ἔχω, οὐθέν εἰμι.
>
> κἂν ψωμίσω πάντα τὰ ὑπάρχοντά μου, καὶ ἂν παραδῶ τὸ σῶμά μου, ἵνα καυθήσομαι, ἀγάπην δὲ μὴ ἔχω, οὐδὲν ὠφελοῦμαι.

3. Die Briefe des Ignatius und Polykarp.

Ignatius. Unter den übrigen Dokumenten der apostolischen Zeit erinnern an Paulus am meisten die sieben Briefe des **Ignatius** von Antiochia († 109), die er in Kleinasien, auf der einem Triumphzug gleichenden Reise nach Rom, wo er den Märtyrertod erleiden sollte, an die kleinasiatischen Gemeinden und an Polykarp von Smyrna schrieb. Sie sind das Herrlichste, was uns aus dieser Zeit erhalten ist, hinreißend durch die lodernde Glut einer Seele, die danach dürstet, dem Irdischen entrückt zu werden durch einen grausig-himmlischen Tod. Eine bedeutende,

---

Formenparallelismus ist: darüber einiges im Anhang I. Übrigens urteilt Heinrici l. c. 577 in dieser Sache richtig: „Der Parallelismus der Glieder begegnet kaum, vgl. etwa I 15, 54“, nur hätte er vielmehr die im Text von mir ausgeschriebene Stelle nennen müssen, denn die Worte Cor. I 15, 54 ὅταν τὸ φθαρτὸν τοῦτο ἐνδύσηται ἀφθαρσίαν καὶ τὸ θνητὸν τοῦτο ἐνδύσηται ἀθανασίαν, τότε γενήσεται ὁ λόγος ὁ γεγραμμένος κτλ. sehen dem hebräischen Parallelismus nur deshalb ähnlich, weil Paulus in den beiden Kola zweimal dieselben Worte (τοῦτο, ἐνδύσηται) wiederholt, was ein geschickter griechischer Stilist nie getan hätte, bei Paulus aber auch sonst vorkommt (cf. die Stellen bei Wilke l. c. 182): daß darin eher ein vom Standpunkt der strengen Kunstprosa mangelhaftes stilistisches Können als eine Anlehnung an hebräische Ausdrucksweise (cf. ev. Matth. 5, 22. 29f. Luc. 7, 33f.) zu sehen ist, geht hervor aus solchen Stellen, an denen von hebräischem Parallelismus keine Rede sein kann, z. B. ist Röm. 9, 18 ὃν θέλει ἐλεεῖ, ὃν δὲ θέλει σκληρύνει — bis auf das bei Paulus wie bei anderen nicht rein hellenischen Autoren öfter fehlende als stehende μέν: s. oben S. 25, 3 — gut griechisch, ebenso Röm. 14, 5 ὃς μὲν κρίνει ἡμέραν παρ' ἡμέραν, ὃς δὲ κρίνει πᾶσαν ἡμέραν u. ö.

mit wunderbarer Schärfe ausgeprägte Persönlichkeit atmet aus jedem Wort; es läßt sich nichts Individuelleres denken. Dementsprechend ist der Stil: von höchster Leidenschaft und Formlosigkeit.[1]) Es gibt wohl kein Schriftstück jener Zeit, welches in annähernd so souveräner Weise die Sprache vergewaltigte. Wortgebrauch (Vulgarismen, lateinische Wörter), eigene Wortbildungen und Konstruktionen sind von unerhörter Kühnheit, große Perioden werden begonnen und rücksichtslos zerbrochen; und doch hat man nicht den Eindruck, als ob sich dies aus dem Unvermögen des Syrers erklärte, in griechischer Sprache sich klar und gesetzmäßig auszudrücken, so wenig wie man das Latein Tertullians aus dem Punischen erklären kann; bei beiden ist es vielmehr die innere Glut und Leidenschaft, die sich von den Fesseln des Ausdrucks befreit. Auf das Einzelne hat J. B. Lightfoot in seiner bewundernswürdigen, durch ihre sprachlichen und sachlichen Bemerkungen auch für den Philologen wertvollen Ausgabe hingewiesen.[2]) Bemerkenswert scheint mir, daß auch er, wie Paulus, gelegentlich in Antithesen spricht[3]), nicht zierlich gedrechselten, sondern solchen, wie sie sich den ἀθληταῖς ἐν πνεύματι von selbst aufdrängten[4]), z. B. ep. ad Ephes. 8 (p. 51 L.) οἱ σαρκικοὶ τὰ πνευματικὰ πράσσειν οὐ δύνανται οὐδὲ οἱ πνευματικοὶ τὰ σαρκικά, ὥσπερ οὐδὲ ἡ πίστις τὰ τῆς ἀπιστίας οὐδὲ ἡ ἀπιστία τὰ τῆς πίστεως. ib. 10 (p. 58f.) πρὸς τὰς ὀργὰς αὐτῶν ὑμεῖς πραεῖς, πρὸς τὰς μεγαλορημοσύνας αὐτῶν ὑμεῖς ταπεινόφρονες, πρὸς τὰς βλασφημίας αὐτῶν ὑμεῖς τὰς προσευχάς[5]),

1) Cf. Harnack, Dogmengesch. I[3] 209.

2) The apostolic fathers. Part II Sec. ed. vol. I—III. London 1889; cf. besonders I 408ff., wo er die Ansicht von Leuten widerlegt, die es wirklich fertig gebracht haben, den unvollkommenen Stil als ein Argument für die Unechtheit der Briefe zu verwerten.

3) Aber bezeichnend ist auch hier, daß in den sieben z. T. recht umfangreichen Briefen nur siebenmal μέν-δέ vorkommt: ad Eph. 14 (p. 67). 18 (p. 75). ad Magnet. 4 (p. 116). 5 (p. 117). ad Trall. 4 (p. 161). 4 (p. 162). ad Rom. 1 (p. 196).

4) Das ist auch von E. v. d. Goltz, Ign. v. Ant. als Christ u. Theologe (in: Texte u. Unters. ed. v. Gebhardt u. Harnack XII 3 [1894] 91f.) hervorgehoben worden.

5) Die kühne Ellipse, die in der interpolierten Fassung der Briefe durch Hinzufügung von ἀντιτάξατε beseitigt ist, dient hier deutlich der prägnanten Fassung der Worte, cf. Lightfoot z. d. St.

πρὸς τὴν πλάνην αὐτῶν ὑμεῖς ἑδραῖοι τῇ πίστει, πρὸς τὸ ἄγριον αὐτῶν ὑμεῖς ἥμεροι. ib. 11 (p. 61) ἢ γὰρ τὴν μέλλουσαν ὀργὴν φοβηθῶμεν ἢ τὴν ἐνεστῶσαν χάριν ἀγαπήσωμεν, ἓν τῶν δύο. ib. 12 (p. 63) οἶδα τίς εἰμι καὶ τίσιν γράφω. ἐγὼ κατάκριτος, ὑμεῖς ἠλεημένοι· ἐγὼ ὑπὸ κίνδυνον, ὑμεῖς ἐστηριγμένοι. ad Rom c. 8 (p. 228f.) οὐ κατὰ σάρκα ὑμῖν ἔγραψα, ἀλλὰ κατὰ γνώμην θεοῦ. ἐὰν πάθω, ἠθελήσατε· ἐὰν ἀποδοκιμασθῶ, ἐμισήσατε.[1])

Polykarp. In denkbar starkem Kontrast zu diesen ignatianischen Briefen steht der Brief des mit ihm befreundeten Polykarp von Smyrna († 155 oder 156) an die Philipper (bei Lightfoot vol. III 321ff.). Man liest ihn schnell herunter, ohne anzustoßen, während Ignatius fast in jedem Satz Probleme bietet. Die Sprache ist weder zu loben noch zu tadeln; kein ungewöhnliches Wort, kein Anakoluth, aber auch kein origineller Gedanke, keine Rhetorik weder des Herzens noch des Kopfes (z. B. fehlt jede Antithese).[2]) Nur den Tod des Märtyrers hat dieser Mann mit seinem Freunde gemein gehabt.[3])

III. Die Entwicklung der christlichen Prosa seit der Mitte des II. Jahrhunderts.

A. Die Theorie.

Urchristentum und katholisches Christentum. „Das Evangelium wäre wahrscheinlich untergegangen, wenn die Formen des 'Urchristentums' ängstlich in der Kirche be-

1) Cf. noch 14 (p. 67 und p. 68). 15 (p. 69). ad Trall. 1 (p. 153). 6 (p. 164). ad Rom. 6 (p. 218). ad Smyrn. 4 (p. 299f.). 7 (p. 308). ad Polyc. 6 (p. 352f.). Für die Anapher cf. ep. ad Ephes. 10 (p. 59). ad Magnet. 7 (p. 122f.).

2) μέν-δέ kommt in den zehn Kapiteln nicht vor. Bezeichnend aber ist, daß in dem gut stilisierten Brief der Smyrnäer an die umliegenden Gemeinden (über Polykarps Martyrium, bald nach diesem verfaßt) diese Partikeln in zwanzig Kapiteln 10mal vorkommen (bei Lightfoot vol. III 363ff.). Offenbar ist dieser Brief von einem recht gebildeten Christen geschrieben worden; er berührt sehr sympathisch durch die maßvolle Rhetorik und die edle Einfachheit, mit der der Vorgang erzählt wird: um das zu würdigen, vergleiche man etwa die oben besprochene Schrift des Ps.-Iosephos und spätere christliche Martyrologien.

3) Cf. Lightfoot vol I p. 596f.: *The profuseness of quotations* (biblischer Stellen) *in Polycarp's Epistle* (im Gegensatz zu denen des Ignatius)

wahrt worden wären; nun aber ist das 'Urchristentum' untergegangen, damit sich das Evangelium erhielte.“ Diese Worte Harnacks[1]) finden ihre Anwendung auch auf die Entwicklungsgeschichte der christlichen Prosa. Uns ergreift die erhabene Schlichtheit der Evangelien, die rührende Einfachheit der Didache, die sinnige Naivität des Hermas, die liebenswürdige Anmut der novellistischen Legenden; uns reißt hin der Tiefsinn des Paulus und die Glut des Ignatius: uns würden alle diese Schriften im Gewand eines pompösen, reflektierenden Stils mißfallen. Aber schon waren neue Aufgaben an die junge Religion herangetreten: sie wollte sich in der ganzen Welt verbreiten, das war aber bei der damaligen Lage der Dinge durch die bloße Sprache des Herzens nicht möglich. Hätten die Apologeten des zweiten Jahrhunderts[2]) ihre an die Kaiser, den Senat, das gebildete griechische und römische Publikum gerichteten Schriften in dem Stil geschrieben, dessen sich gleichzeitig Ignatius und Polykarp in ihren nur für die christlichen Gemeinden bestimmten Schriften bedienten, so hätten die Adressaten sie entweder überhaupt nicht gelesen oder daraus den Schluß gezogen, daß diese Religion wirklich das war, wofür man sie hielt: eine orientalische Superstition der *ἀπαίδευτοι.* Der Verfasser der *Πράξεις Φιλίππου τοῦ ἀποστόλου ὅτε εἰσῆλθεν εἰς τὴν Ἑλλάδα τὴν ἄνω* (p. 95ff. Tischend.) läßt den Philippos in Athen mit den Philosophen zusammentreffen, die ihn um etwas 'Neues' bitten, worauf er ihnen antwortet: *ὑμᾶς μὲν*

---

arises from a want of originality. The Epistle of P. is essentially common place, and therefore essentially intelligible. It has intrinsically no literary or theological interest. On the other hand the letters of Ignatius have a marked individuality. Of all early Christians writings they are preeminent in this respect etc.

1) Im Nachwort zu E. Hatch, Griechentum u. Christentum, übers. von E. Preuschen (Freiburg 1892) 268.

2) Am besten schreibt der Vf. des pseudoiustinischen *παραινετικὸς πρὸς Ἕλληνας*: sein Stil ist bewußt demosthenisch (cf. auch Harnack in: Sitzungsber. d. Berl. Ak. 1896, 643). Von den an einzelne Personen gerichteten apologetischen Schriften ist die des Theophilos an Autolykos nach Inhalt, Disposition, Stilistik und Sprache die schlechteste, während der Brief an Diognet nach allen diesen Gesichtspunkten zu dem Glänzendsten gehört, was von Christen in griechischer Sprache geschrieben ist (cf. besonders c. 5—7).

ἀγαπῶ, ὦ ἄνδρες τῆς Ἑλλάδος, καὶ μακαρίζω ὑμᾶς εἰρηκότας ὅτι ἀγαπῶμέν τι καινότερον. καὶ γὰρ παιδείαν ὄντως νέαν καὶ καινὴν ἤνεγκεν ὁ κύριός μου εἰς τὸν κόσμον, ἵνα πᾶσαν ἐξαλείψῃ κοσμικὴν παίδευσιν: auf solcher Grundlage ließ sich eine Einigung nicht erzielen, im Gegenteil mußte die im Evangelium gebotene Gleichsetzung der *sapientia saecularis* mit der *stultitia* (z. B. Tert. de praescr. haer. 7) die gebildeten Heiden verletzen. Solange man ferner völkerrechtlich die Christen entweder mit den Barbaren identifizierte oder sie neben Hellenen und Barbaren als *tertium genus* des Menschengeschlechts betrachtete[1]), war die notwendig zu vollziehende Verschmelzung beider Kulturen eine Unmöglichkeit: Iulian wollte — von seinem Standpunkt aus ganz konsequent — den 'Galiläern' als 'Barbaren' den Gebrauch der griechischen Sprache verbieten (Greg. Naz. or. in Iul. 1 c. 100ff.). Die Christen wehrten sich seit dem zweiten Jahrhundert in erbitterter Polemik gegen jene Unterscheidung: in der Praxis haben sie sie aufgehoben durch das schwere, aber notwendige Opfer der Verweltlichung ihrer Religion auf dem Boden des Synkretismus, für den die heidnische Welt durch die seit der Zeit Alexanders des Großen in immer steigendem Maße wirksamen kosmopolitischen Ideen wohl vorbereitet war. So wurde aus der Religion des Glaubens und des Herzens eine Religion des Dogmas und des Kultus[2]), denn in der 'philosophischen' Lehrmeinung sah der Gebildete, in der

---

1) Cf. meine oben (S. 469, 2) zitierte Schrift p. 407ff. Die trotz aller Irrtümer großartigen völkergeschichtlichen Untersuchungen des Eusebios und besonders des Augustin (cf. auch Paulin. Nol. ep. 28, 5) hatten den Zweck, dem Christentum in der Geschichte der Völker seinen Platz anzuweisen. Aus jenen frühen Zeiten erhielt sich übrigens, als das Christentum längst aus seiner isolierten Sphäre in die Region der allgemeinen hellenischen Kultur eingetreten war, die Bezeichnung der Nichtgläubigen als *Ἕλληνες*; so hatten sich einst die Anhänger der alten Religion stolz selbst bezeichnet, um sich von dem *alterum genus hominum* zu unterscheiden; daher nannte Iulian die Christen *Γαλιλαῖοι*, d. h. *βάρβαροι*, während Iulians Panegyriker Eunapios *Ἕλλην* als eine ehrende Auszeichnung gebraucht (p 86 Boiss. *φιλοθύτης ὢν καὶ διαφερόντως Ἕλλην*, cf. p 29).

2) Cf C. Schmidt l. c. (oben S. 471, 1) 515f. Die ausführlichsten heidnischen Kultformulare, die wir besitzen, die iguvinischen Tafeln, berühren sich aufs engste, oft bis in Einzelheiten der Terminologie, mit den christlichen Liturgien.

äußerlichen Betätigung sah das Volk die religiöse Überzeugung und die Gewißheit auf Erhörung seitens der höheren Mächte beschlossen. So mußte auch die Sprache, die nur auf das Gemüt wirkte, mit derjenigen, die den Geist anregte und die Sinne befriedigte, ein Bündnis schließen. Denn wenn man bedenkt, wie groß damals die Gewalt des Wortes war[1]) und wie empfindlich die Menschen in der Rede alles äußerlich Unvollkommene und Unschöne berührte, so begreift man leicht, daß vor allem die Gebildeten nie und nimmer durch die edle Einfachheit der biblischen Sprache und die rührende Schlichtheit ernster Ermahnung für die neue Religion gewonnen werden konnten, daß sie im Gegenteil abstoßend auf sie wirken und mithin der Ausbreitung des Christentums hinderlich sein mußte.[2]) Auch das

---

1) Cf. Villemain, Mélanges historiques et littéraires III (Paris 1827) 357: *La parole, chez tous ces peuples d'origine grecque, était le talisman du culte. Ils étaient convertis par des prêtres éloquens, comme ils avaient été d'abord gouvernés par des orateurs et ensuite amusés par des sophistes.*

2) Lehrreich für die steigende Empfindlichkeit scheinen mir die sprachlichen und stilistischen Änderungen zu sein, die ein Unbekannter in der zweiten Hälfte des IV. Jahrh. mit den ignatianischen Briefen (ed. Lightfoot l. c. III 149 ff.) vorgenommen hat. Ich habe mir folgendes notiert. Er ändert mehrere ungewöhnliche Worte: ep. ad Trall. 4 *ἀγγελικαὶ τάξεις* für *ἀ. τοποθεσίαι*. ib. 8 *πραότης* für *πραϋπάθεια*. ib. 11 *παραυτίκα* für *παραυτά*; er setzt *ἄρα* für *ἄρα οὖν* ib. 10. Er ändert seltenere Konstruktionen: ep. ad Smyrn. 6 *ἀγάπης αὐτοῖς οὐ μέλει* für *περὶ ἀγάπης κτλ.* ad Trall. 13 *ἔτι γὰρ ἐπὶ κινδύνων εἰμί* für *ἔτι γὰρ ὑπὸ κίνδυνόν εἰμι.* Er bessert unbeholfene Perioden des Ignatius: ad Philad. 1 in., ad Smyrn. 1 a. E. Besonders merkwürdig ist, daß er die bei Ignatius sich findenden *ὁμοιοτέλευτα* gern verstärkt oder ganz neue einführt: Ign. ad Trall. 1 *οὐ κατὰ χρῆσιν ἀλλὰ κατὰ φύσιν* ∼ Ps.-Ign. *οὐ κατὰ χρῆσιν ἀλλὰ κατὰ κτῆσιν.* Ign. ad. Smyrn. 9: *ὁ τιμῶν ἐπίσκοπον ὑπὸ θεοῦ τετίμηται· ὁ λάθρα ἐπισκόπου τι πράσσων τῷ διαβόλῳ λατρεύει* ∼ Ps.-Ign. *ὁ τιμῶν ἐπίσκοπον ὑπὸ θεοῦ τιμηθήσεται, ὥσπερ οὖν ὁ ἀτιμάζων αὐτὸν ὑπὸ θεοῦ κολασθήσεται.* Ganz neue hat er eingeführt: ad Trall. 6 *λέγουσι γὰρ Χριστόν, οὐχ ἵνα Χριστὸν κηρύξωσιν ἀλλ' ἵνα Χριστὸν ἀθετήσωσιν· καὶ οὐ νόμον προβάλλουσιν ἵνα νόμον συστήσωσιν, ἀλλ' ἵνα ἀνομίαν καταγγείλωσιν· τὸν μὲν γὰρ Χριστὸν ἀλλοτριοῦσι τοῦ πατρός, τὸν δὲ νόμον τοῦ Χριστοῦ* usw. in Antithesen. ad Smyrn. 6 '*ὁ χωρῶν χωρείτω, ὁ ἀκούων ἀκουέτω*' (er stellt also diesem *σχῆμα* zuliebe nebeneinander Matth. 19, 12 + 13, 43). *τόπος καὶ ἀξίωμα καὶ πλοῦτος μηδένα φυσιούτω, ἀδοξία καὶ πενία μηδένα ταπεινούτω.* ibid. 6 a. E. *ἀγάπης αὐτοῖς οὐ μέλει, τῶν προσδοκωμένων ἀλογοῦσι, τὰ παρόντα ὡς ἑστῶτα λογίζονται, τὰς ἐντολὰς παρορῶσιν, χήραν καὶ ὀρφανὸν περιορῶσιν, θλιβόμενον διαπτύουσιν, δεδεμένον γελῶσιν*: das hat er gemacht aus den

wußte der Apostat: wenn er die Galiläer höhnend auf die Barbarismen ihrer religiösen Urkunden verwies und erklärte, solche Leute seien unwürdig, in der Weisheit der Hellenen, speziell der Rhetorik, unterrichtet zu werden, so wollte er damit dem schon stattlich emporgewachsenen Baum die Fasern der Wurzel zerschneiden. Denn seit langem lauschten Hunderttausende den gewaltigen Predigern, die ihre Reden ganz und gar in das Modegewand der Sophisten gekleidet hatten, und seit langem war der Inhalt der neuen Lehre auch durch die Schrift der gebildeten Welt in formvollendeten Werken zugänglich gemacht worden. Seitdem das geschehen, war der große Zwiespalt da: die heiligen Urkunden waren in der Sprache von 'Fischern'[1]) gehalten, ihre Auslegungen in der von 'Sophisten'. Jahrhunderte lang hat dieser Zwiespalt die Gemüter der Menschen bewegt.[2]) Es ist nicht ohne Interesse und für meine Zwecke unumgänglich nötig, darauf etwas genauer einzugehen; da die allgemeinen Verhältnisse in der kirchlichen Literatur des Ostreichs keine anderen waren als in der des Westreichs, trenne ich bei ihrer Darlegung die lateinischen Zeugnisse nicht von den griechischen.

1. Theorien über die Sprache des Neuen Testaments.

Das N. T. ein stilistisches ἄτεχνον. Das Neue Testament in griechischer Sprache wurde bekannt zu einer Zeit, als in den gebildeten Kreisen die Sensibilität für alles, was mit Sprache und Stilistik zusammenhing, auf ihrem Höhepunkt angelangt war. Ein nichtattisches Wort zu gebrauchen, galt für das schwerste literarische Verbrechen, ein

---

Worten des echten Ignatius: *περὶ ἀγάπης οὐ μέλει αὐτοῖς, οὐ περὶ χήρας, οὐ περὶ ὀρφανοῦ, οὐ περὶ θλιβομένου, οὐ περὶ δεδεμένου.*

1) Cf. Lactant. div. inst. V 2, 17, wonach Hierokles in seinen Büchern an die Christen *Paulum Petrumque, ceteros discipulos rudes et indoctos fuisse testatus est, nam quosdam eorum piscatorio artificio fecisse quaestum; quasi* (sagt Lactanz) *aegre ferret, quod illam rem* (die christliche Religion) *non Aristophanes aliquis aut Aristarchus commentatus sit.* Celsus hatte gesagt, die Evangelien seien von *ναῦται* verfaßt, cf. Orig. c. Cels. I 62. Die Christen ihrerseits rühmten sich gerade wegen des *piscatorius sermo* ihrer Urkunden, wie man seit Origenes l. c. (cf. VI 1) durchs Mittelalter verfolgen kann.

2) Noch im XVII. und XVIII. Jahrh. stritt man sich über den Stil des N. T., darüber manches bei Chr. Sigism. Georgi, Hierocriticus N. T. s. de stylo N. T. l. III (Wittebergae et Lipsiae 1733).

nicht mit den Figuren der Rede geschmücktes Werk hatte keinen Anspruch auf einen Platz in der Literatur; kurz: gut oder schlecht schreiben galt als das Distinktiv von Griechen und Barbaren. Ein solches Publikum mußte die religiösen Urkunden der Christen als stilistische Monstra betrachten.[1]) Man kann sich den Kreis derjenigen Heiden, welche sie überhaupt lasen, gar nicht klein genug denken. Es wird darüber oft falsch geurteilt, weil man sich ungern entschließt zu glauben, daß Urkunden, die für uns von Wichtigkeit sondergleichen sind, damals unbeachtet geblieben sein könnten. Aber man muß bedenken, daß in den ersten Jahrhunderten nur wenige Scharfblickende dem Christentum größere Bedeutung beilegten als irgend einer der zahlreichen orientalischen Sekten, deren Schriftstücke durchzulesen sich ein gebildeter Heide gar nicht einfallen ließ. Man überlege sich auch die Praxis der Apologeten: entweder zitieren sie überhaupt nichts aus ihren Urkunden, wie Minucius Felix, oder sie legen — ganz gegen die Gewohnheit guter Schriftsteller (s. oben S. 88 ff.) — seitenlange Zitate ein, wie Iustin und Theophilos, und aus beiderlei Praxis folgt, daß sie bei ihren heidnischen Lesern keine Kenntnis der Urkunden voraussetzen.

---

1) Bezeichnend ist, daß sie sich vor allem an den vielen für die neuen Begriffe notwendigerweise neugeprägten Worten stießen: Hieronym. comm. in ep. ad Galatas l. I zu c. 1 v. 12 (VII 1 p. 387 Vall.): *verbum quoque ipsum ἀποκαλύψεως id est revelationis proprie scripturarum est et a nullo sapientium saeculi apud Graecos usurpatum. unde mihi videntur, quemadmodum in aliis verbis quae de Hebraeo septuaginta interpretes transtulerunt, ita et in hoc magnopere esse conati, ut proprietatem peregrini sermonis exprimerent nova novis rebus verba fingentes . . . Si itaque hi qui disertos saeculi legere consueverunt, coeperint nobis de novitate et vilitate sermonis illudere, mittamus eos ad Ciceronis libros qui de quaestionibus philosophiae praenotantur, et videant, quanta ibi necessitate compulsus sit, tanta verborum portenta proferre quae numquam latini hominis auris audivit: et hoc cum de Graeco quae lingua vicina est transferret in nostram: quid patiuntur illi qui de hebraeis difficultatibus proprietates exprimere conantur? et tamen multo pauciora sunt in tantis voluminibus scripturarum quae novitatem sonent, quam ea quae ille in parvo opere congessit.* Das läßt sich am besten illustrieren durch die oft zitierte Stelle des Augustin serm. 299, 6: *Christus Iesus, id est Christus Salvator. hoc est enim latine Iesus. nec quaerant grammatici, quam sit latinum, sed Christiani quam verum. salus enim latinum nomen est; salvare et salvator non fuerunt haec latina, antequam veniret salvator: quando ad Latinos venit, et haec latina fecit.*

Ich glaube daher nicht zu irren, wenn ich behaupte, daß Heiden nur dann die Evangelien (und die Briefe) gelesen haben, wenn sie sie, wie Celsus, Hierokles, Porphyrios und Iulian, widerlegen wollten.[1]) Die Argumente, die man kürzlich vorgebracht hat,

1) Th. Zahn l. c. (oben S. 469, 2) 21, 1 hat eine Reihe von Stellen angeführt, durch die bewiesen werden soll, daß Heiden das N. T. lasen. Die Zitate beweisen, wenn man sie nachschlägt (Zahn hat keins vollständig ausgeschrieben) entweder nichts oder das Gegenteil. Zu denen, die nichts beweisen, gehören 1) die, wo es sich um das A. T. handelt, das notorisch von Heiden gelesen wurde (wie wir längst wußten), 2) die, wo es sich um Heiden nach ihrer Bekehrung handelt, 3) die, wo Christen die Heiden zur Lektüre auffordern, was eben meist nur fromme Wünsche blieben. Das Gegenteil wird bewiesen durch eine Stelle Tertullians, die Zahn (auf Grund einer von ihm mißverstandenen Notiz des Lactanz) als 'rednerische Übertreibung' bezeichnet: Tertull. test. an. 1: *tantum abest, ut nostris litteris annuant homines, ad quas nemo venit nisi iam Christianus.* Soviel ich sehe, gibt es — natürlich abgesehen von den im Text genannten Männern, die es mit ihrer Widerlegung ernst nahmen — nur zwei Heiden, von denen überliefert ist, daß sie das N. T. gelesen haben: den ersten kennt Zahn nicht, den zweiten entnimmt er längst bekannten modernen Autoren. Jener war der Platoniker Amelios, von dem Euseb. pr. ev. XI 19, 1 ein hochinteressantes Fragment überliefert, in dem der βάρβαρος, d. h. Johannes (ev. 1, 1 ff.), zitiert wird; da übrigens alle Neuplatoniker jener Zeit mit dem Christentum um ihre Existenz kämpften, so ist es durchaus nichts Besonderes, bei einem Genossen des Porphyrios Kenntnis christlicher Schriften zu finden: es beweist also nichts gegen die allgemeine von mir aufgestellte Behauptung. Der zweite, von dem wenigstens wahrscheinlich ist, daß er etwas von den Evangelien gelesen hat (sicher ist es, wie man sehen wird, nicht), ist Galen. Die Theologen (z. B. Harnack, Dogmengesch. I³ 224, 1) zitieren dafür eine äußerst interessante Stelle, die, weil sie, wie es scheint, in philologischen Kreisen wenig oder gar nicht beachtet wird, hier Platz finden mag. Ihre Quelle ist, wie mir Dr. G. Jacob in Halle freundlichst mitgeteilt hat, das Kâmil des Ibn al-Athîr, der im J. 1232 starb; aus ihm wird die Stelle zitiert von dem kompilierenden Historiker Abulfedâ († 1331) in seiner vorislamischen Geschichte, die von H. Fleischer mit lateinischer Übersetzung Leipz. 1831 ediert ist: nach dieser lateinischen Übersetzung hat derjenige, der die Stelle ausfindig gemacht hat (nämlich wohl der von Harnack l. c. genannte J. Gieseler, Lehrb. d. K.-Gesch. I 1⁴ [Bonn 1844] 167, 16), zitiert: Jacob hat die Übersetzung mit der uns erhaltenen Quelle des Abulfedâ verglichen. Im Kâmil des genannten Arabers heißt es also: *Galeni tempore religio Christianorum magna iam incrementa ceperat, eorumque mentionem fecit Galenus in libro de sententiis Politiae Platonicae, his verbis: 'hominum plerique orationem demonstrativam continuam mente assequi nequeunt; quare indigent, ut instituantur parabolis' — parabolas dicit narrationes de praemiis et poenis in*

zum Beweis, daß Epiktet die h. Schrift gelesen habe, halten bei genauer Prüfung nicht stand.[1]) Der den Heiden oft gemachte

vita futura exspectandis —. 'veluti nostro tempore videmus, homines illos qui Christiani vocantur, fidem suam e parabolis petiisse. hi tamen interdum talia faciunt, qualia qui vere philosophantur. nam quod mortem contemnunt, id quidem omnes ante oculos habemus; item quod verecundia quadam ducti ab usu rerum venerearum abhorrent. sunt enim inter eos et feminae et viri, qui per totam vitam a concubitu abstinuerint; sunt etiam, qui in animis regendis coercendisque et in acerrimo honestatis studio eo progressi sint, ut nihil cedant vere philosophantibus.' haec Galenus. In diesen Worten ist *parabola* Übersetzung des arabischen *ramz*, welches nach Jacob bedeutet: „Rätsel, Andeutung und Siegel im Sinne der Stenographen"; die Worte *parabolas — expectandis* hat der Araber zugesetzt: sie sind also für die Meinung Galens nicht verbindlich, man denkt an die evangelischen Vergleiche, von denen sich ja einige auf das beziehen, was der Araber verstanden wissen will. Was die Glaubwürdigkeit des Zitats anlangt — ich habe mich gewöhnt, allem, was wir aus orientalischen Quellen für das Griechische zulernen, vorerst zu mißtrauen —, so bemerkt mir darüber Jacob, daß eine arabische Erfindung ausgeschlossen sei: schon aus dem Wortreichtum könne man erkennen, daß es ein unarabisches Produkt sei. Ich wandte mich dann Galens wegen an dessen ersten jetzigen Kenner Dr. H. Schöne in Berlin, der mir folgendes zu schreiben die Güte hatte: „Das Galenzitat war für mich ein Novum . . . Ich sehe keinen Grund, warum man an der Authentizität desselben zweifeln sollte, obwohl eine Schrift 'de sententis Politiae Platonicae' weder erhalten noch in Galens Schriftenverzeichnissen (περὶ τῆς τάξεως τῶν ἰδίων βιβλίων und περὶ τῶν ἰδίων βιβλίων) aufgeführt ist. Ich vermute daher, daß Galen das betreffende Buch in seiner letzten Zeit, als er jene Schriftenverzeichnisse schon publiziert hatte, verfaßt hat." — Übrigens hat es einen anderen Weg gegeben, auf dem die Kenntnis der Schrift den Heiden vermittelt wurde: durch Vorlesen; wir erkennen das aus einem Traktat, in dem dagegen polemisiert wird: Pseudoclemens de virginitate II 6 (erste Jahrzehnte s. III, nur in syrischer Übersetzung des griechischen Originals erhalten, cf. Harnack in: Sitz.-Ber. d. Berl. Akad. 1891, 363 ff.): „Wir singen den Heiden keine Psalmen vor und lesen ihnen die Schriften nicht vor, damit wir nicht den Pfeifern oder Sängern oder Weissagern gleichen, wie Viele, die also wandeln und dies tun, damit sie sich mit einem Brocken Brodes sättigen, und eines Becher Weins wegen gehen sie und 'singen das Lied des Herrn in dem fremden Lande' der Heiden und tun, was nicht erlaubt ist. Ihr, meine Brüder, tut nicht also; wir beschwören euch, Brüder, daß solches nicht bei euch geschieht, vielmehr wehrt denen, die sich so schmählich betragen und sich wegwerfen wollen. Wir beschwören euch, daß dies so bei euch geschehe wie bei uns."

1) Auch für Lukian hat es Th. Zahn, Ignatius v. Antiochien (Gotha 1873) 592 ff. nachweisen wollen, aber mit ebenso geringem Erfolg wie bei Epiktet (s. oben S. 469, 2). Folgende Gründe widerlegen ihn. 1) Von dem

Vorwurf, sie verurteilten, was sie überhaupt nicht kennten, hatte also eine große Berechtigung.[1]) Wie verhielten sich nun diesen

---

Σύρῳ τῷ ἐκ τῆς Παλαιστίνης τῷ ἐπὶ τούτων (wunderbare Heilungen) *σοφιστῇ* (Philops. 16) wird durchaus im Präsens gesprochen. Zahn sagt freilich (p. 592), daß es ein „völliges Verkennen der Schreibweise Lukians“ sei, wenn man dies nicht von Jesus verstehe. Ich behaupte vielmehr auf Grund meiner Kenntnis Lukians, den ich ganz gelesen habe, daß er sich nirgends einer so perversen „Schreibweise“ bedient hat. 2) Nun sollte man aber wenigstens erwarten, daß eben dieser *Σύρος* die Heilung vollzieht, auf deren Analogie zu ev. Marc. 2, 11 f. Matth. 9, 6 f. Luc. 5, 24 f. Zahn solches Gewicht legt. Aber das ist nicht der Fall, sondern sie wird einige Paragraphen vorher (§ 11) von einem ganz anderen, nämlich einem Babylonier, erzählt. 3) Bei dieser Heilung (die übrigens viel mehr an act. Thomae 30 ff. p. 216 ff. Tischend. erinnert) heißt es freilich: der Kranke (ein Winzer) *αὐτὸς ἀράμενος τὸν σκίμποδα, ἐφ' οὗ ἐκεκόμιστο, ᾤχετο ἐς τὸν ἀγρὸν ἀπιών*, wie im Evangelium (Marc. l. c.) *σοὶ λέγω, ἔγειρε ἆρον τὸν κράβαττόν σου, καὶ ὕπαγε εἰς τὸν οἶκόν σου. καὶ ἠγέρθη καὶ εὐθὺς ἄρας τὸν κράβαττον ἐξῆλθεν*: aber was ist denn daran sonderbar, daß man seinen Sessel, auf dem man krank getragen wird, gesund selbst trägt? Auch die von Apollonios v. Tyana erweckte Tote (Philostr. v. Ap. IV 43) 'geht wieder nach Haus', aber da sie auf einer *κλίνῃ* gebracht ist, nimmt sie diese nicht selbst mit. — Auf das, was C. Fr. Baur, Apollonius v. Tyana u. Christus (1832) in: Drei Abh. z. Gesch. d. alt. Philos. ed. Zeller (Leipz. 1876) 137 Anm. vorbringt, ist erst recht nichts zu geben.

1) Bekanntlich ist es auch den literarisch hochgebildeten Christen schwer genug geworden, sich über ein ihnen angeborenes Vorurteil hinwegzusetzen. Wir haben die Zeugnisse des Hieronymus (ep. 22, I 115 Vall.) und Augustin (conf. III 5 f.). Darüber hat J. Bernays, Üb. d. Chron. d. Sulp. Sev. = ges. Abh. II 148 f. vortrefflich gehandelt, und jeder, der die literarischen Verhältnisse jener Zeiten kennt, wird ihm recht geben, wenn er sagt: „Wenn dies den ernsteren Naturen widerfuhr, was mußten nun erst Menschen, wie z. B. Ausonius empfinden. . . . Er und die aquitanischen 'Professoren', welche er besingt, hätten um ihres Glaubens willen wohl jede andre Not und Schmach gelitten, als die Not, solche Solözismen zu lesen, und die Schmach, solche Barbarismen in die Feder oder den Mund nehmen zu müssen, wie sie jeder Vers der Itala oder der Septuaginta enthält.“ — Mir scheint auch recht bezeichnend, daß Chorikios das N. T. ignoriert, während er das alte oft zitiert, cf. besonders p. 179 ff. Boiss. Überhaupt kann man beobachten, daß die christlichen Autoren in den für ein gelehrtes Publikum bestimmten Schriften sparsam mit wörtlichen Bibelzitaten sind: man sehe daraufhin durch z. B. die Briefe des Paulinus von Nola oder Sidonius. Lucifer von Cagliari zeigt auch darin seinen Mangel an 'Bildung', daß er überall seitenlange Stellen der Bibel wörtlich zitiert, in einem Umfang, wie wohl kein anderer Schriftsteller. Eine interessante Untersuchung dächte ich mir, die stilistischen Änderungen nachzuweisen,

Insinuationen gegenüber die Christen? Sie schlugen zwei Wege der Verteidigung ein: entweder gaben sie die sprachlichen und stilistischen 'Fehler' der Schrift zu, erklärten sie aber aus der ganzen Tendenz der Schrift, oder sie suchten zu beweisen, daß die Verfasser der einzelnen Bücher keineswegs ungebildete Leute gewesen seien, sondern die Mittel kunstvoller Diktion gekannt und angewandt hätten. Betrachten wir zunächst den ersteren Lösungsversuch.

Zugeständnis des ἄτεχνον.

1. Man hielt den Spöttern das entgegen, was die Wahrheit war: die neue Religion habe die Welt gewinnen wollen und sich daher einer allen verständlichen einfachen Sprache bedienen müssen. Ich lasse dafür einige Zeugnisse folgen.

Am schönsten und wärmsten hat Origenes dieser Empfindung Ausdruck gegeben in seiner Erwiderung auf den Vorwurf des Celsus, die Evangelien seien in der Sprache von ναῦται abgefaßt. Würden — erwidert er darauf (I 62) — die Schüler des Herrn sich der dialektischen und rhetorischen Künste der Hellenen bedient haben, so hätte es ausgesehen, als ob Jesus als Gründer einer neuen Philosophenschule aufgetreten wäre: nun aber redeten sie voll heraus aus des Herzens Tiefe, so wie es ihnen der Geist eingab; da fragten sich die Menschen erstaunt: „woher haben jene wohl diese Überredungskraft, denn nicht ist es die bei allen anderen gebräuchliche", und so glaubten sie, daß es ein Höherer war, der aus ihnen sprach: wie ja auch Paulus gesagt hat: „Mein Wort und Verkünden stand nicht auf Überredungskunst der Weisheit, sondern auf dem Erweise von Geist und Kraft: damit euer Glaube nicht stehe auf Menschen-Weisheit, sondern auf Gottes-Kraft." In besonders eigenartiger Weise und, wie gewöhnlich, stark übertreibend hat Iohannes Chrysostomos die Frage erörtert hom. in ep. I ad Cor. 3 c. 4 (61, 27 Migne): „Wenn die Hellenen gegen die Schüler des Herrn die Anschuldigung der Unwissenheit erheben, so wollen wir diese Anschuldigung noch steigern. Keiner möge sagen, Paulus sei weise gewesen, sondern indem wir vielmehr die bei

---

die von christlichen Schriftstellern in ihren Zitaten des N. T. vorgenommen sind. Das Material zu den Evangelien findet sich jetzt bei A. Resch, Außerkanonische Evangelienzitate bei chr. Schriftstellern, Leipz. 1896 f.

den Hellenen für groß geltenden und ob ihrer Wohlberedsamkeit bewunderten Männer erheben, wollen wir behaupten, daß alle zu uns Gehörigen unwissend waren. Denn so werden wir die Gegner gar gewaltig zu Boden werfen, und glänzend wird der Siegespreis sein. Das aber sagte ich, weil ich einst einen gar lächerlichen Disput zwischen einem Christen und Heiden anhörte, die in ihrem wechselseitigen Kampf beide ihre eigene Sache widerlegten. Denn was der Christ hätte sagen müssen, das sagte der Heide und was naturgemäß Worte des Heiden gewesen wären, das brachte der Christ vor. Die Frage drehte sich nämlich um Paulus und Platon, wobei der Heide zu zeigen versuchte, daß Paulus ungebildet und unwissend war, während der Christ in seiner Einfalt den Beweis zu bringen sich abmühte, daß Paulus beredter als Platon war. Wenn diese Behauptung zu Recht bestände, so wäre der Sieg auf Seiten des Heiden: denn wäre Paulus beredter als Platon, so würden viele entgegnen, Paulus habe weniger durch die Gnade als durch seine Wohlberedsamkeit die Übermacht erhalten. Also wäre das von dem Christen Gesagte für den Heiden günstig, das von dem Heiden Gesagte für den Christen. Denn, wie gesagt, war Paulus ungebildet und überwand trotzdem den Platon, dann war der Sieg ein glänzender: denn er, der Ungeschulte, wußte alle Schüler jenes zu überzeugen und auf seine Seite zu bringen, woraus sich ergab, daß nicht kraft menschlicher Weisheit die Botschaft siegte, sondern kraft der Gnade Gottes. Damit es uns nun nicht ergehe wie jenem und wir in solchen Disputen mit den Heiden ausgelacht werden, wollen wir gegen die Apostel aussagen, sie seien ungebildet gewesen: denn diese anklagende Aussage ist ihr Lobpreis.“ Theodoretos (saec. V) hat in seinem Werk in dieser Sache öfters das Wort genommen. Gleich in der Vorrede sagt er (83, 784 Migne): *πολλάκις μοι τῶν τῆς Ἑλληνικῆς μυθολογίας ἐξηρτημένων ξυντετυχηκότες τινὲς τήν τε πίστιν ἐκωμῴδησαν τὴν ἡμετέραν . . . . καὶ τῆς τῶν ἀποστόλων κατηγόρουν ἀπαιδευσίας, βαρβάρους ἀποκαλοῦντες τὸ γλαφυρὸν τῆς εὐεπείας οὐκ ἔχοντας.* Über einzelnes äußert er sich im weiteren Verlauf seines Werkes folgendermaßen: l. V (ib. 945 f.) *αὐτίκα τοίνυν καὶ κωμῳδοῦσιν ὡς βάρβαρα τὰ ὀνόματα* (nämlich *Ματθαῖον, Βαρθολομαῖον, Ἰάκωβον, Μωυσέα* etc)· *ἡμεῖς δὲ αὐτῶν τὴν ἐμπληξίαν ὀλοφυρόμεθα, ὅτι δὴ δρῶντες βαρβαροφώνους* ἀνθρώπους τὴν Ἑλληνικὴν εὐγλωττίαν νενικηκότας καὶ τοὺς κεκομψευμένους μύθους παντελῶς ἐξεληλαμένους καὶ τοὺς ἁλιευτικοὺς σολοικισμοὺς τοὺς Ἀττικοὺς καταλελυκότας ξυλλογισμοὺς οὐκ ἐρυθριῶσιν οὐδ' ἐγκαλύπτονται, ἀλλ' ἀνέδην ὑπερμαχοῦσι τῆς πλάνης κτλ. Sehr ausführlich motiviert er die einfache Sprache des N. T. l. VIII (ib. 1008 f.): es seien keine λόγοι κεκομψευμένοι καὶ κατεγλωττισμένοι, sie besäßen nichts von der sog. εὐστομία, nichts von Platons εὐγλωττία, Demosthenes' δεινότης, Thukydides' ὄγκος, noch von den Spitzfindigkeiten des Aristoteles und Chrysipp; es sei freilich der Gottheit leicht gewesen, auch solche κήρυκας τῆς ἀληθείας zu schaffen, aber sie habe es nicht gewollt, damit die Welt sie verstehe. — Ebenso äußert sich an einigen Stellen Isidor von Pelusium (saec. V) in seinen stilistisch auf der Höhe der Zeitbildung stehenden Briefen: IV 67 (78, 1124 Migne): διὸ καὶ τὴν θείαν αἰτιῶνται γραφὴν μὴ τῷ περιττῷ καὶ κεκαλλωπισμένῳ χρωμένην λόγῳ, ἀλλὰ τῷ ταπεινῷ καὶ πεζῷ. ἀλλ' ἡμεῖς μὲν αὐτοῖς ἀντεγκαλῶμεν τῆς φιλαυτίας, ὅτι δόξης ὀρεχθέντες τῶν ἄλλων ἥκιστα ἐφρόντισαν, τὴν δὲ θείαν ὄντως γραφὴν ἀπαλλάττωμεν τῶν ἐγκλημάτων λέγοντες, ὅτι οὐ τῆς οἰκείας δόξης, τῆς δὲ τῶν ἀκουσόντων σωτηρίας ἐφρόντισεν. εἰ δὲ ὑψηλῆς φράσεως ἐρῷεν, μανθανέτωσαν, ὅτι ἄμεινον παρὰ ἰδιώτου τἀληθὲς ἢ παρὰ σοφιστοῦ τὸ ψεῦδος μαθεῖν· ὁ μὲν γὰρ ἁπλῶς καὶ συντόμως φράζει, ὁ δὲ πολλάκις ἀσαφείᾳ καὶ τὸ τῆς ἀληθείας ἐπικρύπτει κάλλος καὶ τὸ ψεῦδος τῇ καλλιεπείᾳ κοσμήσας ἐν χρυσίδι τὸ δηλητήριον ἐκέρασεν. εἰ δὲ ἡ ἀλήθεια τῇ καλλιεπείᾳ συναφθείη, δύναται μὲν τοὺς πεπαιδευμένους ὠφελῆσαι, τοῖς δ' ἄλλοις ἅπασιν ἄχρηστος ἔσται καὶ ἀνωφελής. δι' ὃ καὶ ἡ γραφὴ τὴν ἀλήθειαν πεζῷ λόγῳ ἡρμήνευσεν, ἵνα καὶ ἰδιῶται καὶ σοφοὶ καὶ παῖδες καὶ γυναῖκες μάθοιεν. ἐκ μὲν γὰρ τούτου οἱ μὲν σοφοὶ οὐδὲν παραβλάπτονται, ἐκ δ' ἐκείνου τὸ πλέον τῆς οἰκουμένης μέρος προσεβλάβη. ἄν τινων οὖν ἐχρῆν φροντίσαι, μάλιστα μὲν τῶν πλειόνων, ἐπειδὰν δὲ καὶ πάντων ἐφρόντισεν, δείκνυται λαμπρῶς θεία οὖσα καὶ οὐράνιος. Und dazu das triumphierende testimonium ex eventu IV 28 (ib. 1080 f.): λανθάνουσιν Ἑλλήνων παῖδες, δι' ὧν λέγουσιν, ἑαυτοὺς ἀνατρέποντες. ἐξευτελίζουσι γὰρ τὴν θείαν γραφὴν ὡς βαρβαρόφωνον καὶ ὀνοματοποιίαις ξέναις συντεταγμένην, συνδέσμων δὲ ἀναγκαίων ἐλλείπουσαν καὶ περιττῶν παρενθήκῃ τὸν νοῦν τῶν λεγομένων ἐκταράττουσαν. ἀλλ' ἀπὸ τούτων μανθανέτωσαν τῆς ἀληθείας τὴν *ἰσχύν. πῶς γὰρ ἔπεισεν ἡ ἀγροικιζομένη τὴν εὐγλωττίαν; εἰπάτωσαν οἱ σοφοί, πῶς βαρβαρίζουσα κατακράτος καὶ σολοικίζουσα νενίκηκε τὴν ἀττικίζουσαν πλάνην· πῶς Πλάτων μέν, τῶν ἔξωθεν φιλοσόφων ὁ κορυφαῖος, οὐδενὸς περιεγένετο τυράννου, αὕτη δὲ γῆν τε καὶ θάλατταν ἐπηγάγετο;* — Nicht anders im Westen: Lactanz selbst, 'der christliche Cicero', schreibt darüber div. inst. V 1: *haec imprimis causa est, cur apud sapientes et doctos et principes huius saeculi scriptura sancta fide careat, quod prophetae communi ac simplici sermone, ut ad populum, sunt locuti. contemnuntur itaque ab iis, qui nihil audire vel legere nisi expolitum ac disertum volunt, nec quicquam inhaerere animis eorum potest, nisi quod aures blandiori sono permulcet. illa vero, quae sordida videntur, anilia inepta vulgaria existimantur. adeo nihil verum putant, nisi quod auditu suave est, nihil credibile, nisi quod potest incutere voluptatem. nemo veritate rem ponderat, sed ornatu. non credunt ergo divinis, quia fuco carent, sed ne illis quidem, qui ea interpretantur, quia sunt et ipsi aut omnino rudes aut parum docti, nam ut plane sint eloquentes, perraro contingit.* Derselbe ib. VI 21, 3 ff.: *homines litterati cum ad dei religionem accesserint, si non fuerint ab aliquo perito doctore fundati, minus credunt; adsueti enim dulcibus et politis sive orationibus sive carminibus divinarum litterarum simplicem communemque sermonem pro sordido aspernantur, id enim quaerunt quod sensum demulceat; persuadet autem quidquid suave est et animo penitus, dum delectat, insidet. num igitur deus et mentis et vocis et linguae artifex diserte loqui non potest? immo vero summa providentia carere fuco voluit ea quae divina sunt, ut omnes intellegerent quae ipse omnibus loquebatur.* — Arnobius adv. gentes I 58 ff., eine berühmte Stelle[1]), aus der ich nur einiges heraushebe: '*ab indoctis hominibus et rudibus scripta sunt* (eure Religionsurkunden) *et idcirco non sunt facili auditione credenda.' vide ne magis haec fortior causa sit, cur illa sint nullis coinquinata mendaciis, mente simplici prodita et ignara lenociniis ampliare. 'trivialis et sordidus sermo est.' numquam enim veritas sectata est fucum nec quod exploratum et certum est circumduci se patitur orationis per ambitum longiorem. . . . 'barbarismis, soloecismis obsitae sunt, inquit, res vestrae et vitiorum deformitate*

1) Eine ähnliche Invektive hat Tatian or. adv. Graec. c. 26: sie war dem Arnobius wohl bekannt.

pollutae.' puerilis sane atque angusti pectoris reprehensio . . . . qui minus id quod dicitur verum est, si in numero peccetur aut casu praepositione participio coniunctione? pompa ista sermonis et oratio missa per regulas contionibus litibus foro iudiciisque servetur deturque illis immo, qui voluptatum delenimenta quaerentes omne suum studium verborum in lumina contulerunt (es folgt weiterhin die sprachwissenschaftlich interessante Stelle über den Streit zwischen Analogie und Anomalie: aus letzterer leitet er die Berechtigung der Solözismen ab). — Hieronymus ep. 53, 9: *nolo offendaris in scripturis sanctis simplicitate et quasi vilitate verborum, quae vel vitio interpretum*[1]) *vel de industria sic prolata sunt, ut rusticam contionem facilius instruerent et in una eademque sententia aliter doctus aliter audiret indoctus.* — Endlich noch ein Zeugnis aus dem Mittelalter, damit man sieht, wie lange diese Frage die Gemüter der Menschen beschäftigt hat. Ermenrich, Mönch von St. Gallen, in seinem Brief an den Abt Grimald († 872), ed. E. Dümmler, Progr. Halle 1873, p. 12 (er hat aus Matth. 24, 43 *perfodiri*, aus Luc. 7, 8 *alio* als Dativ und aus Luc. 11, 7 *deintus* angeführt): *sed cur haec prosequimur, cum multa his similia in divinis libris indita repperiuntur, quae grammaticis contraria esse videntur? sed non ita per omnia sentiendum est, quia quicquid spiritus sanctus, auctor et fons totius sapientiae, per os sanctorum suorum loquitur, non est contra artem, immo cum arte, quia ipse est ars artium, cui omne mutum loquitur et insensibile sentit . . . quapropter cum honore veneremur ea quae per sanctos ad nos perlata sunt, et ne procaci contentione studeamus illud corrigere quod constat esse rectissimum. hinc enim beatus Gregorius ait: 'stultum est, ut si velim verba cęlestis oraculi concludere sub regulis Donati'. . . . . . haec itaque idcirco dixi, ut ne quis tam superbe audeat loqui contra dicta euuangelistarum apostolorum vel prophetarum, sed dicat tacitę cogitationi suae illud apostoli* (1 Cor. 4, 7): *'quid est quod habes quod non accepisti? si autem accepisti, quid gloriaris quaṣi non acceperis?' quia si auctorem donorum omnium cogitas, non habes in dictis eius quod reprehendas, vitia tantum scriptorum cavenda sunt et emendanda.*[2])

1) Dieses merkwürdige Argument auch in der Vorrede seiner Übersetzung des Eusebios (VIII 5 Vall.), sowie ep. 49, 4.

2) Sollten wirklich einige *perfodi* korrigiert haben? Das scheint mir

Versuche aus dem ἄτεχνον ein τεχνικόν zu machen.

2. Seltener schlug man den anderen Weg ein, sich auf eine angeblich künstlerische Vollendung der h. Schrift zu berufen. Wenn Philon, Iosephos, Origenes, Eusebios und, auf sie sich berufend, vor allem Hieronymus die Behauptung aufstellten, die poetischen Bücher des A. T. seien nach den Gesetzen antiker Metrik verfaßt[1]), so wird man darin wohl das instinktive Bestreben erkennen dürfen, das spezifisch Orientalische an das Hellenische anzugleichen. — Ambrosius schreibt in einem Briefe (ep. 8; 16, 912 Migne): *negant plerique nostros secundum artem scripsisse, nec nos obnitimur, non enim secundum artem scripserunt sed secundum gratiam quae super omnem artem est: scripserunt enim quae spiritus iis loqui dabat. sed tamen ii qui de arte scripserunt, de eorum scriptis artem invenerunt et condiderunt commenta artis et magisteria:* diese bei einem eifrigen Philon-Leser nicht befremdende Ansicht beweist er an einigen Stellen der Bibel, in denen sich die drei Erfordernisse der τέχνη fänden: αἴτιον, ὕλη, ἀποτέλεσμα. — Vor allem aber hat mein Interesse erregt eine groß angelegte systematische Schrift Augustins, in der er zu beweisen versucht, daß in beiden Testamenten die Figuren der Rede in weitestem Umfang zur Anwendung gekommen seien: das vierte Buch des Werks de doctrina Christiana[2]) ist diesem Unternehmen gewidmet; die Veranlassung und Tendenz spricht er § 14 aus: *male doctis hominibus respondendum fuit, qui nostros auctores contemnendos putant, non quia non habent sed quia non ostentant quam nimis isti diligunt eloquentiam.* Ich habe schon oben (S. 503 ff.) aus diesem Werk einige Stellen zitiert, in denen er Perioden des Paulus auf Grund dieser Anschauung analysiert; auch das A. T. zieht er dort in diesem Sinn heran (cf. IV 16 ff. die rhetorische Analyse von Amos 6, 1

---

hervorzugehen aus folgenden Worten Notkers († 1022) in: P. Piper, Die Schriften N.'s u. seiner Schule I 676, wo er unter den *vitia orationis* als *corruptum* nennt *perfodiri, ut quidam legunt in evangeliis pro perfodi.*

1) Cf. Hieron. praef. in chron. Euseb. VIII 3 ff. Vall.; praef. in Iob IX 1099; ep. 53, 8 = I 276. Nachwirkungen im Mittelalter: cf. U. Chevalier, Poésie liturgique du moyen âge in: L'université catholique X (1892) 164 f.

2) Richtig gewürdigt ist dies glänzende Werk Augustins unter allen, die sich darüber geäußert haben, nur von Fr. Overbeck, Zur Gesch. d. Kanons (Chemnitz 1880) 46, 1; er übersetzt den Titel richtig „über die christliche Wissenschaft".

bis 6). Aber auf noch viel breiterer Grundlage hat er dies höchst eigenartige Unternehmen in einem uns verlorenen Werk aufgebaut. Da die Kunde von der Existenz dieses Werks gänzlich verloren zu sein scheint, so teile ich hier mit, was ich darüber weiß: man wird aus den mitgeteilten Zeugnissen ersehen, daß Cassiodor der letzte war, der es noch gelesen und benutzt hat, während die Späteren es nur aus ihm kennen.[1]) Cassiodorius de inst. div. litt. c. 11 (70, 1111 Migne): *scripsit* (Augustinus) *de modis locutionum septem mirabiles libros, ubi et schemata saecularium litterarum et multas alias locutiones divinae scripturae proprias, id est quas communis usus non haberet, expressit, considerans, ne compositionum novitate reperta legentis animus nonnullis offensionibus angeretur, simulque ut et illud ostenderet magister egregius, generales locutiones, hoc est schemata grammaticorum atque rhetorum, exinde fuisse progressa et aliquid tamen illis peculiariter esse derelictum, quod adhuc nemo doctorum saecularium praevaluit imitari.* Cf. auch c. 15 (1127 A). Derselbe setzt in der Vorrede seines Kommentars zum Psalter (c. 15, ib. 19 ff. Migne) auseinander, er wolle in diesem Kommentar *eloquentiam totius legis divinae* einschließen: *nam et pater Augustinus in libro III de doctrina Christiana ita professus est: 'Sciant autem litterati modis omnium locutionum, quos grammatici graeci nomine tropos vocant, auctores nostros usos fuisse'. et paulo post sequitur: 'Quos tamen tropos, id est modos locutionum, qui noverunt agnoscunt in litteris sanctis eorumque scientia ad eas intelligendas aliquantulum adiuvantur.' cuius rei et in aliis codicibus suis fecit evidentissimam mentionem. in libris quippe quos appellavit de modis locutionum diversa schemata saecularium litterarum inveniri probavit in litteris sacris; alios autem proprios modos in divinis eloquiis esse declaravit, quos grammatici sive rhetores nullatenus attigerunt. dixerunt hoc apud nos et alii doctissimi patres, id est Hieronymus Ambrosius Hilarius* (wo?), *ut nequaquam praesumptores huius rei sed pedisequi esse videamur.*[2]) Von Baeda besitzen wir eine kleine Schrift

1) Daß man, wie aus dieser Tatsache hervorgeht, dies Werk im VI. und VII. Jh. nicht abgeschrieben hat, ist bezeichnend für die Abneigung jener Zeiten gegen die Verweltlichung der Kirche.

2) So bemerkt er zu ps. 1, 1 (*'beatus vir qui non abiit in consilio impiorum et in via peccatorum non stetit et in cathedra pestilentiae non sedit'*) p. 29· *nota quam pulchre singula verba rebus singulis dedi, id est 'abiit'*

De schematis et tropis sacrae scripturae (90, 175 ff. Migne), die aber ohne Kenntnis Augustins nach sekundären Quellen (besonders Cassiodor) gearbeitet ist. Karl der Große in seiner Encyclica de litteris colendis (787; gerichtet an den Fuldenser Abt Baugulf) Mon. Germ. Leg. sect. II tom. I p. 79: *quam ob rem hortamur vos, litterarum studia non solum non negligere, verum etiam humillima et deo placita intentione ad hoc certatim discere, ut facilius et rectius divinarum scripturarum mysteria valeatis penetrare. cum enim in sacris paginis scemata, tropi et cetera his similia inserta inveniantur, nulli dubium quod ea unusquisque legens tanto citius spiritualiter intellegit, quanto prius in litterature magisterio plenius instructus fuerit.* Notker Balbulus von St. Gallen (saec. IX) de interpretibus divinarum c. 2 (131, 995 Migne): *in cuius (psalterii) explanationem Cassiodorus Senator cum multa disseruerit, in hoc tantum videtur nobis utilis, quod omnem saecularem sapientiam, id est scematum et troporum dulcissimam varietatem in eo latere manifestat.*[1])

Was wir über diesen Versuch Augustins zu urteilen haben, liegt auf der Hand: er hat (außer bei Paulus) keine innere Berechtigung, sondern ist dem Bedürfnis entsprungen, den heiligen Urkunden auch das zu geben, was er selbst und mit ihm alle Gebildeten so gern in ihnen finden wollten: Vollendung auch in der äußeren Form.[2])

'stetit' et 'sedit'; quae figura dicitur hypozeuxis, quando diversa verba singulis apta clausulis apponuntur; zu 97, 5 (*'iubilate deo, omnis terra; cantate et exsultate et psallite'*) p. 690: *quae figura dicitur homoptoton* (sic), *quia in similes sonos exierunt verba.*

1) Wörtlich so (nur *nobis videtur*) bei E. Dümmler, Das Formelbuch des Bischofs Salomo III v. Konstanz (Leipz. 1857) 65 f.

2) Die dargelegte Kontroverse hat sich bis in das vorige Jahrhundert fortgesetzt; über die Vertreter der einen Partei s. oben S. 494, 2, über die der andern z. B. Fr. Delitzsch, Über die palästinische Volkssprache, welche Jesus und seine Jünger geredet haben, in: Daheim 1874, 430: „Joachim Jungius erregte in Hamburg seit 1630 einen nicht zu beschwichtigenden Sturm, als er behauptet hatte, das N. T. sei so wenig in reinem Griechisch geschrieben, als Christus reines Hebräisch geredet. Ein Jahrhundert später durfte Bengel das Paradoxon münzen: *dei dialectus soloecismus,* welches sich aneignend Hamann vom Stil des N. T. sagt: 'Das äußerliche Ansehen des Buchstabens ist dem unberittenen Füllen einer lastbaren Eselin ähnlicher als jenen stolzen Hengsten, die dem Phaethon den Hals brachen'".

2. Theorien über den Stil der christlichen Literatur.

Welche Konsequenzen haben nun aus diesen Verhältnissen die christlichen Autoren für die Gestaltung ihres eigenen Stils gezogen? Um es kurz zu sagen: in der Theorie haben sie von den ältesten Zeiten bis tief in das Mittelalter hinein fast ausnahmslos den Standpunkt vertreten, daß man ganz schlicht schreiben müsse, in der Praxis haben sie das gerade Gegenteil befolgt. Nach den obigen Ausführungen kann dieser Zwiespalt nicht auffallen: der Religionsstifter hatte die Weisheit dieser Welt von sich gewiesen, er hatte zu Fischern gesprochen, er hatte an erster Stelle selig gepriesen die im Geist Armen, seine Jünger hatten in schlichter Sprache das Mysterium verkündet. Danach sollte man also auch handeln, aber man konnte es nicht: denn war der Ursprung der neuen Religion das außerhalb der hellenistischen Kultur stehende Palästina gewesen, so war jetzt ihr Schauplatz die hochzivilisierte Welt geworden: die einstige Trösterin der Armen und Unterdrückten wollte jetzt den Hochgebildeten alles ersetzen, was ihnen bisher heilig und lieb gewesen war. Da jeder in der patristischen Literatur nur einigermaßen Bewanderte weiß, wie sehr die Menschen in der Theorie die Notwendigkeit eines schlichten Stils anerkannt haben, so will ich aus der endlosen Masse der Zeugnisse nur solche anführen, die entweder durch ihre Vertreter oder ihren Inhalt einiges weitere Interesse haben dürften. Ich wähle sie aus den einzelnen Jahrhunderten aus.

Widerstreit zwischen Theorie und Praxis.

a) Forderung eines einfachen Stils.

Basileios ep. 339 (32, 1084 Migne) an Libanios: *ἡμεῖς μέν, ὦ θαυμάσιε, Μωσεῖ καὶ Ἠλίᾳ καὶ τοῖς οὕτω μακαρίοις ἀνδράσι σύνεσμεν, ἐκ τῆς βαρβάρου φωνῆς διαλεγομένοις ἡμῖν τὰ ἑαυτῶν, καὶ τὰ παρ' ἐκείνων φθεγγόμεθα, νοῦν μὲν ἀληθῆ, λέξιν δὲ ἀμαθῆ. εἰ γάρ τι καὶ ἦμεν παρ' ὑμῶν διδαχθέντες, ὑπὸ τοῦ χρόνου ἐπελαθόμεθα.*[1])

Theorie für die ἀφέλεια.

1) Er meint das natürlich ganz scherzhaft (wie ja auch die pikante Verwendung des *σχῆμα* gerade in den Worten *νοῦν μὲν ἀληθῆ, λέξιν δὲ ἀμαθῆ* zeigt), und so faßt es auch Libanios in seiner Antwort auf.

Hieronymus hat oft in dieser Sache das Wort genommen, z. B. ep. 21, 42 (an Damasus): er solle ihm den Stil verzeihen, *cum in ecclesiasticis rebus non quaerantur verba sed sensus, id est panibus sit vita sustentanda non siliquis.* Derselbe ep. 49, 4 *quae* (seine ὑπομνήματα zu den Propheten) *si legere volueris, probabis, quantae difficultatis sit divinam scripturam et maxime prophetas intelligere . . . . . porro eloquentiam quam pro Christo in Cicerone contemnis, in parvulis ne requiras. ecclesiastica interpretatio etiam si habet eloquii venustatem, dissimulare eam debet et fugere, ut non otiosis philosophorum scholis paucisque discipulis, sed universo loquatur hominum generi.*

Augustinus in psalm. 36 v. 26 (*'tota die miseretur et feneratur'*: 36, 386 Migne): *'feneratur' quidem latine dicitur et qui dat mutuum et qui accipit: planius hoc autem dicitur, si dicamus 'fenerat'. quid ad nos, quid grammatici velint? melius in barbarismo nostro vos intelligitis, quam in nostra disertitudine vos deserti eritis.* Derselbe in psalm. 123, 8 (37, 1644): *primo quid est 'forsitan pertransiit anima nostra?' quomodo potuerunt enim, Latini expresserunt quod Graeci dicunt ἄρα, sic enim graeca habent exemplaria ἄρα: quia dubitantis verbum est, expressum est quidem dubitationis verbo quod est 'fortasse', sed non omnino hoc est. possumus illud verbo dicere minus quidem latine coniuncto, sed apto ad intelligentias vestras. quod Punici dicunt 'iar', hoc Graeci ἄρα: hoc Latini possunt vel solent dicere 'putas', cum ita loquuntur: 'putas, evasi hoc?' si ergo dicatur 'forsitan evasi', videtis quia non hoc sonat; sed quod dixi 'putas', usitate dicitur, latine non ita dicitur. et potui illud dicere, cum tracto vobis: saepe enim et verba non latina dico, ut vos intelligatis. in scriptura autem non potuit hoc poni, quod latinum non esset, et deficiente latinitate positum est pro eo quod non hoc sonaret.*

Sulpicius Severus vita S. Martini praef. (ep. ad Desiderium) p. 109 f. Halm: *bona venia id a lectoribus postulabis, ut res potius quam verba perpendant et aequo animo ferant si aures eorum vitiosus forsitan sermo perculerit, quia regnum dei non in eloquentia sed in fide constat. meminerint etiam salutem saeculo non ab oratoribus, sed a piscatoribus praedicatum. ego enim cum primum animum ad scribendum appuli*[1]*), quia nefas putarem tanti*

---

1) „Also den Terenz nachzuahmen kann er selbst in der Fischer-

viri latere virtutes, apud me ipse decidi, ut soloecismis non erubescerem.

Synesios homil. fr. 1 p. 295 B Pet. (66, 1561 Migne): *οὐδὲν μέλει τῷ θεῷ θεοφορήτου λέξεως. πνεῦμα θεῖον ὑπερορᾷ μικρολογίαν συγγραφικήν.*

Gregor d. Gr. (saec. VI/VII) moral. praefat. i. f. (75, 516 Migne): *ipsam loquendi artem quam magisteria disciplinae exterioris insinuant servare despexi. nam . . non mytacismi collisionem fugio, non barbarismi confusionem devito, hiatus motusque etiam et praepositionum casus servare contemno, quia indignum vehementer existimo, ut verba caelistis oraculi restringam sub regulis Donati.*[1])

Vita S. Viventii auctore anonymo in AA. SS. Boll. 13 Ian. I p. 813 von dem Bischof Agilmar v. Clermont (saec. IX): *qui venerabilis pontifex saepius relegens conversionem ac actus S. Viventii simplices ac paene incultos atque inerti sermone descriptos deosculansque dicebat: O beata ac benedicta priorum rusticitas, quae plus studuit optima operari quam loqui, et magis novit sancta honestaque esse quam dicere.*

Gunzo epistola (geschrieben 960) in: Martène et Durand, Ampla collectio I (Paris 1724) 298 *quis tam excerebratus, ut putet verba sacri eloquii stringi regulis Donati aut Prisciani?*

Albericus Cardinalis (monachus Casinensis † 1088)[2]) vita S. Dominici in AA. SS. Boll. 22 Ian. II p. 442 sq.: *venerabilis*

---

sprache sich nicht versagen" Bernays, ges. Abh. II 150, 58. — Daß man solche Versicherungen übrigens nicht ernst zu nehmen hat, zeigt er selbst dial. I 27: ein aus dem eigentlichen Gallien stammender Schüler des Martinus bittet um Entschuldigung, wenn er ganz ohne rhetorische Mittel reden werde, worauf der Aquitanier erwidert: *cum sis scholasticus, hoc ipsum quasi scholasticus artificiose facis, ut excuses imperitiam, quia exuberas eloquentia. sed neque monachum tam astutum neque Gallum decet esse tam callidum.*

1) Über diesen berühmten (von den Späteren oft zitierten) Ausspruch bemerken die Mauriner in ihrer Ausgabe (1705) vol. I p. XII, er beruhe auf derselben Bescheidenheit wie der ähnliche des Sulpicius Severus, der doch der Sallustius Christianus sei; wenn er *metiri venerari persequi imitari* passivisch brauche, so sei das in der Entwicklung der Sprache begründet gewesen. Ebenso bezeichnet Montalembert, Les moines d'occident II (Paris 1860) 152 die Worte als eine *exaggération d'humilité.* Cf. auch K. Sittl in: Arch. f. lat. Lexicogr. VI (1889) 560 f.

2) Cf. Petrus Diaconus, Chron. mon. Casinensis III 35 (Mon. Germ., Script. VII 728): *Albericus diaconus vir disertissimus ac eruditissimus . . . Composuit . . . librum dictaminum et salutationum.*

patris Dominici ortum vitam obitumque . . . lacinioso impolitoque nimis quidam sermone descripserat . . . . . Stylum in hoc opere figurae sum mediocris prosecutus, qui et peritiorum auribus horrori esse non debeat et minus eruditorum intelligentia percipi non refugiat.

Petrus Damiani († 1072), ep. 1: *ad vos, venerabiles patres, ista conscribo et impolito stilo quasi raucis vocibus perstrepo;* aber sofort folgt eine meisterhaft geschriebene Invektive gegen die verderbten Sitten der Zeit: eine lange Reihe rhetorischer Fragen, die das Studium Ciceros deutlich verraten; dann aber ruft er sich zurück: *sed ne tamquam coturnati tragoediam videamur attollere, sufficiat nobis apostolica dumtaxat super his verba referre* etc. Derselbe opusc. VI c. 38: *non hic, quaeso, elucubratae dictionis phalerata discutiatur urbanitas, non accuratae dicacitatis acrimonia requiratur, sed rudis simplicitas et sermo pauperculus, qui vix queat explicare quod sensit. proposui enim serias quasdam ac necessarias res fratrum meorum cordibus magis utiliter quam luculenter exponere nec verborum inanium lenociniis aurium illecebris deservire. non enim ignoratis, quia vivacitatem sententiarum sermo ex industria cultus evacuat et dictorum vim splendore laboratus enervat. illi sane grandiloquis et trutinatis verbis inserviant, qui favorabiles plausus hominum aucupari delenificae locutionis amoena quadam venustate desudant; nos autem, qui nudis pedibus ire praecipimur, coturnati scribere non debemus, et quibus censura taciturnitatis indicitur, luxuriantis eloquentiae laciniosa prolixitas congruere non videtur.* Ähnliche Äußerungen von ihm bei A. Dresdner, Kultur- u. Sittengesch. d. ital. Geistlichk. im 10. u. 11. Jh. (Breslau 1890) p. 192.[1])

---

1) Cf. außerdem etwa noch Sozomenos h. eccl. I 11, wo er erzählt, jemand habe einen christlichen Redner wegen des Gebrauchs von *σκίμπους* statt des von den Attizisten (cf. Phrynich. ecl. p. 62 Lob.) gerügten *κράββατος* getadelt mit den Worten: *οὐ σύ γε ἀμείνων τοῦ κράββατον εἰρηκότος.* Belehrend ist der Vergleich von Lukian Philops. 16 *ἀράμενος τὸν σκίμποδα, ἐφ' οὗ ἐκεκόμιστο, ᾤχετο ἐς τὸν ἀγρὸν ἀπιών* mit ev. Marc. 2, 12 *ἄρας τὸν κράββατον ἐξῆλθεν ἔμπροσθεν πάντων* (Matth. 9, 6 sagt *κλίνην*, Luc. 5, 24 *κλινίδιον*). Palladios (s. IV) ep. ad Lausum (34, 1001 f. Migne): bei ihm beruht es wenigstens auf Wahrheit. Gregorius Nyssenus (s. IV) lehnt die typische Einteilung der Lobreden ab: de vita Greg. Thaumat. (46, 896 Migne). Proklos episc. CP. (s. V) sermo de circumcisione domini II c. 1 (65, 837 Migne) über *εὐτέλεια* der christlichen Rede im Gegensatz zur hellenischen. Kyrillos v. Alexandria (s. V) schickt

b) Forderung eines erhabenen Stils.

Theorie für die σεμνότης.

Daß ein guter Stil im Dienst der Kirche lobenswert sei, finden wir bei der instinktiven Scheu, die ein der katholischen Kirche Angehöriger im Gegensatz zu den meisten Häretikern vor dem offenen Zugeständnis heidnischen Einflusses auf irgendwelche christliche Lebensäußerung hatte, sehr selten ausgesprochen. Es ist bezeichnend, daß gerade ein Gallier unumwunden sich dahin geäußert hat, eine so hohe Religion dürfe nur in würdiger Sprache verkündet werden: Hilarius v. Poitiers de trin. I 38 und in psalm. 13, 1; daß ebenfalls ein Gallier, Avitus v. Vienne, schreibt (ep. 53 p. 82 Peiper), es sei selbstverständlich, daß sich aller Pomp der heidnischen Beredsamkeit, nachdem er sich so lange mit nichtigen Stoffen abgegeben habe, jetzt, wo es gelte, die Wahrheit zu befestigen, ganz in den Dienst dieser großen und besseren Aufgabe gestellt habe; daß drittens wiederum ein Gallier, Paulinus aus Bordeaux (Bischof von Nola), einem Freunde rät, die Literatur der Heiden liegen zu lassen und sich zu begnügen, *ab illis linguae copiam et oris ornatum quasi quaedam de hostilibus armis spolia cepisse, ut eorum nudus erroribus et vestitus eloquiis fucum illum facundiae, quo decipit vana sapientia, plenis rebus accommodes* (ep. 16, 11 p. 124 Hartel).[1]) Augustin, der sich, wie wir sahen, in seinen für das weitere Publikum bestimmten Werken meist geringschätzig über diejenigen äußert, welche auf die Sorgfalt der Darstellung Gewicht legen, hat doch den entgegengesetzten Standpunkt mit Energie vertreten in dem sich an den Kreis nur der Hochgebildeten wendenden bewunderungswürdigen Werk *de doctrina Christiana*, aus dem schon oben (S. 526) einiges angeführt worden ist. Die Tendenz des die Kunst der Rede betreffenden Abschnitts hat er selbst in folgenden Worten ausgesprochen: IV 2, 3: *cum per artem rhetoricam et vera suadeantur et falsa, quis audeat dicere adversus mendacium in defensoribus suis inermem*

---

mehreren seiner ὁμιλίαι ἑορταστικαί eine προθεωρία voraus, in der er die Zuhörer bittet, bei ihm keine εὐγλωττία zu erwarten (vol. 77 Migne).

1) Cf. Sidonius ep. IX 3, 5 (an Faustus, Bischof v. Riez): *praedicationes tuas, nunc repentinas nunc, ratio cum poposcisset, elucubratas raucus plosor audivi, tunc praecipue, cum in Lugdunensis ecclesiae dedicatae festis hebdomadibus collegarum sacrosanctorum rogatu exorareris, ut perorares.*

debere consistere veritatem, ut videlicet illi qui res falsas persuadere conantur noverint auditorem vel benevolum vel intentum vel docilem prooemio facere: isti autem non noverint? illi falsa breviter aperte verisimiliter et isti vera sic narrent, ut audire taedeat, intelligere non pateat, credere postremo non libeat? illi fallacibus argumentis veritatem oppugnent, asserant falsitatem: isti nec vera defendere nec falsa valeant refutare? illi animos audientium in errorem moventes impellentesque dicendo terreant contristent exhilarent exhortarentur ardenter, isti pro veritate lenti frigidique dormitent? quis ita desipiat, ut hoc sapiat? cum ergo sit in medio posita facultas eloquii, quae ad persuadenda seu prava seu recta valet plurimum, cur non bonorum studio comparatur, ut militet veritati, si eam mali ad obtinendas perversas vanasque causas in usus iniquitatis et erroris usurpant? Unter den Griechen findet sich die Tatsache am klarsten formuliert bei Isidor v. Pelusium ep. V 281 (78, 1500 Migne): τῆς θείας σοφίας ἡ μὲν λέξις πεζή, ἡ ἔννοια, δὲ οὐρανομήκης· τῆς δὲ ἔξωθεν λαμπρὰ μὲν ἡ φράσις, χαμαιπετὴς δὲ ἡ πρᾶξις. εἰ δέ τις δυνηθείη τῆς μὲν ἔχειν τὴν ἔννοιαν, τῆς δὲ τὴν φράσιν, σοφώτατος ἂν δικαίως κριθείη· δύναται γὰρ ὄργανον εἶναι τῆς ὑπερκοσμίου σοφίας ἡ εὐγλωττία, εἰ καθάπερ σῶμα ψυχῇ ὑποκέοιτο ἢ ὥσπερ λύρα λυρῳδῷ, μηδὲν μὲν οἴκοθεν καινοτομοῦσα νεώτερον, ἑρμηνεύουσα δὲ τὰ οὐρανομήκη ἐκείνης νοήματα· εἰ δ' ἀντιστρέφοι τὴν τάξιν καὶ δουλεύειν ὀφείλουσα ἡγεῖσθαι, μᾶλλον δὲ τυραννεῖν οἴα τε εἶναι νομίζοι, ἐξοστρακισθῆναι ἂν εἴη δικαία, und bei Chorikios in Marcian. episc. Gaz. or. 2 p. 108 f. Boiss.: Markianos sei sowohl in Grammatik (Lektüre der Dichter) und Rhetorik wie in der Theologie ausgebildet. ἔδει δὲ ἑκατέρας παιδεύσεως, τῆς μὲν εὐγλωττίαν χαριζομένης, τῆς δὲ τὴν ψυχὴν ὠφελούσης, ὅπως ἐπιστήμων τε γένοιο τῶν ἱερῶν συγγραμμάτων καὶ δυνήσῃ τοῖς ἄλλοις εὐμαθέστερον ἑρμηνεύειν. οὔκουν ὤφθη τις ἐν τοῖς παρὰ σοῦ μυηθεῖσιν οὕτω πρὸς εὐσέβειαν δύσερις, ὃς οὐ διχόθεν ἑάλω, συνελθούσης μαθήμασιν ἀμάχοις ῥητορείας τοσαύτης.

B. Die Praxis.

1. Die Praxis im allgemeinen.

Gebildete und Ungebildete.

Wir haben gesehen, daß die Theorie eine doppelte war: die einen forderten im Dienst der Kirche einen niederen Stil entsprechend dem der heiligen Urkunden, die anderen einen erhabenen Stil, wofür sie sich entweder in halbbewußter Selbsttäuschung auf dieselben Urkunden oder in Anerkennung der realen Verhältnisse auf die inzwischen anders gewordenen Bedürfnisse der christlichen Kirche beriefen. Auch die Praxis hat ein doppeltes Gesicht gezeigt, mag für uns auch nur das eine deutlich erkennbar sein. Denn nur die mehr oder weniger kunstmäßigen Predigten sind uns erhalten, die anderen verschollen: daß sie existiert haben, wer wollte es leugnen? Noch um die Mitte des III. Jh. bestand nach dem Zeugnis des Tertullian (adv. Prax. 3) die größere Anzahl der Gläubigen aus *simplices, imprudentes et idiotae*, und daß das nie anders geworden ist, beweisen, wenn es überhaupt eines Beweises für das Selbstverständliche[1]) bedarf, die Steine. Daß vor diese Armen im Geiste an allen Orten, wo das Evangelium in griechischer oder lateinischer Zunge verkündigt wurde, Prediger getreten sind, die mit ihnen in ihrer Sprache, in der einfachen Sprache des Herzens geredet und dadurch oft mehr gewirkt haben als viele andere durch ihre glänzende Diktion, ist ebenso selbstverständlich.[2])

---

1) Cf. auch Lactanz div. inst. I: *non credunt ergo (*sc. *gentiles) divinis, quia fuco carent, sed ne illis quidem qui ea interpretantur, quia sunt et ipsi aut omnino rudes aut certe parum docti, nam ut plane sint eloquentes, perraro contingit.* Augustin de genesi contr. Manich. I 1 (34, 173 Migne): *placuit mihi quorundam vere Christianorum sententia, qui cum sint eruditi liberalibus litteris, tamen alios libros nostros, quos adversus Manichaeos edidimus, cum legissent, viderunt eos ab imperitioribus aut vix aut difficile intelligi et me benevolentissime monuerunt, ut communem loquendi consuetudinem non desererem, si errores illos tam perniciosos ab animis etiam imperitorum expellere cogitarem. hunc enim sermonem usitatum et simplicem etiam docti intelligunt, illum autem indocti non intelligunt.*

2) Cf. Dionys. Alex. (s. III Mitte) bei Euseb. h. e. VII 24. 6: *συνεκάλεσα τοὺς πρεσβυτέρους καὶ διδασκάλους τῶν ἐν ταῖς κώμαις* (von Ägypten) *ἀδελφῶν*. Origenes comm. in ep. ad Rom. l. IX c. 2 (VII 292 Lomm.): *rebus ipsis saepe compertum est, nonnullos eloquentes et eruditos viros non solum in sermone sed et in sensibus praepotentes, cum multa in ecclesiis dixerint et ingentem plausum laudis exceperint, neminem tamen auditorum ex his quae dicta sunt compunctionem cordis accipere nec proficere ad fidem nec ad timorem dei ex recordatione eorum quae dicta sunt incitari (sed suavitate quadam et delectatione sola auribus capta disceditur), saepe autem viros non magnae eloquentiae nec compositioni sermonis studentes verbis simplicibus et incompositis multos infidelium ad fidem conver-*

Waren doch unter den Predigern selbst trotz den Vorschriften der Gemeindeordnung eine ganze Anzahl solcher *idiotae*. Von der großen Mehrzahl der predigend umherreisenden Asketen und von Bischöfen, die auf Konzilen nicht imstande waren, ihre Namensunterschrift zu geben, wird man nicht erwarten, daß sie sich einer kunstmäßigen Sprache bedient hätten: aber auf die schlichten Gemeinden, die sie zu leiten hatten, werden sie nicht minder stark gewirkt haben als Gregor von Nazianz oder Hilarius von Poitiers auf das vornehme Publikum, das sie durch den Glanz ihrer Diktion mit sich rissen. Aber das, was jene Männer in der Einfalt ihres Sinnes sprachen, hat nicht die Hand von ταχυγράφοι nachgeschrieben[1]), denn es gehörte nicht zur Literatur, die nur das fixiert hat, was bleiben sollte. Gregor von Nyssa erzählt folgende ganz bezeichnende Geschichte: ein von Gregorios Thaumaturgos, dem Schüler des Origenes, in Komana (Kappadokien) eingesetzter Priester Alexandros, seinem Beruf nach Köhler, wurde einst veranlaßt, in der Kirche zu predigen; gleich beim Proömium merkte man, daß seine Rede zwar voller Gedanken, aber roh in der Form sei; zufällig war ein junger Mann dort zu Besuch, der sich etwas darauf einbildete, aus Attika zu stammen: der lachte laut auf, weil Alexandros seine Rede nicht mit attischer περιεργία aufgeputzt hatte (Greg. Nyss. de vita Greg. Thaumat. vol. 46, 937 Migne).[2]) Freilich

---

tere, superbos inclinare ad humilitatem, peccantibus stimulum conversionis infigere.

1) Wie es bei den großen Predigern üblich war (übrigens ganz wie bei den Sophisten jener Zeit: cf. Eunap. v. soph. p. 83 Boiss.). Über diese ταχυγράφοι (auch ὑπογραφεῖς genannt) cf. Lightfoot l. c. (oben S. 472, 1) prolegg. 197, 3. Gothofredus zum Cod. Theod. T. I 44. II 472 f. Valesius zu Amm. Marc. XIV 9 p. 50. Das bezeichnendste Beispiel trage ich nach: mitten in den Predigten des Ambrosius zur Schöpfungsgeschichte stehen die Worte serm. 8 in. (= l. V c. 12), vol. 14, 222 Migne: *et cum paululum conticuisset, iterum sermonem adorsus ait: 'fugerat nos, fratres dilectissimi'* etc. Die Mauriner haben jene Worte richtig als eine Bemerkung des Notarius gefaßt. Cf. außerdem noch Ennodius op. 3 p. 333, 6 ff. Hartel.

2) Cf. das Stilurteil des Photios (bibl. cod. 173 ff.) über die Homilien des Ioannes Chrysost. zur Genesis: die φράσις sei in ihnen ἐπὶ τὸ ταπεινότερον ἀπενηνεγμένη, worüber man sich nicht wundern dürfe, da er auf sein Zuhörerpublikum habe Rücksicht nehmen müssen. Man merkt bei ihm tatsächlich, daß er spinöse exegetische Erörterungen nicht zu lange aus-

wäre es eine Täuschung, wenn man glauben wollte, daß solche Predigten und Schriften, wären sie erhalten, auf uns stets den Eindruck schlichter Einfachheit machen würden: denn wir dürfen nie vergessen, erstens daß die Zahl der einigermaßen Gebildeten damals eine größere war, und zweitens daß das Wohlgefallen an schöner Form des Vorgetragenen in allen Schichten ein erheblich größeres war als heutzutage. Hieronymus sagt von seiner Lebensbeschreibung des Paulus Eremita ep. 10, 3 (I 25 Vall.): *propter simpliciores quosque multum in deiciendo sermone laboravimus:* die Diktion ist nach unserem Gefühl noch hoch genug. Wir erkennen das ferner deutlich aus den Predigten, die nicht bloß für die Gebildeten bestimmt waren, sondern die zugleich auch von der großen Masse des Volks verstanden sein wollten. Solche Predigten besitzen wir z. B. von Augustin und Caesarius v. Arles, die beide diese ihre Tendenz ausdrücklich bezeugt haben: wer diese Predigten gelesen hat, weiß, daß sie heute selbst den Gebildeten inhaltlich Schwierigkeiten machen und äußerlich durch ihre bei aller angestrebten Einfachheit doch oft geradezu raffinierte Formgebung überraschen.

2. Die verschiedenen Gattungen der Predigt.

Da in den mir bekannten Untersuchungen über diesen Gegenstand[1]) die Gattungen weder zeitlich noch inhaltlich genau

---

dehnt, sondern sie meist ziemlich unvermittelt abbricht, um zu einer mehr allgemein gehaltenen und allen verständlichen, meist paränetischen Erörterung überzugehen, vgl. z. B. die Homilien über das Johannesevangelium. — Aus den Predigten des Petrus Chrysologus (Bischof von Ravenna, † c. 450) führt C. Weyman im Philologus N. F. X (1897) 469 einiges an, wodurch bewiesen wird, daß dieser Prediger seinem theoretischen Grundsatz *populis populariter est loquendum* in der Praxis treu geblieben ist.

1) Cf. F. Probst, Lehre u. Gebet in den drei ersten chr. Jahrh. (Tübingen 1871), wo das 4. Kap. (p. 189 ff.) über die Homiletik handelt. Derselbe, Katechese u. Predigt vom Anf. d. IV. Jh. bis z. Ende d. VI. Jh. (Breslau 1884) 134 ff. E. Hatch, Griechentum und Christentum, übers. von E. Preuschen (Freiburg 1892) 62 ff. Letzterer scheint mir hier, wie auch sonst gelegentlich, in der Annahme des hellenischen Einflusses zu weit zu gehen, wenigstens die Zeiten und Arten nicht genügend zu scheiden. Die älteren Abhandlungen von Rothe, Augusti etc. sind für die Erkenntnis der Entwicklung wertlos, ebenso das umfangreichste Werk über die patristische Beredsamkeit: Jos. Weissenbach, De eloquentia patrum, Augsburg 1775 in

unterschieden werden, so muß ich nach den Quellen die Tatsachen kurz vorlegen.

Die Gattungen. Das Christentum trat als eine mit bestimmten Zukunftsgarantien für die Gläubigen ausgestattete Offenbarungsreligion in die Welt; infolgedessen geschah seine Verkündigung von Anfang an durch Weissagung und Belehrung: aus dem prophetischen und paränetischen Element setzen sich daher die Reden schon seines Stifters zusammen. Da diese Offenbarungsreligion als solche urkundlich verbrieft, also historisch war, so tritt als drittes Element das exegetische hinzu: z. B. knüpft bekanntlich Jesus im ersten Teil der Bergpredigt (ev. Matth. 5, 17—48) an Gesetzesvorschriften an, sie erklärend und ergänzend (πληρώσας)[1]); die Rede des Stephanos in der Apostelgeschichte c. 7 ist ein Lehrvortrag auf Grund einer großen Anzahl von Stellen des A. T.; auch Paulus, dessen Briefe ja großenteils nichts anderes sind als ein notwendiger Ersatz für die mündliche Rede[2]),

9 Bänden. Für denjenigen, der die Quellen kennt, wird dies heutzutage, wie es scheint, fast vergessene Werk nicht viel Neues bieten, doch behält es einen gewissen Wert durch die reichhaltige Sammlung von sonst schwer zugänglichen Urteilen aus früheren Jahrhunderten.

1) Das eigentliche Distinktiv der Reden Jesus' ist das Parabolische: daß dies in der Folgezeit, wenn ich nicht irre, ganz verschwand (höchstens aus dem Hermas ließe sich einiges vergleichen, aber wie ganz anders sind z. B. die Vergleiche bei Paulus ep. ad Cor. I 9, 24. ad Phil. 3, 12 ff.), ist ein Zeichen, daß das Christentum das orientalische Gewand auch in der Darstellung der Lehre früh abgelegt hat, denn diese Parabeln sind ja völlig unhellenisch; wer sie mit den Gleichnissen, deren sich die Sprache der griechischen Philosophen so gern bedient hat, auch nur als analog verglichen wissen will (P. Wendland in: Arch. f. Gesch. d. Philos. V [1892] 248), begeht einen fundamentalen Fehler.

2) Predigten in Briefform sind uns ja auch sonst aus der altchristlichen und späteren christlichen Literatur genug überliefert: der zweite Brief des Clemens Romanus, der erste des Petrus und der des Iacobus (cf. Harnack, Die Chronol. d. altchr. Lit. bis Euseb. I 438 ff. 451. 487 f.), der sogenannte Hebräerbrief (cf. Weizsäcker l. c. 473), manche unter Cyprians Briefen. Für die Profanliteratur genügt es, an Senecas und die pseudoheraklitischen Briefe (s. I/II p. Chr.) zu erinnern: es sind reine διατριβαί auf konventioneller brieflicher Unterlage. Man muß eben bedenken, einmal daß die meisten Schriftsteller diktierten (s. Anhang II; z. B. steht es von Paulus fest), andererseits daß viele Briefe zum Vorlesen bestimmt waren, so die Paulinischen: cf. ep. ad Thess. I 5, 27 (ad Col. 4, 16), Weizsäcker l. c. 186. Wenn es uns also auffällig er-

knüpft mit Vorliebe an die Schriften des alten Bundes an.[1]) Endlich kam noch das panegyrische Element hinzu.

1. In der ältesten Zeit dominierte das prophetische Element[2]); diejenigen, die es besaßen, waren überzeugt, kraft eines besonderen *χάρισμα* im Besitz des *πνεῦμα* zu sein, das aus ihnen spreche (aber in der Art, daß der *νοῦς* selbsttätig mitwirkte: Paulus ep. ad Cor. I 14, 15. 19). So hatte es Jesus selbst gewollt, als er zu seinen Jüngern sagte: *δοθήσεται ὑμῖν τί λαλήσετε, οὐ γὰρ ὑμεῖς ἐστὲ οἱ λαλοῦντες ἀλλὰ τὸ πνεῦμα τοῦ πατρὸς ὑμῶν τὸ λαλοῦν ἐν ὑμῖν* (ev. Matth. 10, 19 f.). Daß sich diese Form der Predigt lange erhielt, ja daß sie die reguläre war, wissen wir aus Bemerkungen des Paulus und derjenigen, die unter seinem Namen schrieben, aus der Apostelgeschichte, sowie vor allem aus dem berühmten Abschnitt der *Διδαχὴ τῶν δώδεκα ἀποστόλων* oder vielmehr aus der glänzenden Verwertung, die gerade dieser Abschnitt durch Harnacks bahnbrechende Forschung[3]) erfahren hat. Danach zogen solche *προφῆται* durch alle Länder des Reichs, überall guter Aufnahme gewiß; noch Lukian hat den von ihm verhöhnten Peregrinus als 'Propheten' bezeichnet. Wie wir uns solche Prophetien — wenigstens in literarischem Gewande — zu denken haben, zeigt der *Ποιμήν* des Hermas: der Verfasser schreibt ja nieder, was ihm die Erscheinungen eingeben, und liest es dann seinen *ἀδελφοί* vor; er selbst hat einen solchen Propheten sehr deutlich geschildert mand. 11, 9: *ὅταν οὖν ἔλθῃ ὁ ἄνθρωπος ὁ ἔχων τὸ πνεῦμα τὸ θεῖον εἰς συναγωγὴν ἀνδρῶν δικαίων τῶν ἐχόντων πίστιν θείου πνεύματος, καὶ ἔντευξις γένηται πρὸς τὸν θεὸν τῆς συναγωγῆς τῶν ἀνδρῶν ἐκείνων, τότε ὁ ἄγγελος τοῦ προφητικοῦ πνεύματος ὁ κείμενος πρὸς αὐτὸν πληροῖ τὸν ἄνθρωπον· καὶ πληρωθεὶς ὁ ἄνθρωπος τῷ πνεύματι τῷ ἁγίῳ λαλεῖ εἰς τὸ πλῆθος, καθὼς ὁ*

1. *Προφητεία.*

---

scheint (cf. Harnack l. c. 442 ff.), daß das eine unter Clemens' Namen gehende Schriftstück, das durchaus die Form der Homilie hat, von frühester Zeit bis auf Photios als *ἐπιστολή* bezeichnet wird, so liegt darin für antike Auffassung nichts Besonderes.

1) Cf. besonders die interessante Beobachtung von Weizsäcker l. c. 110 f.

2) Cf. N. Bonwetsch, Die Prophetie im apostolischen u. nachapost. Zeitalter in: Z. f. kirchl. Wiss. u. kirchl. Leben V (1884) 408 ff.

3) Lehre d. zwölf Apostel in: Texte u. Unters. II 1 (1884) 93 ff.

κύριος βούλεται.[1]) Daß auf die Darstellung in solchen Prophetien keine Sorgfalt verwendet wurde, versteht sich von selbst: sogar die literarischen Prophetien des Hermas sind darin denkbar anspruchslos, freilich gerade durch diese Naivität eigenartig fesselnd. Als dann aber die Gemeinde der Gläubigen im zweiten Jahrhundert sich zu einem festen, wohl organisierten Verbande zu entwickeln anfing, da mußten die freien Äußerungen des h. Geistes notwendig eingeschränkt werden, da sie der subjektiven Willkür des einzelnen zu großen Spielraum ließen: schon die *Διδαχή* und Hermas warnen vor *ψευδοπροφῆται*, haben doch gerade häretische 'Propheten' wie Valentinos und die Montanisten[2]) zu ihren Anhängern in einer Flammensprache geredet. So „starb die Prophetie, als die katholische Kirche geboren wurde“.[3])

2. Ἐξήγησις und παραίνεσις. 2. Mittlerweile war nun aber seit der Fixierung des Kanons ein anderes Bedürfnis gebieterisch hervorgetreten: die Urkunden der Lehre, also neben dem A. T. (besonders den Propheten) das Evangelium und die apostolischen Briefe, mußten erklärt werden, und mit der Erklärung wurde die Ermahnung verbunden. Wir können daher diese Art der Predigt speziell die exegetisch-paränetische nennen. Wir haben zwar gesehen, daß beide Momente schon in der frühesten Form der Predigt vorhanden waren, aber während sie (vor allem die Erklärung) dort hinter der Verheißung zurückgetreten waren, begannen sie jetzt ausschlaggebend zu werden: war ja auch an die Stelle der glühenden Hoffnungen auf eine nahe Weltauflösung und Vergeltung eine kühlere vernunftgemäßere Reflexion getreten, wie z. B. der Nachtrag zum Johanneischen Evangelium zeigt. Über die äußere Einrichtung dieser neuen Form der Predigt haben wir mehrere Zeugnisse[4]), vor allen das berühmte des Iustin apol. I 67: *συνέλευσις γίνεται καὶ τὰ ἀπομνημονεύματα τῶν ἀποστόλων ἢ τὰ συγγράμματα τῶν προφητῶν ἀναγινώσκεται, μέχρις ἐγχωρεῖ·*

1) Andere Stellen bei Bonwetsch l. c. 461 ff.

2) Cf. Harnack l. c. 23 f. 123 f. Dogmengesch. I³ 219, 2. 228, 1. Bonwetsch l. c. 473 ff.

3) Hatch l. c. 75 f., cf. Harnack, Dogmengesch. l. c. 157, 2.

4) Ich entnehme die folgenden vier Stellen einer Anmerkung J. Lightfoots zu Clem. Al. (ep.) II 19 (The apostolic fathers, part. I vol. II [Lond. 1890] 257, 14).

εἶτα, παυσαμένου τοῦ ἀναγινώσκοντος ὁ προεστὼς διὰ λόγου τὴν νουθεσίαν καὶ πρόκλησιν τῆς τῶν καλῶν τούτων μιμήσεως ποιεῖται, wozu kommen: Clemens Rom. (ep.) II 19: *ἀναγινώσκω ὑμῖν ἔντευξιν εἰς τὸ προσέχειν τοῖς γεγραμμένοις*, Origenes c. Cels. III 50 *καὶ δι' ἀναγνωσμάτων καὶ διὰ τῶν εἰς αὐτὰ διηγήσεων προτρέποντες μὲν ἐπὶ τὴν εἰς τὸν θεὸν τῶν ὅλων εὐσέβειαν καὶ τὰς συνθρόνους ταύτῃ ἀρετάς*, Const. apost. II 54: *μετὰ τὴν ἀνάγνωσιν (καὶ τὴν ψαλμῳδίαν) καὶ τὴν ἐπὶ ταῖς γραφαῖς διδασκαλίαν.* Die Sitte war ihrem Ursprung nach jüdisch, cf. act. apost. 15, 21 und Philon de sap. lib. 12 (II 458 M.) von den Essäern: in den Synagogen *ὁ μὲν τὰς βίβλους ἀναγινώσκει λαβών, ἕτερος δὲ τῶν ἐμπειροτάτων ὅσα μὴ γνώριμα παρελθὼν ἀναδιδάσκει.* Da in dieser Art der Predigt das lehrhafte Moment im Mittelpunkt stand, so nannte man sie *ὁμιλία* (*sermo*)[1]), ein Wort, in dem die Anschauung ausgesprochen liegt, daß der Prediger zu seiner Gemeinde in rein persönliche Beziehung trat, wenn er sie fast im Tone gewöhnlichen Gesprächs belehrte: mit demselben Wort wurde seit alter Zeit von den Griechen die persönliche Belehrung bezeichnet, welche die Philosophen ihren Schülern (*τοῖς ὁμιληταῖς*) zuteil werden ließen, cf. Xenoph. mem. I 2, 6. 12. 15. 48. Lukian Tim. 10. Aelian v. h. III 19 und besonders deutlich Porphyr. v. Plot. 8. 18. Gelegentlich finden sich dafür nahverwandte Worte, die das gelehrte Moment etwas stärker betonen: *διάλεξις* (so nennt z. B. Euseb. h. e. VI 36, 1 cf. 19, 16 die Predigten des Origenes)[2]), *disputatio* (so nennt Augustinus conf. V 23 die Predigten des Ambrosius und tract. in Ioann. ev. 89, 5 seine eigenen). Als das früheste wertvolle Dokument dieser Art von Predigt hat man den sog. zweiten Brief des Clemens Romanus anzusehen, der jetzt wohl ziemlich

1) Einige Stellen aus der frühen christlichen Literatur bei A. Hilgenfeld, Ketzergesch. d. Urchristentums (Leipz. 1884) 11, 17, wo aber die drei ältesten fehlen: Lukas act. ap. 20, 11 (cf. auch 24, 16. ev. 24, 14 f.; keiner der anderen Evangelisten kennt das — echt griechische — Wort), Ignat. ad Polyc. 5, act. Iohannis (s. II, erste Hälfte) p. 219, 15 Zahn. Schon in der Sept. steht prov. 7, 21: *ἐν πολλῇ ὁμιλίᾳ*, wo das hebräische Wort 'Belehrung' bedeutet (cf. Lightfoot zu Ignat. l. c.). Für die Vorstellung des freundlichen Herablassens, die mit dem Wort verbunden war, ist [Isocr.] ad Dem. 30 f. lehrreich.

2) Schon bei Lukas act. 20, 7 wechselt *διαλέγεσθαι* mit 11 *ὁμιλεῖν*, cf. auch Hesych. *διάλεκτος· ὁμιλία.*

allgemein als die älteste christliche Homilie gilt, jedenfalls sich in den Formen einer solchen bewegt. Besonders charakteristisch ist gleich der Anfang der eigentlichen Predigt c. 2 ff.: 'εὐφράνθητι, στεῖρα ἡ οὐ τίκτουσα· ῥῆξον καὶ βόησον, ἡ οὐκ ὠδίνουσα, ὅτι πολλὰ τὰ τέκνα τῆς ἐρήμου μᾶλλον ἢ τῆς ἐχούσης τὸν ἄνδρα' (Jes. 54, 1). ὃ εἶπεν 'εὐφράνθητι στεῖρα ἡ οὐ τίκτουσα' ἡμᾶς εἶπεν· στεῖρα γὰρ ἦν ἡ ἐκκλησία ἡμῶν πρὸ τοῦ δοθῆναι αὐτῇ τέκνα. ὃ δὲ εἶπεν 'βόησον ἡ οὐκ ὠδίνουσα' τοῦτο λέγει κτλ.: nachdem er in dieser Weise noch eine Anzahl von Schriftstellen erklärt hat, folgt c. 4 die Ermahnung: ὥστε οὖν, ἀδελφοί, ἐν τοῖς ἔργοις αὐτὸν (τὸν κύριον) ὁμολογῶμεν, ἐν τῷ ἀγαπᾶν ἑαυτοὺς κτλ. (ähnlich im weiterhin Folgenden). Diese Form der Predigt war lange die einzige; sie blieb bestehen, auch als eine neue Form auftrat. Die Predigten des Origenes, wenigstens die uns erhaltenen, sind sämtlich von dieser Form, ebenfalls die des Hippolytos gegen die Noetianer (p. 43 ff. Lag.), die für den familiären Ton ganz bezeichnend ist: er untersucht gewissermaßen gemeinschaftlich mit seinen Zuhörern, die er in üblicher Weise mit ἀδελφοί anredet (43, 14. 45, 4. 46, 21. 50, 9. 16. 52, 23. 53, 28. 54, 21. 55, 18), und von denen er sich Einwürfe machen läßt mit ἐρεῖ μοί τις (53,18), ἐρεῖς μοι (54, 25).[1]) Aus dem IV. Jahrhundert haben wir solche Predigten von Augustin und Iohannes Chrysostomos[2]), aus dem V. Jh. be-

1) Nach Art dieser ὁμιλία (so ist sie in der Hs. bezeichnet) hat man sich m. E. die ὁμιλίαι des Eirenaios, des Lehrers des Hippolytos, zu denken, von denen Phot. bibl. cod. 121 spricht (ὁμιλοῦντος Εἰρηναίου, worüber Hilgenfeld l. c. 10 ff. und andere dort Genannte wohl nicht ganz richtig urteilen: ὁμιλεῖν steht, absolut gebraucht, was einige nicht für erlaubt halten, auch in der Apostelgesch. l. c. und act. Ioh. p. 226, 9; später oft, z. B. Euseb. h. e. VI 19, 17, Photios selbst p. 118b 19 Bekk.). Cf. auch Hippol. de Chr. et Antichr. 23 (p. 12, 4 Lag. = p. 16, 9 Ach.) nach einem langen Zitat aus Daniel: ἐπεὶ οὖν δυσνόητά τισι δοκεῖ εἶναι ταῦτα τὰ μυστικῶς εἰρημένα, οὐδὲν τούτων ἀποκρύψομεν πρὸς ἐπίγνωσιν τοῖς ὑγιῆ νοῦν κεκτημένοις, worauf die Auslegung folgt (dies ist aber eine Abhandlung, keine Predigt).

2) Über des letzteren Homilien zur Apostelgesch. cf. die Einleitung bei Migne vol. 60 und O. Seeck im Philol. N. F. VI (1894) 460. — Auch Gregor v. Nyssa mitten in einer Trauerrede (auf Pulcheria c. 3, vol. 46, 868 f. Migne); die Worte sind sehr bezeichnend: τί οὖν πρὸς τούτους ἡμεῖς; οὐχ ἡμέτερον ἐροῦμεν, ἀδελφοί, λόγον, ἀλλὰ τὴν ἀναγνωσθεῖσαν ἡμῖν ἐκ τοῦ εὐαγγελίου ῥῆσιν παραθησόμεθα· ἠκούσατε γὰρ λέγοντος τοῦ κυρίου 'ἄφετε

sonders von Hilarius v. Arles[1]), und bis auf den heutigen Tag hat sich der Brauch in unseren Kirchen erhalten, obwohl ihm seine eigentliche Basis, die allegorische Auslegung[2]), entzogen ist.[3]) Die Sprache dieser Predigten ist, dem lehrhaften Ton gemäß, einfach, und für Rhetorik ist nicht viel Platz da (sie sind oft von Abhandlungen kaum zu unterscheiden[4])); nur an den Stellen, wo sich an die Auslegung eine *παραίνεσις* oder eine Lobpreisung anschließt, wird begreiflicherweise der Ton wärmer, die Sprache gewählter, die Rhetorik höher, wie man z. B. in der genannten Homilie des Hippolytos durch Vergleich von 1 bis 7 mit 8 ff. deutlich beobachten kann.

3. Als Gregor von Nazianz im J. 381 auf den Bischofsstuhl von Konstantinopel erhoben wurde, machten seine Gegner ihm u. a. den Vorwurf, daß er die hellenische Rhetorik in die Kirche trage: auf die 'Fischer' des Evangeliums wiesen sie ihn hin; „den Fischern, erwidert er, wäre ich gefolgt, wenn ich wie sie hätte Zeichen und Wunder tun können, nun aber blieb mir nur meine Zunge und sie stellte ich in den Dienst der guten Sache (or. 36, 4; vol. 36, 269 Migne)." Darin liegt der Wandel der Verhältnisse deutlich ausgesprochen: an die Stelle der Prophetie, der die schönen Worte nichts galten, war die reflektierende, *3. Πανήγυρις.*

τὰ παιδία κτλ.', worauf er diesen Spruch mit seinen eigenen Worten paraphrasierend verknüpft.

1) Cf. tract, in ps. 13, 2 u. 14, 1: *qui lectus est psalmus*; id. 67, 1160 Migne: *in lectione evangelica, quae nobis de decem virginibus recitata est.* Vgl. C. Arnold, Caesarius v. Arelate (Leipz. 1894) 137, 432.

2) Es ist doch bezeichnend, daß gerade Häretiker es waren, die gegen den Wahnsinn dieser Methode Front machten: Markion und die antiochenische Schule, aus der Areios hervorging: cf. Hatch, Griech. u. christl. Auslegung l. c. 58 f. und Usener Rel. Unters. I 88, 19.

3) In Byzanz gab es *ῥήτορες εἰς τὸ ἑρμηνεύειν τὰς γραφάς*, cf. Mich. Ang. Giacomelli, Praef. in Philonis Carpasii episcopi (s. IV) enarrat. in cant. cant., abgedruckt in Mignes Patrologie, patr. graec. vol. 40, 11.

4) Daher berührt sich *tractatus*, der bekannte christliche Terminus für die Schriftexegese (*ἐξηγήσεις* schrieb schon Papias, von denen wir leider nichts Genaueres wissen), oft mit Predigt, cf. G. Koffmane, Gesch. d. Kirchenlat. I (Bresl. 1879) 84. E. Watson in: Studia bibl. et eccles. IV (Oxford 1896) 272, 1. Hieronymus und Rufin nennen die Homilien des Origenes gelegentlich *tractatus*, cf. Harnack, Gesch. d. altchr. Lit. I (Leipz. 1893) 339, D. Huetii Origeniana III 1, 3 (XXIV 121 Lomm.). Über die *tractatores* cf. Cresollius, Theatr. rhet. III 2 p. 87 BC.

durch äußerliche Mittel auf die Sinne der Zuhörer wirkende Rede getreten.[1] Man kann sie im Gegensatz zur prophetischen und exegetischen die synthetische nennen; innerhalb dieser Gattung kann man als Arten unterscheiden die panegyrischen, dogmatischen und Gelegenheitspredigten.[2] Es dürfte wahrscheinlich sein, daß von diesen Arten wenigstens die erste weit hinaufreicht in die Zeiten des Urchristentums selbst: denn was lag näher, als Gott und seine Werke bei den sonntäglichen Zusammenkünften nicht bloß in Hymnen, sondern auch im feierlichen Vortrag einer Rede zu preisen? Allein wir wissen, soweit meine Kenntnis reicht, von solchen Predigten, — wenn man die ziemlich sicher unechte des Hippolytos auf die Theophanienfeier beiseite läßt — nichts vor der Mitte des IV. Jahrhunderts. Das ist begreiflich genug, denn die eigentliche panegyrische Rede hat zur Voraussetzung hohe, kirchlich festgesetzte Feiertage. Diese Predigten, vor allen die panegyrischen, berühren sich aufs engste mit den gleichzeitigen sophistischen Prunkreden der Hellenen, aber bei aller Ähnlichkeit, die z. B. die Reden des Gregor von Nazianz mit denen des Himerios, die des Ioannes Chrysostomos mit denen des Themistios haben, ist doch — wenn wir absehen von den rein enkomiastischen Reden, wie der des Gregor auf Basileios — das unterscheidende Moment immer gewesen, daß die christliche Predigt auch dieser dritten Gattung auf der Grundlage der Schrift sich erhob und darin nie ihren Ursprung verleugnet hat. Ich weiß wohl, daß gelegentlich bei Dion Chrysostomos, Epiktet, Maximus Tyrius Verse des Homer oder Euripides herangezogen werden, die der Redner gewissermaßen auslegt — so war es seit Bion und Teles Sitte —, aber das ist eine bloß äußerliche Analogie, die das Wesen der Sache nicht berührt: von den hellenischen Sophisten wird selbst ὁ ποιητής, ihre höchste Autorität, nur zur Bestätigung der eigenen Aufstellungen herangezogen, während für die christlichen Redner die Stellen der Schrift den Ausgangspunkt bilden: die Freiheit der hellenischen Weltanschauung, für die keine — wenigstens

1) Man lese auch, wie Augustin de doctr. Chr. IV 32 f. das oben (S. 539) zitierte Wort Jesus' auslegt, um es mit seiner Forderung einer rhetorischen Predigt in Einklang zu bringen.

2) Diese Bezeichnungen nach Probst in der zweiten der genannten Abhandlungen 181 ff.

keine allgemein gültige und öffentlich anerkannte — Offenbarung und daher kein δόγμα im streng christlichen Sinn existiert, und die Gebundenheit der christlichen Lehre, für welche die Offenbarung und das δόγμα der Anfang und das Ende ist, kommt darin trotz aller Ähnlichkeit (s. o. S. 452 ff. 460 f.) immer wieder zum Ausdruck.

3. Der Stil der griechischen Predigt im zweiten und dritten Jahrhundert.

Die Gnosis.

In einer den verwöhnten Anforderungen der Zeit entsprechenden Form ist das Evangelium zuerst[1]) von den Häretikern gepredigt worden. Der Gnostizismus, dieser Bannerträger des Hellenismus, der mehr als irgend eine andere Richtung dazu beigetragen hat, „das Christentum seiner partikulär-jüdischen Stellung zu entheben und auf dem Boden der griechisch-römischen Welt zu einer Universalreligion zu stempeln", und der sich daher in seiner Gesamtheit als eine „großartige Antizipation des späteren Katholizismus" darstellt[2]), ist auch auf diesem Gebiete vorangegangen.[3]) Wir haben aus den Homilien des Valentinos († c. 160) ein paar Fragmente[4]) bei Clemens von Alexandria

1) Von Aristeides, demselben, dessen an Hadrian gerichtete Apologie kürzlich wiederentdeckt ist, gibt es eine nur im Armenischen erhaltene, bisher nur von den Mechitaristen zu S. Lazaro 1878 mit lateinischer Übersetzung edierte Predigt 'de latronis clamore et crucifixi responsione'. Sie ist aber, wie zuletzt P. Pape in: Texte u. Unters. XII 2 (1895) gegen Th. Zahn u. a. absolut überzeugend bewiesen hat, unecht; der vorauszusetzende griechische Urtext muß, wie noch die lateinische Übersetzung aus dem Armenischen zeigt, hochrhetorisch gewesen sein, vgl. die Homoioteleuta im Proömium (p. 15) und Epilog (p. 22 f.).

2) Harnack, Über d. gnost. Buch Pistis Sophia in: Texte und Unters. VII 2 (1891) p. 98.

3) Cf. Origenes c. Cels. III 12 (11, 933 Migne): *ἐπεὶ σεμνόν τι ἐφάνη τοῖς ἀνθρώποις Χριστιανισμός, οὐ μόνοις — ὡς Κέλσος οἴεται — τοῖς ἀνδραποδωδεστέροις, ἀλλὰ καὶ πολλοῖς τῶν παρ' Ἕλλησι φιλολόγων, ἀναγκαίως ὑπέστησαν οὐ πάντως διὰ στάσεις καὶ τὸ φιλόνεικον αἱρέσεις, ἀλλὰ διὰ τὸ σπουδάζειν συνιέναι τὰ Χριστιανισμοῦ καὶ τῶν φιλολόγων πλείονας.* Einen so weiten Blick in der Beurteilung dieser Sache hat kein anderer Kirchenschriftsteller gehabt. — Über die Bedeutung des Gnostizismus für die Formengeschichte der altchristlichen Literatur eine wichtige Bemerkung von Harnack, Dogmengesch. I³ 230, 1.

4) Gesammelt z. B. bei A. Hilgenfeld l. c. (oben S. 541, 1) 298 ff.

erhalten: sie lassen trotz ihrer Kürze erkennen, daß das Urteil Tertullians (adv. Val. 4), der Mann habe sich durch Geist und Beredsamkeit ausgezeichnet[1]), wahr ist: in ihrer Mischung von tiefsinniger Grübelei und gaukelnder Phantastik umfangen sie uns wie die ganze Gnosis gleichsam mit „einem schwülen Hauch, der aus unnahbarem Garten wundersamen Duft herüberträgt“[2]). Durch geschickte Verbindung von Christlichem mit Stoischem weiß er die Unsterblichkeit hier auf Erden in herrlichen Worten zu schildern, aber nicht ohne antithetische Pointen inhaltlicher und formaler Art (bei Clem. Strom. IV 13, 91): *ἀπ' ἀρχῆς ἀθάνατοί ἐστε καὶ τέκνα ζωῆς ἐστε αἰωνίας καὶ τὸν θάνατον ἠθέλετε μερίσασθαι εἰς ἑαυτούς, ἵνα δαπανήσητε αὐτὸν καὶ ἀναλώσητε καὶ ἀποθάνῃ ὁ θάνατος ἐν ὑμῖν καὶ δι' ὑμῶν· ὅταν γὰρ τὸν μὲν κόσμον λύητε, ὑμεῖς δὲ μὴ καταλύησθε, κυριεύετε τῆς κτίσεως καὶ τῆς φθορᾶς ἁπάσης.*[3]) In einem anderen Fragment (bei Clemens l. c. 92) findet sich folgende scharfe Antithese: *ὁπόσον ἐλάττων ἡ εἰκὼν τοῦ ζῶντος προσώπου, τοσοῦτον ἥσσων ὁ κόσμος τοῦ ζῶντος αἰῶνος.* In allen Fragmenten ist auf die Rhythmik großes Gewicht gelegt, besonders deutlich bei Clem. VI 6, 52, wo alle Kola auf die uns bekannten Klauseln ⏒ ⏑ ⏓ ⏒ ⏑̄, ⏒ ⏑ ⏓ ⏒ ⏑ ⏓ ausgehen: *πολλὰ τῶν γεγραμμένων ἐν ταῖς δημοσίαις βίβλοις εὑρίσκεται γεγραμμένα ἐν τῇ ἐκκλησίᾳ τοῦ θεοῦ· τὰ γὰρ*

1) Ein ähnliches glänzendes Urteil über ihn aus Hieronymus bei Harnack, Dogmengesch. I³ 216, 1.

2) Usener, Religionsgesch. Unters. I 24.

3) „Gedicht in Prosa“ nennt die Stelle Harnack in: Texte l. c. 49, 1. — Die Worte hat C. Schmidt l. c. (oben S. 471, 1) 536, 1 passend zusammengestellt mit einer Stelle aus dem zweiten Buch Jeû (bei Schmidt p. 197): „Und ich (Jesus spricht) sage euch, daß sie (die der *μυστήρια* teilhaftigen Menschen) schon, seit sie auf der Erde sind, das Reich Gottes geerbt haben (*κληρονομεῖν*); sie haben Anteil (*μερίς*) an dem Lichtschatze (-*θησαυρός*), und sie sind unsterbliche (*ἀθάνατοι*) Götter.“ Der vollendete Mensch ein Gott auf Erden! das ist ganz hellenisch empfunden: *ἐγὼ δ' ὔμμιν θεὸς ἄμβροτος, οὐκέτι θνητὸς Πωλεῦμαι μετὰ πᾶσι τετιμένος* hatte Empedokles zu seinen Landsleuten gesagt, (355 St.), und einen berühmten Ausspruch des Heraklit von der Wesenseinheit des Lebens und Sterbens hatten Spätere, besonders Stoiker, ethisch umgewandelt, so formuliert: *ἀθάνατοι θνητοί, θνητοὶ ἀθάνατοι*, worüber cf. J. Bernays, Die heraklit. Briefe (Berlin 1869) 37 ff. Wie verbreitet die Vorstellung von der Unsterblichkeit und Göttlichkeit des vollendeten Menschen in jenen Zeiten war, weiß jeder Leser des Clemens

κοινά[1]), ταῦτά ἐστι τὰ ἀπὸ καρδίας ῥήματα, νόμος ὁ γραπτὸς ἐν καρδίᾳ. οὗτός ἐστιν ὁ λαὸς ὁ τοῦ ἠγαπημένου ὁ φιλούμενος καὶ φιλῶν αὐτόν.[2])

Was die gnostischen Heißsporne und Phantasten im Sturmeslauf und mit offener Bekennung der Farbe zu erreichen suchten, die Verquickung des Christlichen mit dem Hellenischen, das erreichte die katholische Kirche in vorsichtiger Arbeit, bei der sie weniger selbst treibend hervortrat, als vielmehr den großen Zug der Ideen seinen langsamen aber um so sichereren Gang gehen ließ, bis ihr, als die Zeit gekommen war, die Frucht von selbst in den Schoß fiel, gereift in langem Wachstum und frei von dem 'Gift' der Häresie.

Auf katholischer Seite sind Hippolytos und Origenes die ersten Vertreter einer kunstmäßigen Predigt gewesen.[3]) Wenn der λόγος εἰς τὰ ἅγια θεοφάνεια wirklich dem Hippolytos gehörte, müßte man diesen Bischof als Redner dem Gregor von Nazianz an die Seite stellen. Aber abgesehen von den schweren inneren Verdachtsgründen durchbricht diese Rede auch rein stilistisch die Entwicklungsgeschichte der Predigt, insofern sie die Darstellungsart frühestens der Mitte des vierten Jahrhunderts antizipiert. Ich lasse sie daher der Vorsicht halber lieber ganz beiseite.[4]) Von sonstigen Reden des Hippolytos haben wir nur eine ὁμιλία gegen die Noetianer, in der wir an den nicht rein lehrhaften Stellen eine durch die Kunstmittel der Rhetorik be- **Hippolytos**

Al. und Plotin; eine Stellensammlung aus anderen Autoren jener Zeit bei Bernays l. c. 135ff. und vor allem bei Harnack, Dogmengesch. I³ 114, 1.

1) κενά die Hss., verbessert von Hilgenfeld aus dem Zusammenhang bei Clemens.

2) Der große Brief des Valentinianers Ptolemaios an Flora bei Epiphan. haer. XXXIII 3ff. (zuletzt ed. Hilgenfeld in: Z. f. wiss. Theol. XXIV [1881] 214ff.) ist in sprachlicher und stilistischer Hinsicht geradezu musterhaft, cf. Anhang II. Auch das lange Fragment aus des Karpokratianers Epiphanes Schrift περὶ δικαιοσύνης bei Clemens Al. Strom. III 2, 5ff. weiß den Kommunismus mit Farben, die der griechischen Philosophie (Platon, und vielleicht Zenons πολιτεία?) entnommen sind, in herrlicher, stellenweise stark rhythmischer Sprache zu preisen.

3) Der inhaltlich sehr interessante Panegyricus des Gregorios Thaumaturgos auf Origenes (vol. 10, 1052ff.) bleibt hier natürlich ganz außer Betracht.

4) Gegen die Echtheit zuletzt H. Achelis in seiner Ausgabe (Corp. script. eccl. graec. Berol. 1897) praef. p. VI.

wirkte Steigerung des Tons deutlich wahrnehmen, z. B. in der *παραίνεσις* p. 50, 21 Lagarde: *οἷα τοίνυν κηρύσσουσιν αἱ θεῖαι γραφαὶ ἴδωμεν, καὶ ὅσα διδάσκουσιν ἐπιγνῶμεν, καὶ ὡς θέλει πατὴρ πιστεύεσθαι πιστεύσωμεν, καὶ ὡς θέλει υἱὸν δοξάζεσθαι δοξάσωμεν, καὶ ὡς θέλει πνεῦμα ἅγιον δωρεῖσθαι λάβωμεν*, oder in der hymnenartigen Lobpreisung p. 56, 31 ff.: *'οὗτός ἐστιν ὁ υἱός μου ὁ ἀγαπητός, ἀκούετε αὐτοῦ'* (Matth. 17, 5). *οὗτος στεφανοῦται κατὰ διαβόλου, οὗτός ἐστιν Ἰησοῦς ὁ Ναζαραῖος ὁ ἐν Κανᾷ ἐν γάμοις κληθεὶς καὶ τὸ ὕδωρ εἰς οἶνον μεταβαλὼν καὶ θαλάσσῃ ὑπὸ βίας ἀνέμων κινουμένῃ ἐπιτιμῶν καὶ ἐπὶ θαλάσσης περιπατῶν ὡς ἐπὶ ξηρᾶς γῆς, καὶ τυφλὸν ἐκ γενετῆς ὁρᾶν ποιῶν καὶ νεκρὸν Λάζαρον τετραήμερον ἀνιστῶν καὶ ποικίλας δυνάμεις ἀποτελῶν, καὶ ἁμαρτίας ἀφεὶς καὶ ἐξουσίαν διδοὺς μαθηταῖς καὶ αἷμα καὶ ὕδωρ ἐξ ἁγίας πλευρᾶς ῥεύσας λόγχῃ νυγείς. τούτου χάριν ἥλιος σκοτίζεται, ἡμέρα οὐ φωτίζεται· ῥήγνυνται πέτραι σχίζεται καταπέτασμα· τὰ θεμέλια γῆς σείεται, ἀνοίγονται τάφοι καὶ ἐγείρονται νεκροὶ καὶ ἄρχοντες καταισχύνονται. τὸν γὰρ κοσμήτορα τοῦ παντὸς ἐπὶ σταυροῦ βλέποντες καμμύσαντα τὸν ὀφθαλμὸν καὶ παραδώσαντα τὸ πνεῦμα ἰδοῦσα ἡ φύσις ἐταράσσετο καὶ τὴν αὐτοῦ ὑπερβάλλουσαν δόξαν χωρῆσαι οὐ δυναμένη ἐσκοτίζετο* usw.: was wirkt in diesem Passus mehr, die grandiose Diktion des Panegyrikers oder das schlichte Wort des Evangeliums, an das er anknüpft?[1])

Clemens. Hippolytos hat die Häretiker bekämpft wegen des Inhalts ihrer Lehre: in der Formgebung hat er kein Bedenken getragen, sich wie jene der wirksamen Mittel der hellenischen Rhetorik in ausgiebiger Weise zu bedienen. Auch die imposanten Vertreter der alexandrinischen Schule haben gegen die hellenisierenden Häretiker gekämpft, aber wie Clemens[2]) in seiner 'Philosophie' dem Platonismus weitgehendste Zugeständnisse machte und wie Origenes auf die Bibel die aristarchische Textkritik sowie die stoisch-philonische Exegese übertrug, so haben beide ihre Darstellung dem hellenischen Geiste unbedenklich angepaßt: vertraten sie doch überhaupt den freisinnigen Standpunkt, das Gute des Heidentums nicht zu verschmähen, was Origenes einmal (in Exod.

---

1) Cf. auch de Christ. et Antichrist. p. 2, 12 ff. 3, 14 ff. Lag. = 4, 22 ff. 6, 8 ff. Ach.

2) Über seine Bedeutung für die Formengeschichte der christlichen Literatur cf. besonders Overbeck l. c. (oben S. 479) 454 ff.

hom. 11 c. 6, vol. IX 138f. Lommatzsch) ausführlich darlegt mit Berufung auf das Wort des Apostels *πάντα δοκιμάζετε, τὸ καλὸν κατέχετε* (Paulus ep. ad Thess. I 5, 21). Der Anfang des clementinischen Protrepticus gehört mit seinen zerhackten, rhythmisch fallenden, figurengeschmückten Sätzen zu dem Raffiniertesten, was es aus der sophistischen Prosa gibt, stark erinnernd an das etwa gleichzeitige Proömium des Hirtenromans des Longos (oben S. 439): *Ἀμφίων ὁ Θηβαῖος | καὶ Ἀρίων ὁ Μηθυμναῖος ‖ ἄμφω μὲν ἤστην ᾠδικώ, | μῦθος δὲ ἄμφω· ‖ — καὶ τὸ ᾆσμα εἰσέτι τοῦτο | Ἑλλήνων ᾄδεται χορῷ —· ‖ τέχνῃ τῇ μουσικῇ | ὁ μὲν ἰχθὺν δελεάσας, | ὁ δὲ Θήβας τειχίσας. ‖ Θρᾴκιος δὲ ἄλλος σοφιστὴς | — ἄλλος οὗτος μῦθος Ἑλληνικός — | ἐτιθάσσευε τὰ θηρία | γυμνῇ τῇ ᾠδῇ, | καὶ δὴ τὰ δένδρα τὰς φηγοὺς | μετεφύτευσε τῇ μουσικῇ. ‖ ἔχοιμ' ἄν σοι καὶ ἄλλον τούτοις ἀδελφὸν διηγήσασθαι | μῦθον καὶ ᾠδόν, | Εὔνομον τὸν Λοκρὸν | καὶ τέττιγα τὸν Πυθικόν ‖* usw. Origenes war nach Eusebios (h. e. VI 36, 1) der erste, der seine Predigten sorgfältig ausarbeitete (die Häretiker rechnet er natürlich nicht mit); die uns erhaltenen Predigten sind sämtlich von der Form, die ich in der obigen Skizze der Formengeschichte der Predigt als exegetisch bezeichnet habe. In solchen Predigten war nicht viel Raum für einen glänzenden Stil: soweit ich sie kenne, fehlt in ihnen das rhetorische Pathos ganz, wenigstens erreicht er es nicht durch äußerliche Mittel. Das war auch wohl unnötig bei dem Publikum, vor welchem er sprach: denn die abstrusen Allegorien, die er vortrug, waren keinesfalls für die Masse bestimmt, sondern für eine kleine Gemeinde, welche *διδασκαλία*, kein *πάθος* suchte. Er hat an mehreren Stellen seiner Homilien gegen Prediger geeifert, die dem Publikum zuliebe sich eines zu geschmückten Stils bedienten.[1]) Ein Redner war Origenes so wenig wie Aristarch, Varro, Philon, Hieronymus. **Origenes.**

Dagegen war Paulus von Samosata, der bald nach Origenes' Tode Patriarch von Antiochia war (260—268), ein Pre- **Paulus v. Samosata.**

1) In Ezech. hom. 3, 3 (XIV 46 Lomm.): *effeminatae sunt eorum magistrorum et animae et voluntates, qui semper sonantia, semper canora componunt; et ut quod verum est dicam, nihil virile, nihil forte, nihil deo dignum est in his qui iuxta gratiam et voluntatem audientium praedicant.* Diese Stelle entnehme ich aus Alberti de Albertis, Thesaur. eloquentiae (1669) 466f.; ein paar andere bei Probst l. c. (oben S. 537, 1) 235. 237, 20.

diger ganz nach Art der asianischen Sophisten. Wir wissen das zufällig, weil man für ihn, den Häretiker, diese Vortragsweise charakteristisch fand. Eusebios (h. e. VII 30) teilt aus dem gegen Paulus gerichteten enzyklopädischen Brief der Bischöfe u. a. folgende bemerkenswerte Stelle mit (§ 9): *τὴν ἐν ταῖς ἐκκλησιαστικαῖς συνόδοις τερατείαν μηχανᾶται δοξοκοπῶν καὶ φαντασιοκοπῶν καὶ τὰς τῶν ἀκεραιοτέρων ψυχὰς τοῖς τοιούτοις ἐκπλήττων, βῆμα μὲν καὶ θρόνον ὑψηλὸν ἑαυτῷ κατασκευασάμενος, οὐχ ὡς Χριστοῦ μαθητής, σήκρητον δέ, ὥσπερ οἱ τοῦ κόσμου ἄρχοντες, ἔχων τε καὶ ὀνομάζων, παίων δὲ τῇ χειρὶ τὸν μηρὸν καὶ τὸ βῆμα ἀράττων τοῖς ποσὶ καὶ τοῖς μὴ ἐπαινοῦσι μηδὲ ὥσπερ ἐν τοῖς θεάτροις κατασείουσι ταῖς ὀθόναις μηδ' ἐκβοῶσί τε καὶ ἀναπηδῶσι κατὰ τὰ αὐτὰ τοῖς ἀμφ' αὐτὸν στασιώταις ἀνδράσι τε καὶ γυναίοις, ἀκόσμως οὕτως ἀκροωμένοις, τοῖς δ' οὖν ὡς ἐν οἴκῳ θεοῦ σεμνοπρεπῶς καὶ εὐτάκτως ἀκούουσιν ἐπιτιμῶν καὶ ἐνυβρίζων καὶ εἰς τοὺς ἀπελθόντας ἐκ τοῦ βίου τούτου παροινῶν ἐξηγητὰς τοῦ λόγου φορτικῶς ἐν τῷ κοινῷ καὶ μεγαλορρημονῶν περὶ ἑαυτοῦ, καθάπερ οὐκ ἐπίσκοπος, ἀλλὰ σοφιστὴς καὶ γόης.*[1])

4. Der Stil der Predigt im vierten Jahrhundert.

a) Die allgemeinen Verhältnisse.

Sophisten und Prediger a) im Osten.

Die Beeinflussung der Predigt durch die sophistische Rhetorik erreichte im vierten Jahrhundert ihren Höhepunkt.[2]) „Die bedeutendsten christlichen Kanzelredner jenes Jahrhunderts sind

---

1) In den wenigen erhaltenen Fragmenten ist von einem affektierten Stil nichts zu merken, es sei denn etwa *τῷ ἁγίῳ πνεύματι χρισθεὶς προσηγορεύθη Χριστός, πάσχων κατὰ φύσιν, θαυματουργῶν κατὰ χάριν* (bei A. Mai, Script. vett. nov. coll. VII p. 68: *Παύλου Σαμωσατέως· ἐκ τῶν αὐτοῦ πρὸς Σαβῖνον λόγων*), oder *τὰ κρατούμενα τῷ λόγῳ τῆς φύσεως οὐκ ἔχουσιν ἔπαινον· τὰ δὲ σχέσει φιλίας κρατούμενα ὑπεραινετά, μιᾷ καὶ τῇ αὐτῇ γνώμῃ κρατούμενα, διὰ μιᾶς καὶ τῆς αὐτῆς ἐνεργείας βεβαιούμενα* (ib. p. 69: *ἐκ τῶν αὐτῶν*).

2) Ein paar Bemerkungen darüber bei Joh. Bauer, Die Trostreden des Gregorios v. Nyssa in ihrem Verhältnis z. antik. Rhetorik, Diss. Marburg 1892; die daselbst in Aussicht gestellte größere Abhandlung „Über die Lobreden d. griech. Kirchenväter des IV Jh. in ihrem Verh. z. ant. Rhet." ist m. W. noch nicht erschienen. Das Beste und Wärmste, was über die Predigt des IV. Jh. in der östlichen Kirche geschrieben ist, ist die Ab-

geschult in der rhetorischen Methode und haben erst selbst Rhetorik gelehrt. Basilius und Gregor von Nazianz haben in Athen unter den berühmten Professoren Himerius und Prohaeresius studiert, Chrysostomus unter dem noch berühmteren Libanius, der noch auf dem Totenbette von diesem Schüler sagte, er wäre am würdigsten, sein Nachfolger zu sein, wenn ihn nicht die Christen gestohlen hätten (Sozom. h. e. VIII 2)."[1]) Die Gebildeten gingen damals mit denselben Erwartungen in die Kirche wie in den Hörsaal des Sophisten: sie wollten sich einen Ohrenschmaus verschaffen, ein Stündchen angenehmer Unterhaltung, und viele Prediger waren ihnen darin allzu willfährig, so (wenigstens nach dem Bericht seiner Gegner) am Ende des dritten Jahrhunderts der eben genannte Paulus v. Samosata. Gegen diesen Mißbrauch wandten sich die maßgebenden Männer; vor allen Ioannes Chrysostomos hat sich öfters über das Verhalten seiner Gemeinde beklagt, z. B. hom. 3 in ep. 2 ad Thessal. c. 4 (62, 485 Migne): *'τί εἰσέρχομαι* (sc. *εἰς τὴν ἐκκλησίαν*), *φησίν, εἰ οὐκ ἀκούω τινὸς ὁμιλοῦντος'; τοῦτο πάντα ἀπολώλεκε καὶ διέφθειρε. τί γὰρ χρεία ὁμιλητοῦ; ἀπὸ τῆς ἡμετέρας ῥαθυμίας αὕτη ἡ χρεία γέγονε. διὰ τί γὰρ ὁμιλίας χρεία; πάντα σαφῆ καὶ εὐθέα τὰ παρὰ ταῖς θείαις γραφαῖς, πάντα τὰ ἀναγκαῖα δῆλα. ἀλλ' ἐπειδὴ τέρψεώς ἐστε ἀκροαταί, διὰ τοῦτο καὶ ταῦτα ζητεῖτε. εἰπὲ γάρ μοι, ποίῳ κόμπῳ λόγου Παῦλος ἔλεγεν; ἀλλ' ὅμως τὴν οἰκουμένην ἐπέτρεψεν. ποίῳ δὲ Πέτρος ὁ ἀγράμματος;*[2]) Vor allem wendet er sich an vielen Stellen gegen das Beifallklatschen in der Kirche. Wir haben schon oben (S. 274f. 295f.) gesehen, daß dies ein stehender Gebrauch bei den Vorträgen der Sophisten war und daß diese förmlich

---

handlung von Villemain, De l'éloquence chrétienne dans le quatrième siècle in seinen Mélanges historiques et littéraires III (Paris 1827) 293ff. Für die westliche Kirche tritt ergänzend hinzu: A. Ozanam, L'éloquence chrétienne in seiner Civilisation au V. siècle, sec. éd. II (Paris 1862) 149ff. Sowohl über die griechische wie die lateinische Predigt dieser Zeit handelt F. Probst, Katechese u. Predigt vom Anf. des vierten bis zum Ende des sechsten Jahrh. (Bresl. 1884) 134ff., gelungen besonders in der Charakteristik der einzelnen Prediger. Doch ziehe ich es vor, auf Grund meiner Lektüre meine eigenen Wege zu gehen.

1) Hatch l. c. (oben S. 513, 1) 78f.

2) Ähnliche Stellen bei J. A. Neander, Der h. Joh. Chrys. u. die Kirche I (Berl. 1821) 113ff. 327f.

lebten von dem Beifall, der ihnen gezollt wurde. Daß die Sitte auf die Predigten übertragen wurde, hat ausführlich nachgewiesen schon Franc. Bern. Ferrarius, De ritu sacrarum ecclesiae catholicae concionum (Paris 1664) l. II c. 23—26 p. 266ff. Die bezeichnendste der dort angeführten Stellen möge hier Platz finden: Ioann. Chrys. hom. 30 in act. apost. c. 3 (60, 225ff. Migne): „Noch schädlicher ist es, wenn einer zwar mit Worten schöne Lehren erteilt, mit den Werken aber gegen die Lehren streitet. Dies ist die Veranlassung vieler Übel in den Kirchen geworden. Deswegen verzeiht mir, bitte, wenn meine Rede bei diesem Fehler verweilt. Viele geben sich alle erdenkliche Mühe, um, wenn sie aufgetreten sind, ihre Rede in die Länge zu ziehen, und wenn ihnen von der Menge Beifall geklatscht ist, so ist ihnen das ein Königreich wert; wenn sie aber unter Schweigen die Rede beendet haben, so sind sie darüber verzweifelter als über die Hölle. Das ist es, was die Kirchen ruiniert, daß ihr nicht eine Rede zu hören wünscht, die euer Gewissen trifft, sondern eine, die euch zu amüsieren vermag durch den Schall und die Komposition der Worte, gerade so als ob ihr Sängern und Zitherspielern zuhörtet, wir schlaff und erbärmlich genug sind, euern Begierden zu willfahren, statt sie euch auszutreiben. (Diese Redner, führt er aus, machten es gerade so wie Väter, die ihren kranken Kindern schädliche Süßigkeiten geben.) Dasselbe widerfährt uns, die wir nach schönen Worten und Sätzen haschen und darauf aus sind, wie wir eine Harmonie erklingen lassen, nicht wie wir nützen, wie wir bewundert werden, nicht wie wir belehren, wie wir unterhalten, nicht wie wir ins Gewissen reden, wie wir beklatscht werden und nach erhaltenen Lobsprüchen abtreten, nicht wie wir eure Sinnesart in Harmonie bringen. Glaubt mir: wenn ich rede und beklatscht werde, so bin ich (warum sollte ich nicht die Wahrheit sagen) Mensch genug, mich darüber zu freuen und es mir gern gefallen zu lassen: wenn ich dann aber nach Hause komme und mir überlege, daß die, welche geklatscht haben, keinen Nutzen gehabt haben, oder jedenfalls des Nutzens infolge des Beifallklatschens und der Lobsprüche verlustig gegangen sind, dann schmerzt es mich, ich seufze und weine und fühle wie einer, der alles vergeblich geredet hat, und sage zu mir: „Was nützt mir nun all der Schweiß, wo die Hörer aus meinen Worten keinen Gewinn ziehen wollen?" Und oft habe ich schon den Gedanken gefaßt, ein Gesetz zu erlassen, welches das Beifallklatschen verhindert und euch bestimmt, schweigend und mit der gehörigen Ordnung zuzuhören. (Dies führt er dann weitläufig aus.) Nichts ziemt der Kirche so wie Schweigen und wie Ordnung: den Theatern ist der Lärm angemessen, den Bädern, den Aufzügen und den Versammlungen auf dem Markte .... Wenn ihr euch so benehmt, werdet nicht nur ihr, sondern auch wir selbst Nutzen davon haben: wir werden dann nicht mehr den Nacken hoch tragen und nicht nach Lob oder Ruhm begehren, nicht das, was unterhält, sondern das, was nützt, sagen, nicht auf Satzkomposition und schöne Worte, sondern auf die Kraft der Gedanken jeden Augenblick verwenden. Geh in die Malstube und du wirst sehen, wie dort tiefes Schweigen herrscht; also auch hier, denn auch hier malen wir königliche, nicht gewöhnliche Gemälde mit den Farben der Tugend. Was ist das? ihr klatscht wieder? Nicht leicht scheint es euch zu werden, euch zu bessern." (Das kühne, in seiner Art großartige Bild hatte die Zuhörer wieder fortgerissen.) Ist derartiges zu verwundern, wenn um dieselbe Zeit Asterios von Amaseia ohne Bedenken eine Homilie beginnen konnte mit der Mitteilung, er komme soeben in großer Erregung von der Lektüre der demosthenischen Kranzrede (in S. Euphemiam, vol. 40, 333 Migne)?

Nicht anders war es im Westen. Wir haben gesehen (S. 533f.), daß Augustin in seinem Werke de doctrina Christiana den Nachweis führt, daß die maßvoll rhetorische Predigt nicht nur erlaubt, sondern auch nötig sei und sehr detaillierte, aus Ciceros rhetorischen Büchern abgeleitete Vorschriften darüber gibt[1]), ähnlich wie damals Ambrosius das System der christ- b) im Westen.

1) Dieser Standpunkt Augustins wurde für die Folgezeit sehr wichtig: auf ihn beriefen sich alle die, welche eine rhetorische Predigt für erlaubt und nötig hielten. Man lese darüber Pauli Cortesii protonotarii apostolici prohoemium in librum primum sententiarum ad Iulium II Pont. Max. (zuerst Rom 1503, dann Basel 1513). In demselben Sinne äußern sich die in der Baseler Ausgabe vorausgeschickten Briefe des Beatus Rhenanus und Konrad Peutinger. Als Titelvignette dieser Ausgabe ist dargestellt ein Wagen, darin sitzend eine in einem Buch lesende Frau 'Humanitas', der Wagen wird vorwärts bewegt links von 'Vergilius' und 'Tullius', rechts von 'Demosthenes' und 'Homerus'. Cf. Joh. Sturm, De ludis literariis recte aperiendis (Straßb. 1538) 104. Erasmus, Dialogus Ciceronianus p. 993ff. (in

lichen Moral auf Ciceros Büchern von den Pflichten begründete. Aber auch hier dieselben Exzesse wie im Osten. Was sollen wir dazu sagen, wenn Avitus, Bischof von Vienne († c. 530), in einer Homilie mitten zwischen Schriftstellen zwei Zitate aus Vergil bringt (homil. 6 p. 112 Peiper), oder es alles Ernstes für nötig hält, sich in einem eigens zu diesem Zweck geschriebenen Brief wegen eines vermeintlichen Fehlers zu verantworten, den er in einer zu Lyon gehaltenen Predigt bei der Messung des Verbum *potiri* begangen haben sollte (ep. 57 p. 85f.)?[1] Vor allem herrschte auch im Westen die Unsitte des Beifallklatschens, wofür zwei Zeugnisse Augustins angeführt werden mögen, die ich dem zitierten Werk des Ferrarius entnehme: Augustinus serm. 339 c. 1 (38, 1480 Migne): *quid ergo mihi hodie maxime faciendum nisi ut commendem vobis periculum meum, ut sitis gaudium meum? periculum autem meum est, si adtendam quomodo laudatis et dissimulem quomodo vivatis. ille autem novit, sub cuius oculis loquor, immo sub cuius oculis cogito, non me tam delectari laudibus popularibus quam stimulari et angi, quomodo vivant qui me laudant. laudari autem a male viventibus nolo abhorreo detestor; dolori mihi est, non voluptati. laudari autem a bene viventibus, si dicam nolo, mentior; si dicam volo, timeo, ne sim inanitatis appetentior quam soliditatis. ergo quid dicam? nec plene volo nec plene nolo. non plene volo, ne in laude humana pericliter: non plene nolo, ne ingrati sint quibus praedico.* Sogar

---

vol. I der Ausg. von 1703). Sanctius, Minerva (zuerst 1587) p. 855ff. (der Amsterdamer Ausg. von 1752). In Frankreich entspann sich über Augustins Vorschriften ein Streit: die einen verwarfen die künstliche Predigt, die anderen verteidigten sie, cf. Gibert in: Jugemens des savants VIII (Amsterd. 1725) 460ff. Der bedeutendste dieser französischen Schönredner auf der Kanzel war im XVII. Jahrh. Fléchier; wohl hauptsächlich gegen ihn und seine Anhänger eifern Fénélon in dem von mir schon öfters zitierten meisterhaften 'Discours sur l'éloquence' (Par. 1718) und der Jesuitenpater Rapin in seinen 'Reflexions sur l'éloquence' (Oeuvres, Amsterd. 1709 vol. II).

1) Er nennt bezeichnenderweise einmal (hom. 21 in. p. 134) seine Predigt eine *declamatio*. Ebenso sagt mit naiver Offenheit Gennadius de vir. ill. 9 von Honoratus, Bischof in Massilia (saec. V): *vir eloquens et absque ullo linguae impedimento ex tempore in ecclesia declamator,* cf. für den Ausdruck Sokrates h. e. VII 12 von Ablabios, einem Schüler des als Hermogenes-Kommentator bekannten Troilos v. Side (s. V): οὗ γλαφυραὶ προσομιλίαι καὶ σύντονοι φέρονται . . . Τῆς ἐν Νικαίᾳ τῶν Ναυατιανῶν ἐκκλησίας ἐπίσκοπος κατέστη, ἐν ταὐτῷ καὶ σοφιστεύων ἐν ταύτῃ.

nach Versen der h. Schrift, die ihnen besonders gefielen, klatschten sie: Augustinus enarr. in psalm. 147 c. 15 (37, 1923 Migne): *'benedixit filios tuos in te, qui posuit filios tuos pacem'* (Ps. 147 v. 14). *quomodo exsultastis omnes? hanc amate, fratres mei. multum delectamur, quando clamat de cordibus vestris pacis dilectio. quomodo vos delectavit? nihil dixeram, nihil exposueram; versum pronuntiavi, et exclamastis. quid de vobis clamavit? dilectio pacis.*[1]) Auch Ambrosius und Hieronymus haben sich über die unmäßige Anlehnung der Predigt an die sophistische Deklamation geäußert. Ambrosius de officiis ministrorum I 19, 84: *vox ipsa non remissa, non fracta, nihil femineum sonans, qualem multi gravitatis specie simulare consuerunt, sed formam quandam et regulam ac sucum virilem reservans. hoc est enim pulchritudinem vivendi tenere, convenientia cuique sexui et personae reddere. hic ordo gestorum optimus, hic ornatus ad omnem actionem accommodus. sed ut molliculum et infractum aut vocis sonum aut gestum corporis non probo, ita neque agrestem ac rusticum. naturam imitemur; eius effigies formula disciplinae, forma honestatis est.* cf. 22, 101; 23, 104. Hieronymus comm. in ecclesiasten c. 9 (III 1 p. 467 Vall.): *quemcumque in ecclesia videris declamatorem et cum quodam lenocinio ac venustate verborum excitare plausus, risus excutere, audientes in affectus laetitiae concitare, scito dignum esse insipientiae tam eius qui loquitur quam eorum qui audiunt.* Derselbe comm. in ep. ad Gal. l. III prooem. (VII 483 Vall.): *iam omissa apostolicorum simplicitate et puritate verborum quasi ad Athenaeum et ad auditoria convenitur, ut plausus circumstantium suscitentur, ut oratio rhetoricae artis fucata mendacio quasi quaedam meretricula procedat in publicum, non tam eruditura populos quam favorem populi quaesitura et in modum psalterii et tibiae dulce canentis sensus demulceat audientium, ut vetus illud prophetae Ezechielis* (33, 32) *nostris temporibus possit aptari, dicente domino ad eum: 'et factus es eis quasi vox citharae suave canentis et bene compositae et audiunt verba tua et non faciunt ea'*; cf. comm. in Iesaiam l. VIII pr. (IV 1 p. 327), comm. in Ionam c. 4 (VI 420), ep. 52, 4 (I 1 p. 258). Iulianus Pomerius (Presbyter in Südgallien s. VI) de vita contemplativa

1) Zwei interessante Stellen aus dem VI. Jahrh. (Gallien) bei C. Arnold, Caesarius von Arelate (Leipz. 1894) 125.

I 23f. (59, 438f. Migne) nach Anführung der Worte des Paulus '*etsi imperitus sermone, sed non scientia*' (ad Cor. II 11, 6): *unde datur intelligi, quod non se debeat ecclesiae doctor de accurati sermonis ostentatione iactare, ne videatur ecclesiam dei non velle aedificare, sed magis se quantae sit eruditionis ostendere. non igitur in verborum splendore sed in operum virtute totam praedicandi fiduciam ponat, non vocibus delectetur populi acclamantis sibi sed fletibus, nec plausum a populo studeat exspectare sed gemitum* usw. (es folgt ein durchgeführter Vergleich zwischen dem *declamator* und *doctor*).

Diatribe und Predigt. Die äußere Form, in die sich die Predigt kleidete, war bei feierlichen Gelegenheiten die des Panegyricus, bei mehr lehrhaften Stoffen die der Diatribe. Über das Wesen der Diatribe habe ich oben S. 129ff. gehandelt und dort den Nachweis geführt, daß sie sich in der Weise aus dem Dialog entwickelt hat, daß der Vortragende sich mit einer von ihm fingierten Person oder mit einem redend eingeführten Zuhörer (bzw. Leser) unterhält. Sie wurde besonders gern von den herumziehenden Moralphilosophen in ihren Mahnreden angewendet und wurde, wie zuerst v. Wilamowitz l. c. hervorhob, als die gegebene Form der paränetisch-doktrinären Predigt von den Christen übernommen. Schon bei Paulus begegnen ein paar Stellen, die die Keime der späteren Entwicklung zeigen: ep. ad. Cor. I 15, 35f.: *ἀλλὰ ἐρεῖ τις Πῶς ἐγείρονται οἱ νεκροί; ποίῳ δὲ σώματι ἔρχονται; ἄφρων, σὺ ὃ σπείρεις, οὐ ζωοποιεῖται ἐὰν μὴ ἀποθάνῃ κτλ.* ep. ad Rom. 9, 19f.: *ἐρεῖς μοι οὖν Τί οὖν ἔτι μέμφεται* (ὁ *θεός*); *τῷ γὰρ βουλήματι αὐτοῦ τίς ἀνθέστηκεν; ὦ ἄνθρωπε, μενοῦν σὺ τίς εἶ* ὁ *ἀνταποκρινόμενος τῷ θεῷ; κτλ.* ib. 11, 19f.: *ἐρεῖς οὖν Ἐξεκλάσθησαν κλάδοι, ἵνα ἐγὼ ἐγκεντρισθῶ. καλῶς· τῇ ἀπιστίᾳ ἐξεκλάσθησαν, σὺ δὲ τῇ πίστει ἕστηκας κτλ.*[1]) Ebenso der Barnabasbrief c. 9: *ἀλλ' ἐρεῖς Καὶ μὴν περιτέτμηται* ὁ *λαὸς εἰς σφραγῖδα. ἀλλὰ καὶ πᾶς Σύρος κτλ.* Der Jacobusbrief macht von diesem Mittel schon eine weitergehende Anwendung[2]): 2, 14ff.: *τί ὄφελος, ἀδελφοί μου, ἐὰν πίστιν*

---

1) Nach W. Schmidt in: Real-Enzykl. f. prot. Theol. u. Kirche XI² (Leipz. 1883) 379 ist das rabbinisch!

2) Das stimmt zu seiner Zeit (s. II und zwar vielleicht erst aus der zweiten Hälfte; cf. Harnack, D. Chronol. d. altchr. Lit. I 485ff.).

λέγῃ τις ἔχειν, ἔργα δὲ μὴ ἔχῃ; . . . . . ἀλλ' ἐρεῖ τις Σὺ πίστιν ἔχεις, κἀγὼ ἔργα ἔχω. δεῖξόν μοι τὴν πίστιν σου χωρὶς τῶν ἔργων, κἀγώ σοι δείξω ἐκ τῶν ἔργων μου τὴν πίστιν. σὺ πιστεύεις ὅτι εἷς θεός ἐστιν. καλῶς ποιεῖς· καὶ τὰ δαιμόνια πιστεύουσιν καὶ φρίσσουσιν. θέλεις δὲ γνῶναι, ὦ ἄνθρωπε κενέ, ὅτι ἡ πίστις χωρὶς τῶν ἔργων ἀργή ἐστιν; κτλ. Auch die mit ἄγε οὖν eingeleiteten direkten Apostrophen an die Hoffärtigen (4, 13ff.) und die Reichen (5, 1ff.) sind in ihrem Invektiventon ganz diatribenmäßig. Für die didaktischen Homilien des III. Jh. sind schon oben (S. 548) einige Beispiele aus Hippolytos angeführt worden: daß dies damals etwas ganz Geläufiges war, zeigen die Predigten des Origenes, vgl. z. B. in Ieremiam hom. 1 c. 8 (XV 116ff. Lommatzsch).[1]) Aber zur eigentlichen Entfaltung kam, wie andere Kunstformen, so auch diese erst in der Predigt des IV. Jh.; hier zuerst[2]) begegnet auch das formelhafte, für die Diatribe typische (s. oben S. 129, 1. 277) φησί sc. der fingierte Gegner. Ein paar beliebige Beispiele aus Predigten des Chrysostomos mögen das veranschaulichen. Hom. in evang. Ioann. 3 c. 3 (59, 11 Migne): Johannes sage mit Recht ὁ λόγος ἦν, nicht ὁ θεὸς ἐποίησε τὸν λόγον. Ναί, φησίν, ἀλλ' ὁ Πέτρος τοῦτο εἶπε σαφῶς καὶ διαρρήδην. Ποῦ καὶ πότε; Ὅτε Ἰουδαίοις διαλεγόμενος ἔλεγεν ὅτι "κύριον αὐτὸν καὶ χριστὸν ὁ θεὸς ἐποίησε." Τί οὖν καὶ τὸ ἑξῆς οὐ προσέθηκας ὅτι "τοῦτον τὸν Ἰησοῦν ὃν ὑμεῖς ἐσταυρώσατε"; Ἢ ἀγνοεῖς ὅτι κτλ. ἢ οὐχ ὁρᾷς[3]), ὅτι κτλ., womit man, um die Identität zu erkennen, ein beliebiges von den Hunderten von Beispielen aus Epiktet vergleiche, etwa diss. I 29, 9: Ὑμεῖς οὖν οἱ φιλόσοφοι διδάσκετε καταφρονεῖν τῶν βασιλέων; Μὴ γένοιτο . . . . Ναί, ἀλλὰ καὶ τῶν δογμάτων ἄρχειν θέλω. Καὶ τίς σοι ταύτην τὴν ἐξουσίαν

1) Manches auch bei Tatian und Clemens, aber sie übergehe ich, weil es mir nur auf die eigentliche Predigt ankommt.

2) Mit einer Ausnahme schon bei Paulus, s. oben S. 506, 1.

3) Diese Wendung ist in der Diatribe sehr beliebt, z. B. Teles p. 34 H. Ἡ πενία κωλύει πρὸς τὸ φιλοσοφεῖν, ὁ δὲ πλοῦτος εἰς ταῦτα χρήσιμον. — Οὐκ εὖ. πόσους γὰρ οἴει δι' εὐπορίαν ἢ δι' ἔνδειαν κωλυθῆναι σχολάζειν; ἢ οὐχ ὁρᾷς ὅτι ὡς ἐπὶ τὸ πολὺ οἱ πτωχότατοι φιλοσοφοῦσιν κτλ. und viele andere Stellen in dem Ind. verb. der Henseschen Ausgabe; bei den Lateinern *non* (dies häufiger als *nonne*) *vides* z. B. sehr oft in Varros Satiren und bei Lukrez (Lambin zu II 196), cf. E. Marx im Ind. lect. Rost. W. S. 1889/90 p. 10f.

δέδωκε; ποῦ δύνασαι νικῆσαι δόγμα ἀλλότριον; Προσάγων, φησίν, αὐτῷ φόβον, νικήσω. Ἀγνοεῖς ὅτι αὐτὸ αὐτὸ ἐνίκησεν, οὐχ ὑπ' ἄλλου ἐνικήθη; Chrysostomos l. c. 4, 2 (wo man auf die ganz platonische Art des fingierten Zwiegesprächs achte): *Εἰπὲ γάρ μοι, Τὸ ἀπαύγασμα τοῦ ἡλίου ἐξ αὐτῆς ἐκπηδᾷ τῆς τοῦ ἡλίου φύσεως ἢ ἄλλοθέν ποθεν; ἀνάγκη πᾶσα ὁμολογῆσαι τὸν μὴ καὶ τὰς αἰσθήσεις πεπηρωμένον, ὅτι ἐξ αὐτῆς ..... Τί δέ; εἰπέ μοι, οὐχ οἱ αἰῶνες δι' αὐτοῦ γεγόνασιν ἅπαντες; ἀνάγκη πᾶσα ὁμολογῆσαι τὸν μὴ παραπαίοντα. οὐκοῦν οὐδὲν μέσον υἱοῦ καὶ πατρός .... Εἰπὲ γάρ μοι, οὐχ ὅρον τινὰ προστιθεὶς τῷ υἱῷ ... τὸν πατέρα προεῖναι λέγεις; Εὔδηλον ὅτι. Εἰπὲ οὖν μοι κτλ.*

b) Die Hauptvertreter der christlichen Kunstprosa im vierten Jahrhundert.

α) Die Streitschrift des Eunomios gegen Basileios.

Bevor ich auf die großen Prediger des IV. Jh. eingehe, bespreche ich eine durch das stark hervortretende sophistische Element sehr charakteristische christliche Streitschrift derselben Zeit.

Sophistik. Der Arianer Eunomios[1]) wurde im J. 360 wegen seiner ketzerischen Gesinnung seines Episkopats in Kyzikos entsetzt und veröffentlichte daraufhin seinen *ἀπολογητικός*, der uns erhalten ist (bei Migne vol. 30, 837 ff.). Diesen widerlegte Basileios in seinem *ἀνατρεπτικὸς τοῦ ἀπολογητικοῦ τοῦ δυσσεβοῦς Εὐνομίου* 4 bb. (Migne 29, 497 ff.) Eunomios schrieb darauf eine neue Verteidigungsrede in Form einer Streitschrift gegen Basileios, der kurz vor deren Herausgabe starb (379). Sie umfaßte nach Photios bibl. cod. 138 drei Bücher und ist uns als Ganzes nicht erhalten, aber gegen sie schrieb nun wieder Gregorios von Nyssa ein umfangreiches Werk: *πρὸς Εὐνόμιον ἀντιρρητικὸς λόγος* in 12 Büchern, die fast den ganzen 45. Band der Migneschen Patrologie einnehmen. In diesem Werk hat Gregorios eine sehr große Anzahl von Stellen aus der zweiten Streitschrift des Eunomios wörtlich zitiert (wo er nur die *διά-*

1) Cf. meine 'Beiträge z. Gesch. d. griech. Philosophie' in Fleckeisens Jahrb. Supplement XIX (Leipz. 1892) 399.

νοια wiedergibt, sagt er es ausdrücklich: cf. col. 1048 D); man muß sie sich jetzt mühsam aus Gregorios sammeln[1]), da der Versuch einer Rekonstruktion der eunomianischen Schrift, soviel ich weiß, nicht gemacht ist. Uns interessiert hier nur der Stil der Schrift, von dem wir uns ein recht deutliches Bild machen können, weil das Werk des Gregorios von Anfang bis Ende durchzogen ist mit einer Verhöhnung eben dieses Stils. Bevor ich hierauf eingehe, stelle ich das Stilurteil des Photios l. c. voran: *ὁ δὲ τοῦ λόγου χαρακτὴρ χάριτος μὲν καὶ ἡδονῆς οὐδ' εἴ τις ἔστιν οὐδ' ἐγγὺς γέγονε τοῦ εἰδέναι, κόμπον δέ τινα τερατώδη καὶ δύσηχον ἦχον φιλοτιμεῖται ψοφεῖν τῶν τε συμφώνων τῇ ἐπαλληλίᾳ καὶ τῶν λέξεων ταῖς δυσεκφράστοις καὶ πολυσυμφώνοις καὶ τοῦ ποιητικοῦ τύπου, ἢ μᾶλλον ἀκριβέστερον εἰπεῖν τοῦ διθυραμβικοῦ εἴδους τυγχανούσαις. συνθήκη τε αὐτῷ ἐκβεβιασμένη καὶ συμπεπιεσμένη καὶ ἔκκροτος, ὡς ἀνάγκην εἶναι τῷ ἀναγινώσκοντι τὰ ἐκείνου τύπτειν σφοδρῶς τὸν ἀέρα τοῖς χείλεσιν, εἰ μέλλοι τρανῶς ἀπαγγέλλειν ἃ περιτραχύνων καὶ συστρέφων ἐκεῖνος μόλις συνέταττε. μακραί τε ἐνίοτε εἰς ἀμετρίαν περίοδοι ἐκτεινόμεναι, καὶ τὸ σκοτεινὸν καὶ ἄδηλον δι' ὅλου κεχυμένον τοῦ συγγράμματος.* Gregorios verspottet gleich zu Anfang die lächerliche Sorgfalt, die Eunomios auf die äußere Form dieser Schrift verwendet habe[2]): er wisse zwar, daß jener 'Sophist und Rhetor' (so pflegt er ihn zu nennen) von jeher ein *τρίβων τῶν λόγων* gewesen sei, aber an jenem Werk habe er (wie Isokrates an seinem Panegyricus) gar viele Olympiaden gearbeitet und daraus sei zu erklären *ἡ περὶ τὰ σχήματα κατὰ τὴν τῶν ῥηθέντων συνθήκην ἀπειροκαλία* (I 252 BC).[3]) Was die Wortwahl betrifft, so wirft er ihm Streben nach Attizismen vor, z. B. I 400 B: *ὅρα τὰ ἄνθη τῆς ἀρχαίας Ἀτθίδος. ὡς ἐπαστράπτει τῇ συντάξει τοῦ λόγου τὸ λεῖον καὶ κατεστιλβωμένον τῆς λέξεως. ὡς γλαφυρῶς καὶ ποικίλως τῇ ὥρᾳ τοῦ λόγου περιανθίζεται,* und bemerkt einmal (I 268 D)

---

1) Das meiste ist bei Migne (nach der Morellischen Ausg. von 1638) mit kursiven Lettern gedruckt, aber nicht alles, so daß man sich nicht darauf verlassen kann.

2) Cf. auch Gregor v. Nazianz in seinen gegen die Eunomianer gerichteten Reden 27—31, z. B. gleich der Anfang der 27.: *πρὸς τοὺς ἐν λόγῳ κομψοὺς ὁ λόγος.* ib. *γλῶσσαν εὔστροφον ἔχουσιν* u. dgl. öfter.

3) Cf. über dies Wort oben S. 359 u. 384.

höhnisch, daß er im Bestreben, ein attisches Wort zu gebrauchen, sich vergriffen habe.[1]) Am meisten regt er sich auf über die rhythmische Diktion des Eunomios (noch dazu seien es die laszivsten und weichlichsten Rhythmen, die er gebrauche) sowie seine Figuren, speziell das Isokolon und Homoioteleuton, z. B. I 253 A: *οὐ γὰρ ἂν ἔχοι τις ἐξευρεῖν, πρὸς τίνα βλέπων τῶν ἐπὶ λόγῳ γνωριζομένων ἑαυτὸν εἰς τοῦτο προήγαγεν, ὥσπερ τις τῶν ἐπὶ σκηνῆς θαυματοποιούντων, διὰ παραλλήλων καὶ ἰσοκώλων ὁμοιοφώνων τε καὶ ὁμοιοκαταλήκτων ῥημάτων οἷόν τισι κροτάλοις τῷ τῶν λεξιδίων ῥυθμῷ διακυμβαλίζων τὸν λόγον.*[2]) *τοιαῦτα γάρ ἐστι μετὰ πολλῶν ἑτέρων καὶ τὰ ἐν προοιμίοις αὐτοῦ τερετίσματα τὰ βλακώδη ταῦτα καὶ παρατεθρυμμένα σωτάδεια, ἅ μοι δοκεῖ τάχα μηδὲ ἠρεμαίῳ διεξιέναι τῷ σχήματι, ἀλλ' ὑποκροτῶν τῷ ποδί*[3]) *καὶ ἐπιψοφῶν τοῖς δακτύλοις λιγυρῶς ἅμα πρὸς τὸν ῥυθμὸν ἐπιφθέγγεσθαι καὶ λέγειν τὸ καὶ μηδὲν ἔτι δεήσειν "μήτε λόγων ἑτέρων μήτε πόνων δευτέρων".* I 256 A: *λέγων οὑτωσὶ τῇ ἰδίᾳ φωνῇ κατὰ τὴν Λύδων ἁρμονίαν ἐκείνην· "καὶ τῶν οὐκ ἐν δίκῃ θρασυνομένων ἐννόμῳ δίκῃ σωφρονεῖν ἠναγκασμένων."* XII 964 A: *ἀλλ' ἀκούσωμεν, πῶς κατὰ "τὸν ἐπιβαλόντα τῇ χρείᾳ τρόπον καὶ τὸν προλαβόντα τύπον" — οὕτω γὰρ τοῖς ἰσοτύποις τῶν ὀνομάτων πάλιν ἡμῖν ἐνωραΐζεται —, πῶς διὰ τούτων "διαλύειν μέν" φησι "τὴν περὶ αὐτοῦ γενομένην ὑπόνοιαν, περιστέλλειν δὲ τὴν τῶν ἠπατημένων ἄγνοιαν", αὐταῖς γὰρ χρήσομαι τοῦ διθυραμβιστοῦ ταῖς ὁμοιολήκτοις φωναῖς.* Ich führe noch ein paar von Gregorios zitierte Stellen des Eunomios an: I 257 C: *φακοτρίβων στρατιώτης καὶ ἅγιος ἐξάγιστος, ὑπὸ νηστείας μὲν ὠχριῶν ὑπὸ πικρίας δὲ φονῶν.* 280 A: *δεινὸς ἐριστικός, ἀληθείας ἐχθρός, σοφιστὴς ἀπατεών, ταῖς τῶν πολλῶν δόξαις καὶ*

---

1) Da die Stelle von Interesse ist, schreibe ich sie hier aus: *'ἡμεῖς γάρ, φησίν, ὅτι σιωπῶντες ἑάλωμεν, ὁμολογοῦμεν, κακούργων καὶ πονηρῶν τὴν τῶν δικαζόντων χώραν εἰσφρησάντων'· ἔνθα καὶ σφόδρα σφαδάζων, ὡς οἶμαι, καὶ τῷ λογισμῷ πρὸς ἑτέροις ὧν ἐμπλακέντα τῷ λόγῳ τὸν σολοικισμὸν εὐπαρύφως οὐ κατενόησε, πάνυ σοβαρῶς τῇ λέξει 'τῶν εἰσφρησάντων' ὑπαττικίσας, ὡς ἡ χρῆσις ἄλλη μὲν παρὰ τοῖς κατωρθωκόσι τὸν λόγον, ἣν ἴσασιν οἱ τοῖς τοῦ ῥήτορος λόγοις καθομιλήσαντες, ἄλλη δὲ παρὰ τῷ νέῳ ἀττικιστῇ ἐνομίσθη· ἀλλ' οὐδὲν τοῦτο πρὸς τὸν σκοπὸν τὸν ἡμέτερον.*

2) Cf. die oben S. 291 aus lateinischen Autoren für die Charakteristik des Stils der ersten Kaiserzeit angeführten Ausdrücke.

3) Cf. oben S. 374, 2 und für die *σωτάδεια* 291.

μνήμαις ἀντιταττόμενος, τὸν ἐκ τῶν πραγμάτων οὐκ αἰσχυνόμενος ἔλεγχον, οὐ φόβον τὸν ἐκ τῶν νόμων, οὐ ψόγον τὸν ἐξ ἀνθρώπων[1]) εὐλαβούμενος, ἀλήθειαν δεινότητος διακρίνειν οὐκ ἐπιστάμενος (und das gleich Folgende). II 484 A: οὐ κοινωνὸν ἔχων τῆς θεότητος, οὐ μερίτην τῆς δόξης, οὐ σύγκληρον τῆς ἐξουσίας, οὐ σύνθρονον τῆς βασιλείας. εἷς γάρ ἐστι καὶ μόνος θεὸς ὁ παντοκράτωρ, θεὸς θεῶν, βασιλεὺς τῶν βασιλευόντων, κύριος τῶν κυριευόντων. IV 628 B: (λέγων) γεγενῆσθαι παρὰ τοῦ πατρὸς τοῦ υἱοῦ τὴν οὐσίαν, οὐ κατὰ ἔκτασιν προβληθεῖσαν, οὐ κατὰ ῥεῦσιν ἢ διαίρεσιν τῆς τοῦ γεννήσαντος συμφυΐας ἀποσπασθεῖσαν, οὐ κατὰ αὔξησιν τελειωθεῖσαν, οὐ κατὰ ἀλλοίωσιν μορφωθεῖσαν, μόνῃ δὲ τῇ βουλήσει τοῦ γεννήσαντος τὸ εἶναι λαχοῦσαν.[2])

Zwar wird man nach den mitgeteilten Proben die übertrieben sophistische Diktion der Schrift zugeben müssen, aber die Urteile des Gregorios und Photios sind als echte Produkte fanatischer Orthodoxie ebenso maßlos übertrieben wie die des Athanasios über die Hymnen des Areios. Das zeigt deutlich der uns als Ganzes erhaltene Apologeticus des Eunomios: zwar tritt auch hier die sophistische Mache überall deutlich hervor[3]), aber man hat das Gefühl, daß man es mit einem Schriftsteller zu tun hat, der gut zu schreiben weiß und das Maß des Anstandes nie verletzt. Für die Stilgeschichte scheint mir diese Schrift nicht unwichtig zu sein als durchsichtige Imitation iso-

---

1) Er läßt im zweiten Glied den Artikel vor ἀνθρώπων aus, um ihm gleiche Silbenzahl mit dem ersten zu geben.

2) Cf. außerdem noch I 276 D, 297 AC; II 520 A, 568 B; IV 644 CD; IX 801 AC (mit dem Urteil Gregors über den ὄγκος, das φύσημα, die κεκομμένα λεξίδια); XII 953 A (εὐηχία, cf. 956 B, 976 B), 969 A, 976 A, 1024 C (ὄγκος), 1032 C (στόμφος), 1048 D, 1060 B (εὐστομία), 1060 D, 1073 A, 1080 A, 1089 CD. Auf die langen Perioden, die Photios erwähnt, bezieht sich wohl IX 805 D; XII 976 A (κρότος λεξιδίων und ἐνσατυρίζων τοῖς ῥήμασιν), 1068 B, 1072 A. Die Darstellung war offenbar echt sophistisch erregt, cf. I 273 C: ἐν τούτῳ (sc. τόπῳ) φησὶ σύλλογον γεγενῆσθαι τῶν πανταχόθεν λογάδων καὶ ἐνακμάζει τῷ λόγῳ νεανικῶς, ὑπ' ὄψιν ἄγων δῆθεν τὴν τῶν πραγμάτων διασκευήν. Der Schuldeklamation beschuldigt er ihn I 276 A.

3) Cf. außer dem Proömium z. B. noch c. 2, 837 CD; c. 3 Anf. u. Schl.; c. 11, 845 D; c. 12, 848 B; c. 18, 853 A; c. 20 Schl.: πάμπολυ διενήνοχεν ὁ δημιουργῶν ἐξουσίᾳ τοῦ νεύματι πατρικῷ ποιοῦντος καὶ μηδὲν ἀφ' ἑαυτοῦ ποιεῖν ὁμολογοῦντος ὅ τε προσκυνούμενος τοῦ προσκυνοῦντος.

krateischer Schreibart: man braucht nur die erste über ein ganzes Kapitel sich erstreckende, sorgfältig gegliederte, mit dem Zierat von ὁμοιοτέλευτα, πολύπτωτα, παρονομασίαι reichlich ausgestattete Periode zu lesen, um das sofort zu merken (cf. auch die Periode c. 6). Es kommt hinzu die strenge, nach isokrateischer Art normierte Meidung des Hiats. Auch dem Gregorios ist das natürlich nicht verborgen geblieben: er sagt VII 748 C, Eunomios habe dem Isokrates seine ῥήματα καὶ σχήματα abgerupft.

β) Gregor von Nazianz.

Allgemeines. Das vierte Jahrhundert war das für die Begründung und Entwicklung der alten katholischen Kirche wichtigste. Der Kampf gegen den Hellenismus war so gut wie überflüssig geworden: auf diesem Gebiet war die Kirche längst aus der 'militans' eine 'triumphans' geworden, das war gerade in der Reaktionszeit unter Iulian deutlich hervorgetreten. Die Hellenen lebten entweder in dumpfer Resignation dahin oder gaben sich schwärmerischen Träumen von einer Vereinigung des Menschen mit der Gottheit im Reich des Übersinnlichen hin: beide konnte man gewähren lassen. Aber es gab große andere Ziele: es galt, die Häretiker zu bekämpfen, die bedrohlicher als je zuvor ihr Haupt erhoben, es galt, einer nach Millionen zählenden Masse in allen Teilen des Reichs die Hoheit der neuen Religion durch die Kraft des Wortes zu enthüllen und die großen kirchlichen Feste in würdigen Reden zu feiern. Diesen Bedürfnissen der Kirche kamen die Prediger des vierten Jahrhunderts entgegen, unter denen vor allen hervorleuchtet das Dreigestirn Gregor der Theologe, Basileios der Große, Ioannes Chrysostomos, die größten Prediger, die die alte Kirche hervorgebracht hat, alle drei auf der Höhe hellenischer Bildung stehend, ausgerüstet mit den seit Jahrhunderten in Kampfgetümmel und Siegesjubel erprobten Waffen hellenischer Rhetorik.

Individualität. Der feurigste der drei war Gregor von Nazianz in Kappadokien, wahrlich selbst eine der φύσεις διάπυροι καὶ μεγάλαι, von denen er einmal sagt (or. 32 c. 3), daß ohne sie μέγα τι κατορθωθῆναι πρὸς εὐσέβειαν ἢ ἀρετὴν ἄλλην ἀμήχανόν ἐστιν. Viele haben damals glühend gehaßt und heilig geliebt wie er, aber keiner hat alle Töne lodernder Leidenschaft mit einer solchen Meisterschaft in der Sprache zum Ausdruck gebracht, gleich gewaltig, mag er den toten Apostaten, seinen einstigen Jugendfreund, in Worten maßlosen Hasses als wildes Tier schildern, oder den Basileios verherrlichen, oder seiner Gemeinde in der Stunde drohenden Tumultes ein letztes Lebewohl zurufen, oder das eigene Irren, Suchen und Finden in innigen und zarten Versen erzählen, oder fast im Hymnenton an den großen Festen — ein Mystagoge inmitten des Chors seiner Mysten — 'seinen' Jesus preisen. Sein eigentliches Gebiet waren die Lob- und Festreden, in denen er die reiche Kunst seiner Diktion am meisten entfalten und sein Genie schrankenlos walten lassen durfte: daher haben unter den 45 offenbar bald nach seinem Tode mit sorgfältiger Auswahl zusammengestellten Reden weitaus die meisten einen panegyrischen Charakter. Wie waren die äußeren Mittel dieser Art von Beredsamkeit beschaffen? Es gibt zwei Nachrichten, die für diese Frage von Bedeutung sind: nach Sokrates h. e. IV 26 war er in Athen Schüler des Himerios und nach Hieronymus de vir. ill. 117 *secutus est Polemonem dicendi charactere* (ebenso Suidas im *βίος*). Daraus würden wir von vornherein nach dem über diese beiden früher Gesagten den Schluß ziehen, daß er in seiner Diktion nicht eigentlich ein Anhänger der attizistischen Klassizisten war. Das Wesen der Diktion Polemons wird uns als *ῥοῖζος καὶ πνεῦμα* geschildert (Philostr. v. soph. II 10, 4. 15, 1): wie Sturmesrauschen ist auch die Sprache Gregors; wer ferner hintereinander eine Rede des Himerios und eine der panegyrischen des Gregor liest, dem kann die Ähnlichkeit — natürlich nur hinsichtlich der rein äußeren Formgebung — nicht verborgen bleiben: hier wie dort ein höchst aufgeregter, nicht selten maßloser Ton, Kühnheit der Bildersprache, kurze Sätzchen, starke Anwendung der Redefiguren. Nicht bloß sein eigenes, zum Pathos neigendes, mit höchster Einbildungskraft ausgestattetes Naturell wies ihn in diese Richtung: ich habe öfters hervorgehoben, daß die attizistische Manier mit ihrer Parole der *μίμησις τῶν ἀρχαίων* ein Symptom der Senilität, des Verfalls selbstschöpferischer Kraft war, während die moderne Strömung, trotz ihrer ästhetischen Fehler, doch die innerlich allein berechtigte, weil lebendige, war. Ist es da zu verwundern, daß die christliche Rhetorik, als sie zwischen den beiden Richtungen

Χαρακτήρ. 1) Generelles.

zu wählen hatte, sich unwillkürlich, ihrer inneren Bestimmung folgend, der letzteren anschloß? Reichstes Leben, Interessen von unmittelbar praktischer Bedeutung entrollten sich in der neuen Religion, der die Zukunft bestimmt war: fürwahr, nicht in dem mumienhaften Stil eines Libanios konnten ihre Vertreter reden. Gemäßigter 'Asianismus' ist, um es kurz zu sagen, das Wesen der Rhetorik Gregors. Wer auch nur flüchtig irgend eine beliebige seiner Reden gelesen hat, der weiß, daß dieser christliche Rhetor einen ganz ausgesprochenen Gefallen am äußeren Aufputz der Rede hat. Freilich, wenn wir gelegentliche Äußerungen von ihm selbst genau nehmen würden, so müßte gerade das Gegenteil richtig sein. In einem Brief an Nikobulos (209) sagt er: *ἀντίθετα καὶ πάρισα καὶ ἰσόκωλα σοφισταῖς ἀπορριψόμεθα· εἰ δέ που καὶ παραλάβοιμεν, ὡς καταπαίζοντες μᾶλλον τοῦτο ποιήσομεν ἢ σπουδάζοντες*, und als Gregor von Nyssa das Lektoramt mit der Rhetorik vertauschte, gab der Nazianzener dem allgemeinen Unwillen darüber in einem Brief an jenen (43) Ausdruck: er solle ablassen von dieser *ἄδοξος εὐδοξία* (er fügt hinzu: *ἵν' εἴπω καθ' ὑμᾶς*, als ob er nicht selbst dergleichen Wortspielereien liebte) und ihm nicht kommen mit jenen *κομψὰ καὶ ῥητορικὰ ῥήματα*, daß es nämlich möglich sei, auch als Rhetor Christ zu sein: *οὐδαμῶς, ὦ θαυμάσιε, οὔκουν ὅσον εἰκός, εἰ καὶ μέρος τι δοίημεν.* Wie solche Äußerungen aufzufassen sind, sahen wir oben: sie fließen aus einer allgemeinen Theorie, mit der die Praxis keineswegs notwendig im Einklang zu stehen braucht. Er selbst nennt seine Predigt 'auf die h. Taufe' eine *διάλεξις* (or. 40 c. 1) und gesteht in der durch die Fülle persönlicher Bemerkungen ausgezeichneten Rede, in der er seiner Gemeinde in Konstantinopel vorläufig Lebewohl sagt (or. 42), ganz offen zu, daß ihm das Beifallklatschen und die sonstigen Zeichen der Bewunderung seitens der Zuhörer ein Bedürfnis seien: c. 24: *δεινόν, εἰ στερησόμεθα λόγων καὶ συλλόγων καὶ πανηγύρεων καὶ τῶν κρότων τούτων, ὑφ' ὧν πτερούμεθα* und besonders gegen den Schluß c. 26: *χαίρετε τῶν ἐμῶν λόγων ἐρασταὶ καὶ δρόμοι καὶ συνδρομαὶ καὶ γραφίδες φανεραὶ καὶ λανθάνουσαι*[1]) *καὶ ἡ βιαζομένη κιγκλὶς αὕτη τοῖς περὶ τὸν λόγον*

1) Er meint die offiziellen *ὑπογραφεῖς* (s. o. S. 536, 1) und solche, die privatim mitschrieben.

ὠθιζομένοις[1]) . . . *κροτήσατε χεῖρες, ὀξὺ βοήσατε, ἄρατε εἰς ὕψος τὸν ῥήτορα ὑμῶν. σεσίγηκεν ὑμῖν ἡ πονηρὰ γλῶσσα καὶ λάλος, οὐ μὴν σιγήσεται παντάπασιν· μαχήσεται γὰρ διὰ χειρὸς καὶ μέλανος· τὸ δ' οὖν παρὸν σεσιγήκαμεν.*[2]) Daß er mit allen möglichen Figuren seine Reden aufzuputzen liebte, haben schon die byzantinischen Rhetoren gemerkt, die bekanntlich keinen der christlichen Redner so häufig zitiert haben wie den 'Theologen', in der richtigen Erkenntnis, daß kein anderer in diesem Maße alle Mittel äußerer Rhetorik zur Anwendung gebracht hat. 2) Spezielles.
Unter diesen Figuren spielt weitaus die größte Rolle die Antithese in der Form des Isokolon mit Homoioteleuton. a) Figuren.
Dafür werden z. B. von Gregor von Korinth zu Hermogenes *περὶ μεθόδου δεινότητος* (Rhet. gr. VII 2 p. 1227 ff. 1261 Walz) folgende Stellen zitiert: or. 15 (in Machabaeorum laudem) c. 9: *ἐμοὶ δὲ οὐ τεθνήκατε, φίλτατοι παίδων, ἀλλ' ἐκαρποφορήθητε· οὐκ ἐκλελοίπατε ἀλλὰ μετεληλύθατε· οὐ κατεξάνθητε ἀλλὰ συνεπάγητε. οὐ θηρίον ἥρπασεν ὑμᾶς, οὐ κῦμα κατέκλυσεν, οὐ λῃστὴς διέφθειρεν, οὐ νόσος διέλυσεν, οὐ πόλεμος παρανάλωσεν.* or. 24 (in laudem S. Cypriani) c. 13: *ταῦτα ὁ τῶν σημείων καὶ τῶν τεράτων θεός· ταῦτα ὁ τὸν Ἰωσὴφ ἀγαγὼν εἰς Αἴγυπτον ὤνιον διὰ ἀδελφῶν ἐπηρείας*

καὶ ἐν γυναικὶ δοκιμάσας
καὶ ἐν σιτοδοσίᾳ δοξάσας
καὶ ἐν ἐνυπνίοις σοφίσας·

ἵν' ἐπὶ ξένης πιστευθῇ
καὶ ὑπὸ Φαραὼ τιμηθῇ
καὶ πατὴρ γένηται πολλῶν μυριάδων·

δι' ἃς
Αἴγυπτος βασανίζεται
θάλασσα τέμνεται
ἄρτος ὕεται
ἥλιος ἵσταται
γῆ τῆς ἐπαγγελίας κληροδοτεῖται.

ib. 19: *δεινὸν ὀφθαλμοῖς ἁλῶναι καὶ γλώσσῃ τρωθῆναι καὶ ἀκοῇ δελεασθῆναι καὶ διὰ θυμοῦ ζέσαντος ἐμπρησθῆναι καὶ γεύσει κατενεχθῆναι καὶ ἁφῇ μαλακισθῆναι, καὶ τοῖς ὅπλοις τῆς σω-*

---

1) Cf. die oben (S. 217) aus Cic. Brut. 290 angeführten Worte.

2) Man bemerke den sehr ins Ohr fallenden rhythmischen Schluß ⏊ ⏑ ⏊ ⏊ ⏑ ⏑.

τηρίας ὅπλοις θανάτου χρήσασθαι. Der Kommentator des Hermogenes bemerkt dazu, einigen erscheine derartiges *σοφιστικόν*, aber das seien *ἀμαθεῖς*, denn Gregor habe hier nicht dem Ohr schmeicheln, sondern die Sache erhöhen wollen. Als ob nicht für das Publikum, vor dem Gregor sprach, beides identisch gewesen wäre! Ähnliche Beispiele finden sich bei anderen Rhetoren (z. B. bei dem Anonymus III 110 ff 174 ff. Spengel), aber es wäre ganz zwecklos, sie anzuführen. Denn diese Beispiele sind nicht etwa die Frucht mühsamen Suchens, sondern sie zählen nach Hunderten: man kann wohl kein Kapitel irgend einer dieser Reden lesen, ohne an Stellen, wo er besonders hohen Schwung nimmt, sofort auf ganz Analoges zu stoßen: es ist geradezu die Signatur seiner Diktion, und ich bitte den Leser, dies im Auge zu behalten, weil es, wie wir sehen werden, für die Entwicklung einer besonderen Art der Poesie von weittragender Bedeutung werden sollte (s. Anhang I).

b) Auflösung der Periode. Wir wissen, daß diese Figuren mit ihrem starken rhythmischen Wortfall am meisten dann dem Ohr zum Bewußtsein kommen, wenn sie in kurzen Sätzchen auftreten, und daß dementsprechend das am meisten hervortretende Charakteristikum der asianischen Diktion die Auflösung der Periode in zerhackte *κόμματα* war (s. o. S. 134 f. 295 ff.). Bei Gregor treten daher auch lange Perioden durchaus zurück hinter den winzigen, man möchte sagen zerfetzten Satzteilchen. Eine erwünschte Bestätigung meiner Auffassung war mir, als ich Usener, Religionsgeschichtl. Untersuchungen I (Bonn 1889) 253 von dem „raschen Tanz asianischer Kola“ in einer Predigt Gregors reden sah. Um dem Leser eine Vorstellung dieser uns von Gorgias und Hegesias bis Himerios geläufigen Diktion zu geben, greife ich ein paar Stellen irgend einer Predigt Gregors beliebig heraus. Die Predigt über die Geburt Christi (38) beginnt so: *Χριστὸς γεννᾶται, δοξάσατε· Χριστὸς ἐξ οὐρανῶν, ἀπαντήσατε· Χριστὸς ἐπὶ γῆς, ὑψώθητε. "ᾄσατε τῷ Κυρίῳ, πᾶσα ἡ γῆ", καὶ ἵν' ἀμφότερα συνελὼν εἴπω, "εὐφραινέσθωσαν οἱ οὐρανοὶ καὶ ἀγαλλιάσθω ἡ γῆ" διὰ τὸν ἐπουράνιον, εἶτα ἐπίγειον. Χριστὸς ἐν σαρκί· τρόμῳ καὶ χαρᾷ ἀγαλλιᾶσθε· τρόμῳ διὰ τὴν ἁμαρτίαν, χαρᾷ διὰ τὴν ἐλπίδα. Χριστὸς ἐκ παρθένου· γυναῖκες παρθενεύετε, ἵνα Χριστοῦ γένησθε μητέρες. τίς οὐ προσκυνεῖ τὸν ἀπ' ἀρχῆς; τίς οὐ δοξάζει τὸν τελευταῖον; Πάλιν τὸ σκότος λύεται,* πάλιν τὸ φῶς ὑφίσταται, πάλιν Αἴγυπτος σκότῳ κολάζεται, πάλιν Ἰσραὴλ στύλῳ φωτίζεται· ὁ λαὸς ὁ καθήμενος ἐν σκότει τῆς ἀγνοίας ἰδέτω φῶς μέγα τῆς ἐπιγνώσεως. τὰ ἀρχαῖα παρῆλθεν· ἰδοὺ γέγονε τὰ πάντα καινά. τὸ γράμμα ὑποχωρεῖ, τὸ πνεῦμα πλεονεκτεῖ, αἱ σκιαὶ παρατρέχουσιν, ἡ ἀλήθεια ἐπεισέρχεται, ὁ Μελχισεδὲκ συνάγεται, ὁ ἀμήτωρ ἀπάτωρ γίνεται, ἀμήτωρ τὸ πρότερον, ἀπάτωρ τὸ δεύτερον. νόμοι φύσεως καταλύονται. πληρωθῆναι δεῖ τὸν ἄνω κόσμον. Χριστὸς κελεύει, μὴ ἀντιτείνωμεν. "πάντα τὰ ἔθνη, κροτήσατε χεῖρας", ὅτι "παιδίον ἐγεννήθη ἡμῖν, υἱὸς καὶ ἐδόθη ἡμῖν, οὗ ἡ ἀρχὴ ἐπὶ τοῦ ὤμου αὐτοῦ (τῷ γὰρ σταυρῷ συνεπαίρεται), καὶ καλεῖται τὸ ὄνομα αὐτοῦ μεγάλης βουλῆς (τῆς τοῦ Πατρὸς) Ἄγγελος". Ἰωάννης βοάτω· "ἑτοιμάσατε τὴν ὁδὸν Κυρίου". Κἀγὼ βοήσομαι τῆς ἡμέρας τὴν δύναμιν. Ὁ ἄσαρκος σαρκοῦται, ὁ λόγος παχύνεται, ὁ ἀόρατος ὁρᾶται, ὁ ἀναφὴς ψηλαφᾶται, ὁ ἄχρονος ἄρχεται, ὁ υἱὸς τοῦ θεοῦ υἱὸς ἀνθρώπου γίνεται, Ἰησοῦς Χριστός, χθὲς καὶ σήμερον, ὁ αὐτὸς καὶ εἰς τοὺς αἰῶνας. Ἰουδαῖοι σκανδαλιζέσθωσαν, Ἕλληνες διαγελάτωσαν, αἱρετικοὶ γλωσσαλγείτωσαν. τότε πιστεύσουσιν, ὅταν ἴδωσιν εἰς οὐρανὸν ἀνερχόμενον· εἰ δὲ μὴ τότε, ἀλλ' ὅταν ἐξ οὐρανῶν ἐρχόμενον καὶ ὡς κριτὴν καθεζόμενον (cf. etwa noch 39, 14. 40, 3). — Wenn man dazu noch nimmt die häufigen Wortspiele[1]), das θεατρικὸν σχῆμα der Personifikation, mittelst dessen einem unbelebten Wesen Persönlichkeit und Worte geliehen werden (z. B. or. 45, 30: ἀλλ' ὦ Πάσχα, τὸ μέγα καὶ ἱερὸν καὶ παντὸς τοῦ κόσμου καθάρσιον, ὡς γὰρ ἐμψύχῳ σοι διαλέξομαι κτλ. 32, 10 Τάξις [die Weltordnung] καλῶς ἂν εἴποι, εἰ λάβοι φωνήν, carm. 8 die λογομαχία des Βίος κοσμικός und des Βίος πνευματικός, s. o. S. 129, 1), die Einführung einer fingierten Person mit φησί (z. B. or. 40, 20 in. 22 in. 28 in. 29 in., s. oben S. 556 f.), die großen Kühnheiten der Ausdrucksweise im einzelnen, die ihn öfters zu entschuldigenden Wendungen veranlassen (z. B. 29, 3: εἰ δεῖ τι καὶ νεανικώτερον εἰπεῖν. 38, 7: τολμᾷ τι νεανικὸν ὁ λόγος. 42, 13: βούλεσθε προσθῶμέν τι καὶ νεανικώτερον; 40, 16: ὦ τῆς ἀνευλαβοῦς εὐλαβείας, εἰ δεῖ τοῦτο

c) Νεανιεύματα σοφιστικά.

1) Am bezeichnendsten wohl die Witzelei mit dem Doppelsinn von κόραι, die aus περὶ ὕψους 4 bekannt ist: carm. l. I sect. II 29 v. 293 f. (37, 905 Migne): γράψε ποτ' ὄμματα πόρνη Ἰεζάβελ ἀγριόθυμος. λῦσέ γε μὴν πόρνας αἵματι πορνιδίῳ (zitiert von J. Tollius in seiner Longinausgabe [Traj. Rhen. 1694] p. 36 cf. 33).

εἰπεῖν), so hat man eine ungefähre Vorstellung vom Stil dieser Reden und mag es vom Standpunkt der vielen Gegner, die der leidenschaftliche Mann hatte, einigermaßen begreiflich finden, wenn sie diese mit allen Putzmitteln fast zu reichlich ausgestattete Diktion als eine hetärenhafte bezeichneten, wie einst Eratosthenes die des Bion (s. oben S. 128).[1])

Ὁ ῥήτωρ. Er wurde in sehr früher Zeit der christliche Klassiker auf dem Gebiet der Rede: nur er wurde kommentiert, die uns in Handschriften seit dem IX. Jh. erhaltenen Scholien[2]) gehen wohl bis ins V. Jh. n. Chr. zurück. Mit welcher Begeisterung man noch in späten Zeiten gerade das Stilistische dieser Predigten würdigte, zeigt eine Rede des Michael Psellos über Gregor als Redner, ed. H. Coxe in den Catalogi codd. mss. bibl. Bodl. (Oxford 1853) p. 743 ff. Er mißt ihn an allen heidnischen Rednern und stellt ihn natürlich über alle; wenn er ihn lese, werde er so hingerissen von der Diktion, daß er oft gar nicht an den Sinn der Worte denke (p. 744, s. oben S. 5). Bemerkenswert p. 747: *ὥσπερ πρὸς λύραν ἁρμόσας αὐτῷ τὰ ποιήματα* (er meint die Reden) *ῥυθμῷ πάντα περιλαμβάνει, οὐ τῷ ἀκολάστῳ ᾧ πολλοὶ τῶν ῥητόρων ἐχρήσαντο ἀλλὰ τῷ σωφρονεστάτῳ· οὐδὲ εἰς μονοειδῆ ἀπαρτίζει τὸν λόγον ἀνάπαυσιν, ἀλλὰ διαποικίλλει τὰς καταλήξεις.*[3]) *ἔστι δὲ ἔμμετρος μὲν ὡς τὰ μάλιστα, δοκεῖ δὲ μὴ ἀποβαίνειν τοῦ πεζοῦ.* Besonders die packende Kraft der epideiktischen Reden schildert er treffend p. 749 f.[4]) Heute be-

---

1) Die eigenartige Stelle findet sich or. 42 c. 12: (*λόγων*) *οὐχ οὓς ἐρρίψαμεν ἀλλ' οὓς ἠγαπήσαμεν, οὐδὲ τῶν πορνικῶν, ὥς τις ἔφη διασύρων ἡμᾶς τῶν πόρνων καὶ λόγον καὶ τρόπον, ἀλλὰ καὶ λίαν σωφρόνων.* Die Kritik, die Gregor von Nyssa an dem Stil des Eunomios übte (s. o. S. 558 ff.), findet tatsächlich in manchen Punkten auch auf den des Nazianzeners Anwendung, und es berührt eigenartig, wenn dieser selbst über die *κομψεία λόγων* bei seinen Gegnern spöttelt (S. 559, 2).

2) Notizen über die bisher edierten mit Hinzufügung einiger neuen habe ich gegeben im Hermes XXVII (1892) 606 ff. sowie in Z. f. wiss. Theol. N. F. I (1893) 441 ff.; für das Rhetorische sind sie, soviel ich sehe, wertlos, aber die Tatsache, daß die rhetorischen Scholien fast so zahlreich sind wie die dogmatischen, ist doch ganz bezeichnend.

3) Eine bemerkenswerte Beziehung auf das von W. Meyer erkannte Gesetz der spätgriechischen Prosa, vgl. Anhang II.

4) Aber eine richtige Würdigung im ganzen dürfen wir natürlich nicht erwarten. Gregor ist ihm der Inbegriff des Redners und er versteigt sich dabei zu lächerlichen Übertreibungen. Dasselbe gilt von seiner vergleichen-

sitzen wir weder eine billigen Ansprüchen genügende Ausgabe der Reden und Gedichte, noch eine Würdigung des Schriftstellers.[1])

γ) Basileios und Ioannes Chrysostomos.

Von ihnen, besonders dem letzteren, habe ich nicht genug gelesen, um sie wie Gregor von Nazianz, den ich wiederholt ganz las, stilistisch genau würdigen zu können.[2]) Aber man braucht nur eine beliebige Predigt eines dieser beiden aufzuschlagen, um gleich bei den ersten Sätzen den Eindruck zu gewinnen, daß sie in einem ganz anderen Stil schreiben als

Verhältnis zu Gregor v. N.

den Charakteristik des Gregor, Basileios und Ioannes Chrysostomos (gedruckt bei Migne vol. 122, 901 ff.). Was gibt es z. B. Falscheres als den Stil Gregors mit dem des Demosthenes und gar dem des langweiligen kraftlosen Aristeides zu vergleichen? Das geschieht eben nur, weil diese beiden als die *κανόνες τοῦ λέγειν* galten.

1) Ein paar kurze, aber zutreffende moderne Urteile mögen hier Platz finden. Erasmus, Epist. praefixa edit. Claudii Chevallonii a. 1532 (gedruckt bei Migne vol. 35, 309 f.): *in Gregorio Naz. pietas propemodum ex aequo certat cum facundia, sed amat significantes argutias, quas eo difficilius est latine reddere, quod plerumque sunt in verbis sitae.* Caussin, Eloquentiae sacrae et humanae parallela (1619) 610: *oratio delicatissimis floribus aspersa, summa suavitate temperata . . . ., incalamistrata,* cf. p. 74. Fénélon, Dialogues sur l'Eloquence (Paris 1718) 238: *Saint Gregoire de N. est plus concis et plus poëtique* (nämlich als Io. Chrys.), *mais un peu moins appliqué à la persuasion.* Villemain l. c. (oben S. 550, 2) 350: *cette nature à la fois attique et orientale, qui mêlait toutes les grâces, toutes les délicatesses du langage à l'éclat irrégulier de l'imagination, toute la science d'un rhéteur à l'austérité d'un apôtre, et quelquefois le luxe affecté du langage à l'émotion la plus naïve et la plus profonde . . . Ses éloges funèbres sont des hymnes.* Derselbe, Etude sur Gr. de N. in: Journal des Savants 1857 p. 77: *Ce beau génie d'une époque de décadence, cet orateur, qui, s'il est permis de mêler deux termes contraires, nous semble un Isocrate passionné* (? diesen Ausdruck tadelt mit Recht E. Havet, Le discours d'Isocrate sur lui-même [Paris 1862] p. LXVII), *se laisse entraîner parfois, dans ses discours mêmes, à des mouvements d'une vivacité presque lyrique: témoin ses adieux à sa tribune patriarcale de Constantinople, à son peuple, à son auditoire, au sanctuaire qu'il a défendu, aux fidèles qu'il a charmés, à la terre, au ciel, à la trinité même.*

2) Für Gregor v. Nyssa vgl. Probst l. c. (oben S. 550, 2) 231 ff., für Basileios dens. 239 ff., für Chrysostomos dens. 261 ff. Weissenbach l. c. (oben S. 537, 1) vol. III.

jener. Lange, wohldisponierte Sätze statt der kurzen zerhackten, und im allgemeinen sehr sparsame Verwendung der Redefiguren, nach denen man bei ihnen suchen muß, während sie sich bei Gregor überall aufdrängen. Der Unterschied erklärt sich offenbar teils aus dem gemäßigteren Temperament beider, teils wohl auch aus der Scheu, die Predigt ganz in die sophistische Prunkrede aufgehen zu lassen. An geeigneten Stellen haben natürlich beide von den äußerlichen Effektmitteln der Rhetorik auch ihrerseits Gebrauch gemacht[1]): die Homilien des Basileios zur Schöpfungsgeschichte (vol. 29 Migne), von denen ich einige gelesen habe, weil sie für die Philosophie von Wichtigkeit sind und auch sonst ganz auf dem Fundament hellenischer *παιδεία* beruhen, sind, wie ich mich erinnere, wegen der fortwährenden *ἐκφράσεις* in dem für solche Stoffe erforderlichen Stil, dem *πλάσμα ἀνθηρόν* (s. o. S. 285 f.), gehalten, d. h. durch reichliche *σχήματα* aufgeputzt. Noch pathetischer hat gelegentlich Chrysostomos gesprochen. Von ihm sagt Villemain l. c. 392: *l'éloquence de Chrysostome a sans doute, pour des modernes, une sorte de diffusion asiatique. Les grandes images empruntées à la nature y reviennent souvent. Son style est plus éclatant que varié; c'est la splendeur de cette lumière éblouissante et toujours égale, qui brille sur les campagnes de la Syrie.* Ich kenne eine solche Probe aus einem seiner Briefe (ep. 1 an Olympias, vol. 52, 549 Migne), die

Sophistisches.

1) Aus Basileios habe ich mir außer dem im Text Angeführten noch folgendes notiert: hom. in divites c. 8 f., adv. iratos c. 1: *διὰ θυμὸν καὶ ξίφος ἀκονᾶται, θάνατος ἀνθρώπου ἐκ χειρὸς ἀνθρωπείας τολμᾶται.* c. 2: *τότε δὴ τότε τὰ οὔτε λόγῳ ῥητὰ οὔτε ἔργῳ φορητὰ ἐπιδεῖν ἔστι θεάματα.* de invidia c. 1 in.; in baptisma c. 3. Während er aber in den Predigten jedenfalls äußerst sparsam mit diesem Kunstmittel wirtschaftet, macht er bezeichnenderweise reichlichen Gebrauch davon in den an Libanios geschriebenen Briefen: ep. 339 (vol. 32, 1084): *νοῦν μὲν ἀληθῆ, λέξιν δὲ ἀμαθῆ. — αὐτὸς δὲ ἐπίστελλε ἡμῖν ἄλλας ὑποθέσεις ἐπιστολῶν ποιούμενος, αἳ καὶ σὲ δείξουσι καὶ ἡμᾶς οὐκ ἐλέγξουσι.* 344 (ib. 1088): *ᾧ γὰρ τὸ λέγειν πρόχειρον, καὶ τὸ ἐπιστέλλειν οὐκ ἀνέτοιμον.* 352 (ib. 1096): *οὐ γὰρ ἠξίου τις ἔξω τῶν ἀγώνων γενέσθαι, οὐκ ἀξιώματος ὄγκῳ συνών, οὐ στρατιωτικοῖς καταλόγοις ἐμπρέπων, οὐ βαναύσοις τέχναις σχολάζων.* 356 (ib. 1097): *δεχομένοις μὲν ἡμῖν ἃ γράφεις, χαρά· ἀπαιτουμένοις δὲ πρὸς ἃ γράφεις ἀντεπιστέλλειν, ἀγών:* in den übrigen, an andere Personen gerichteten Briefen scheint sich dagegen kein Beispiel zu finden. — Noch weniger als Basileios scheint sein Bruder Gregor von Nyssa diese Figur zu lieben, doch cf. in Chr. resurr. or. 5, vol. 46, 684 Migne; laud. in Stephanum ib. 701 und 721.

hier Platz finden mag, auch deshalb, weil jeder, der sie sich lateinisch umdenkt, sich an den Stil erinnert fühlen wird, in dem im Westen ein paar Jahrhunderte vorher Appuleius, etwa gleichzeitig Hilarius und überhaupt die Stilisten im 'Gallicanus cothurnus' geschrieben haben, ein Zusammenhang, dessen einzelne Glieder ich später aufzuzeigen gedenke. *Φέρε δὴ ἀπαντλήσω σου τῆς ἀθυμίας τὸ ἕλκος καὶ διασκεδάσω τοὺς λογισμοὺς τὸ νέφος τοῦτο συνάγοντας. τί γάρ ἐστιν ὃ συγχεῖ σου τὴν διάνοιαν, καὶ λυπῇ καὶ ἀδημονεῖς; ὅτι ἄγριος ὁ χειμὼν ὁ τὰς ἐκκλησίας καταλαβὼν καὶ ζοφώδης καὶ νύκτα ἀσέληνον πάντα εἰργάσατο καὶ καθ' ἑκάστην κορυφοῦται τὴν ἡμέραν, πικρά τινα ὠδίνων ναυάγια, καὶ αὔξεται ἡ πανωλεθρία τῆς οἰκουμένης; οἶδα τοῦτο κἀγὼ καὶ οὐδεὶς ἀντερεῖ, καὶ εἰ βούλει, καὶ εἰκόνα ἀναπλάττω τῶν γινομένων, ὥστε σαφεστέραν σοι ποιῆσαι τὴν τραγῳδίαν. θάλασσαν ὁρῶμεν ἀπ' αὐτῆς κάτωθεν ἀναμοχλευομένην τῆς ἀβύσσου, πλωτῆρας τοῖς ὕδασι νεκροὺς ἐπιπλέοντας, ἑτέρους ὑποβρυχίους γενομένους, τὰς σανίδας τῶν πλοίων διαλυομένας, τὰ ἱστία διαρρηγνυμένα, τοὺς ἱστοὺς διακλωμένους, τὰς κώπας τῶν χειρῶν τῶν ναύτων ἀποπτάσας, τοὺς κυβερνήτας ἀντὶ οἰάκων ἐπὶ τῶν καταστρωμάτων καθημένους, τὰς χεῖρας τοῖς γόνασι περιπλέκοντας καὶ πρὸς τὴν ἀμηχανίαν τῶν γινομένων κωκύοντας, ὀξέως βοῶντας, θρηνοῦντας, ὀλοφυρομένους μόνον, οὐκ οὐρανόν, οὐ πέλαγος φαινόμενον, ἀλλὰ σκότος πάντα βαθὺ καὶ ἀφεγγὲς καὶ ζοφῶδες ὡς οὐδὲ τοὺς πλησίον ἐπιτρέποντα βλέπειν, καὶ πολὺν τὸν πάταγον τῶν κυμάτων καὶ θηρία θαλάττια πάντοθεν τοῖς πλέουσιν ἐπιτιθέμενα*, der reinste 'Asianismus'. Daß er mit voller Beherrschung der rhetorischen Technik schrieb, wußten schon die alten christlichen Leser, cf. Martyrios von Antiochia (saec. V) encom. in Ioann. Chrys., gedruckt bei Migne vol. 47 p. XLIII; auch aus seinen Homilien haben die Byzantiner, wenn auch lange nicht so oft wie aus denen Gregors, Redefiguren exzerpiert. Unter den Neueren war, soviel ich weiß, der einzige, der auch diesen Dingen sein Interesse geschenkt hat, Chr. Fr. Matthaei in seiner Ausgabe von: Ioannis Chrys. homiliae IV, Misenae 1792. Er bemerkt (praef. p. XXIV ff.), daß der Redner selbst auf kunstvolle Diktion Gewicht lege: 55, 155 Migne: *ποικίλλειν χρὴ τὸ τῆς διδασκαλίας εἶδος καὶ νῦν μὲν πανηγυρικωτέρων, νῦν δὲ ἀγωνιστικωτέρων ἅπτεσθαι λόγων . . . καλλωπίζειν ῥήμασί τε καὶ ὀνόμασι τὴν ἑρμηνείαν*, daher *saepius nimis quae-*

sita est elocutio, continuis ac dissimilibus translationibus referta, floribus multis et discoloribus obsita, ad ostentationem et aurium voluptatem composita, mole laborans, inflata, tumens, et ut ipsius verbis (wo?) *utar, βρύουσα βρίθουσα, κομῶσα σφριγῶσα.* Für den Gebrauch der Homoioteleuta führt er u. a. an 63, 518: *μὴ δή μοι λέγε, ὅτι εἷς ἐστιν ὁ ἀδελφός, τὸ περισπούδαστον τῷ θεῷ ζῷον, ὑπὲρ οὗ τοσαῦτα ἐγένετο, ὑπὲρ οὗ τὸ τίμιον αἷμα ἐχύθη καὶ τιμὴ κατεβλήθη τοσαύτη, δι' ὃν οὐρανὸς ἐτάθη καὶ ἥλιος ἀνήφθη καὶ σελήνη τρέχει καὶ ποικίλος ἀστέρων καταλάμπει χορὸς καὶ ἀὴρ ἡπλώθη καὶ θάλασσα ἐξεχύθη καὶ γῆ ἐθεμελιώθη καὶ πηγαὶ βρύουσι καὶ ποταμοὶ ῥέουσι καὶ ὄρη πέπηγεν κτλ.* (ganz ähnlich 48, 1011; 1029. 49, 299).

Mit diesen Triumvirn schließt die eigentliche Entwicklung der altchristlichen Predigt in griechischer Sprache. Wie jene, gingen auch die späteren Prediger aus den Schulen der Rhetoren und Sophisten hervor; neue Formen hat daher seitdem die Predigt nicht mehr angenommen, aber freilich, die eine dieser Formen wurde so ausgebildet, daß sich aus ihr unmittelbar die Hymnenpoesie entwickelt hat. Ich werde daher erst später, wo ich diesen Zusammenhang darlege (Anhang I), auf die jüngere Predigt genauer eingehen.

5. Die Ausläufer der griechischen Kunstprosa in Byzanz.

Entartung. Dafür muß ich, da mir die Möglichkeit eigenen Urteils hier fehlt, auf Krumbachers Angaben verweisen. Ich habe daraus gelernt, daß auch in Byzanz neben der wesentlich klassizistischen Richtung die andere parallel läuft, deren Hauptvertreter Eustathios der Romanschreiber für den Typus wahnsinnigster Geschmacksverzerrung zu gelten pflegt. Die paar Seiten, die ich davon las, genügten mir, um die Berechtigung von Krumbachers Urteil (p. 764 f.[2]) einzusehen: „Die Darstellung des E. gehört zu dem Wunderlichsten, was Byzanz aufzuweisen hat; das ist kein style précieux und kein englischer euphuism mehr, sondern ein in nervösen Windungen aufgeführter stilistischer Eiertanz, bei dem uns vor Augen und Ohren schwindelt; dabei verrät sich die Armseligkeit dieses Wortjongleurs in der steten Wiederkehr der gleichen Ausdrücke und der gleichen Kunststückchen, von denen das wichtigste in der Häufung kurzer, um jeden Preis antithetisch gedrehter Satzglieder besteht." Natürlich fehlt auch keine der andern Fazetien, wie Wortspiel und Homoioteleuton. Hätte man diesen Skribenten nach Hegesias gefragt, er hätte sicher weniger von ihm gewußt als wir, nach Gorgias, er hätte ihn jedenfalls nur mehr vom Hörensagen gekannt (sogar Maximos Planudes zitiert ihn nur aus Dionys von Halikarnaß); aber ohne daß er es weiß (er glaubt nämlich, mit einem Barbarenwort sich selbst Lügen strafend, zu schreiben *γλώσσῃ ἀττικευομένῃ* XI 20), ist er ihr Geistesverwandter gewesen, denn durch die Macht einer anfangs bewußt, dann latent fortwirkenden Nachahmung sind die Geister des alten Leontiners und seiner Genossen nie zur Ruhe gekommen, sondern haben Jahrtausende lang ihr wunderliches Wesen getrieben, augenverblendend und ohrenbetäubend.

Drittes Kapitel.

Die lateinische Literatur.

Überblicken wir die lateinische Literatur der Spätzeit in ihrer Gesamtheit, so tritt ihre Inferiorität gegenüber der griechischen womöglich noch deutlicher hervor als in den früheren Jahrhunderten. Der geistige Prinzipat des Ostens zeigt sich besonders in folgenden zwei Tatsachen. Erstens: die beiden einzigen wirklich bedeutenden Profanschriftsteller des Westens, Ammianus der Prosaiker und Claudianus der Dichter, waren geborene Griechen: zu einer geistigen Konzentration, wie ihn das schon durch die Größe seines Unternehmens, mehr noch durch die Kraft und Originalität der Ausführung imponierende Geschichtswerk des Ammian voraussetzt, war das Abendland längst nicht mehr fähig, wie die armseligen sogenannten Scriptores historiae Augustae und die Verfasser der traurigen Kompendien der römischen Geschichte beweisen; und was läßt sich der *ἐνέργεια* der claudianischen Satire an die Seite stellen? Der weitaus bedeutendste Schriftsteller des ausgehenden Altertums war Boethius: nur durch eingehendes Studium der Griechen hat er sich seinen imponierenden Schwung der Gedanken erworben. Zweitens: **Orient und Okzident.**

das okzidentalische Land, in welchem die Literatur fraglos ihren höchsten Stand hatte, Gallien, war am stärksten durch die griechische Kultur beeinflußt: Ausonius las, was wir ihm vielleicht werden glauben dürfen, den Menander neben Terenz, wie einst die Philologen der Antoninenzeit; Hilarius von Poitiers, einer der besten Prosaiker der Spätzeit, hatte längere Zeit im griechischen Osten verkehrt. In den späteren Jahrhunderten hat Irland, wo, wie durch eine Fülle von Zeugnissen feststeht, die Kenntnis des Griechischen für mittelalterliche Verhältnisse abnorm hoch war, die führende Rolle im Okzident übernommen und ist Bannerträger der Kultur geworden. — Das Verhältnis war also dasselbe wie von jeher: der Osten gab und der Westen nahm, wie sich auf allen Gebieten der Literatur, vor allem auch der christlichen, zeigen läßt: z. B. begnügt sich sogar ein Mann von der Größe des Ambrosius, in seinen Predigten über die Schöpfungsgeschichte den Basileios z. T. wörtlich zu reproduzieren, und den Hymnengesang führte er in seine Kirche ein *secundum morem orientalium partium*, wie Augustin sagt (dasselbe hatte schon vor Ambrosius Hilarius getan); die immense Produktionskraft des Hieronymus stützt sich auf die Vorarbeiten eines Origenes und Eusebios. Überall, wo wir vergleichen können, zeigt sich, daß das Niveau des Westens ein tieferes ist als das des Ostens: wie muß Augustin im Vergleich etwa zu Gregor von Nazianz zu seinen Zuhörern herabsteigen, um ihnen verständlich zu werden, wie einfach sind die Formen, in die sich der lateinische Kirchengesang kleidet im Vergleich mit einem Hymnus etwa des Romanos, wie kontrastiert der hohe Schwung der Ideen eines Plotinos und Synesios zu der Flachheit eines Macrobius und der bis zur Unverständlichkeit dunkeln Grübelei eines Marius Victorinus. Es hat der Literatur des Westens vor allem das ideale und spekulative Moment gefehlt, von dem die des Ostens mehr oder weniger beherrscht wurde, dagegen hat in ihr das Utilitätsprinzip stets eine große Rolle gespielt: es ist doch bezeichnend, daß Enzyklopädien des Wissens, wie wir sie im Westen seit Cato und Varro in immer steigender Zahl nachweisen können, im Osten, soviel wir sehen, nicht existiert haben: begreiflich genug, denn an der noch immer nicht erschöpften Quelle des Wissens war das Bedürfnis, die Wissenschaft auf Flaschen zu ziehen, nicht vorhanden, während es gebieterisch hervortrat in einer Gesellschaft, die das Wissen nicht aus sich selbst produziert hatte. Speziell die christliche Literatur des Ostens ist aufgeklärter als die des Westens: eine Schrift wie die des Basileios *πρὸς τοὺς νέους ὅπως ἂν ἐξ Ἑλληνικῶν ὠφελοῖντο λόγων* hat der Westen nie besessen, und es ist bezeichnend, daß diese Schrift eine der ersten war, die in der Frührenaissance ins Lateinische übersetzt und den mönchischen Widersachern entgegengehalten wurde: man besaß eben nichts Entsprechendes in lateinischer Sprache[1]); umgekehrt dürfte sich schwerlich aus der christlichen Literatur des Ostens eine Stelle anführen lassen[2]), in der das mönchische Element in so grellen Farben erscheint wie in der des Cassianus (conl. XIV 12), der sich verflucht, daß ihm während des Gebets und Absingens des Psalters der Teufelsspuk der virgilischen Gedichte vor Augen trete. Angesichts dieser Verhältnisse steigt nur um so höher die ragende Gestalt des Augustinus, dessen literar- und welthistorische Größe wohl zu erklären ist aus seiner einzigen Verbindung idealer griechischer Spekulationsgabe mit energisch-praktischer okzidentalischer Konstruktionskraft. Sein geschichtsphilosophisches Werk bleibt eine der imposantesten Schöpfungen aller Zeiten, es setzt eine Kapazität und Originalität des Geistes voraus, wie sie damals und mehr als tausend Jahre hinfort keiner besessen hat.

Der eigentliche Grund, weshalb gerade in der Spätzeit des Altertums die abendländische Kultur der des Ostens ganz besonders inferior war, liegt in dem fortwährenden und progressiv wachsenden Prozeß ihrer Assimilation an barbarische Elemente, die ihr ein an der Antike gemessen immer fremdartigeres Gepräge verleiht. Ganz anders im Osten, wo eine solche Kontamination in diesem Maße nicht stattgefunden hat. So kommt es, daß man etwa Agathias und Georgios Pisides nach Ideengang und Darstellungsweise viel mehr zur antiken Literatur rechnen kann als etwa Gregor von Tours und Venantius. — Im

---

1) Die Übersetzung ist von Lionardo Bruni, cf. G. Voigt, D. Wiederbeleb. d. class. Alt. II³ (Berl. 1893) 164.

2) Höchstens die Rede des Ioannes Chrysostomos 'wider die Verächter des Mönchswesens' (besonders l. III c. 18, vol. 47, 379 ff. Migne) ließe sich anführen, aber diese eigentümliche Schrift ist nur ein Produkt der augenblicklichen politisch-religiösen Verhältnisse gewesen, cf. A. Puech, St. Jean Chrys. (Paris 1891) 131 f.

späten Mittelalter hat sich dann das Verhältnis umgekehrt: der Okzident übernahm die Führung auch auf geistigem Gebiet. Das erklärt sich gleichfalls aus dem dargelegten Umstande. Denn im Westen war eben durch jenen Assimilationsprozeß eine fast neue Literatur entstanden, verständnisvoll begünstigt durch gewaltige Herrscher wie Theoderich und Karl d. Gr. und gepflegt durch deren große literarische Paladine: diese Literatur war, weil sie sich gesetzmäßig entwickelt hatte, frisch und lebenskräftig, während die Literatur des Ostens, dem Leben und den Interessen der Gegenwart fern stehend, der Senilität und dem Marasmus verfiel: in der zweiten Hälfte des XIII. Jh. hat Maximos Planudes eine Reihe lateinischer Autoren ins Griechische übersetzt und in den folgenden Zeiten viele Nachfolger gefunden, eine höchst symptomatische Tatsache, denn sie bedeutet die Umkehrung eines anderthalb tausend Jahre mit verschwindenden Ausnahmen[1]) konstanten Verhältnisses. Bei dem endlichen Verlöschen des immer schwächer glimmenden Lebenslichtes des byzantinischen Reiches und seiner Literatur wären daher die Vertreter der letzteren aus sich selbst nicht imstande gewesen, die verlorene Größe wiederzugewinnen: unter Führung des Westens wurde die gemeinsame Mutter aufgefunden.

Diese Verhältnisse finden ihren Ausdruck auch in den Formen der schriftlichen Darstellung, wie sie sich im Westen entwickelt haben.

I. Der alte Stil.

1. Allgemeine Vorbemerkungen.

Was veranlaßte diese Epigonen, sich mit der alten Literatur weiter zu beschäftigen? Es war vor allem die eigene Unproduktivität, die sie zwang, immer und immer wieder ihre Blicke rückwärts zu lenken. So haben sie in den Zeiten, als die alte Kultur in Trümmer sank und neue Interessen von unmittelbarer Wichtigkeit an die Stelle traten, in der Schule sich vollgesogen an Terenz, Vergil, Persius, Juvenal, Statius, an Sallust und Cicero. Es war aber nicht bloß das Gefühl eigner Unfähigkeit,

---

1) Cf. C. Fr. Weber, De latine scriptis quae Graeci veteres in linguam graecam transtulerunt, Cassel 1835—1852.

welches ihnen die Pflege der alten Literatur zur unabweisbaren Pflicht machte: es kamen hinzu zwei in hohem Maße begünstigende Momente.

Die altadligen Gegner der Christen s. IV/V.

1. Zunächst die Reaktion gegen das Christentum. Die Beschäftigung mit der alten Literatur erhielt nämlich tatsächlich einen starken Impuls in den Zeiten, als die neue Religion zur Herrschaft gelangte. In Opposition gegen sie traten die Männer, die mit allen Fasern an der Vorzeit hingen und schmerzerfüllt durch liebevolle Beschäftigung mit der alten Literatur sich über die Miseren der Gegenwart hinwegzutäuschen versuchten. Vor allem habe ich hier natürlich im Auge den Kreis von hochadligen Männern, die sich um die Familien der Symmachi und Nicomachi scharten und deren Tätigkeit wir vielleicht die Erhaltung eines Teils der lateinischen Literatur überhaupt, jedenfalls die ältesten Handschriften verdanken.[1]) Symmachus selbst las die alten Komiker und Sallust mit Vorliebe, sicher auch den Fronto, denn in einem Brief (III 11) sagt er: *spectator tibi veteris monetae solus supersum*, wobei er an die Vorschrift denkt, die Fronto seinem prinzlichen Schüler gibt: *veterem monetam sectator* (p. 161 N.)[2]); er hat das Bestreben, sich von den *argutiae plausibilis sermonis* seiner Zeit fernzuhalten (I 89). Servius, ein Mitglied jenes Kreises, zitiert (z. Aen. I 409) den Fronto so, daß man sieht, er las ihn. Die Saturnalien des Macrobius führen uns am lebendigsten ein in das Denken und Fühlen jenes Kreises und erhalten dadurch eine kulturhistorische Bedeutung. Wie viel weniger wüßten wir doch von altrömischer Religion, wie viel weniger Fragmente der archaischen Literatur hätten wir, wenn nicht diese Männer Interesse an solchen Dingen genommen und die darauf bezügliche Literatur, soweit sie ihrer noch habhaft werden konnten, exzerpiert hätten; denn wenn Macrobius, ein kleines Licht jenes Kreises wie Servius, auch

1) Um eine klare Vorstellung von den berühmten Subskriptionen zu erhalten, muß man jetzt hinzunehmen, was über die gleichartige Sitte zeitgenössischer griechischer Christen mitteilt Harnack, Gesch. d. altchr. Lit. I 337 (wo für *αὐτὰ χειρὶ Πάμφιλος καὶ Εὐσέβιος διορθώσαντο* zu lesen ist *αὐτοχειρί*).

2) Daraus folgt doch wohl, daß bei Symmachus *sectator* zu lesen ist, worauf auch führt Solin. praef. p. 4, 17 M.[1]: *vestigia monetae veteris persecuti opiniones universas eligere maluimus potius quam innovare*.

nicht mehr die sehr alten Autoren gelesen hat, die er aus sekundären Quellen zitiert, so verzeihen wir ihm dies nach antiker Anschauung sehr entschuldbare Vorgehen um so lieber, weil es ihm wohl bei den allerwenigsten (freilich nicht z. B. bei Varro) möglich gewesen wäre, sie sich zu verschaffen; bei einer Gelegenheit läßt er über ihre Nichtachtung sprechen: VI 1, 5 (aus der Nachahmung älterer Dichter sei Vergil kein Vorwurf zu machen, man müsse ihm im Gegenteil Dank wissen,) *quod non nulla ab illis in opus suum quod aeterno mansurum est transferendo fecit, ne omnino memoria veterum deleretur, quos ..... non solum neglectui verum etiam risui habere iam coepimus.* — Auch außerhalb Roms[1]) war damals Ausonius, der Freund des Symmachus, Christ nur dem Scheine nach, wie alle damaligen Schöngeister, ein Liebhaber der Alten (speziell auch des Plautus), mit deren Floskeln er oft seine Werke aufputzt.

Stärkung des Nationalitätsgefühls. 2. Das zweite Moment, welches die alte Literatur schützte, war die Reaktion gegen die Barbaren. Diese überfluteten eine Provinz nach der anderen und es schien, als ob sie gesonnen wären, die alte Kultur gänzlich zu zertrümmern. Ihre Sprache flößte den Romanen Grausen ein[2]): Sidonius spricht von der *squama sermonis Celtici* (ep. III 3), und es ist ihm ganz unfaßbar, wie sich der aus altadliger Familie stammende, mit der Lektüre Vergils und Ciceros groß gewordene Syagrius damit ab-

1) Aber eigentlich lebendig war das Gefühl für die große Vergangenheit doch nur da, wo sie durch die Monumente unmittelbar zu den Menschen redete: in Rom wurden Vergil, Horaz, Livius abgeschrieben. In Gallien war das Interesse wesentlich ein schöngeistiges: Paulinus von Nola, geboren in Burdigala, erklärt ausdrücklich, daß er die Historiker nicht gelesen habe (ep. 28, 5 p. 245 Hartel); doch hatte man hier begreiflicherweise für Caesars Gallischen Krieg (sowie die betr. Partien des Livius und Suetons Caesar-Vita) ein patriotisches Interesse, wofür vor allem bezeichnend ist Sidon. ep. IX 14, 7.

2) Aus solchen Kreisen stammt das Gedicht der AL 285 Riese:

inter eils goticum, scapia matzia ia drincan
non audet quisquam dignos edicere versus.
Calliope madido trepidat se iungere Baccho,
ne pedibus non stet ebria Musa suis.

D. h. „Zwischen dem gotischen "Heil", dem "Schaff' mir zu essen und trinken""; der Pentameter am Schluß ist natürlich Absicht, wie bei Petron in der cena.

geben mag, sich anzueignen *stupeam sermonis Germanici notitiam*, so daß ihn jetzt wie ein Wunder aus einer andern Welt anstarrten diese *aeque corporibus ac sensu rigidi indolatilesque* und daß — wie er mit beißendem Spott hinzufügt — sich jetzt die Barbaren fürchteten, vor diesem Kenner in ihrer eignen Sprache einen Barbarismus zu machen; *restat hoc unum* — schließt er — *vir facetissime, ut nihilo segnius, vel cum vacabit, aliquid lectioni operis impendas custodiasque hoc, prout es elegantissimus, temperamentum, ut ista tibi lingua teneatur, ne ridearis, illa exerceatur, ut rideas* (ep. V 5).[1]) Gegenüber diesem Vordrängen des barbarischen Elements scharte sich, wie ausdrückliche Zeugnisse lehren[2]),

1) Daraus erklärt sich auch die nachdrückliche Forderung der Autoren in den Provinzen, man solle 'römisch' (oder 'italisch') schreiben. Charisius empfiehlt in der Vorrede seinem Sohn die Lektüre des Buches, *ut quod originalis patriae natura denegavit, virtute animi affectasse videaris.* Macrobius sat. praef. 11f. *nihil huic operae insertum puto aut cognitu inutile aut difficile perceptu, sed omnia quibus sit ingenium tuum vegetius, memoria adminiculatior, oratio sollertior, sermo incorruptior, nisi sicubi nos sub alio ortos caelo latinae linguae vena non adiuvet. quod ab his, si tamen quibusdam forte non numquam tempus voluntasque erit ista cognoscere, petitum impetratumque volumus ut aequi bonique consulant, si in nostro sermone nativa romani oris elegantia desideretur.* Beider Aussprüche können an sich auf alle Provinzen außerhalb Italiens gehen (z. B. entschuldigt sich ja Appuleius im Anfang der Metamorphosen ebenso, daß er sich mit Mühe angeeignet habe *Quiritium indigenam sermonem*), aber die höchste Wahrscheinlichkeit spricht doch dafür, daß so Schriftsteller gesprochen haben, die (wie gleichzeitig Ammian) geborene Griechen waren (die angeblichen Übersetzungsfehler des Macrobius möchte ich nicht hoch anschlagen), wofür auch zu sprechen scheint 1) das von Macrobius in Fortsetzung der zitierten Worte angeführte Beispiel des griechisch schreibenden A. Albinus, 2) die Sprache des Charisius und Macrobius: man vgl. z. B. den Schwulst der Vorrede des Diomedes mit der Reinheit derjenigen des Charisius, 3) die Namen beider (wenigstens ein sekundäres Argument). — Ob Diomedes (GL I 439) seine Definition *latinitas est incorrupte loquendi observatio secundum romanam linguam* wörtlich so aus dem gleich hinterher zitierten Varro (fr. 41 Wilm.) genommen hat, ist mir doch zweifelhaft. Martyrius (ein Sarde) de b et v litteris beruft sich (GL VII 175) auf das *Romanum eloquium.* Der Verf. der Hisperica famina kann sich nicht genug darin tun, auf sein 'ausonisches' d. h. italisches Latein im Gegensatz zu dem barbarischen in Irland gesprochenen Latein mit Stolz hinzuweisen.

2) Cf. Sidonius ep. VIII 2 *credidi me, vir peritissime, nefas in studia committere, si distulissem prosequi laudibus, quod aboleri tu litteras distulisti, quarum quodammodo iam sepultarum suscitator fautor assertor concelebraris,*

der Adel der einzelnen Nationen zusammen und, ohnmächtig den Horden mit den Waffen zu begegnen, schrieb er auf seine Fahne die Pflege der Literatur. Wenn man den Umfang der Lektüre eines Ausonius Symmachus Sidonius, ja eines Ennodius ermißt, so kann man nicht umhin, ihnen, mag man sonst über sie denken was man will, seine Achtung zu bezeugen, und von diesem Gesichtspunkt aus urteilt man, denke ich, milder selbst über eine solche Torheit, Namen von alten Autoren zusammenzuhäufen, als ob man diese noch gelesen habe.[1])

---

teque per Gallias uno magistro sub hac tempestate bellorum Latina tenuerunt ora portum, cum pertulerint arma naufragium .... Nam iam remotis gradibus dignitatum, per quas solebat ultimo a quoque summus quisque discerni, solum erit posthac nobilitatis indicium litteras nosse (cf. auch II 10, 1). Avitus ep. 95 (p. 102 Peiper) stellt auf eine Stufe *barbaros fugere* und *litteris terga non praebere.* Ennodius ep. VIII 1 (an Boethius): *fuerit in more veteribus curulium celsitudinem campi sudore mercari et contemptu lucis honorum sole fulgere: sed aliud genus virtutis quaeritur, postquam praemium facta est Roma victorum,* nämlich die Beschäftigung mit der Literatur, wie er pomphaft ausführt. Aus diesen Verhältnissen begreift es sich, wenn Sidonius den Germanen Arbogast anfeiert als einen der wenigen Barbaren, die sich um die lateinische Literatur kümmerten (ep. IV 17): er ahnte nicht, daß dies ein paar Jahrhunderte später etwas ganz Selbstverständliches sein sollte und daß diese Barbaren bestimmt waren, die alte Literatur zu retten.

1) Am stärksten Claudianus Mamertus in einem Brief an den (nur aus Sidon. ep. V 10 bekannten) Rhetor Sapaudus aus Vienne (ed. Engelbrecht im Corp. script. eccl. lat. Vindob. XI 203ff.): dieser solle sich neben Plautus, Cato, Varro, Sallust, Cicero, Fronto auch Naevius und Gracchus zum Muster nehmen. Ähnlich öfters Sidonius, z. B. carm. 9, 259ff. (wo u. a. Ennius und Lucilius). Von jenen Autoren waren damals Naevius, Ennius, Gracchus natürlich bloße Namen, auch Lucilius. Plautus scheint wenigstens Sidonius gelesen zu haben (cf. E. Geisler, De Apollinaris Sidonii studiis [Diss. Breslau 1885] 40), sicher (um von Ausonius und Hieronymus gar nicht zu reden) Paulinus von Nola (geb. in Bordeaux) und sein Freund, mit dem er darüber korrespondiert: ep. 22 p. 156 Hartel. (Aus dieser Zeit etwa stammt der codex A.) Varros Antiquitates existierten damals wenigstens noch, wie der hochinteressante Brief des Sidonius II 9 beweist; aber ob sie noch jemand las? Wenn er bei Sidonius (ep. IV 3) als guter Stilist genannt wird, wenn Ennodius (ep. I 16) gar von *Varronis elegantia* spricht, so beweisen sie damit, daß sie ihn nicht gelesen haben (wie anders urteilt Augustin de civ. dei VI 2, s. oben S. 194f.). Den Eindruck der Wahrhaftigkeit macht Paulin. Nol. ep. 16, 6 *usitatiorum de saturitate fastidiens lectionum Xenophontem Platonem Catonem Varronemque perlectos revolvis.*

2. Die Vertreter des alten Stils.

Bei dieser Lage der Dinge hätte man nun erwarten sollen, daß die spätlateinischen Autoren bei ihrer Verehrung der alten Literatur sie auch stilistisch sich zum Muster genommen hätten. Allein die Verhältnisse sind hier dieselben wie bei den Griechen: alle lobten die Vergangenheit, aber nur wenige wußten die Theorie in die Praxis umzusetzen, da die Gegenwart gebieterisch ihre Rechte forderte.[1])

1. Unter den heidnischen Autoren vermag ich als Vertreter der klassischen Stilart nur die Juristen zu nennen, die sich überhaupt *amore antiqui moris* auszeichneten (Tac. ann. XIV 43). Jeder weiß, daß sie sich durch die klassische Einfachheit ihrer auf das rein Sachliche gerichteten Sprache hervorgetan haben, in der nach meinem Gefühl zum letztenmal die römische dignitas und gravitas zum Ausdruck kam, wenngleich die meisten uns ganz oder teilweise erhaltenen Autoren fast alle aus dem Osten des Reichs stammen. Lorenzo Valla hat einmal gesagt: wenn die lateinische Sprache untergegangen wäre, so könne sie aus den Pandekten allein wiederhergestellt werden.[2]) Schon Quintilian (V 14, 34) sagt: *iuris consulti, quorum summus circa verborum proprietatem labor est,* und bezeichnend ist das Urteil, welches Pomponius über die Schreibweise des Juristen Q. Aelius Tubero fällt: dig. I 2, 2, 46 *Tubero doctissimus quidem habitus est iuris publici et privati et complures utriusque operis libros reliquit; sermone tamen antiquo usus affectavit scribere et ideo parum libri eius grati habentur.* Dies Urteil stammt aus der Zeit der Antonine, als in den übrigen Kreisen die Manier des Archaismus herrschte. Das dieser Zeit angehörende Werk des Gaius hat in seiner Sprache, verglichen mit der schlaffen oder verkünstelten Diktion anderer damaliger Schriftsteller, etwas ungemein Erfrischendes: Mommsen nennt sie *naturali sua simplicitate et prisco candore nitentem.* Auch die großen Juristen, die dem dritten Jahrhundert angehören, stehen sowohl stilistisch wie

Die Juristen.

1) Das Sinken des Sprachbewußtseins selbst bei Gelehrten war enorm, wie uns perverse Erklärungen der Scholiasten zeigen, vgl. z. B. Servius zur Aeneis VII 490. VIII 409.

2) Zitiert von G. J. Vossius, Inst. or. IV 1 p. 12 ed. 3; cf. besonders Vallas Vorreden zum 3. und 6. Buch seiner Elegantiae.

rein sprachlich betrachtet durchaus abseits von der großen Masse der übrigen Autoren: sie schreiben einfach, klar, vornehm. Und zwar gilt das nicht etwa bloß von den aus der Praxis hervorgegangenen und für die Schüler oder Berufsgenossen bestimmten Schriften, sondern auch von den durch Juristen verfaßten, aus dem kaiserlichen Kabinett erlassenen Konstitutionen. Aber gerade an letzteren kann man nun deutlich den Kontrast der Zeiten erkennen: die aus dem codex Gregorianus und Hermogenianus erhaltenen Konstitutionen bis auf Diocletian sind einfach, sachlich, kurz, während die seit Constantin erlassenen des codex Theodosianus schwülstig, rhetorisch, geschwätzig werden, kurz alle Fehler des bombastischen Stils der gleichzeitigen Schriftsteller zeigen. Man kann vielleicht behaupten, daß diese Manier bis auf Justinian sich stetig gesteigert hat. Es ist, um es kurz zu sagen, die verschnörkelte Sprache der Kanzlei: sie blieb so im ganzen Mittelalter an den kaiserlichen, fürstlichen und päpstlichen Kanzleien, deren Sekretäre immer rhetorisch gebildet waren, und hat sich von da aus in die modernen Sprachen verpflanzt. Das muß sich alles im einzelnen nachweisen lassen: gewöhnlich wird heutzutage in den massenhaften Einzeluntersuchungen über die Sprache der Juristen, deren Resultate m. E. meist problematisch sind, das Stilistische ganz beiseite gelassen.

Lactanz. 2. Unter den christlichen Autoren hat, wie jeder weiß, um 300 Lactantius in wahrhaft klassischem Stil geschrieben. Wir kennen seine Heimat nicht; in der Rhetorik war Arnobius sein Lehrer, aber es gibt kaum zwei Schriften, die sich unähnlicher sind als das rohe Pamphlet des einen und das von vornehmer Ruhe getragene, mit der Fülle edelster hellenisch-römischer Weisheit durchtränkte Kunstwerk des andern. — Im folgenden Jahrhundert ist das Zentrum des geistigen Lebens in dem Lande nördlich von den Pyrenäen und Alpen und innerhalb seiner wieder das einst von Iberern bewohnte Aquitanien: ein Gallier wagte vor einem Aquitanier kaum den Mund aufzumachen: *dum cogito* (sagt ein gallischer Teilnehmer am Gespräch bei Sulpic. Sev. dial. I 26) *me hominem Gallum inter Aquitanos verba facturum, vereor ne offendat vestras nimium urbanas aures sermo rusticior. audietis me tamen ut Gurdonicum*[1]) *hominem nihil cum fuco aut cothurno*

Aquitanien.

1) Cf. Ruricius ep. I 7 p. 360, 19 Engelbr. mit seiner Bemerkung im Index s. v.

loquentem.[1]) Hier schrieb um 400 Sulpicius Severus, wie Lactanz sich wendend an ein hochgebildetes Publikum, um ihm auch durch Sprache und Stil zu beweisen, daß sich mit dem einfachen Geist und der kunstlosen Form der Religionsurkunden eine gehobene und formvollendete Darstellung sowohl der christlichen Lehre als der biblischen Geschichte gut vertrage. J. Bernays hat ihn in seiner berühmten Abhandlung auch stilistisch an den richtigen Platz gestellt: war des Lactanz stilistisches Ideal Cicero, den er *virum singularis ingenii* und *eloquentiae ipsius unicum exemplar* nannte (de op. dei 1, 12. 20, 5), so schloß sich Sulpicius vor allem an Sallust an, den damals am meisten gelesenen Prosaiker.[2]) Aber schon etwa 50 Jahre früher hatte ein andrer Aquitanier die Augen der gebildeten Welt auf sich gezogen: Hilarius von Poitiers. Ich trage kein Bedenken zu behaupten, daß er neben Boethius der formgewandteste Schriftsteller der spätlateinischen Periode gewesen ist, gleich groß, mag er uns — darin ein geringerer Vorläufer Augustins — sein Suchen und endliches Finden der Weisheit in der aufs stärkste sallustisch gefärbten Einleitung des großen Werks 'de fide' (= 'de trinitate') darlegen, oder seiner Tochter einen zärtlichen Brief schreiben, oder als der „Athanasius des Westens" die fulminanten Streitschriften gegen die Häretiker und den sie beschützenden Kaiser in die Welt senden; auch seine Traktate zu den Psalmen stehen stilistisch höher als alle ähnlichen uns erhaltenen Schriften: ist er doch auch einer der wenigen christlichen Schriftsteller des Westens, der nicht, wie die andern fast alle, in falscher Be-

Sulpicius Severus

Hilarius.

1) Cf. auch Venant. Fortunat. vita S. Albini c. 4, 6 (p. 28 Krusch) *ante vestram peritiam ipsa Ciceronis ut suspicor eloquia currerent vix secura, et cui apud Caesarem Roma aliquid deliberans Aquitanico iudice forsitan Galliam formidaret.*

2) Cf. den Anfang der epistula Vindiciani comitis archiatrorum ad Valentinianum imp. in: Marcell. Empir. ed. Helmreich p. 21: *cum saepe, sacratissime imperator, humani generis fragilitas falso de natura sua queratur* etc. — E. Klebs im Philol. N. F. III (1890) 288 ff. behauptet, daß Sulpicius den Velleius nachahme (nach Vorgang von Ruhnken in den Anm. zu seiner Ausgabe des Velleius und Bernays, Ges. Abh. II 131). Das ist nicht richtig: in Betracht käme nur Sulp. chron. II 26, 5 *Pompeius victor omnium gentium quas adierat* ∾ Vell. II 107, 3 *victor omnium gentium locorumque quos adierat Caesar*, was aber vielmehr ein τόπος aus der Rhetorenschule ist (s. o. S. 200, 1).

scheidenheit sich seines stilistischen Unvermögens rühmte, sondern der zu Gott zu beten wagt, er möge ihm geben *verborum significationem, intelligentiae lumen, dictorum honorem,* denn nur in würdiger Sprache könne das Wort Gottes verkündigt werden (de fide I 38, tract. in psalm. 13, 1; s. o. S. 533). Seine Rede nimmt gelegentlich einen sehr hohen Schwung, wenn er die Herrlichkeit der Natur preist oder seiner indignatio Ausdruck gibt, wo er dann so wenig wie Cicero die ornamenta elocutionis spart: weht uns nicht z. B. aus folgender Stelle der Geist Ciceros entgegen, contra Constantium imp. 5 *at nunc pugnamus contra persecutorem fallentem contra hostem blandientem contra Constantium antichristum, qui non dorsa caedit sed ventrem palpat, non proscribit ad vitam sed ditat in mortem, non trudit carcere ad libertatem sed intra palatium honorat ad servitutem, non latera vexat sed cor occupat, non caput gladio desecat sed animam auro occidit, non ignes publice minatur sed gehennam privatim accendit, non contendit ne vincatur, sed adulatur ut dominetur.* Wo die Rede ruhig fließt, da bildet er meisterhafte Perioden: man lese dafür im Anfang des Werks 'de fide' den sallustischen Ideengang in langen ciceronianischen Perioden, und frage sich, ob irgend jemand damals gleiches geleistet hat. Freilich für die *simplices fratres* war das keine Kost: *S. Hilarius Gallicano cothurno attollitur et cum Graeciae floribus adornetur, longis interdum periodis involvitur et a lectione simpliciorum fratrum procul est,* sagt Hieronymus ep. 58, 10 (I 326 Vall.)[1]), und auf Grund dieses Zeugnisses hat Erasmus, sonst ein so feiner Kenner dieser Dinge, ein nicht gerechtes Urteil über den Stil des Hilarius gefällt.[2]) Aber Hieronymus spricht ja nur von den 'einfältigeren Brüdern', und außerdem verfolgt er an jener Stelle den Zweck, seinen gelehrten und stilistisch sehr gewandten (cf. auch ep. 85, 1) Freund Paulinus auf Kosten der andern von ihm genannten Autoren, darunter des Hilarius, gerade als Stilisten zu loben. Anders urteilt er, wo ihm solche Tendenzen

1) Auf seine Weise Venant. Fort. de virtutibus S. Hilarii c. 14, 50 (p. 6 Krusch): *quis abundantiam rigantis ingenii contendat evolvere aut eius verba verbis valeat exaequare? qualiter ille indivisae trinitatis libros stilo tumente contexuit, aut scripturam Davitici carminis sermone coturnato per singula reseravit.*

2) In der Vorrede zu seiner Ausgabe (Bas. 1523) = epist. 613 (opera T. III p. 690 ff.).

fern liegen (ep. 70, 5, vol. I 430 Vall.): *Hilarius duodecim Quintiliani libros et stilo imitatus est et numero.* Bemerkenswert ist noch, daß Hilarius der griechischen Sprache in einem für die damalige Zeit beispiellosen Umfang mächtig war: das zeigen inhaltlich seine Schriften, in denen er oft auf das Griechische bezug nimmt, das zeigt die Nachricht, daß er während seiner vierjährigen Verbannung im Orient an der Synode zu Seleucia (359) in dieser Sprache tätigen Anteil nehmen konnte; ich glaube auch in dem ἦθος seiner Darstellung etwas von der griechischen χάρις zu fühlen, die ihn vor der grassierenden okzidentalischen barbaries bewahrte: die beiden besten lateinischen Stilisten der Spätzeit, Hilarius und Boethius, waren hervorragende Kenner des Griechischen.

Im V. Jahrh. hat sich Claudianus Mamertus offenbar bemüht, in einem von den schlimmsten modernen Fehlern freien Stil zu schreiben (seinen darauf bezüglichen Brief an den Rhetor Sapaudus werde ich später anführen), und wenn man seinen Stil mit dem seines Freundes Sidonius vergleicht, muß man zugestehen, daß es ihm, soweit es noch anging, gelungen ist: freilich ist er, der Gallier aus Vienna, trotz seines Bemühens, nicht entfernt so klassisch wie die genannten Aquitanier[1]), während allerdings der aus der Rheingegend stammende Gallier Salvianus in einem fast an Lactanz und Hilarius erinnernden Stil schreibt, an dem das genaue Studium Ciceros unverkennbar ist.[2])

Claudianus Mamertus.

Salvian.

In durchaus klassischem Stil von einer geradezu bewundernswerten Reinheit ist endlich das edelste Werk des ausgehenden

1) Cf. C. Arnold, Caesarius v. Arelate (Leipz. 1894) 89. Sidonius urteilt über den Stil seines Freundes in einem Brief an diesen (IV 3): *nova ibi verba, quia vetusta, quibusque conlatus merito etiam antiquarum litterarum stilus antiquaretur; quodque pretiosius tota illa dictio sic caesuratim succincta, quod profluens.* Einfluß der Sprache des Appuleius: A. Engelbrecht in: Sitzungsber. d. Wiener Ak., phil.-hist. Cl. CX (1885) 423 ff.

2) Cf. W. Zschimmer, Salvianus u. s. Schriften (Diss. Halle 1874) 60 ff. Er hat z. B. Cicero de oratore I 227 f. geschickt benutzt ep. 4, 24 (ib. 20 wird Livius zitiert). Doch fehlen nicht gelegentliche Auswüchse, cf. Zschimmer 63, 4 und de gub. dei VII 2, 8 *illic (apud Aquitanos ac Novempopulos) omnis admodum regio aut intertexta vineis aut florulenta pratis aut distincta culturis aut condita pomis aut amoenata lucis, aut inrigua fontibus aut interfusa fluminibus aut crinita messibus fuit,* wo ja freilich die ἔκφρασις die vielen ornamenta entschuldigt.

Boethius. Altertums geschrieben, die Consolatio des Boethius. Es ist ausnahmsweise keine Phrase, wenn ihn Ennodius in zwei Briefen an ihn mit den *veteres* vergleicht (VII 13. VIII 1). Der Schwung der Gedanken läßt ihn als Verehrer Platons, der Schwung der Sprache als Verehrer Ciceros erkennen. Mit Martianus Capella, mit dem er bloß die äußere Form der Komposition teilt[1]), soll man sich hüten, ihn in einem Atem zu nennen. Aber wenn man dieses nach Inhalt und Sprache einsam dastehende Werk liest und sich in die so ganz verschiedene Ideenwelt jener Zeit hineinversetzt, so kann man sich eines sentimentalen Gefühls nicht erwehren; die Schrift ist, innerlich wie äußerlich betrachtet, zeitlos, was ein französischer Autor[2]) treffend so ausdrückt: *croyant à la vitalité romaine qui palpitait encore dans son cœur, il écrivait comme s'il se fût adressé à des lettrés, comme s'il se fût entretenu avec les disciples de Cicéron: il supposait les Romains aussi grands que lui.*

II. Der neue Stil.

Prinzipien. Da ich eine Entwicklung darzulegen habe, die vom ästhetischen Standpunkt als Verfall und Entartung bezeichnet werden muß, so halte ich es für untunlich, die einzelnen Erscheinungsformen dieser Entwicklung an einem historischen Faden anzureihen. Und doch ist das Material quantitativ so ungeheuer, daß ich mich nach irgend einem Prinzip der Einteilung umsehen muß. Würde ich eine Literaturgeschichte der untergehenden okzidentalischen Welt zu schreiben haben, so wüßte ich, daß dies nach den einzelnen Provinzen geschehen müßte, so wie es für die Epigraphik in unserm Corpus, für politische und Kulturgeschichte von Mommsen im V. Band seiner Römischen Geschichte mit größtem Erfolg unternommen worden ist. Denn seitdem das Latein die Kultursprache der westlichen Reichshälfte geworden war, begann die Sonderentwicklung des geistigen Lebens in den Provinzen. Bei der topographischen Einteilung dieser Literaturgeschichte würde der chronologische Rahmen, in den wir uns nun einmal gewöhnt haben alle Entwicklung einzuschließen, nicht ganz zerbrochen werden: denn die politischen

1) Auch Petron las er, cf. Petr. fr. V b Buech.

2) Fr. Monnier, Alcuin et Charlemagne (Paris 1863) 29.

Verhältnisse sowie vor allem die Geschichte der Ausbreitung des Christentums, das ja vom Ende des zweiten Jahrhunderts das Ferment aller kulturellen und literarischen Entwicklung wurde, haben es mit sich gebracht, daß einzelne Provinzen des Reichs sich in bestimmter Reihenfolge abgelöst haben: Afrika hatte bis zur Mitte des vierten Jahrhunderts die führende Rolle, ihm folgte Gallien, diesem Italien. In einer Stilgeschichte, wie ich sie schreibe, ist dagegen eine solche Einteilung innerlich unberechtigt, und nur der äußeren Bequemlichkeit zuliebe habe ich sie beibehalten. Denn was ich nachzuweisen habe, ist gerade folgendes. In allen Provinzen des Reiches entartet die Prosa in gleicher Weise; die Formen der Entartung leiten sich her aus den seit Jahrhunderten bewußt und unbewußt tradierten Effektmitteln der rhetorischen Kunstprosa. Die Linie, die ich von Gorgias bis auf die hadrianische Zeit für die griechische und die von dieser abhängige lateinische Kunstprosa zog (s. o. S. 392f.), geht in gerader Richtung und ununterbrochen weiter bis zum Ende auch der lateinischen Literaturgeschichte. Wenn wir also die Stilfazetien eines Gorgias und Hegesias etwa bei Appuleius, Gregor v. Tours, Venantius und dann weiterhin im Mittelalter in genau denselben Formen wiederfinden, so konstatieren wir jetzt ohne weiteres den großen literarischen Zusammenhang, der zeitlich und örtlich durch gewaltige Zwischenräume getrennte Individuen kraft der Macht einer unverwüstlichen Tradition miteinander verbindet. Das — wenigstens nach modernem Gefühl — Manierierte und Bizarre, das der rhetorischen Kunstprosa von Anfang an eigen gewesen war und das nur durch den Geschmack und die Gestaltungskraft der größten Stilvirtuosen ein erträgliches Aussehen erhalten hatte, tritt in der spätlateinischen Literatur immer mehr in den Vordergrund und verdrängt schließlich völlig das Normale, entsprechend dem „Glaubenssatz aller stilistischen Barbarei, daß man sich tätowieren müsse, um schön zu sein."[1]) Aus

Stilgeschichtliche Zusammenhänge.

1) J. Bernays, Ges. Abh. II 85. Dieselbe Entartung begegnet in den bildenden Künsten, cf. H. Richter, Das weström. Reich (Berl. 1865) 23.

dieser Tatsache ergibt sich für die folgende Darstellung die notwendige Forderung, in noch größerem Umfang als bisher im wesentlichen nur auf die allgemeinen Verhältnisse einzugehen, auf die einzelnen Individuen nur insoweit sie eine Art von typischer Bedeutung gehabt haben.

A. Afrika.

1. Das „afrikanische" Latein.

Afrikanisches' Latein eine humanistische Erfindung.

Das 'afrikanische' Latein ist unter den argen Phantomen, die in der Stil- und Literaturgeschichte ihr Wesen treiben, eins der ärgsten, und es ist, denke ich, an der Zeit, es endlich wieder in das Dunkel zu bannen, dem es entstiegen ist. Dieses 'afrikanische' Latein hat sich nachgerade zu dem großen Rührkessel herausgebildet, in den viele alles das hineinwerfen, was sie anderswo nicht unterbringen können oder wollen, denn bei dem Mangel jedes festen Prinzips ist hier der Unkenntnis und der Willkür Tür und Tor geöffnet.

Die Hauptsache ist zunächst: wir müssen, wie überhaupt in der Geschichte der antiken Kunstprosa (s. o. S. 349f.), Sprache und Stil sondern und bei der Sprache wieder das Lautliche, das Formale, das Syntaktische, den Wortgebrauch. Nun leugne ich natürlich nicht, daß es ein afrikanisches Latein gibt, wenn man es von lautlichen und formalen Dingen versteht: dafür haben wir Zeugnisse der Grammatiker und vor allen auch eines so authentischen Mannes wie des Augustin, und selbst wenn wir sie nicht hätten, würden wir es postulieren, weil wir die formelle und besonders lautliche Sonderentwicklung der lateinischen Sprache in den Provinzen an den heutigen romanischen Mundarten vor uns sehen.[1]) Die Möglichkeit ferner, auf syntaktischem Gebiet und im Wortgebrauch Eigenarten des in Afrika gesprochenen Lateins festzustellen, will ich, obwohl alte Zeugnisse zu fehlen scheinen, nicht leugnen: was aber heute darüber vorgetragen

1) Cf. das oft zitierte Zeugnis des Hieronymus comm. in ep. ad Gal. II 3 *ipsa latinitas et regionibus quotidie mutatur et tempore.* Natürlich bezieht sich *latinitas* bloß auf das Lautliche und Formelle: Varro-Diomedes fr. 41 Wilm. Für die zeitliche Veränderung cf. auch Quint. IX 3, 1. 13 und Tertull. apol. 6 *habitu victu, instructu sensu, ipso denique sermone proavis renuntiastis* (= ad nat. I 10).

wird — ich sehe ab von den spezifisch christlichen Neuerungen, die natürlich in Afrika zuerst begegnen, ich sehe ferner ab von den Graezismen, die in dieser terra bilinguis häufiger sind als anderswo[1]) —, erscheint mir vorläufig mehr oder weniger problematisch. Doch das geht mich hier nichts an: ich habe es mit denen zu tun, die von einem afrikanischen Stil sprechen. Diesen Irrtum (um mit Fronto zu sprechen) subvertendum censeo radicitus, immo vero Plauti notato verbo exradicitus.

„Schreibart (Afrikanische), Stylus Africanus, ist eine hochtrabende, schwülstige und affektierte Schreibart, dergleichen sich ehemahls insonderheit die Africaner, und unter solchen zuförderst Appulejus bedienet." So Zedlers Universal-Lexikon vol. XXXV (Leipz.-Halle 1743) p. 1123. Das ist, wie es scheint, die Ansicht aller, die sich darüber geäußert haben, und wohin man sieht, überall starrt einem der 'tumor Africus' wie ein Wüstengespenst entgegen. Da liest man überall von den „Afrikanern mit ihrem ungezügelt und üppig wuchernden Schwulst, der die aufgeblähte Latinität der Söhne Afrikas schlingpflanzenartig zu umranken pflegt", überall von dem „Wüstenwind", der uns aus der heißen Sprache dieser Söhne eines glühenden Klimas entgegenwehe, überall von dem „semitischen Schwung der Psalmen", der uns aus ihren hochpathetischen Werken entgegenhalle, von dem „orientalischen Blute", das in den Adern der Afrikaner rollte und sie veranlaßte, die Freiheiten der Dichter in der Prosa zu gebrauchen, von dem „semitischen Satzparallelismus", den wir bei Appuleius und Genossen überall konstatieren könnten; ja, in dem neuesten, vor zwei Jahren erschienenen Buch über 'die Afrikaner' wird uns erzählt von der „punischen Amme", welche den kleinen Afrikaner Appuleius aufzog und verschuldete, daß er später, als er Latein lernte, all den Schwulst und all die stilistische Unnatur seines semitischen Idioms in die andere Sprache übertrug: ein schönes Genrebild, Appuleius als Baby an der Brust seiner Amme punisch lallend. Wenn ich keine Namen nenne, so habe ich meinen Grund: nicht der einzelne ist hier verantwortlich, sondern eine perverse Tradition, deren Genesis ich nachgegangen bin und die ich hier zunächst darlegen will.

1) Ich will doch nicht versäumen, hinzuweisen auf eine sehr ausführliche, ausgezeichnete Behandlung dieses Gegenstands bei K. Caspari, Ungedr. Quellen z. Gesch. d. Taufsymbols III (Christiania 1875) 267 ff.

Vor allen Dingen: es existiert auch nicht die leiseste Äußerung irgend eines antiken Zeugen über einen 'tumor Africus'. Ich muß das aufs nachdrücklichste betonen, weil einige es versichern, ohne den Schatten eines Zeugnisses anführen zu können. Wir verdanken vielmehr den Begriff den humanistischen Ciceronianern des sechzehnten und siebzehnten Jahrhunderts. Als das ciceronianische Latein, wie wir im zweiten Buch dieses Werkes genauer sehen werden, zu kanonischer Geltung erhoben wurde, liebte man es, gegen alle Autoren, die von ihm abwichen, den Bannstrahl zu schleudern, und der Umstand, daß einer der gelesensten und beliebtesten unter diesen Autoren ein Afrikaner war, wurde Veranlassung, alles schlechte Latein als 'afrikanisches' zu brandmarken. Dieser eine war Appuleius. Infolge des ganz persönlichen Verhältnisses, in dem die Humanisten zu 'ihren' Autoren standen, sind sie, wie mit Bewunderung und Liebe, so mit Verachtung und Haß nicht sparsam gewesen: den Appuleius haben sie wegen seines Stils in den Staub gezogen. Da es sein Unglück wollte, daß er von einem Esel erzählte, so ist irgend ein italienischer Humanist auf den Gedanken gekommen, zu sagen, die Sprache des Appuleius gleiche dem Schreien des Esels: wer jener Italiener war, weiß ich nicht zu sagen, aber ein deutscher und ein spanischer Humanist eigneten sich das famose Wort an: Melanchthon, Eloquentiae encomium (1523) 29[1]): *quis Apuleium et eius simias feret? sed recte Apuleius, qui cum asinum repraesentaret, rudere quam loqui mallet;* Vives, De tradendis disciplinis (1531) l. III p. 482[2]): *Apuleius in asino plane rudit, in aliis sonat hominem, nisi quod Florida sunt ridicula, sed excusat ea inscriptio.*[3]) Darauf-

1) Ed. K. Hartfelder in: Lat. Lit.-Denkm. d. XV. u. XVI. Jh., Heft 4, Berlin 1891.

2) Opera, ed. Bas. 1555 vol. I.

3) Cf. noch die famose Parodie bei Caussin, Eloqu. sacr. et hum. parallela (1619) p. 80f., wo Appuleius in der Unterwelt eine Rede hält, um sich vor Cicero zu rechtfertigen; er schließt: *date mihi, iudices, quod habeo, ut homo mei arbitrii semper aut loquar aut rudam aut hinniam, ut voluero, et hunc virulentissimum accusatorem meum grandi infortunio mactate: sin autem me damnaveritis, hodie ad ultima mearum miseriarum detrux inter asinos amantissimos quondam fratres meos aerumnositatum mearum cruciabilitates eiulabili voce in aeternum infelicitatus lamentabor.* Nur wenige Verteidiger hat er gefunden. Lipsius, der ja überhaupt dem übertriebenen

hin prägte man den Begriff einer 'afrikanischen' Latinität, in der außer Appuleius auch die andern Afrikaner geschrieben haben sollten, über die man aber, da es Christen waren, gemäßigter urteilte. Ich will nur ein paar Stellen anführen: Erasmus, Praef. in Hilarii editionem (1523) = epist. 613[1]) (nachdem er von der *Gallicana grandiloquentia* des Hilarius, Sulpicius Severus, Eucherius gesprochen), *mihi, veterum dictionem variam consideranti, videtur vix ullos provinciales feliciter reddidisse Romani sermonis simplicitatem praeter aliquot, qui Romae a pueris sunt educati. Nam et Tertulliano et Apuleio suus quidam est character et in decretis Afrorum, quae multa refert Augustinus contra Petilianum et Crescentium, deprehendas anxiam affectationem eloquentiae, sed sic, ut Afros agnoscas. subobscurus et submolestus est nonnumquam et Augustinus, nec omnino nihil Africum habet Cyprianus, ceteris licet candidior. nec mirum si Gallus refert Gallicum quiddam, si Poenus Punicum, quum in Livio nonnullos offendat Patavinitas.* Vives l. c. *Tertullianus perturbatissime loquitur ut Afer. Cyprianus et Arnobius eiusdem gentis clarius, sed et ipsi nonnumquam Afre. Augustinus multum habet Africitatis in contextu dictionis, non perinde in verbis, praesertim in lib. de civitate dei.* Eine große Anzahl solcher Urteile (z. B. von Lipsius, Casaubonus, Barth) über das 'africanische Latein' kann, wer Lust hat, nachlesen bei Morhof, De Patavinitate Liviana (1684) c. 9, cf. ferner Caussin, Eloquent. sacr. et hum. parallela (1619) 58, Balzac, Oeuvres (1665) vol. II 623, Fénélon, Dialogues sur l'éloquence (1718) 227. Joh. Andr. Fabricius, Philos. Redekunst (Leipz. 1739) § 201 ff. p. 117 ff.[2])

Aber — werden die Vorkämpfer Afrikas einwenden — wenn kein antikes Zeugnis für den afrikanischen Stil existiert, so folgt daraus nicht, daß es einen solchen nicht gegeben hat; warum — werden sie hinzufügen — sollen die Humanisten, denen wir

Lateinisch-griechische Kultur in Afrika.

Ciceronianismus entgegentrat, gibt zwar zu, daß er sei *tumidus fortasse, vegrandis et adfectatae elegantiae scriptor,* ärgert sich aber über solche, die ihn *barbarum* nennten, sie seien vielmehr selbst *barbari:* epistolic. quaest. l. II ep. 22. III 12 (ed. Lugd. Bat. 1585 p. 63. 90); anderes bei Morhof, De Patavinitate Liviana c. 9 und Albertus de Albertis, Thesaurus eloquentiae (1669) 235.

1) Opera T. III (Lugd. 1703) 695.

2) Andere Ältere zitiert J. Weißenbach l. c. (oben S. 537, 1) II 8 ff.

so viele feine Bemerkungen gerade über den Stil der lateinischen Schriftsteller verdanken, nicht auch hier intuitiv das Richtige erkannt haben? Nun, wer über lateinische Stilistik richtig empfinden lernen will, der lese, was darüber von Petrarca bis Lipsius geschrieben ist (das tun die wenigsten heute), suche aber bei ihnen nicht das, dessen sie völlig entbehrten und entbehren mußten: historische Einsicht in die Entwicklung der Sprache und Kenntnis der Tatsache, daß nur aus dem Griechischen das Lateinische zu verstehen sei. Die Annahme eines spezifisch afrikanischen, durch Einwirkung des Semitischen von den übrigen differenzierten Stils beruht auf zwei fundamentalen Fehlern: ich behaupte, daß derjenige, der zur Erklärung der stilistischen Eigenart z. B. des Appuleius das Punische heranzieht, der seinen Schwung und seinen parallelen Satzbau aus den Psalmen erklärt, eine ebenso schwere Sünde gegen den Geist der lateinischen Sprache begeht, wie derjenige, der an ihn herangeht, ohne zu wissen, wie damals die Griechen schrieben. Appuleius ein Punier, und, wie sie sagen, punisches Patois gemischt mit Griechisch und Lateinisch sprechend! Was waren denn, frage ich, die Bewohner Nordafrikas anders als kolonisierte Römer, wenigstens in den Städten, wo seit der ersten Kaiserzeit die punische Sprache erloschen ist (Mommsen, Röm. Gesch. V 642 ff.), wo griechisch-lateinische Bildung und Wissenschaft herrschte, also in Leptis, Madaura, Oea, und vor allem Karthago[1]), das Augustinus (ep. 118, 9 vol. 33, 436 Migne) neben Rom als die *litterarum latinarum artifex* nennt und von dem Himerios (ecl. 36, 10 p. 314 Wernsd.) sagt: *πόλις παρὰ τοσοῦτον οὐ πρώτη, παρ' ὅσον Ῥώμην αἰσχύνεται?* Beziehen sich etwa auf ein punisches Afrika die oft zitierten Worte Salvians (de gub. mundi VII 16): *illic omnia officiorum publicorum instrumenta, illic artium liberalium scholae, illic philosophorum officinae, cuncta denique vel linguarum gymnasia*

1) Cf. besonders J. J. Guilelmus Lagus, Studia latina provincialium (Helsingfors 1849) 11 ff. Diese Schrift (75 Seiten) scheint in Deutschland fast unbekannt zu sein (auch A. Budinszky, Die Ausbreitung der lat. Sprache [Berl. 1881] scheint sie zu seinem Schaden nicht zu kennen), ich fand sie zufällig in der Bonner Bibliothek (auch in Berlin fehlt sie). Sie enthält das Beste, was wir über den Gegenstand haben, aber natürlich muß sie heutzutage neu gemacht werden, da das Material (besonders das inschriftliche, das der Verf. ganz ignoriert) sich sehr vergrößert hat.

vel morum? Erst spätchristliche Bischöfe haben, weil sie die pagani durch die Predigt bekehren, die Bekehrten erbauen wollten, Punisch gelernt im Schweiße ihres Angesichts und mit innerm Widerstreben: man bedenke doch, daß Tertullian notorisch gar kein, Augustin nur ein paar Brocken Punisch und Hebräisch konnten und daß Hieronymus sich von der ganzen gebildeten Welt als monstrum der Gelehrsamkeit anstaunen ließ wegen seiner Kenntnis der semitischen Sprache. Wieviel weniger ist aus dem süßen Mund des Appuleius eine *φωνὴ βάρβαρος* gekommen: man lese nur, wie er höhnt über seinen Gegner, der *loquitur numquam nisi punice et si quid adhuc a matre graecissat, atenim latine loqui neque vult neque potest* (apol. 98).[1])

Auf der andern Seite kann gar nicht stark genug der Einfluß des Griechischen hervorgehoben werden. Aber hierbei müssen wir die verschiedenen Epochen trennen. Seit c. 250 n. Chr. kann von einer Kenntnis des Griechischen, die groß genug ge-

1) Schon Niebuhr in den oben (S. 361, 2) zitierten Vorlesungen leugnet das Bestehen eines afrikanischen Lateins. K. Zumpt hat in seiner Rezension der Appuleius-Ausgabe Hildebrands (Jahrb. f. wiss. Kritik 1843 vol. II 693 ff.) darüber ganz verständig geurteilt, wenn er auch noch an den tumor Africus glaubt, von dem Ruhnken in seiner Vorrede zu App. gesprochen hatte. Cf. auch H. Becker, Studia Apuleiana (Berl. 1879) 7 f.: der Schwulst und die Künstelei sei aus dem falschen Geschmack der ganzen Zeit zu erklären und es sei nur Zufall, daß für uns seine Hauptvertreter aus Afrika stammten. Die deutsche Hetzjagd auf 'Afrizismen' (so pflegt man das zu nennen) bei juristischen Schriftstellern hat einen italienischen Juristen zur Verzweiflung gebracht: E. Costa, Papiniano I (Bologna 1894) 283 f. Begreiflich: der Jurist weiß nichts mit dem philologischen Phantom anzufangen. Cf. auch E. Th. Schulze, Zum Sprachgebrauch der röm. Juristen in: Z. d. Savigny-Stift. rom. Abt. XII 1892 p. 111 ff. Am klarsten und eindringlichsten hat den richtigen Standpunkt kürzlich vertreten E. W. Watson, The style and language of St. Cyprian, in: Studia biblica et ecclesiastica, essays chiefly in biblical and patristic criticism by members of the university of Oxford IV (Oxf. 1896) 189 ff.: nachdem er im einzelnen die rhetorischen Elemente im Stil Cyprians aufgezählt hat, faßt er alles zusammen p. 240 f.: der Stil erinnere stark an den des Appuleius, aber man solle sich hüten, das als etwas spezifisch Afrikanisches anzusehen: *the efforts after rotundity of expression were common to the whole empire . . . It is dangerous to regard as peculiarities of African writers what may only appear to be such, because comparatively little has survived of the literature of other provinces in the third century,* und ähnliche treffende Bemerkungen mehr.

wesen wäre, um den lateinischen Stil zu beeinflussen, in Afrika so wenig wie im ganzen übrigen Okzident mehr die Rede sein.[1]) Wenn wir also Schriftsteller dieser Zeit in einem Stil schreiben sehen, wie ihn gleichzeitig die griechischen Sophisten anwandten, so kommt da eine unmittelbare Berührung nicht in Frage, sondern wir müssen feststellen, daß dieser Stil damals in der lateinischen Sprache durchaus eingebürgert war und sich durch sich selbst fortpflanzte. Aber bei allen Schriftstellern, deren Lebenszeit in das zweite Jahrhundert und den Anfang des dritten fällt, ist diese Beeinflussung eine denkbar starke gewesen. Während es also von Cyprian höchst wahrscheinlich, von Augustin durch sein eignes Zeugnis sicher ist, daß ihre Kenntnis des Griechischen mangelhaft war, gilt von Appuleius und Tertullian das Gegenteil. Ich habe schon oben (S. 361 ff.), als ich den Archaismus Frontos und seiner Schule aus der direkten Einwirkung der gleichzeitigen griechischen Sophistik erklärte, darauf hingewiesen, daß die damaligen Schriftsteller aus Afrika durchaus bilingues waren. Von Appuleius und Tertullian weiß es jeder: wir haben ihre eignen zahlreichen Äußerungen über ihre Fertigkeit, in beiden Sprachen zu schreiben, von denen ich nur zitiere die zwei am meisten bezeichnenden des Appuleius: die eine aus der προλαλιά[2]) zu seiner μελέτη de deo Socratis (p. 4 Goldb.): *iamdudum scio, quid hoc significatu flagitetis, ut latine cetera materiae persequamur. nam et in principio vobis diversa tendentibus ita memini polliceri, ut neutra pars vestrum, nec qui graece nec qui latine petebatis, dictionis huius expertes abiretis. quapropter si ita videtur, satis oratio nostra atticissaverit. tempus est in Latium demigrare de Graecia; nam et quaestionis huius ferme media tenemus, ut, quantum mea opinio fert, pars ista posterior prae illa graeca quae antevertit nec argumentis sit effetior nec sententiis rarior nec exemplis pauperior nec oratione defectior* (ebenso hatte er in einem Dialog den einen Sprecher griechisch, den andern lateinisch reden lassen: Flor. 17 p. 32, 2 ff. Kr., eine ganz beispiellose Mischung); die andere aus dem Anfang der Metamorphosen: *Hy-*

1) Die Inschrift CIL VIII 724 (1612 Buech.), wo ein 14jähriger seine Kenntnis des Griechischen bezeugt, ist aus saec. III, also wohl eher aus dessen erster als zweiter Hälfte.

2) Das Richtige darüber hat nur Rohde gesagt in seiner Rezension der Goldbacherschen Ausgabe, Jenaer Lit.-Zeit. III (1876) 781.

mettos Attica et Isthmos Ephyrea et Taenaros Spartiaca . . . mea vetus prosapia est. ibi linguam Atthidem primis stipendiis merui, mox in urbe Latia advena studiorum Quiritium indigenam sermonem aerumnabili labore nullo magistro praeeunte aggressus excolui. en ecce praefamur veniam, si quid exotici ac forensis sermonis rudis locutor offendero.[1]) Appuleius war ein Sophist so gut wie seine

1) Das Letzte ist natürlich nicht ernst zu nehmen (ich bemerke das nur, weil einige es für die 'Africitas' seines Lateins immer und immer wieder verwerten). Solche affektierte Bescheidenheit war bekanntlich ein τόπος des Proömiums, wofür ich doch ein paar charakteristische Zeugnisse anführen will: Libanios or. 11 (I 276 f. R.) κοινὸν τῶν ἐγκωμιαζόντων ἔθος λείπεσθαι φάσκειν τὴν αὐτῶν ἀσθένειαν τοῦ μεγέθους τῶν ἔργων οἷς προσάγουσι τὸν λόγον, καὶ συγγνώμην αἰτεῖν παρὰ τῶν ἀκουόντων, εἰ βουλόμενοι τῆς ἀξίας ἐγγὺς ἐλθεῖν ἄκοντες ἐλάττους γίγνοιντο. Sulpicius Severus dial. I 27: Gallus, ein Schüler des Martinus von Tours, bittet wegen der Einfachheit seiner Sprache um Entschuldigung, worauf ihm Postumianus, der Freund des Severus, erwidert: *cum sis scholasticus, hoc ipsum quasi scholasticus artificiose facis; ut excuses imperitiam, quia exuberas eloquentia.* Sidonius ep. IV 17, 1 *urbanitas, qua te ineptire facetissime allegas.* Ennodius ep. I 15 *idem est terminum in adrogantia non tenere quod in humilitate transcendere. supercilii affectus est iusto amplius esse subiectum: familiare est graviter hiantibus novas invenire blanditias et grandis coturnus in eloquentia simulare formidinem vel examen metuere de laude securum.* Beispiele lassen sich, wie jeder weiß, Hunderte anführen aus allen Zeiten und Sphären der Literatur, und zwar kann man sicher sein, daß unter 100 Fällen 99mal daraus genau das gerade Gegenteil für den Stil des betr. Autors folgt; er will damit nur sagen: paßt einmal auf, wie ausgezeichnet ich meine Sache mache. (Ein paar bezeichnende Beispiele bei K. Sittl in: Archiv f. lat. Lexicogr. VI [1889] 560 f., und C. Arnold, Caesarius v. Arelate [Leipz. 1894] 85, von denen die Erscheinung richtig beurteilt wird.) So kommt es, daß wir derartige Proömien gerade den stilistisch allerraffiniertesten Werken vorausgeschickt finden, z. B. den in hochtrabendem Stil geschriebenen Heiligenviten, oder einem so monströsen Werk wie der Geschichte des Theophylactos Simocatta (p. 38 de Boor: πρὸς ἣν [ἱστορίαν] ἐπιδραμοῦμαι καὐτός, εἰ καὶ μεῖζον ἢ κατ' ἐμὲ τὸ ἐγχείρημα διὰ τὸ τῆς λέξεως ἀγεννὲς τῶν τε νοημάτων τὸ ἀδρανέστατον τῆς τε τοῦ λόγου συνθήκης τὸ ἀκαλλὲς τό τε τῆς οἰκονομίας ἀτεχνότατον). Wer also in jenen Worten des Appuleius ein Zugeständnis seines schlechten Lateins sieht, der wird z. B. auch dem Tacitus glauben, daß der Agricola *incondita ac rudi voce* geschrieben sei (c. 3), oder (was wahrhaftig kürzlich geschehen ist) dem Fronto, wenn er p. 242 N. der Kaiserin-Mutter schreibt (auf Griechisch), sie solle es ihm nicht verargen, wenn ein unattisches Wort in seinem Briefe vorkomme, denn er sei Λίβυς τῶν Λιβύων τῶν νομάδων. — Durch die Ausführungen von J. van Vliet im Hermes XXXII (1897) 79 ff. ist alles, was Rohde über das Proömium der Metamorphosen klar auseinandergelegt hat, wieder durcheinandergewirrt worden.

ausschließlich griechisch sprechenden Kollegen: mit einigen von ihnen hat er auch das Schicksal geteilt, für einen *μάγος* gehalten zu werden.[1])

Auf Grund dieser Tatsachen brauche ich es demjenigen, welcher meinen bisherigen Untersuchungen gefolgt ist, nicht erst zu sagen, daß der bombastische und zugleich gezierte Stil der Afrikaner nichts ist als der griechische Asianismus (Manierismus) in lateinischem Gewande.[2]) Zwischen dem von mir früher aus Nachahmung griechischer Muster erklärten Stil der extremen Moderhetoren, des Valerius Maximus[3]), des Plinius (panegyr.) einer-

---

1) Hat man schon die äußere Analogie zu dem Sophisten Adrianos (unter Marcus und Commodus) bemerkt? Über ihn sagt Philostratos v. soph. II 10, 6 *ἐτελεύτα δὲ ἀμφὶ τὰ ὀγδοήκοντα ἔτη, οὕτω τοι εὐδόκιμος, ὡς καὶ πολλοῖς γόης δόξαι. ὅτι μὲν οὖν ἀνὴρ πεπαιδευμένος οὐκ ἄν ποτε ἐς γοήτων ὑπαχθείη τέχνας, ἱκανῶς ἐν τοῖς ὑπὲρ Διονυσίου λόγοις εἴρηκα· ὁ δέ, οἶμαι, τερατευόμενος ἐν ταῖς ὑποθέσεσι περὶ τὰ τῶν μάγων ἤθη τὴν ἐπωνυμίαν ταύτην παρ' αὐτοῖς ἔσπασεν* (solche *ὑποθέσεις* haben wir bekanntlich in Ps.-Quintilians Deklamationen).

2) Ich habe gesucht, wer schon vor mir das Griechische herangezogen hat, und nicht ganz vergeblich. Fr. Ritter, Die ersten christl. Schriftsteller Afrikas in: Zeitschr. für Philosophie und kathol. Theologie, Heft 8 (Köln 1833) p. 44: „Diese Eigentümlichkeit (die *ὁμοιοτέλευτα*) hat App. teils aus den alten Komikern [das ist falsch], teils nach dem Vorbilde der attischen Sophisten, welche ebenfalls nach Gleichklängen und Gegensätzen strebten, mit einer solchen ungezähmten Nachahmungssucht aufgenommen, daß seine ganze Darstellung sich um Gegensätze und Gleichklänge drehet." H. Kretschmann, De latinitate L. Ap. Mad. (Diss. Königsb. 1889) 7 f.: *qui circa Hadriani et Antoninorum tempora ibi summa gloria et auctoritate floruerunt sophistae minores, eorum oratio quae vocatur demonstrativa, multa habet communia cum Ap. Nam tumida et lasciva dictione nihil nisi aures permulcere studebant, verbis antiquis et Atticis promiscue cum puerili quadam ostentatione utebantur et nova licentius fingebant* (Luc. rhet. praec. 17), *ad poetarum similitudinem non verbis solum verum etiam numeris adspirabant.* Mommsen, Röm. Gesch. V 656: „Es herrscht in diesen Kreisen (der gelehrten Afrikaner) ... eine, üble griechische Muster übler nachahmende, Leichtfertigkeit, wie sie in dem Eselsroman jenes Philosophen von Madaura ihren Gipfel erreicht." Wenigstens für die Metamorphosen des Appuleius spricht auch K. Sittl in: Arch. f. lat. Lexicogr. VI (1889) 559 von „den maßlosen Gräzismen und Zierraten der damaligen Sophistik".

3) Valerius Maximus leistet sich bekanntlich in der Unnatur das Unglaublichste; wer z. B. vermag, wenn er folgenden Satz liest V 7 in. *det nunc vela pii et placidi affectus parentium erga liberos indulgentia salubrique*

seits und dem des Florus, Appuleius und Tertullian andrerseits besteht höchtens ein gradueller oder quantitativer, kein prinzipieller oder qualitativer Unterschied. Wenn man also von asianischem Latein statt von afrikanischem redete, so würde das meiner Meinung nach sich mit der antiken Vorstellung besser decken. Wenn man die Tatsache, daß gerade dieser Stil in Afrika so beliebt wurde[1]), aus dem feurigen Naturell erklären will, welches nach einer oft zitierten Stelle des Sidonius den Afrikanern eigen war (ep. 8, 11 *urbium cives Africanarum, quibus ut est regio sic est mens ardentior*), so will ich dagegen nichts sagen: nur höre man auf, von einer in Afrika geborenen Latinität zu reden. Ich werde weiterhin beweisen, daß derselbe Stil später in Gallien herrschend wurde; daß er uns zuerst in Afrika begegnet, hat nichts Befremdliches. In keinem Lande war im zweiten Jahrhundert und der ersten Hälfte des dritten die Kenntnis des Griechischen mehr verbreitet (dann ging es bekanntlich reißend bergab), und Afrika hat überhaupt in jener Zeit die führende Rolle in der lateinischen Literatur übernommen, während Spanien (speziell Tarraco) etwa seit Hadrian für Jahrhunderte ganz zurückgetreten war und Gallien erst im vierten Jahrhundert sich zu hoher Blüte entfalten sollte. Daher ist für uns die lateinische Literatur in den genannten Jahrhunderten wesentlich durch Afrika vertreten. Es kommt hinzu, daß gerade die Rhetorik dort eifrige Pflege und

---

aura provecta gratam suavitatis dotem secum afferat oder IX 12 ext. 6 *urbanitatem dicti crebro anhelitu cachinnorum prosecutus senile guttur salebris spiritus gravavit*, einen Unterschied zu Appuleius zu erkennen? Und diese Beispiele stehen nicht etwa allein, sondern wer Lust hat, kann ein ganzes Spicilegium dieser Art nachlesen, z. B. bei Gelbcke, Quaest. Valerianae (Diss. Berlin 1865) 14 ff. Nun hat Erasmus tatsächlich über Valerius geurteilt: *Valerius Afro potius quam Italo similis* (cf. die Vorrede von Kempf vor seiner Ausgabe Berlin 1854 p. 41). Aber Valerius Maximus ist nun einmal ein Italer gewesen. Auch hieraus mag man ersehen, daß das 'afrikanische' Latein ein reines Phantasma ist.

1) Sehr passend führt L. Schwabe in Teuffels Gesch. d. röm. Lit.[5] (Leip. 1890) p. 870, 10 dafür eine auch durch ihren Stil so charakteristische Inschrift des III. Jahrh. an: CIL VIII 2391 (Thamugadis in Numidien): *P. Fl. Pudenti Pomponiano v. c. . . . multifariam loquentes litteras amplianti, Atticam facundiam adaequanti Romano nitori, ordo incola fontis patrono oris uberis et fluentis, nostro alteri fonti.*

Verständnis fand: Juvenals 'nutricula causidicorum Africa' läßt sich aus dem achten Bande des Corpus der lateinischen Inschriften kommentieren.[1])

2. Die Sophistik im Stil der afrikanischen Profanautoren des II. Jahrhunderts.

Florus. Der früheste dieser afrikanischen Stilvirtuosen ist Florus. Er hat in seinem Enkomion auf Rom den Schwulst und die Phrase mit Meisterschaft gehandhabt. Wie ein solches Machwerk stilistisch zu beurteilen ist, kann man lernen aus der vortrefflichen Vorrede des Graevius zu seiner Ausgabe vom J. 1680: er stellt ihn zusammen mit Gorgias, Hegesias, den Deklamatoren bei Seneca, Valerius Maximus, nennt seine Diktion κακόζηλον (so hatte sie schon Scaliger bezeichnet: zu Euseb. p. 114) und wendet auf sie die tadelnden Worte an, die der Verf. περὶ ὕψους von den Asianern der früheren und seiner eignen Zeit braucht.[2]) Wenn wir doch erst so weit wären, alle diese Autoren auf solche Weise zu beurteilen! Der Mann ist Deklamator, sein Werk ein Dithyrambus in Prosa; bezeichnenderweise hat er den Lucan ausgiebig benutzt.[3]) Man kann ihn förmlich kommentieren aus den Niederschlägen, die uns von den Deklamationen der ersten Kaiserzeit erhalten sind. Wenn er z. B. von D. Brutus sagt (I 33 = II 17 p. 53, 11 Jahn): *D. Brutus aliquanto latius Celticos Lusitanosque et omnis Gallaeciae populos formidatumque militibus flumen Oblivionis* (sc. *transiit*), *peragratoque victor Oceani litore non prius signa convertit quam cadentem in maria solem obrutumque aquis ignem non sine quodam sacrilegii metu et horrore deprendit*, so überträgt er — lächerlich genug

---

1) Cf. P. Monceaux, Les Africains. Étude sur la littérature latine d'Afrique. Les Païens (Paris 1894) 60. 74, 2.

2) Eine gute allgemeine Charakteristik gibt auch J. Reber, Das Geschichtswerk des Florus (Freising 1865) 41 ff.

3) Das ist zwingend bewiesen von H. J. Müller in: Jahns Jahrb. CXIII (1871) 560 und besonders von E. Westerburg in: Rhein. Mus. XXXVII (1882) 35 ff. Dagegen ist völlig illusorisch, was man von seiner Benutzung des Tacitus sagt.

— auf ihn das Thema einer berühmten Alexander-Suasorie, cf. Seneca suas. 1 (s. oben S. 200, 1). Auf Calpurnius Flamma tr. mil., der mit dreihundert Leuten einen Hügel verteidigte, bis das übrige Heer sich in Sicherheit gebracht hatte, werden in alberner Weise die πολυθρύλητα παραδείγματα des Leonidas und Othryades (Sen. suas. 2, cf. Ph. Kohlmann im Rh. Mus. XXIX [1874] 463 ff.) übertragen (I 18 = II 2 p. 30, 16): *pulcherrimo exitu Thermopylarum et Leonidae famam adaequavit, hoc inlustrior noster, quod expeditioni tantae superfuerit, licet nihil inscripserit sanguine.* Vom zweiten Punischen Krieg (I 22 = II 6 p. 35, 30): *ubi semel se in Hispania movit illa gravis et luctuosa Punici belli vis atque tempestas destinatumque Romanis iam diu fulmen Saguntino igne conflavit, statim quodam impetu rapta medias perfregit Alpes et in Italiam ab illis fabulosae altitudinis nivibus velut caelo missa descendit:* woher das Bild stammt, weiß man aus Horaz sat. II 5, 41. Petron. c. 122 f. Derartiges muß sich noch massenhaft nachweisen lassen (cf. auch oben S. 302, 1). Danach wundert es uns nicht, wenn die Signatur des Stils dieses Deklamators die Antithese ist, sowohl die gedankliche wie die formelle. Nur je ein Beispiel: I 13 = I 18 p. 24, 9 *quinam illi fuerunt viri quos ab elephantis primo proelio obtritos accepimus? omnium vulnera in pectore, quidam hostibus suis morte sua commortui, omnium in manibus ensis et relictae in voltibus minae, et in ipsa morte ira vivebat,* cf. Gorgias fr. epitaph. i. f. τοιγαροῦν αὐτῶν ἀποθανόντων ὁ πόθος οὐ συναπέθανεν, ἀλλ' ἀθάνατος ἐν ἀσωμάτοις σώμασι ζῇ οὐ ζώντων, Polemon decl. p. 5, 18 Hinck. — I 11 = I 16 p. 20, 19 *populus Romanus Samnitas invadit, gentem, si opulentiam quaeras, aureis et argenteis armis et discolori veste usque ad ambitum ornatam; si fallaciam, saltibus fere et montium fraude grassantem; si rabiem ac furorem, sacratis legibus humanisque hostiis in exitium urbis agitatam; si pertinaciam, sexies rupto foedere cladibusque ipsis animosiorem* (ein τετράκωλον). Das unausgesetzte Haschen nach Pointen führt zu μειρακιεύματα ungeheuerlichster Art: I 5 = I 11 p. 15, 12 (Cincinnatus) *victos, ne quid a rustici operis imitatione cessaret, more pecudum sub iugum misit.* I 13 = I 18 p. 25, 15 *nihil libentius p. R. aspexit quam illas quas ita timuerat cum turribus suis beluas, quae non sine sensu captivitatis summissis cervicibus victores equos sequebantur.* Aber ich müßte ihn von Anfang bis Ende abschreiben. In der

Ausdrucksweise ist eine völlige Fusion mit der Poesie[1]) eingetreten: L, Spengel[2]) hat ausgerechnet, daß selbst er 125mal für nötig gehalten hat, durch *quasi* die Tollkühnheit des Ausdrucks zu mildern. Am abscheulichsten ist für unser Gefühl (das sich aber mit dem des Publikums, für welches Florus schrieb, in keinem Punkte berührt) die Katachrese des Ausdrucks, die wir schon bei Hegesias kennen gelernt haben, z. B. I 18 = I 21 p. 30, 25 *M. Atilio Regulo duce iam in Africam navigabat bellum*, ib. p. 31, 4 *prooemium belli fuit civitas Capua*, I 19 = II 3 p. 33, 13 *denique utrique cotidiani et quasi domestici hostes tirocinia militum inbuerant, nec aliter utraque gente quam quasi cote quadam populus Romanus ferrum suae virtutis acuebat*, usf. Endlich weise ich noch auf das stark hervortretende rhythmische Gepräge der Satzklauseln hin: darüber handle ich später (Anhang II) im Zusammenhang, die zitierten Sätze geben genügend Beispiele für die uns schon bekannte beliebteste Form: –́ ⏑ ⏑́⏑ –́ ⏓.[3])

Appuleius. Alles, was vor ihm war, hat Appuleius übertroffen, der vituoseste Wortjongleur, den es gegeben hat. Dieser Mann, dessen Ehrentitel zu seinen Lebzeiten und lange nach seinem Tode *philosophus Platonicus* war, der von Platon als dem 'seinen', von Sokrates als seinem 'Vorfahren' spricht (Flor. 15 p. 19 Kr. 1 p. 1), hat die Sprache entwürdigt. Bei ihm feiert der in bac-

1) Es ist natürlich falsch, überall gerade Vergil zu wittern, wie es Fr. Schmidinger, Unters. üb. Florus in Fleckeis. Jhb. Suppl. XX (1894) 788 ff. tut.

2) Über die Geschichtsbücher des Florus in Abh. d. bayr. Akad. d. Wiss., philos.-philol. Kl. IX (1860) 326.

3) Petrarca hatte großen Gefallen an Florus: *Annaei Flori florentissima brevitas, elegans ac succincta Flori brevitas, Florus brevis et comptus storicus* etc., cf. C. de Nolhac, Pétrarque et l'humanisme (Paris 1892) 444. Ähnlich ein Humanist bei Jahn praef. p. XXXVIII. In den 'Perroniana et Thuana' (Cologne 1634) 358 f. heißt es: *Je mets Florus le plus haut aprés luy* (nämlich Curtius, der für ihn *le premier de la Latinité* ist); *c' est toute fleur, il est si élegant.* Ähnliche Urteile humanistischer Anticiceronianer, wie des Lipsius und Salmasius, unter den testimonia in der Ausgabe Dukers (Lugd. Bat. 1744). — Das Schriftchen 'Vergilius poeta an orator' habe ich absichtlich aus dem Spiel gelassen. Stilistisch ist es erheblich einfacher als das Enkomion (cf. G. Lafaye, De poetarum et oratorum ap. veteres certaminibus [Paris 1883] 82 f.), aber wir werden uns natürlich hüten, daraus zu folgern, daß es von einem andern Verfasser stamme.

chantischem Taumel dahinrasende, wie ein wilder Strom sich selbst überstürzende, in ein wogendes Nebelmeer wüster Phantastik zergehende Stil seine Orgien; hier paart sich mit dem ungeheuerlichsten Schwulst die affektierteste Zierlichkeit: alle die Mätzchen, die dem weichlichsten Wohlklang dienen, werden in der verschwenderischesten Weise angebracht, als da sind Alliterationen, Ohren und Augen verwirrende Wortspiele, abgezirkelte Satzteilchen mit genauester Korresponsion bis auf die Silbenzahl und mit klingelndem Gleichklang am Ende. Die römische Sprache, die ernste würdige Matrone, ist zum prostibulum geworden, die Sprache des lupanar hat ihre castitas ausgezogen. Met. II 10 *iamque aemula libidine in amoris parilitatem congermanescenti mecum, iam patentis oris inhalatu cinnameo et occursantis linguae inlisu nectareo prona cupidine adlibescente 'pereo' inquam* etc. V 6 *imprimens oscula suasoria et ingerens verba mulcentia et inserens membra cohibentia.* IX 14 *mulier saeva scaeva, virosa ebriosa, pervicax pertinax, in rapinis turpibus avara, in sumptibus foedis profusa* V 15 *mellita cantus dulcedine mollita.* Derartiges ließ sich nicht in einem anständigen Stil ausdrücken: einem Geschlecht, das an der wollüstigen Sprache, mit der eine Fotis und ihre σχήματα beschrieben werden, Gefallen fand, ist man versucht mit Persius die entrüstete Frage vorzulegen: *haec fierent, si testiculi vena ulla paterni viveret in vobis?* Und doch ist er in demselben Hetärengewand als öffentlicher Redner aufgetreten und hat, wie er gern hervorhebt (Flor. 9 p. 9. 18 p. 29), seine Hörer, darunter den höchsten Magistrat, in Ekstase versetzt: in diesen Reden wirkt der Flitterstaat nur um so greller, als mit ihm umwoben werden nicht bloß Papageien, für die er paßt (12 p. 14), sondern die griechische Philosophie oder die damals von den Heiden wirklich geübte Werkheiligkeit, z. B. gleich zu Anfang der Florida: *ut ferme religiosis viantium moris est, cum aliqui lucus aut aliqui locus sanctus in via oblatus est, votum postulare, pomum adponere, paulisper adsidere: ita mihi, ingresso sanctissimam istam civitatem, quamquam oppido festinem, praefanda venia et habenda oratio et inhibenda properatio est; neque enim iustius religiosam moram viatori obiecerit aut ara floribus redimita aut spelunca frondibus inumbrata aut quercus cornibus onerata aut fagus pellibus coronata, vel enim colliculus saepimine consecratus vel truncus dolamine effigiatus vel caespees libamine fumigatus vel lapis unguine delibutus. parva haec quippe et quamquam paucis percontantibus adorata, tamen ignorantibus transcursa.* Und wie brüstet er sich mit dieser seiner 'philosophischen' Diktion: 13 p. 15 *non enim mihi philosophia id genus orationem largita est, ut natura quibusdam avibus brevem et temporarium cantum commodavit, hirundinibus matutinum cicadis meridianum, noctuis serum ululis vespertinum, bubonibus nocturnum gallis antelucanum. quippe haec animalia inter se vario tempore et vario modo occinunt et occipiunt carmine, scilicet galli expergifico bubones gemulo, ululae querulo noctuae intorto, cicadae obstrepero hirundines perarguto. sed enim philosophi ratio et oratio tempore iugis est et auditu venerabilis et intellectu utilis et modo omnicana.* Im einzelnen ist bekanntlich die Sprache so behandelt, daß man nur mehr von einer Vergewaltigung reden kann: nicht mehr ordnet der Schriftsteller sein Wollen und Können dem vorhandenen Wortschatz unter und sucht in seiner geschmackvollen und keuschen Verwendung das Ideal des Stils, sondern mit tyrannischer Selbstgefälligkeit nimmt er sich das Recht freiester Wortprägung, besonders wenn er seine Kindereien anbringen will: Met. XI 9 *mulieres candido splendentes amicimine, vario laetantes gestamine, verno florentes coronamine,* Flor. 10 p. 13 *stella Iovis benefica, Veneris voluptifica, pernix Mercuri, perniciosa Saturni, Martis ignita.* Und dann das Tollste: mit diesen zuchtlosen Worten gehen einträchtig gepaart die gravitätischen Worte des Plautus und der alten Sprache überhaupt. „*Unde haec sartago loquendi*"? Nun, ich denke, die beliebig herausgegriffenen Proben sagen es dem Leser mit greller Deutlichkeit: Gorgias, Hegesias und ihresgleichen sind die Geistesverwandten dieses Sprachzauberers, und hätten wir des Aristeides oder seines Übersetzers milesische Geschichten, so würden wir den Zusammenhang noch klarer durchschauen.[1]) Appuleius hat ebensoviel auf griechisch wie auf lateinisch geschrieben: in Athen (*Athenis Atticis,* wie er gern mit Plautus sagt) gebildet, war er einer der 'zweiten' Sophisten und zwar von der extrem modernen Richtung: er fühlte sich selbst als Nachkomme des Hippias, dessen Beredsamkeit er bewunderte (Flor. 9 p. 10 f.). Nur in diesem Zu-

1) Die Mädchen werden von Varro (sat. 370—372. 375. 432) mit denselben lasziven Farben beschrieben wie von Appuleius (z. B. Met. II 9). Woher stammt das sonst als aus jenem schlüpferigen Roman? Als *Milesium sermonem* hat er ja auch selbst sein Werk bezeichnet.

sammenhang kann man seinen Stil verstehen, in ihm aber auch ganz: den Schwulst, die affektierte Zierlichkeit, den maßlosen Gebrauch der auffälligsten und pikantesten, auf das Ohr wie Schellengeläute wirkenden Redefiguren — speziell der Antithese, des Isokolon[1]) mit Homoioteleuton, des Wortspiels[2]) —, die völlige Transfusion des prosaischen und poetischen Ausdrucks[3]), die frivole Art, die Sprache zum Versuchsobjekt für Neubildungen zu verwerten, mit gelegentlicher Einmischung veralteter Worte.[4])

Als Stilist ist Appuleius noch in einer anderen Hinsicht interessant. Er schreibt, wie schon die Humanisten hervorhoben, in jeder Schrift in einem andern Stil. Ich wüßte keinen antiken Schriftsteller zu nennen, an dem man einen Fundamentalsatz der antiken Stillehre, wonach für die verschiedenen Arten des Stoffes ein durchaus verschiedener Stil angewandt wurde, so genau studieren könnte wie an Appuleius. In der Apologie schreibt er, abgesehen von einigen gehobenen Partien, einfach und klar, gelegentlich an Cicero erinnernd; die Schriften De dogmate Platonis und De mundo sind sachlich und nüchtern, letztere in solchem Grade, daß man sie ihm deshalb hat absprechen wollen. Auf der andern Seite stehen die Metamorphosen[5]) und die Florida. Eine Mittelstellung zwischen beiden

---

1) Besonders gern trikolisch und tetrakolisch: Beispiele im Greifswalder Prooemium Ostern 1897 p. 52 f. 59.

2) Es wirkt um so empfindlicher, wenn es mit einem veralteten Wort vorgenommen wird: Apol. 62 *lignum a me toto oppido et quidem oppido quaesitum.*

3) „Appul. hat es in ungewöhnlicher Weise verstanden, die Doppelnatur des poetisierenden Rhetors und des in Prosa darstellenden Dichters festzuhalten" L. Friedländer, Sitt.-Gesch. III^5 (Leipz. 1881) 421.

4) Cf. für das letzte die schon von H. Kretschmann a. a. O. (oben S. 596, 2) herangezogene Stelle Lukian rhet. praec. 17: der Moderhetor soll alte Worte auf die staunenden Zuhörer losschießen, *ἐνίοτε δὲ καὶ αὐτὸς ποίει καινὰ καὶ ἀλλόκοτα ὀνόματα καὶ νομοθέτει τὸν μὲν ἑρμηνεῦσαι δεινὸν εὔλεξιν καλεῖν, τὸν συνετὸν σοφόνουν, τὸν ὀρχηστὴν δὲ χειρίσοφον.*

5) J. v. Vliet l. c. (o. S. 595, 1) 81 erscheinen die Worte der Vorrede, in denen Appuleius selbst den Stil dieses Werkes als *desultoriae scientiae stilus* bezeichnet, rätselhaft, und er gibt eine sonderbare Erklärung, die zu wiederholen ich keine Lust habe. Varro schrieb eine Satire *Desultorius περὶ τοῦ γράφειν*, was schon Buecheler im Rhein. Mus. XX (1865) 408, 6 aus dem sprungweisen Wechsel dieser Kompositionsart nach Inhalt und, was bei Varro, Seneca, Petron, Martian und Boethius hinzukommt, nach

Gruppen nimmt ein die philosophische Deklamation De deo Socratis: sie sollte zwar, wie die Florida[1]) (die ja nichts anderes als *μελέται* sind), der delectatio dienen und ein Prunkstück rhetorischen Könnens sein, aber der Stoff war doch ein zu ernster, als daß die Laszivität bis zu dem Grade der Florida hätte gesteigert werden können.

Eine der dringendsten Aufgaben aus dem Gebiet der antiken Stilistik wäre m. E. eine nach den beiden angedeuteten Gesichtspunkten[2]) auf Grund brauchbarer Ausgaben durchgeführte wissenschaftliche Analyse des Stilcharakters der Werke dieses merkwürdigen, nach allen Richtungen hin so interessanten, für die Geschichte der Kultur seiner Zeit einzig wichtigen Menschen und Schriftstellers. Das noch immerfort zitierte Buch von H. Koziol, Der Stil des A., ein Beitr. z. Kenntn. d. sog. afrikanischen Latinität (Wien 1872), dient als unkritisches Sammelsurium mehr dazu, die Erkenntnis des Richtigen zu vernichten als sie zu begründen und zu befestigen: Büchern über einen

Form (cf. auch Bekker Anecd. Gr. 198, 11 s. *ἀναβάτης*), erklärt hat. Hätten wir den Roman des Aristeides, so würden wir die sprunghafte Art der Darstellung an der Quelle studieren können; aber bezeichnend ist doch, daß der Übersetzer des Aristeides, Sisenna, ausdrücklich gesagt hat, er wolle in seinem Geschichtswerk nicht sprunghaft schreiben: fr. 127 P. (bei Gell. XII 15, 2): *ne vellicatim aut saltuatim scribendo lectorum animos impediremus.* Das Sprunghafte der Komposition erkennt man ja auch aus Horaz' Sermonen noch deutlich genug.

1) Sie beurteilt richtig Gresollius, Theatr. rhet. III c. 10 in Gronovs Thes. graec. antiquit. X (Venedig 1735) 105 *sumpsit ad ostentationem Florida, ubi tamquam in speculo antiquitatis sophisticum morem mihi notare videor. nam curiosa quaedam attingit et παραδόξους ἐννοίας, dulces fabellas, narratiunculas plenas suavitatis, quas varie intexit, ut in Phrygio parapetasmate multis coloribus variegato. tum dictio ipsa est concinna, novis et inclinatis artificiose voculis ut stellulis irradians et contextu ipso orationis γοητεύουσα, praestigiis velut quibusdam audientium animos deleniens, et ut breviter dicam, ut in scaena choragium luculentum exponit sophistica pompa dignum.*

2) Als dritter kommt noch hinzu: es muß innerhalb der einzelnen Werke geschieden werden nach den einzelnen Gegenständen, die darin vorkommen: die Räuber oder der betrogene Schmied sprechen anders als einer, der zu Juno oder zu Isis betet, die Fotis wird mit andern Mitteln der ἔκφρασις geschildert als die Weltgöttin oder die Fortuna auf ihrer Kugel, eine Räuberhöhle anders als ein Zaubergarten oder ein Feenpalast, und andere Farben brauchen die schemata libidinis, andere 'es war einmal ein König und eine Königin, die hatten drei gar schöne Töchter'.

lateinischen Autor wie Appuleius, in denen auf 350 Seiten kaum der Name eines griechischen Autors, kaum ein griechischer Buchstabe vorkommt, ist der Stempel der Perversität von vornherein aufgedrückt.

3. Die Sophistik im Stil der frühchristlichen afrikanischen Autoren.

Würdig eröffnet die unübersehbar lange Reihe der christlichen lateinischen Prosaiker Minucius Felix mit seinem zu allen Zeiten vielgepriesenen 'Octavius', der uns wie durch ein handschriftliches Wunder überliefert ist.[1]) Da ich eine kommentierte Ausgabe des Dialogs vorbereite, gehe ich hier auf einzelnes nicht ein, und das um so weniger, als ich das meiste hierher Gehörige in meiner Abhandlung De Minucii Felicis aetate et genere dicendi (Wiss. Beilage zum Vorlesungsverzeichn. d. Univ. Greifswald Ostern 1897) bereits berührt und der Schrift ihren Platz in der Geschichte der antiken Kunstprosa angewiesen habe. Minucius hat es mit einzigem Geschick verstanden, auf dem Grunde der Philosophie Ciceros und der Diktion Senecas in einem den verwöhntesten Ansprüchen genügenden hocheleganten Modestil die neue Religion den gebildeten Heiden zu empfehlen; die zierlichsten Figuren des modernen sophistischen Stils, vor Minucius.

1) Bekanntlich als 'liber octavus' des Arnobius (cf. über dies Versehen meine o. S. 469, 2 zitierten 'Beiträge z. Gesch. d. griech. Philos.' 429, 1). — Den Arnobius schließe ich übrigens von dieser Betrachtung mit gutem Grunde aus: man braucht nur ein paar Kapitel zu lesen, um sofort zu erkennen, daß er, stilistisch (nicht sprachlich) offenbar Anhänger einer mehr klassizistischen Richtung, in einem ganz andern Stil schreibt als Appuleius und die übrigen Afrikaner: lange Sätze ohne Parallelismus und ohne die Wortfiguren des sophistischen Stils. Einen um so reichlicheren Gebrauch macht er von den *σχήματα διανοίας*: es dürfte keinen Schriftsteller geben, der die rhetorische Frage so im Übermaß angewandt hätte. Das stimmt gut zu dem ganzen Ton dieses infamsten Pamphlets, welches das Altertum uns überliefert hat und welches den feingebildeten Christen selbst höchst peinlich war: denn es ist doch gewiß Absicht, daß Lactanz in der Aufzählung der *litterati*, die das Christentum verteidigt hätten (div. inst. V 1, 22 ff.), das Werk seines Lehrers Arnobius totschweigt: der fanatische Schreier hatte die neue Religion offenbar mehr kompromittiert als gerechtfertigt; das, was er verdorben hatte, machte das edle Werk des Schülers wieder gut.

allem den Gliederparallelismus mit Gleichklang am Ende, weiß er mit einer Grazie anzubringen, die, obgleich sie keine natürliche, sondern eine durch Studium und gelegentlich durch Raffinement erworbene ist, doch nirgends verletzt wie bei Appuleius. Aber freilich: wie sein Christentum kein tiefes und dogmatisches war, so genügte auch dieser selbst bei der größten indignatio immer zierliche und posierende Stil nicht den Anforderungen, die an die schriftliche Verteidigung des noch mitten im tobenden Kampf stehenden jungen Glaubens gestellt wurden.

Tertullian. Tertullians Naturell und Stil war für diesen Kampf geschaffen: dieser *ardens vir* (Hieron. ep. 84, 2) hat in einer Flammensprache geredet. Ein Fanatismus ohnegleichen tobte in ihm, eine ihn selbst und andere verzehrende Glut. Maßlos wie sein Haß gegen die Heiden und die heterodoxen Christen, zügellos wie seine Phantasie ist seine Sprache. Von keinem ist die lateinische Sprache auf einen so hohen Grad der Leidenschaftlichkeit gehoben wie von ihm; das Pathos, das Tacitus mit vornehm verhaltener Indignation zurückdämmt, wird bei ihm zu einer alles Widerstrebende mit sich wirbelnden Sturmflut; er hat die hoheitsvolle Ruhe des Tacitus mit der turbulenten Leidenschaftlichkeit und dem pamphletistischen Ton des Juvenal sowie mit der affektierten Dunkelheit des Persius verbunden (die beiden ersteren hat er nachweislich gern gelesen). Es gibt keinen lateinischen Schriftsteller, bei dem die Sprache in so eminentem Sinn der unmittelbare Ausdruck des inneren Empfindens gewesen wäre. Er ist ohne Frage der schwierigste Autor in lateinischer Sprache; keiner stellt so rücksichtslose Anforderungen an den Leser: er deutet meist nur an, verläßt einen Gedanken plötzlich, um ohne anknüpfende Partikeln[1]) zu einem andern überzuspringen, alles ein Ausfluß übersprudelnder Leidenschaftlichkeit und hastiger Genialität des Denkens. Er hat mehr als irgend ein antiker Schriftsteller das höchste Gesetz antiker Kunstanschauung, die Unterordnung des Individuellen unter das Traditionelle, verletzt: zweifellos mit vollem Bewußtsein und mit Absicht, denn was sein Geistesverwandter im Osten, Gregor von Nazianz, einmal

---

1) Man erkennt das hübsch durch Vergleich des lateinischen Originals des Apologeticus mit der von Eusebios benutzten griechischen Übersetzung, die, wie Harnack in Text. u. Unters. VIII 4 (1892) p. 20 ff. bemerkt, öfters ein δέ hinzufügt und überhaupt die Prägnanz seines Ausdrucks verflacht.

sagt: τὰ ἀρχαῖα παρῆλθεν· ἰδοὺ γέγονε τὰ πάντα καινά, das war auch seine fundamentale Überzeugung. Mit einer geradezu beispiellosen Willkür meistert er die Sprache, um sie in die Fesseln seines herrischen Denkens zu zwängen; er ist so recht eigentlich der Typus des christlichen Sprachschöpfers gewesen, aus den gewalttätigen Neuprägungen atmet der Geist eines Mannes, der von dem Glauben durchdrungen war, daß das Christentum als eine neue Größe in die Welt gekommen sei und daher neue Faktoren für seine Ausdrucksweise beanspruchen dürfe.[1]) Die verhältnismäßig große Biegsamkeit und Geschmeidigkeit, die der lateinischen Sprache in sehr alter Zeit eigen gewesen war und die sie durch die Bestrebungen der Puristen und Analogisten in stetigem Fortschreiten verloren hatte, ist ihr tatsächlich durch das Christentum wiedergegeben worden, freilich in einer Art und in einem Umfang, die ihrer gravitas widersprachen. Um gar nicht zu reden von den nach Hunderten zählenden völligen Neubildungen, durch deren Aufzählung einst D. Ruhnken das Gruseln seiner Leser vor diesem 'Afer' erwecken wollte[2]): was seine Lektüre besonders erschwert, sind die Bedeutungsänderungen, die er mit herkömmlichen Wörtern vornahm; das, was nach der Ansicht der griechischen und lateinischen Reaktionspartei das ärgste Brandmal eines Schriftstellers war, war für ihn die höchste Devise: μεταχάραττε τὸ νόμισμα, so, um aus der großen Masse nur einiges anzuführen, das ich mir zufällig notierte: für ihn ist *abrumpere* = *desciscere*, *condicere* = *consentire*, *detinere* = *convincere* und = *accusare*, *erogare* = *consumere* und = *interficere*, *expungere* = *perficere* und = *absolvere*, *obducere* = *convincere*, *repercutere* = *refutare*, *resignare* = *violare*, *subscribere* = *concedere*, *sustinere* = *exspectare*; *antecessor* = *doctor*; *porro* = *atquin*. Im engsten Zusammenhang damit steht, daß er, der homo bilinguis, dem griechischen Idiom auf das lateinische einen derartigen Einfluß gestattete, wie es weder vorher noch nachher jemand gewagt hat. Wenn er freilich philosophische Kunstausdrücke mit neuen lateinischen Worten wiedergibt, wie μάθησις *discentia* ἀνάμνησις *reminiscentia*, τὸ θυμικόν *indignativum* τὸ ἐπιθυμητι-

1) Cf. auch H. Leopold, Üb. d. Ursachen d. verdorb. Lat. bei d. Kirchenvätern in: Z. f. hist. Theol. (ed. Ilgen) VIII (= N. F. II) Heft 2 (1838) 20 ff.
2) Leopold l. c. 33 f.

κόν concupiscentivum u. dgl. viel[1]), so unterscheidet er sich darin weder in der Theorie noch in der Praxis von Cicero und Seneca, aber er hat sich keineswegs auf solche nicht zu umgehenden Fälle beschränkt, sondern die Sphäre der Gräzismen in Übersetzung griechischer Wörter und Konstruktionen ganz beträchtlich erweitert. Auch hierfür ein paar aus der Menge herausgegriffene Beispiele: *altegradia avis ὑψίβατος* (de virg. vel. 17), *conrecumbere συγκατακλίνεσθαι* (de test. an. 4), *multivorantia et multinubentia πολυφαγία καὶ πολυγαμία* (de iei. adv. psych. 1), *alia delicta erunt remissibilia, alia inremissibilia ἀφετέα — οὐκ ἀφετέα* (de pud. 2), *salutificator σωτήρ* (de pud. 2 u. ö.; später einigte man sich bekanntlich für *salvator*), *sed et huic materiae propter suaviludios nostros graeco quoque stilo satisfecimus φιλοπαίγμονας* (de cor. 6), *caeli ambitus nunc subdivo splendidus nunc nubilo sordidus τῷ ὑπαίθρῳ* (de pall. 2); *commune est nomen viri etiam nondum viri τοῦ οὔπω ὄντος ἀνδρός* (de virg. vel. 8), *ex quo se intellegere coeperit (mulier) et sensum naturae suae intrare et de virginis exire τοῦ τῆς παρθένου ἐξιέναι* (ib.), *inter se dissensiones αἱ πρὸς ἀλλήλους διαφοραί* (ad mart. 1), *talia et tanta futilia eorum τοιαῦτα καὶ τοσαῦτα τὰ αὐτῶν κενά ἐστιν* (de pud. 2), *in pridie usque ἕως τοῦ πρῴην* (ad Scap. 2), *nomina sic sunt instituta, ut fines suos habeant inter dici et esse μεταξὺ τοῦ λέγεσθαι καὶ τοῦ εἶναι* (ad nat. I 5), *desponsata quodammodo nupta, tamen inter quodammodo et verum satis interest μεταξὺ τοῦ πώς* (de virg. vel. 6), *per ubique orbis διὰ πανταχοῦ γῆς* (de pall. 2), *de viro et muliere apostolus tractat, cum illam oporteat velari, illum vero non τὸν δὲ μή* (de virg. vel. 8), *etsi mundus non est factus ex illa (materia), sed haeresis facta est ἀλλ' ἥ γε αἵρεσις* (adv. Hermog. 23)[2]), *si oblectari novisse nolumus, nostra iniuria est, si forte, non vestra εἴπερ ἄρα* (apol. 38, eine seiner Lieblingsphrasen, cf. Oehler zu de cor. 5), *cuius (vacculae) et dorso vehebatur et, si quando, ubere alebatur εἴπερ ποτέ* (ad nat. II 14 u. oft so), *recognoscite si mentior* (apol. 13 statt des Konjunktivs, cf. Oehler zu ad mart. 2),

---

1) Wesentlich auf diese Seite der tertullianischen Wortbildung beschränken sich die ausgezeichneten Abhandlungen von G. Hauschild, Die Grundsätze und Mittel der Wortbildung bei T., Progr. Leipzig 1876 und Frankf. a. M. 1881.

2) Cf. H. Kellner in: Theol. Quartalschr. LVIII (1876) 240, der dies *sed* aber unrichtig beurteilt.

nescio ne plus de vobis dei vestri quam de nobis querantur μὴ ἀγανακτοῦσι (ad nat. I 10, cf. Oehler zu apolog. c. 2 i. f.), nicht nur *est aestimari* (de test. an. 5), sondern auch *est recognosci* (de cor. 8) und *exitus quem saepe evenire est* (de pud. 8, cf. Wölfflin im Archiv f. Lex. II 136, Friedländer zu Petron 67); griechischer Gebrauch des Partizips[1]), z. B. *manifestus est labefactans fiduciam* φανερός ἐστι σφάλλων (de res. 31), *praevenio admonens* φθάνω ἀναμνήσας (de praescr. 9), *magis damnati quam absoluti gaudemus* καταδικαζόμενοι μᾶλλον ἢ ἀπολυόμενοι χαίρομεν (ad Scap. 1)[2]); griechischer Gebrauch des Infinitivs, z. B. *promptam mederi theriacam* (ad Scorp. 1), *si quis praevenerat descendere illuc* (de bapt. 5), *rape occasionem non habere cui debitum solveres* (de exh. cast. 10, cf. Oehler zu de pud. 13); das Futurum für den Optativ mit ἄν [3]), z. B. *haec erunt exempla* ταῦτ' ἂν εἴη παραδείγματα (de ieiun. 16); der Infinitiv des Perfekts für den des Aorists[4]), z. B. *ostendisse debueras* ἔδει σε ἐπιδεῖξαι (adv. Marc. II 16); *multa dicendum fuit* πολλὰ εἰρητέον ἦν (de pall. 3, cf. ib. 4 *Sardanapalum tacendum est*), *exempti senium* ἀφῃρημένοι τὸ γῆρας (de pall. 1, cf. ib. 2 *Tuscia Vulsinios deusta, Campania erepta Pompeios*), *gloria illicitum est* (de virg. vel. 13 u. oft so, cf. Oehler zu de pall. 1); Gebrauch transitiver Verba als Intransitiva, z. B. in der Schrift de pallio *eructare explicare exterminare inquietare mutare obhumare producere stipare suspendere*; Vertauschung des Akkusativs und Ablativs bei *in* wie im Griechischen gerade auch jener Zeit ἐν für εἰς oder umgekehrt, z. B. *in insulis relegamur* (apol. 12), *Christianos esse in causam* (ib. 40).[5]) Die Einwirkung seiner Neuerungen auf die Nachwelt ist eine unberechenbar große gewesen. „Er hat,

1) Cf. Kellner l. c. 239.

2) Vergil sagte zuerst aen. X 500 *quo nunc Turnus ovat spolio gaudetque potitus*, [Tibull] III 4, 60 *nec gaudet casta nupta Neaera domo*; etwas anders Ovid a. a. I 345 *gaudent tamen esse rogatae*, indem er auf *gaudere* überträgt eine Konstruktion, mit der Catull vorangegangen war: 4, 1 *ait fuisse navium celerrimus*, was wohl zuerst Lucan auf die Verba des Meinens ausgedehnt hat: IX 1037 *tutumque putavit iam bonus esse socer.*

3) Cf. Kellner l. c. 233 f.

4) Kellner l. c. 235, der die Erscheinung aber unrichtig beurteilt. Dieses Infinitivs haben sich seit Tibull die Elegiker bekanntlich zur metrischen Erleichterung des Pentameters bedient.

5) Cf. P. Langen, De usu praepositionum Tertullianeo (Ind. lect. Münster 1869/70) 14, der aber unrichtig von einer 'Nachlässigkeit' des T. spricht.

sagt Harnack (Sitzungsber. d. Berl. Ak. 1895, 546), der lateinischen Christenheit die Sprache schaffen helfen; vor ihm hat sie nur gestammelt, von ihm hat sie reden gelernt. Weder einer der Vulgärdialekte, wie wir sie in altlateinischen christlichen Schriften finden, noch die Kunstsprache des Minucius und Lactantius ist zur Kirchensprache geworden, sondern die Sprache Tertullians, wenn auch ohne seine Extravaganzen und mit der unverwüstlichen Politur, die ihr Cyprian gegeben." Wenn sich bis in die romanischen Sprachen griechische Konstruktionen erhalten haben, so ist das in letzter Hinsicht durch Tertullians Praxis, die mit derjenigen der ältesten Bibelübersetzungen übereinstimmt, bedingt, z. B. *φιλεῖν ἔχω amare habeo io amerò* (cf. Oehler zu de fug. in persec. 12, Ph. Thielmann im Arch. f. Lex. II 60 ff.), *οἶδ' ὅτι scio quod (quia) io sò che*: wenn wir erst eine wissenschaftliche Darstellung über die Gräzismen im Lateinischen besitzen werden, so wird sich herausstellen, daß das Griechische, zunächst die Sprache der Gelehrten und der urbanen Konversation, indem es sich, wesentlich auch durch den Einfluß des Christentums, zur Weltsprache ausbildete, hauptsächlich in den drei ersten nachchristlichen Jahrhunderten ein bedeutsames Ingrediens des sog. Vulgärlateins geworden ist, ein Prozeß, dessen Anfänge (s. oben S. 183 f. 193 f.) man schon in Plautus (aber hier nur in geringem Maße) und in Ciceros Briefwechsel erkennt, und der durch Petrons Cena gewissermaßen urkundliche Bestätigung erhält.

Tertullian, in seiner Sprache im einzelnen der subjektivste und individuellste Schriftsteller und ein Verächter jeder Tradition, ist in seiner Darstellungsweise im ganzen, speziell in seinem Stil durchaus ein Kind seiner Zeit und ein Repräsentant einer mehr als halbtausendjährigen Tradition. Ich wüßte kaum einen andern griechischen oder lateinischen Autor zu nennen, in dessen Schriften die Kontinuität der von den alten Sophisten ausgegangenen Entwicklung mit gleicher Deutlichkeit zu erkennen wäre wie in den Schriften Tertullians. Mit unglaublichem Raffinement versteht er es *τὸν ἥττω λόγον κρείττω ποιεῖν*, seine stets eminent subjektiven Ansichten mit den überlieferten Tatsachen der h. Urkunden durch verwegene Interpretation oder durch scheinbar zwingende Kettenschlüsse in Einklang zu bringen, wie es einst die alten Sophisten mit den Homerischen Gedichten machten, und durch lange Antithesenreihen und Advokatenkniffe aller Art den Leser in seine turbulenten Gedankenkreise zu zwängen; warum soll man sich scheuen, die Wahrheit zu sagen: in der Art der Argumentation unterscheidet sich dieser christliche Sophist und Rhetor nicht im geringsten von den Klopffechtern und Haarspaltern, die Platon besonders im Euthydem gezeichnet hat — auch darin gleicht er den alten Sophisten, daß er größere oder kleinere Gedankenreihen aus eigenen früheren Schriften in spätere herübernimmt, z. B. ad nat. fast ganz aus dem apolog., de virg. vel. teilweise aus de or. —, und nur dadurch versöhnt und erwärmt er, daß er das, was er sagt, wirklich fühlt und die sophistische Form nur als Mittel zum Zweck betrachtet, indem er seine Kunststücke in den Dienst einer großen Sache stellt. Wenn man die Bücher gegen Marcion liest, so hat man den Eindruck, daß ein Sophist dem andern mit gleichen Waffen zu Leibe rückt: das Raffinement, mit dem er die scharfsinnigen Aufstellungen seines Gegners dialektisch zerlegt und widerlegt und dessen Antithesen seine eignen Antithesen entgegenhält, ist geradezu staunenerregend und erinnert aufs lebhafteste an die haarscharfen *λογομαχίαι* des Gorgias, Chrysipp und Kleanthes mit den *δόξαι* der entgegenstehenden *αἱρέσεις*; dieselben Mittel der Dialektik verwendet er da, wo er die griechischen Philosophen bekämpft, z. B. de test. an. 2. Oder wer fühlt sich nicht an altbekannte sophistische Kunststückchen erinnert, der ihn z. B. mit folgenden Worten auf seine Gegner losfahren hört, die den Ehebruch zu den durch Reue sühnbaren Verbrechen rechneten und ihm durch die Erlaubnis der Wiederverheiratung steuern wollten: *cur ergo et crimina postmodum indulgent paenitentiae nomine, quorum remedia praestituunt multinubentiae iure? nam et remedia vacabunt, cum crimina indulgentur, et crimina manebunt, si remedia vacabunt. itaque utrobique de sollicitudine et neglegentia ludunt, praecavendo vanissime quibus parcunt et parcendo ineptissime quibus praecavent, cum aut praecavendum non sit ubi parcitur aut parcendum non sit ubi praecavetur. praecavent enim quasi nolint admitti aliquid, indulgent autem quasi velint admitti; quando, si admitti nolint, non debeant indulgere, si indulgere velint, non debeant praecavere* (de pud. 1), oder auf diejenigen, die aus der Tatsache, daß die h. Schrift die Bekränzung nicht verbiete, folgerten, daß sie erlaubt sei (de cor. 2): *facile est statim exigere, ubi scriptum sit ne coronemur. atenim scriptum est, ut coronemur? expostulantes enim scrip-*

turae patrocinium in parte diversa praeiudicant suae quoque parti scripturae patrocinium adesse debere. nam si ideo dicetur coronari licere, quia non prohibeat scriptura, aeque retorquebitur ideo coronari non licere, quia scriptura non iubeat. quid faciet disciplina? utrumque recipiet, quasi neutrum prohibitum sit? an utrumque reiciet, quasi neutrum praeceptum sit? 'sed quod non prohibetur, ultro permissum est.' [1]) *immo prohibetur quod non ultro est permissum* (!).

Ein deutliches Abbild seiner Stellung zur Sophistik ist auch sein Stil als Ganzes betrachtet: Tertullian ist ein geradezu exemplarischer Vertreter der 'modernen' Stilrichtung, die ich aus der sophistischen Kunstprosa der platonischen Zeit abgeleitet und deren Charakteristika ich früher (S. 277 ff. 381 ff. 408 ff.) für die Literatur der Kaiserzeit zusammengestellt habe. Es ist begreiflich genug, daß die hervorragendste Eigentümlichkeit der sophistischen Kunstprosa, die Antithese, geradezu die Signatur des tertullianischen Stils ist: diese Figur war wie keine andere geeignet, den Gedanken eines Mannes Ausdruck zu verleihen, der nicht zum Aufbauen, sondern zum Zerstören geschaffen war. Gelegentlich hat er durch sie eine wahrhaft großartige Wirkung erzielt, so, wenn er in seiner Schrift an die Märtyrer (c. 2) den Nachweis führt, daß ihr Kerker die wahre Freiheit sei; aber in den weitaus meisten Fällen hat er sie in jene seit Gorgias geläufigen, eng zusammengedrängten und pointierten Formen gekleidet, die dem antiken Empfinden ebenso schmeichelten wie sie das unsrige verletzen; so wenn er de pud. 1 ausführt, die Keuschheit der Heiden wäre nutzlos, selbst wenn sie existiert hätte, *malim nullum bonum quam vanum: quid prodest esse quod esse non prodest?* oder ad nat. I 5 von den falschen Propheten: *non statim sunt quia dicuntur, sed quia non sunt frustra dicuntur,* oder de pall. 2 *siderum distincta confusio* oder ib. vom toten Meer *mortem vivit.* Am häufigsten tritt die Antithese auf in der Form des (besonders drei- oder viergliedrigen) isokolischen Satzparallelismus mit Homoioteleuton, also jener Figur, deren Geschichte seit Gorgias wir verfolgt haben, an gehobenen Stellen mit sorgfältiger Berücksichtigung des rhythmischen Satzschlusses,

---

1) Diese aus der Diatribe stammende (s. oben S. 129, 1. 277. 556 ff.) Form der 'contrapositio' verwendet er außerordentlich oft, cf. etwa noch de pud. 10.

über den ich im Anhang II handeln werde, so, um aus den Tausenden von Beispielen nur ganz wenige anzuführen: de pudic. in. *pudicitia flos morum honor corporum decor sexuum* (–́ ⏑ –̀ –́ ⏑ ⏑̀), *integritas sanguinis fides generis fundamentum sanctitatis praeiudicium omnis bonae mentis* (–́ ⏑ –̀ –́ ⏑), *quamquam rara nec facile perfecta vixque perpetua* (–́ ⏑ –̀ ⏑́⏑ ⏑), *tamen aliquatenus in saeculo morabitur, si natura praestruxerit* (–́ ⏑ –̀ –́ ⏑ ⏑̀) *si disciplina persuaserit* (–́ ⏑ –̀ –́ ⏑ ⏑̀) *si censura compresserit* (–́ ⏑ –̀ –́ ⏑ ⏑̀), *siquidem omne animi bonum aut nascitur aut eruditur aut cogitur* (–́ ⏑ –̀ –́ ⏑ ⏑̀). *sed ut mala magis vincunt* (⏑́⏑ ⏑ –̀ –́ –), *quod ultimorum temporum ratio est* (–́ ⏑ –̀ ⏑́⏑ –), *bona iam nec nasci licet ita corrupta sunt semina* (–́ ⏑ –̀ –́ ⏑ ⏑̀) *nec erudiri ita deserta sunt studia* (–́ ⏑ –̀ ⏑́⏑ ⏑) *nec cogi ita exarmata sunt iura* (–́ ⏑ –̀ –́ ⏑), ib. 3 i. f. *ita nec paenitentia huiusmodi vana nec disciplina eiusmodi dura est. deum ambae honorant. illa nihil sibi blandiendo facilius impetrabit, ista nihil sibi adsumendo plenius adiuvabit,* de test. an. 1 *novum testimonium advoco, immo omni litteratura notius omni doctrina agitatius omni editione vulgatius toto homine maius, id est totum quöd est hominis. consiste in medio anima: seu divina et aeterna res es secundum plures philosophos, eo magis non mentieris: seu minime divina, quoniam quidem mortalis, ut Epicuro soli videtur, eo magis mentiri non debebis: seu de caelo exciperis seu de terra conciperis seu numeris seu atomis concinnaris seu cum corpore incipis seu post corpus induceris, undeunde et quoquo modo hominem facis animal rationale sensus et scientiae capacissimum,* ib. 5 *haec testimonia animae quanto vera tanto simplicia, quanto simplicia tanto vulgaria, quanto vulgaria tanto communia, quanto communia tanto naturalia, quanto naturalia tanto divina.* de pall. 1 *tamen et vobis habitus aliter olim tunicae fuere et quidem in fama de subteminis studio et luminis concilio et mensurae temperamento, quod neque trans crura prodigae nec intra genua inverecundae nec bracchiis parcae nec manibus artae,* ib. 2 *ceteri quoque eius ornatus quid non aliud ex alio mutant, et montium scapulae decurrendo et fontium venae cavillando et fluminum viae obhumando;* de pud. 8 i. f. *a primordio secundum occasiones parabolorum ipsas materias confinxerunt doctrinarum,* de cor. 3 *hanc (coronam) si nulla scriptura determinavit, certe consuetudo corroboravit, quae sine dubio de traditione manavit,* ib. 15 *si tales imagines in visione, quales veritates in repraesentatione?* de test. an. 6 *suspectam habe convenientiam praedicationis in tanta disconvenientia conversationis.* Diesem Parallelismus zuliebe hat er oft zu ungewöhnlichen Wortformen und Konstruktionen gegriffen, eine Erscheinung, die ich für mehrere griechische und lateinische Schriftsteller im Greifswalder Prooemium Ostern 1897 festgestellt habe, die bei Tertullian aber einer eignen Untersuchung bedarf[1]), vgl. etwa de virg. vel. 17 *faciem ita tegunt, ut uno oculo liberato contentae sint dimidiam frui lucem quam totam faciem prostituere*, adv. Marc. I 1 *feritas fabulas scaenis dedit de sacrificiis Taurorum et amoribus Colchorum et crucibus Caucasorum*, apol. 46 *philosophus famae negotiator, verborum et factorum operator, rerum destructor, veritatis interpolator et furator*, wo *operator destructor furator* Neubildungen zuliebe den andern Substantiven sind.[2]) Wenn man endlich noch hinzunimmt die massenhaften, für unser Gefühl meist höchst frostigen Wortspiele, z. B. ad nat. I 3 *nomen* (der Christenname) *in causa est, quod quaedam occulta vis per vestram ignorantiam oppugnat, ut nolitis scire pro certo quod vos pro certo nescire certi estis* (cf. Pers. sat. I, 27), ib. 8 *fidem vestram vanitatibus potius quam veritatibus deditam*, apol. 50 *ad lenonem damnando Christianam potius quam ad leonem*, de pud. 2 *limitem liminis*, adv. Marc. I 1 *quis tam castrator carnis castor quam qui nuptias abstulit*, ib. III 13 *infantes Pontici qui ante norint lanceare quam lancinare* (kauen), de virg. vel. 17 *dum in capite secura est, nuda qua maior est capitur tota cum capite*[3]), so wird man behaupten dürfen, daß Tertullian, der ernste Eiferer, sich von Appuleius, dem nichtigen Flattergeist, in den äußeren Mittelchen, mit denen er seinen Stil aufputzt, gar nicht unterscheidet[4]): beide haben in die lateinische Sprache übertragen, was sie bei den griechischen Rhetoren lernten, die ihrerseits Sophisten vom reinsten Wasser waren, würdige Nachfolger des Gorgias und

1) Cf. auch Fr. Ritter l. c. (o. S. 596, 2).

2) Cf. Jos. Schmidt, De nom. verb. in tor et trix desinentium ap. T. copia (Gymn.-Progr. Erlangen 1876) 12.

3) Andere Beispiele bei E. Noeldechen, Tertullian (Gotha 1890) 483, 1.

4) Man vergleiche z. B. die Schilderung des Pfaus (de pall. 3) *pavo pluma vestis et quidem de cataclistis, immo omni conchylio pressior qua colla florent et omni patagio auratior qua terga fulgent et omni syrmate solutior qua caudae iacent, multicolor et discolor et versicolor, numquam ipsa semper alia et semper ipsa quando alia, toties denique mutanda quoties movenda* mit den ἐκφράσεις der Florida.

Hegesias. Man kann daher aus Tertullian für Appuleius etwas lernen: die διαλέξεις des letzteren, aus denen unsere Florida bekanntlich Auszüge sind, haben wir uns in ihrer vollständigen Gestalt genau nach Analogie der Schrift Tertullians De pallio zu denken; die Veranlassung ist hier wie dort eine persönliche, die aber im weitern Verlauf hinter der sophistischen Schaustellung prunkhaften Wissens von allerlei mehr oder weniger tändelndem und amüsantem Raritätenkram zurücktritt oder fast ganz verschwindet.[1]) Dagegen sind Cyprian und Lactanz seine stilistischen Widersacher: Tertullian verhält sich zu dem behaglich breiten und nie übermäßig leidenschaftlichen Cyprian wie Tacitus zu Livius (was um so stärker hervortritt, weil Cyprian inhaltlich in bewußter Abhängigkeit von ihm steht: man lese nebeneinander z. B. Tert. de patientia und Cypr. de bono patientiae), zu dem urbanen, maßvollen, im Stil weder zu knappen noch zu breiten Lactanz (cf. dessen verwerfendes Urteil über den Stil Tertullians div. inst. V 1) wie die Deklamatoren bei Seneca zu Cicero.

Wie für Appuleius, so gebrauchen wir für Tertullian dringend eine sprachliche und stilistische Analyse, ferner einen Kommentar in der Art, wie wir ihn von Salmasius besitzen zu De pallio, der schwierigsten Schrift in lateinischer Sprache, die ich gelesen habe.

4. Der Stil der Predigt in Afrika.

Wir haben oben (S. 550 ff.) gesehen, daß die entwickelte Predigt sich die Mittel der profanen Rhetorik angeeignet hat, und auch die Gründe dafür, daß es so geschehen mußte, kennen gelernt. Die allgemeinen Verhältnisse waren im Westen zwar dieselben wie im Osten; die Weltreligion konnte nicht in der Sprache der Bergpredigt verkündet werden. Aber im einzelnen muß doch, wie bereits früher (S. 573 ff.) angedeutet ist, ein gewisser Unterschied konstatiert werden. Im Osten wurde die hellenische Kultur verhältnismäßig rein durch eine Reihe von Jahrhunderten bewahrt, es war eben, wenn auch ein greisen- Allgemeines.

1) Das griechische Gegenstück ist die oben S. 422 ff. besprochene Rede des Favorin.

haftes, so doch ein einheitliches und durch das Band derselben Sprache zusammengehaltenes Reich; im Westen dagegen fand die lateinische Kultur ihre Mission darin, die Barbarenvölker in ihre Kreise zu ziehen, mit ihnen eine Art von Verschmelzungsprozeß einzugehen, wodurch sie notwendig degenerieren mußte. So erklärt es sich, daß die Predigten etwa des Augustin oder Caesarius von Arles formell betrachtet nicht auf der Höhe derer des Ioannes Chrysostomos oder des Proklos von Konstantinopel stehen: jene konnten ihrem Publikum nicht dasselbe zumuten wie diese, sie mußten auf ein niedrigeres Niveau herabsteigen, um verstanden zu werden. So kommt es, daß die Predigten der Okzidentalen viel mehr als die der Orientalen den Eindruck von Unterhaltungen des Geistlichen mit seiner Gemeinde machen, also viel weniger dem ursprünglichen Sinn der Predigt entfremdet wurden, als die mit der Sophistik fast ganz verschmelzenden des Orients. Freilich hat es auch im Okzident Prediger gegeben, die die Mittel der profanen Rhetorik in umfangreicher Weise verwendet haben: das beweisen nicht bloß die Angriffe, die sie wegen ihres deklamatorischen Stils seitens ihrer Kollegen zu erdulden hatten (s. oben S. 553), sondern auch die gemäßigt rhetorischen Predigten des Ambrosius, die hochpathetischen eines Hilarius von Poitiers. Aber das waren doch nur Ausnahmen. Im allgemeinen, muß man sagen, hat sich seit dem dritten Jahrhundert in allen Kulturländern des Westens eine eigne Art von Predigtstil entwickelt, der sich zwar von der in völligen Schwulst und Raserei verfallenden sophistischen Diktion durch eine dem vulgären Verständnis angemessene Sprache vorteilhaft abhebt, der aber auch seinerseits keineswegs auf gewisse, die Sinne stark erregende, rhetorische Klangmittel verzichtet.

Die Theorie des Stils.

Als einst Gorgias die in Olympia versammelten Hellenen wie ein Priester in feierlicher Rede apostrophierte, da bezauberte er sie durch jene Klangmittel, die von ihm den Namen erhielten und unsterblich werden sollten. Mit ihnen haben die christlichen Prediger die Ohren ihrer Gemeinde bezaubert, deren Herzen sie durch den Inhalt ihrer Lehre gewannen. Wir haben schon gesehen (S. 562 ff.), wie reichlichen Gebrauch von ihnen die großen Prediger des Ostens machten: in noch erhöhtem Maße gilt es von denen des Westens. Die Signatur des Stils der christlichen Predigt in lateinischer Sprache ist der antithetische Satzparallelismus mit Homoioteleuton, nicht etwa, wie der Semitist vielleicht denken könnte, jener 'parallelismus membrorum', wie er sich in der hebräischen Poesie, den Reden der Propheten, den Reden Jesus findet (er war ganz anderer Art, vgl. Anhang I), sondern derselbe, den in griechischer Rede Gorgias begründet hatte und dessen Geschichte in den Sprachen beider Völker wir verfolgt haben. Kein anderer als Augustin selbst hat uns das gesagt. Seine vier Bücher De doctrina Christiana enthalten die erste christliche Homiletik, aufgebaut, wie er selbst überall durch direkte Zitate eingesteht, ganz und gar auf der *saecularis sapientia* (s. o. S. 526). Der große Lehrmeister war Cicero, der *auctor Romani eloquii*, wie er ihn nennt (IV 34). Die drei ersten Bücher enthalten die Lehre von der *inventio*, das vierte die von der *elocutio;* die Grundlage des letzteren bildet das von ihm öfters direkt zitierte Werk Ciceros De oratore. Er unterscheidet danach die drei *genera dicendi:* das *submissum*, das *temperatum*, das *grande;* das erstere komme in Betracht wesentlich für das *docere*, das zweite für das *movere*, das dritte für das *flectere.* Würde der Prediger nur 'belehren' wollen und also die 'niedrige' Redeart anwenden, so würde, sagt er (§ 26), *ad paucos quidem studiosissimos suus pervenire fructus, qui ea quae discenda sunt, quamvis abiecte inculteque dicantur, scire desiderant. quod cum adepti fuerint, ipsa delectabiliter veritate pascuntur, bonorumque ingeniorum insignis est indoles, in verbis verum amare non verba ...... Sed quoniam inter se habent nonnullam similitudinem vescentes atque discentes, propter fastidia plurimorum etiam ipsa sine quibus vivi non potest alimenta condienda sunt.* Das aber leiste nicht das *submissum genus*, sondern die beiden andern, in denen die *delectatio* freilich nicht Selbstzweck werden dürfe, aber als Mittel zum Zweck des *movere* und *flectere* erlaubt, ja nötig sei. Die *delectatio* bestehe in den *ornamenta verborum.* Für ihre Verwendung im *temperatum genus* gibt er als Beispiele einige Stellen aus Paulus' Briefen, die ich schon oben (S. 503 ff.) angeführt habe: sie bestehen aus fortlaufenden Antithesenreihen, wozu Augustin bemerkt (§ 40): *totus fere locus temperatum habet elocutionis genus, ubi illa pulchriora sunt, in quibus propria propriis tamquam debita reddita*[1])

---

1) Die Ausdrücke nach Cic. de or. II 263. or. 164 ff.

decenter excurrunt. Er gibt dann für diese Diktion Beispiele aus Cyprian und Ambrosius, in denen die Figur des Satzparallelismus (*propria propriis tamquam debita reddita*) mit starken Homoioteleuta herrscht, z. B. Cyprian de habitu virginum c. 24: *quomodo portavimus imaginem eius qui de limo est, sic portavimus et imaginem eius qui de caelo est. hanc imaginem virginitas portat, portat integritas, sanctitas portat et caritas, portant disciplinae dei memores, iustitiam cum religione retinentes, stabiles in fide, humiles in timore, ad omnem tolerantiam fortes, ad sustinendas iniurias mites, ad faciendam misericordiam faciles, fraterna pace unanimes atque concordes.* Im *grande genus* dürften die *ornamenta verborum* fast alle vorkommen, aber mit dem Unterschied, daß sie hier, wo es gelte, die Affekte aufs höchste zu steigern, nicht gerade gesucht würden, wenn sie sich nicht von selbst darböten: daher fragt er nach dem Zitat einer hochpathetischen Stelle des Paulus § 44: *numquid hic aut contraria contrariis verba sunt reddita?* woraus man sieht, wie wesentlich ihm diese Figur bei dem mittleren Genus erschien.[1])

Die Praxis des Stils. Wie stellt sich nun zu dieser Theorie die Praxis? Ich beschränke mich in diesem Abschnitt auf die Afrikaner und wähle auch aus ihnen nur zwei aus: außer Augustin selbst Cyprian, denn ihn darf man unbedingt unter die Prediger stellen, weil die meisten seiner Briefe und Traktate (ganz wie der zweite sogenannte Clemensbrief) nichts anderes sind als geschriebene Predigten[2]): zitiert doch auch, wie wir sahen, Augustin den Cyprian für den Stil der Predigt.

Cyprian. Cyprian wurde schon in alter Zeit als Stilist dem Tertullian, seinem Lehrer, mit ähnlichen Ausdrücken gegenübergestellt, wie einst Livius dem Sallust.[3]) Wie seiner Persönlichkeit, so ist auch seinem Stil der Stempel der Milde und des Friedens aufgedrückt. Er ist daher der erste christliche Schriftsteller in lateinischer Sprache, dessen in behaglicher Breite ruhig dahinfließender, mit Bibelstellen durchzogener Stil etwas von dem salbungsvollen Ton der Predigt hat (wie im Griechischen die Homilie des sog. zweiten Clemensbriefs): *quae me legentem*

1) Vgl. auch die oben (S. 508, 1) angeführte Stelle de civ. dei XI 18, eine Verherrlichung der Antithese in der Weltordnung und im Stil.

2) Vgl. über den Zusammenhang von Brief und Predigt oben S. 538, 2.

3) Die Zeugnisse bei Teuffel-Schwabe[5] § 382, 3.

sagt Augustin adv. Donat. V 17, *et saepe repetentem non satiant. tanta ex eis iucunditas fraterni amoris exhalat, tanta dulcedo caritatis exuberat*, und: *beatus Cyprianus, velut oleum decurrens in omnem suavitatem*, wie sich Cassiodor (de inst. div. litt. c. 19) bezeichnend ausdrückt. Er war bekanntlich *de rhetore Christianus* geworden und hat seinen einstigen Beruf in seinem Stil nie verleugnet.[1]) Über diesen hat kürzlich E. Watson a. a. O. (oben S. 593, 1) vortrefflich gehandelt: ich kann für alle Einzelheiten auf diese Arbeit verweisen, aus der zu ersehen ist, von welchen Gesichtspunkten ein Autor dieser Zeit stilistisch betrachtet werden muß.[2]) Die Signatur seines Stils ist der Satzparallelismus mit Homoioteleuton; die Beispiele sind so überaus zahlreich, daß ich mich damit begnügen muß, außer dem bereits von Augustin zitierten (s. oben S. 618) ein paar beliebig herauszugreifen: ep. 76, 2:

conservantes firmiter dominica mandata:
in simplicitate innocentiam,
in caritate concordiam,
modestiam[3]) *in humilitate,*
diligentiam in administratione,
vigilantiam in adiuvandis laborantibus,
misericordiam in fovendis pauperibus,
in defendenda veritate constantiam,
in disciplinae severitate censuram.

---

1) Cf. außer den bekannten Stellen (ib. § 382, 1) noch Cassiodor l. c. (nach den angeführten Worten): *declamator insignis doctorque mirabilis.... inter alia quae nobis facundiae suae clara monimenta derelinquit, in expositione orationis dominicae quae contra subrepentia vitia velut invictus clipeus semper opponitur, libellum declamatoria venustate conscripsit.* — Watson l. c. 206 bemerkt, daß C. (wie Tertullian: s. o. S. 611) nicht selten sich selbst wörtlich ausschreibt: so haben es die Rhetoren seit dem V. Jahrh. v. Chr. gehalten.

2) Was er jedoch p. 217 ff. über den rhythmischen Satzschluß vorbringt, ist meist falsch, was mich umsomehr wundert, als er W. Meyers bahnbrechende Arbeit kennt. Ich komme darauf später zurück. — Was er ferner p. 226 ff. als 'parataxis' bezeichnet, hätte vielmehr πολύπτωτον oder παρομοίωσις genannt werden müssen.

3) Den Chiasmus, den er öfters anwendet, hat er dem Minucius Felix abgelernt: die stilistische und inhaltliche Abhängigkeit von diesem geht bei ihm noch viel weiter als man annimmt.

ib. c. 2 *o pedes feliciter vincti,*
qui non a falso sed a Domino resolvuntur.
o pedes feliciter vincti,
qui itinere salutari ad paradisum diriguntur.
o pedes in saeculo ad praesens ligati,
ut sint semper apud deum liberi.

(Anderes bei Watson l. c. 221 ff.) Unter den andern Klangmitteln räumt er der Allitteration einen bedeutenden Raum ein (l. c. 225 f.), z. B. de cathol. eccl. unit. 11 *hos eosdem denuo Dominus designat et denotat dicens*: sie steigert sich zur Paronomasie, cf. in der zuerst zitierten Stelle *veritate-severitate*; Worte desselben Stammes werden sehr oft nahe beieinander oder an entsprechende Stellen der Kola gestellt: ad Demetr. 16 *cum statu oris et corporis animum tuum statue*, ep. 58, 2 *et vivit in aeternum et vivificat*, ep. 65, 2 *qui idolis sacrificando sacrilegia sacrificia fecerunt, sacerdotium dei sibi vindicare non possunt*, de habitu virg. 17 *deum videre non poteris, quanto oculi tibi non sunt quos deus fecit sed quos diabolus infecit* (l. c. 226 f.). Der durch eine Masse synonymer Ausdrücke oft übermäßig angeschwellte Ausdruck (l. c. 230 ff.) paßt gut zu dem feierlich-erbaulichen Ton des Ganzen.[1])

Einen ganz andern Ton schlägt er dagegen stellenweise in der durch ihre glänzende Darstellung und ihren nicht dogmatischen Ton auch für den Philologen anziehendsten, sittengeschichtlich wichtigen kleinen Schrift Ad Donatum an. Dort kommt in der Einleitung ein Satz vor, der durch seinen (ganz an die Metamorphosen des Appuleius erinnernden) Schwulst Augustins Aufmerksamkeit erregte: de doctr. Christ. IV 31 '*in populo autem gravi de quo dictum est deo laudabo te*' (ps. XXXIV 18), *nec illa suavitas delectabilis est, qua non quidem iniqua dicuntur, sed exigua et fragilia bona spumeo verborum ambitu ornantur, quali nec magna atque stabilia decenter et graviter ornarentur. est tale aliquid in epistola beatissimi Cypriani, quod ideo puto vel accidisse vel*

1) Cf. Fénélon, Dialogues sur l'éloquence (Paris 1718) 227. B. *Saint Cyprien, qu'en dites-vous? N'est-il pas aussi enflé* (sc. *comme Tertullien*)? A. *Il l'est sans doute. On ne pouvoit gueres être autrement dans son siècle et dans son pays. Mais quoique son stile et sa diction sentent l'enflure de son tems et la dureté Africaine, il a pourtant beaucoup de force et d'Eloquence.*

consulto factum esse, ut sciretur a posteris, quam linguam doctrinae christianae sanitas ab ista redundantia revocaverit et ad eloquentiam graviorem modestioremque restrinxerit, qualis in eius consequentibus litteris secure amatur, religiose appetitur, sed difficillime impletur. ait ergo quodam loco (c. 1) '*petamus hanc sedem: dant secessum vicina secreta, ubi dum erratici palmitum lapsus pendulis nexibus*[1]) *per arundines baiulas reptant*[2]), *viteam porticum frondea tecta fecerunt.*' *non dicuntur ista nisi mirabiliter afluentissima fecunditate facundiae, sed profusione nimia gravitati displicent. qui vero haec amant, profecto eos qui non ita dicunt sed castigatius eloquuntur, non posse ita eloqui existimant, non iudicio ista devitare. quapropter iste vir sanctus et posse se ostendit sic dicere, quia dixit alicubi, et nolle, quoniam postmodum nusquam.* Man sieht hieraus deutlich, daß nach Augustins Ansicht der manierierte Schwulst der sophistischen Prosa von der spezifisch christlichen Beredsamkeit ausgeschlossen wurde, während er ihre zierlichen, durch das Medium der Ohren auf die Sinne wirkenden Klangfiguren im vollen Umfang bestehen ließ.

Augustin ist auch als Stilist die gewaltige, Vergangenheit und Nachwelt überragende Persönlichkeit. Nicht die in mehr klassischem Stil und (soweit das möglich war) klassischer Sprache verfaßten, an die ganze gebildete Welt gerichteten großen Werke kommen hier für uns in Betracht, sondern seine für das Volk bestimmten Predigten, denn in diesen hat er den Stil angewandt, der die Sinne seiner Zuhörer packte, weil er nicht gelehrt archaisierend war, sondern durch tausendjährige, ununterbrochene Fortentwicklung seine Unverwüstlichkeit bewiesen hatte. In diesen Predigten herrscht der von ihm theoretisch empfohlene (s. o. S. 617 f.) Satzparallelismus mit Homoioteleuton in einem noch höheren Grade als bei Cyprian. Die sich jedem Leser aufdrängende Tatsache ist, freilich ohne daß man die theoretischen Äußerungen Augustins herangezogen oder gar die nach rückwärts und vorwärts führenden Fäden erkannt hätte, öfters hervorgehoben worden, nicht etwa bloß von Neueren wie E. Wölfflin[3]) und A. Reignier[4]), sondern natürlich schon von Älteren, Augustin.

1) *nexibus pendulis* unsere Cyprianhss.
2) *repunt* dieselben.
3) „Der Reim im Lateinischen" in: Archiv f. lat. Lexikogr. I (1884) 350 ff.
4) De la latinité des sermons de S. Augustin (Paris 1886) 115 ff.

wie Matth. Dresser[1]) und Thom. Campanella.[2]) Als Probe kann jede beliebige Stelle[3]) dienen, z. B. die Conclusio des serm. 199, 2 (38, 1028 Migne):

eo nascente superi novo honore claruerunt,
quo moriente inferi novo timore tremuerunt,
quo resurgente discipuli novo amore exarserunt,
quo ascendente caeli novo obsequio patuerunt.

serm. 219 (ib. 1088) g. E.:

vigilat iste, ut laudet medicum liberatus,
vigilat ille, ut blasphemet iudicem condemnatus.
vigilat iste mentibus[4]) *piis fervens et lucescens,*
vigilat ille dentibus suis frendens et tabescens
denique istum caritas
illum iniquitas,
istum Christianus vigor
illum diabolicus livor
nequaquam dormire in hac celebritate permittit.

serm. 191, 1 (ib. 1010) das dem hohen Stoff entsprechend pompös ausgestattete Proömium einer Weihnachtspredigt:

ipse apud patrem praecedit cuncta spatia saeculorum,
ipse de matre in hac die cursibus se ingessit annorum.
homo factus hominum factor,
ut sugeret ubera regens sidera,
ut esuriret panis
ut sitiret fons
dormiret lux,
ab itinere via fatigaretur
fasis testibus veritas accusaretur,
iudex vivorum et mortuorum a iudice mortali iudicaretur
ab iniustis iustitia damnaretur,
flagellis disciplina caederetur

1) Rhetoricae inventionis, dispositionis et elocutionis libri IV (Lips. 1584) 617.

2) Rhetorica (= rationalis philosophiae pars tertia, Paris 1638) 75.

3) Ich wähle sie aus den Zusammenstellungen Reigniers.

4) Nur wegen *dentibus*. Derartiges mit unserm Reimzwang Vergleichbare findet sich bei ihm massenhaft, vgl. meine Abhandlung über Minucius Felix l. c. (o. S. 614) 16 ff.

spinis botrus coronaretur
in ligno fundamentum suspenderetur,
virtus infirmaretur
salus vulneraretur
vita moreretur.

Dazu kommen, wie bei Cyprian, nur ebenfalls quantitativ viel zahlreichere Wortspiele (cf. Reignier 116 ff.), wie *distulit securim, dedit securitatem* (72, 2), *habens in deo sanctos amores et ideo bonos mores* (78, 3), *cetera onerant, non honorant* (85, 5), *dic 'habeo' sed 'ab eo'* (94, 14), *quid strepis, o munde immunde* (105, 6), *est enim severitas quasi saeva veritas* (171, 5) usw., Metaphern (Reignier 129 ff.), wie *o si possent inspicere agrum cordis sui, profecto lugerent, dum ibi non invenirent quod in os mentis mitterent* (8, 7), *aurum, pallorem terrae; argentum, livorem terrae; honorem, temporis fumum* (19, 5) usw. Gewiß, uns kommt das, wie man gesagt hat[1]), geschmacklos und gesucht vor, aber wie einst Gorgias durch eben solche Spielereien die Athener elektrisiert hatte, wie zu Augustins Zeit im Osten die griechische Gemeinde den gleichen Spielereien des Gregor von Nazianz zujubelte, so fand Augustin im Westen ein für derartiges begeistertes Publikum. An einer Stelle vergleicht er die Welt mit dem Schöpfer; groß sei jene größer dieser, schön jene schöner dieser, lieblich jene süßer dieser, dann gewissermaßen παρὰ προσδοκίαν die Antithese des Gedankens: *malus est mundus et bonus est a quo factus est mundus,* das entzückt die Gemeinde, laut lobt sie den Redner, der bestürzt fortfährt: *quomodo potero absolvere et explicare quod dixi? adiuvet deus. quid enim dixi? quid laudastis? ecce quaestio est, et tamen iam laudastis. quomodo malus est mundus, si bonus est a quo factus est mundus?* etc. (serm. 96, 4). Und was die Wortspiele betrifft, so hat er danach kaum zu suchen gebraucht, sondern sie boten sich ihm durch lange Gewöhnung unwillkürlich dar und sein Publikum nahm sie als etwas Selbstverständliches entgegen; denn sonst würde man nicht begreifen, wie er eine (schon oben S. 530 angeführte) Expektoration gegen

1) Reignier l. c. Cf. Fénélon l. c. 229 B. *Saint Augustin, n'est-ce pas l'Ecrivain du monde le plus accoûtumé à se joüer des paroles? Le défendrez-vous aussi? — A. Non, je ne le défendrai point là-dessus. C'est le défaut de son tems, auquel son esprit vif et subtil lui donnoit une pente naturelle Cela montre que Saint Augustin n'a pas été un Orateur parfait.*

das grammatikalische Sprechen mit den Worten hätte schließen können: *melius in barbarismo nostro vos intelligitis, quam in nostra disertitudine vos deserti eritis* (in psalm. 36 v. 26).[1])

5. Der sophistische Stil der Spätzeit in Afrika.

Κακοζηλία. Während sich so in der christlichen Predigt durch eine fast ausschließliche Anwendung der auf die Sinne am stärksten wirkenden zierlichen (gorgianischen) Redefiguren ein Stil ausbildete, der mit seiner leichten Verständlichkeit und seiner breiten, salbungsvollen Behaglichkeit mehr und mehr ein spezifisch christliches Gepräge erhielt, nahm in den übrigen Literaturgattungen der bis zur Unverständlichkeit gesteigerte, mit affektierter Zierlichkeit zu einem abschreckenden Gemengsel vereinigte Schwulst, gleichfalls ein Erbteil der alten sophistischen Kunstprosa und des aus dieser entwickelten Asianismus (s. o. S. 69 ff. 140 ff.), ungehemmt weiter seinen Weg.[2]) Es ist zwecklos, das im einzelnen darzulegen: daß für Skribenten wie Martianus Capella und Fulgentius den Mythologen das stilistische Ideal Appuleius war, dem nachzueifern, den zu überbieten man sich alle erdenkliche

---

1) Übrigens fehlen diese Figuren begreiflicherweise auch in seinen übrigen Schriften keineswegs. Aus de doctr. Chr. IV 61 habe ich mir notiert: *qui utrumque non potest, dicat sapienter quod non dicit eloquenter, potius quam dicat eloquenter quod dicit insipienter.* IV 26 *prorsus haec est in docendo eloquentia, qua fit dicendo non ut libeat quod horrebat aut ut fiat quod pigebat, sed ut appareat quod latebat* u. dgl. viel, auch Wortspiele wie § 38 *cum doctor iste debeat rerum dictor esse magnarum.* Aus der Schrift De virginitate zitiert Matth. Dresser l. c.: *inspice vulnera Christi in cruce pendentis, sanguinem morientis, pretium redimentis, cicatrices resurgentis. caput habet inclinatum ad osculandum, cor apertum ad diligendum, manus extensas ad amplectendum, totum corpus expositum ad redimendum* (also eine sehr gehobene Stelle); aus De spiritu et littera c. 12 derselbe: *quod lex operum minando imperat, hoc lex fidei credendo impetrat.* (Aus den Partien des Werks de civitate dei, die ich gelesen habe, ist mir nichts dergleichen erinnerlich, was aber Zufall sein dürfte.)

2) Es ist, um sich des Gegensatzes deutlich bewußt zu werden, lehrreich, die im Ton der augustinischen gehaltenen Predigten des afrikanischen Bischofs Fulgentius Ferrandus (saec. VI; bei Migne vol. 67) mit seinen widerwärtig bombastischen Briefen (besonders den von A. Reifferscheid in den 'Anecdota Casinensia' Breslauer Prooemium W. S. 1871 publizierten) zu vergleichen.

Mühe gab[1]), weiß jeder. Nicht aus ihnen will ich daher Proben geben, sondern ein Dokument mitteilen, das — für diese Fragen ganz unverwertet — mir bezeichnend genug erscheint, um es hier zur Häfte mitzuteilen, ich meine die von Emeritus (Bischof von Iulia Caesarea) abgefaßte Sentenz des Konzils von Bagai, welches im J. 394 von den Donatisten gegen die Sekte der Maximianisten abgehalten wurde und in den Streitschriften Augustins gegen die Donatisten aufbewahrt ist, bei Mansi, Conc. III 857 f.:

Cum omnipotentis dei et Christi salvatoris nostri voluntate ex universis provinciis Africae venientes in ecclesia sancta Bagaiensi concilium gereremus . . . (Namen), *placuit spiritui sancto, qui in nobis est, pacem fírmáre*[2]) *perpetuam et schismata resecáre sacrilega. — licet enim viperei seminis noxios partus venenati uteri*[3]) *alvús diu texerit et concepti sceleris uda coagula in aspidum membra tardo se calore vaporaverint, tamen conceptum virus evanescente umbraculo occultári non potuit. nam etsi sero, publicum tamen facinus et parricidium suum feta scelerum vóta pepererunt: quod ante praedictum est 'parturiit iniustitiam, concepit dolorem et peperit iniquitatem'* (Psal. VII 15). *sed quoniam serenum iam fulget e nubilo nec est confusa criminum silva, cum ad poenam designáta sunt nomina (indulgentiae enim antehac fuerat), dum clementiae dimíttimus li-*

---

1) Von rein sprachlichen Gesichtspunkten hat den Einfluß des Appuleius auf die spätere Prosa vortrefflich nachgewiesen C. Weymann in: Sitzungsber. der K. Bayr. Ak. d. Wiss., philos.-philol.-hist. Kl. 1893 II 321 ff. — Über den Stil des Fulgentius urteilt M. Zink, D. Mytholog Fulgentius. II. Teil (Würzb. 1867) 39 „Sein Satzbau ist überladen, infolgedessen der Inhalt oft verschwommen, so daß es dem Leser nur mit Mühe gelingt, vor Wortschwall zum Verständnis des Gedankens zu gelangen und den langgestreckten Unholden von Perioden ihren spärlichen Inhalt abzulauern", cf. p. 55, wo er Antithesen und Paronomasien aufzählt. Fulgentius selbst nennt de aet. mund. p. 3 seine Rede *copiosum dictionis enormeque fluentum* (cf. R. Helm im Rh. Mus. LII [1897] 185), womit man die *inanis loquendi fluentia* vergleiche, die Ammian (s. o. S. 133) an den Asianern hervorhebt.

2) Da die Sentenz ganz nach den Gesetzen des 'cursus oratorius' stilisiert ist, über den ich im Anhang II handeln werde, habe ich jedesmal die erste Silbe mit einem Akzent versehen. Die Formen sind: –́ ⏑ –̀ –́ ⏓, –́ ⏑ ⏑̀ ⏑ –́ ⏓, –́ ⏑ –̀ ⏑́ ⏑ ⏓, –́ – –̀ ⏑́ ⏑ ⏓ (diese nur zweimal); –́ ⏑ –̀ –́ ⏑ ⏒̀; –́ ⏑ –́ ⏑, –́ – –́ ⏑ (einmal).

3) Man achte auf die gleichmäßige Verteilung der Adjektiva: das gehört mit zur Manier dieses tänzelnden Stils. Für Cyprian hat Beispiele gesammelt E. Watson l. c., für Appuleius gilt dasselbe.

neam, invenit caúsa quos puniat. — Quod veridica unda in asperos scopulos nonnullorum naufraga proiécta sunt membra, et Aegyptiorum admodum exemplo pereuntium funeribus pléna sunt littora, quibus in ipsa morte máior est poena, quod post extortam aquis ultricibus animam nec ipsam inveniúnt sepulturam. — Loquamur, carissimi fratres, schísmatis causas, quia iam non possumus tacére personas. Maximianum, fidei aemulum, veritatis adulterum, ecclesiae matris inimicum, Dathae Chore et Abiron ministrum, de pacis gremio sententiae fúlmen excussit et quod adhuc eum dehiscens térra non sorbuit (Num. XIV), *ad maius supplicium superís reservavit. raptus enim poenam suam compendio lucráverat funeris: usuras nunc graviores cólligit fenoris, cum mortuus ínterest vivis* etc.

6. Volkstümliche Prosa in Afrika.

Rhythmisch-metrische Prosa.

Gewissermaßen das ὄμμα τηλαυγές der antiken Stilgeschichte ist, wie wir gesehen haben, das Gesetz gewesen, daß die kunstmäßige Prosa rhythmisch sein müsse Dies Gesetz war im Gefühl des Volkes selbst tief begründet, welches lange vor dem Beginn bewußter Kunstübung seine feierlichen Formeln in einer zwischen Prosa und Poesie die Mitte haltenden Sprache konzipiert hatte (s. oben S. 156 ff.). Wir werden im Anhang II sehen, daß sich im Lauf der Zeiten hauptsächlich für den Satzschluß, in dem der Rhythmus besonders deutlich zum Bewußtsein kommt, ein festes Schema herausbildete, dessen Wesen, gemäß einem ebenfalls fundamentalen Stilgesetz, darin bestand, daß die erforderlichen Kadenzen mit den Ausgängen der geläufigen Versarten so wenig wie möglich Ähnlichkeit zeigten. Aber daneben hat in später Zeit eine andere Art von rhythmischer Prosa bestanden, in welcher das rhythmische Element viel stärker ausgeprägt war, indem die von den Früheren verpönten metrischen Satzausgänge nicht nur nicht gemieden, sondern vielmehr gesucht wurden. Diese Art von Prosa, die also gewissermaßen in der Mitte zwischen λέξις ἔνρυθμος und λέξις ἔμμετρος steht, können wir innerhalb des lateinischen Gebiets vor allem auf afrikanischen Inschriften und zwar solchen, die aus den Kreisen des Volkes stammen, nachweisen. Mit diesen lateinischen Inschriften stimmen in ihrer Form eine Reihe von griechischen überein, die ebenfalls aus später Zeit und den

Kreisen von Halbgebildeten stammen und die ich daher in diesem Zusammenhang mitbehandeln will.

1. Inschriften.

Die Verwertung dieser Art von Inschriften wird aber dadurch erschwert, daß man sehr oft nicht weiß, ob das Durcheinander von Prosa und Versteilen auf metrischem Unvermögen der Verfasser oder auf Absicht beruht. Z. B. liegt gewiß Absicht vor in der afrikanischen Inschrift CIL VIII 352 *homo bonus, rebus hominibusq(ue) pernecessarius,*

quem quaerit patriae maximus hic populus,

während ein Erythräer, der in barbarischer, stellenweise unverständlicher Sprache folgende Inschrift (Lebas-Wadd. 58) verfaßte, Verse hat machen wollen, ohne es zu können:

Νύμφαις Ναιάσιν ἀγαλλόμενος ἔνθα Σιβύλλης,
εἰρήνης ἄρξας Εὐτυχιανὸς τὸ πάροιθε,
δαπάναις ἑτοίμοις ἀγορανόμος φιλότειμος,
ἄμφω δ' εὐψύχως σὺν Εὐτυχιανῷ παιδὶ πανηγυριάρχῃ
ἐκ προσόδων ἰδίων τῇ πατρίδι τὸ ὕδωρ,
φαιδρύνεν τε γραφαῖς ἐπικοσμήσας τὸ αὔλιον,
μνημόσυνον τ[οῦτο] τοῖσιν [ἐπεσσομένοις],

wozu Waddigton bemerkt: *c'est une de ces dédicaces bizarres, écrite en mauvaise prose avec une sorte de cadence métrique, telles qu'on en rencontre assez souvent dans les bas temps. J'ai disposé les lignes de manière à faire ressortir l'intention de l'auteur, qui a voulu imiter ou a peut-être cru écrire des vers hexamètres et pentamètres.* Aus der zitierten Sammlung führe ich noch folgende Beispiele an, in denen wohl eine beabsichtigte Mischung anzunehmen ist: 116 (Teos) ἐννέα καὶ δέκ' ἐτῶν ἤμην ἔτι παρθένος, εἶτ' ἐγάμησα· εἴκοσι δ' ἐκτελέσασα χρόνους ἔγκυος οὖσ' ἔθανον· κεῖμαι δ' ἐν τύμβοις ἔνβρεφος οὖσα, ἄλαλος, ἡ τὸ πάλαι σεμνὴ Πρόσοδος, μείνασα χρόνον· ἦλθε δέ Κύπρεις καὶ ζεῦξεν Ζωσίμῳ ἐς εὐνήν· ἦλθε δὲ Μοῖρα καὶ λῦσεν τὴν ἀτελῆ Πρόσοδον. 2122 (Batanaea) ὄλβιε ἀνδρῶν, Φίλιππε, δουκηνάριε τάξεως δουκός, ὅς μνῆμα σὺν αὐλῇ ἐκ θεμελίων ἐγείρας ἀμφεράψασο σὺν αἰδύῃ παρακοίτι καὶ τέκνοισι εἰς κλέος ἀεί. Die beiden letzten Floskeln finden sich ebenso auf metrischen Inschriften derselben Gegend (2113. 2139. 2145^c).[1]) — Bei den lateinischen Inschriften können

1) Cf. außer den zitierten Beispielen etwa noch 2188 (Batanaea). 2465 (Trachonitis). Hexametrische Versausgänge auf griechischen Zauberpapyri z. B. bei C. Wessely in: Denkschr. d. Wien. Ak. XXXVI (1888) 51 Z. 261 ff.

wir eine rohere Form unterscheiden, wo ohne Plan der Prosa eingestreut werden ganze oder Teilverse, die, wenn eignes Fabrikat der Verfasser, stets von der allerrohsten Art sind, und eine kunstgemäßere, bei der in wohlerwogener Absicht die Redeweise rhythmisch gestaltet wird. Zur ersteren Gruppe gehören Inschriften wie CIL VIII 403 (1329 Buech.):

non digna coniux cito vita [exire de]crevisti, misella.
vivere debueras annis fere centu(m), licebat.
fuit enim forma certior moresque facundi,
fuit et pudicitia, quam in alis nec fuisse dicam nec esse contendam.
sed quia sunt Manes, sit tibi terra levis.

4551 *C. Digno Innocenti viro qui impléta tempora cessit, Iulius pater erat, qui vixit annis* $\underline{I^{XXX}}$. 10827 (110 Buech.) *Gabiniae Matronae. Comití defunctae sors et fortuna improba. quae dúm per annos bis XVIII vita gerit, non ut meruit victa functa est. subito ei cónscius aeter* (die beiden letzten Worte aus Verg. Aen. IV 167, cf. n. 1788 Buech.). 10945 (575 Buech). *hic sita est Kal(purnia) Flavia cognómine dicta, q(ondam) decemviri Kal(purni) Tancíni filia, quam constitit vixisse* (folgen die Zahlen). *haéc tibi pro meritis Aemilius, Vitellianus cognómine dictus, coniúx pia, praemia ponit.* Die zur zweiten, uns näher angehenden Gruppe gehörigen Inschriften hat Buecheler in seine Sammlung unter n. 1563—1622 zusammengestellt, cf. auch seine Bemerkung zu n. 116, wo er diese Form der Komposition sehr passend als *musam pedestrem* bezeichnet. Ich wähle als Probe die, wenn man so sagen darf, kunstvollsten aus. Von drei in einer und derselben Grabkammer gefundenen afrikanischen Inschriften lauten die beiden ersten[1]) (die dritte ist verstümmelt):

646 (116 Buech.) *C. Iulio Fortunatiano pater.*
filio memoriae titulum síbi erépto reddidit.
in annis viginti duobus, quos Parcae praéfinierant edito,

1) Hiatus und Messung nach dem Wortakzent habe ich geglaubt, gerade auf afrikanischem Boden als gelegentlich zugelassen erachten zu dürfen: vgl. für den ersteren unsere Plautus-Überlieferung und speziell die Argumenta, für die letztere das bekannte Zeugnis Augustins für die Sorglosigkeit der Afrikaner gegenüber der Silbenquantität und seinen eigenen Psalm gegen die Donatisten.

innúmeris vitae laudibus | ómnem aetatem reddidit.
nam puer pubertatis exempla optumá bene vivendo dedit,
pubertatis initia iuveníli corde édidit,
iuventútis vitam maxuma | éxornavit gloria,
sic namque ut in exíguo tempore | múltis annis vixerit.
puer ingenio validus, pubés pudicus, iúvenis orator fuit
et publicas aures togatus studiís delectavit suis.
in parvo itaque tempore víta multis laudibus.
inque isto patrio operé iuvenis [nun]c ut senex
perpetua quiescit requie, conditorí [per]grato spiritu.

647 (116 Buech.) *Palliae Saturninae Iulius Máximus quondam suae*
hanc operis struem dicavit, sempér ut haberet muneri,
simulque memoriam piae coniugis faceret lectori
inque eo suo tempore semét cum ea concluderet.
in annis triginta, quibus datum est, sat probe mulier cúm viro vixit suo,
nihil potius cupiens quam út sua gauderet domus.
nam in rebus mariti et suis, matér communis iúvenis,
simplici animo vivens vix muliebrem mundúm vindícabat sibi.
in virum religiosa, in se pudica, in fámilia mater fuit,
irasci numquam aut insilíre quemquam noverat.
cultu neglecto corporis moribús se órnabat suis
et [piu]m [an]im[u]m (?) pudore soló comitabatur suo.

Dazu kommt noch eine andere, durch die Anwendung des oratorischen cursus (s. Anhang II), der Allitteration und vor allem des ὁμοιοτέλευτον besonders interessante Inschrift 2756 (1604 Buech.) *quae fuerunt praeteritae vitae testimonia, nunc declarantur hac scribtura postrema. haec sunt enim mortis solacia, ubi contine-*

tur nominis vel generis aeterna memoria. Énnia hic sita est Fructuosa, karissima coniunx, certae pudicitiae, bonoque obsequio laudanda matrona. quinto decimo anno mariti nomen accepit, in quo amplius quam tredecim vívere non potuit. quae nón ut meruit ita mórtis sortem retulit: cárminibus defixa iacuít per tempora muta, ut eius spiritus vi extorqueretur quam natura redderetur, cuius admissi vel manes vel di caelestes erunt scéleris vindices. Aélius hanc posuit Proculinus ipse maritus, legionis tantae tertiae Augustae tribunus.

2. Querolus. Mit diesen afrikanischen Inschriften hat nun Buecheler im Rh. Mus. XXVII (1872) 474 (cf. zu carm. epigr. 116) die Kompositionsart des Querolus zusammengestellt, eine Kombination, die, wie die Proben zeigen werden, ohne weiteres einleuchtet. Er hat ferner auf Grund der Tatsache, daß wir die letztere Art von Inschriften hauptsächlich auf afrikanischem Boden finden, die Vermutung geäußert, daß auch der Querolus ebendahin gehöre; da sie auf alle Fälle hohe Wahrscheinlichkeit hat, schließe ich eine kurze Bemerkung über dieses merkwürdige, nach ungefährer Schätzung etwa dem Anfang des V. Jh. angehörige Literaturprodukt hier an. Nachdem schon ältere Gelehrte, darunter Caspar Barth, die Stilart als versähnliche Prosa bezeichnet hatten[1]), herrscht jetzt, da die entgegengesetzte Theorie L. Havets nirgends Glauben gefunden hat, darin Übereinstimmung, daß wir es mit einer sehr stark rhythmisierenden Prosa zu tun haben. Der Verfasser selbst bezeichnet in der Vorrede seinen sermo als *poeticus* und sagt zum Schluß derselben: *prodire autem in agendum non auderemus cum clodo pede, nisi magnos praeclarosque in hac parte sequeremur duces,* womit er die Zwitterstellung dieses Stils deutlich genug bezeichnet.[2]) Anfänge oder Schlüsse der Sätze, oft beide, sind dem sermo comicus entsprechend iambisch oder trochäisch (wobei öfters der Wortakzent die Quantität vertritt), das übrige ist Prosa, z. B. I 2 QVER. *O fortuna, o fors*

---

1) Cf. die Zusammenstellung in der Ausgabe von Klinkhamer (Amsterd. 1829) XIII f.

2) *Oratio prosa* (*prorsa*, rekomponiert bei Plautus *provorsa*) ist die *recta oratio* (Varro bei Isid. Orig. I 38, 1; im Mittelalter oft *oratio plana*, cf. Pannenborg, Stud. zur Gesch. der Herzogin Mathilde v. Canossa [Progr. Götting. 1872] 7 und in: Forsch. z. deutsch. Gesch. XI [1873] 237), deren Gegenteil die *oratio vorsa;* wer also beide verbindet, hinkt.

fortuna o fatum sceleratum atque impium. si quis nunc mihi tete ostenderet, ego nunc tibi facerem et constituerem fatum inexsuperabile. LAR. *Sperandum est hodie de tridente; sed quid cesso interpellare atque adloqui? salve, Querole.* QVER. *Ecce iterum rem molestam: 'salve, Querole.' istud cui bono, tot hominibus hac atque illac have dicere? etiam si prodesset, ingratum foret.* LAR. *Misanthropus hercle hic verus est: unum conspicit, turbas putat* usw. Wenn er an der zitierten Stelle der Vorrede von seinen 'großen Vorgängern' in dieser Art der Komposition spricht, so meint er niemand anderen als Plautus und Terenz: denn daß man schon zu jener Zeit gezweifelt hat, ob die alten Komiker in Versen oder in einer Art von Prosa geschrieben hätten, geht aus der Schrift des Priscian De metris Terentii hervor, in der er beweisen will, daß Terenz wirkliche Verse gemacht habe.[1])

B. Gallien.

Gallien war berufen, in der römischen Kaiserzeit und während des ganzen Mittelalters in höherem Maße als das eigentliche Mutterland Italien die Erhalterin der antiken Kultur zu sein. Von Barbaren überschwemmt, von Klöstern übersät hat es, sich selbst zum Ruhm, der Menschheit zum Verdienst jahrhundertelang die Fahne der alten Bildung hochgehalten. Der Grund hierfür ist klar: nirgends war der Sinn für diese Bildung empfänglicher als bei den romanisierten Kelten. Es gibt dar- Allgemeines.

1) Schon R. Peiper hat, ohne die Priscianschrift (GL III 418 ff.) zu kennen, richtig geurteilt (in seiner Ausgabe Leipz. 1875 p. XXXVII adn.): *nec dubium quin haec ratio sit nata ex male vel non satis intellecta versuum Terentianorum conformatione.* Cloetta, Beitr. z. Literaturgesch. d. Ma. u. d. Ren. I (Halle 1890) 4, 2 verweist für die Tatsache, daß man im Mittelalter nicht gewußt habe, ob Terenz Verse oder Prosa schreibe, auf ein interessantes, von Ch. Magnin in der Bibl. de l'éc. des Chartes I (1839—1840) 517 ff. publiziertes Dokument, eine Art von Prolog zu einer (nicht erhaltenen) Komödie, in welchem ein Delusor mit Terenz ein Zwiegespräch führt und ihm u. a. sagt (p. 524 f.) *an sit prosaicum* (dein Werk) *nescio an metricum.* Daß dieses Stück aus s. VII stamme, wie der Herausgeber meint, läßt sich nicht beweisen und ist aus innern Gründen unwahrscheinlich: die Hs. ist aus s. XI. Übrigens versichert auch Hrotsvitha von Gandersheim in der Vorrede zu ihren Komödien (p. 137 Barack), sie ahme den Terenz nach *dictationis genere;* in Wahrheit schreibt sie in gehobener Reimprosa.

über noch kein Werk in zusammenfassender und auf dem gesamten freilich ungeheuern Material fußender Darstellung; aber wir haben wenigstens einige Arbeiten, in denen der Anfang dazu gemacht ist.[1]) Ich habe auf die allgemeinen kulturellen und literarischen Verhältnisse nicht einzugehen; für die Stilgeschichte des gallischen Lateins, auf die bisher so gut wie gar nicht geachtet ist, glaube ich einiges Neue beibringen zu können.

Gallisches Naturell.

Gallien war von jeher das Land der Rhetorik[2]): Cato orig. l. II 2 J.: *pleraque Gallia duas res industriosissime persequitur, rem militarem et argute loqui* und Hieronymus contra Vigilantium c. 1 (II 1 p. 387 Vall.): *sola Gallia monstra non habet, sed viris semper fortibus et eloquentissimis abundavit* sind die beiden bekanntesten rühmenden Zeugnisse. Schon in den geheimnisvollen Institutionen der Druiden wurde die Macht der Rede hoch geschätzt, wie man aus Lukians (Herc. 1) eigenartiger Nachricht weiß: sie verehrten einen Gott Ogmius, den sie darstellten als einen Greis, der in der rechten Hand die Keule, in der linken den Bogen führte; seine Zunge war durchbohrt und durch die Löcher liefen Ketten, an denen die Ohren der ihm willig folgenden Menschen befestigt waren: so symbolisierten sie die Gewalt der Rede. Mit diesem Sinn begabt traten die Gallier zu einer Zeit in den Kreis der römischen Bildung ein, als diese, wie wir sahen, mit der Rhetorik zusammenfiel: was war, zumal bei dem lebhaften Nachahmungstrieb dieses Volkes[3]), begreiflicher, als daß sie gerade diese Kunst zur höchsten Vollendung ausbildeten? Die römischen Schriftsteller des zweiten Jahrhunderts erkannten

---

1) Ich nenne nur (um vom Mittelalter vorläufig abzusehen) J. Ampère, Hist. littéraire de la France avant Charlemagne (Paris 1840), A. Ozanam, La civilisation chrétienne au V siècle (sec. éd. Paris 1862), Lagus l. c. (oben S. 592, 1) 29 ff., Mommsen, Röm. Gesch. V 100 ff.; im wesentlichen für das IV. und V. Jh. die hervorragende Abhandlung von G. Kaufmann: Rhetorenschulen und Klosterschulen oder heidnische und christliche Kultur in Gallien in: Histor. Taschenbuch ed. v. Raumer, Vierte Folge, zehnter Jahrg. (Leipz. 1869) 1 ff.; für das VI. Jh. C. Arnold, Caesarius von Arelate, Leipzig 1894.

2) Cf. C. Monnard, De Gallorum oratorio ingenio, rhetoribus et rhetoricae scholis, Diss. Bonn 1848, von Früheren besonders auch L. Cresollius, Vacationes autumnales (Paris 1620) 33 ff. D. Morhof, De Patavinitate Liviana c. 10 (in seinen Dissert. acad. et epistol. p. 553 ff.).

3) Caesar b. G. VII 22 *summae gens sollertiae atque ad omnia imitanda et efficienda quae ab quoque traduntur aptissimum.*

Gallien den Vorrang in der Beredsamkeit zu; nicht bloß in der südlichen Provinz und nicht bloß an den großen Bildungszentren hatte sie ihren Sitz aufgeschlagen, sondern sogar in Reims wie wir durch Fronto (p. 262 N.) wissen. Das dritte Jahrhundert war, wie für das Reich überhaupt, so besonders für Gallien das traurigste: die Schulen verfielen, die Wissenschaften lagen danieder. Der große Aufschwung aller Verhältnisse, der am Ende jenes Jahrhunderts begann, kam vor allen Gallien zugute: es war keine bloße Phrase, wenn die Panegyriker Galliens die Kaiser auch als Förderer der Bildung feierten. Wie hoch die Beredsamkeit in den folgenden Jahrhunderten geschätzt wurde, lernen wir aus Autoren wie Ausonius, Sulpicius Severus, Sidonius, Ennodius und aus den Erlassen der zu Trier residierenden Kaiser.[1])

Wie war nun diese Rhetorik und folglich auch der Stil der Gallischer Stil.

1) Welchen Respekt noch Venantius Fortunatus vor der gallischen Beredsamkeit hatte, zeigen seine Worte in der Vorrede zur Vita S. Marcelli c. 2 (p. 50f. Krusch): er sei nicht würdig sie zu schreiben, *praesertim cum vobis* (dem Germanus, Bischof von Paris) *multorum prudentium famosae abundantiae sufficiat eloquentia Gallicana et quadratis iuncturis verba trutinata procedant.* — Für die literarische Bedeutung Lyons im V. Jh. möchte ich nachtragen das Zeugnis eines Autors, der zwar 400 Jahre später lebte, aber überall vorzüglich orientiert ist, des Mönchs Hericus von Auxerre: in der Vorrede zu seinen Miracula S. Germani ep. Autissiodorensis erwähnt er das ihm vorliegende Werk über denselben Gegenstand von Constantius, einem Presbyter von Lyon, der etwa 40 Jahre nach dem Tode des Germanus (440) gelebt habe; er rühmt die Eleganz des Werkes und bemerkt bei der Gelegenheit (AA. SS. Boll. Jul. VII p. 256): *ea tempestate Lugdunensium civitas, prima ac praecipua Galliarum, professione quoque scientiae artiumque disciplina inter omnes extulerat caput; offensa namque sapientia, quae propter seipsam tantum appetenda est, quorumdam lucris turpibus, multorum indisciplinata vita, omnium postremo tepide se appetentium inhonesta desidia, praeceptorum inopia intercedente priorumque studiis paene collapsis, huius nostrae exitialiter perosa regionis, Lugduni sibi aliquamdiu familiare consistorium collocavit. ibi quas dicunt disciplinarum liberalium peritia, quasque ordine currere hoc tempore fabula tantum est, eo usque convaluit, ut quantum ad scholas publicum appellaretur citramarini orbis gymnasium. et, ut aliquid rationis afferrè videar, eo id argumento colligimus, quod quisque artium profitendarum afficeretur studio, non ante professis inscribi merebatur, quam huc explorata diligentia examinatus abiret. cui rei satyricus quoque astipulatur, qui, ut exempli circumstantia res eluceat, primo sui operis libro acriter diuque in impudicos invectus refert eos conscientia frequentati sceleris perinde pallescere, 'ut Lugdunensem rhetor dicturus ad aram'* (Iuv. 1, 44). *ita claret hanc sapientibus et palmas et nomina olim fuisse largitam.*

Prosa beschaffen? Auch hier kam das gallische Ingenium der herrschenden Moderichtung merkwürdig entgegen. Diodor betont in seiner berühmten Charakteristik (V 31) zweierlei: ihre Vorliebe für eine an tragödenhaftes Pathos streifende hyperbolische Rede, und für scharf zugespitzte Gedanken; das letzte versteht auch Cato unter dem *argute loqui.* Man erinnere sich nun an die Charakteristiken, die der ältere Seneca von den lateinischen Deklamatoren entwirft (s. o. S. 273 ff.), um zu begreifen, welches Entgegenkommen ihre Manier in dem romanisierten Gallien finden mußte. Tatsächlich ist in keinem Lande, auch nicht in Afrika, der moderne Stil, dessen Geschichte wir verfolgen, mit solcher Virtuosität gehandhabt worden wie in diesem Lande. Die Römer haben das gewußt: bei Tacitus vertritt Aper aus Gallien die Partei der Modernen, und Messalla, der Sprecher der reaktionären Partei, erwähnt einmal (c. 26) höhnisch den Gallier Gabinianus, dessen *concinnas declamationes* noch Hieronymus kannte.[1]) Es gibt aus der späteren Zeit eine Reihe interessanter Zeugnisse für das Fortleben dieses Stils in Gallien, die anzuführen mir wichtiger scheint als eine Analyse des Stils der einzelnen Autoren.

1. Das früheste dieser Zeugnisse findet sich bei Hieronymus. Als ich es las, fand ich darin eine erwünschte Bestätigung meiner Ansicht, daß der manierierte Stil der spätlateinischen Prosa aller Länder eine in allen Einzelheiten unverkennbare und durch die historische Entwicklung begründete Verwandtschaft mit dem Asianismus habe, und wen meine bisherige Darlegung davon nicht überzeugt hat, der glaubt es vielleicht einem in allen literarischen Dingen so ausgezeichnet bewanderten Kenner wie Hieronymus. Er schreibt an Rusticus (ep. 125, I 2 p. 935 Vall.): *audio religiosam habere te matrem, multorum annorum viduam, quae aluit, quae erudivit infantem ac post studia Galliarum quae vel florentissima sunt misit Romam, non parcens sumptibus et ab-*

1) Cf. Teuffel-Schwabe, Röm. Literat.-Gesch. § 315, 2: Hieronym. in Iesaiam 8 praef. (IV 329 Vall.): *qui flumen eloquentiae et concinnas declamationes desiderant, legant Tullium Quintilianum Gallionem Gabinianum;* da Messalla bei Tacitus l. c. an Iunius Gallio seine *tinnitus* rügt, so beziehen sich bei Hieronymus sicher auf ihn die *concinnae declamationes* und daher nach der Stellung der Worte auch auf Gabinianus.

sentiam filii spe sustinens futurorum, ut ubertatem Gallici nitoremque sermonis gravitas Romana condiret nec calcaribus in te sed frenis uteretur: quod et in disertissimis viris Graeciae legimus, qui Asianum tumorem Attico siccabant sale et luxuriantes flagellis vineas falcibus reprimebant, ut eloquentiae torcularia non verborum pampinis sed sensuum quasi uvarum expressionibus redundarent.[1]) Worin die römische *gravitas* bestand, lernen wir aus einer Reihe anderer Zeugnisse: man ging damals nach Rom, um Jurisprudenz zu studieren, oder studierte sie nach der Kodifikation des Rechts in Gallien selbst. Unter diesen Zeugnissen interessiert uns am meisten eins[2]) aus dem VII. Jahrh., weil in ihm die Worte des Hieronymus fast wörtlich herübergenommen werden, woraus wir ersehen, daß sich im Lauf der Jahrhunderte die Verhältnisse nicht geändert hatten: Vita S. Desiderii Cadurcensis (Cahors) episcopi († 665) ab auctore coaevo (87, 220 Migne) *Desiderius vero, summa parentum cura enutritus, litterarum studiis adplene eruditus est* (nämlich in der merowingischen schola Palatii). *quorum diligentia nactus est post litterarum insignia studia Gallicanam quoque eloquentiam (quae vel florentissima sunt vel eximia, contubernii regalis adductis inde dignitatibus), ac deinde legum Romanarum indagationi studuit, ut ubertatem eloquii Gallicani nitoremque gravitas sermonis Romani temperaret.*[3])

2. Wird in diesen Zeugnissen die Fülle und Zierlichkeit des 'gallicanischen' Stils hervorgehoben, so in anderen, zur Bezeich-

---

1) Bezeichnend genug für ihn, daß er selbst in den Fehler verfällt, den er rügt. Seine Kenntnis des Asianismus hat er natürlich aus Cicero, wie auch eine andere Stelle zeigt: in Oseam l. I c. 2 (VI 25 Vall.): *neque enim Hebraeum prophetam edisserens oratoriis debeo declamatiunculis ludere et in narrationibus atque epilogis Asiatico more cantare* (cf. Cic. or. 27).

2) Ich fand es bei J. Pitra, La vie de S. Léger (Paris 1846) 32, 2 und sah dann, daß auch Ozanam l. c. p. 407 adn. es zitiert.

3) Cf. Rutil. Namat. I 207 f. (von seinem Freunde Palladius): *facundus iuvenis Gallorum nuper ab arvis Missus Romani discere iura fori.* [Constantius], Vita S. Germani episcopi Autissiodorensis (Auxerre, † 448) in: AA. SS. Boll. 31. Juli VII p. 202 *ut in eum perfectio litterarum plene conflueret, post auditoria Gallicana intra urbem Romam iuris scientiam plenitudine perfectionis adiecit.* Diese Stelle entnahm ich der für das Studium der Jurisprudenz im damaligen Rom wichtigen Abhandlung von H. Conring, Diss. de studiis liberalibus urbis Romae et CP (1655) in: Nov. Thes. antiquitatum Rom. ed. H. de Sallengre III (Venetiis 1735) 1212.

nung des Pathetischen, der *Gallicanus cothurnus* (τετραγῳδημένοι nennt die Gallier Diodor l. c.). Ich kenne folgende Stellen:

Hieronymus an Marcella ep. 37, 3 (I 173 Vall.) über die Schriften des Rheticius, Bischofs von Autun: *innumerabilia sunt quae in illius mihi commentariis sordere visa sunt. est quidem sermo compositus et Gallicano cothurno fluens, sed quid ad interpretem, cuius professio est, non quo ipse disertus appareat sed quo eum qui lecturus est sic faciat intellegere, quomodo ipse intellexit qui scripsit.*

Hieronymus an Paulinus ep. 58, 10 (I 326 Vall.): *Sanctus Hilarius Gallicano cothurno attollitur, et cum Graeciae floribus adornetur, longis interdum periodis involvitur et a lectione simpliciorum fratrum procul est.*

Sulpicius Severus dial. I 27: dort sagt ein aus dem eigentlichen Gallien stammender Schüler des Martinus von Tours zu den Aquitaniern, er wolle nichts reden *cum fuco aut cothurno, nam si mihi tribuistis Martini me esse discipulum, illud etiam concedite, ut mihi liceat exemplo illius inanes sermonum phaleras et verborum ornamenta contemnere.*

Ennodius ep. I 15 *grandis coturnus in eloquentia*, cf. ep. III 24 p. 89, 25 Hartel.

An den Schluß dieser Zeugnisreihe setze ich eine zwar aus dem tiefen Mittelalter stammende, aber, wie mir scheint, recht interessante Stelle, die (wohl ganz singulär in ihrer Art) eine Stilkritik gallischer und spanischer Autoren der sieben ersten Jahrhunderte enthält:

Ekkehart IV von St. Gallen († c. 1060) in einer Randbemerkung zu dem von ihm selbst abgeschriebenen Prognosticon Iuliani[1]): *Quidam hunc librum ad solitum stilum emendarunt nescientes, quod Hispana facundia et Gallicus coturnus obscurius interdum et scrupulosius currere videntur. occurrit etiam hoc adhuc in locis quam plurimis videre, quod nisi lector, qui in Romana facundia soluit, cautius hic ingrediatur, non semel offendat; in propriis dico huius Iuliani Toletanę facundię sententiis, non autem*

1) Bischof von Toledo 680—690. Das Prognosticon ist ediert bei Migne 96, 453 ff., die Bemerkung des Ekkehart von E. Dümmler in: Zeitschr. f. deutsch. Altertum ed. Haupt N. F. II (1869) 21.

introductis (id est Augustini, Gregorii et cet.)[1]. *lege Severum Postumianum et Gallum*[2], *maxime autem vitam sancti Brictii*[3] . . . . *sanctum Gregorium quoque lege in libris miraculorum vel in ceteris sui caracteris operibus. quid dicam Iuvencum, poetam ecclesię primum (immo Prudentium)*[4] *et Avitum, nodose quidem in suo coturno facundos? Prosperum etiam illum metro et prosa summe egregium? Sedulium vero nimis co . . . . . se*[5] *et iocunde evangelicum?*[6] *cum etiam Lucano Romano post Chordubam facto id velud elogium dicunt: Virgilius cum in X locis propter Grecum modum sit invictus, Lucanus in decies X repugnat invictissimus. hęc non carpens, sed, ne lector stilum nesciat, asscripsi.*

3) Wenn die bisher angeführten Zeugnisse[7] im allgemeinen den Schwulst, die Zierlichkeit, das Pathos des gallischen Stils

---

1) Diese zitiert Iulianus nämlich oft.

2) Er meint die Dialoge des Sulpicius Severus, in denen außer diesem selbst seine Freunde Postumianus und Gallus reden. Diese hätte er hier aber nicht nennen dürfen, da sie in klassischem Stil abgefaßt und daher leicht verständlich sind.

3) Bischof v. Tours † 447; uns ist die vita selbst nicht erhalten, sondern nur das, was daraus mitteilt Gregor v. Tours hist. Franc. II c. 1.

4) Eine von ihm selbst gemachte Glosse.

5) „Für *copiose* ist der Raum zu groß, ein Wort wie *contentiose* oder dgl. muß an dieser erloschenen Stelle gestanden haben“ Dümmler.

6) Danach wäre also Sedulius keinesfalls, wie Teuffel-Schwabe § 473, 2 bei dem Mangel jeder Nachricht zweifelnd vermuten, ein Italer, sondern entweder Spanier oder Gallier und zwar wegen der Verbindung mit Lucan eher Spanier. Ob freilich das Zeugnis dieses Spätlings irgend welchen Wert hat, steht dahin.

7) Ich habe mir ferner aus mehreren gallischen Autoren ähnliche Ausdrücke gesammelt, die ich, weil sie für ihren stilistischen Geschmack charakteristisch sind, hier mitteile. Sehr häufig ist der Vergleich mit einem Fluß, einem wogenden Meer: Auson. comm. prof. Burd. 1, 17 *dicendi torrens tibi copia*. Sidon. ep. VIII 3, 3f. 10, 1. IX 7, 2ff. Ennod. p. 1, 3ff. H. 6, 16. 22, 24. 46, 22. 48, 14. 18. 53, 9. 89, 22. 102, 13. 125, 6. 188, 1. 264, 7. 297, 6. 308, 1. 408, 16. Daher das Lob der *copia, ubertas, abundantia, affluentia* (so, mit *ff*, scheinen diese Autoren schon zu schreiben): Sidon. ep. IV 16, 1. Ennod. 17, 13. 46, 18 *ubertas linguae, castigatus sermo, Latiaris ductus, quadrata elocutio.* 92, 9. 21. 179, 22. 331, 7. Ruric. ep. I 4 p. 357 Engelbr. — *Pompa:* Sidon. ep. III 14, 2. IX 9, 10. Ennod. (cf. Hartels Ind. s. v.) z. B. 46, 14 *verborum pondus vel pompa.* 178, 16 *pompam quam in litteris fugitis obtinetis, nec aliud est loqui vestrum nisi declamationum insignia custodire.* Avitus v. Vienne ep. 53 p. 82 Peiper *os pompis adsuetum et fluentis exundantibus Romuleae profunditatis irriguum.* — *Ardens elo-*

hervorhoben, so gibt es eins, das durch seine speziellen Angaben für meine Untersuchungen wertvoll ist: es steht in dem Brief, den der nach klassizistischer Diktion strebende Claudianus Mamertus an den Rhetor Sapaudus schreibt: er rät ihm (p. 205 Engelbr.), *ut spretis novitiarum ratiuncularum puerilibus nugis nullum lectitandis his tempus insumat, quae quasdam resonantium sermunculorum taureas rotant et oratoriam fortitudinem plaudentibus concinentiis evirant*, d. h. er soll vermeiden den bombastischen Schwulst und das Geklingel (*tinnitus* oben S. 634, 1) der Rede, welches entsteht durch das Zusammenschlagen gleichtönender Silben: einst hatte Quintilian (IX 4, 142) in gleicher Weise gewarnt vor einer Diktion, die weibisch werde *lascivissimis syntonorum modis* (s. oben S. 291); man erkennt daran die Kontinuität der Entwicklung.

Gallische Autoren. Auf die einzelnen Schriftsteller beabsichtige ich nicht näher einzugehen. Wer Sidonius[1]), Ennodius[2]), Gregor von Tours ge-

cutio u. dgl. Sidon. ep. V 17, 9 *vir flammeus quidamque facundiae fons inexhaustus* IX 9, 10. 7, 1 *fulmen in verbis*, *flumen in clausulis.* Ennod. 49, 22 *tonare eloquio.* 449, 12 *iubar dictionis.* — Zierlichkeit, blumige Diktion u. dgl.: Sidon. ep. IV 3, 2 *vernantis eloquii flos.* 16, 1. Ennod. 20, 19 *dictio redimita floribus.* 28, 3. 424, 25. 458, 11 *dictionum flosculi vernant et ridentia verborum germina.* — Süße: Ennod. 188, 15 u. 226, 17 *mella sermonum*, cf. 18, 8 *dum favos loqueris et per domos cereas eloquentiae nectare liquentis elementi mella componis.* — Buntheit: Sidon. ep. VIII 6, 6 *dixit disposite graviter ardenter, magna acrimonia maiore facundia maxima disciplina, et illam Sarranis ebriam sucis inter crepitantia segmenta palmatam plus picta oratione, plus aurea convenustavit.* Ennod. 20, 10. 189, 16 *ostrum loquendi.* 193, 10. 445, 14. 544, 6 *fucatae verborum imagines*, cf. 332, 10. 445, 13. 452, 11. — Figuren: Sidon. ep. VII 9, 2 *exacte perorantibus mos est . . ., poetica schemata aptare.* IX 3, 5 *immane suspicio dictandi istud in vobis tropologicum genus ac figuratum.* IX 7, 2 *urbanitas in figuris.* Ennod. 26, 25 *scema et pompa sermonum.* 338, 6 *loquelae scemata.*

1) Er wird gerichtet durch das Lob, das ihm der wahnwitzigste aller Stilisten hat zuteil werden lassen: Alanus de Insulis (Ryssel in Flandern, saec. XII) in seinem 'Anticlaudianus' l. III c. 3 (210, 513 Migne):

illic Sidonii trabeatus sermo refulgens
sidere multiplici splendet gemmisque colorum
lucet et in dictis depictus pavo resultat.

Sidonius selbst urteilt freilich anders über sich ep. VIII 16, 2 *lectori non tantum dictio exossis tenera delumbis quantum vetuscula torosa et quasi mascula placet.*

2) Er versichert gelegentlich, einfach schreiben zu müssen: ep. I 16 *rhetoricam in me dixisti esse versutiam, cum diu sit quod oratorium schema*

lesen hat, weiß, daß die Prosa, ganz wie bei den afrikanischen Schriftstellern[1]), oft bis zur völligen Unverständlichkeit verzerrt ist, daß zwischen ihr und der Poesie an gehobenen Stellen jede Schranke gefallen ist[2]), daß die normale Stellung der Worte ganz und gar degeneriert[3]), daß verwegene Neologismen sich mit hocharchaischen Worten paaren, daß all die Spielereien, vor allem der Klingklang des Homoioteleuton[4]) und der Wort-

---

affectus a me orationis absciderit et nequeam occupari verborum floribus, quem ad gemitus et preces evocat clamor officii, cf. ep. II 6 p. 45, 14ff. III 24 p. 89, 15f. IV 9 p. 105, 5f. Das hat er nirgends gehalten, so wenig wie das, was er ep. II 13 schreibt: *ut tradit quaedam eloquentiae persona sublimis, lex est in epistulis neglegentia et auctorem genii artifex se praebet incuria*, oder das, was er einem andern anbefiehlt (dict. 8 p. 453, 10): *verborum luxuriem artis falce truncare.*

1) Mit der afrikanischen Latinität vergleicht die gallische C. Petersen, Studia latina provincialium (Helsingfors 1849) 45 und H. Kretschmann, De latinitate Sidonii (Progr. Memel 1872) 3f. Das Gefühl der Wahlverwandtschaft zog diese Schriftsteller, vor allem den Sidonius, zu Appuleius hin, cf. A. Engelbrecht, Unters. über die Spr. d. Claud. Mamert. (Wien 1885) 15f. 18ff. K. Sittl in Bursians Jhber. LXVIII (1891) 236, 1.

2) Z. B. die Frühlingsbeschreibung bei Ennodius dict. 1 (p. 424f. Hartel), die er selbst als *florulenta* bezeichnet: *cum terrae sucus per venas arentium virgultorum currit in germina et alvus sicci fomitis umore maritata turgescit, cum in blandam lucem novelli praesegminis comae explicantur arboreae* usw.

3) Meist ist der rhythmische Satzschluß daran schuld, z. B. Sidonius I 5, 5 *obiter Cremonam praevectus adveni, cuius est olim Tityro Mantuano largum suspirata proximitas,* ib. 6 *cum sese hinc salsum portis pelagus impingeret,* ib. 9 *omnem protinus sensi membris male fortibus explosum esse languorem,* VI 1, 5 *quantum meas deprimat oneris impositi massa cervices;* Ennodius ep. II 9 p. 48, 24 *dum secundis in altum loquelae vestrae portarentur vela proventibus,* op. 3 p. 331, 8 *ipsas eminentissimas ut putantur in saeculo vana inflatione personas | si quis ventoso nimium studuerit elevare praeconio,* ib. p. 332, 8 *ut saltem cruda per ordinem digeram facta meritorum.* Aber auch ohne diesen Zwang, z. B. Sidon. V 14, 1 *scabris cavernatim ructata pumicibus aqua,* Ennod. ep. I 7 p. 46, 23 *mei macies longe se monstrat studii,* u. viel dgl.

4) Bei Sidonius auf jeder Seite; z. B. ep. I 4, 1 *macte esto, vir amplissime, fascibus partis dote meritorum; quorum ut titulis apicibusque potiare, non maternos reditus non avitas largitiones non uxorias gemmas non paternas pecunias muneravisti, quia tibi e contrario apud principis domum inspecta sinceritas, spectata sedulitas, admissa sodalitas laudi fuere. o terque quaterque beatum te, de cuius culmine datur amicis laetitia, lividis poena, posteris gloria, tum praeterea vegetis et alacribus exemplum, desidibus et pigris inci-*

witzeleien[1]) in erschreckendem Umfang Verwendung finden, so daß die Sprache teils in bacchantischem Taumel dahinrast, wie ein schlammiger Strom alles mit sich fortraffend, teils zu förmlichem Schellengeläute ausartet. Was nützt es, wenn wir anerkennen müssen, daß einige dieser Autoren in der alten Literatur wohlbewandert sind: Sallust- und Cicero-Reminiszenzen steigern auf solchem Grunde nur den Eindruck des Bizarren.[2]) —

tamentum: et tamen, si qui sunt, qui te quocumque animo deinceps aemulabuntur, sibi forsitan, si te consequantur, debeant, tibi debebunt procul dubio, quod sequuntur. Meist in ganz kleinen Satzgliedern, zweifellos auch dies in Nachahmung des Appuleius (speziell der Florida), z. B. I 5, 10 *studia sileant negotia quiescant iudicia conticescant.* 8, 2 *muri cadunt aquae stant, turres fluunt naves sedent, aegri deambulant medici iacent, algent balnea domicilia conflagrant, sitiunt vivi natant sepulti, vigilant fures dormiunt potestates* etc. II 1, 2 *aperte invidet, abiecte fingit, serviliter superbit; indicit ut dominus, exigit ut tyrannus, calumniatur ut barbarus; toto die a metu armatus, ab avaritia ieiunus, a cupiditate terribilis, a vanitate crudelis.* 2, 14 *hic iam quam volupe auribus insonare cicadas meridie concrepantes, ranas crepusculo incumbente blaterantes, cygnos atque anseres concubia nocte clangentes, intempesta gallos gallinacios concinentes, oscines corvos voce triplicata puniceam surgentis Aurorae facem consalutantes, diliculo autem Philomelam inter frutices sibilantem, Prognen inter asseres minurientem.* So noch besonders IV 1, 2 und 4; 3, 2 und 5 und 6; V 11, 2; IX 9, 14. Das ist offenbar die *dictio caesuratim succincta*, die er an einem Freunde rühmt IV 3, 3. Den Sidonius ahmt auch hierin nach Ruricius, z. B. ep. I 3 (p. 355 Engelbr.) *per quam (pietatem) flectuntur rigida saxea molliuntur, sedantur tumida leniuntur aspera, tumescunt lenia mitescunt saeva saeviunt mitia, accenduntur placida acuuntur bruta, dominantur barbara immania placantur* (cf. I 5 p. 358, 11. 18; 6 p. 359, 4). — Bei Ennodius findet sich derartiges nicht, was ich mir daraus erkläre, daß damals dies Stilornament schon so ausschließlich für die Predigt charakteristisch geworden war, daß dieser von sich und andern gefeierte Schönschreiber es in seinen *concinnationes* (so nennt er seine und anderer Briefe öfters) sowie seinen panegyrischen und sophistischen Reden mied. Dafür ist er der Hauptvertreter der pomphaft dithyrambischen Schreibart. — Aus Gregor von Tours hat M. Bonnet in seinem berühmten Buche p. 721 ff. viele Beispiele für Antithesen mit Homoioteleuta zusammengestellt.

1) Cf. Sidonius IV 15, *praedae praedia fore*, VIII 3, 3 *non tam fonte quam fronte*, 11, 1 *obstructo anhelitu gutture obstricto*, IX 7, 2 *flumen in verbis fulmen in clausulis*, ib. 5 *facundis fecundare colloquiis* und hunderte von andern Beispielen. Ennodius hat auch dies weniger, aber z. B. op. 5 p. 395 H. *erat orandi fastidium, dum perorandi tenebar cupiditate, mercari.* Aus Gregor v. Tours viel dgl. bei Bonnet l. c.

2) Seine eigene Mahnung *opus est ut sine dissimulatione lectites, sine fine lecturias* (ep II 10, 5) hat Sidonius — das muß man ihm lassen —

Was den Stil der Predigt betrifft, so habe ich dem oben (S. 615ff.) Ausgeführten nichts Neues hinzuzufügen. Als Typen für Gallien können die Predigten des Faustus von Riez (Reii) († c. 500) und Caesarius von Arles († 542) dienen, um so mehr als die ersteren kürzlich von A. Engelbrecht neu herausgegeben sind mit einer auch den Stil berücksichtigenden Einleitung (Corp. Script. Eccl. Vind. XXI 1891), dem letzteren von C. Arnold a. a. O. 84ff. 115ff. eine vortreffliche Behandlung zuteil geworden ist. Auch in ihnen tritt neben andern rhetorischen Mitteln der Satzparallelismus mit Homoioteleuton stark hervor[1]), wenn auch, wenigstens bei Caesarius, nicht in dem Umfang wie bei Augustin, so, um zwei beliebige Beispiele herauszugreifen: Faustus serm. 13 *in passione quae hodie recitata est, fratres carissimi, evidenter ostenditur iudex ferox, tortor cruentus, martyr invictus. in cuius corpore poenis variis exarato iam tormenta defecerant et adhuc membra durabant. tot convicta miraculis persistebat impietas, tot vexata suppliciis non cedebat infirmitas: cognoscatur ergo operata divinitas. quomodo enim corruptibilis pulvis contra tam immania tormenta duraret, nisi in eo Christus habitaret?* usw. Caesarius homil. 12 (vol. 67, 1071 Migne) *nec illi qui boni sunt se debent quasi de suis meritis extollere nec illi qui negle-*

Predigt in Gallien.

---

treulich selbst befolgt; und zwar las er sowohl die alten Autoren (Sallust, von Cicero wenigstens die Verrinen) wie die modernen (außer Appuleius vor allen Symmachus, cf. E. Geisler, De Apollinaris Sidonii studiis [Diss. Breslau 1885] 78ff.), ganz wie er von einem Freund berichtet (ep. VIII 11, 8) *legebat incessanter auctores cum reverentia antiquos, sine invidia recentes;* freilich gehört für ihn auch Tacitus zu den alten, cf. ep. IV 22, 2 *vetusto genere narrandi iure Cornelium antevenis.* Ennodius, der ebenfalls großes Gewicht auf die Lektüre legt (*fluxit sermo non absonus, lectionis tamen opibus ampliandus* schreibt er seinem Neffen ep. VI 23), hat von Cicero gelesen sicher die Bücher De oratore und einige Reden (in Pis., pro Cluent.), cf. Hartels Index und die Testimonia p. 46. 290. 291, sowie den Anfang der dictio 2 p. 430 *credo ego vos, fratres carissimi, venerari* etc. nach Cic. pro Rosc. A. 1 *credo ego vos, iudices, mirari*, sowie ep. II 6 in. p. 46 *quousque tantum licebit abstinentiae? quousque fama nobilis . . . veterescet?* nach in Catil. I 1.

1) Cf. über Faustus die bei A. Engelbrecht l. c. XXXII angeführten Worte von E. Cabrol (Revue des questions historiques 1890 p. 238): *son stil . . . affecte la plupart du temps une forme antithétique. . . . Il recherche les assonances et la rime au détriment de l'idée qui devient l'esclave de la forme.*

gentes sunt de dei misericordia desperare; sed illi cum humilitate dei dona custodiant et isti cum grandi compunctione celerius ad poenitentiae vel correctionis medicamenta confugiant, quia qui bonus est, superbire coeperit, cito humiliatur, et qui superbus est, si se humiliat, per dei misericordiam sublevatur. Die ganz im Stil von Deklamationen gehaltenen Homilien des rhetorisch hochgebildeten Avitus von Vienne machen von diesem Mittel, den Vorschriften der Kunst gemäß, wohl nur an sehr pathetischen Stellen Gebrauch, z. B. in der Peroratio der 20. Homilie (p. 134 Peiper): *laetemur ergo exultatione concordi: effectu conditor, concursor adsensu, populus lucro, tellus obsequio, fidelis ut permaneat, ne remaneat infidelis* usw.

C. Die übrigen Provinzen.

Gallische Muster. Der Einfluß Galliens erstreckte sich bis nach Konstantinopel, vor allem auch nach Rom. Ausonius feiert (prof. Burd. 1) den aus Burdigala gebürtigen Minervius, der in Rom lehrte[1]); von einem andern Rhetor derselben Zeit bezeugt es Hieronymus (z. J. Chr. 337)[2]), und kein Geringerer als Symmachus verdankt seine rhetorische Ausbildung einem Gallier[3]), möglicherweise dem genannten Minervius.[4])

---

1) Cf. Teuffel-Schwabe, Gesch. d. röm. Lit.[5] § 417, 2.

2) Cf. Bernays in Ges. Abh. II 83, 3.

3) Symm. ep. IX 88 *fatendum tibi est amice: Gallicanae facundiae haustus requiro; non quod his septem montibus eloquentia Latiaris excessit; sed quia praecepta rhetoricae pectori meo senex olim Garumnae alumnus immulsit, est mihi cum scholis vestris per doctorem iusta cognatio. quidquid in me est, quod scio quam sit exiguum, caelo tuo debeo. riga nos ergo denuo ex illis Camenis, quae mihi lac bonarum artium primum dederunt.*

4) Cf. O. Seeck in seiner Ausgabe des Symm. praef. p. XLIX. — Im folgenden Jahrhundert gingen die Gallier Studien halber nach Rom: am anschaulichsten der Studiengang des Partenius, des Neffen des Ennodius, cf. den Ind. nom. der Hartelschen Ausgabe s. *Partenius;* ferner Ennodius an einen Simplicianus (ep. VII 14): *tibi, erudite puer, habeo gratias, quod quamvis dicendi splendore nituisses et in illa urbe litterarum scientia adstipulante lauderis, mei quoque desideras adiumenta praeconii . . . . Constitit concavatis* (was heißt das?) *Latiaris elocutio, dum per alveum suum Romanae eloquentiae unda praelabitur.* — Im sechsten Jahrh. hebt Cassiodor (var. VIII 12) es als bemerkenswert hervor, daß der aus Ligurien gebürtige Arator trotz seiner nicht römischen Abkunft ein zweiter Cicero geworden

Der Name dieses Symmachus übte auf die Gebildeten des ganzen Erdkreises den größten Zauber aus. Ein Briefchen von ihm, auch des nichtigsten Inhalts, aber geleckt und gedrechselt in der Form, adelte den Empfänger; man hielt zuweilen den Boten auf dem Wege auf und ließ die Bestellung nicht an den Adressaten gelangen, worüber der gefeierte Mann mit befriedigter Eitelkeit klagt. Der berühmteste transalpine Literat Ausonius war stolz darauf, sein Freund zu heißen, und tauschte mit ihm Komplimente aus. An ihn wendete man sich von Mailand aus, um den dortigen Stuhl der Rhetorik zu besetzen: eine Ironie des Schicksals wollte es, daß er den Augustin empfahl, den er dadurch dem Ambrosius und dem Christentum zuführte, er, einer der letzten und mächtigsten Pfeiler des dem Einsturz verfallenen Pantheon. In den Mauern der Stadt, die noch immer das Zentrum der Welt war und als solches allen erschien, hafteten die Augen des Mannes auf den alten Tempeln und Altären; die Gedanken des hochgestellten Beamten galten freudelos der Gegenwart, die des Menschen versenkten sich mit liebevollem Entzücken in die Literatur der herrlichen, durch ihre bitteren Schicksale nur noch verklärten Vergangenheit. Er suchte sich auch in seinem Stil von den Exzessen der Modernen freizuhalten, aber Wollen und Können deckten sich nicht: ep. III 11 *sumpsi pariter litteras tuas Nestorea, ut ita dixerim, manu scriptas, quarum sequi gravitatem laboro. trahit enim nos usus temporis in plausibilis sermonis argutias. quare aequus admitte linguam saeculi nostri et deesse huic epistulae Atticam sanitatem boni consule. quodsi novitatis impatiens es, sume de foro arbitros, mihi an tibi stili venia poscenda sit. crede, calculos plures merebor, non ex aequo ac bono, sed quia plures vitiis communibus favent. itaque, ut ipse nonnumquam praedicas, spectator tibi veteris monetae*[1]) *solus supersum; ceteros delenimenta aurium capiunt. stet igitur inter nos ista pactio, ut me quidem iuvet vetustatis exemplar de autographo tuo sumere, te autem non paeniteat scriptorum meorum ferre novitatem*, was er natürlich nicht gar so ernst meint. Er verleugnet in seinem Stil nicht den Einfluß seiner durch einen

Symmachus.

---

sei. — Rhetorische Vorträge in Rom: Sidon. ep. IX 14, 2 *dignus omnino, quem plausibilis Roma foveret ulnis quoque recitante crepitantis Athenaei subsellia cuneata quaterentur*, cf. carm. 8, 9 f. 9, 299 ff. Vgl. auch oben S. 634 f.

1) Cf. oben S. 364 f.

gallischen Rhetor erhaltenen Ausbildung (S. 642). Die Urteile der Zeitgenossen und der Späteren[1]) sind bezeichnend: Ausonius I 32 (der Briefsammlung des Symmachus): *suavissimus ille floridus tui sermonis efflatus. haud quisquam ita nitet, ut comparatus tibi non sordeat.* Ambrosius ad Valentinianum iun. (= adv. Symm. 2): *aurea est lingua sapientium litteratorum, quae phaleratis dotata sermonibus et quodam splendentis eloquii velut coloris pretiosi corusco resultans capit animorum oculos specie formosi visuque perstringit.* Prudentius adv. Symm. II praef. *Quó nunc nemo disertior Exultat fremit intonat Ventisque eloquii tumet.* Macrobius sat. V 1, 5 ff. *oratorum non simplex nec una natura est, sed hic fluit et redundat, contra ille breviter et circumcise dicere adfectat, tenuis quidam et siccus et sobrius amat quandam dicendi frugalitatem, alius pingui et luculenta et florida oratione lascivit ..... copiosum (genus dicendi est) in quo Cicero dominatur, breve in quo Sallustius regnat, siccum quod Frontoni adscribitur, pingue et floridum in quo Plinius Secundus quondam et nunc nullo veterum minor noster Symmachus luxuriatur.* Sidonius ep. I 1 *Symmachi rotunditatem.* Wir können die Berechtigung dieser Urteile an seinen Briefen, sowohl den spielerischen an Privatleute als den offiziellen an die Kaiser gerichteten, und an seinen Reden prüfen: überall dieselbe Zierlichkeit (besonders Antithesen mit dem üblichen Zierat[2])), die in den panegyrischen Reden mit starkem Pathos ver-

1) Ich entnehme sie der Zusammenstellung von A. Mai in seiner ersten Ausgabe der Reden (Mailand 1815) praef. p. I f. Cf. auch die gute allgemeine Beurteilung von Chr. G. Heyne, Censura ingenii et morum Q. Aurelii Symmachi (Gött. 1801 = opusc. VI 1 ff.).

2) Aus den Reden cf. z. B. in Valentinianum laud. I 6 (p. 320 Seeck): *fuerit aliquis in pace iucundus, sed idem rebus trepidis parum felix; hunc timuerint factiosi, sed despectui habuere concordes; hunc violandum nemo credidit, non tamen etiam sublimandum aliquis aestimavit; illi honorem regium decrevit exercitus, sed idem latuit ante privatus: te unum timent rebelles, eligunt iudicantes, quem nemo audax in furore contempsit, nemo consultus in honore praeteriit. quid interest, saeviat miles an sapiat? ubi ira est, tu solus evadis, ubi consilium est, tu solus eligeris.* ib. § 10 (ib.) *maiore beneficio praestitisti coactus adsensum, quam adeptus es probatus imperium* § 13 (p. 321) *pari exortu diem germa renovaret, per easdem caeli lineas laberetur, nec menstruo pigra decursu aut in renascendo varias mutaret effigies aut in senescendo parvas pateretur aetates.* § 9 (p. 320) *neque enim tantum imperio tuo, sed etiam iudicio suo militant.* in Valentinian. laud. II § 6 (p. 325)

mischt wird, wohl kadenzierte Sätze mit strenger Beobachtung des rhythmischen Kursus am Schluß, jedes Wort überdacht, wie wir besonders erkennen aus jenen bessernden (d. h. stets die Zierlichkeit steigernden) Bemerkungen, die er an den Rand einer neuen Ausgabe der Reden nachtrug und die wir nun mit der ersten Fassung vereinigt im Text lesen.[1]) Wir würden, auch ohne daß es uns ein Zeitgenosse sagte (Macrob. l. c.), fühlen, daß der jüngere Plinius sein stilistisches Ideal ist, dessen Manier er gelegentlich durch ein paar Archaismen nach Frontos Muster aufputzt. Aber man kann nicht sagen, daß er je geradezu geschmacklos geworden wäre wie Appuleius oder Sidonius, der sich auch einbildet, den Plinius zu imitieren. Er hält eine gewisse Mitte glücklich ein, so daß von ihm selbst gilt, was er von einem (nicht weiter bekannten) Redner Antonius schreibt ep. I 89: *praeter loquendi phaleras quibus te natura ditavit, senile quiddam planeque conveniens auribus patrum gravitate sensuum, verborum proprietate sonuisti. denique etiam hi, quorum Minerva rancidior est, non negant, facundiam tuam curiae magis quam caveae convenire; at illi, quos cothurnus altior vehit et structurarum pigmenta delectant, neque tristem soliditatem neque lascivum leporem consona laude celebrarunt. haec sunt enim condimenta tui oris et pectoris, quod nec gravitate horres nec venustate luxurias, sed ratione fixus ac stabilis germanos colores rebus obducis.* Ja, einmal hat er es verstanden, aufs tiefste

---

intelleximus te ideo praemisisse nonnullos ne esset tarda victoria, ideo plerosque tenuisse ne esset multitudo suspecta (solcher Chiasmus in den Reden nur hier, offenbar dem rhythmischen Schluß zuliebe). in Gratian. laud. 4 (p. 330) *spe electus es, re probatus.* pro Flavio Severo 1 (p. 336) *vos tamen mementote non diffidentia istud fieri sed reverentia.* pro Synesio § 3 (p. 337) *non ideo Synesius in senatum legendus est, quia mihi amicitia iungitur, sed ideo amicus est mihi, quia dignus est qui legatur.* ib. § 4 (ib.) *siquidem dignitas innata felicitatis est, delata virtutum.* Aus den Briefen: I 8 p. 6, 30. I 25 p. 14, 27. III 3 p. 70, 27. III 46 p. 85, 29. IV 56 p. 117, 15. V 86 p. 149, 21 etc. (also nicht eben häufig). Wortspiele nicht oft, z. B. laud. in Valentin. II § 16 (p. 326) *servitus miseras, quod amiserat, extruebat* ep. 1, 10 *quisquis haec opera intermittit, amittit.*

1) Eine wichtige Entdeckung Seecks, praef. p. X ff. (Ob das Verhältnis der parallelen Versionen bei Dio Chrys. or. 11, 22 f. [I p. 120 f. Arnim] analog zu beurteilen ist?) Ein Vergleich der älteren und jüngeren Fassung ist äußerst lehrreich, um den stilistischen Geschmack dieser Spätzeit zu erkennen.

zu ergreifen: in jener berühmten, im J. 384 an Theodosius gerichteten Relation (= ep. X 3) über den Altar der Victoria und den Kult der Vesta: das Todesseufzen, das die Worte der in Trauergewand auftretenden und selbst redenden Roma[1]) durchzittert, tönt mit ungeheuer packender Gewalt noch zu uns herüber: ein Dokument von ganz einziger Bedeutung, in dem die Rhetorik des Herzens mit einer seit Demosthenes und Cicero beispiellosen Reinheit zum Ausdruck kommt, weitaus das Großartigste, was nach Tacitus von einem Anhänger der alten Religion in lateinischer Sprache geschrieben ist, und hinter dem Ambrosius weit zurückblieb, mochte seine Gegenschrift auch der victrix causa gelten: das ergreifende Bild von der trauernden Roma ist bis auf Dante, Petrarca und Cola nicht vergessen worden.[2]) —

Ammianus Marcellinus.

Mit Symmachus befreundet war, wie es scheint[3]), Ammianus Marcellinus, dem mit Recht ein ehrenvoller Platz in der spätlateinischen Literaturgeschichte eingeräumt wird. Es ist, wie bemerkt (oben S. 573), für die andauernde geistige Superiorität des Ostens über den Westen äußerst bezeichnend, daß die beiden einzigen Schriftsteller, die sich in dieser späten Zeit noch zu wirklich bedeutenden Gesamtkompositionen in lateinischer Sprache aufschwingen konnten, geborene Griechen waren, neben Ammian der Dichter Claudian Wer auch nur, wie ich selbst, ein paar Bücher Ammians gelesen hat, ist von der Frische der Darstellung, von der Kunst des Charakterisierens, in der auch Claudian Großes leistet, von der derben Natürlichkeit und Originalität des im Waffenhandwerk erprobten Schriftstellers, von der starken Subjektivität in Haß (Constantius) und Liebe (Iulian) aufs angenehmste berührt Selbstverständlich darf man ihn nicht an Sallust und Tacitus messen, die er neben Florus (cf. XIV 6, 3) besonders studiert hat (gegen Sallusts Historien XVII 11, 4, nach Tacitus' Tiberius und Germanicus die brillante

1) Cf. übrigens auct. ad Her. IV 53, 66. [Dio Chrys.] de fort. or. 2 § 16 (II 152, 10 v. Arnim).

2) Eine gerechte Würdigung des Inhalts dieser welthistorischen Urkunde mit der Gegenschrift des Ambrosius bei G. Boissier, La fin du paganisme II (Paris 1891) 317 ff. — Wieviel bedeutender Symmachus war als sein Zeitgenosse Libanios, erkennt man deutlich, wenn man die schwächliche Rede des letzteren an Theodosius über die Duldung des heidnischen Kultus mit dem Erguß des Symmachus vergleicht.

3) Cf. O. Seeck in: Pauly-Wissowas Realenzykl. s. v. Ammianus col. 1846.

Schilderung des Constantius und Iulian), sondern muß ihn mit den armseligen Geschichtskompilatoren seiner eignen Zeit vergleichen. Daß er historischen Blick hatte, zeigt die Ausführlichkeit in der Behandlung der Germanen- und Perserkriege, sowie seine bei aller Schwärmerei für Iulian verständige Auffassung des Christentums, von dem er allerdings nur ganz gelegentlich spricht: letzterer Umstand mag uns, die wir wissen, daß das Christentum gerade in jener Zeit der entscheidende Faktor der inneren Weltverhältnisse war, wunderlich erscheinen, aber wir müssen bedenken, daß eine Darstellung der allgemeinen, die Welt bewegenden Ideen von der antiken Geschichtschreibung überhaupt nie erreicht, ja nicht einmal angestrebt worden ist. Natürlich fehlt es bei allen Vorzügen nicht an Sonderbarkeiten, die ihn als Kind seiner Zeit zeigen: besonders durch seine Exkurse, die er nach althergebrachter Manier einlegt, bringt er den modernen Leser zur Verzweiflung, denn er zieht sie an den Haaren heran und sie sind mit wenigen Ausnahmen (so den geographisch-ethnographischen) unsäglich banal und in ihrer gespreizten Schaustellung von allerlei gelehrten oder dilettantenhaftem Raritätenkram widerlich: die Kluft, die den Graeculus und den Spätling von Tacitus scheidet, tritt in ihnen besonders stark hervor; aber wir können uns darauf verlassen, daß gerade diese Exkurse auf seine Zuhörer, denen er das Werk etappenweise vorlas, einen besonderen Eindruck machten und sie zwischen all den fränkischen, alamannischen und sarazenischen *ὀνόματα βαρβαρικά* angenehm berührten. Der Stil im ganzen betrachtet ist der Mode gemäß hochpathetisch: die Rhetorik drängt sich bei ihm in einer für uns ebenso verletzenden Weise vor wie bei Velleius, Florus und Konsorten; Libanios (ep. 983) nennt seine Vorlesungen *ἐπιδείξεις*, von seiner Schilderung der Taten Iulians sagt er selbst (XVI 1, 3): *ad laudativam paene materiam pertinebit* (also wie bei Eunapios), und er hat notorisch als Quellen auch Panegyriken benutzt; daher merkt man allenthalben die Einflüsse der Deklamatorenschule, so in der Schilderung der Foltern (XIV 9, 6, s. o. S. 286) oder der Wechselfälle der Fortuna (XIV 11, 25 f., s. o. S. 276) und in der großen indignatio über den Verfall der Sitten und der Beredsamkeit (XXX 4, s. o. S. 245 f. 309). Demgemäß ist die Stilisierung fast durchweg von einem ganz unerträglichen Schwulst; ungeheuerliche Metaphern jagen sich förmlich; XIV 5, 1 *Constantius insolentiae pondera gravius librans Gerontium exulari maerore multavit* 6, 3 *tempore quo primis auspiciis in mundanum fulgorem surgeret victura dum erunt homines Roma* XV 7, 1 *dum has exitiorum communium clades suscitat turbo feralis* XVI 12, 57 *spumans cruore barbarico decolor alveus insueta stupebat augmenta* (cf. XVII 4, 14) XVIII 4, 1 *orientis fortuna periculorum terribiles tubas inflabat* (cf. XV 2, 1, XVI 8, 11, XVIII 4, 1) 5, 4 *Palatina cohors palinodiam in exitium concinens nostrum*, ebenso Bilder, wie XIV 1, 10 *Caesar acrius efferatus velut contumaciae quoddam vexillum altius erigens* 9, 7 *ferociens Gallus ut leo cadaveribus pastus* (Bilder aus dem Tierleben liebt er sehr, cf. 4, 1, XV 3, 3, XVIII 4, 4). Der Stil als Ganzes gehört also zu der Richtung, die wir als die 'moderne' bezeichnet haben.[1]) Aber der Stil im einzelnen steht fast isoliert da. Es gibt außer Tertullian keinen lateinischen Schriftsteller, der in dieser Weise gräzisierte. Und zwar ist dieses Gräzisieren kein beabsichtigtes, sondern die natürliche Folge der Unfähigkeit des Schriftstellers, sich in korrektem Latein auszudrücken: er denkt griechisch. Vieles läßt sich nur fühlen, vieles aber auch beweisen (was es bisher darüber gibt, ist ganz ungenügend), z. B. XIV 10, 16 *mox dicta finierat, multitudo omnis ad quae imperator voluit, consensit*, εὐθὺς τοῦ λόγου περαινομένου πᾶν τὸ πλῆθος εἰς ἃ ὁ αὐτοκράτωρ ἐβούλετο συγκατέθετο, XIV 4, 4 *exaggerare incidentia*, τὰ συμπεσόντα, XVII 12, 6 *urendo rapiendoque occurrentia militaris turbo vastabat*, τὰ τυχόντα, XVIII 1, 1 *multa conducentia disponebat*, τὰ συμφέροντα, 3, 6 *multa garriebat et saeva* πολλὰ καὶ δεινά; in dem Satz XV 5, 6 f. *Mallobaude spondente quod remeabit. . . ., haec quae ipse pollicitus est impleturum. testabatur enim id se procul dubio scire quod, siqui mitteretur externus, suopte ingenio Silvanus composita forte turbabit* ist im Modus dreimal gegen den Geist der lateinischen Sprache gesündigt, während er im Griechischen korrekt wäre; am meisten fiel mir auf der übermäßige Gebrauch von Partizipialkonstruktionen, die im Lateini-

1) Es ist aber sehr bemerkenswert, daß er Isokola und Homoioteleuta durchaus eher meidet als sucht, entweder weil er darin der Praxis seines Freundes Libanios folgte (s. o. S. 402 f.), oder weil sie ihm zu volkstümlich (speziell in der christlichen Prosa) waren: letzteres ist wahrscheinlicher, da sich bei Ennodius das gleiche findet, s. o. S. 639, 4.

schen ebenso unbeliebt wie im Griechischen beliebt sind, z. B. XIV 2, 13 *ubi conduntur nunc usque commeatus distribui militibus omne latus Isauriae defendentibus adsueti*, 6, 7 *laeditur hic coetuum magnificus splendor levitate paucorum incondita, ubi nati sunt non reputantium*, ib. 8 *quidam aeternitati se commendari posse per statuas aestimantes eas ardenter adfectant*, ἔνιοι τῷ αἰῶνι συστήσειν ἑαυτοὺς δι' ἀνδριάντων οἰόμενοι δεινῶς αὐτοὺς περιποιοῦνται (aber lateinisch hätte es heißen müssen: *quidam statuas quibus aeternitati se commendari posse aestimant ardenter adfectant*), XVIII 2, 15 *post saepimenta inflammata et obtruncatam hominum multitudinem visosque cadentes multos*, cf. XIV 5, 4. 6, 10. XV 6, 2 i. f. 7, 9 i. f.; daher hat er nicht selten mißgestaltete Perioden, z. B. XIV 7, 7 *Serenianus, pulsatae maiestatis imperii reus iure postulatus ac lege, incertum qua potuit suffragatione absolvi, aperte convictus familiarem suum cum pileo, quo caput operiebat, incantato vetitis artibus ad templum misisse fatidicum*, XV 2, 10 *Gorgonius conspiratione spadonum iustitia concinnatis mendaciis obumbrata periculo evolutus abscessit.* Auch das Gefühl für die Proprietät der lateinischen Wortstellung geht ihm ab, wodurch seine Lektüre uns sehr erschwert wird; er ändert die übliche Wortfolge nicht nur wegen des rhythmischen Satzschlusses (⏔́ ⏑̄ ⏗ ⏕́ ⏑̄ oder ⏔́ ⏑̄ ⏗ ⏔́ ⏑ ⏗̆ oder ⏔́ ⏑ – ⏑̄, s. Anh. II), z. B. XIV 2, 17 *quorum tutela securitas poterat in solido locari cunctorum*, 7, 21 *quam necessario aliud reieci ad tempus*, 8, 3 *vestigia claritudinis pristinae monstrat admodum pauca*, 10, 5 *salus est in tuto locata praefecti*, 10, 14 *quos fama per plagarum quoque accolas extimarum diffundit*, XV 7, 3 *Marcus condidit imperator*, 7, 5 *supplicio est capitali addictus*, XVII 2, 1 *expleri se posse praedarum opimitate sunt arbitrati*, 4, 1 *obeliscus Romae in circo erectus est maximo*, 4, 12 *alter in campo locatus est Martio*, 4, 14 *circo inlatus est maximo*, XVIII 1, 2 *erat indeclinabilis iustorum iniustorumque distinctor*, XVI 8, 6 *exaggerato. itaque negotio ad arbitrium temporum cum nihil post tormenta multorum inveniretur | iudicesque haererent ambigui, | tandem veritas respiravit oppressa | et in abrupto necessitatis mulier Rufinum totius machinae confitetur auctorem, nec adulterii foeditate suppressa*[1]), sondern auch ohne diesen Grund,

---

1) Einmal hat er sich erlaubt, dem Rhythmus zuliebe ein anderes Tempus

wie XV 5, 25 *ut ad imperatoris novelli per ludibriosa auspicia virium accessu firmandi sensum ac voluntatem dux flebilis verteretur*, 6, 1 *ne reos atrocium criminum promiscue citari faceret multos*, XVII 1, 1 *praedam Mediomatricos servandam ad reditum usque suum duci praecipit.* — Eine genaue stilistische Würdigung des Ammian, die ebenso wie eine gute Ausgabe ein dringendes Bedürfnis ist, wird das alles im einzelnen darzulegen haben. Ich führe zum Schluß noch eine treffende Charakteristik des ammianischen Stils von v. Gutschmid an (Kl. Schr. V 583 f.): „Ammian schreibt ein blumiges und barbarisches Latein; sein gesuchter, outrierter Stil steht unter dem Einflusse der asianischen Rhetorik, die in seiner Zeit den Geschmack beherrschte... Als Grieche und Soldat schreibt er unsicher. Aber die Diktion ist trotz des Schwulstes nicht ohne Kraft... Die Perioden sind gedunsen und leiden an Wortüberfülle. Poetische Worte sind sehr zahlreich, nicht minder obsolete Worte[1]), Metaphern und Neuerungen im Gebrauch der Worte. Er vermeidet griechische Worte, die er immer nur mit einer entschuldigenden Formel anbringt; um so häufiger sind Graezismen aller Art... Am übelsten sind die schlechten Konstruktionen und die barocken Wortstellungen, die erst bei einiger Überlegung den Sinn des Schriftstellers ergeben." —

Hieronymus. Hieronymus, weitaus der gelehrteste aller christlichen lateinischen Schriftsteller, der zu den heidnischen Autoren ein so intimes Verhältnis hatte wie kein anderer, tadelt zwar oft genug den Schwulst und die Ziererei in der Diktion seiner Zeitgenossen[2]), aber wie er inhaltlich ganz als Rhetor schreibt, unmäßig im Lob wie im Tadel je nachdem es ihm gerade paßt, sophistisch in der Argumentation[3]), so hat er sich auch formell nicht überall von den Auswüchsen des pathetischen Stils frei-

zu setzen: *si Numa Pompilius vel Socrates bona quaedam dicerent de spadone, a veritate descivisse arguebantur.*

1) Z. B. XIV 1, 9 *non nisi luce palam egrediens ad agenda quae putabat seria cernebatur. et haec quidem medullitus multis gementibus agebantur.*

2) Cf. oben S. 555. Ferner ep. 40, 2 (I 187) *numquid solus Onasus Segestanus cava verba et in modum vesicarum tumentia buccis trutinatur inflatis? ... quadrante dignam eloquentiam nare subsanno.*

3) Das ist ihm oft vorgeworfen worden, cf. z. B. Joh. Clericus, Quaestiones Hieronymianae (Amsterd. 1700) 233 ff.

gehalten[1]); z. B. setzt er den ganzen Apparat der sophistischen Deklamationskünste in Bewegung bei der Schilderung der Foltern einer Christin und ihrer wunderbaren Rettung (ep. 1), und es finden sich bei ihm genug Stellen wie die folgende (ep. 14, 10, I p. 36 Vall.): *sed quoniam e scopulosis locis enavigavit oratio et inter cavas spumeis fluctibus cautes fragilis in altum cymba processit, expandenda vela sunt ventis et quaestionum scopulis transvadatis laetantium more nautarum epilogi celeuma cantandum est. o desertum Christi floribus vernans, o solitudo in qua illi nascuntur lapides de quibus in apocalypsi civitas magni regis extruitur, o eremus familiarius deo gaudens. quid agis frater in saeculo, qui maior es mundo?* usw. Von Asella, der Schwester seiner gelehrten Freundin Marcella schreibt er (ep. 24, 5, I 130 Vall.) *nihil illius severitate iucundius nihil iucunditate severius, nihil suavitate tristius nihil tristitia suavius. ita pallor in facie est, ut cum continentiam indicet non redoleat ostentationem. sermo silens et silentium loquens, neglecta mundities et in culta veste cultus ipse sine cultu.* Unter seinen Briefen ist der 117te eine grimmige Invektive gegen eine Jungfrau in Gallien, die sich mit ihrer Mutter entzweit hat. Er schildert ihr Treiben mit so lebhaften Farben, als ob er selbst dabei gewesen wäre, und läßt sie selbst den Einwurf machen (c. 8): *unde me nosti et quomodo tam longe positus iactas in me oculos tuos?* Schließlich (c. 12) hält er es selbst für nötig zu sagen: *haec ad brevem lucubratiunculam celeri sermone dictavi.... quasi ad scholasticam materiam me exercens ... simulque ut ostenderem obtrectatoribus meis, quod et ego possim quidquid venerit in buccam dicere.* Daher machte ihm sein Gegner Vigilantius den Vorwurf, den er selbst berichtet contra Vigil. c. 3 (vol. III 389 Vall.): *sed iam tempus est, ut ipsius verba ponentes ad singula respondere nitamur. fieri enim potest, ut rursum malignus interpres dicat fictam a me materiam, cui rhetorica declamatione respondeam, sicut illam, quam scripsi ad Gallias, matris et filiae inter se discordantium.* —

Von Ambrosius als Stilisten gilt das gleiche, wie sehr er Ambrosius.

1) Er entschuldigt sich einmal eingehend, daß er ein Werk nicht genügend stilistisch habe feilen können: comm. in Zachariam l. III praef. (vol. VI 2 p. 880 f. Vall.), und ärgert sich über einen Mönch, der seine Streitschrift gegen Iovinian wegen ihres Stils getadelt hatte: ep. 50, 2 f. (I 237 f.).

auch als Mensch den Hieronymus überragt. Was ist auch begreiflicher, als daß der gewaltige Prediger, der den jungen Augustin durch die Schönheit seiner Diktion bezauberte (Aug. conf. V 13, oben S. 5), sich wenigstens in den Predigten[1]) des modernen Stils bediente, der auf die Herzen und den Sinn der Zuhörer den größten Eindruck machen mußte? Am stärksten tritt dies Bestreben hervor in den Predigten, die er in Nachahmung des Basileios über die Schöpfungsgeschichte hielt, z. B., um eine beliebige Stelle herauszugreifen, Hexaem. III 15, 62 (14, 182 Migne): *inexplicabile est singularum rerum exquirere velle proprietates et vel diversitates earum manifesta testificatione distinguere vel latentes occultasque causas indeficientibus aperire documentis. una nempe atque eadem est aqua et in diversas plerumque sese mutat species: aut inter arenas flava aut inter cautes spumea aut inter nemora viridantior aut inter florulenta discolor aut inter lilia fulgentior aut inter rosas rutilantior, aut in gramine liquidior aut in palude turbidior aut in fonte perspicacior aut in mari obscurior, assumpto locorum quibus influit colore, decurrit. rigorem quoque pari ratione commutat, ut inter vaporantia ferveat, inter umbrosa frigescat, sole repercussa exaestuet, nivibus irrigata glaciali humore canescat* usw. Eine ähnliche Periode aus dem Anfang des zweiten Buchs De virginitate analysiert Augustin de doctr. Christ. IV 48 als ein Muster des *grande dicendi genus.*[2]) —

Ausläufer. Die absolute Geschmacklosigkeit drang aber, wie in Gallien, auch in den anderen Provinzen erst seit der Mitte des V. Jahr-

1) Sachlicher und einfacher schreibt er, soweit ich mich erinnere, in der auf Ciceros Büchern von den Pflichten aufgebauten Schrift De officiis ministrorum, cf. R. Thamin, S. Ambroise et la morale chrétienne au IV. siècle, Paris 1895. Von den übrigen Schriften habe ich zu wenig gelesen, um darüber urteilen zu können.

2) Der Ciceronianer in Erasmus' dialogus Ciceronianus (p. 1008 B der Ausgabe von 1703 vol. I) urteilt über Ambrosius: *gaudet argutis allusionibus, acclamationibus, nec praeter sententias quicquam loquitur: membris incisis comparibus numerosus ac modulatus suum quoddam dicendi genus habet aliis inimitabile, sed a Tulliano genere diversissimum.* Fénélon, Dialogues sur l'Eloquence (Paris 1718) 234 *Saint Ambroise suit quelquefois la mode de son tems. Il donne à son discours les ornemens qu'on estimoit alors. Peut-être même que ces grands hommes qui avoient des vûës plus hautes que les régles communes de l'Eloquence, se conformoient au goût du tems, pour faire écouter avec plaisir la parole de Dieu, et pour insinuer les veritez de la Religion.*

hunderts ein. Wer einiges aus den Gesetzessammlungen jener Zeit, aus Cassiodors Variae, aus Venantius Fortunatus' Prosaschriften gelesen hat, weiß, daß der Stil bis zur völligen Unverständlichkeit verzerrt wurde. In den Kanzleien der Kaiser bildete sich das aus, was wir unter 'Kanzleistil' verstehen: schon in den Briefen Konstantins des Großen liegt er fast ausgebildet vor[1]): Gespreiztheit und Schwulst sind seine Charakteristika[2]), aber darin unterscheidet er sich von der uns geläufigen Vorstellung, daß er nicht affektiert archaisierend, sondern hochmodern ist, indem er ohne Rücksicht auf die castitas der alten Sprache sich mit all den bekannten Mittelchen raffinierter Rhetorik aufflittert, z. B. empfiehlt Cassiodor (im J. 511) im Namen Theodorichs den Gallier Felix dem Senat mit folgenden Worten (var. II 3): *litterarum studiis dedicatus perpetuam doctissimis disciplinis mancipavit aetatem. non primis, ut aiunt, labris eloquentiam consecutus toto se Aonii fonte satiavit. vehemens disputator in libris, amoenus declamator in fabulis, verborum novellus sator aequiperaverat prorsus meritis quos lectitarat auctores.* Was man damals für guten Stil ansah, erkennen wir aus Venantius, wenn er lobt *pomposae facundiae florulenta germina* (praef. p. 1, 15 Leo) oder *crepitantia verborum tonitrua* (c. III 4, 1 p. 52, 6), und besonders aus folgenden Worten (c. V 1, 6 p. 102, 19): *quid loquar de perihodis epichirematibus enthymemis syllogismisque perplexis? quo laborat quadrus Maro, quo rotundus Cicero. quod apud illos est profundum, hic profluum, quod illic difficillimum, hic in promptu: comperi paucis punctis quoniam quo volueris colae pampinosae diffundis propagines, quod vero libuerit acuti commatis falce succidis, ut cauti vinitoris studio moderante nec in hoc luxurians germinet umbra fastidium et illuc tensa placeat propago cum fructu.* Ihm selbst gehen lange Perioden meist jammervoll in die Brüche (z. B. c. V 6, 1 p. 112, 1 ff.), während ihm besser gelingen Wortklingeleien wie (praef. 1 p. 1, 1 ff.) *acuminum suorum luculenta veteris aetatis ingenia qui natura fervidi, curatura fulgidi, usu triti, auso securi, ore freti, more festivi, praeclaris operibus celebrati posteris stupore*

---

1) Z. B. in denen, die er in Sachen der Donatisten schreiben ließ (Corp. script. eccl. Vindob. XXVI 204. 210), oder in dem an Porfyrius Optatianus gerichteten (p. 4 Müller).

2) Cf. Sidon. Apoll. ep. VIII 3, 3 *declamationes quas oris regii vice conficis.*

laudanda reliquere vestigia, certe illi inventione providi, partitione serii, distributione librati, epilogiorum calce iucundi, colae fonte proflui, commate succiso venusti, tropis paradigmis perihodis epichirematibus coronati pariter et cothurnati tale sui canentes dederunt specimen, ut adhuc nostro tempore quasi sibi postumi vivere credantur etsi non carne vel carmine. —

Für die Predigten jener Zeit gilt das gleiche, was oben über die des Augustin gesagt ist: unter den angewandten Redefiguren dominiert das Isokolon mit Homoioteleuton, vor allem in den Predigten Gregors des Großen († 604), worüber die Mauriner in ihrer Ausgabe (1705) vol. III 2 pg. II bemerken: *Gregorius fere semper graditur periodis bimembribus et quasi bipedibus similiter cadentibus* und Erasmus l. c. (S. 652, 2): *Isocraticae structurae quasi servit oratio, sic enim puer in scholis assueverat.*

Schlußresultat.

Schluß. Blicken wir zum Schluß dieses Buches kurz zurück auf den langen Weg, den wir bisher durchmessen haben. Eine Entwicklungsreihe von tausend Jahren liegt hinter uns: in ihnen ist von dem feinstorganisierten aller Völker ein Tempel der Schönheit aufgebaut worden, die, zeitlich und örtlich unbegrenzt, ihren Siegeslauf genommen hat und eine Erzieherin der Nationen geworden ist. Denn da für dieses Volk der Begriff der Schönheit mit dem edler, stolzer Menschlichkeit zusammenfiel, haben die Wunderwerke, die es geschaffen, seinen eignen Untergang überdauert: ihre Ideen waren unendlich dehnbar, ihre Formen auf heterogene Verhältnisse übertragbar. Was in ein paar Jahrhunderten das kleine Hellenenvolk geschaffen hatte, wurde ewig vorbildlich für den Orbis terrarum. Wir haben diese literarhistorische Maxime — die größte, die es überhaupt für die Völker unseres Kulturkreises gibt — in den vorangegangenen Untersuchungen für ein kleines Gebiet, die Formgebung kunstmäßiger Prosa, bestätigt gefunden. Aus dem Born der Schönheit, die in den klassischen Meisterwerken attischer Prosa des fünften vorchristlichen Jahrhunderts niedergelegt wurde, haben die Menschen, sich selbst zuletzt unbewußt, kraft einer unverwüstlichen immanenten Tradition, welche die Beschützerin alles wahrhaft Großen und Guten ist, getrunken. Freilich die klassische, vornehm in sich selbst ruhende und äußerliche Mittel stolz verschmähende Schönheit hat keiner der Nachahmer, so viele sich auch darum bemühten, erreichen können: die Nachahmung war mehr oder weniger schablonenhaft und mumienartig, ein deutliches Abbild der langsam aber stetig alternden Welt der Antike. Dagegen die äußerlichen, auf die Nerven stark wirkenden und daher dem Geschmack des Durchschnittspublikums angemesseneren Schönheitsmittel der prosaischen Diktion, wie sie gleichfalls im fünften Jahrhundert von den sophistischen Schönschreibern als verbindlich aufgestellt wurden, haben in Wahrheit gelebt: in den Entwicklungsphasen der Literaturen beider Völker sind sie von Anfang bis zum Ende konstante Größen gewesen, die sich aus sich selbst stets von neuem wieder erzeugten. Die Anhänger der ersteren Partei, die sich an der Nachahmung der klassischen Muster Attikas versuchte, nannten sich, wie wir sahen, mit Stolz die 'Alten', die der anderen Partei, die in stetem Fühlen mit den Bedürfnissen der Gegenwart blieb, die 'Neuen'. Der Kampf der beiden Parteien in Theorie und Praxis bildet den wesentlichen Inhalt der bisherigen Darstellung. Wenn wir Epigonen von der Warte kühl reflektierender Beobachtung auf den Kampf zurückblicken, so werden wir nicht umhin können, nur der Partei der 'Neuen' objektiv historische Berechtigung zuzuerkennen, denn nur das Lebende besteht zu Recht. Anders werden wir freilich urteilen, wenn wir unsere subjektive Empfindung als Maßstab anlegen. Denn gemäß dem Erfahrungssatz, daß, je stärker ein Reiz auf unsere Sinne wirkt, um so leichter das Gefühl der Erschlaffung oder Übersättigung eintritt, haben nur die größten Stilvirtuosen jene äußeren Effektmittel der alten sophistischen Kunstprosa mit solchem Maß und solchem Takt angewendet, daß ihre Schöpfungen auf uns wirken wie Gemälde, in denen zwar starkwirkende Farben aufgetragen sind, aber nur am rechten Ort und so, daß sie in ihrer Gesamtheit das Auge eher erfreuen als verletzen: *eius demum vera est atque absoluta ars, qui quantum inpenderit operae dissimulat magis quam profitetur, ut facilius placere aliquid persentiscamus quam quid placeat intellegamus.*[1]) Die große Masse

1) Kaibel in: Comm. in hon. Momms. 326.

der Stilkünstler ist an der schwierigen Aufgabe gescheitert, indem sie, um mich eines anderen, gleichfalls antiken Bildes zu bedienen, die starken Gewürze zur Speise selbst gemacht hat: die Folge war, daß die antike Kunstprosa, indem sie sich mehr und mehr dem nur für starke Kost empfänglichen Geschmack der langsam von der früheren ästhetischen Höhe niedersteigenden Völker anpaßte, stetig degeneriert ist und in ihrer einstigen Schönheit erst wiedererkannt werden konnte von uns Epigonen, die wir durch andere Sprachen und andere Lebensgewohnheiten abseits stehen von dem großen Strom der Entwicklung, der die in ihm Befindlichen widerstandslos mit sich fortreißt.

Zweites Buch.

Das Mittelalter und der Humanismus.

Erster Abschnitt.

Die Antike im Mittelalter und im Humanismus.

Erste Abteilung.

Die Antike im Mittelalter.

Allgemeines.

Als eine der großen historischen Errungenschaften unseres Jahrhunderts darf gelten, daß derjenige, der das Mittelalter noch mit den Schmähworten der Humanisten bezeichnet, ähnlicher Schmähworte seitens der heutigen Forscher gewärtig sein muß. Die Bedeutung des Mittelalters auf literarhistorischem Gebiet besteht in der Vermittlung der antiken Bildung für die moderne Zeit. Es verdient gerade heutzutage gegenüber den Verächtern der klassischen Studien betont zu werden, daß, wie die folgenden Untersuchungen zeigen werden, der Stand der allgemeinen Kultur und Menschenbildung im Mittelalter nie tiefer gewesen ist als in den Zeiten der völligen Abwendung vom Altertum, nie höher als in denjenigen Jahrhunderten, in denen Kaiser und Könige aufs nachdrücklichste die Rückkehr zur Antike befohlen haben, um durch sie die stagnierende Kultur ihrer eignen Völker zu beleben. Eine zusammenfassende Behandlung dieser weltgeschichtlichen Tatsachen gibt es noch nicht; das erklärt sich teils aus der Fülle des ungeheuern, überall verstreuten, meist noch ungesichteten, ja unedierten Materials, teils aus dem Umstand, daß der klassische Philologe, der auf seinem eigensten Arbeitsfelde noch so viele Blumen in prangenden Farben mühelos pflücken kann, ungern auf dem Acker eines Fremden die zwischen Disteln und Dorngestrüpp sich verirrenden matten Blüten sammelt, der Historiker des Mittelalters sich ebenfalls nur gezwungen an eine ihn doch nur mittelbar und nicht sehr wesentlich berührende

Aufgabe macht. Ich habe mich, so gut ich konnte, auf dem mir von Haus aus fremden Gebiet zurechtzufinden gesucht, auf das mich nicht eigne Neigung führte, sondern das Bedürfnis, einerseits den sich scheinbar fast verlierenden Verästelungen der antiken Kultur nachzugehen, andererseits das Wiederaufleben dieser Kultur in seiner geschichtlichen Notwendigkeit zu begreifen. Nachdem ich dies, soweit ich vermochte, erreicht habe, werde ich nie wieder die stille Reinheit der Antike mit dem phantastisch wogenden Nebelmeer des Mittelalters vertauschen. Die Gesichtspunkte, nach denen ich das Material geordnet habe, zum größten Teil auch das auf Grund der Quellen selbst gesammelte Material, glaube ich mit wenigen als solche angegebenen Ausnahmen als neu bezeichnen zu dürfen.[1]) Ich muß das alles hier vorlegen, weil die Stilgeschichte eng damit verknüpft ist und eben nur durch diese Verknüpfung einiges Interesse gewähren mag, dessen sie isoliert entbehren würde.

Den allgemeinen Entwicklungsgang der klassischen Studien im Mittelalter hat schon Melanchthon in großen Zügen treffend geschildert in seiner zu Wittenberg am 29. Aug. 1518 gehaltenen Antrittsrede De corrigendis adulescentiae studiis.[2]) Nach der Verwüstung Italiens durch Goten und Langobarden waren nur Irland und Britannien in ihrer friedlichen Abgeschiedenheit Pflegstätten der alten Literatur; Italien, Gallien, Deutschland lagen danieder, bis Karl d. Gr., selbst hochgebildet, eine Er-

1) Das Ansehen, welches die bekannte Allg. Gesch. der Lit. des Ma. im Abendlande bis zum Beginn des XI. Jh. von A. Ebert genießt, erklärt sich nur daraus, daß es über diesen Gegenstand nichts besseres Zusammenfassendes gibt: Biographien der Verfasser und ermüdende Inhaltsangaben ihrer Werke sind wahrlich keine Literaturgeschichte, am wenigsten eine solche des Mittelalters, wo es darauf ankommt, den großen Gang der Ideen darzustellen und wo die ohnehin ja so spärlich vorhandenen Individuen nur insofern Geltung besitzen, als sie wesentliche Träger dieser Ideen sind. Ich werde daher dieses Werk, aus dem ich so gut wie nichts habe lernen können, im folgenden fast ganz ignorieren. Die angekündigte lateinische Literaturgeschichte des Ma. von L. Traube wird, wie wir hoffen dürfen, die empfindliche Lücke ausfüllen. Daß ich in den folgenden Untersuchungen den unermeßlichen Stoff nicht habe erschöpfen können, bedarf für Wissende keiner Begründung oder Entschuldigung.

2) Am besten ediert von K. Hartfelder in: Lat. Literaturdenkm. des XV. u. XVI. Jahrh., herausgeg. von Herrmann u. Szamatólski, Heft 4 (Berlin 1891) 3 ff.

neuerung der Literatur (*litteras instaurandas*) beschloß, und zu dem Zweck Alcuin aus England nach Gallien kommen ließ. Von da an wurde Paris ein Hort der Studien, aber noch nicht war Aristoteles hier der Mittelpunkt, sondern Wissenschaft aller Art blühte: Zeuge ist der Benediktinerorden, dessen Mitglieder durch gelehrte Tätigkeit berühmt wurden. Zu ihrem Unglück verfielen dann die Menschen auf Aristoteles, nicht den echten und reinen, sondern den durch barbarische Übersetzungen verzerrten: von dieser Zeit an *pro bonis non bona doceri coepta.* Aus dieser Schule gingen hervor Männer wie Thomas, Scotus, Durandus und eine Legion andrer: ihnen verdanken wir es, daß die alte Literatur abgeschafft wurde und so viele Tausende von Schriftstellern rettungslos dem Untergang verfielen. Dann kam die Zeit, in der die *humanitas* und mit ihr die *litterae* wieder geboren wurden. „Glücklich ihr Jünglinge", ruft der Praeceptor Germaniae aus, dessen kürzlich gefeiertes Gedenkfest seinen Manen angesichts des Niederganges der 'besten' Wissenschaft als Hohn erscheinen mußte, „glücklich ihr, deren Leben in diese Zeit fällt!" — Es wird also zunächst darauf ankommen, die allgemeinen Verhältnisse aus der Zeit des Überganges vom Altertum zum Mittelalter in aller Kürze zusammenzufassen.

Erstes Kapitel.

Die Zeit des Überganges vom Altertum zum Mittelalter.

Niedergang der klassischen Studien.

Als das Heidentum aufgehört hatte, einen Faktor zu bilden, mit dem man zu rechnen hatte, als die katholische Kirche im wesentlichen vollendet war, brachen seit dem V. Jh. die Barbarenhorden mit stürmender Hand in das römische Reich ein, nicht mehr gewillt, geduldet zu sein und zu gehorchen, sondern zu dulden und zu befehlen. Um dieselbe Zeit beginnt daher auch für die Literaturgeschichte zunächst eine Epoche der Barbarei: die Eroberer, die zunächst nur daran dachten, das Alte zu zerstören, lernten zwar die lateinische Sprache, aber entweder entartete sie durch die Manier zu völliger Unverständlichkeit oder durch die Unfähigkeit, sich in dem fremden Idiom auszudrücken, zu hülflosem Stammeln. In Gallien geben Ausonius, Sidonius,

Gregor von Tours, in Italien Symmachus und Venantius eine Vorstellung von dem stufenweisen Niedergang des Könnens und des Geschmacks. Wenn Gregor († 593) sagt (hist. Franc. praef.), die Pflege der Wissenschaften werde vernachlässigt und wenn er um Entschuldigung bittet, daß er die Geschlechter der Substantive nicht mehr unterscheiden könne und die Präpositionen mit falschen Kasus verbinde, so ist das, wie seine eigne Sprache zeigt, keine Phrase. So war die Gefahr groß, daß die antike Bildung gänzlich verloren ging. Zwei Momente von weltgeschichtlicher Bedeutung haben ihre Restauration angebahnt und durchgeführt: der Sieg des Christentums und die friedliche Konsolidierung der Barbarenreiche, beide Momente ihrem innern Wesen nach, wie es auf den ersten Blick scheinen könnte, am wenigsten dazu bestimmt, das Alte zu konservieren. Daß aber das Christentum von dem Moment an, wo es in die antike Kulturwelt eintrat, sich wesentlich als erhaltende und vermittelnde, nicht als zerstörende Macht bewährt hat, ist an mehreren Stellen dieses Werkes hinlänglich hervorgehoben worden; die Tatsache tritt, um nur das hier noch zu bemerken, mit besonderer Deutlichkeit in folgendem Ereignis hervor: Iulian hatte den christlichen Lehrern verboten, die heidnischen Literaturwerke ihrem Unterricht zugrunde zu legen; daraufhin unternahmen es die beiden Apollinarios, Vater und Sohn, eine eigne christliche Literatur (in heidnischen Formen) zu schaffen: der Vater bearbeitete die Schriften des alten Bundes episch und dramatisch, der Sohn die des neuen dialogisch nach platonischem Muster; man hätte erwarten sollen, daß sich diese Arbeiten erhielten, aber kaum war mit dem Tode des Apostaten die Reaktion eingetreten, verschwanden sie spurlos: *ἐν ἴσῳ τοῦ μὴ γραφῆναι λογίζονται*, wie Sokrates, der dies berichtet (h. e. III 16) sich ausdrückt: sie machten wieder den heidnischen Werken Platz[1]), die, wie wir aus der berühmten Rede des Basileios *πρὸς τοὺς νέους* wissen, in der Schule gelesen wurden; so fest haftete in der Schule und im Leben der Christen die antike Tradition. Als daher in der genannten Zeit diese in Vergessenheit zu geraten drohte, hat die Kirche sie als Grundlage der Kultur ge-

1) Doch erhielt sich, wenn A. Ludwich in: Königsb. Stud. I (1887) 79 ff. recht hat, die hexametrische Psalterparaphrase.

schützt. — In derselben Richtung wirkte das zweite Moment. Dieselben Barbaren, die anfangs als Zerstörer der uralten Kultur auftraten, erwiesen sich als ihre Beschützer, seitdem sie begannen, auf dem Boden dieser Kultur in friedlicher Arbeit neue Reiche zu gründen. Sie brachten in das altersschwache Reich alles was diesem fehlte: freudige Siegesgewißheit, wie sie jungen Nationen eignet, Mut und Kraft nicht bloß zum Zerstören des Alten, sondern auch zum Aufbau eines Neuen; nur eins brachten sie nicht, eine auf tausendjähriger Vergangenheit ruhende Kultur und als deren Trägerin eine gleich alte Literatur; so haben sie es zwar vermocht, durch die Gewalt ihrer Fäuste auf die Throne der Cäsaren Männer ihres Stammes zu setzen, aber ein kulturelles Äquivalent vermochten sie nicht zu bieten: daher amalgamierten sie sich das Fremde und obwohl sie es dadurch seiner Eigenart beraubten, so haben sie es doch erhalten. — Von den beiden Momenten ist das erstere sowohl das ältere als auch das wirksamere und eigentlich entscheidende gewesen: denn die antike Kultur wurde den Barbaren ja eben durch das Christentum vermittelt, und mit diesem übernahmen sie die Grundlage, auf der jene sich aufbaute, die alte Literatur.

Hebung der klassischen Studien.

Es sind hauptsächlich drei in derselben Richtung wirkende Faktoren gewesen, in denen diese beiden Momente ihren Ausdruck fanden: die Bestrebungen des Cassiodorius, der Iren, der Angelsachsen.[1])

1. Cassiodor.

1. In Cassiodor[2]) vereinigen sich beide Momente. Als Minister und literarischer Beirat der ostgotischen Barbarenkönige, die Römer sein wollten und denen er den Gefallen tat, sie durch sein Geschichtswerk als solche zu legitimieren, hat er in deren Sinn die (auf italischem Boden ja freilich vergebliche) Tendenz einer Verschmelzung des romanischen und barbarischen Elements auch in der Literatur durchzuführen versucht. Fol-

---

1) Von Isidor preist Braulio, Bischof von Saragossa († 651) in der Vorrede zu seiner Ausgabe Isidors (I 9 Arevalo): *quem deus post tot defectus Hispaniae novissimis temporibus suscitans, credo ad restauranda antiquorum monumenta, ne usquequaque rusticitate veterasceremus, quasi quandam opposuit destinam.* Aber Spanien stand seit der Zeit der Antonine außerhalb der großen Heerstraße der Kultur.

2) *Le héros et le restaurateur de la science* nennt ihn Montalembert, Les moines d'Occident II (Paris 1860) 80.

gende Worte, die er den Athalarich sagen läßt (var. IX 21, etwa aus dem J. 533), scheinen mir dafür besonders bezeichnend zu sein: *grammatica magistra verborum, ornatrix humani generis, quae per exercitationem pulcherrimae lectionis antiquorum nos cognoscitur iuvare consiliis. hac non utuntur barbari reges: apud legales dominos manere cognoscitur singularis. arma enim et reliqua gentes habent: sola reperitur eloquentia, quae Romanorum dominis obsecundat. hinc oratorum pugna civilis iuris classicum canit, hinc cunctos proceres nobilissima disertitudo commendat, et ut reliqua taceamus, hoc quod loquimur inde est.* Überhaupt unterläßt er es im Namen der Könige bei Empfehlungen von Kandidaten nie, deren literarische Bildung hervorzuheben (z. B. var. III 6. 12. V 4. 22). — In gleichem Sinn wie als Minister hat er als Geistlicher gewirkt. Als er sich in sein Kloster zurückzog, hat er es vermocht, sich auf den hohen Standpunkt des Augustin und Hieronymus zu stellen, indem er seinen Mönchen gründliche wissenschaftliche Vorbildung zur Pflicht machte; denjenigen Mönchen, denen ihre geistige Veranlagung eine literarische Beschäftigung unmöglich machte, empfahl er als nützlichste Arbeit den Ackerbau, aber auch dies bezeichnenderweise nicht ohne den Hinweis, in der Klosterbibliothek fänden sie die auctores de re rustica: die älteste römische Prosaschrift würden wir also ohne diesen Mann vermutlich nicht besitzen. Man kann diese Organisation Cassiodors nicht hoch genug anschlagen; denn man vergegenwärtige sich, wie es mit der Bildung der Klöster in den Zeiten vor ihm aussah. Für Gallien gab um 400 der Presbyter von Massilia, Cassianus, die Mönchsregel: wir dürfen wohl annehmen, daß der Mann, der von Gewissensqualen gepeinigt wurde, weil ihm beim Absingen des Psalters und beim Gebet die 'Teufelsgestalten' der vergilischen Gedichte vor Augen traten (conl. XIV 12), seine Mitbrüder vor derselben Gefahr durch Verbot heidnischer Lektüre geschützt haben wird. Und Benedictus, der Patriarch der abendländischen Mönche? Im J. 480 in Umbrien geboren, besuchte er die öffentlichen Schulen Roms, zog sich aber bald in die Einöde zurück; im J. 529 hat er auf dem Mons Cassinus, auf den Fundamenten eines zerstörten Apollotempels, das Kloster gegründet, das einst ein Zentrum der Wissenschaft südlich der Alpen werden sollte. Ihm selbst aber hat — das kann nicht eindringlich genug betont werden, weil es von einigen immer wieder vergessen wird — der Gedanke, seinen Mönchen eine wissenschaftliche Vorbildung zur Pflicht zu machen, durchaus fern gelegen: in seiner regula findet sich keine Verweisung darauf.[1]) Diese Ordensregel erhielt bekanntlich noch zu Lebzeiten ihres Stifters, sowie fernerhin durch seine Schüler, Bedeutung für einen großen Teil des Abendlandes, und vom IX. Jh. an wurde sie für alle lateinischen Mönche kanonisch: daß aber der Benediktinerorden früh seine von der weltlichen Bildung abgewandte Haltung aufgab, daß er Träger der Kultur durch die Wissenschaft wurde, ist nicht die Absicht seines Stifters gewesen, sondern das unsterbliche Verdienst Cassiodors, des Verfassers der institutiones. Er war weder ein origineller noch ein produktiv wissenschaftlicher Denker, was beides Boethius war: dafür erfaßte er aber mit dem praktischen Blick des Staatsmanns die Weltlage besser als jener Idealist; gerade dadurch, das er das Wissenswerte der Vergangenheit teils exzerpierte, teils in seiner Bibliothek sammelte und zu vervielfältigen befahl, wurde sein Vorbild für die folgenden Generationen maßgebend, die eine Selbständigkeit des Schaffens auf diesen Gebieten weder selbst besaßen, noch von anderen verlangten.

2. War der mit der allgemeinen Weltlage wohlvertraute Mann kraft eigner Ansicht und kraft der Überzeugung, daß der durch die Barbaren und die einseitige Auffassung des Christentums zugrunde gehenden Kultur eine neue Stütze gegeben werden müsse, auf den Standpunkt der freisinnigen christlichen Geistesheroen des vierten Jahrhunderts zurückgekehrt, so hatten die Iren (oder vielmehr, wie sie bis zum Ausgang des Mittelalters heißen, die 'Scotti') ihn überhaupt nie verlassen. Im III. und IV. Jahrh. von britannischen Missionären christianisiert, blieb Irland dank seiner Abgelegenheit von den Stürmen der Völkerwanderung, die im ganzen übrigen Abendland die Kultur fast 2. Die Iren.

1) Cf. Harnack, D. Mönchtum (4. Aufl., Gießen 1895) 42 f. A. Dantier, Les monastères bénédictins d'Italie (Paris 1866) I c. 10 (La science et les lettres dans une abbaye bénédictine) scheidet nicht zwischen dem ursprünglichen Zustand und dem späteren. Richtiger also als viele Neuere hat über ihn geurteilt im XI. Jh. Petrus Damiani, wenn er opusc. XIII c. 11 gegen Mönche eifert, die *parvi pendentes regulam Benedicti regulis gaudent vacare Donati*. Cf. auch C. Arnold, Caesarius (Leipz. 1894) 102 f.

vernichteten, verschont, und in den zahlreichen Klöstern, die hier in rascher Folge entstanden, konnte an den Zustand der Bildung im IV. Jh. unmittelbar angeknüpft werden. Die im Okzident sonst fast verlorene Kenntnis des Griechischen[1]) war bei den Iren so verbreitet, daß man schloß: wenn jemand griechisch verstehe, so werde er wohl aus Irland stammen. Für den ganzen Gang der Kultur wurde entscheidend die fast sprichwörtliche Wanderlust der Iren. So kam es, daß sie die heidnisch-christliche Kultur, die sie im III. und IV. Jh. empfangen hatten, im VI. und VII. Jh. den südlichen Ländern, wo sie inzwischen verloren war, wieder übermittelten: zu derselben Zeit, als Gregor von Tours über die literarische Verwahrlosung des Frankenreichs klagte, gründete am Westabhang der Vogesen ein literarisch hochgebildeter, in Grammatik, Rhetorik und Geometrie wohlbewanderter Mann, Columbanus, drei Klöster, darunter das bekannteste Luxovium (Luxeuil). Wechselvolle Schicksale führten ihn im J. 613 zur Langobardenkönigin Theudelinde, jener klugen und mächtigen Frau, die von Papst Gregor d. Gr. für den römischen Katholizismus gewonnen war: dieses Nebeneinander des irischen (d. h. antirömischen), langobardischen und römisch-katholischen Elements ist höchst bemerkenswert, denn

---

1) Über die Schicksale der griechischen Sprache im Westen vom Beginn der Berührung Griechenlands mit Rom bis zu dem Zeitpunkt, in dem Petrarca durch Vermittlung des Barlaam aus Kalabrien sich eine notdürftige Kenntnis der griechischen Sprache erwarb, habe ich mir, wie umgekehrt für die Schicksale der lateinischen Sprache im Osten bis auf die Übersetzungstätigkeit des Maximos Planudes und Demetrios Kydones, Zeugnisse gesammelt; aber das zu verarbeitende Material ist so ungeheuer groß und z. T. auf Gebieten verstreut, die meinen Studien und Interessen fern liegen, daß ich zu seiner völligen Sammlung und Verarbeitung noch Jahre gebrauchen werde. Das Beste, was es darüber gibt, sind noch immer zwei Programme von Fr. Cramer, De graecis per occidentem studiis inde a primo medio aevo usque ad Carolum M., Stralsund 1848. 1853; ferner L. Traube in: Abh. d. Bayr. Ak. d. Wiss. XIX (1892) 344—361. K. Krumbacher in: Sitzungsber. d. Bayr. Ak. d. Wiss. (1892) 362 ff. (dort auch wertvolle Literaturnachweise), L. Stein in: Arch. f. Gesch. d. Philos. N. F. II (1896) 241 ff. A. Didot, Alde Manuce (Paris 1875) Einleitung, K. Caspari, Ungedr. Quellen z. Gesch. d. Taufsymbols u. d. Glaubensregel III (Christiania 1875) Exkurs I 'Griechen u. Griechisch in d. röm. Gemeinde in d. 3 ersten Jahrh.' (p. 267—466), cf. auch Th. Zahn, Gesch. d. neut. Kanons I 1 (Erl. 1888) 31 ff. und oben S. 60, 2.

eben diese Elemente hat später Karl d. Gr. vereinigt. In dem Reiche dieser Fürstin, unweit südlich von ihrem Hauptsitz Pavia, gründete Columban das Kloster Bobbio[1]), dessen Name das Herz des Philologen stärker schlagen läßt. In einem Gedicht spricht Columban zu einer Zeit, als Gregor der Gr. es für unwürdig erklärte, daß aus demselben Munde der Name Christi und Jupiters komme, unbefangen von den Trojanern, Amphiaraus, Danae, Pluto: diejenigen Mönche, die in spätern Jahrhunderten über die schönen alten Handschriften des Plautus, Cicero und Fronto die Texte der Vulgata, des Augustin und der Konzilsakten schrieben, haben nicht im Sinn Columbans gehandelt. Columbans Schüler Gallus, der ihm wegen Krankheit nicht nach Bobbio folgen konnte, legte um 613 den Grund zu der später nach ihm benannten Abtei St. Gallen, der zweiten großen Fundgrube von Handschriften in der Zeit des Humanismus.[2])

3. Der Philologe kann die Bedeutung der irischen Kultur für die Erhaltung der klassischen Literatur gar nicht hoch genug anschlagen: was uns von Handschriften, welche die Fürsorge der römischen Adelsfamilien im IV. oder V. Jh. anfertigen ließ, erhalten ist, verdanken wir direkt und indirekt den Iren, die sie aus Rom nach Bobbio usw. geschafft haben; den Alemannen, Langobarden, Franken, Bayern haben wesentlich die Iren eine reiche geistliche, auf der Antike basierende Bildung gebracht: eine lange Reihe glänzender Namen vom siebenten bis zehnten Jahrhundert bezeugt es im Verein mit den erhaltenen Handschriftenkatalogen jener Zeiten. Am frühsten und 3. Die Angelsachsen.

1) Cf. A. Peyron, De bibliotheca Bobiensi in seiner Ausgabe der Cicerofragmente (Stuttg. 1824), praef. III ff.

2) Cf. A. Ozanam, La civilisation chrétienne chez les Francs = Oeuvres complètes IV (6. éd., Paris 1893) 100 ff., B. Hauréau, Singularités historiques et littéraires (Paris 1861) c. 1 (Ecoles d'Irlande), L. Traube l. c. 345 u. ö. und besonders H. Zimmer, Über die Bedeutung des irischen Elements für die mittelalt. Kultur in: Preuß. Jahrb. 1887 p. 27 ff.; derselbe in: Nennius vindicatus (Berlin 1893) 238 ff. (doch cf. G. Wissowa in: Gött. gel. Anz. 1895 p. 738 ff.). Interessant sind die bekannten Bibliothekskataloge von St. Gallen und Bobbio aus dem IX. u. X. Jahrh. bei G. Becker, Catalogi bibliothecarum antiqui (Bonn 1885) 43 ff. 64 ff. Übrigens stehen ausgezeichnete Distichen des Bischofs Livinus vom J. 633 in: Veterum epistolarum Hibernicarum sylloge ed. J. Usher. (Herborn in Nassau 1696) p. 17 f. (deutliches Studium des Ovid v. 52 ff.).

nachhaltigsten haben sie derjenigen Nation die Schätze ihres Wissens mitgeteilt, die ihnen örtlich am nächsten wohnte, den Angelsachsen, deren Christianisierung Gregor d. Gr. begonnen hatte. Eine große Anzahl von zeitgenössischen Zeugnissen[1]) beweist, daß dieses Volk mit maßloser Bewunderung auf die Gelehrsamkeit seiner Nachbarn sah und sie sich anzueignen trachtete. Die Angelsachsen besuchten die irischen Klöster und fanden hier das bereitwilligste Entgegenkommen: *quos* (sc. *Anglos*), sagt Beda h. e. III 27, *omnes Scotti libentissime suscipientes victum eis cotidianum sine pretio, libros quoque ad legendum et magisterium gratuitum praebere curabant.* Die Kenntnis des von den Iren ihnen übermittelten Griechischen wurde bei ihnen dadurch noch vergrößert, daß im J. 668 Theodoros, ein Mönch aus Tarsos, vom Papst nach England geschickt wurde, wo er im Verein mit seinem ebenfalls des Griechischen kundigen Begleiter, dem Abt Hadrian, Klosterschulen errichtete.[2]) Die beiden großen Schriftsteller Aldhelmus († 709) und Beda († 735) schreiben zwar, wie alle Angelsachsen, ein stilistisch verwildertes (übrigens grammatisch korrektes) Latein, aber die Bedeutung dieser irisch-angelsächsischen Kultur liegt auch weniger in den eignen Werken ihrer Träger, als darin, daß diese das Wissen des Hieronymus, Augustinus und Cassiodorius zusammenfaßten und dadurch für das Mittelalter die angesehensten und einflußreichsten Schriftsteller wurden. Aus diesen Kreisen, in denen es als selbstverständlich galt, daß klassische Bildung die notwendige Voraussetzung der Theologie sei, stammte Winfrid. Wir haben von ihm Briefe in schwülstiger Sprache, durchmischt mit halblatinisierten griechischen Worten, Gedichte in antiken Metren, sogar ein grammatisches Werkchen über die acht Redeteile; doch nicht in diesen seinen Schriften liegt seine literarhistorische Größe, seine kulturhistorische Bedeutung, sondern darin, daß er, wie Cassiodor und die irischen Vorgänger, diese auf durchaus wissenschaftlichem Unterbau ruhende Kultur in seinen deutschen Gründungen eingebürgert hat. Mit hoher Bewunderung, die alles Große in der Geschichte des Menschengeistes erweckt, lesen wir

1) Cf. Zimmer, l. c. 34 f. und Nennius 295 f., der auch andere Zeugnisse als das gleich folgende anführt.

2) Näheres bei Zimmer, Nennius l. c.

den Bericht, wie Sturm, der Schüler des Bonifacius[1]), in die Einöden der Buchonia vordringt, wie er bei Hairuvisfelt Halt macht, dann von seinem Lehrer geheißen wird weiter zu ziehen, wie er dann Fulda gründet, das Karlmann im J. 744 bestätigt. Diese mit bedeutenden Privilegien ausgestattete Abtei wurde im Verein mit dem bald nachher als Kloster eingerichteten Hersfeld die Rivalin von St. Gallen in geistiger Bildung: hier wurde Einhart erzogen, der eleganteste Autor des Mittelalters, hier war Hrabanus Maurus Abt, der Augustins Wissensschätze der Welt von neuem zugänglich machte, hier ist Tacitus gelesen und teilweise erhalten worden: es wurde die Schule nicht bloß Germaniens, sondern des ganzen karolingischen Reichs. Vor der Tür des Saals, in dem die Kopisten arbeiteten, stand eine lateinische Inschrift, die — ganz im Sinne Cassiodors — zur Vervielfältigung der Bücher aufforderte und — gleichfalls nach dessen ausdrücklicher Vorschrift — vor Interpolationen warnte. Ein Mönch studierte hier so eifrig Virgil und Cicero, daß man ihn im Scherz beschuldigte er reihe sie den Heiligen ein.[2])

Ein Schüler Bedas war Egbert, Erzbischof von York; ein Schüler Egberts Alcuin, der berufen war, unterstützt durch das verständnisvolle Entgegenkommen des gewaltigen Imperators, die angelsächsische Kultur in das geistig verwilderte Frankenreich hinüberzuleiten; ein Schüler Alcuins (in Tours) war der genannte Hrabanus Maurus[3]), der nun die Methode Alcuins in sein Kloster Fulda übertrug und dadurch dem dort schon eingebürgerten wissenschaftlichen Sinn neue Nahrung zuführte. Doch verfolge ich dies zunächst nicht weiter, sondern wende mich zur Erörterung einer Frage, die richtig zu beantworten vor allem wichtig ist: welche Stelle nahmen in der mittelalterlichen Bildung die klassischen Studien ein.

---

1) So sicher es ist, daß der Name etymologisch *Bonifatius* zu schreiben ist, so wenig steht fest, ob er sich selbst noch so geschrieben hat: auf dem ravennatischen Papyrus vom. J. 474 (Fontes iur. Rom. ed. Bruns[6] n. 103 p. 281) wird der gleiche Name *Bonifacius* geschrieben.

2) Cf. Ozanam l. c. 150 ff.

3) Cf. Fr. Monnier, Alcuin et Charlemagne (Paris 1863) 264 f.

Zweites Kapitel.

Die Stellung der Artes liberales im mittelalterlichen Bildungswesen.

Über die 'artes liberales' ist sehr viel geschrieben worden[1]), aber die mich interessierende Frage wird selten aufgeworfen: Kürzlich hat M. Guggenheim in der Beilage zum Progr. der Kantonschule in Zürich (1893) über die „Stellung der liberalen Künste oder encyklischen Wissenschaften im Altertum" vortrefflich gehandelt; in manchen der im folgenden entwickelten Ideen bin ich mit dem Verfasser zusammengetroffen, dessen Schrift ich den Leser zu vergleichen bitte. Um das richtige Verständnis zu gewinnen, müssen wir zeitlich weit zurückgreifen.

1. Die propädeutische Wertschätzung der Artes liberales von der platonischen Zeit bis auf Augustin.

Platon und die Sophisten.

Platons Streit mit den Sophisten ist bekanntlich keineswegs ein bloß akademischer gewesen, sondern wurde durch aktuelle Interessen von unmittelbarer Bedeutung für beide Parteien ausgefochten. Es handelte sich darum, ob die Erziehung der hellenischen Jugend nach den Maximen Platons oder denen der Sophisten vorgenommen werden solle. Jener sah das einzige Heil in der *φιλοσοφία* und verwarf gemäß seinem idealistisch-aristokratischen Standpunkt im Prinzip die gewöhnlichen Bildungsmittel. Umgekehrt die Sophisten: sie standen dem praktischen Leben näher und kannten daher besser seine Bedürfnisse: die *φιλοσοφία* galt ihnen nichts, dagegen alles jene *παιδεία*, die zum Fortkommen im Leben am meisten dienlich war. Sie haben tatsächlich mit Bewußtsein schon alle diejenigen *τέχναι* gelehrt, die von der spätern Zeit unter die *ἐγκύκλιος παιδεία*, d. h. die gewöhnliche, alltägliche Bildung, begriffen wurden und die im

1) Am besten: P. Gabriel Meier, Die 7 freien Künste im Ma. Jahresbericht d. Lehr- u. Erziehungsanstalt Maria-Einsiedeln 1885. 1886, cf. auch O. Willmann, Didaktik als Bildungslehre I² (Braunschw. 1894) 264, 1, wo mir die Stelle aus Tzetzes neu war. — Über ihre Stellung im antiken Unterricht cf. auch Rohde, Rh. M. XL (1885) 73 f. und Mommsen-Blümner, Der Maximaltarif des Diocletian (Berlin 1893) 116 ff.

ganzen Altertum und Mittelalter in Geltung bleiben sollten: Zeugnisse aus dem Altertum selbst nennen Hippias den Begründer des auf den freien Künsten basierten Erziehungssystems.[1]) Isokrates hat dann, was seiner ganzen Parteistellung entsprach, zwischen den beiden extremen Ansichten in der Weise vermittelt, daß er die gewöhnliche Bildung als eine vorbereitende zur höchsten und eigentlichen, der *φιλοσοφία*, bestehen ließ und in sein pädagogisches System aufnahm.[2]) Dieser Standpunkt blieb fortan der maßgebende, zunächst für das Altertum[3]); zwar fehlte es nicht an solchen Isokrates.

1) An Hippias fiel schon den Zeitgenossen das encyklopädische Wissen auf; wir erkennen aus dem, was uns [Plat.] Hipp. mai. 285 D und Cicero de or. III 127 darüber mitteilen, daß er alle jene später maßgebenden *τέχναι* lehrte: Astronomie, Geometrie, Arithmetik werden ausdrücklich genannt; in der *γραμμάτων δύναμις καὶ συλλαβῶν καὶ ῥυθμῶν καὶ ἁρμονιῶν* liegt Grammatik und Musik; Rhetorik und Dialektik versteht sich für den Sophisten von selbst. Es ist also ganz korrekt, wenn Cicero l. c. von ihm sagt, er habe gelehrt die *artes quibus liberales doctrinae atque ingenuae continentur* und Quintil. XII 11, 21: *Eleus Hippias, qui liberalium disciplinarum prae se scientiam tulit.* Sokrates bei Xenoph. mem. IV 7 erwähnt Astronomie, Geometrie, Arithmetik.

2) Cf. z. B. Antidosis 258—69.

3) Hier ein paar Nachweise. Cicero, Hortens. fr. VI Us. *ut ei qui conbibi purpuram volunt, sufficiunt prius lanam medicamentis quibusdam, sic litteris liberalibusque doctrinis ante excoli animos et ad sapientiam concipiendam inbui et praeparari decet* (cf. auch de fin. I 72). — Auf einer Inschrift von Branchidae (Anc. greek inscr. in the Brit. Mus. IV 1 n. 925), die ihrer Sprache nach (besonders auffällige Berührungen mit Polybios) noch aus dem I. Jh. v. Chr. zu sein scheint (cf. die Bemerkungen G. Hirschfelds), wird von Melanion gesagt (Z. 18 ff.): *ἔν τε τοῖς οἰκείοις τῆς ἡλικίας παιδεύμασιγ καταγινόμενος καὶ ἐν τοῖς κατὰ φιλοσοφίαν λόγοις ἱκανὴν ἕξιγ καὶ προκοπὴν ἐσχηκώς.* — Nikolaos von Damaskus begann, wie er in seiner Selbstbiographie erzählt (FHG III 349), mit der Grammatik, durch die er die ganze Dichtkunst erlernte, später machte er sich an die Rhetorik, Musik und Mathematik, endlich kam er zur Philosophie. Er vergleicht (wie Varro sat. fr. 418 f., Epiktet diss. III 23, 36 ff., cf. auch Philon de congr. 3) die *παιδεία* mit einem Wege: wie man in der einen Herberge kürzer, in der anderen länger bleibt, so auch in den einzelnen Bildungsstationen, bis man schließlich *τὸ ἐκείνων χρήσιμον κατασχὼν ἐπὶ τὴν ὡς ἀληθῶς πατρῴαν ἑστίαν ἀνελθὼν φιλοσοφεῖ.* — Plotin erachtet wenigstens Mathematik, Logik und Dialektik als nötig für den Philosophen, der den Weg ins Reich des Intelligibeln machen will (enn. I 3, 3 f.). — Von Porphyrios berichtet Eunapios v. soph. p. 10 Boiss.: *οὐδὲν παιδείας εἶδος* habe er übergangen,

Philosophen, die sich wenigstens in der Theorie der extremen Anschauung Platons anschlossen (wir wissen es von den Kyni-
Stoa. kern, Zenon, Epikur, den Skeptikern)[1]) aber die jüngere Stoa hat, ganz entsprechend der Vermittlungsrolle, die sie auf allen Gebieten zwischen den Gebildeten und dem Volk, zwischen philosophischem Idealismus und dem Realismus der gegebenen Verhältnisse gespielt hat, ein für alle Male die ἐγκύκλιοι τέχναι als προπαιδεύματα zu der wahren παιδεία, der φιλοσοφία, hingestellt. Seneca gibt uns in dem berühmten, für diese Fragen einzig wichtigen 88. Brief auch den Namen des Mannes, der diese Auffassung scharf formuliert hat: Poseidonios. Wenn Seneca in jenem Brief vom Standpunkt der alten Stoa aus gegen Poseidonios polemisiert, so ist das natürlich (ganz wie bei den Skeptikern) ein bloß akademischer Streit: folgt doch sogar ein so rigoroser Denker wie Epiktet in dieser Frage ganz der vermittelnden Richtung (diss. III 23, 36 ff.). An Poseidonios haben sich drei Männer angeschlossen, von denen notorisch feststeht, daß sie überhaupt in seinen Bahnen zu wandeln pflegen:

---

worauf er aufzählt Schriften über Rhetorik, Grammatik, Arithmetik, Geometrie, Musik. — Vielleicht mit besonderer Rücksicht auf Porphyrios sagt Eusebios pr. ev. XIV 10, 10 von den Philosophen überhaupt: περιφέρουσιν ἄνω καὶ κάτω θρυλοῦντες τὰ μαθήματα, δεῖν ἐξ ἅπαντος φάσκοντες τοὺς μέλλοντας ἐν πείρᾳ τῆς τοῦ ἀληθοῦς καταλήψεως γίνεσθαι μετελθεῖν ἀστρονομίαν, ἀριθμητικήν, γεωμετρίαν, μουσικήν· τούτων γὰρ ἄνευ μὴ δύνασθαι λόγιον ἄνδρα καὶ φιλόσοφον ἀποτελεσθῆναι ἀλλ' οὐδὲ τῆς τῶν ὄντων ἀληθείας ψαῦσαι μὴ τούτων ἐν ψυχῇ τῆς γνώσεως προτυπωθείσης. — Synesios, Dion p. 42 ff. Pet., führt in herrlichen, feierlich schwungvollen Worten aus, daß derjenige, der die höchste Philosophie, die ihm als Neuplatoniker die Religion ist, erreichen d. h. der ἰδέαι teilhaftig werden wolle, sich zuerst einweihen lassen müsse in die εἴδωλα d. h. die Künste, die von den Charitinnen und Musen gepflegt werden, vor allem Rhetorik und Poesie: denn durch sie, die προπαιδεύματα, erreiche man τὸ ἀκριβῶς Ἕλληνα εἶναι, τουτέστι δύνασθαι τοῖς ἀνθρώποις ἐξομιλῆσαι, s. besonders auch p. 53 f., wo ausgeführt wird, wie Kalliope die den steilen Weg zur Tugend d. h. zur Philosophie Hinanwandelnden auf blumigen Auen erfrischt mit den Süßigkeiten attischer Rede und Poesie, und wo das schöne Wort steht, daß es auch mit dem nicht schlecht bestellt sei, der, statt weiter hinaufzuklimmen, dauernd im Musentempel bleibe, denn er sei, wenn auch kein φιλόσοφος, doch ein ἀνὴρ μουσικὸς καὶ χαρίεις.

1) Cf. meine Bemerkungen in Fleckeisens Jahrb. Suppl. XVIII (1891) 315 und die dort angeführte Literatur, zu der jetzt Guggenheim l. c. kommt.

Varro[1]), Strabon[2]) und Philon. Der letztere hat diese Anschauung den Christen übermittelt, bei denen natürlich die hellenische φιλοσοφία durch die christliche φιλοσοφία d. h. die Theologie ersetzt wurde und die προπαιδεύματα eben die klassischen Studien bedeuteten.

Philon hat diese Frage sehr oft berührt[3]) und sie dann vor allem in einer eignen Schrift behandelt: περὶ τῆς εἰς τὰ προπαιδεύματα συνόδου (De congressu quaerendae eruditionis gratia I 519—545 M.). Die Worte der Sarah zu Abraham (Gen. 16, 1), er solle, da sie selbst nicht gebären könne, mit ihrer Magd, der Ägyptierin Hagar, Kinder zeugen, werden so gedeutet: (§ 3 p. 520), „es heißt nicht, daß Sarah überhaupt nicht gebäre, sondern daß sie ihm persönlich nicht gebäre; denn wir sind unfähig, den Samen der Tugend zu empfangen, wenn wir nicht vorher mit deren Dienerin verkehrt haben. Dienerin der Weisheit ist aber die durch die Vorschulfächer erreichte allgemeine ästhetische und verstandesmäßige Bildung (θεραπαινὶς δὲ σοφίας ἡ διὰ τῶν προπαιδευμάτων ἐγκύκλιος μουσικὴ καὶ λογική)“, wie dann weitläufig in der ganzen Schrift bewiesen wird von der γραμματικῇ, γεωμετρίᾳ, ἀστρονομίᾳ, ῥητορικῇ, μουσικῇ, τῇ ἄλλῃ λογικῇ θεωρίᾳ πάσῃ. Man hat bemerkt[4]), daß diese Allegorie ihre Entstehung einem berühmten Bonmot aus der älteren kynisch-stoischen Schule verdankt, welches Plutarch (de lib. educ. 10, 7 D) dem Bion, Stobaios (flor. IV 110) dem Ariston zuschreibt[5]): „hübsch sagte Bion, diejenigen, die, außerstande der Philosophie teilhaftig zu werden, sich mit den andern unnützen Bildungsfächern abquälten, glichen den Freiern, die, außerstande sich der Penelope zu nähern, sich mit deren Dienerinnen einließen.“ Die in diesem Diktum hervortretende rigorose Ansicht der älteren Stoa von der absoluten Verwerflichkeit der προπαιδεύματα ist

Philon.

1) Sat. fr. 418 f. mit meiner Auslegung l. c.

2) Im I. Buch. Daß übrigens Poseidonios an Eratosthenes anknüpfte, geht aus p. 15 Cas. hervor.

3) Cf. Zeller, Philos. d. Gr. III³ 2, 408, 1 Guggenheim l. c. 17 ff.

4) Cf. Zeller, l. c. Guggenheim l. c.

5) Nach andern soll es von Aristipp herrühren, cf. Guggenheim 22, 1 und A. Kießling zu Hor. ep. I 2, 28. Daß es auf keinen Fall von Gorgias herrührt (dem es eine sehr schlechte Überlieferung zuschreibt), betont A. Gercke in seiner Ausg. des Sauppeschen Gorgias (Berlin 1897) p. VI, 5.

also von Philon gemäß der laxeren Ansicht der jüngeren Stoa von deren relativem Wert umgestaltet worden.[1])

Clemens. Auf den Schultern Philons steht Clemens von Alexandria. Im ersten Buch seines großen systematischen Werkes hat er seine Stellung zur heidnischen Bildung ausführlich begründet. Man liest überall zwischen den Zeilen die bittere Polemik gegen die prinzipiellen Verächter der hellenischen παιδεία; gelegentlich gibt er ihr auch unmittelbaren Ausdruck, so I 1, 18 (p. 326 P): „Ich kenne gar wohl die Redereien gewisser aus Mangel an Bildung ängstlicher Menschen, die da sagen, man müsse sich nur mit dem Notwendigsten und dem, was den Glauben zusammenhält, beschäftigen, das außerhalb Stehende und Überflüssige übergehen, da es uns doch nur vergeblich aufhalte und an Dinge fessele, die zur Erreichung des Ziels nichts beitrügen. Einige glauben sogar, daß die Philosophie zum Verderben der Menschen durch die Erfindung einer Art von Teufel ins Leben hineingekommen sei"; cf. 9, 43 p. 341. Diese Widersacher hatten sich sogar berufen auf eine Stelle der Schrift: „halte dich nicht an ein schlechtes Frauenzimmer, denn Honig träufelt von den Lippen einer Hure" (Spr. Sal. 5, 3): das deuteten sie auf die Philosophie (5, 29 p. 332). Dem gegenüber legt nun Clemens eingehend zweierlei dar: 1) Die hellenische Bildung, vor allem auch die Philosophie, ist „ein Werk der göttlichen Vorsehung" (1, 18 p. 327); denn „von allem Schönen, mag es nun hellenisch, mag es unser sein, ist Gott der Urheber" (5, 28 p. 331), und „durch ihre Bildung hat Gott die Hellenen auf Christus erzogen, wie die Hebräer durch das Gesetz" (ib.). Jene Stelle der Schrift sei falsch ausgelegt: sie beziehe sich, wie der Zusammenhang beweise, vielmehr auf die Sinnenlust. 2) „Wie diese hellenische Bildung die Hellenen selbst zur Gerechtigkeit erzog, so soll sie uns zur Gottesfurcht erziehen: denn sie ist eine Vorschule (προπαιδεία) für die, welche den Glauben auf dem Wege des Beweises sich erwerben wollen" (5, 28 p. 331). Denn „wie es meiner Ansicht nach möglich ist, gläubig zu sein ohne Wissenschaft, so

1) Bemerkenswert ist, daß auch Paulus ep. ad Gal. 4, 22 ff. die alttestamentliche Stelle allegorisch gedeutet hat: man vergleiche seine Allegorie mit der philonischen, um den fundamentalen Unterschied des palästinensisch-hellenischen und des alexandrinisch-hellenischen Judentums zu empfinden.

sind wir uns darüber einig, daß es ohne Bildung unmöglich sei, das in der Glaubenslehre Gesagte zu verstehen; denn das gut Gesagte sich zu eigen zu machen, das Gegenteilige sich fern zu halten, ist nicht Sache des einfachen, sondern des wissenschaftlichen Glaubens (6, 35 p. 336)." Um zu diesem Glauben zu gelangen, sei die hellenische *προπαιδεία*, d. h. die *ἐγκύκλια μαθήματα* und die *φιλοσοφία*, nötig, aber nur als Mittel zum Zweck, wie er mit ausführlicher Behandlung des philonischen Gleichnisses von Sarah und Hagar darlegt (5, 30 ff. p. 333 ff.); abgesehen von anderem sei eine solche Vorbildung auch zum Verständnis der h. Schrift nötig, in der oft grammatische, dialektische und wegen ihrer absichtlichen Dunkelheit inhaltliche Schwierigkeiten zu lösen seien (9, 44 f. p. 342). Die Stellen, an denen Paulus vor der weltlichen, speziell der philosophischen Bildung warnt, bezögen sich nur auf die entartete Bildung, wie sie von den Sophisten der Gegenwart vertreten würde (8, 39 f. p. 339 f. 10, 49 f. p. 345 f.).

Origenes. Origenes, der eigentliche christliche Fortsetzer Philons in der allegorischen Deutungsmethode[1]), hat an die Stelle der genannten stoisch-philonischen Allegorie eine andere von genau derselben Tendenz gesetzt: sie ist für alle Folgezeit bindend geworden. In seinem Brief an Gregorios (Thaumaturgos) handelt er über das Thema: „Wann und wem die philosophischen Kenntnisse nützlich sind zur Erklärung der heiligen Schriften, auf Grund eines Schriftzeugnisses" (vol. I 1 ff. Lomm.). Er bemerkt zu Anfang, Gregorios sei so gut veranlagt, daß er sowohl ein vollendeter römischer Jurist wie griechischer Philosoph werden könne. Aber, fährt er fort, „ich wünschte, daß du die ganze Kraft deiner guten Anlage hinsichtlich des Zwecks (*τελικῶς*) ausschließlich dem Christentum widmetest, daß du aber als Mittel zum Zweck (*ποιητικῶς*) von der hellenischen Philosophie die dem Christentum gewissermaßen dienlichen Kenntnisse des gewöhnlichen Lebens oder der Vorschule (*ἐγκύκλια μαθήματα ἢ προπαιδεύματα*) hinzunähmest, desgleichen von der Geometrie und Astronomie das zur Erklärung der heiligen Schriften

1) Porphyr. adv. Christ. bei Euseb. h. e. VI 19, 8 behauptet, Origenes habe seine allegorische Auslegungsmethode von der Stoa gelernt, was indirekt richtig ist; denn wer etwas Origenes gelesen hat, weiß, daß er durch das Studium Philons auch zu dessen stoischen Quellen geführt wurde.

Brauchbare, damit wir das, was die Philosophen von der Geometrie, Musik, Grammatik, Rhetorik und Astronomie sagen, sie seien Gehilfinnen der Philosophie, unsererseits auch von der Philosophie selbst hinsichtlich ihres Verhältnisses zum Christentum sagen können.“ Es folgt nun eine in der Zukunft hoch berühmt gewordene allegorische Deutung von Exod. 11, 1 sq. („Es sprach der Herr zu Moses: Noch eine Plage will ich über Pharao und Ägypten kommen lassen, darnach wird er euch von hier entsenden. . . So sage nun insgeheim zum Volke, es solle ein jeder von seinem Nächsten fordern silberne und goldene Gefäße und Gewänder.“) Wie diese aus Ägypten mitgenommenen Kostbarkeiten zu dem von Gott befohlenen Bau des Allerheiligsten verwandt worden seien (cf. Exod. c. 37 ff.), so solle man es auch mit den weltlichen Wissenschaften machen, denn diese seien zu verstehen unter den Ägyptiern, bei denen die Kinder Israel lange gelebt hätten, um sich endlich von ihnen zu befreien.[1]) Aber vorsichtig müsse man das aus Ägypten Mitgebrachte verwenden: größer sei die Zahl derer, denen es verderblich geworden sei: das seien die Häretiker.[2]) — Dieser Theorie entsprach die Praxis, die Origenes bei seinen Schülern anwandte: derselbe Gregorios, an den er die obigen Worte schrieb, hat uns darüber in seinem Panegyricus auf Origenes c. 7 (10, 1076 f. Migne) interessante Mitteilungen gemacht (genannt sind: Dialektik in Verbindung mit Rhetorik, Musik, Astronomie, be-

---

1) E. Bernheim weist mich darauf hin, daß dieselbe Stelle schon bei Eirenaios haer. IV 30 allegorisch gedeutet wird; freilich ist die Deutung verschiedenartig, aber man lernt doch aus Eirenaios, besonders wenn man ihn mit Tertull. adv. Marc. II 20 cf. IV 24. V 13 kombiniert, wie Origenes gerade auf diese Stelle geführt wurde; Markion hatte nämlich in seinen *ἀντιθέσεις* den Diebstahl der Kinder Israel als Argument für seine Verwerfung des A. T. benutzt: denn Jesus habe seinen Jüngern nicht einmal erlaubt einen Stab mitzunehmen, wie ganz anders also der Judengott. Dadurch erhielt die Stelle offenbar auch in katholischen Kreisen eine gewisse Zelebrität: Eirenaios, Tertullian und Origenes deuteten sie sämtlich allegorisch um, aber jeder von ihnen auf verschiedene Weise.

2) Er denkt wohl z. B. an die Häresie des Artemon, von der eine Streitschrift aus dem Anfang des III. Jahrh. bei Euseb. h. e. V 28, 14 berichtet: *καταλιπόντες τὰς ἁγίας τοῦ θεοῦ γραφὰς γεωμετρίαν ἐπιτηδεύουσιν . . . Εὐκλείδης γοῦν παρά τισιν αὐτῶν φιλοπόνως γεωμετρεῖται, Ἀριστοτέλης δὲ καὶ Θεόφραστος θαυμάζονται· Γαληνὸς γὰρ ἴσως ὑπό τινων καὶ προσκυνεῖται.*

sonders auch Geometrie), ebenfalls Eusebios h. e. VI 18, 3 f., wo er berichtet: *πολλοὺς ἐνῆγεν ἐπὶ τὰ ἐγκύκλια γράμματα* (kurz vorher nennt er sie *προπαιδεύματα*), *οὐ μικρὰν αὐτοῖς ἔσεσθαι φάσκων ἐξ ἐκείνων ἐπιτηδειότητα εἰς τὴν τῶν θείων γραφῶν θεωρίαν τε καὶ παρασκευήν* (aus Eusebios Hieron. de vir. ill. 54).[1])

Gregor v. Nazianz.

Clemens und Origenes waren die großen Lehrer der folgenden Theologen des Ostens wie des Westens. Unter den ersteren nimmt Gregor von Nazianz eine hervorragende Stelle ein: *ὁ θεολόγος* war seine ehrende exemplarische Bezeichnung. Daher mögen zwei Zeugnisse aus ihm zeigen, daß die Thesen des Clemens und Origenes: die profane Bildung ist notwendig, aber ihr gebührt nur die Rolle einer Dienerin, Geltung behalten haben. An der einen dieser beiden Stellen polemisiert er ganz wie Clemens gegen die Verächter dieser Bildung (paneg. in Basil. c. 11, vol. 36, 508 f. Migne): „Es herrscht wohl bei allen Verständigen darüber volles Einvernehmen, daß Bildung von allen unsern Gütern das erste ist, und zwar nicht nur jene edlere und uns gehörige Bildung, die alle anspruchsvolle Zierlichkeit in den Reden gering achtet und nur das Heil und die Schönheit der Gedanken zum Zweck hat, sondern auch die profane, welche eine sehr große Zahl von Christen als eine hinterlistige und gefährliche und von Gott weit entfernende verabscheut: ein böser Irrtum". Nachdem er das im einzelnen gezeigt und bemerkt hat, daß man nur in der Auswahl vorsichtig sein müsse, schließt er: „Nicht also darf man die Bildung gering achten, weil einige dieser Ansicht sind, sondern man muß Leute dieses Schlages vielmehr für querköpfig und dumm halten, die freilich gern wollten, daß alle so wie sie seien, damit in der Allgemeinheit ihre Sonderstellung verborgen bleibe und sie so der Überführung ihrer Dummheit entgehen". In einem Gedicht betont er die dienende

---

1) Cf. auch die schönen Worte des Origenes in Exod. hom. 11 c. 6 (IX 138 f. Lomm.) '*et audivit Moses vocem soceri sui et fecit quaecumque dixit ei*' (Exod. 18, 24) . . . *Unde et nos si forte aliquando invenimus aliquid sapienter a gentilibus dictum, non continuo cum auctoris nomine spernere debemus et dicta, nec pro eo, quod legem a deo datam tenemus, convenit nos tumere superbia et spernere verba prudentium, sed sicut apostolus dicit:* '*omnia probantes, quod bonum est tenentes*' (ad Thessal. I 5, 21).

Stellung, die der profanen Wissenschaft gebühre (carm. ad Seleuc. 240 ff., vol. 37, 1592 f.):

καὶ τὴν μάθησιν τῶν παρ' Ἕλλησιν λόγων
ὥσπερ δικαστὴς ἔννομον ψῆφον φέρων
ὑπηρετεῖσθαι τάξον, ὡς ἐστὶ πρέπον,
τῇ τῶν ἀληθῶν δογμάτων παρρησίᾳ
τῇ πανσόφῳ τε τῶν γραφῶν θεωρίᾳ.
καὶ γὰρ δίκαιον τὴν σοφίαν τοῦ πνεύματος
ἄνωθεν οὖσαν ἐκ θεοῦ τ' ἀφιγμένην
δέσποιναν εἶναι τῆς κάτω παιδεύσεως
ὥσπερ θεραπαίνης μὴ μάτην φυσωμένης
ὑπηρετεῖν δὲ κοσμίως εἰθισμένης·
τῇ τοῦ θεοῦ γὰρ ἡ κάτω δουλευέτω.

Nach diesen Prinzipien haben nicht bloß die großen Männer auf der Höhe ihres Wirkens gelebt, sondern nach denselben ist auch der Unterricht auf den Schulen und Universitäten des Ostens geregelt worden; für denjenigen, der den Lebenslauf des Gregor von Nazianz und Basileios, sowie die für alle diese Fragen ganz besonders interessante Rede des letzteren (*πρὸς τοὺς νέους, ὅπως ἂν ἐξ Ἑλληνικῶν ὠφελοῖντο λόγων*, vol. 31, 564 ff. Migne) kennt, bedarf es dafür keiner weiteren Beweise. Iulian hatte durch sein berüchtigtes Verbot des hellenischen Unterrichts bei den 'Galiläern' die Axt an die Wurzel der verhaßten Religion gelegt und nach seinem Tode brach ein Sturm der Entrüstung gerade auch über dieses Verbot unter den gebildeten Christen aus: über die Art der Abwehr seitens der letzteren hat besonders der Kirchenhistoriker Sokrates (h. e. III 16) interessante Dinge mitgeteilt[1]) und zugleich seinen eignen Standpunkt in der ganzen Frage der profanen Ausbildung eingehend dargelegt, der sich von dem des Clemens und Origenes nicht unterscheidet: *τὸ γὰρ καλόν, ἔνθα ἂν ᾖ, ἴδιον τῆς ἀληθείας ἐστίν* sagt er auf Grund derselben Worte des Apostels, die auch Origenes dafür zitiert hatte (s. o. S. 677, 1). Von gebildeten Männern hat, soviel ich sehe, nur einer, Ioannes Chrysostomos, sich in gegen-

1) S. oben S. 662. Daß das Verbot übrigens wirklich praktische Konsequenzen hatte, geht aus folgender Tatsache hervor: Marius Victorinus, damals schon überzeugungstreuer Christ, legte sein Lehramt nieder (August. conf. VIII 5).

teiligem Sinn geäußert, aber bei einer besondern Gelegenheit: in seiner Rede 'wider die Verächter des Mönchswesens' machte er den Vorschlag, die Kinder statt zu weltlichen Lehrern zehn bis zwanzig Jahre zu den Mönchen zu schicken (l. III c. 18, vol. 47, 379 ff. Migne); Ernst ist es ihm damit natürlich nicht gewesen: es lag ihm daran, die Sache der Mönche zu heben. —

Genau ebenso verfuhr man im Westen und hier finden wir **Augustin.** nun eine folgenreiche Anknüpfung an jene Allegorie des Origenes, deren Spuren mir im Osten nicht begegnet sind.[1]) In dem zweiten Buch seiner bewunderungswürdigen Schrift De doctrina Christiana (s. oben S. 526) erörtert Augustin von einem sehr freisinnigen Standpunkt die Frage, was der Christ von den Heiden lernen dürfe und müsse. Nachdem er alles im einzelnen genau aufgezählt und ausgeführt hat, schließt er mit folgenden Worten (60): „Wie die Ägyptier nicht bloß Götzenbilder hatten, die das Volk Israel verabscheute, sondern auch Gefäße, goldene und silberne Schmucksachen und Gewänder, die jenes Volk bei seinem Auszug aus Ägypten für sich selbst gewissermaßen zu einem bessern Gebrauch heimlich in Anspruch nahm (und zwar nicht aus eigner Machtvollkommenheit, sondern auf Befehl Gottes, indem die Ägyptier, ohne es zu wissen, dasjenige ihnen liehen, von dem sie selbst keinen guten Gebrauch machten): also enthalten die Lehren der Heiden nicht bloß falsche und abergläubische Erdichtungen und überflüssigen Ballast, sondern auch die zum Dienst der Wahrheit passenderen freien Künste (*liberales disciplinas*) und einige äußerst nützliche Moralvorschriften, ja in betreff der Verehrung des einen Gottes findet sich bei ihnen einiges Wahre. Dieses, also gewissermaßen ihr Gold und Silber, muß der Christ ihnen entwenden, um es in gerechter Weise bei der Verkündigung des Evangeliums zu gebrauchen; auch ihre Gewänder, d. h. Einrichtungen, die zwar von Menschen stammen, aber der menschlichen Gesellschaft, ohne die wir nun einmal nicht leben können, angemessen sind, darf er in Empfang nehmen und für den christlichen Gebrauch behalten."

---

1) Wenigstens ähnlich Gregor v. Nyssa de vita Mosis vol. 44, 360 Migne. Daß die Allegorie des Origenes aber berühmt war, zeigt ihre Aufnahme in die von Gregor v. Nazianz und Basileios aus seinen Werken zusammengestellte Φιλοκαλία c. 13 (XIV 66 f. Lomm.).

2. Die propädeutische Wertschätzung der Artes liberales im Mittelalter.

a. Die Theorie.

Zeugnisse. Diese Worte Augustins sind öfters zitiert worden, zuerst von Cassiodor de inst. div. litt. 28 (70, 1142 Migne), so daß das Mittelalter sich also zur Rechtfertigung des in ihnen ausgesprochenen Gedankens auf seine Hauptgewährsmänner, Augustin und Cassiodor, berufen konnte. Statt aber diesen Spuren nachzugehen[1]), will ich lieber einige Belege bringen für die allgemeine in ihnen niedergelegte Anschauung, daß die artes, d. h. die ganze heidnische Bildung, keinen Selbstzweck, sondern einen bloß relativen Wert habe, insofern sie der Kirche nutzbar zu machen sei. In dieser dienenden Stellung der Wissenschaften liegt der fundamentale Gegensatz des Mittelalters zum Humanismus ausgesprochen.[2]) Ich werde, wie ich es in andern Partien dieses Werkes getan habe, aus einzelnen Jahrhunderten die bezeichnendsten mir bekannten Zeugnisse aufführen (sie würden sich leicht vermehren lassen), weil ich glaube, so am besten die allgemeine Gültigkeit[3]) dieses Standpunktes beweisen zu können.

---

1) Z. B. Ratherius, Bischof von Verona, zitiert von H. Gerdes, Gesch. des deutschen Volkes und seiner Kultur zur Zeit der Karolinger etc. I 658, cf. auch Guggenheim l. c. 20; Petrus Damiani (s. XI) op. XXXII c. 9 (p. 250 der Pariser Ausgabe 1642), zitiert von Montalembert, Les moines d'Occident VI (Paris 1877) 205, 4. Die beiden frühsten Stellen aus dem Ma.: Smaragdus (unter Karl d. Gr.) comm. in Donat. prolog. ed. H. Keil (De gramm. quibusd. lat. infimae aetatis, Progr. Erlang. 1868) p. 20, und Ambrosius Autpertus († 781) comm. in apocal. l. VIII praef., zitiert bei J. Haußleiter in: Realenzykl. f. prot. Theol. u. Kirche (3. Aufl., 1896) 308.

2) Cf. auch O. Willmann, l. c. (o. S. 670, 1) 289 ff. 296 ff.

3) Ausnahmen sind selten. Man kann im allgemeinen sagen, daß derjenige, der die klassischen Studien ihrer selbst wegen betrieb, verfolgt wurde, cf. H. Reuter, Gesch. d. relig. Aufklär. im Ma. I (Berlin 1875) 72. 78 ff. (Gerbert). 191. 229 II 4 ff. (Abälard und die von ihm ausgehenden Richtungen, besonders die Schule von Chartres). — Umgekehrt fehlen auch nicht ganz Stimmen, welche die artes völlig verwerfen (für die Griechen vgl. z. B. Olympiodor. Alex. in eccles. c. 7, 26 f. = 93, 572 Migne). Z. B. gibt es einen grimmigen Ausfall gegen die Künste des trivium von Ekkehard IV. von St. Gallen † c. 1060 (ed. E. Dümmler in: Haupts Zeitschr. f. deutsches Altert. N. F. II [1869] 62 ff.), also von demselben Mann, der

Ennodius ep. IX 9: eine Verwandte hatte ihren Sohn in jungen Jahren dem geistlichen Beruf übergeben, ohne ihn vorher *studia liberalia* treiben zu lassen. Später beschloß sie das nachzuholen und wendete sich an Ennodius. Dieser tadelt sie wegen des Versäumnisses, denn eigentlich sei es jetzt zu spät: *properantes ad se de disciplinis saecularibus salutis opifex non refutat, sed ire ad illas quemquam de suo nitore non patitur. iam si eum mundo subtraxeras, dicendi in eo schemata non requiras: erubesco ecclesiastica profitentem ornamentis saecularibus expolire.* Doch wolle er einmal eine Ausnahme machen. — Derselbe, opusc. VI p. 401 ff. Hart.: er preist in Versen die Verecundia, Castitas, Fides; darauf führt er fort: diesen Tugenden dürfe aber nicht fehlen *studiorum liberalium diligentiam, per quam divinarum bona rerum quasi pretiosi monilis luce sublimentur,* worauf Verse auf die Grammatik und Rhetorik folgen.[1]) saec. VI.

Karl d. Gr. encycl. de literis colendis (Mon. Germ. leg. sect. II tom. I p. 79): *hortamur vos, litterarum studia non solum non negligere, verum etiam humillima et deo placita intentione ad hoc* saec. IX.

---

eine ganz außerordentliche Belesenheit in der heidnischen Literatur besaß. Otloh, der auch in profaner Wissenschaft gelehrte deutsche Mönch des XI. Jahrh. (cf. Wattenbach, Deutschl. Geschichtsqu. II⁶ 65 ff.), liber metricus de doctrina spirituali (ed. Pez, Thes. anecd. nov. III 2 [1721] p. 431 ff.) c. 11 (de libris gentilium vitandis) p. 442. Vor allem bezeichnend sind einige Äußerungen des sehr gelehrten Petrus Damiani (cf. auch A. Dresdner, Kultur- u. Sittengesch. d. ital. Geistlichkeit im 11. Jh. [Breslau 1890] 219 ff.), z. B. opusc. XIII c. 11: er eifert dort gegen die Mönche, die *parvipendentes regulam Benedicti regulis gaudent vacare Donati.* Sie begründen ihre Beschäftigung mit den *exteriores artes* damit, *ut locupletius ad studia divina proficiant.* Doch sucht Damiani entsprechend seiner Stellung in dieser Frage dies Argument zu entkräften. Ferner opusc. XLV (de sancta simplicitate scientiae inflanti anteponenda), wo er einen Mönch tröstet wegen seiner mangelhaften Kenntnis der artes z. B. c. 1 *ecce, frater, vis grammaticam discere? disce deum pluraliter declinare; artifex enim doctor dum artem obedientiae noviter condit, ad colendos etiam plurimos deos inauditam mundo declinationis regulam introducit.* c. 7 kann er es sich nicht versagen, zwei selbstgemachte Hexameter auf einen *sapienter indoctum* einzufügen, wofür er sich dann sofort tadelt: *heu me miserum! . . versiculos facimus ad similitudinem puerorum.* Den allgemein gültigen Standpunkt vertritt er dagegen op. XXXVI c. 5.

1) Ähnlich Fulgentius super Thebaide c. 5 (ed. R. Helm im Rhein. Mus. LII [1897] 181 f.).

certatim discere, ut facilius et rectius diversarum scripturarum mysteria valeatis penetrare.[1])

Alcuinus grammatica (vol. 101 p. 853 f. Migne): Discipulus: *quos toties promisisti, septenos theorasticae disciplinae gradus nobis ostende.* Magister: *sunt igitur gradus quos quaeritis: grammatica, rhetorica, dialectica, arithmetica, geometria, musica et astrologia. . . . per has vero, filii carissimi, semitas vestra quotidie currat adolescentia, donec perfectior aetas et animus sensu robustior ad culmina sanctarum scripturarum perveniat, quatenus hinc inde armati verae fidei defensores et veritatis assertores omnimodis invincibiles efficiamini.*

Rabanus Maurus de clericorum institutione l. III c. 16 ff. (107, 392 ff. Migne) wiederholt z. T. mit wörtlichem Anschluß die von Augustin de doctr. Christ. II gegebenen Weisungen.[2])

saec. X/XI. Notker Labeo († 1022) in seinem Brief an einen Bischof von Sitten (Kanton Wallis), zuletzt ediert von P. Piper, Die Schriften N.'s u. s. Schule I (Freib.-Leipz. 1882) p. 859 ff.; dort p. 860: *artibus illis, quibus me onustare vultis, ego renunciavi neque fas mihi est eis aliter quam sicut instrumentis frui; sunt enim ecclesiastici libri et precipue quidem in scolis legendi, quos impossibile est sine illis prelibatis ad intellectum integrum duci*, worauf er seine diesem propädeutischen Zweck dienenden Schriften aufzählt.[3])

---

1) Ganz in demselben Sinn ist das Dekret des Papstes Eugenius II vom Jahr 826 (Mon. Germ. leg. t. II append. p. 17): *de quibusdam locis ad nos refertur non magistros neque curam inveniri pro studio litterarum: idcirco in universis episcopiis subiectisque plebibus et aliis locis, in quibus necessitas occurrerit, omnino cura et diligentia adhibeatur, ut magistri et doctores constituantur, qui studia litterarum liberaliumque artium habentes dogmata assidue doceant, quia in his maxime divina manifestantur atque declarantur mandata.*

2) In demselben Sinn folgende Bemerkung aus dem IX. Jh. bei Thurot in: Not. et extr. des ms. XXII (1868) 61 f.: *eo liquidius potueris sacras perscrutari paginas, quia peritia grammaticae artis in sacrosancto scrutinio laborantibus ad subtiliorem intellectum, qui frequenter in sacris scripturis inseritur, valde utilis esse dinoscitur, eo quod lector huius expers artis in multis scripturarum locis usurpare sibi illa quae non habet et ignotus sibi ipsi esse comprobatur.* Cf. ferner Ermenrich von St. Gallen († 872) ed. E. Dümmler (Progr. Halle 1873) p. 6.

3) Cf. denselben in einem rhetorischen Traktat ed. Piper l. c. 637: Disc.: *an sapientia sine eloquentia oberit?* Mag.: *oberit quidem quia per eloquen-*

Honorius Augustodunensis de artibus ed. Pez, Thes. anecd. noviss. II (1721) 227 ff. Er unterscheidet die *scientia* von der *sapientia*: durch erstere, d. h. die *artes liberales*, gelange man *ad sacram scripturam quasi ad veram patriam, in qua multiplex Sapientia regnat.* saec. XII.

Auch Abälard steht durchaus auf diesem Standpunkt, cf. besonders den Anfang des II. Buches der Introductio ad theologiam (Abaelardi opera ed. Cousin vol. II [Paris 1859] 67 ff.); sein Grundsatz ist: *absit ut credamus deum qui malis quoque ipsis bene utitur, non bene etiam omnes artes quae eius dona sunt ordinare, ut haec quoque eius maiestati deserviant, quantumcumque male his abutuntur perversi* (p. 67); dieser Mißbrauch besteht eben darin, daß einige sie nicht als Mittel zum Zweck, sondern um ihrer selbst willen treiben: von diesem Gesichtspunkt aus erklärt sich auch, wie er nachweist, ein so verwerfendes Urteil über die Beschäftigung mit der heidnischen Literatur, wie es z. B. von Papst Gregor d. Gr. überliefert wird (p. 70); daher ist auch Hieronymus mit Recht von Gewissensqualen wegen seiner Lektüre der Heiden gefoltert worden, weil er *non pro utilitate aliqua, sed pro oblectatione eloquentiae illius intendebat neglecto sacrae scripturae studio, cuius quidem, ut ipsemet ait, incultus ei sermo horrebat* (p. 71); nach A. hat die Grammatik und Rhetorik Wert nur, insofern diese Künste reflektiert werden auf die h. Schrift.

Hugo de S. Victore erudit. didasc. l. III c. 3 (176, 768 Migne): *sunt artes liberales quasi optima quaedam instrumenta et rudimenta, quibus via paratur animo ad plenam philosophicae veritatis notitiam. hinc trivium et quadrivium nomen accepit, eo quod iis quasi quibusdam viis vivax animus ad secreta sophiae introeat.*[1])

---

tiam vim suam exierit (l. *exserit*) *sapientia; verumtamen sapientia prodest sine eloquentia, eloquentia autem numquam proderit sine sapientia.* — Cf. auch Landulfus hist. Mediol. II 35 (MG script. VIII 71) über die Einrichtung der Mailänder Schule s. XI, und Anselmus der 'Peripatetiker', Rethorimachia (ed. E. Dümmler, Halle 1872) l. II.

1) Eine interessante Stelle aus Bernhard v. Clairvaux, serm. 36 in cant. (183, 967 ff. Migne), angeführt von Mabillon, De stud. monast. (ed. 2 Venedig 1729) 38. Die dienende Stellung der artes kommt sehr deutlich zum Ausdruck in einer Abbildung, welche Herrad v. Landsperg, Äbtissin

Joh. Sarisberiensis entheticus v. 373 f. (vol. V p. 250 Giles) nach Aufzählung der artes liberales, die in der Philosophie ihren Abschluß finden:

quum cunctas artes, quum dogmata cuncta peritus
noverit, imperium pagina sacra tenet

und besonders v. 441 ff. von der h. Schrift:

haec scripturarum regina vocatur, eandem
divinam dicunt, nam facit esse deos.
est sacra, personas et res quae consecrat omnes,
hanc caput agnoscit Philosophia suum;
huic omnes artes famulae.[1])

saec. XIV. Die Humanisten haben, wie wir später sehen werden, wie mit den artes überhaupt, so auch mit der dienenden Stellung der heidnischen Studien gebrochen. Als ein Dokument aus der Übergangszeit mag hier folgende Darstellung angeführt werden, auf die ich aufmerksam geworden bin durch E. Gebhart, Les origines de la renaissance en Italie (Paris 1879) 58: auf dem Fresko des Taddeo Gaddi († 1366) im Capellone dei Spagnuoli zu Florenz ist dargestellt: Thomas von Aquino zwischen Propheten und Evangelisten; darunter 14 weibliche Gestalten, nämlich die 7 artes liberales mit ihren Hauptvertretern sowie: Liebe (Augustin), Hoffnung (Johannes v. Damaskus), Glaube (Dionys. Areop.), praktische Theologie (Boethius), spekulative (Petrus Lombardus), kanonisches Recht (Papst Clemens V), weltliches Recht (Justinian).[2]) Da alle 14 Figuren auf gleicher Linie stehen, bemerkt Gebhart richtig: *ici, la pensée est, bien moins que dans le reste de l'Occident, ancilla theologiae.*[3])

---

von St. Odilien († 1195), ihrem Hortus deliciarum beigegeben hat: Herrad v. L. etc. von Chr. Engelhardt (Stuttgart 1818) Taf. VIII, cf. O. Willmann l. c. (o. S. 670, 1) 276.

1) Absichtlich übergangen habe ich in der obigen Zeugenreihe eine Stelle, auf die ich einst großen Wert legte: Gregor d. Große in primum librum regum expositiones l. V c. 3 § 30 (79, 355 f. Migne). Das Werk ist nämlich allem Anschein nach ein Erzeugnis des späten Mittelalters, cf. die Bemerkungen der Mauriner zu ihrer Ausgabe (1705) vol. III pars 2 praef. Da ich also das Zeugnis zeitlich nicht einreihen konnte, habe ich es ganz weggelassen.

2) Genaueres in Crowe-Cavalcaselle, Gesch. d. ital. Malerei (Übersetz. von M. Jordan) I (Leipz. 1869) 306 f.

3) Die streng-theologische Auffassung befindet sich ja noch heute mit

b. Die Praxis.[1])

Vita[2]) Ioannis Damasceni (saec. VIII), vermutlich von Johannes VI von Jerusalem † c. 969, c. 9 (94, 441 Migne): ein Mönch aus Calabrien, Cosmas, ist in sarazenische Gefangenschaft geraten; dem Vater des Johannes gibt er in Damascus eine Schilderung seiner Studien, die jenen veranlaßt, ihn zum Erzieher seiner Söhne zu machen. Der Mönch führt aus: *ὅτι πᾶσαν μετήειν ἀνθρωπίνην σοφίαν καὶ τὴν ἐγκύκλιον προϋπεθέμην ὥσπερ θεμέλιον. τῇ ῥητορικῇ τὴν γλῶσσαν ἐξήσκημαι· ταῖς διαλεκτικαῖς μεθόδοις καὶ ἀποδείξεσι τὸν λόγον πεπαίδευμαι· τὴν ἠθικὴν μετήειν ὅσην ὁ Σταγειρίτης καὶ ὅσην ὁ τοῦ Ἀρίστωνος παραδέδωκε· τὰ περὶ τὴν φυσικὴν θεωρίαν ἅπασαν, ὡς ἱκανὸν ἀνθρώπῳ, ἐντεθεώρηκα· ἀριθμητικῆς δὲ τοὺς λόγους μεμάθηκα· γεωμετρίαν εἰς ἄκρον ἐξήσκημαι· ἁρμονολογίας δὲ μουσικῆς καὶ ἀναλογίας εὐτάκτους σεμνοπρεπῶς κατώρθωκα· ὅσα τε περὶ τὴν οὐράνιον κίνησιν, τὴν τῶν ἀστέρων περιφορὰν οὐ παρέλιπον.... ἐντεῦθεν εἰς τὰ τῆς θεολογίας μετέβην μυστήρια, ἥν τε παῖδες Ἑλλήνων παρέδωκαν καὶ ἣν οἱ καθ' ἡμᾶς θεολόγοι διεσάφησαν ἀπλανέστατα.* Dann wird c. 11 geschildert, wie er in diesen Wissenschaften den Johannes und dessen Bruder unterrichtete. Zeugnisse

Vita S. Gregorii Magni papae († 604) auctore Johanne diacono (s. IX), AA. SS. Boll. 12 Mart. II lib. II c. 2, 13 p. 150 *tunc rerum sapientia Romae sibi templum visibiliter quodammodo fabricarat et septemplicibus artibus, velut columnis nobilissimorum totidem lapidum, apostolicae sedis atrium fulciebat. nullus pontifici famulantium barbarum quodlibet in sermone vel habitu praeferebat, sed togata Quiritium more seu trabeata lati-*

Augustin und dem Mittelalter im Einklang. Auch Melanchthon urteilte so. cf. K. Hartfelder, M. als Praeceptor Germaniae, in: Mon. Germ. Paedagog. VII (Berlin 1889) 162. Im J. 1543 hat er dies in seiner Rede De necessaria coniunctione scholarum cum ministeriis evangelii durch den historischen Nachweis gestützt, daß die Schulen von jeher mit den Klöstern verbunden gewesen wären.

1) Die Zahl der Beispiele könnte ich besonders aus den Acta Sanctorum leicht vermehren. In den landläufigen Darstellungen des Schulwesens im Mittelalter wird gerade auf solche Biographien kaum Rücksicht genommen.

2) Zitiert von Mabillon l. c. 44.

nitas suum Latium in ipso Latiali palatio singulariter obtinebat. refloruerant ibi diversarum artium studia.[1])

Vita S. Abbonis abbatis Floriacensis († 1004) auctore Aimoino monacho (139, 390 Migne). Zunächst im Kloster (Fleury) *liberalium artium sumebantur exercitia.* Dann: *maiora gliscens scientiae scrutari arcana diversorum adiit sapientiae officinas locorum, ut, quia grammaticae, arithmeticae, nec non dialecticae iam ad plenum indaginem attigerat, ceteras ingenio suo pergeret superadicere artes. quapropter Parisius atque Remis ad eos qui philosophiam profitebantur profectus aliquantulum quidem in astronomia, sed non quantum cupierat, apud eos profecit. inde Aurelianis regressus musicae artis dulcedinem, quamvis occulte propter invidos, a quodam clerico non paucis redemit nummis. itaque quinque ex his quas liberales vocant plenissime imbutus artibus sapientiae magnitudine amicos praeibat coaetaneos. supererant rhetorica, nec non geometria, quarum plenitudinem etsi non ut voluit attigit, nequaquam tamen ieiunus ab eis funditus remansit. nam et de rhetoricae ubertate facundiae Victorinum, quem Hieronymus praeceptorem se habuisse gloriatur, legit, et geometricorum multiplicitatem numerum non mediocriter agnovit . . . denique quosdam dialecticorum nodos syllogismorum enucleatissime enodavit . . . de solis quoque ac lunae seu planetarum cursu a se editas dispositiones scripto posterorum mandavit notitiae.*

Guibertus, Abt von Nogent (Diözese Laon) † 1124, de vita sua libri III (156, 837 ff. Migne). Er besuchte die Elementarschule seiner Vaterstadt Beauvais, aber, wie er berichtet (I 4 p. 844): *erat paulo ante id temporis et adhuc partim sub meo tempore tanta grammaticorum caritas, ut in oppidis pene nullus, in urbibus vix aliquis reperiri potuisset, et quos inveniri contigerat, eorum scientia tenuis erat nec etiam moderni temporis clericulis vagantibus comparari poterat. is itaque cui mei operam mater mandare decreverat, addiscere grammaticam grandaevus inceperat tantoque circa eandem artem magis rudis exstitit, quanto eam a tenero minus ebiberat.* Sechs Jahre brachte er in dieser Schule zu, ohne etwas anderes als Prügel davongetragen zu haben. Noch in jungen Jahren trat er in das Kloster Flavigny ein, wo

1) Ähnlich Vita S. Pauli Virdunensis († c. 649) AA. SS. Boll. 8. Febr. II 175 f. Einiges andere derart bei J. Pitra, La vie de S. Léger (Paris 1846) 62.

er sich eifrig wissenschaftlicher Beschäftigung hingab, aber (c. 17 p. 872 f.) *cum versificandi studio ultra omnem modum meum animum immersissem, ita ut universae divinae paginae serix pro tam ridicula vanitate seponerem, ad hoc ipsum duce mea levitate iam veneram, ut Ovidiana et Bucolicorum dicta praesumerem et lepores amatorios in specierum distributionibus epistolisque nexilibus affectarem.* Er erzählt dann, wie er die von ihm nach diesen Mustern verfaßten Gedichte unter falschem Namen seinen Freunden vorgelesen habe, bis ihn der h. Anselmus, damals noch Prior jenes Klosters, durch die Lektüre der Schriften Gregors d. Gr. auf den richtigen Weg zurückführte.

Vita des spätern Erzbischofs von Mainz Adelbert II († 1141), beschrieben von einem Anselmus, ed. Jaffé, Bibl. rer. Germ. III (Berlin 1866) 565 ff. Geboren in Saarbrücken hätte er, wie zu erwarten gewesen wäre, die berühmte Schule zu Mainz besucht,

si non cura chori foret huic invisa labori
nec rigor ecclesiae daret impedimenta sophiae:
nam psalmodia disconvenit atque sophia

(67 ff.). So begab er sich auf die Schule zu Hildesheim, wo er Grammatik lernte, sowie in Vers und Prosa zu schreiben (130 ff.). Dann kehrte er nach Mainz zurück, doch riet ihm sein Oheim, der damalige Erzbischof (Adelbertus I), die Stadt wieder zu verlassen, um auswärts Weisheit zu lernen. Er ging nach Reims (270 ff. wird beschrieben, was da noch an alten Göttertempeln zu sehen sei), wo er außer der Jurisprudenz die artes liberales erlernte. Aber noch war sein Oheim nicht zufrieden: er schickte ihn abermals fort, und zwar nach Paris. Bei dem berühmtesten dortigen Lehrer studierte er Grammatik, Logik und besonders Rhetorik. Auf dem Rückweg von Paris lernte er dann noch in Montpellier Medizin und Physik. Im J. 1138 wurde er nach dem Tode seines Oheims Erzbischof.[1])

---

1) Solche Bildungsreisen waren schon im IX. Jh. üblich, sogar bei Mönchen, cf. Cuissard-Gaucheron, L'école de Fleury in: Mémoires de la société archéol. et hist. de l'Orléanais XIV (1875) 582.

Drittes Kapitel.

Die Auctores im mittelalterlichen Bildungswesen. Der Gegensatz von Auctores und Artes.

Verpönung der Autoren.

Es kommt mir in diesem Kapitel nur darauf an, die allgemeinen Verhältnisse festzustellen, und da wird man sowohl aus allgemeinen Erwägungen als auf Grund der Quellen sagen dürfen: während die artes das Ferment der höheren wissenschaftlichen Bildung waren, traten die klassischen auctores ganz in den Hintergrund oder wurden geradezu als gefährlich ausgeschlossen.[1]) Das ist begreiflich genug. In dem System der artes, das im Martianus und den zu einzelnen Teilen seines Werkes verfaßten Kommentaren vorlag und für bescheidenere sowie spezifisch christliche Ansprüche im Lauf der Jahrhunderte immer mehr zusammengedrängt worden war, hatte man das Wesentliche und Nützliche der klassischen Bildung in bequemer und vor allem unanstößiger Form zusammen; was brauchte man die auctores, in denen auf jeder Seite gefährliche Dinge zu lesen waren, über die man sich nur durch die bei schwachen Gemütern versagende Gewaltkur der allegorischen Auslegung hinweghelfen konnte? Und wenn einer sich gar daran machte, auch Ovids Liebesgedichte für Nonnen zu allegorisieren[2]), so war das doch ein zu starkes Stück selbst für die in solchen Dingen seit den Zeiten der seligen Stoa stumpf gewordenen Sinne auch von Gebildeten. Ästhetischen Genuß gewährten die Schriftsteller auch nicht einer Generation von Menschen, die meist Geschmack an dem Bizarren und Perversen hatte und dem Denken und Fühlen der Antike entwachsen war. Besser also, man warf den alten Plunder in die Ecke und begnügte sich mit dem auf Flaschen gezogenen Bildungsextrakt der artes. Warnende Beispiele hatte man ja genug. Die famose Vision des h. Hieronymus war den Gemütern fest eingeprägt: eine ganze Reihe von gebildeten Männern des Mittelalters hat in angstvollen Träumen dieselben Prügel zu bekommen fest geglaubt, die einst dem Hieronymus in jener

---

1) Schon auf dem sog. vierten karthagischen Konzil (436) wird verordnet: *ut episcopus gentilium libros non legat* (III 945 ff. Mansi, c. XVI).

2) Cf. das Gedicht ed. Wattenbach in: Sitzungsber. d. Bayr. Akad. 1873, 695 ff.

Schreckensnacht zuteil geworden waren, weil er es nicht lassen konnte, lieber für einen Ciceronianus als für einen Christianus zu gelten.[1]) Cassianus, der Stifter des okzidentalischen Mönchswesens, hatte sich verflucht, daß ihm beim Gebet und beim Absingen des Psalters die Teufelsgestalten der heidnischen Mythologie vor Augen tanzten (s. o. S. 575).

Für die prinzipielle Trennung der artes und auctores gibt es auch direkte Zeugnisse. Schon Servatus Lupus (s. IX) ep. 1 (ad Eginhardum: 119, 433 f. Migne) berichtet, er habe zuerst die *artes liberales* bei seinem Lehrer getrieben, dann *auctorum voluminibus spatiari aliquantum coepi:* er war eben zu hoch gebildet, als daß er sich mit der Alltagskost der großen Masse begnügt hätte. Auf dem oben (S. 683, 1) angeführten Bilde aus dem Hortus deliciarum der Herrad von Landsperg († 1195) nehmen die Personifikationen der artes einen höchst ehrenvollen Platz ein, aber unter dem Ganzen sitzen an ihren Pulten vor aufgeschlagenen Büchern vier Männer, von denen zwei Feder und Federmesser in den Händen halten; jedem flüstert ein Rabe etwas ins Ohr. Ihre Beischrift: *Poete vel magi spiritu immundo instincti* und: *isti immundis spiritibus inspirati scribunt artem magicam ac poetriam · i · fabulosa commenta.* Vor allem lehrreich ist eine lange Ausführung des gebildeten und ziemlich freisinnigen Hugo von St. Victor († 1141) erud. didasc. l. III c. 3 f. (176, 768 Migne). Er hat von der Notwendigkeit gesprochen, sich die sieben artes gründlich anzueignen, denn aus ihrer gegenwärtigen Vernachlässigung erkläre es sich, daß es früher so viele Weise gegeben habe, jetzt nicht mehr. Aber man müsse, wie

---

1) Cf. A. Dresdner, Kultur- u. Sittengesch. d. ital. Geistlichkeit im 10. u. 11. Jh. (Breslau 1890) 223 f., Th. Zielinski, Cicero im Wandel der Jahrhunderte (Leipz. 1897) 71 und besonders Wattenbach, Geschichtsquellen d. Ma. I[6] (Berlin 1893) 324 f., sowie H. v. Eicken, Gesch. u. System d. ma. Weltanschauung (Stuttg. 1887) 591 ff. Noch Petrarca erzählt dasselbe von sich (cf. A. Hortis in: Archeografo Triestino N. S. VI 120), aber er kokettiert wohl mehr damit, während man bei dem stark ausgeprägten Gefühlsleben des Mittelalters an der Realität solcher Visionen (cf. C. Fritzsche, Die lat. Visionen d. Ma., Diss. Halle 1885 und in Vollmöllers Rom. Forsch. II [1885] 247 ff. III [1887] 337 ff.) gar nicht zweifeln darf. Noch Lorenzo Valla widerlegt in allem Ernst die Ansicht, daß aus dem Traum des Hieronymus etwas für die klassischen Studien zu folgern sei: Elegantiae (c. 1440) l. IV praef. (ed. Argentorat. 1517) f. 109 ff.

er aufs eindringlichste betont, scharf scheiden zwischen den artes und deren 'Appendix', den antiken auctores: ebenso nötig wie die artes für die Bildung seien, so unnötig an sich die Schriftsteller, denn das Nützliche, was in diesen stehe, lerne man ja alles in den artes; höchstens deshalb möge man, wenn man gerade Muße habe, die Schriftsteller lesen, *quia aliquando plus delectare solent seriis admista ludicra. verumtamen in septem liberalibus artibus fundamentum est omnis doctrinae.* —

Erhaltung der Autoren

Trotz dieser, wie ich glaube, im allgemeinen zutreffenden Lage der Dinge sind uns nun aber die überwiegend größte Zahl der klassischen Schriftsteller nur durch Abschriften des Mittelalters erhalten worden. Widersprach also die Praxis der Theorie oder lassen sich andere Momente finden, welche diese beiden scheinbar auseinanderfallenden Tatsachen verbinden?

1. durch die Klöster.

Das eine Moment ist der wissenschaftliche Sinn, der in den Klöstern durch die oben dargelegten Bestrebungen des Cassiodor, der Iren und der Angelsachsen ein für alle Male eingebürgert war und der in den verschiedenen Ländern des Abendlandes zwar nicht in gleichem Maße verbreitet war (Frankreich stand voran, Italien zu unterst) und oft in einem und demselben Kloster nicht zu allen Zeiten gleich stark hervortrat (Bobbio und Montecassino geben die deutlichsten Beispiele), aber nie ganz ausstarb. Doch liegt dieses Moment hier außerhalb meiner Betrachtung, wo es mir darauf ankommt, den allgemeinen Zug der Ideen darzulegen, der uns das Werden der Renaissance historisch verstehen läßt: denn nicht an diese von dem Treiben der Welt abgeschiedene Tätigkeit unbekannter bücherabschreibender Mönche[1]) haben die Humanisten angeknüpft, mögen sie auch

1) Das Beste, was es bis jetzt darüber gibt, ist außer den bibliographischen Arbeiten Montfaucons, G. Beckers, Th. Gottliebs und L. Delisles' die höchst dankenswerte, nach Autoren geordnete Zusammenstellung von M. Manitius, Philologisches aus alten Bibliothekskatalogen bis 1300, im Rhein. Mus. XLVIII Ergänzungsheft (1892), cf. auch L. Traube, Überlieferungsgesch. röm. Schriftst. in: Sitzungsber. d. Bayr. Akad. 1891 p. 387 ff. Was wir aber noch brauchen, ist folgendes: I. Eine wissenschaftliche Geschichte der einzelnen Klöster, wie wir sie für Corbie von Delisles (Recherches sur l'ancienne bibl. de C., Paris 1860), für Cluny von E. Sackur (Die Cluniacenser, Halle 1892—1894), für Montecassino von A. Dantier (Les monastères bénédictins d'Italie, Paris 1866), für Hersfeld in dem kurzen, aber inhaltvollen Abriß von O. Holder-Egger (in seiner Ausgabe des Lam-

ihnen das Material zu ihrer Repristination der Antike verdanken. Uns interessiert hier vielmehr das zweite Moment: es hat zu allen Zeiten im Mittelalter namhafte Männer gegeben, die sich über die Vorurteile der großen Masse hinwegsetzten und mit den antiken Autoren, den Vertretern einer im wesentlichen überwundenen Weltanschauung, freien Sinns verkehrten. Auch das Abendland hat seine Photios, Arethas und Psellos gehabt. Da sie mit geringen Ausnahmen Geistliche waren und zwar fast alle solche, die hohe Stellungen einnahmen, so war ihr Einfluß und ihr Beispiel bedeutend, und, da sie zu verschiedenen Zeiten und in den meisten Kulturländern, vor allem aber in Frankreich[1]), auftraten, anhaltend und weitverbreitet; auch auf die

2. durch die Vorläufer der Renaissance.

---

bert, Hann.-Leipz. 1894, p. XII ff.) besitzen (die älteren Behandlungen wie die Fuldas von J. Gegenbaur, Bobbios von A. Peyron reichen längst nicht mehr aus). II. Eine Erörterung der Motive, die für die Überlieferung gerade der uns erhaltenen Schriften maßgebend gewesen ist. Diese waren 1) äußerer Art, z. B. sind die ersten Annalenbücher und die Germania des Tacitus, bis zu einem gewissen Grade auch Ammian, begreiflicherweise gerade in Deutschland, die Bücher Caesars vom gallischen Krieg in Frankreich, Catull in Verona gern gelesen worden, ebenso wie es gewiß kein Zufall ist, daß die Schrift Frontins über die Wasserleitungen gerade in Montecassino abgeschrieben ist, von wo aus man die Campagna überblickte, cf. auch die folgende Anmerkung; 2) innerer Art, insofern das utilitaristische Interesse durchaus vorherrschte, nämlich a) das der Schule (außer den Grammatikern Vergil, Terenz, Sallust: darüber einige interessante Einzelheiten bei C. Weyman im Philol. N. F. VI. [1897] 472f.; in zweiter Instanz Lucan, Statius, Persius, Iuvenal), b) das des Lebens, nämlich α) für die praktische Nachahmung: so für die Abfassung von historischen Werken außer Sallust auch Sueton und Livius, für die Abfassung von Reden die Reden und rhetorischen Schriften Ciceros und die Reden aus Sallust, für die Abfassung von Gedichten in den antiken Metren Ovid usw., β) für die Moral, auf die es dem Ma. vor allem ankam: daher das außerordentliche Interesse für Seneca und Ciceros philosophische Schriften von den Zeiten des Ambrosius und Augustinus bis tief in die Zeit der Renaissance, ja die Zeit der Reformation (Melanchthon) und der Aufklärung (Voltaire), woraus es sich z. B. erklärt, daß noch auf unsern heutigen Gymnasien Cicero de officiis gelesen wird; daher ist auch Valerius Maximus erhalten (cf. besonders einen c. 1150 geschriebenen Brief des Wibaldus, Abtes von Corvey, in Bibl. rer. Germ. ed. Jaffé I 280), den noch Petrarca (ep. de reb. fam. IV 15 p. 238 Frac.) und sein französischer Gegner (Galli anonymi invectiva in Petrarcam p. 1062f. der Basler Ausgabe des Petrarca vom J. 1554) als *philosophus moralis* auffassen.

1) Es ist doch recht bezeichnend, wie sich, wenn wir das Allgemeine

Klöster haben ihre Bestrebungen wieder eine segensreiche Rückwirkung gehabt, da sie meist selbst aus diesen hervorgegangen waren und oft wieder in sie eintraten. Wir dürfen diese Männer in höherem oder geringerem Grade als Vorgänger der Humanisten bezeichnen und sind ihnen wie diesen zu Dank verpflichtet, denn ohne ihre Bemühungen würde auf dem weiten Trümmer-

---

ins Auge fassen, die Überlieferung der verschiedenen Gattungen von antiken Schriften über die romanischen Länder und Deutschland verteilt. Dort überwog das ästhetische (stilistisch-poetische), hier das sachliche Interesse. Poggio wußte, daß er auf Ciceros Reden in Frankreich fahnden müsse: tatsächlich boten Cluny und Langres viele, während er in St. Gallen vergeblich suchte, dafür hier freilich Asconius fand; in Lüttich, also auf ursprünglich französischem Boden (erst 870 kam es durch den Vertrag von Mersen an Deutschland) fand Petrarca zu seinem Erstaunen zwei Ciceroreden, darunter vermutlich die für Archias; im Kloster von Hildesheim waren um 1150 Ciceros philippische Reden und de lege agraria, aber, wie ausdrücklich bemerkt wird, *de Francia adductas* (Bibl. rer. Germ. ed. Jaffé I 327); Brunetto Latini († 1294) hat als erster drei Ciceroreden ins Italienische übersetzt (darüber Näheres später); der Brutus ist nur durch Italien erhalten, die Bücher De oratore und der Orator durch Italien und Frankreich (über Cicero in Frankreich zur Zeit der Revolution cf. Th. Zielinski, Cicero im Wandel der Jahrhunderte [Leipz. 1897] 50ff.); Festus (den man stilistisch verwertete, cf. die Vorrede des Paulus) ist durch Italien erhalten, in Frankreich bekannt gewesen (Manitius p. 39); auch die durch Italien erhaltenen Bücher Varros de lingua latina wurden aus stilistischen Gründen tradiert, denn Grammatik und Stilistik deckten sich im Ma.; Properz ist uns wohl durch Frankreich erhalten: denn nur dort wird er im Ma. einmal erwähnt (cf. Manitius l. c. 31) und von da wird also wohl Petrarca die Hs. mitgebracht haben, die er las und von der unsere abstammen (cf. P. de Nolhac, Pétrarque et l'humanisme [Paris 1892] 141ff.); Tibull ist im Ma. nachweisbar nur in Frankreich (cf. Manitius l. c. 31 und unten S. 704. 718, 2) und Italien (cf. Baehrens praef. p. VI und Haupt opusc. I 276f.); Catull ist entweder durch Frankreich oder durch Italien erhalten (cf. Haupt, Quaest. Cat. 3f.); nur durch Frankreich, nämlich durch die beiden berühmten Exzerptenhandschriften s. IX/X (cod. Sannazarianus = Vindob. 277 und cod. Thuaneus = Paris. 8071) Ovids Halieutica, Grattius, Nemesians Cynegetica (letztere im Ma. erwähnt nur von Hincmar v. Reims † 882, cf. Haupt vor s. Ausg. p. 42); bei Horaz überwiegt quantitativ und qualitativ Frankreich. Dagegen wurden die Historiker (außer Caesar, für den auch Frankreich begreiflicherweise Interesse hatte) mit besonderer Vorliebe in Deutschland gelesen, wie z. B. für das IX. Jh. in Fulda durch Einharts Vita Caroli feststeht: an unserer Überlieferung des Tacitus hat (neben Italien) Deutschland den größten Anteil, ebenso an der des Florus, auch bei Livius überwiegt Deutschland.

felde des Altertums, wie es Petrarca und seine Nachfolger antrafen, eine noch größere Anzahl von Säulen zu Boden gestürzt sein. Ich werde im folgenden versuchen, diese Männer und die von ihnen ausgehenden Richtungen in ein helleres Licht zu rücken. Die unmittelbare Veranlassung zu diesem Versuch war für mich das wissenschaftliche Bedürfnis, einen Petrarca nicht bloß als ein an keine Zeiten und keine Verhältnisse gebundenes Genie anstaunen, sondern als den größten Nachfolger einer Reihe von mehr oder weniger bedeutenden Vorgängern bewundern und die Möglichkeit seines Erscheinens und damit des Humanismus überhaupt historisch begreifen zu können.

Viertes Kapitel.

Die klassizistischen Strömungen des Mittelalters. Der Kampf der auctores gegen die artes.

I. Das neunte Jahrhundert.

1. Das Zeitalter Karls des Großen.

Karolingische und eigentliche Renaissance: 1. Berührungen.

Das Zeitalter Karls des Großen pflegt man als die Epoche der ersten Renaissance zu bezeichnen. Darin ist eine gewiß richtige Erkenntnis ausgesprochen. Das unmittelbare Verdienst des gewaltigen Imperators liegt in dem Verständnis, das er den kulturellen und literarischen Bestrebungen der vergangenen Jahrhunderte entgegenbrachte, und in der Zentralisation dieser Bestrebungen an seinem Hofe. Tatsächlich waren ja dort die erlesensten Männer aller derjenigen Nationen versammelt, die wir als Kulturträgerinnen kennen gelernt haben, der Iren[1]), Angelsachsen[2]) und Langobarden[3]), zu denen sich Gelehrte seines eignen Volks und Spanier gesellten. Es liegt mir selbstverständlich fern, auf ohnehin bekannte Einzelheiten einzugehen; nur ein

---

1) Zimmer l. c. (oben S. 667, 2) 36 ff.

2) Über Alcuin urteilt A. Hauck, Kirchengesch. Deutschl. II (Leipzig 1889) 116 ff. viel richtiger als Ebert l. c. II 12 ff.

3) W. Giesebrecht, De litt. stud. ap. Italos prim. med. aev. saec., Programm d. Joachimsthal. Gymn. Berlin 1845.

paar allgemeine Punkte möchte ich hervorheben. Das Moment, welches die karolingische Wissenschaft von derjenigen der Vergangenheit unterscheidet, ist ein gewisser freierer Zug, der sie aus den Mauern der weltabgeschiedenen Klöster mitten in das pulsierende Leben eines glänzenden Hofes stellte. Die Achtung, mit welcher der König den Literaten begegnete, der freie Ton, den er ihnen erlaubte, fordert unwillkürlich zu Vergleichen mit einer fernen Vergangenheit und einer fernen Zukunft auf: Augustus und Vergil, Karl und Alcuin, Robert von Neapel und Petrarca[1]); die Akademie an seinem Hofe hat etwas gemein mit jenen, die sich einst im Paradiso degli Alberti und um Pomponius Laetus konstituieren sollten: wie die Mitglieder der ersteren haben Alcuin und Genossen über theologische und philologische (grammatische) Fragen disputiert, und wie die der letzteren sich halb im Scherz, halb im Ernst antike Namen beigelegt. Ein Werk wie die Lebensbeschreibung des Kaisers von Einhart darf sich mit der Geschichte Caesars von Petrarca inhaltlich und formell messen; in der Vorrede spricht er von dem 'Ruhm', der Sehnsucht, seinen Namen auf die Nachwelt zu bringen, ganz im Geist der Antike und des Humanismus; nichts aber ist so bezeichnend wie die fast durchgängige Projektion der zeitgenössischen Verhältnisse auf die des Altertums[2]): er nennt sich selbst *hominem barbarum* (praef.), Karl läßt sammeln *barbara carmina* (c. 29), „der Satz c. 15 *deinde omnes barbaras ac feras nationes quae inter Rhenum ac Visulam fluvios oceanumque ac Danubium positae Germaniam incolunt* ist so gehalten, daß er ebensogut von Tacitus oder einem anderen Römer geschrieben sein könnte", „die fränkischen Heere haben ihre Winterlager, die neueroberten Gebiete heißen Provinzen, die Sachsen scheiden sich in *senatus ac populus*", während andere Autoren von *Niumaga* und *Mohin* reden, nennt sie Einhart *Noviomagus* und *Moenus* usw.[3]), alles Dinge, die aus der humanistischen Geschichtschreibung nur zu gut bekannt sind. Man muß die historischen Werke Einharts etwa mit denen des Gregor von Tours vergleichen, um den ungeheuern

1) Cf. G. Körting, Petrarca (Leipz. 1878) 169.

2) Cf. M. Manitius, Einharts Werke und ihr Stil in: Neues Archiv d. Ges. f. ält. deutsche Gesch. VII (1882) 565ff., derselbe, Die humanist. Bewegung unter Karl d. Gr. in: Z. f. allg. Gesch. I (1884) 428.

3) Manitius l. c. 568 u. 428.

Unterschied zu erkennen; ja, man kann noch mehr sagen, Einhart hat den Sueton besser reproduziert, als irgend einer der Verfasser der nachsuetonischen Kaiserbiographien. Gerade diese Biographie Einharts gibt nun aber auch den Schlüssel zum Verständnis der ganzen Bewegung: Karl erscheint in ihr durchaus als römischer Imperator, mit den Ansprüchen und den Rechten eines solchen ausgestattet[1]), wie denn auch der Akt des J. 800, bei dem ihm inmitten der römischen Vornehmen und unter den Jubelrufen des römischen Volkes die römische Kaiserkrone aufgesetzt wurde, ein greifbarer Ausdruck jenes in ihm lebendigen Gedankens einer Repristination der Antike war.[2]) Er ließ sich nicht nur selbst und seine Kinder in den freien Künsten sehr eifrig unterrichten (Einh. vit. 19. 25), sondern auch: *legebantur ei historiae et antiquorum res gestae* (ib. 24), d. h., nach der Lektüre Einharts selbst zu urteilen, besonders Caesar, Livius und Sueton; Tacitus' Germania und die ersten Bücher der Annalen, beide damals nachweislich in Deutschland gern gelesen, werden nicht gefehlt haben: der erste römische Kaiser deutscher Nation, der Besiegerin des Weltreichs, lauschend den Lobesworten, die der prophetische Geist des großen Römers den Ruhmestaten derselben zum ersten Mal an die Pforten des Imperiums pochenden Nation zollt, ein welthistorisches Bild. Wir dürfen wohl annehmen, daß der Kaiser, umringt von einer Schar Gelehrter und Dichter, die sich mit den Namen der literarischen Größen der augusteischen Zeit belegten, sich selbst als neuer Augustus gefühlt hat: dafür scheinen mir die Worte, mit denen Paulus (natürlich Diaconus[3])) seine Epitome des Festus an Karl schickte, recht bezeichnend zu sein: *in cuius serie quaedam secundum artem, quaedam iuxta etymologiam non inconvenienter posita invenietis et praecipue civitatis vestrae Romuleae viarum portarum montium locorum tribuumque vocabula*

1) Cf. W. Wattenbach, Deutschlands Geschichtsquellen im Ma. I[6] (Berlin 1893) 185.

2) Cf. Gregorovius, Gesch. d. Stadt Rom im M. II (Stuttg. 1859) 542ff.

3) Die unbegründeten Zweifel an der Autorschaft dieses Paulus sind durch die Bemerkungen von Waitz in der Ausgabe der Script. rer. Langob. (1878) 19f. und von Mommsen im N. Arch. d. Ges. f. ält. d. Gesch. V (1879) 55 endgültig gehoben.

diserta reperietis.[1]) In diesem Sinne, denke ich, „ließ er die alten Kunstwerke nach Aachen führen, seine Bauten nach den Regeln des Vitruv aufführen und die alten Schriftsteller nach den alten Handschriften mit der sorgsamsten Genauigkeit abschreiben.“[2])

2. Unterschiede: a. Das kirchliche Moment.

Daß nun freilich die profane Literatur hinter der geistlichen zurückstehen mußte, verstand sich bei einem so frommen und kirchlichen Mann, wie es Karl d. Gr. war, von selbst. Besonders nach außen hin ließ er diesen Gesichtspunkt hervortreten: allen seinen auf diese Dinge Bezug nehmenden Erlassen[3]) liegt der Gedanke zugrunde, daß eine ausreichende wissenschaftliche Vorbildung (durch die artes) im Dienst der Kirche durchaus notwendig und daß daher der ungebildete Priester zu suspendieren sei.[4]) Das in seinem Auftrag von Paulus Diaconus zusammengestellte Homiliar empfahl er mit der Begründung: *non sumus passi nostris diebus in divinis lectionibus sacrorum officiorum inconsonantes perstrepere soloecismos atque earundem lectio-*

1) In seiner Langobardengeschichte erwähnt er Straßen, Tore und Brücken Roms: V 31. VI 36. Man lese, um zugleich die Verwandtschaft und die gewaltige Verschiedenheit zu erkennen, den entzückenden Brief Petrarcas über seine Spaziergänge in Rom (ep. de reb. fam. VI 2).

2) Wattenbach l. c. 155. — Mehr als in allem oben Angeführten würde die humanistische Idee jenes Zeitalters zum Ausdruck kommen in folgenden Versen, die G. Kaufmann, Deutsche Gesch. bis auf Karl d. Gr. II (Leipzig 1881) 379f. in deutscher Übersetzung ohne Stellenangabe zitiert ('so sangen die Männer von ihrer Zeit'): „Sieh, es erneut sich die Zeit, es erneut sich das Wesen der Alten; Wiedergeboren wird heut, was dir in Rom einst geglänzt“; da ich das Zitat trotz eifrigen Nachforschens nicht habe auffinden können (eine Anfrage beim Autor ist erfolglos geblieben), so habe ich umsoweniger gewagt, es im Text zu benutzen, als meinem Gefühl nach die Übersetzung mindestens sehr frei sein muß: ich leugne, daß ein Mensch jener Zeit so gedacht haben kann.

3) Wohl am vollständigsten bei G. Salvioli, L'istruzione pubblica in Italia nei secoli VIII—X in: Rivista Europea XIII (1879) 700f.

4) Cf. Hauck l. c. 116ff. Cesare Balbo, Della letteratura negli undici primi secoli dall'erà cristiana in: Lettere di politica e letteratura di C. B. (Firenze 1855) 156ff. Merryweather, Bibliomania in the middle ages (Lond. 1849) 105ff. H. Reuter, Gesch. d. relig. Aufkl. im Ma. I (Berl. 1875) 5f. Schon Mabillon, De studiis monasticis (1691) I 9 (der lat. Übersetzung Vened. 1729) hebt die Bedeutung Karls richtig hervor. (Veraltet sind die Werke von J. Baehr, De lit. stud. a Carolo M. revocato, Heidelb. 1855 und: Gesch. d. röm. Lit. im karol. Zeitalter, Karlsruhe 1840.)

num in melius reformare tramitem mentem intendimus.[1]) Bei dem einflußreichsten seiner literarischen Paladine, dem Angelsachsen Alcuin, trat dies Moment stärker hervor als bei dem Franken Einhart, begreiflich genug, da jenem die politischen Ideale des andern fremd waren; er hat eine ganze Anzahl von nützlichen Werkchen verfaßt, in denen er die artes, besonders die Grammatik, für den Bedarf seiner Zeit ganz im Sinne seines Landsmannes Bonifacius zurechtmachte, aber wie gering war seine Kenntnis der auctores: daß er Vergil las, war nicht viel Besonderes und in seinem Alter hätte er gewünscht, es lieber unterlassen zu haben; in dem Kloster von York, seiner Bildungsstätte, waren nach seiner eigenen Angabe[2]) außer Vergil noch Statius, Lucan, Justin, Plinius d. Ä., Aristoteles (d. h. Boethius) und Ciceros rhetorische Schriften vorhanden, aber in seinen Werken fehlen im Gegensatz zu Einhart Spuren ihres Einflusses.[3])

b. Das nationale Moment.

Dieses starke Betonen des kirchlichen Interesses und, was damit eng zusammenhängt, der bloß relativen Bedeutung der antiken Bildung ist das erste Moment, welches bei allem Gemeinsamen, das diese sog. erste Renaissance mit der späteren verbindet, den Unterschied doch deutlich hervortreten läßt. Dazu kommt ein Weiteres. Die germanische Nation war der romanischen zu fremdartig, als daß die bei dieser lebhaft Anklang findenden rein formalen humanistischen Bestrebungen bei jener rechten Boden hätten finden können: der römische Kaiser hat als germanischer Volkskönig mit dem weiten Blick, der ihn auszeichnete, die nationalen Denkmäler seines Volkes sammeln und eine eigentliche deutsche Literatur zum ersten Male erstehen lassen[4]), während der eigentliche Humanismus, wie später genauer bewiesen werden soll, als höchste seiner Forderungen die Ablehnung des Nationalen aufstellte[5]); Alcuin hat sich trotz

1) Cf. Mabillon, Ann. ord. S. B. II (Par. 1704) 328.

2) Poet. lat. aev. Car. I p. 203f. V. 1540ff., cf. Hauck l. c. 127ff.

3) Cf. Fr. Monnier, Alcuin et Charlemagne (Par. 1863) 12ff.

4) Es verdient zu der Zeit, in der wir leben, wohl darauf hingewiesen zu werden, daß dieses erstmalige Entstehen einer deutschen Literatur aufs engste mit dem Aufschwung der klassischen Studien zusammengeht. Ein analoger Vorgang hatte sich im alten Rom abgespielt: die römische Literatur verdankt ihr Entstehen dem Interesse, das die römischen Aristokraten der griechischen Literatur zuwendeten.

5) Man lese, was Petrarca über das römische Kaiserreich deutscher

der dringenden Aufforderungen des Imperators nur schwer entschließen können, nach Rom zu kommen, und hat bedauert, daß er *dulces Germaniae sedes* verlassen mußte[1]): man lese Petrarcas uns so modern anmutende Rom-Briefe (ad fam. II 9. 14 VI 2), um zu empfinden, daß er doch einer ganz andern Ideenwelt angehörte. Es scheint mir daher sehr bezeichnend zu sein, daß die ferneren humanistischen Bestrebungen des Mittelalters in ihrem weitaus überwiegenden Teil nicht in Germanien, sondern in Gallien, dem westlichen Teil des karolingischen Reiches, stattgefunden haben.[2])

2. Die humanistische Bewegung in Frankreich: Karl der Kahle und Servatus Lupus.

Karl d. Kahle.

Der Niedergang des literarischen Interesses unter Karls Nachfolger fiel schon den Zeitgenossen auf.[3]) Da ist es nun höchst bezeichnend, daß ein neuer Aufschwung begann unter Karls d. Gr. Enkel Karl dem Kahlen (840—877), der den französischen Teil des Reiches zugewiesen erhielt. Während in den ostfränkischen Klöstern, vor allem auch in Fulda nach Rabanus Maurus, der wissenschaftliche Sinn sich fast ausschließlich in der rein kirchlichen Literatur betätigte, preisen die Zeitgenossen in begeisterten Worten die Sorgfalt, die Karl d. K. auf die Hebung der Studien verwandte. Einer[4]) vergleicht ihn

---

Nation urteilt ep. de reb. fam. XX 2: *Caesarum fatum et in occasu solis et sub austro, denique ubilibet felicius fuerit quam sub arcto: ita ibi gelida omnia, nullus ardor nobilis, nullus vitalis calor imperii,* und was weiter folgt.

1) Cf. Hauck l. c. 123.

2) Italien trat im späteren Mittelalter infolge seiner politischen Lage zurück. Was darüber (besonders über Montecassino) zu sagen ist, hat zuerst festzustellen gesucht Muratori, De litt. statu, neglectu et cultura in Italia post barbaros in eam invectos, usque ad. a. Chr. MC in: Antiq. Ital. diss. XLIII (vol. III [Mediol. 1740] 809 ff.), dann W. Giesebrecht l. c., A. Ozanam in Oeuvres compl. vol. II (ed. 2) 355 ff., einiges auch bei F. Haase, De med. aev. stud. philol., Progr. Breslau 1856, zuletzt Salvioli l. c. vol. XIII—XV (1879).

3) Zeugnisse bei Hauck l. c. 556 f.

4) Hericus monachus Antissiodorensis († c. 881) in der an Karl d. K. gerichteten Widmungsepistel zu seiner Lebensbeschreibung des S. Germanus

deshalb, wenn auch in etwas zu panegyrischen Worten, mit seinem Großvater: *illud vel maxime vobis aeternam parat memoriam, quod famatissimi avi vestri Caroli studium erga immortales disciplinas non modo ex aequo repraesentatis, verum etiam incomparabili fervore transscenditis, dum quod ille sopitis educit cineribus vos fomento multiplici tum beneficiorum tum auctoritatis usquequaque provehitis . . .; ita vestra tempestate ingenia hominum duplici nituntur adminiculo, dum ad sapientiae abdita persequenda omnes quidem exemplo allicitis, quosdam vero etiam praemiis invitatis . . . . Id vobis singulare studium effecistis, ut sicubi terrarum magistri florerent artium, quarum principalem operam philosophia pollicetur, huc ad publicam eruditionem undecumque vestra celsitudo conduceret* usw. An der Hofschule dieses Königs wirkte Johannes Scotus (Erigena), unter den gelehrten Iren der geistig weitaus hervorragendste, in griechischer Literatur sehr bewandert, dessen berühmtes Postulat von dem Prinzipat der Vernunft über der Autorität ganz antik und ganz modern, aber ganz und gar nicht mittelalterlich gefühlt ist: daß der König ihn gegen die erbitterten Angriffe der Kirche in Schutz nahm, gereicht ihm zu hoher Ehre.

Servatus Lupus.

Glücklicherweise ist uns aus dieser Zeit der Briefwechsel eines Mannes erhalten, dem wir für die lateinische Literatur zu demselben Dank verpflichtet sind wie dem ein halbes Jahrhundert später lebenden Arethas[1]) für die griechische. Dieser Mann war Servatus Lupus, ein geborener Franzose, 842—862 Abt von Ferrières in der Diözese Sens. Aus den 130 Briefen, die wir von ihm besitzen[2]), weht uns wirklich ein leiser, aber deutlich wahrnehmbarer Hauch des Geistes entgegen, der ein halbes Jahr-

---

AA. SS. Boll. Jul. VII p. 221 ff. Cf. auch Vita B. Herifridi episcopi Antissiodorensis († 909) l. c. Oct. X p. 210. Auf beide Zeugnisse weist kurz hin auch J. Lebeuf, Dissert. sur l'état des Sciences dans les Gaules depuis la mort de Charlemagne jusqu'à celle du Roy Robert, in: Recueil de divers écrits pour servir d'eclaircissemens à l'histoire de France T. II (Paris 1738) 6.

1) L. Stein, Die Kontinuität der griech. Philosophie in: Arch. f. Gesch. d. Philos. N. F. II (1896) 227, weist auf die gleichzeitig bei den Arabern beginnende intensive Beschäftigung mit der antiken Literatur hin.

2) Die neueste Ausgabe von G. Desdevises du Dezert (Paris 1888) läßt kritisch zu wünschen übrig, enthält aber eine gute Einleitung und brauchbare historische Anmerkungen. Ich zitiere die Briefe nach der Anordnung dieser Ausgabe.

tausend später ganz Europa im Sturm durchfliegen sollte. *C'est un véritable humaniste à la manière des humanistes du XVe et du XVIe siècle* sagt J. Ampère (Hist. litt. de la France avant le XIIe siècle III [Par. 1840] 237) und viele haben sich ähnlich geäußert.[1]) Die Zeit, die ihm sein geistlicher Beruf in diesen politisch so unruhigen Jahren ließ, verwendete er auf die Lektüre von Schriften, unter denen die Bibel, Augustin, Hieronymus usw. durchaus auf gleicher Stufe mit den klassischen Autoren standen, und zwar nicht etwa bloß denjenigen, die zu kennen kein besonderes Verdienst war, wie Virgil Donat Priscian Boethius, nein, hier begegnen meist zum ersten Mal seit 400jähriger Vergessenheit wieder Namen wie Cicero — und nicht nur die auch sonst viel gelesenen unter seinem Namen gehenden Bücher an Herennius, sondern auch die Schrift De oratore (ep. 111)[2]), ferner die Briefe[3]) (69), die Tusculanen (9), die Aratea (69), ja sogar die Verrinen (45) —, Caesars commentarii (37), Sallusts Catilina und Jugurtha (45), Livius (10. 93), Quintilians Institutionen (76. 111), Sueton (20. 33), Gellius (1a. E. cf. 5a. E.), Macrobius (9).[4]) Man muß selbst lesen, wie er sich bemühte, dieser Schriften habhaft zu werden und nicht eher ruhte, bis es ihm gelang: meist suchte er zunächst in der Nachbarschaft, d. h. offenbar[5]) in Fleury, dann wendete er sich an andre französische Klöster, dann an die deutschen (Fulda), die englischen (York), einmal (ep. 111) sogar an den Papst selbst (Benedict III 855—858): er hatte nämlich auf einer Reise nach Rom (849) dort eine Handschrift von Cicero de or. und eine von

1) Die ausführlichste mir bekannte Darstellung ist von Maxime de la Rocheterie: Un abbé au neuvième siècle, in: Académie de Sainte-Croix d'Orléans. Lectures et mémoires I (1865—1872) 369—466. Einige treffliche Bemerkungen von L. Traube l. c. (oben S. 690, 1), cf. auch Manitius l. c. (oben S. 694, 2) 545 f.

2) Um sie bittet er im J. 856 den Papst, nachdem er sie in Rom gesehen hatte. Er war also inzwischen klüger geworden: in dem 1. Brief (an Einhart vom J. 830) verwechselt er sie mit der Schrift De inventione, wie kürzlich festgestellt hat F. Marx in der Praef. zu seiner Ausg. des [Cornificius] p. 10.

3) Die 'ad familiares', cf. Marx l. c.

4) Mit der vermeintlichen Lektüre des Catull ist es aber nichts: cf. L. Schwabe im Hermes XX (1885) 495.

5) Cf. Traube l. c. 400 f.

Quintilians Institutionen gesehen, von denen beiden er nur Teile besaß, ferner eine von Donats Terenzkommentar; diese drei solle ihm der Papst schicken. Wer fühlt sich bei dem allen nicht erinnert an die Briefe der Humanisten mit ihrem sehnsüchtigen Verlangen nach neuen und vollständigen Autoren? Ja, in einem Punkte ist er sogar den meisten Humanisten voraus: er will nicht bloß Texte, sondern gute Texte, z. B. schreibt er ep. 69: *Tullianas epistolas, quas misisti, cum nostris conferri faciam, ut ex utrisque, si possit fieri, veritas exculpatur* (cf. ep. 9 und 45): wer denkt nicht an die Symmachi und Nicomachi? Noch eine Anzahl andrer Autoren hat er gelesen, wie die (längst nicht alle als solche erkannten) Zitate beweisen, mit denen er teils unter Nennung ihres Autors teils ohne eine solche manche Briefe ausstattet, z. B. Horaz[1]), Martial, Valerius Maximus[2]), Justin. Er korrespondiert nicht weniger als viermal über Fragen der Prosodie (5. 7. 9. 10), was freilich auch Schriftsteller des ausgehenden Altertums und des frühen wie späten Mittelalters getan haben, über Grammatik (das Activum *locupletare* beweist er aus Cicero: ep. 10), über Wortbedeutung (ib.), über Altertümer (ep. 46 erklärt er auf eine Anfrage hin aus Servius, was *pater patratus* sei). Wie ein echter Humanist schämt er sich, als ihm einige sagen, er sei, um sich die Kenntnis des Deutschen anzueignen, nach Fulda gereist; „das hätte, erwidert er, die lange Reise nicht gelohnt: gelesen habe ich dort und Bücher abgeschrieben *ad oblivionis remedium et eruditionis augmentum* (ep. 6). Ja, auch die ganze Tendenz dieser ersten Renaissance in Frankreich fällt zusammen mit derjenigen der späteren: denn aus einem Briefe (11) erkennen wir, daß das Interesse an der klassischen Literatur ein wesentlich formalistisches war, bis zu dem Grade, daß sich Lupus veranlaßt sieht, dagegen aufzutreten: *reviviscentem in his nostris regionibus sapientiam quosdam studiosissime colere pergratum habeo, sed hinc haudquaquam mediocriter moveor, quod quidam nostrum partem illius appetentes insolenter partem re-*

---

1) Ep. 1 *in silvam ne ligna feras* aus sat. I 10, 34. ep. 41 *non potest vox missa reverti* aus de a. p. 390. Dagegen ist ep. 43 *iuxta illud Horatianum 'meos dividerem libenter annos'* ein Versehen, aber der Gedanke ist mir aus antiker Poesie geläufig.

2) Seine und eines seiner Schüler Bemühungen um diesen Schriftsteller lassen sich noch handschriftlich nachweisen, cf. Traube l. c.

pudiant. omnium autem consensu nichil in ea est, quod iure excipi aut possit aut debeat. quare apparet nos ipsos nobis esse contrarios, dum insipienter sapientiam consequi cogitemus. etenim plerique ex ea cultum sermonis quaerimus et paucos admodum reperias qui ex ea morum probitatem...proponant addiscere. sic linguae vitia reformidamus et purgare contendimus, vitae vero delicta parvi pendimus.... Quocirca si vigilanter poliendo incumbimus eloquio, multo maxime consequendae honestati atque iustitiae operam impendamus oportet. Die formalistische Tendenz, gegen deren Ausschließlichkeit er hier polemisiert, tritt aber bei ihm selbst entgegen in dem schönsten seiner Briefe, in dem er sich und diesen Studien ein leuchtendes Denkmal gesetzt hat: er ist der erste der ganzen Sammlung, den der damals (830) ganz junge Mensch an den auf der Höhe des Ruhmes stehenden Einhart richtet, zehn Jahre bevor durch Karls des Kahlen Fürsorge die Studien einen neuen starken Impuls erhielten: *amor litterarum ab ipso fere initio pueritiae mihi est innatus, nec earum ut nunc a plerisque vocantur superstitiosa otia fastidivi, et nisi intercessisset inopia preceptorum et longo situ collapsa priorum studia pene interissent, largiente domino meae aviditati satisfacere forsitan potuissem, siquidem vestra memoria per famosissimum imperatorem Karolum, cui litterae eo usque deferre debent ut aeternitati parent memoriam, coepta revocari aliquantulum quidem extulere caput, satisque constitit veritate subnixum praeclarum tum*[1]) *dictum: 'honos alit artes et accenduntur omnes ad studia gloria'* (Cic. Tusc. I 4); *nunc oneri sunt qui aliquid discere affectant, et velut in edito sitos loco studiosos quosque imperiti vulgo suspectantes*[2]), *si quid in eis culpae deprehenderint, id non humano vitio sed qualitati disciplinarum assignant. ita dum alii dignam sapientiae palmam non capiunt, alii famam verentur indignam, a tam praeclaro opere destiterunt. mihi satis apparet propter seipsam appetenda sapientia, cui indagandae a sancto metropolitano episcopo Aldrico*[3]) *delegatus doctorem grammaticae sortitus sum praeceptaque ab eo artis accepi. sic quoniam a grammatica ad rhetoricam et deinceps ordine ad caeteras liberales disciplinas transire hoc tempore fabula tantum est,*

1) *Cum* cod., verbessert von Traube l. c. 402.

2) *aspectantes* cod., verbessert von demselben l. c.

3) Abt von Ferrières, seit 828 Metropolitanbischof von Sens.

cum deinceps auctorum voluminibus spatiari aliquantulum coepissem et dictatus nostra aetate confecti displicerent, propterea quod ab illa Tulliana caeterorumque gravitate, quam insignes quoque Christianae religionis viri aemulati sunt, aberrarent: venit in manus meas opus vestrum, quo memorati imperatoris clarissima gesta... clarissime litteris allegastis. ibi elegantiam sensuum, ibi raritatem coniunctionum[1]*), quam in auctoribus notaveram, ibidemque non longissimis perihodis impeditas et implicitas sed modicis absolutas spaciis sententias inveniens amplexus sum.* Wie also Petrarca, von Grauen ergriffen vor dem Latein der Scholastiker, zu Cicero zurückkehrte, so begrüßte Servatus Lupus in einer Zeit tiefer Depravation des Lateins mit Jubel die in klassischer Sprache geschriebene Vita Karls d. Gr., und nährte sein stilistisches Schönheitsgefühl an dessen Urquell Cicero. Wie Petrarca und allen Humanisten, so ist auch ihm der Ruhm eine Triebfeder, und in den schönen Worten von der Selbstgenügsamkeit der Weisheit werden wir keine bloße Phrase aus Ciceros philosophischen Schriften, sondern die Überzeugung erkennen dürfen, die allen Humanisten eingepflanzt war: daß die wahre Wissenschaft frei und sich selbst ihr höchster Zweck sei.[2]) —

Lupus' Zeitgenossen.

Wir erkennen aus den Briefen des Servatus Lupus, daß er mit seinen klassizistischen Interessen keineswegs allein stand[3]): überall in den französischen Klöstern und Bischofsitzen regte sich das Wehen eines freieren Geistes. In die Zeit der letzten Karolinger fiel auch die Romfahrt jenes unbekannten Mönchs, von der er die berühmte Inschriftensammlung mitbrachte. Mommsen[4]) hat das Faktum mit den humanistischen Bestrebungen jener

1) Was mag er damit meinen?

2) Seine Erklärung der in Boethius vorkommenden Metra ist ungedruckt, cf. R. Peiper vor seiner Ausgabe des B. p. XXIV.

3) Z. B. werden von ihm oft genannt Heribold, Bischof von Auxerre, und der berühmte Hincmar, Metropolitanbischof v. Reims, Theodulfus, Bischof von Orléans, dessen Verse von klassischer Reinheit sind (cf. K. Liersch, Die Gedichte Th.'s, Halle 1880). Dazu kommt sein Schüler Heiric, über den cf. Traube l. c. 389 u. ö. Wir können hinzufügen den sonst nicht weiter bekannten Hadoard, dessen Ciceroexzerpte (außer aus den philosophischen Schriften auch aus De oratore) P. Schwenke im Philol. Suppl. V (1889) 399 ff. ediert hat.

4) Ber. d. Sächs. Ges. d. Wiss. 1850 p. 289, cf. H. Jordan, Topogr. d. St. Rom II (Berl. 1871) 333.

Zeit in Zusammenhang gebracht. Wenn man Kleines mit Großem vergleichen darf, so kann man sagen, daß jener Mönch ein Vorgänger des Cola di Rienzo und des Poggio gewesen ist.[1]) Demselben Interesse für das Altertum wird man übrigens wohl die Überlieferung des aus dem I. Jh. n. Chr. stammenden Testamentes eines römischen Bürgers in Gallien im Gebiet von Langres verdanken, also jenem Ort, der dem Poggio einst eine so reiche Ausbeute von Ciceroreden gewähren sollte: die ausführliche und durch allerlei Detail merkwürdige Inschrift wurde aus einer in Basel befindlichen Pergamenthandschrift des X. Jh. zuerst von A. Kießling i. J. 1863 ediert und ist dann öfters wiederholt worden (zuletzt in Fontes iur. Rom. ed. Bruns^{6} n. 99 p. 275ff.).

Numerisches Übergewicht Frankreichs. Für die Überlieferung der klassischen Literatur ist diese Epoche wahrscheinlich von noch viel größerer Bedeutung gewesen, als wir auch nur zu ahnen vermögen: die stattliche Reihe von Handschriften aus dem IX. und der ersten Hälfte des X. Jh., die aus Frankreich stammen oder von deren einstiger Existenz wir durch alte Kataloge Kunde haben, zeugt dafür. Das beträchtliche Übergewicht Frankreichs über Deutschland kann man auch aus folgender Tatsache ermessen. Die Zahl der aus Katalogen deutscher Klöster des IX. Jh. bekannten Handschriften beträgt nach G. Beckers Sammlung (Catal. bibl. ant. Bonn 1885) 1460 (wenn wir zunächst den einen Katalog von S. Gallen n. 15 Becker und den von Lorsch n. 37 beiseite lassen), vertreten sind darin die Bibliotheken von Freising, Fulda, S. Gallen, Reichenau, Weißenburg, Würzburg; darunter sind 26 Grammatiker (Donat, Pompeius, Priscian u. a.), von Dichtern Terenz (Freising), Vergil (4mal), Ilias latina (Freising), Avian (Reichenau), von Prosaikern Hygin (Reichenau), Plinius maior (Reichenau), Solin (S. Gallen), Justin (S. Gallen), Servius' Vergil-Kommentar (S. Gallen), Martianus (Freising), Vegetius (2mal). Damit vergleiche man den Katalog einer (unbekannten) französischen Bibliothek des IX. Jh. (Becker n. 20): unter dessen 12 Nummern[2]) befinden sich: Terenz, Tibull, Horaz, Lucan, Statius, Juvenal,

---

1) Wattenbach, Geschichtsqu. I^{6} 281 vermutet, daß die Sammlung von einem Schüler Walahfrids Strabo, des Abts von Reichenau, herrührt, da die Urschrift der Einsiedler Hs. aus Reichenau zu stammen scheine.

2) Das sind natürlich nur die *libri scolastici*, cf. Th. Gottlieb, Üb. ma. Biblioth. (Leipz. 1890) 303.

Martial, Claudian; Ciceros Catilinarien, Verrinen, pro Deiotaro, Sallusts Reden: also eine höchst erlesene Auswahl, mit der nicht einmal der sonst reichste S. Galler Katalog dieses Jahrhunderts (n. 15 Becker) konkurrieren kann, der unter 356 Nummern folgende Autoren hat: Ovid, Persius, Juvenal, Silius, Statius, Claudian; Sallusts Catilina, Senecas Briefe und nat. quaest., Justin, Solin, Vegetius (2mal), Macrobius' Saturnalien, Martianus (4mal), wobei also gerade die Raritäten, die der französische Katalog hat, fehlen (Ciceros Reden, Tibull, Horaz). Am nächsten kommt dem französischen Katalog der von Lorsch aus s. IX oder Anfang s. X (37 Becker), der unter seinen 590 Nummern außer einer gewaltigen Anzahl von grammatischen Werken enthält: Vergil (4mal), Horaz, Lucan, Martial (2mal), Juvenal; Cicero pro Cluent., pro Mil., in Pis., pro Sull., ep. (4mal), de off., Seneca rhet., Seneca de ben., de clem., ep. (2mal), Plinius mai. (2mal), Plinius min., Frontinus, Florus, Justinus, Solinus, Macrobius, Vegetius, Dares.

II. Das zehnte Jahrhundert: Gerbert.

Auch in diesem war es ein aus dem Zentrum Frankreichs stammender Mann, der die klassischen Studien vor allen andern Gelehrten hegte: Gerbert, geboren c. 940, in einem wechselvollen Leben Scholasticus unter dem Erzbischof Adalbero von Reims, Abt von Bobbio, dann selbst Erzbischof von Reims, endlich in den vier letzten Jahren († 1003) Papst als Silvester II. Seine umfassenden, in allen Zweigen des Wissens, besonders der Mathematik und Astronomie das gewöhnliche Maß weit überschreitenden Kenntnisse haben ihn bekanntlich in den Verdacht der Nekromantie gebracht: wir bewundern den Mann, der in einem Zeitalter voller Kriege und Intriguen[1]), selbst mit Geschäften überhäuft und im Mittelpunkt der politischen Ereignisse stehend, den Studien oblag und von sich selbst das schöne Geständnis ablegen konnte: *in otio, in negotio et docemus quod scimus et addiscimus quod nescimus* (ep. 44). Das Interesse für die klassische Literatur scheint freilich bei ihm weniger ein ideales als ein hauptsächlich durch praktische Motive bedingtes gewesen zu

Gerbert.

1) *Regnorum ambitio, dira ac miseranda tempora fas verterunt in nefas* (ep. 130 der Ausg. von J. Havet, Paris 1889), und oft ähnlich.

sein. Wenigstens schreibt er an den Abt von Tours (ep. 44): *cum ratio morum dicendique ratio a philosophia non separentur, cum studio bene vivendi semper coniunxi studium bene dicendi, quamvis solum bene vivere praestantius sit eo quod est bene dicere curisque regiminis absoluto alterum satis sit sine altero. at nobis in re publica occupatis utraque necessaria. nam et apposite dicere ad persuadendum et animos furentium suavi oratione ab impetu retinere summa utilitas. cui rei praeparandae bibliothecam assidue comparo. et sicut Romae dudum ac in aliis partibus Italiae, in Germania quoque et Belgica scriptores auctorumque exemplaria multitudine nummorum redemi adiutus benivolentia ac studio amicorum comprovincialium*[1]), *sic identidem apud vos fieri ac per vos sinite ut exorem. quos scribi velimus, in fine epistolae designabimus.*[2]) Also auch hier begegnen wir wiederum der treibenden Idee aller dieser humanistischen Bestrebungen: die schöne Sprache war, wie man wußte, einzig und allein aus dem Studium der klassischen Autoren zu gewinnen. Dementsprechend hatte nun Gerbert ein besonderes Interesse für Cicero, nicht bloß für dessen rhetorische[3]) und philosophische Werke, sondern vor allem für seine Reden. Er erbittet sich ein vollständiges Exemplar der Rede für Deiotarus (9); dem Scholasticus Constantin von Fleury, der ihn besuchen will, schreibt er (86): *comitentur iter tuum Tulliana opuscula vel de republica*[4]) *vel in Verrem vel quae pro defensione multorum*

1) Cf. ep. 130 *unum a te interim plurimum exposco, quod et sine periculo ac detrimento tui fiat, et me tibi quam maxime in amicicia constringat. nosti quanto studio librorum exemplaria undique conquiram; nosti, quot scriptores in urbibus ac in agris Italiae passim habeantur*, worauf folgt, was er haben will.

2) Diese Liste ist leider nicht mit überliefert worden.

3) Unter diesen übrigens nicht nur, wie fast alle andern, für die sog. 'Rhetorica Ciceronis' (d. h. die Bücher an Cornificius und die Bücher De inventione), sondern auch, ganz wie Servatus Lupus, für die Bücher De oratore: das wissen wir zwar nicht aus den Briefen, aber aus der Subscription des aus s. X stammenden Teils der Erlanger Hs. n. 76: *Venerando abbate Gerberto philosophante Suus placens Ayrardus scripsit,* cf. C. Halm, Zur Handschriftenkunde der cic. Schriften (München 1850) 3, 6.

4) Es wäre natürlich ganz falsch, daraus mit Fr. Jul. Schmidt (Gerbert als Freund und Förderer klass. Studien [Progr. Schweidnitz 1843] p. 15 mit adn. 7), zu folgern, daß das Werk damals noch existierte: entweder

plurima Romanae eloquentiae parens conscripsit; cf. ep. 167 *agite ergo ut coepistis et fluenta M. Tullii sicienti praebete. M. Tullius mediis se ingerat curis quibus . . implicamur,* 158 *facite vestra liberalitate, ne absentia honestatis, fuga obtimarum artium, efficiar sectator Catilinae, qui in otio et negotio praeceptorum M. Tullii diligens fui executor.* Daher hat er Ciceros Reden (besonders die catilinarischen und die für ciceronianisch geltende Invektive gegen Sallust) oft zitiert, mit oder ohne Nennung des Autors[1]), aber nicht nur das: er hat sich so in sie hineingelebt, daß er wirklich ihr ἦθος gut zu reproduzieren versteht, wozu in den turbulenten Zeiten für ein so kampfesfreudiges, ja gelegentlich etwas intrigantes Gemüt wie das Gerberts Gelegenheit genug war; nur eine kleine Probe in einer harmloseren Sache: ep. 105 *quousque abutemini pacientia, fidissimi quondam, ut putabatur, amici? caritatem verbis praetenditis rapinam exercere parati. cur sanctissimam societatem abrumpitis? quosdam codices nobis vestra sponte obtulistis, sed nostri iuris nostraeque ecclesiae contra divinas humanasque leges retinetis. aut librorum restitutione cum adiuncto caritas redintegrabitur aut depositum male retentum bene merito supplicio condonabitur* (cf. etwa noch ep. 32. 79).[2]) Um die Bedeutung dieser Tatsache zu würdigen, muß man bedenken, daß für das allgemeine Bewußtsein Cicero als Redner im Mittelalter so gut wie nicht vorhanden war: man las eifrig die 'Rhe-

---

war es (ähnlich wie bei Petrarca mit der Schrift De gloria) ein frommer Wunsch, oder, was wahrscheinlicher, der für Mystik und Astronomie interessierte Mann meinte das Somnium Scipionis. Man kann mit der Verwertung solcher Notizen nicht vorsichtig genug sein; dafür ein Beispiel. Daß Hermannus Contractus, Abt von Reichenau († 1054), Ciceros Hortensius gelesen haben soll, wird auf Grund der bekannten Stelle (Mon. Germ. V 268) nun wieder von O. Plasberg, De M. Tullii Ciceronis Hortensio dialogo (Diss. Berlin 1892) 15 f. behauptet. Aber das ist ganz illusorisch: gerade darin liegt das Wunder, daß er in der Nacht vor seinem Tode *in exstasi quadam* von dem Inhalt einer Schrift träumt, die er nicht gelesen hatte, aber von deren einstiger Existenz und allgemeiner Tendenz er gar wohl aus Augustin und Boethius wußte. (Daß aber an dieser Stelle nicht der Lucullus gemeint sein kann, hat Plasberg richtig bemerkt.)

1) Einiges hat J. Havet l. c. angemerkt, aber das würde eine eigne Untersuchung erfordern.

2) Um den Kontrast zu empfinden, lese man dagegen den Brief Ottos III an Gerbert (no. 186).

torik' und einige philosophische Schriften; die Reden, deren aktuelle Bedeutung man doch nicht erfassen konnte, da die genügenden Kenntnisse der Geschichte und Altertümer fehlten, konnten ein Interesse haben eben nur für die verhältnismäßig verschwindende Anzahl von Männern, die sich an ihrer Formvollendung erfreuten und bilden wollten. Dem Einfluß Gerberts verdanken wir daher ohne Frage die Erhaltung vieler von den Humanisten speziell in Frankreich gefundenen Reden Ciceros.[1]) Außer um Cicero hat er sich

1) Für eine Geschichte Ciceros im Mittelalter fehlt uns noch so gut wie alles. Th. Zielinski, Cic. im Wandel der Jahrh. (Leipz. 1897) 26 geht nicht näher darauf ein. Das Beste, was ich kenne, ist P. Deschamps, Essai bibliographique sur C., Paris 1863. A. Graf, Roma nella memoria del medio evo II (Turin 1883) 259 ff. P. de Nolhac, Pétrarque et l'humanisme (Paris 1892) 179, 4, dazu einige beachtenswerte Notizen bei L. Mehus, Vita Ambrosii Camaldul. (Florenz 1759) p. CCXIII f., G. Meier, Die 7 freien Künste im Ma. (Jahresber. v. Maria-Einsiedeln 1885/86) 19. — Ein paar Einzelheiten aus meinen Sammlungen mögen hier Platz finden. Die rhetorischen und philosophischen Schriften wurden aus dem oben (S. 690, 1) näher erörterten utilitaristischen Gesichtspunkt weitaus bevorzugt. Einhart zitiert in der Vorrede der Vita C. die Tusculanen, die auch sonst von ihm am meisten benutzt sind, dazu kommen die oratorischen Schriften, von den Reden durch Nachahmungen gesichert Verr. II, Catil. I, Mil., cf. Manitius l. c. (S. 694, 2) 542. Über Lupus s. oben S. 700. Notker († 1022) in seinem Brief an den Bischof von Sitten (Kanton Wallis) ed. P. Piper (Die Schriften N.s u. s. Schule I) p. 861: *libros vestros · i · philippica et commentum in topica ciceronis peciit a me abbas de augia pignore dato quod maioris precii est: pluris namque est rhetorica ciceronis et victorini nobile commentum que pro eis retineo et eos non nisi vestris repetere non valet. alioquin sui erunt vestri et nullum dampnum est vobis.* Conradus Hirsaugiensis (c. 1100) dial. sup. auctores (ed. Schepps, Würzburg 1889) 51: *Tullius nobilissimus auctor iste libros plurimos philosophicos studiosis philosophiae pernecessarios edidit et vix similem in prosa vel praecedentem vel subsequentem habuit:* er kennt nur den Laelius und Cato. — Lambert v. Hersfeld (s. XI) hat nach dem Nachweis von O. Holder-Egger in seiner Ausgabe (Hann.-Leipz. 1894) p. XLV. 241. 399 ff. etwas von Ciceros Reden gelesen, aber nur bei den Catilinarien (p. 241. 415. 420. 431. 461; 431; 449. 486; 417) scheint es mir ganz, bei pr. Mur. (p. 409. 472) und pr. Sull. (p. 476) einigermaßen sicher, während die andern Stellen (pr. Balb. p. 420, Font. 426, Man. 446, Mil. 421, Phil. 422. 428, Rosc. 473) entweder zu farblos sind oder ebensogut aus andern, z. T. von Holder-Egger selbst zitierten Autoren stammen können. — In dem von L. Delisle, Inventaire des ms. de la bibl. nat., fonds de Cluni (Paris 1884) publizierten Katalog der Cluniacenser Bibliothek aus s. XII finden sich 3 Codd. mit Briefen, 3 mit Reden,

noch bemüht um Abschriften bezw. bessere Exemplare von Caesar (8), Plinius (7), Statius' Achilleis (148), Sueton (40), Symmachus (40), den Terenzkommentar des Eugraphius (7). Aus seinen Zitaten geht hervor, daß er, was nicht zu verwundern,

---

5 mit philosophischen, 7 mit rhetorischen Schriften. — In dem Generalkatalog der Sorbonne vom J. 1338 (ed. Delisles, Cabinet des ms. de la bibl. nat. III [Paris 1881] 9 ff. ist keine Hs. mit Reden, dagegen 24 mit den philosophischen und rhetorischen Schriften sowie den Briefen (was bedeuten: LI 5 Tullius ad Lucillum, inc. *consumpsisset,* 6 Tullius ad Cecilium oratorem, inc. *incommodis,* 25 Tullius de accusacione, inc. *lega* [sic], in pen. *severitate?*). — In dem von Delisle edierten Inventaire des ms. de la Sorbonne, Paris 1870 sind 14 Hss. mit den philosophischen und rhetorischen Schriften sowie den Briefen, außerdem zwar 4 Hss. mit Reden, aber, was doch sehr charakteristisch, keine früher als saec. XV, also aus einer Zeit, als der Humanismus an der Hochschule Platz griff (n. 16232 ist sogar eine Schrift des Petrarca). — Wilhelmus Malmesbiriensis monachus († vor 1142) de gestis regum Anglorum ed. W. Stubbs, London 1889, zitiert nach dem Index dieser Ausgabe Cicero viermal (*regem facundiae Romanae* nennt er ihn p. 144), darunter zwei Zitate aus de off., eins (angeblich) aus der Rhetorik, eins aus pr. Mil. 11: *licet, ut quidam ait, leges inter arma sileant:* doch glaube ich nicht, daß er das geflügelte Wort aus eigner Lektüre der Rede hatte, weil er hier nur von *quidam* spricht, sonst Ciceros Namen stets nennt. — Abälard kennt nur die rhetorischen und philosophischen Schriften (von letzteren zitiert er je einmal de off. und parad.), cf. den Index der Ausg. von Cousin vol. II (Paris 1859) und S. Deutsch, P. Abälard (Leipz. 1883) 66. — Selbst ein so belesener Mann wie Peter v. Blois († 1200) kennt von Cicero zwar einige philosophische Schriften und die Briefe, aber nicht die Reden. — Auch Johannes Sarisber. († 1180), der fast sämtliche philosophischen Schriften, de inventione und ad Herennium, ep. ad fam. so oft zitiert, bringt nur einmal ein Zitat aus einer Rede (pro Lig. 12: Polycrat. VIII 7), cf. C. Schaarschmidt, J. S. (Leipzig 1862) 87. 92 f. (Daß er pro Caecina zitiere, ist eine irrtümliche Behauptung Chr. Petersens im Kommentar zu seiner Ausgabe des Entheticus [Hamb. 1843] 81.) — Besonders interessant eine (mir von meinem Bruder Walter, Stud. der Geschichte in Berlin, nachgewiesene) Stelle aus dem Briefwechsel des Wibaldus, seit 1146 Abtes von Corvey (cf. Wattenbach, Deutschl. Geschichtsquellen im Ma. II⁷ 269 ff.), bei Ph. Jaffé, Bibl. rer. Germ. I (Berlin 1864) 326 f. Er verlangt von Reinaldus, Abt in Hildesheim, *Tullii libros* und motiviert seine Bitte so: *nec pati possumus, quod illud nobile ingenium, illa splendida inventa, illa tanta rerum et verborum ornamenta oblivione et negligentia depereant; set ipsius opera universa, quantacunque inveniri poterunt, in unum volumen confici volumus;* daraufhin erhält er aus Hildesheim die philippischen Reden, de lege agraria und die Briefe. — Von Brunetto Latini († 1294), dem Lehrer Dantes, steht fest, daß er — ein sehr bemerkenswertes Faktum — drei Ciceroreden, pro Marc., Lig., Deiot.,

Terenz, Sallust, Vergil, Seneca (die Briefe) kannte; bemerkenswerter ist, daß ihm von Horaz nicht bloß die Episteln (cf. p. 178, 4. 238, 5 Havet), sondern auch die Oden geläufig waren (ep. 55).[1])

---

ins Italienische übersetzt hat: cf. P. Chabaille in der Vorrede zu seiner Ausgabe der Livres dou tresor par Brun. Lat. (Collection de documents inédits sur l'hist. de France, Sér. I fasc. 45 [1863]) p. VII: diese Übersetzungen sind zuerst 1568 in Lyon gedruckt, dann in Mailand 1832 wiederholt (ich habe keine von beiden Ausgaben gesehen); ob auch eine Übersetzung der ersten catilinarischen Rede von ihm ist, steht nicht ganz fest, cf. Chabaille l. c. und überhaupt J. Schück in Fleckeisens Jahrb. XCII (1865) 281 f. Bezeichnend aber ist, daß er im III. Buch seines Tresor, wo er über die Rhetorik handelt, als Muster nicht Cicero, sondern die Reden des sallustischen Catilina zugrunde legt (Schück l. c. 289), die er nach einer Mitteilung von Mehus l. c. p. CLVII f. (dies ist noch immer die Hauptstelle über Latini) auch in eignen Schriften übersetzt hat. (Die Notiz über Latini, die sich nach G. Voigt, Die Wiederbeleb. d. class. Alt. II³ [Berl. 1893] 159, 1 bei Zacharias, Iter litt. per Italiam [Vened. 1762] 29 finden soll, habe ich nicht identifizieren können.) — Dagegen kennt Dante nur de amic., sen., off., fin., inv., parad. (Schück l. c. 264). — Vincenz v. Beauvais kennt 12 Reden: cf. E. Boutaric in: Rev. des quest. hist. XVII (1875) 5 ff. Orelli ed. Cic. III² (1845) p. X f. — Unter den Reden waren (wie schon im Altertum) die gelesensten die Verrinen, die catilinarischen, die philippischen. Nur die beiden letzteren Gruppen kennt Baudri, Abt von Bourgueil (1079—1107), dann Bischof von Dol (bis 1130): aus seinen, im cod. Vat. 1351 vereinigten lateinischen Gedichten hat Delisle in: Romania I (1872) 23 ff. einiges mitgeteilt, darunter (p. 46) die Anfangsverse von sechs auf fol. 130ᵛ stehenden kleinen Gedichten auf Cicero. Mein Freund H. Graeven hat sie mir abgeschrieben: sie bestehen aus je 3 Distichen und feiern in sehr pathetischer Weise (z. B. 5, 1 f. *qui tenet ac tenuit, docet aeternumque docebit Artem dicendi verbifluus Cicero;* 4, 1 *ingenium cuius semper mirabitur orbis* u. dgl. m.) Ciceros Verdienste um den Staat während der catilinarischen Verschwörung und seine Reden gegen Antonius. — Über die im Ma. relativ häufigen Reden vgl. auch G. Voigt, D. Wiederbel. d. klass. Alt. I³ (Berl. 1893) 41 f. — (In dem von Wattenbach in: Sitzungsber. d. bayr. Ak. 1873, 703 aus einem cod. Tegerns. 19488 saec. XII/XIII mitgeteilten Gedicht beklagt sich einer, daß ihm zum Vorwurf gemacht werde, *quod scripta lego Ciceronis,* doch sagt er nicht, welche Schriften.) — Natürlich darf man nicht glauben, daß alle diejenigen, die seine Beredsamkeit preisen, ihn gelesen haben; im Gegenteil ist das meist Phrase, z. B. wenn in karolingischer Zeit jemand neben Cicero Sappho preist (MG. II 585). Was noch Petrarca von der Schätzung Ciceros bei seinen Zeitgenossen sagt (ep. de reb. fam. XXIV 4) *fama rerum celeberrima atque ingens et sonorum nomen, perrari autem studiosi* gilt für das ganze Mittelalter.

1) Für Deutschland werden aus dem X. Jh. klassische Studien aus-

III. Das XI.—XIII. Jahrhundert.

Wesen der Scholastik.

Es war die Zeit, in welcher zum Abschluß kam das, was wir mit 'Scholastik' bezeichnen, einem Namen, der vielen noch dasselbe Grauen einflößt wie einst den Humanisten des XIV. und XV. Jh.: zweifellos mit Unrecht, wenn wir uns auf historischen Boden stellen — das wird eine wissenschaftliche Darstellung dieser in der Geschichte des menschlichen Geistes vielleicht am meisten vernachlässigten Epoche einst zu beweisen haben —, sicher mit Recht, wenn wir den Standpunkt jener Humanisten einnehmen, die der Ästhetik zuliebe eben mit der historischen Entwicklung gebrochen haben. Denn für die Geschichte des Studiums der klassischen Schriftsteller bedeutet

---

drücklich bezeugt von Meinwerk v. Paderborn und Bernward v. Hildesheim, cf. die Zeugnisse bei A. Heeren, Gesch. d. klass. Lit. im Ma. I (Göttingen 1797) 196 f. Einer der gelehrtesten Männer dieses Jahrh. in Deutschland war Bruno, der Bruder Ottos I. Von seinen Kenntnissen weiß der Biograph Wunderdinge zu erzählen (cf. die Vita in Mon. Germ. script. IV 254 ff.), aber er übertreibt offenbar maßlos (wie auch Heeren l. c. 197 bemerkt); doch scheint wahr zu sein, daß Bruno einer der wenigen war, die Griechisch verstanden (c. 11. 12); bemerkenswert sind seine Bemühungen um Sorgfalt in der lat. Sprache: *lucubrationibus intentissimus inveniendis, in dictatu, quaecumque sunt honestissima, acutissimus fuit. Latialem eloquentiam non in se solum, ubi excelluit, sed et in multis aliis politam reddidit et illustrem; nullo autem hoc egit supercilio, sed cum domestico lepore, cum urbana gravitate.* Möglich, daß infolge dieser Bestrebungen des einflußreichen Mannes vieles in Lorsch, Korvey, St. Gallen abgeschrieben wurde. Cf. Wattenbach, Deutschlands Geschichtsquellen im Ma. I^{6} 322 f. Mit Bruno stand in nahen Beziehungen Ratherius († 974), geb. in Lüttich, also auf ursprünglich französischem Boden (s. oben S. 691, 1), später Bischof von Verona; er war neben Gerbert am meisten in der klassischen Literatur bewandert und schreibt einen guten Stil; über die vielen von ihm zitierten Autoren cf. R. Ellis vor seiner Catullausgabe (2. Aufl. Oxford 1878) p. VIII, 1. Es ist doch höchst wahrscheinlich, daß die reichen Schätze, die in der Renaissance aus der Bibliothek des Domkapitels in Verona zum Vorschein kamen, von diesem Manne — wenigstens teilweise — aus Frankreich dahin geschafft worden sind. — Ein deutliches Beispiel der Verbreitung antiker Vorstellungen auch auf politischem Felde bietet Widukind, der Otto I., ohne seines späteren Römerzuges (962) zu gedenken, schon nach dem Ungarnsiege des Jahres 955 ganz nach altrömischem Muster zum Imperator ausrufen läßt: *triumpho celebri rex factus gloriosus ab exercitu pater patriae imperatorque appellatus est* (MG. SS. III 459).

diese Zeit anerkanntermaßen den größten Rückschritt. Die 'artes' waren an den Universitäten, vor allen an der Sorbonne, das wesentlichste Bildungselement, und nicht einmal sie in der reinen, überkommenen Gestalt: die Grammatik wurde 'spekulativ'[1]), Donat 'moralisiert'[2]), ja schließlich traten an die Stelle der alten Lehrbücher zwei neue: das berühmte, oder besser infolge der Verhöhnung der Humanisten berüchtigte 'Doctrinale' des Alexander von Villa Dei (Villedieu in der Normandie) und der 'Grecismus' des Eberhard von Béthune, in denen das eigentlich mittelalterliche, d. h. antiklassische Latein als Norm zugrunde gelegt wurde. Gegen diese dunkle, durch die Universitäten sanktionierte Richtung sind nun von Anfang an Bestrebungen in durchaus entgegengesetztem Sinn aufgetreten, die wir daher ohne weiteres berechtigt sind als echte Vorläufer der Renaissance aufzufassen. Ihre Entstehung und ihr Wirken aus zeitgenössischen Quellen kennen zu lernen war vielleicht nicht bloß für mich von Interesse: ich lege daher im folgenden meine darüber angestellten Untersuchungen vor.

1. Der literarische Streit der Klassizisten und Scholastiker s. XI. XII. Die Schule von Chartres.

Johannes v. Salesbury.

Seit der Mitte des XI. Jahrh. wurde in Frankreich von zwei Parteien ein erbitterter Streit geführt, dessen Tendenzen wir aus den beiden für die Geschichte der Wissenschaft im spätern

1) Von Duns († 1308) gibt es eine 'grammatica speculativa', die in der Lyoner Gesamtausgabe vom J. 1639 in Bd. I p. 39—76 steht: ich habe sie nicht gelesen. Cf. besonders Böcking zu den epp. obsc. vir II 421 f. G. Meier, Die 7 Künste im Ma. (Jahresber. M.-Einsiedeln 1885/86) 21 f. Melanchthon tadelte es, daß die Scholastiker sogar in der Grammatik ihre *insulsissimas cavillationes* vorgetragen hätten: K. Hartfelder, M. als Praecept. Germ. (in: Mon. Germ. Paed. VII 1889) 159.

2) Johannes de Gerson, der berühmte Kanzler der Universität Paris, 'doctor Christianissimus' (1363—1429), hat ein famoses Büchlein 'Donatus moralizatus' verfaßt, von dessen Art folgende Probe eine Vorstellung gibt: § XI *Cuius casus* (sc. *homo est?*) — *Nominativi et Vocativi, quia nominatur iam mortalis qui immortalis erat creatus, et vocatur operarius, qui aeternae quieti erat deputatus* § XII *Cuius declinationis?* — *Tertiae, quia declinari et humiliari debet tripliciter, scilicet coram deo, coram proximo, coram seipso.* Das Schriftchen ist noch 1692 mit denkbar ausführlichem Kommentar ediert von Jo. Fr. Heckel (zu Plauen i. V.).

Mittelalter wichtigsten Schriften des Johannes Saresberiensis (c. 1110—1180) kennen lernen: dem Entheticus und Metalogicus. Die eine Partei setzte sich zusammen aus Verächtern jeder, vor allem der klassischen Wissenschaft: ihr Ziel war, unter dem Deckmantel einer spitzfindigen und haarspaltenden Philosophie, die sie 'Logik' nannten, Schule zu machen. Die eignen Worte des Johannes zeigen am besten, was das für Leute waren. Metalog. I c. 3 (vol. V p. 16 ed. Giles) nennt er ein paar Fragen, wie sie in den Schulen jener Partei behandelt wurden[1]), z. B. *insolubilis in illa philosophantium schola tunc temporis quaestio habebatur, an porcus qui ad venalitium agitur, ab homine an a funiculo teneatur; item an capucium emerit qui cappam integram comparavit* usw. Es ist dies, wie C. Schaarschmidt, Joh. Sarisb. (Leipzig 1862) 220 bemerkt, jene Art spitzfindigen, haarspaltenden, unfruchtbaren Disputierens, die man gewöhnlich erst späteren Zeiten des Mittelalters zuschreibt, die aber hier schon für das XII. Jh. bezeugt wird. In dieser Schule, fährt Joh. Saresb. fort (l. c.), *sufficiebat ad victoriam verbosus clamor ..... poetae, historiographi habebantur infames, et si quis incumbebat laboribus antiquorum, notabatur* usw. p. 17 *ecce nova fiebant omnia: innovabatur grammatica, immutabatur dialectica, contemnebatur rhetorica et novas totius quadrivii vias evacuatis priorum regulis de ipsis philosophiae adytis proferebant.* Speziellere Notizen gibt der ungefähr gleichzeitige Entheticus, der zuerst von Chr. Petersen Hamburg 1843 (mit Kommentar) ediert wurde. Wir lernen hier die Gegner genauer kennen: sie gehören der Schule dreier Scholastiker an, des Adam du Petit-Pont (so genannt nach dem Quartier in Paris, wo er lehrte; † 1180)[2]), Robert von Melun († 1167)[3]), Albericus von Reims.[4]) So heißt es von ihnen in dem Kapitel *De nugacibus mentientibus logicam:* (Enth. V. 41 ff. vol. V 240 G.):

si sapis auctores, veterum si scripta recenses,
ut statuas, si quid forte probare velis,

---

1) Cf. auch Polycrat. VII c. 12 (vol. IV 123 Giles).

2) Cf. Hist. litt. de la France XIV 189 f. Einen lexikographischen Traktat von ihm edierte A. Scheler, Lexicographie latine du XIIe et du XIIIe siècle, Leipz. 1867.

3) Ib. XIII 371 ff.

4) Über ihn ist wenig bekannt, cf. Petersen l. c. p. 80.

undique clamabunt: 'vetus hic quo tendit asellus?
cur veterum nobis dicta vel acta refert?
a nobis sapimus, docuit se nostra iuventus,
non recipit veterum dogmata nostra cohors.
non onus accipimus, ut eorum verba sequamur,
quos habet auctores Graecia, Roma colit.
expedit ergo magis varias confundere linguas,
quam veterum studiis insipienter agi.
quos numeros aut quos casus aut tempora iungant,
grammatici quaerunt, verba rotunda cavent:
torquentur studiis, cura torquentur edaci,
nulla sibi dantur otia, nulla quies ......
qui numeros numeris, qui casus casibus aptat,
tempora temporibus, desipit et miser est.
magnus enim labor est, compendia nulla sequentur,
tempora sic pereunt, totaque vita simul.
absque labore gravi poteris verbosior esse,
quam sunt quos cohibet regula prisca patrum.
quicquid in os veniet, audacter profer, et adsit
fastus: habes artem quae facit esse virum ....
hos libri impediunt, illos documenta priorum,
successumque vetat magnus habere labor.
disputat ignave, qui scripta revolvit et artes:
nam veterum fautor logicus esse nequit'. usw.

Dazu bemerkt dann der Verf. (V. 109 ff.):

haec ubi persuasit aliis error puerilis,
ut iuvenis discat plurima, pauca legat,
laudat Aristotelem solum, spernit Ciceronem
et quicquid Latiis Graecia capta dedit,
conspuit in leges, vilescit physica, quaevis
litera sordescit: logica sola placet.

Die Folge davon sei eine völlige Verwahrlosung der lateinischen Sprache, die durch Vermischung mit der modernen[1]) barbarisiert werde (133 ff.).

Dem immer weiter um sich greifenden Verfall der Wissenschaft traten nun, wie Metalog. I c. 5 (p. 21) berichtet wird,

1) Die Stelle wird dadurch recht interessant, ist aber zu lang, um hier zitiert zu werden.

die *amatores litterarum* entgegen: es sind die Lehrer, bei denen Joh. Saresb. selbst in die Schule gegangen ist, nachdem er durch den Unterricht der andern abgeschreckt war. Ihr Ziel war: Begründung einer wissenschaftlichen Philosophie in gebildeter lateinischer Sprache auf der Basis einer ausgedehnten Gelehrsamkeit, die vor allem — und das ist uns das Wichtigste — durch die Lektüre der alten Klassiker erworben werden sollte.

Bernardus von Chartres.

Im Mittelpunkt stand die Schule von Chartres mit ihrem glänzendsten Vertreter älterer Zeit: Bernardus Silvester († c. 1160). Über ihn haben wir den ausführlichen Bericht seines Schülers, des Johannes Saresberiensis, im Metalogicus l. I c. 24 (vol. V 57 ff. Giles): mit Recht hat C. Schaarschmidt l. c. 73 ff. diesem Bericht als einem der wichtigsten Dokumente für mittelalterliche Bildung seine Aufmerksamkeit geschenkt.[1]) Wenn man den Bericht des Johannes liest, so muß man sagen: wenn irgendwo, so haben wir hier einen Vorläufer des Petrarca zu erkennen. Denn der fundamentale Unterschied zwischen der Lehrmethode des übrigen Mittelalters und der des Bernardus liegt in der Stellungnahme zu den klassischen Autoren: sie sind für ihn schon durchaus Selbstzweck, nicht wie sonst bloß Mittel zum Zweck geistlicher Bildung. Ferner: er hat die Künste des Trivium nicht getrennt von den Autoren gelehrt, sondern hat vielmehr diese seinem Unterricht zugrunde gelegt. Endlich, und das ist nicht am wenigsten bedeutsam: er hat, (wie Petrarca) die Klassiker vor allem als Stilisten gewürdigt und auf ihre imitatio (jenes Losungswort der Humanisten) das größte Gewicht gelegt. Ich setze, um das Gesagte zu belegen, einige Stellen des genannten Kapitels her: *metaplasmum schematismumque et oratorios tropos, multiplicitatem dictionum quum affuerint, et diversas sic vel sic dicendi rationes ostendat* (sc. der Lehrer) *et crebris commonitionibus agat in memoriam auditorum.*

1) Einiges fügt hinzu C. Barach in der Vorrede zu der von ihm und J. Wrobel herausgegebenen Schrift des Bernardus De mundi universitate, Innsbruck 1876, cf. auch G. Kaufmann, Gesch. d. deutsch. Univers. I (Stuttg. 1888) 38 ff. Ein Versehen ist es, wenn Barach l. c. XIII als mutmaßlichen Inhalt eines (verlorenen) Liber dictaminum des Bernardus angibt 'eine Sammlung seiner praktischen Weisheitslehren': daß *dictamina* vielmehr, wie überhaupt im Mittelalter (cf. Anh. II), 'Stilexerzitien' bedeutet, zeigen die Verse eines Schülers des Bernardus (Matthaeus v. Vendôme) bei B. Hauréau im Journ. des sav. 1884, 209.

auctores excutiat et sine intuentium risu eos plumis spoliet, quas ad modum corniculae ex variis disciplinis, ut color aptior sit, suis operibus indiderunt. quantum pluribus disciplinis et abundantius quisque imbutus fuerit, tanto elegantiam auctorum plenius intuebitur planiusque docebit .... Ergo pro capacitate discentis aut docentis industria et diligentia constat fructus praelectionis auctorum. sequebatur hunc morem Bernardus Carnotensis, exundantissimus modernis temporibus fons literarum in Gallia, et in auctorum lectione quid simplex esset et ad imaginem regulae positum, ostendebat; figuras grammaticae, colores rhetoricos .. proponebat in medio .. Et quia splendor orationis aut a proprietate est (id est, quum adiectivum aut verbum substantivo eleganter adiungitur), aut a translatione (id est, ubi sermo ex causa probabili ad alienam traducitur significationem), haec sumpta occasione inculcabat mentibus auditorum. et quoniam memoria exercitio firmatur ingeniumque acuitur ad imitandum ea quae audiebant, alios admonitionibus, alios flagellis et poenis urgebat. cogebantur exsolvere singuli die sequenti aliquid eorum quae praecedenti audierant .. Vespertinum exercitium, quod declinatio dicebatur, tanta copiositate grammaticae refertum erat, ut siquis in eo per annum integrum versaretur, rationem loquendi et scribendi, si non esset hebetior, haberet ad manum .... Quibus autem indicebantur praeexercitamina puerorum in prosis aut poematibus imitandis, poetas aut oratores proponebat et eorum iubebat vestigia imitari ostendens iuncturas dictionum et elegantes sermonum clausulas. siquis autem ad splendorem sui operis alienum pannum assuerat, deprehensum redarguebat furtum .. Sic vero redargutum, si hoc tamen meruerat inepta positio, ad exprimendam auctorum imaginem modesta indulgentia conscendere iubebat faciebatque, ut qui maiores imitabatur, fieret posteris imitandus. id quoque inter prima rudimenta docebat et infigebat animis, quae in oeconomia virtus, quae in decore rerum, quae in verbis laudanda sunt: ubi tenuitas et quasi macies sermonis, ubi copia probabilis, ubi excedens, ubi omnium modus. historias, poemata percurrenda monebat diligenter .. et ex singulis aliquid reconditum in memoria, diurnum debitum, diligenti instantia exigebat. superflua tamen fugienda dicebat et ea sufficere, quae a claris auctoribus scripta sunt... Et quia in toto praeexercitamine erudiendorum nihil utilius est quam ei quod fieri ex arte oportet assuescere, prosas et poemata quotidie scriptitabant et se mutuis exercebant collationibus, quo quidem exercitio nihil utilius ad eloquentiam, nihil expeditius ad scientiam. Von demselben Mann führt Johannes an einer andern Stelle (Metal. l. III c. 4 p. 131) ein denkwürdiges Wort an. Johannes bespricht dort, allerdings zunächst nur in bezug auf die Philosophie, die unvergleichliche Größe des Altertums im Verhältnis zur Jetztzeit, die freilich in Einzelheiten mehr wisse, aber nicht durch sich selbst, sondern gestützt auf die große Gelehrsamkeit der Vorzeit; *dicebat,* fährt er dann fort, *Bernardus Carnotensis nos esse quasi nanos gigantium humeris insidentes, ut possimus plura eis et remotiora videre, non utique proprii visus acumine aut eminentia corporis, sed quia in altum subvehimur et extollimur magnitudine gigantea.*

Die Schule des Bernardus.

Dieses Mannes und seiner wenigen gleichgesinnten Freunde Schüler war Johannes Saresberiensis: daher sein für die damalige Zeit musterhaftes Latein und seine ganze klassizistische Richtung, der er einmal mit folgenden Worten Ausdruck gibt (Polycr. VII c. 9, vol. IV 112 G.): *poetas historicos oratores mathematicos quis ambigit esse legendos? maxime quum sine his viri esse nequeant vel non soleant literati: qui enim istorum ignari sunt, illiterati dicuntur, etsi literas noverint.* Diesem Kreise nahe stand auch Hugo von St. Victor († 1141), den Johannes gelegentlich mit großer Ehrfurcht nennt und den jene unwissenschaftlichen Eristiker denn auch nicht mit ihren Angriffen verschonten, aus Neid auf seine Gelehrsamkeit (Metalog. I c. 5 p. 22): der freisinnige Standpunkt, den dieser Mann, wie wir sahen (oben S. 689 f.), in seiner Eruditio didascalica der Lektüre der auctores gegenüber einnimmt, erklärt sich so ohne weiteres.[1])

Peter v. Blois.

Die Resultate einer auf Grund klassischer Lektüre eingerichteten Erziehung liegen fast noch klarer als bei Joh. Saresberiensis bei dessen Freund und Gesinnungsgenossen Peter von Blois († 1200) zutage. Wenn man seine von ihm selbst auf Befehl Heinrichs II. von England gesammelten 243 Briefe durchblättert, so findet man, daß diejenigen, in denen nicht haufenweis Zitate aus heidnischen Prosaikern und Dichtern stehen, zu den Aus-

1) Gegen den scholastischen Betrieb der Grammatik eifert er l. III c. 6 (176, 769 Migne): *sunt quidam, qui . . . nulli arti quod suum est tribuere norunt, sed in singulis legunt omnes. in grammatica de syllogismorum ratione disputant, in dialectica inflexiones casuales inquirunt.*

nahmen gehören. Er rechtfertigt sich gegen Angriffe wegen dieser Zitierwut[1]) in Brief 92 (207, 289 ff. Migne), z. B.: *sicut in libro Saturnalium et in libris Senecae ad Lucilium legimus, apes imitari debemus, quae colligunt flores, quibus divisis et in favum dispositis varios succos in unum saporem artifici mistura transfundunt.* Er kennt, um ganz von den Dichtern, die er fortwährend zitiert, zu schweigen[2]), von Prosaikern z. B. Cicero (aber nicht die Reden), Sallust, Livius, Curtius, Seneca (Briefe), Frontin (strat.), Justin, Valerius Max., Quintilian (inst.), Tacitus, Sueton, Appuleius (philos.), Martianus Capella. Es hat daher wenig auf sich, wenn er einmal jemanden anführt mit den Worten: *Priscianus et Tullius, Lucanus et Persius, isti sunt dii vestri* (ep. 6 p. 18), oder in einem salbungsvollen Brief an einen andern, der sich mit Versemachen abgab und den Stil des Evangeliums *durum insipidum infantilem* zu nennen wagte, 68 Bibelzitate, nur 2 aus heidnischen Autoren verwendet (ep. 76 p. 231 ff.). Interessant ist nun, daß er auch in der Theorie sich durchaus auf dem Standpunkt jener Vertreter der klassizistischen Richtung befindet. Das geht hervor aus ep. 101 (p. 311 ff.).[3]) Ein Archidiakon von Nantes hatte ihm zwei jugendliche Verwandte zur Erziehung anvertraut und besonders den etwas älteren empfohlen, der schon vorgebildet sei und große Erwartungen errege. Petrus antwortet ihm, der jüngere, der noch in keiner Schule gewesen sei, gefalle ihm besser; denn: *Willelmum predi-*

1) So stehen in einem ganz kleinen Brief (72) 20 heidnische Zitate, kein biblisches.

2) Einer seiner Freunde, ein *magister R. Blondus*, hatte in einem Brief an ihn Tibull zitiert (ep. 62 p. 185), nach der Erwähnung in dem französischen Bibliothekskatalog s. IX (20 Becker, vgl. o. S. 691, 1. 705), wohl das erste Mal, daß dieser Dichter wieder genannt wird seit der Zeit des Sidonius (zwar nennt ihn in karolingischer Zeit Petrus v. Pisa neben Vergil und Horaz als hervorragend *eloquio* [Poet. lat. aev. Carol. ed. Dümmler I p. 48], aber da in den sonst fast wörtlich übereinstimmenden Versen seines Freundes Paulus Diaconus [ib. 49] vom *Veronensis Tibullus* gesprochen wird, so ist eine Verwechslung mit Catull wahrscheinlich, wenn die beiden sich überhaupt etwas dabei dachten): die berühmten Exzerpte in der Pariser Hs. (Notre Dame 188) sind etwa 50 Jahre später geschrieben. P. Bles. selbst kennt ihn nicht.

3) Besser als bei Migne jetzt ediert im Chartularium univ. Paris. I (Paris 1889) 27 ff., wonach ich zitiere.

cas subtilioris vene et acutioris ingenii, eo quod grammatice et auctorum scientia pretermissa volavit ad versutias logicorum. non est in talibus fundamentum scientie litteralis, multisque perniciosa est ista subtilitas[1]), *quam extollis. ait namque Seneca*[2]): '*odibilius nichil est subtilitate, ubi est sola subtilitas*' ..... *quidam antequam disciplinis elementariis imbuantur, docentur inquirere de puncto, de linea, de superficie, de quantitate anime, de fato, de pronitate nature, de casu et libero arbitrio, de materia et motu* .... (etc.). *primicianda erat etas tenera in regulis artis grammatice, in analogiis, in barbarismis, in soloecismis, in tropis et scematibus, in quorum omnium doctrina Donatus Servius Priscianus Ysidorus Beda Cassiodorus plurimam diligentiam impenderunt: quod equidem non fecissent, si sine hiis posset haberi scientie fundamentum* (folgen Zeugnisse des Quintilian und Cicero). *et que utilitas est scedulas evolvere, firmare verbotenus summas et sophismatum versucias inversare, dampnare scripta veterum et reprobare omnia que non inveniuntur in suorum cedulis magistrorum? scriptum est, 'quia in antiquis est scientia'* (Hiob 12) ... *nam de ignorantia ad lumen scientie non ascenditur, nisi antiquorum scripta propensiore studio relegantur.* (Folgt je ein Zeugnis des Hieronymus und Horaz) ... *profuit michi frequenter inspicere Trogum Pompeium, Iosephum* (natürlich in Cassiodors Bearbeitung), *Suetonium, Egesippum, Quintum Curtium, Cornelium Tacitum*[3]), *Titum Livium, qui omnes in historiis quas referunt, multa ad morum edificationem et ad profectum scientie litteralis interserunt. legi et alios, qui de historiis nichil agunt, quorum non est numerus, in quibus omnibus quasi in ortis aromatum flores decerpere et urbana suavitate loquendi mellificare sibi potest diligentia modernorum.* Er solle sich daher über die langsamen Fortschritte Wilhelms nicht wundern: er müsse, wie bei Martianus Capella die Philologia, erst all die überflüssigen Bücher, die er verschluckt habe, wieder von sich geben.[4])

1) Das bekannte Schlagwort der Scholastiker, über das sich später auch die Humanisten lustig machten.

2) ep. 88.

3) Ob das freilich auf Wahrheit beruht, ist sehr fraglich, cf. E. Cornelius, Quomodo Tac. in hominum memoria versatus sit (Progr. Wetzlar 1888) 41.

4) Ganz ähnlich äußert sich an einer für die Geschichte der mittel-

Literarische Zusammenhänge.

Fragen wir uns nach dem Ausgang, den dieser Kampf nahm, so müssen wir sagen: die klassizistische Partei unterlag, die der

---

alterlichen Bildung wichtigen Stelle Giraldus de Barri (Cambrensis, weil aus Wales gebürtig) im Anfang seines Speculum ecclesiae (verf. c. 1220): Giraldi opera ed. Brewer, London 1874 (vgl. auch H. Rashdall, The universities of Europe in the middle ages I [Oxford 1895] 69 adn.); er verlangt Bildung *non solum in trivio verum etiam in authoribus* zum Zweck des *recte lepide ornate loqui.* Im J. 1280 wiederholt dieselbe Klage Hugo von Trimberg, Schulmeister in Bamberg: cf. die Vorrede zu seinem Registrum multorum auctorum (ed. J. Huemer in: Sitzungsber. d. Wien. Akad. 1888, 145 ff.) v. 21 ff., wo es z. B. heißt: 30 ff. *omne vetus studium perit accedente moderno; quondam apud veteres lecti sunt auctores,* an deren Stelle jetzt die scholastischen Subtilitäten getreten seien. — Aus dieser Zeit und aus diesen Kreisen stammt die schon oben (S. 718, 2) kurz erwähnte Pariser Exzerptenhandschrift (Notre Dame 188), beschrieben von E. Wölfflin im Philol. XXVII (1868) 153; sie enthält Exzerpte aus lateinischen Dichtern meist sententiösen Inhalts, und zwar aus Prudentius, Claudian, Ovid, Horaz, Juvenal, Persius, Martial, Culex, de laud. Pisonis, Terenz, Querulus, Tibull, ferner an philosophischer Literatur ziemlich viel aus Cicero (de off., Lael., Cat., Tusc.) und aus Seneca, dann Rhetorisches, Grammatisches, Metrisches, sowie verschiedenes aus Gellius, Macrobius, Sidonius, Cassiodor, Caesar, Sallust, Sueton. Es würde sich lohnen, entweder alles abzudrucken, oder wenigstens genau die einzelnen Stellen anzugeben (bisher sind nur die kritisch so wertvollen Tibullexzerpte publiziert). Für die Auswahl der Autoren gibt es c. aus dem J. 1100 den von G. Schepps (Würzburg 1886) edierten Dialogus super auctores des Conradus von Hirschau. Er teilt die *auctores* in zwei Klassen, die *inferiores* und die *superiores.* Zu ersteren gehören die bekannten Elementarlesebücher des Ma.: Donatus, Cato, Hesopus (sic), Avianus. Eine Art Mittelstellung nehmen ein: Sedulius, Iuvencus, Prosper, Theodolus (d. h. Theodulus). Darauf fährt er fort p. 46: Magister: *veniamus nunc ad Romanos auctores Aratorem Prudentium Tullium Salustium Boetium Lucanum Virgilium et Oratium modernorum studiis usitatos, quia veterum auctoritas multis aliis idest historiographis tragedis comicis musicis usa probatur, quibus certis ex causis moderni minime utuntur.* Discipulus: *causam huius rei scire cupio.* Magister: *teste Prisciano grammatico et nonnullis aliis multi gentilium libri Christiana tempora praecesserunt, in quibus antiqui studia sua contriverunt, quae non recipit nec approbat nunc ecclesia, quia facile respuitur vana et falsa doctrina, ubi incipiunt clarescere divina.* Er behandelt im folgenden aber außer den Genannten noch Boethius, Iuvenalis, Homerus (Pindarus Thebanus), Persius, Statius. — Für das XI. Jahrh. cf. auch das, was von Halinard, Abt von S.-Bénigne de Dijon, seit 1046 Erzbischof von Lyon, berichtet wird im Chronicon S. Benign. bei D'Achery, Spicileg. vet. script. II (Paris 1665) 392; anderes derart bei Ch. de Montalembert, Les moines d'Occident VI (Paris 1877) 201, 2. 204 f.

Lektüre der *auctores* feindlich gegenüberstehende, die Sprache vernachlässigende, in unsinnige Spitzfindigkeiten sich verlierende Partei triumphierte: das ist die Partei, an die man gewöhnlich denkt, wenn man von der Scholastik im schlechten Sinne redet; eine Zeitlang boten ihr noch die glänzenden Vertreter der scholastischen Philosophie das Gegengewicht, aber als die neue Sonne Petrarcas aufleuchtete, da war überall, besonders in Paris, der Hochburg dieser Studien, tiefe Nacht, in der jene Klopffechter in vermeintlichem Scharfsinn die Waffen ihrer Dialektik schwangen in barbarischer Sprache: denn eine Grammatik als selbständige Wissenschaft gab es nicht mehr, sie war der Logik Untertanin. Den unmittelbaren Zusammenhang jener von der Schule von Chartres im XII. Jahrh. bekämpften Richtung mit derjenigen Generation, über welche die Humanisten des XV. Jahrh. die Flut ihrer Schmähreden ergehen ließen, will ich an einem schlagenden Beispiel zeigen.

Hugo von St. Victor, wie bemerkt der Parteigenosse des Saresberiensis, sagt in seiner Eruditio didascalica l. III c. 5 (176, 769 Migne) über die Scholastiker seiner Zeit: *in grammatica de syllogismorum ratione disputant, in dialectica inflexiones casuales inquirunt, et quod magis inrisione dignum est, in titulo totum pene legunt librum, et 'incipit' tertia vix lectione expediunt. non alios docent huiusmodi, sed suam ostentant scientiam.* Diese Stelle überträgt nun, ohne die Quelle zu nennen, wörtlich auf die Scholastiker seiner Zeit Geiler von Kaisersberg in seinen im J. 1498 zu Straßburg gehaltenen Predigten über S. Brants Narrenschiff: gerade diese Stelle ist zufällig abgedruckt in den Mitteilungen, die Fr. Zarncke in dem Kommentar zu seiner Ausgabe des Narrenschiffs (Leipz. 1854) aus den lateinischen Predigten Geilers macht: p. 354.[1]) —

Es ist im obigen wesentlich nur von den Prosaikern gesprochen Klassizismus in der Poesie.

1) Was in der Stelle des Hugo und Geiler die Worte *'incipit' tertia vix lectione expediunt* bedeuten, mag, wer den Wahnsinn in Methode gebracht sehen will, nachlesen in den Proben, die Zarncke p. 348 ff. aus scholastischen Kommentaren zu Donat, Alexander de Villa Dei u. a. gibt. Über die Worte *incipit dyalogus Donati de partibus orationis octo feliciter* wird z. B. anderthalb große Seiten in geradezu wahnwitziger Weise geredet: und das ist ausgedacht und vorgetragen zur Zeit der Entdeckung Amerikas, über 100 Jahre nach Petrarcas Tod.

worden. Auch in der lateinischen Poesie läßt sich in Frankreich bei Männern, die zum Kreis der Klassizisten gehörten, seit dem XII. Jahrh. ein deutlicher Aufschwung erkennen, der an die Zeiten Karls d. Gr. erinnert, in denen u. a. Theodulfus, der Bischof von Orléans, seine technisch meisterhaften Verse machte. Die alten Dichter, besonders Statius, Lucan und Ovid, aber auch Tibull und Properz (s. o. S. 691, 1) wurden inhaltlich wie formell studiert, vgl. z. B. die Gedichte des von Mit- und Nachwelt viel gefeierten Matthaeus von Vendôme, eines Schülers des Bernardus Silvestris.[1]) Der leoninische Vers trat daher zurück: Giraldus de Barri, ein Zeitgenosse des Saresberiensis, antwortet auf ein in Distichen verfaßtes Gedicht mit Hexametern, die am Ende reimen, aber er entschuldigt sich: er habe Podagra und so stehe ihm nur die *morbida Musa* zur Verfügung.[2]) Einer der besten lateinischen Dichter des Mittelalters war Hildebert, geb. 1055 bei Vendôme, Bischof von Le Mans, Erzbischof von Tours, † 1134. Seine Poesien sind von erstaunlicher Reinheit der Form: Vergil, Horaz, die Elegiker und Martial sind seine Vorbilder; der heidnischen Götternamen bedient er sich ohne die geringsten Skrupel. Er tat sich auf diese Klassizität etwas zugute:

obscuros versus facis, Hugo, parumque latinos,
quos vitio linguae vix reticere potes.
vis videam versus? expone latinius illos
vel taceas. melius, si reticere potes.[3])

Man kann die Tatsache seiner auffälligen Fähigkeit am besten daran erkennen, daß eine ganze Anzahl seiner Gedichte als noch dem Altertum angehörig in die Anthologia latina seit Burmann aufgenommen sind, von denen sich erst später herausstellte, daß sie von Hildebert stammen, darunter ein berühmtes auf Rom, das auch durch seinen Inhalt so über alles ähnliche

1) Cf. die Proben bei Wattenbach in: Sitzungsber. d. Bayr. Akad. 1872, II 570 ff.

2) Giraldi Cambrensis opera l. c. (oben S. 719, 4) I 384.

3) B. Hauréau, Notices sur les mélanges poétiques d'Hildebert, in: Not. et extr. des ms. XXVIII 2 (1878) p. 289 ff.; diese Abhandlung muß man jetzt notwendig zu der Ausgabe des Mauriners A. Beaugendre (Paris 1708) und dem Abdruck dieser bei Migne vol. 171 hinzunehmen.

dem Mittelalter Angehörige hervorragt, daß hier einige Stellen daraus Platz finden mögen[1]):

par tibi, Roma, nihil, cum sis prope tota ruina:
quam magni fueris integra, fracta doces.
longa tuos fastus aetas destruxit, et arces
Caesaris et superum templa palude iacent.
ille labor, labor ille ruit, quem dirus Araxes
et stantem tremuit et cecidisse dolet,
quem gladii regum, quem provida iura senatus,
quem superi rerum constituere caput,
quem magis optavit cum crimine solus habere
Caesar, quam socius et pius esse socer....
urbs cecidit, de qua si quicquam dicere dignum
moliar, hoc potero dicere: Roma fuit.
non tamen annorum series, non flamma, nec ensis
ad plenum potuit hoc abolere decus.
cura hominum potuit tantam componere Romam,
quantam non potuit solvere cura deum.
confer opes marmorque novum superumque favorem,
artificum vigilent in nova facta manus:
non tamen aut fieri par stanti machina muro
aut restaurari sola ruina potest.
hic superum formas superi mirantur et ipsi,
et cupiunt fictis vultibus esse pares...
urbs felix, si vel dominis urbs illa careret
vel dominis esset turpe carere fide.

Diese Verse dichtete er, als er sich im Jahre 1106 in Rom aufhielt: die Augen dieses Mannes haben auf den Ruinen schon mit jener sentimentalen Sehnsucht geruht, die seit Petrarca gewöhnlich war. Man darf vielleicht vermuten, daß vor allem von diesem Manne die klassizistische Richtung ausging, die sich im weitern Verlauf des XII. und XIII. Jh. in der lateinischen Poesie Frankreichs zeigte, denn sein Ruhm war bei Zeitgenossen und Nachwelt ungemessen: in England kannte man seine Gedichte, und Kardinäle, die nach Frankreich kamen, brachten sie

1) Das Gedicht ist überliefert von Wilelmus Malmesbiriensis († vor 1142) de gestis regum Anglorum ed. W. Stubbs II (Lond. 1889) p. 403; cf. auch Gregorovius, Gesch. d. St. Rom i. Ma. (Stuttg. 1862) 238 f.

nach Rom. Man nannte ihn *divinum* und empfahl, seine Werke auswendig zu lernen. Ich glaube daher, daß durch diesen Mann, bezw. die Richtung, die er vertrat und die an ihn anknüpfte, Tibull und Properz erhalten worden sind (s. oben S. 691, 1. 704. 718, 2).

2. Die Fortsetzung dieses Streites s. XIII: artes und auctores. Die Schule von Orléans.

Der Streit der Schulen von Paris und Orléans im XIII. Jh. ist nicht bloß wichtig für die Geschichte der klassischen Studien im Mittelalter überhaupt, sondern auch als neues Dokument für das Erwachen einer weiteren freieren Geistesrichtung hundert Jahre vor dem Auftreten Petrarcas.

Orléans s. IX—XII. Die Schulen von Orléans führten sich zurück auf den Bischof Theodulfus, den Akademiker Karls d. Gr., der ihn zum Bischof von Orléans und Abt von Fleury erhob; er war klassisch hochgebildet, das zeigen seine musterhaften Verse und seine Bekanntschaft mit den alten Autoren, cf. besonders carm. 'De libris quos legere solebam' in den Poet. lat. aev. Carol. I 543 f.[1]) Diese Tradition wurde in Orléans aufrecht erhalten, wozu die Nähe von Fleury und Chartres nicht wenig beigetragen haben wird. Aus dem XI. Jahrh. konnten die Verfasser der Histoire littéraire de la France (VII 100 f.)[2]) eine ganze Reihe angesehener Gelehrter aufzählen. Im XII. Jahrh. war Orléans neben Chartres ein Hauptsitz der Wissenschaften, sein Einfluß erstreckte sich bis nach England[3]); aus seiner Schule gingen drei Männer hervor,

---

1) Cf. Hist. litt. de la France IV 459 ff. und B. Hauréau, Singularités historiques et littéraires (Paris 1861) 37 ff.

2) Mehr Einzelheiten gibt die sorgfältige Arbeit der Mlle A. de Foulques de Villaret: L'enseignement des lettres et des sciences dans l'Orléanais, in: Mémoires de la société archéologique et historique de l'Orléanais XIV (1875) 299 ff.

3) Im J. 1109 starb Ingulphus, Abt des Klosters Croyland, dessen Geschichte er verfaßt hat. Sein Nachfolger wurde Joffridus, der in der Schule von Orléans gebildet war, cf. Petri Blesensis continuatio ad historiam Ingulphi in: Rerum Anglicarum script. vet. ed. Io. Fellus t. I(unicus) (Oxoniae 1684) 112: *natus et nutritus Aurelianis, ab infantia monasterio a parentibus traditus omnium artium liberalium scientiam superaverat.* Er schickte auch nach Cambridge mehrere Mönche seines Klosters, um die dortige Schule

die Sekretäre der Päpste Alexander III (1159—1181) und Lucius III (1181—1185) waren[1]; auch eine bedeutende Dichterschule hatte dort ihren Sitz, deren Vertreter sich durch Kenntnis der antiken Poesie und Wahrung ihrer Formen im Gegensatz zu den Verskünsteleien anderer auszeichneten.[2] Ein besonderes Interesse gewinnt die Schule von Orléans aber erst im XIII. Jh. durch ihren Streit mit der Sorbonne.

Man hätte erwarten sollen, daß die Provinzialstadt sich der Metropole anschließen würde, allein das Gegenteil geschah: Orléans[3] wurde gegenüber der Hochburg der Scholastik die Trägerin einer freieren Geistesrichtung. Hier vernachlässigte man die Philosophie und legte einzig Gewicht auf die Grammatik und die Reinheit der Sprache, die man — und dies ist das Bedeutsame — aus den Autoren des Altertums selbst lernte. Man kann den Unterschied kurz so formulieren: in Paris dominierten die artes und wurden die auctores völlig vernachlässigt, ja verpönt, Orléans hob die auctores auf den Schild.[4] Wir können noch mit einiger Klarheit die Be- Orléans s. XIII.

nach dem Muster der von Orléans zu reformieren, l. c. 114 (mit interessantem Detail!).

1) Cf. Hist. litt. IX 59 f. Sie erfanden auch eine besondere Art des *dictamen* in der Beobachtung des *cursus*; nach ihnen nannte man die Schreibart *stilus Gallicus*, cf. Ch. Thurot in: Not. et extr. des ms. XXII (1868) 483, 4. Cf. auch Delisle, Les écoles d'Orléans au XII. et XIII. siècle in: Annuaire-Bulletin de la société de l'histoire de France 1869, 140, und über die bedeutende Rechtsschule daselbst: H. Denifle, Die Univ. des Ma. bis 1400, I (Berl. 1885) 251 ff., H. Fitting, Die Anfänge der Rechtsschule zu Bologna (Berl.-Leipz. 1888) 45 ff.

2) Cf. Delisle in: Bibl. de l'école des Chartes XXXI (1870) 309. B. Hauréau in: Not. et extr. des ms. XXIX 2 (1880) p. 296 und in: Journ. des sav. 1883, 210. St. Endlicher, Catal. cod. phil. Vindob. n. CCCLIX p. 251.

3) Freilich nicht die dortige Universität, in der die Rechtsstudien dominierten, cf. Denifle l. c.

4) Für die Geschichte der Pariser Universität ist kürzlich eine neue Ära eröffnet, seitdem begonnen worden ist mit der Veröffentlichung der Urkunden. Bisher war man angewiesen auf das große Sammelwerk des C. Bulaeus, Hist. univ. Par. (1665), bzw. das Exzerpt daraus von Crévier, Hist. de l'univ. de Paris (1761). Für den Verfall seit dem XI. Jh. hat Bulaeus I 511 ff. II 142 ff. IV 892 f. einiges gesammelt. Für das gänzliche Zurücktreten der auctores verweise ich besonders auf folgende Aktenstücke: Chartularium univers. Paris. I (Paris 1889) 78 f. vom J. 1215, an die magistri artium: *legant libros Aristotelis de dialectica tam de veteri quam de*

schäftigung der Schule von Orléans mit Vergil und Lucan nachweisen, cf. Delisle l. c. 144 f., deutlicher aber als diese Spuren sprechen ein paar von Delisle angeführte zeitgenössische Urteile, die ich hier wiederholen muß.[1])

Matthaeus von Vendôme (s. XII)[2]), v. 33 f.:

---

nova in scolis ordinarie et non ad cursum. legant etiam in scolis ordinarie duos Priscianos vel alterum ad minus. non legant in festivis diebus nisi philosophos et rhetoricas et quadruvialia et barbarismum (so hieß das dritte Buch der ars maior des Donat, cf. Ch. Thurot in: Not. et extr. des ms. XXII 2 p. 94) *et ethicam, si placet, et quartum topichorum. non legantur libri Aristotelis de methafisica et de naturali philosophia, nec summe de eisdem.* — In einem Statut der Artistenfakultät der englischen Nation vom J. 1252 wird für das Baccalaureatsexamen verlangt der Nachweis, bestimmte logische und psychologische Schriften des Aristoteles und Boethius gehört zu haben; ferner nur noch: *quod audiverit Prissianum minorem et barbarismum bis ordinarie et ad minus cursorie, Prissianum magnum semel cursorie.* — Ähnlich das Statut der Artistenfakultät zu Paris vom J. 1255 (Chartul. I 277 f.). — Im J. 1276 erließ die Pariser Universität eine Ordination, nach der es den magistri und baccalaurei verboten wird, für sich (*in locis privatis*) andere Bücher zu lesen als logische und grammatische (Chart. I 538 f). — Noch 1473 wies ein Edikt König Ludwigs an die Universität darauf hin, daß schon Papst Gregor d. Gr. die Jünglinge vor der süßen, bezaubernden Rede Ciceros gewarnt habe, und so solle es künftig bleiben: bei Bulaeus V 706. — Zwar ist zu bemerken, daß in den oben (S. 708, 1) zitierten Katalogen der Sorbonne eine Reihe von Hss. klassischer Autoren genannt sind: Plautus, Terenz, Vergil, Horaz (serm.), Ovid (met., fast., trist., de Pont.), Persius, Lucan, Statius, Juvenal, Claudian; Cicero (s. o. l. c.), Sallust, Livius (I Dec.), Seneca rhet., Valerius Max., Seneca phil. (ep., de benef., trag., apocol. und die falsa), Ps. Quintilian (decl.), Sueton, Gellius, Justin, Solin, Nonius, Martianus Cap., aber weitaus die meisten dieser Hss. gehören erst der Renaissancezeit, einige dem frühen Mittelalter (s. IX und X) an. — Ein etwas freierer Ton scheint auf der in den 20er Jahren des XIII. Jh. gegründeten Universität Toulouse geherrscht zu haben, wie aus dem amüsanten Programm- und Konkurrenzschreiben der dortigen Magister vom J. 1229 (ed. in: Chartul. univ. Par. I 129 ff.) hervorgeht, in dem sie u. a. die Studenten darauf hinweisen, daß in Toulouse völlige *libertas scolastica* herrsche und Wein, Brot, Fleisch, Fische für ein billiges zu haben seien. Es werden Mercurius, Phoebus, Minerva, Bacchus, Ceres, Achilles, Thersites, Aiax genannt und die Achilleis des Statius zitiert, der für einen *civis Tholosanus* ausgegeben wird. Auch wird bemerkt, daß die in Paris verbotenen naturwissenschaftlichen Bücher hier gelesen werden dürften. Im übrigen aber bewegte sich, wie das Programm zeigt, das Studium im gewöhnlichen Gleise.

1) Das erste und dritte füge ich hinzu.

2) Ed. Wattenbach in: Sitzungsber. d. Bayr. Ak. 1872 II 571.

Parisius logicam sibi iactitet, Aurelianis
auctores: elegos Vindocinense solum.

Galfredus von Vinesauf in seiner an Papst Innocenz III (1198—1216) gerichteten Poetria nova[1]) v. 1009 ff.:

in morbis sanat medici virtute Salernum
aegros. in causis Bononia legibus armat
nudos. Parisius dispensat in artibus illos
panes, unde cibat robustos. Aurelianis
educat in cunis autorum lacte tenellos.

Helinand, ein gelehrter Mönch, in seiner im J. 1229 zu Toulouse vor den Studenten gehaltenen Predigt[2]): *ecce quaerunt clerici Parisiis artes liberales, Aurelianis auctores, (Bononiae codices, Salerni pyxides, Toleti daemones et nusquam mores).*

Alexander Neckam († 1215) de laudibus divinae sapientiae[3]) v. 607 ff.:

non se Parnassus tibi conferat, Aurelianis:
Parnassi vertex cedet uterque tibi.
carmina Pieridum, multo vigilata labore,
exponi nulla certius urbe reor.

Alexander von Villadei, selbst ein Vertreter der Pariser Schule, bezeugt unfreiwillig dasselbe in seinem Ecclesiale[4]):

sacrificare deis nos edocet Aurelianis,
indicens festum Fauni, Iovis atque Liei.
hec est pestifera, David testante cathedra ....
Aurelianiste via non patet ad paradisum,
ni prius os mutet.

Johannes von Garlandia ars lectoria (verfaßt 1234 zu Paris)[5]):

1) Ed. Leyser in seiner Hist. poet. et poem. med. aevi (Halle 1721) 920.

2) Angeführt in der Hist. litt. XVIII 95.

3) Ed. Th. Wright in: Alex. N. de naturis rerum p. 454.

4) Ed. Ch. Thurot in: Not. et extr. XXII 2 p. 115. Das Ecclesiale ist jedenfalls nach dem Doctrinale geschrieben, dessen Abfassungszeit allerdings nur annähernd auf c. 1200 bestimmt werden kann, cf. D. Reichling, Das Doctr. d. Alex. = Mon. Germ. Paedag. XII (1893) p. XXIV.

5) Einiges daraus (darunter die folg. Verse) edierte zuerst A. Scheler, Lexicographie latine du XIIe et XIIIe siècle (Leipzig 1867) 8 f. Wie die Verse zeigen, steht er, der Ausländer, vermittelnd zwischen beiden Par-

vos, vates magni, quos aurea comparat auro
fama, favete mihi, quos Aurelianis *ab urbe*
orbe trahit toto Pegasei gloria fontis.
vos deus elegit, per quos fundamina firma
astent eloquii studio succurrere, cuius
fundamenta labant: emarcet lingua latina,
autorum *vernans exaruit area, pratum*
florigerum boreas flatu livente perussit.
Parisius *superis gaudens tanquam paradisus*
philosophos *alit egregios, ubi quicquid Athenae,*
quicquid Aristoteles, quicquid Plato vel Galienus
ediderant, legitur; ubi pascit pagina sacra
subtiles animas celesti pane refectas.

Noch deutlicher aber als aus diesen Zeugnissen wird der Streit beider Schulen aus dem Gedichte des zeitgenössischen Trouvère Henri d'Andéli: La bataille des sept arts.[1]) „Paris — dies ist der wesentliche Inhalt des Gedichts — und Orléans sind zwei, und das ist sehr schade. Die Ursache ihres Streits ist, daß die immer streitsüchtige Logik es sich hat einfallen lassen, die Gelehrten von Orléans „Glomériaux“ und ihre Autoren „Autoriaux“[2]) zu nennen; die Grammatik hat, durch die Angriffe

teien: das Werk ist gewidmet dem damaligen Kanzler der Pariser Universität Gautier de Château-Thierry.

1) Ed. A. Jubinal in: Oeuvres de Rutebeuf, 2. éd. vol. III (Paris 1874) 325 ff. Schon vorher hatte eine Inhaltsangabe gemacht Legrand d'Aussy in: Not. et extr. des ms. V (1800) 496 ff.: ihr schließe ich mich im wesentlichen an. Auf die Bedeutung des Gedichts bin ich aufmerksam geworden durch eine kurze Notiz bei R. v. Liliencron, Über den Inhalt der allg. Bildung in der Zeit der Scholastik, Festrede gehalten in der Sitzung der K. Bayr. Ak. d. Wiss., München 1876 p. 47. V. Le Clerc, Hist. litt. au XIVe siècle (2. éd., vol. I [Paris 1865]) 430 f., der es kurz erwähnt, hat es nicht richtig gewürdigt. Denn wenn er, um das Zeugnis abzuschwächen, auf Nicolaus Trivettus († 1328) verweist, der Livius, Valerius Maximus, Juvenal, Seneca, Ovid kommentiert habe, so braucht man, um zu erkennen, welcher Art diese Kommentare waren, nur aufzuschlagen Fabricius-Mansi, Bibl. lat. med. et inf. aet. V (Florenz 1858) 127: *declamationes Senecae bene et pulchre moralizatae.* Von dem Ovidkommentar sagt Le Clerc selbst p. 431, es sei eine theologische und moralische Erklärung. Solche Sachen stehen also auf der gleichen Stufe mit Gersons Donatus moralizatus (s. o. S. 712, 2): gegen sie hatte der Trouvère nicht einmal zu polemisieren.

2) *Glomeriaux* erklärt sich aus einer Einrichtung der Universität Cam-

ihrer Rivalin gereizt, sich entschlossen, Rache zu nehmen und ihr den Krieg zu erklären. In dieser Absicht pflanzte sie außerhalb Orléans das Banner auf und rief dort ihre Truppen zusammen. Sofort sah man zu ihr herbeieilen Homer, Claudian, Priscian, Persius, Donatus und manche andre gute Ritter und Knappen. Die Ritter aus Orléans, die die Waffen für die Autoren trugen, beeilten sich auch zu erscheinen. Sie hatten an ihrer Spitze Eudes, Garnier, Jean de Saint-Morisse und Balsamon. Die versammelte Truppe marschierte, ohne Zeit zu verlieren, auf Paris. Auf die Kunde hiervon erschrak Logik. „Weh, rief sie, ich hatte an Raoul de Builli einen furchtbaren Verteidiger, und der Tod hat mir ihn genommen!" Doch verlor sie nicht den Mut und beschäftigte sich damit, ihre Truppen zusammenzuziehen. Aus Tournai entbot sie Johann den Pagen, Poilane mit den Gamaschen, Nicolaus mit dem hohen Steiß; sie stellten in einem Wagen auf eine Kufe Trivium und Quadrivium und setzten sich in Bewegung. Der Wagen wurde gezogen von den Kirchendienern und geleitet von Robert dem Zwerg und Chéron dem Alten, die, den Stachel in der Hand, das Gespann pikten. Schon war Rhetorik in Mont-l'Héri[1]) angelangt mit den Lombardischen Rittern. Das sind Leute, die sich darauf verstehen, sich der Erbschaften zu bemächtigen und die Dummen zu betrügen, die ihre Zuflucht zu ihnen nehmen. Sie trugen zungenbefiederte Wurfspieße. Unterdes wuchs die Armee der Logik täglich. Von allen Seiten sah man ihre Ver-

---

bridge, über die Rashdall, The universities of Europe in the middle ages (Oxf. 1895) II 2 p. 555 handelt: dort existierte in losem Zusammenhang mit der Universität eine Art von Latein-Vorschulen, deren Schüler *glomerelli* und deren Vorsteher *magistri glomeriae* hießen. Über die Bedeutung dieses Wortes finde ich die beste Erklärung im Century Dictionary s. v. (vol. III p. 2542): *glomery, middle engl., a word found, with its derivation 'glomerel', q. v. appar. only in the records of the University of Cambridge; a var. of glomery glaumery glamer glamour, more orig. gramery, gramary etc., used in the deflected sense of 'enchantment', but orig. identical with grammar.* — Für *Auctoriaux* wird von Rashdall l. c. II 1 p. 67, 2 verglichen ein von Papst Honorius III im J. 1220 an die Universität Palencia in Spanien gesandtes Schreiben (bei Denifle, Die Univ. des Mittelalters bis 1400. Bd. I p. 475 adn. 1039), wo der Grammatiker im Gegensatz zum Logiker *auctorista* genannt wird.

1) Schloß bei Paris.

teidiger in Rotten zu ihr herbeieilen; darunter war Hochwissenschaft. Aber kaum war diese angekommen, als ihr Kanzler den Parisern befahl, sie mit allen Weinen zu beschenken, die sie in ihrem Keller hätten; und Paris lieferte sie ihr aus. Physik führte Hippocrates und Galen herbei ... (es folgen Chirurgie, Musik, Nekromantie, Astronomie, Arithmetik, Geometrie). Endlich wurde der Kampf begonnen, und zwar von Donat, der Plato angriff. Aristoteles stürzte sich seinerseits auf Priscian, dem er einen derartigen Stoß mit der Lanze beibrachte, daß er ihn aus dem Sattel hob; schon machte er sich gar daran, ihn unter die Füße seines Pferdes zu treten, als der Besiegte Hilfe bekam von seinen beiden Neffen, dem Doctrinale und dem Graecismus.[1]) Die beiden jungen Krieger verwunden das Pferd so, daß Aristoteles abgesetzt wird. Nichtsdestoweniger kämpfte er mutig weiter und warf sogar Grammatik über den Haufen. Aber plötzlich werfen sich auf ihn Persius Virgilius Horatius Iuvenalis Statius Lucanus Sedulius Propertius Prudentius Arator Terentius Homerus, sowie Priscian und seine Neffen; und er wäre unfehlbar unterlegen, wenn nicht Elenchus, die Logik, Peri Hermenias, die Topik, das Buch von der Natur und Ethik ihm zu Hilfe gekommen wären im Verein mit Nekromantie, Physik, Porphyrius, Boethius und Macrobius.[2]) Herr Barbarismus, obgleich Lehnsmann der Grammatik, hatte die Waffen gegen sie ergriffen, weil er Domänen im Lande der Logik besaß. — Unter allen Kämpfenden war es Logik, die sich durch ihre Heldentaten am meisten auszeichnete, und die Autoren hatten Mühe, ihr zu widerstehen. Was die Partei der letzteren schwächte und sie um den Vorteil brachte, den sie hätten haben können, war die große Zahl von Fabeln, die mit ihnen gemischt waren. Aber sie erwarteten eine Verstärkung von ihrem zweiten Aufgebot; und tatsächlich erschien die Hilfsmannschaft, geführt von Primas[3]) von Orléans und Ovid. Man sah dabei Martianus, Seneca, Marciacop und Anti-Claudianus. Bernardin-le-Sauvage hatte sich ihnen verbündet mit einem be-

1) In der Hs. steht *Agrécime*, eine Französierung des *Grecismus* des Eberhard v. Béthune.

2) Offenbar ist das Somnium Scipionis gemeint.

3) Ein berühmter lateinischer Dichter dieser Zeit.

sondern Corps, welches in seinen Reihen Avien, Cato und Paufilus hatte.[1]) — Bei dem Anblick dieser neuen Armee erschrak Logik. Rhetorik und Astronomie rieten ihr, das Schlachtfeld zu verlassen und sich auf Mont-l'Héri zurückzuziehen. Sie folgte diesem Rat; aber die Truppen der Grammatik machten sich zur Verfolgung auf und begannen die Belagerung, mit dem Schwur, nicht fortzugehen, es sei denn im Besitz des Forts. In dieser Bedrängnis schickte Logik einen Friedensverhändler zu ihrer Rivalin. Aber der Abgesandte, den sie für diese Botschaft wählte, kannte so wenig die Regeln der Sprache und drückte sich so schlecht aus, daß man ihn nicht anhören wollte und er zurückgeschickt wurde. Trotzdem änderte sich alles bald und die Belagerer erkannten, daß ihre Kräfte und ihr Mut nutzlos seien. Astronomie, zur Verzweiflung gebracht, schleuderte den Blitzstrahl auf sie, verbrannte ihre Zelte, zerstreute ihre Armee, so daß sie nur noch an die Flucht dachten. — Seit diesem Tage hat sich die höfische Poesie zwischen Orléans und Blois zurückgezogen und wagt es nicht mehr sich da zu zeigen, wo ihre Rivalin herrscht. Indes achten sie die Engländer und Deutschen noch; aber die Lombarden verabscheuen sie und ihr Haß ist derart, daß sie sie erdrosselten, fiele sie in ihre Hände. — „Meine Herren, so wird es noch etwa 30 Jahre dauern. Aber wenn eine neue Generation geboren sein wird, so wird diese auf die Grammatik halten, was man auf sie hielt zur Zeit Henris d'Andéli. Darauf wartend erkläre ich euch, daß jeder Gelehrte, der nicht die Regeln der Sprache kennt und danach nicht seine Reden formt, ein Mensch zum Anspucken ist."

1) Wer Marciacop war, weiß man nicht. Pauphile war, wie es scheint, ein französisch schreibender Moralist, Bernardin ein Dichter des XIII. Jh. und Vf. eines französischen Doctrinale; unter dem Anti-Claudianus ist Alanus de Insulis verstanden, unter Cato die unter seinem Namen so verbreiteten Sprüche.

Zweite Abteilung.

Die Antike im Humanismus.

Erstes Kapitel.

Petrarcas geschichtliche Stellung.

Petrarcas Doppelnatur.

Wie ein vaticinium klingen die zuletzt angeführten Worte des Trouvère zu uns herüber. Nur dauerte es etwas länger, als er glaubte, bis der Mann geboren wurde, der, wie ein späterer Humanist[1]) einmal sagt, *primus ex lutulenta barbarie os caelo attollere ausus est*, eine der liebenswürdigsten Gestalten in der Reihe der Geistesheroen, für alle Zeiten umweht vom Zauberhauch der Romantik und umgeben mit dem Strahlenkranz des Genius. Aber wenn Petrarca in den zahlreichen neueren Darstellungen seines Lebens von der gesamten Vergangenheit absolut losgelöst wird, so entspricht das, wie ich zeigen will, weder den allgemeinen Verhältnissen noch der tatsächlichen Überlieferung des einzelnen.

1. Das Allgemeine: Kampf des mittelalterlichen und Zukunftsmenschen in P.

„Der Mensch knüpft immer an Vorhandenes an. Bei jeder Idee, deren Entdeckung oder Ausführung dem menschlichen Bestreben einen neuen Schwung verleiht, läßt sich durch Forschung zeigen, wie sie schon früher und nach und nach wachsend in den Köpfen vorhanden gewesen. Wenn aber der anfachende Odem des Genies in Einzelnen oder Völkern fehlt, so schlägt das Helldunkel dieser glimmenden Kohlen nie in leuchtende Flammen auf.“[2]) Petrarca selbst hat sich die richtige Stelle in der Geschichte des menschlichen Geistes angewiesen: *ego velut in confinio duorum populorum constitutus simul ante retroque prospicio* (rer. mem. I 2). Gerade diese Ianusnatur gibt ihm aber seine welthistorische Bedeutung, und dadurch, daß wir in ihm zwei verschiedene Weltanschauungen sich bekämpfen sehen, wird er uns auch menschlich so nahe gerückt. Derselbe Mann, der auf der Höhe der Diocletiansthermen, seinen Livius im Kopf

---

1) Iul. Caes. Scaliger, Poet. l. VI c. 4.

2) W. v. Humboldt, Üb. d. Kawi-Spr. I (Berl. 1836) p. XXIX.

und im Herzen, mit dem Blick über die Ruinenfelder, die Größe Roms an seinen trunknen Augen vorüberziehen läßt, sieht viele Monumente in dem dämmerhaften Nebelschleier wie der mittelalterliche Pilger, der einst an der Hand der Mirabilien voll phantastischen Glaubens die ewigen Stätten durchzog; derselbe Mann, der, mit geradezu staunenswerter Divinationsgabe eine tausendjährige Vergangenheit ignorierend und seiner eignen Zeit um ein Jahrhundert vorauseilend, die kanonische Autorität des scholastischen Aristoteles zu zertrümmern und an dessen Stelle auf Platon den Idealisten, seinen eignen Geistesverwandten, als Apostel der Zukunft hinzuweisen vermag, ohne von ihm mehr als die oberflächlichste Kenntnis zu besitzen, zeigt sich in seiner philosophischen Weltbetrachtung durchaus beherrscht von dem in seiner Art ja auch großartigen, aber unfreien und grüblerischen Mystizismus des Mittelalters[1]); derselbe Mann, der seinen Vergil nicht mehr mit abergläubischer Furcht als einen Zauberer verehrt, der, als man ihn selbst wegen seiner Liebe zu diesem Dichter für einen Zauberer hält, mit bitterm Hohn ausruft *en quo studia nostra dilapsa sunt* (ep. de reb. fam. XIII 6), der sich vielmehr in echt antikem Fühlen an dem Wohllaut der vergilischen Verse berauscht, zeigt sich wie Fulgentius und die lange Reihe von Dunkelmännern bis auf Dante sehr oft noch im lähmenden Banne der allegorischen Interpretation dieses Dichters befangen; derselbe Mann, der seinen vielgeliebten Cicero als Stern der lateinischen Eloquenz im Triumphzug der Geister einherziehen läßt, der ihm, die Seele von Begeisterung geschwellt, einen sehnsuchtsvollen Brief ins Reich der Schatten sendet und der Melodie seiner Perioden mit Entzücken lauscht, schreibt in einem Latein, das in seiner widerspruchsvollen Mischung von Wollen und Können, von scholastischer Barbarei und antiker Eleganz dem alten Römer stellenweise fürchterlich gewesen wäre. In diesem Sinne glaube ich sagen zu dürfen, daß Petrarca einerseits die oben dargelegten klassizistischen Strömungen des Mittelalters, von dessen Denkweise er sich noch nicht voll loslösen konnte, zum Abschluß gebracht, andrerseits sie aber mit einem neuen,

1) Dafür findet man jetzt, was die Lektüre P.s betrifft, Belege besonders bei P. de Nolhac, De patrum et medii aevi scriptorum codd. in bibl. Petrarcae olim collectis (Paris 1892) 29 ff.

bisher ungeahnten Inhalt gefüllt hat: denn selbst den gelehrtesten Männern des Mittelalters waren die Autoren in letzter Hinsicht doch nur Mittel zum Zweck einer korrekten Sprache gewesen, ein Motiv, das bei Petrarca keineswegs gefehlt hat, aber vertieft und geweiht ist durch ein höheres, das ihm die Autoren zu seinen geliebten Freunden machte, denen allein er alles danken wollte, was er geworden war, denen er die heiligsten Geheimnisse seines leichtbeweglichen Herzens in der traulichen Stille seines Studierzimmers anvertraute zum Dank dafür, daß sie ihn sich auf den Flügeln der Phantasie aus dem Jammer der Gegenwart in die versunkene Zauberwelt hinüberträumen ließen: *nunc tibi tempus est* (schreibt er seinem Livius: ep. de reb. fam. XXIV 8) *ut gratias agam tum pro multis tum pro eo nominatim quod oblitum saepe praesentium malorum saeculis me felicioribus inseris, ut inter legendum saltem cum Corneliis, Scipionibus Africanis, Laeliis, Fabiis Maximis, Metellis, Brutis, Deciis, Catonibus, Regulis, Cursoribus, Torquatis, Valeriis, Corvinis, Salinatoribus, Claudiis, Marcellis, Neronibus, Aemiliis, Fulviis, Flaminiis, Atiliis, Quintiis, Curiis, Fabriciis ac Camillis, et non cum his extremis furibus, inter quos adverso sidere natus sum, mihi videar aetatem agere. et oh si totus mihi contingeres, quibus aliis quantisve nominibus et vitae solatium et iniqui temporis oblivio quaereretur:* der Mann, der dies und hundertfaches dergleichen schrieb, der sich bei Mantua am murmelnden Quell unter dem Schatten des Baumes auf dem Rasenstück niedersetzte, wo, wie er dachte, Vergil einst geruht haben möchte, der im Exemplar seines Quintilian zu den Worten (X 1, 112) *hoc propositum nobis sit exemplum, ille se profecisse sciat, cui Cicero valde placebit* sich notierte: *Silvane* (so nennt er sich selbst) *audi, te enim tangit* und zu den Worten (X 2, 27) *imitatio, nam saepius idem dicam, non sit tantum in verbis* folgendes: *lege, Silvane, memoriter*[1]), der hat Livius doch ganz anders gelesen als einst Einhart in seiner Klosterzelle, der hat in Vergil neben den tiefen mystischen Gedanken doch auch etwas anderes zu finden gewußt, der hat sich um

1) Cf. P. de Nolhac, Pétrarque et l'humanisme (Paris 1892) 288, die bedeutendste neuere Leistung auf diesem Gebiet, vor allem wertvoll durch die Entdeckung der von P. benutzten Handschriften, deren Randnotizen uns mehr als irgend etwas anderes in die Gedankenwelt des Mannes einführen.

Ciceros Reden doch noch in einem ganz andern Sinn bemüht als einst Gerbert, ebenso wie den unglücklichen Tribunen, der mit seiner unsinnigen Phantastik das Gegenstück zu der stimmungsvollen Phantasie seines großen Freundes bildete, doch ganz andere Impulse zu seiner berühmten Sammlung römischer Inschriften trieben als den ungenannten und unbekannten Pilger des zehnten Jahrhunderts. Um dieses Neue zuwege zu bringen, dazu gehörte der Boden Italiens, die Stimmung der ganzen Zeit und die mächtige Individualität Petrarcas, die sich, wie uns zuerst — das pflegt jetzt vergessen zu werden, wo der Gedanke zum Allgemeingut geworden ist — Jakob Burckhardt in seinem bahnbrechenden Werk gelehrt hat, in bestimmender Weise von dem korporativen Massengeist der mittelalterlichen Weltanschauung scharf abhob. Aber bei dem quantitativ und qualitativ so bedeutenden Neuen, welches das Genie Petrarcas in den Lauf der Geschichte der menschlichen Gedanken eingeschaltet hat[1]), wollen wir doch das Gemeinsame, das ihn mit der Vergangenheit und seiner Zeit verknüpft, nicht vergessen, weil wir nur so dieses Neue in der Notwendigkeit seines Entstehens begreifen können. Gewiß, keinen seiner Vorgänger hat er gekannt, und hätte er sie gekannt, so hätte er sie verachtet[2]): aber über dem Einzelwesen steht die Welt der Ideen, und in wem sie ihre sinnlichste Form annimmt, der ist der Große, an dessen Namen die Nachwelt eine neue Epoche anknüpft, und insofern gilt auch von Petrarcas Auftreten das tiefe Wort, daß auf der lebendigen Flur der Welt alles Frucht und alles Samen ist. Alle gewaltigen Begebenheiten vollziehen sich, wie schon der titanische Geist des ephesischen Denkers wußte, nach dem Prinzip der Antinomie: auch der Humanismus ist ein Widerspruch gegen die auf ihren Gipfel gelangte Perversität der Scholastik gewesen, vom Standpunkt der Geschichte aus betrachtet die ungeheuerste Reaktion, die es je in der Entwicklung des menschlichen Geistes gegeben hat, und daher, wie jede Reaktion, un-

1) Er war sich des Neuen wohl bewußt: zu Quintil. XII 10, 25 (gegen die Nörgler, die mit Berufung auf Autoritäten das Neue verpönten) notiert er sich: *notate, asini, quos nec nomine digner* (Nolhac 286).

2) In seiner Apologia contra Galli calumnias zählt er eine Reihe französischer Gelehrter des Ma. verächtlich auf: p. 1080 der Basler Gesamtausgabe vom J. 1554.

erhört und dem Wesen normalen Werdens widersprechend, aber vom Standpunkt der Ästhetik, die eine absolute und unveränderliche Größe ist, einer der gewaltigsten Fortschritte, der je gemacht wurde: die antike Welt hat ihre unverwüstliche Jugendfrische nie glänzender bewährt, als durch die Tatsache, daß sie in dem großen Verjüngungsprozeß einer greisenhaften und lebensmüden Welt den wesentlichen, ja anfangs den einzigen Faktor hat bilden können. Wir haben gesehen, wie Jahrhunderte lang die Überzeugung, daß man die Stagnation und Depravation der Gegenwart durch die in ihrer Formenschönheit ewig junge Vergangenheit beleben und bessern müsse, in den Geistern wirksam gewesen ist: dann ist endlich einer gekommen, der, getragen von der eignen Größe und begünstigt von den äußeren Umständen, das in bindende Worte gefaßt hat, was Hunderte und aber Hunderte fühlten und ersehnten. Daß durch solche Betrachtungsweise die Größe des Genies vermindert werde, können nur Banausen glauben; „in den großen Wendungen der Geschichte werden die Träger des Geistes nicht kleiner dadurch, daß sie das Wort aussprechen für das, was sich in vielen bewegt und dunkler oder heller verlangt wird. Auch dadurch nicht, daß andere neben ihnen oder selbst vor ihnen die ersten Schritte tun auf der neuen Bahn."[1])

2. Das einzelne: Vorläufer P.s in Italien.

Aber um vom Allgemeinen auf einiges Spezielle zu kommen: auch in Italien bereitete sich seit dem XI. Jh. eine freisinnigere

1) C. Weizsäcker, D. apost. Zeitalt.² 88 von Paulus. — Das geschichtliche Verhältnis, in das ich Petrarca einzuordnen versucht habe, ist ähnlich demjenigen, in das Gemisthos Plethon kürzlich von L. Stein, Die Kontinuität der griechischen Philosophie in der Gedankenwelt der Byzantiner in: Arch. f. Gesch. d. Philos. N. F. II (1896) 225 ff. gestellt worden ist; cf. dort p. 234: „Von Psellos führt eine grade Linie der Entwicklung zu jenem Gemisthos Plethon und zu Marsilius Ficinus, der Psellos übersetzte, welche die Schwärmerei für den Platonismus von Byzanz nach Florenz verpflanzen und damit in entscheidender Weise auf den Gedankenverlauf der Renaissance eingewirkt haben. . . . Hatte die Figur des Gemisthos Plethon für die meisten Darsteller der Renaissance etwas Providentielles, weder aus dem geschichtlichen Zusammenhang Ableitbares noch aus dem wissenschaftlichen Milieu seines Zeitalters Erklärbares, so verschwindet das Eruptive und Unvermittelte an der Wundergestalt des Gemisthos, wenn wir erfahren, daß auch sein Platonismus keine creatio ex nihilo, sondern nur das Schlußglied einer Entwicklungsreihe von Platonschwärmern ist, die mit Psellos eingesetzt, um in Gemisthos ihren Höhepunkt zu erreichen." Daß die vom äußer-

Richtung deutlich vor, wie besonders W. Giesebrecht[1]) gezeigt hat. Im XIII. und in den ersten Jahrzehnten des XIV. Jahrh. sehen wir, wie sie um sich greift. In der bildenden Kunst begannen im XIII. Jh. Niccolò Pisano und Giotto, die Antike sich zum Muster zu nehmen.[2]) In einer in Oberitalien verfaßten lateinischen Grammatik s. XIII (ed. Ch. Fierville, Paris 1884) werden im Gegensatz zum Doctrinale des Alexander die Beispiele genommen aus Sallust, Vergil, Horaz (serm.), Ovid, Lucan, Juvenal. Im J. 1253 zitiert sogar Papst Innocenz IV. in einem Rundschreiben einen Ovidvers (Chartul. univ. Paris. I 262). Eine im J. 1329 zu Verona geschriebene Hs. (Cod. capituli Veronensis CLXVIII [155]) gibt eine Blütenlese aus biblischen und profanen Autoren, unter letzteren Ciceros Briefe, Varro (de r. r.), Catull, Tibull, Petron.[3]) Im Jahr 1335 hat ein Italiener, sicher noch nicht beeinflußt von Petrarca, eine Sammlung von Altertümern angelegt.[4]) Aber wenn man von Petrarca spricht, denkt man an Cicero; über sein Verhältnis zu ihm in ganz jungen Jahren, als er den Sinn der Worte noch gar nicht verstand, hat er uns besonders in einem vielzitierten Brief (ep. rer. sen. XV 1) Mitteilungen gemacht, dort stehen die für ihn und den ganzen Humanismus so bezeichnenden Worte: *sola me verborum dulcedo quaedam et sonoritas detinebat, ut quicquid aliud vel legerem vel audirem, raucum mihi longeque dissonum videretur*, d. h. er wußte, wie Cicero gelesen oder vielmehr wie er gehört sein will. Aber wußte er es allein und er zuerst? Sollten nicht jene Franzosen, die, wie wir sahen, sich um ciceronianische Reden bemühten, etwas ähnliches empfunden haben? Doch nicht darauf will ich zurückgreifen, sondern lieber aus Petrarcas Heimatsland ein paar Zeugnisse anführen. Brunetto Latini († 1294) hat als erster die

---

sten Westen und vom äußersten Osten ausgehenden Linien sich gerade in Italien schnitten, beruht auf den kulturellen Voraussetzungen dieses Landes, die Jakob Burckhardt vorbildlich dargelegt hat.

1) In der oben (S. 693, 3) angeführten Abhandlung. Vgl. noch eine von Mabillon (De stud. mon. p. 40) zitierte Äußerung des Anselmus, ep. I 55 (158, 1124 Migne), geschrieben vor 1078.

2) Cf. E. Müntz, Les précurseurs de la renaissance (Paris 1882) 5 ff.

3) Es sind freilich sämtlich Moralsprüche, daher auch die Unterschrift: *flores moralium atoritatum*, cf. D. Detlefsen in Fleckeisens Jahrb. LXXXVII (1863) 552.

4) Cf. J. Burckhardt, D. Kult. d. Ren. I[4] (Leipz. 1885) 206.

drei caesarianischen Reden Ciceros ins Italienische übersetzt (s. o. S. 708, 1). Der im J. 1306, also zwei Jahre nach Petrarcas Geburt, gestorbene umbrische Dichter Jacopone da Todi sagt in seiner ergreifenden Rinunzia del mondo Str. 20[1]):

lassovi le scritture antiche,
che mi eran cotanto amiche,
et le Tulliane rubriche,
che mi fean tal melodia.

Petrarcas Vater hatte, wie uns der Sohn in dem genannten Brief erzählt, eine ganz besondere Vorliebe für Cicero: seine Bibliothek ermöglichte dem Sohn die Lektüre und er zweifelt, ob ihn eigner Instinkt oder das Vorbild seines Vaters zu Cicero geführt habe.[2]) Bemerkenswert ist ferner der jetzt in Troyes befindliche, von P. de Nolhac[3]) beschriebene Cicero-Sammelband. Er stammt aus der ersten Hälfte des XIV. Jahrh. und kam vor c. 1344 in den Besitz Petrarcas, der ihn seiner Gewohnheit gemäß mit Randnotizen versah. Der Mann, der ihn schrieb, hatte ein besonderes Interesse für Cicero, wie besonders zeigt die vorausgeschickte *epythoma de vita gestis scientie prestantia et libris ac fine viri clarissimi et illustris Marchi Tullii Ciceronis.*[4]) Der Mann war aller

1) Le poesie spirituali del B. Jacopone da Todi (Venetia 1617) p. 5. Ich wurde auf diese Stelle aufmerksam durch eine Notiz bei E. Gebhart, Les origines de la renaissance en Italie (Paris 1879) 157.

2) L. c. *ab ipsa pueritia, quando ceteri omnes aut Prospero inhiant aut Aesopo, ego libris Ciceronis incubui seu naturae instinctu seu parentis hortatu, qui auctoris illius venerator ingens fuit, facile in altum evasurus nisi occupatio rei familiaris nobile distraxisset ingenium* . . . (folgen die oben zitierten Worte *sola me verborum dulcedo* etc., dann:) *erat hac, fateor, in re pueri non puerile iudicium, si iudicium dici debet quod nulla ratione subsisteret, illud mirum, nihil intelligentem id sentire . . . . Crescebat in dies desiderium meum et patris admiratio ac pietas aliquamdiu immaturo favebat studio et ego hac una non segnis in re, cum vix testa effracta aliquam nuclei dulcedinem degustarem, nihil umquam de contingentibus intermisi, paratus sponte meum genium fraudare, quo Ciceronis libros undecumque conquirerem. sic coepto in studio nullis externis egens stimulis procedebam.*

3) Pétrarque et l'humanisme 186 ff.

4) Abgedruckt bei Nolhac 190 ff. Er zitiert als seine Quellen *commenta*; aus solchen muß auch der Satz stammen: *hic poetarum mira benignitate fovit ingenia* (Plin. ep. III 15), denn Plinius d. J. war den ersten Humanisten unbekannt. Der auf ein Grammatikerzitat zurückgehende Irrtum,

Wahrscheinlichkeit nach ein Italiener, weil Pithou (vermutlich Petrus) den codex besessen und ihn also wohl, wie die übrigen, aus Italien erhalten hatte. Zu dem näheren Kreis des Petrarca scheint aber der Unbekannte nicht gehört zu haben, denn dieser behandelt ihn in den Randbemerkungen sehr unglimpflich (*o indocte, frivolum* u. dgl.). Man wird also wohl sagen dürfen, daß etwa gleichzeitig mit Petrarca ein anderer Italiener sich mit Vorliebe diesem Autor zuwandte. Daß dies nichts Besonderes war, zeigt ein Brief des Petrarca selbst (ep. fam. XXIV 2), in dem er sehr ergötzlich über sein Zusammentreffen mit einem alten Mann in Vicenza berichtet, der ärgerlich gewesen sei, daß Petrarca an Cicero überhaupt auch nur das Geringste auszusetzen habe, cf. z. B. p. 259 Frac.: *nihil aliud vel mihi vel aliis quod responderet habebat, nisi ut adversus omne quod diceretur splendorem hominis obiectaret et rationis locum teneret auctoritas. succlamat identidem protenta manu: 'parcius, oro, parcius de Cicerone meo', dumque ab eo quaereretur, an errasse umquam ulla in re Ciceronem opinari posset, claudebat oculos et quasi verbo percussus avertebat frontem ingeminans 'heu mihi, ergo Cicero meus arguitur?', quasi non de homine sed de deo quodam ageretur. quaesivi igitur, an deum fuisse Tullium opinaretur an hominem; incunctanter 'deum' ille respondit, et quid dixisset intelligens 'deum, inquit, eloquii'.* Petrarca führt dann weiterhin aus, er begreife nicht, daß dieser alte Mann noch jetzt so über Cicero denken könne, während er selbst einst in seiner Jugend auch dieser Ansicht gewesen sei, aber jetzt im Alter verständiger auch über diesen seinen Liebling urteile. Man sieht also, daß Petrarca selbst gar nicht den Anspruch darauf gemacht hat, mit seiner Vorliebe für diesen seinen Heros allein zu stehen; nur darum haben seine Ideen ihren Siegeszug zunächst durch Italien so ungehemmt halten können, weil sie überall verwandte Saiten anschlugen, wie vor allem bei dem phantastischen Unternehmen des Cola di Rienzo zutage trat. —

Mittelalter und Humanismus.

Es sind besonders zwei Punkte, durch die sich der Humanismus — innerhalb des engen, uns hier allein angehenden Gebietes — vom Mittelalter unterscheidet. An die Stelle der

---

daß Cicero *de orthographia* geschrieben habe, findet sich übrigens schon bei ihm.

Enormität und Diffusion des Wissens, wie sie dem okzidentalischen Mittelalter, besonders dem ausgehenden, eigen war[1]), trat eine fast einseitige Beschränkung und Konzentration, die dem Spezialismus und damit aller eigentlichen Forschung freie Bahn schuf. Das wird einem besonders deutlich, wenn man Petrarca an einem so gelehrten Zeitgenossen wie dem englischen Staatsmann und Bischof von Durham Rich. de Bury (1287 bis 1347) mißt, mit dem Petrarca in Avignon 1330 persönlich bekannt wurde und von dem er gern einen Brief erhalten hätte (cf. ep. de reb. fam. III 1). In dessen 'Philobiblon' paart sich quantitativ unermeßliches Wissen, das aber qualitativ den Eindruck einer chaotischen moles macht, mit Spekulation und Phantasterei. Im Vergleich hierzu ist der Umfang des Wissens Petrarcas gering, aber wie klar und echt antik heiter ist weitaus das meiste, das er in seiner liebenswürdigen Art zu sagen weiß. Es ist daher wohl eine richtige Vermutung des letzten Herausgebers des Philobiblon[2]), daß das Stillschweigen des Hyperboreers gegenüber den an ihn gerichteten Briefen Petrarcas aus innerer Antipathie, aus Mangel an Verständnis für die Bestrebungen des Neuerers sich erkläre.[3])

Der zweite Punkt interessiert uns hier unmittelbar. Die eigentliche Signatur des Humanismus war das sehnsüchtige Verlangen, aus der abstrusen Formlosigkeit der Scholastik sich emporzuringen zu strenger Formenschönheit. Die stilistisch-rhetorische Tendenz war von Anfang an ein wesentliches Moment und wurde nach Petrarca, als die romantische Idee einer auch inhaltlichen Repristination der Antike gescheitert war, immer mehr zum einzigen, was es dann auf lange Zeit hinaus blieb. *Elegantia* war das Schlagwort dieser Kreise. Me-

---

1) Eine Art Enzyklopädie ist schon das Werk des Rabanus de universo. Dann s. XII: Bernhard v. Chartres, megacosmus et microcosmus; Guillaume de Conches; Honorius v. Autun, imago mundi u. philosophia mundi; s. XIII: Omons, image du monde (cf. Legrand d'Aussy in: Not. et extr. V [1800] 245); Brunetto Latini; Vincenz v. Beauvais. Ein eigenartiger Nachzügler aus dem XVI. Jh. Th. Zwinger (Arzt und Literat in Basel), theatrum vitae humanae, Bas. 1565, eine ma. Enzyklopädie auf humanistischer Grundlage.

2) E. Thomas (London 1888) praef. p. XXXVI.

3) Cf. über diesen ersten Punkt auch A. Hortis, M. T. Cicerone nelle opere del Petr. e del Boccaccio, ricerche intorno alla storia della erudizione classica nel medio evo in: Archeografo Triestino N. S. VI (1879—80) 61 ff.

lanchthon, dem das Verdienst gehört, die Annalen Lamberts aufgefunden zu haben, scheut sich nicht, seinem Freunde, dem er den Fund mitteilt, zu schreiben: *si iudicaris dignam esse historiam editione, quaeso incumbas, ut praelis emendatissima mandetur, sin aliter videbitur, facile faciam scriptum non elegantissimum interire.*[1]) Daher waren schon die ersten Generationen erfüllt von dem Kampf gegen die spätmittelalterlichen Lehrbücher, Grammatiken wie Lexika, die besonders in der *contentiosa Parisius* kanonisches Ansehen genossen, überall dem Unterricht zugrunde gelegt wurden und nur schwer zu verdrängen waren, da sie sich als praktisch erwiesen hatten und von jenen anfänglich bloß destruktiven Genies durch nichts Besseres ersetzt wurden.[2]) Wenn man die ungeheuren Pamphlete

1) Bei O. Holder-Egger in seiner Ausgabe Lamberts (Hann.-Leipz. 1894) p. XLVIII, 2.

2) Einige literarische Nachweise, die von andern leicht zu vermehren sein werden, dürften erwünscht sein. Die beiden berühmtesten grammatischen Lehrbücher des späten Mittelalters waren bekanntlich das Doctrinale und der Grecismus, die jetzt in zwei ausgezeichneten Ausgaben vorliegen: das Doctrinale des Alexander de Villa Dei ed. Reichling in den Mon. Germ. Paedag. XII, Berl. 1893 und der Grecismus des Eberhardus Bethuniensis ed. Wrobel, Breslau 1887. Über die verschiedene Wertschätzung der beiden Grammatiken gibt es ein (übersehenes) Zeugnis: Henricus Gandavensis († 1293) de script. eccles. (ed. in: Bibl. eccles. ed. Fabricius, Hamb. 1718) 128: *Alexander Dolensis scripsit metrice librum quem doctrinale vocant, cuius libri in scholis grammaticorum magnus usus est temporibus hodiernis. Ebrardus Betuniae oriundus scripsit librum quem Grecismum vocant, grammaticis non ignotum.* In einem Statut der artistischen Fakultät in Paris vom J. 1366 ist an Stelle von Priscianus das Doctrinale und der Grecismus eingeführt (Chartul. un. Par. III p. 145); ersteres wurde ebenso zugrunde gelegt in Wien und Oxford (cf. Rashdall, The universities of Europe in the middle ages II 1 p. 240, 2. 603f.). Angriffe der Humanisten auf das Doctrinale und zwar 1) Versuche zur Vermittlung: am interessantesten die erste und bedeutendste pädagogische Programmschrift von einem Humanisten diesseits der Alpen, der *Isidoneus* (von εἴσοδος, νέος) des Jac. Wimpheling, erschienen zuerst c. 1497, mir bekannt nur aus der genauen Inhaltsangabe von B. Schwarz, J. W. der Altvater des deutschen Schulw. (Gotha 1875) 122ff. Obwohl er seinen Gegner einen zweibeinigen Esel, Maulwurf, träge Bestie usw. nennt, wagt er sich doch nicht recht an den Alexander heran: er beschränkt sich darauf zu befehlen, daß alles Überflüssige aus ihm zu verbannen sei, vor allem die unnützen scholastischen Definitionen und Sophismen; besonders müsse man die Schriftsteller selbst lesen, denn Leute, denen Jahre lang die zwei Partes des Alexander eingebläut

dieser Humanisten gegen die zeitgenössischen Scholastiker liest — man darf wohl behaupten, daß niemals öfter und maßloser geschimpft ist als auf der Grenze jener beiden Zeitalter —, fühlt man sich lebhaft erinnert an die von gleicher Tendenz getragenen Angriffe der Humanisten des Mittelalters auf die Frühscholastiker,

---

seien, wüßten sich der Erfahrung gemäß nie richtig lateinisch auszudrücken. Ferner vermittelnd Pylades Brixianus, der 1506 zu Mailand herausgab *In Alexandrum de Villadei annotationes*, in denen er ihn im einzelnen durchgeht, korrigierend, aber im allgemeinen mit gemäßigtem Ton. Dies Schriftchen ist neben L. Vallas elegantiae interessant, weil es die Fortschritte der Humanisten auf diesem Gebiet besonders lebhaft vor Augen führt. 2) Polemik. Von Antonius Nebrissensis (de Lebrixa, geb. 1444), einem der frühesten Humanisten Spaniens, der lange Zeit in Italien mit den dortigen Gelehrten verkehrt hatte und dann in Spanien die Reform der lateinischen Grammatik auf humanistischer Basis durchführte, sagt N. Antonio in seiner Bibl. Hisp. vol. I (Rom 1672) 104, daß er die bisher allgemein gebrauchten scholastischen Lehrbücher, darunter das des Alexander und Eberhardus, verdrängt habe. Alphonsus Garsias Matamorus berichtet 1539 in dem seiner Ausgabe des Ant. Nebrissensis vorausgeschickten Brief (Matamori op. omn. [Matriti 1769] 90 f.): als er 1537 berufen wurde, in Saetabis Grammatik und Rhetorik zu lehren, habe er zunächst ein Examen veranstaltet und erkannt, daß die gute Anlage der Schüler *prodigiosis quibusdam grammaticae praeceptis contaminatam, corruptam, nulla non ex parte perditam esse*; unter den *monstra* von Grammatiken nennt er dann auch den Alexander: *qui unus in re grammatica illis deus erat, natus nemini cedere, nec ipsi Varroni quidem.* Ähnlich der schwäbische Humanist H. Bebelius in seinem 1500 erschienenen Schriftchen De abusione ling. lat. (gedruckt in seinen opusc. Straßb. 1513) f. LX^r. Am ergötzlichsten die Epist. obsc. vir. I p. 243 f. II p. 297 ff. Böcking. — Der Grecismus wird sogar von Petrarca noch zweimal zitiert, cf. de Nolhac l. c. (S. 733, 1) 30 f. Über seine Fortdauer cf. A. Jubinal, Oeuvres complètes de Rutebeuf, 2. éd. vol. III (Par. 1874) 338, 1. Die *deliramenta Graecistae* geißelt auf 5 Seiten H. Bebelius l. c. XXX^v ff. — Im allgemeinen cf. besonders die famose Satire in Rabelais' Gargantua (1532) c. 14 (*Comment G. feut institué par vn Sophiste en lettres latines*): mit seinem Lehrer, dem Sophisten Thubal Holofernes liest er 13 Jahre 6 Monate 2 Wochen Donat Eacetus Theodoletus Alanus in parabolis. Darauf mit demselben 18 Jahre 11 Monate *de modis significandi* (von Iohannes de Garlandia, cf. Bebel l. c. XXXIII^v) u. a. dgl., wodurch er es so weit brachte, seiner Mutter an den Fingern zu beweisen, daß *de modis significandi non erat scientia.* Darauf las er bei demselben Lehrer 16 Jahre 2 Monate den Computus. Dann kam er zu einem andern alten „Huster", genannt *maistre Jobelin Bridé* (Herr Gimpel), bei dem er las Hugutio, den Graecismus, das Doctrinal, die *partes*, das *quid est*, das *supplementum*, Marmortret *de moribus in mensa servandis*, Seneca *de quattuor virtutibus cardinalibus*, Passavantus cum commento. Schließlich sah

wie wir sie im vorhergehenden kennen gelernt haben. Daß ich diesen Männern als Vorgängern der Humanisten ihre literarhistorische Stellung richtig zugewiesen habe, will ich noch an einer besonders deutlichen Tatsache zeigen.

Zweites Kapitel.

Fortsetzung des mittelalterlichen Kampfs der auctores gegen die artes in der Frühzeit des Humanismus.

Ich habe oben (S. 688ff. 724ff.) gezeigt, daß die mittelalterlichen Humanisten im Gegensatz zu den artes der Scholastik die auctores auf den Schild erhoben hatten und daß im XIII. Jh. ein französischer Dichter den kommenden Sieg der letzteren prophezeite (S. 728ff.). Derselbe Kampf, von beiden Parteien mit denselben Schlagwörtern ausgefochten, dauerte nun in den ersten Jahrhunderten des Renaissance-Humanismus mit unverminderter Heftigkeit fort.

1) Eine ausgezeichnete Darstellung des Konflikts zwischen den beiden Weltanschauungen, welcher in der zweiten Hälfte des XIV. Jh. die Gemüter der Menschen bewegte, hat Alessandro Wesselofsky gegeben in den Prolegomena zu seiner Ausgabe des Paradiso degli Alberti, vol. I (Bologna 1867) part. 2 c. 4. Die Partei der Alten lebte mit ihren Erinnerungen und Gefühlen im Mittelalter, bei den großen Scholastikern und Dante; die Partei der Jungen blickte verächtlich zurück auf das Dunkel und die Barbarei der vergangenen Zeit. Das Bildungsideal der Alten waren nach wie vor die sieben *artes*, vor allem die des Trivium; Franc. Landini.

---

sein Vater, daß er von dem allen närrisch, albern, träumerisch, einfältig wurde: da nahm er ihn aus der Schule. Ähnlich Erasmus, Conflictus Thaliae et Barbariei in: Opera I 892. — Von den ma. Lexicis ist wenig gedruckt; einige Auszüge (z. B. aus dem Mammotrectus) bei Io. Henr. Stuss, De primis coenobiorum scholis (Progr. Ilfeld 1728) § X adn. s, sowie vor allem bei S. Berger, De glossariis et compendiis exegeticis quibusdam medii aevi, sive de libris Ansileubi, Papiae, Hugutionis, Guill. Britonis, de Catholicon, Mammotrecto, aliis. Diss. Paris 1879; cf. auch G. Salvioli l. c. (S. 696, 3) XIV 745ff. und Fr. Eckstein, Lat. u. griech. Unterricht (Leipz. 1887) 53f.

dem stellten die Neuen gegenüber die aus jahrhundertelangem Schlaf wiedererweckten *auctores*. Für diesen letzteren Gegensatz ist von besonderem Interesse ein von Wesselofsky zum erstenmal ediertes Dokument. Ein Hauptführer der Alten war der Florentiner Francesco Landini, zubenannt il Cieco oder degli Organi (1325—1397).[1] Von ihm teilt Wesselofsky p. 295 ff. ein in guten Hexametern geschriebenes Gedicht mit, welches in der Handschrift betitelt ist:

Incipiunt versus Francisci organistae de Florentia, missi ad dominum Antonium plebanum de Vado, grammaticae loicae rethoricae optimum instructorem, et facti in laudem loicae Ocham.

Im Traum erscheint ihm Wilh. von Occam im Minoritenkostüm und beklagt sich in rührenden Worten über seine Widersacher, besonders einen:

novus in nostras idiota rudissimus artes
qui furit et saevit, nostri quoque pestifer hostis.

Es folgt eine begeisterte Lobrede auf die Dialektik, die dieser *protervus idiota* verachte; von demselben heißt es weiterhin:

loicos ceu mortem exterritus odit
fallacesque vocat altercantesque sophistas.

Wen hebt er dagegen auf den Schild? Cicero, dessen Name auch für uns der höchste ist, den jener Widersacher aber mißbraucht:

Marcus, romanae gloria linguae,
ingenium cuius dudum aurea Roma potenti
par tulit imperio, sibi quem temerarius iste
(proh scelus) ascribit: divina volumina namque
allegat, recitat non intellecta popello
nec sibi; percurrit tua cuncta volumina, Marce,
teque suum appellat Ciceronem, et nomine crebro
nunc hoc nunc illud rugosa fronte volumen
nominat: exterrent ignota vocabula vulgus;
laudibus immensis Ciceronem ad sidera tollit.

Und nicht genug mit Cicero: den Seneca nennt er seinen 'Vater', und überhaupt:

gravis incessu, sermone superbus
omnia sub pedibus reputat: tunc nomina mille

1) Näheres über ihn bei Wesselofsky l. c. vol. I part. 1 p. 101 ff.

auctorum allegat, quorum nisi nomina tantum
nescit et in loicos vomit exitiale venenum
viperei cordis sceleratаque iurgia fundit.[1])

Während Occam noch mehr sagen will, verscheucht ihn der erwachende Tag und Francesco Landini erwacht *mira turbatus imagine somni.*

2) Anderthalb Jahrhunderte später sagte Melanchthon in seiner berühmten humanistischen Programmrede De corrigendis adulescentiae studiis[2]), gehalten am 29. Aug. 1518 zu Wittenberg von dem damals Einundzwanzigjährigen, p. 22 nach einer vernichtenden Invektive auf die mittelalterliche Erziehungsmethode, der es zu verdanken sei, daß so viele Schriftsteller rettungslos dem Untergang verfallen seien: *vobis, adulescentes, vestram gratulor felicitatem, quibus benignitate optimi ac sapientissimi principis nostri Friderici, ducis Saxoniae, electoris contigit longe saluberrimis erudiri: fontes ipsos artium ex optimis auctoribus hauritis. hic nativum ac sincerum Aristotelem, ille Quintilianum rhetorem, hic Plinium . . ., ille argutias sed arte temperatas docet. accedunt, sine quibus nemo potest eruditus censeri, mathematica, item poemata oratores, professoribus non proletariis. haec si cognoveritis quo ordine tractanda sint, certo scio et facilia et admirandi profectus videbuntur.* Melanchthon.

3) Sehr deutlich kommt der prinzipielle Gegensatz der Parteien zum Ausdruck in der 46. epistola der Epistolae obscurorum virorum (novae) (p. 258f. Böcking), aus der ich nicht umhin kann, die bezeichnendsten Stellen herauszuheben. Man erkennt unter der Karikatur leicht das Tatsächliche. Herr Mag. Cunradus Unckebunck schreibt an Herrn Mag. Ortvinus Gratius: *intellexi, quod habetis paucos auditores, et est querela vestra quod Buschius*[3]) *et Caesarius*[4]) *trahunt vobis scholares et supposita abinde . . . . credo quod diabolus est in illis poetis. ipsi destruunt omnes universitates. et audivi ab uno Antiquo Magistro Lipsiensi qui fuit magister XXXVI annorum, et dixit mihi, quando ipse* Epist. obsc. vir.

---

1) Man vergleiche hiermit vor allem die oben (S. 713f.) aus Johannes von Salisbury angeführten Verse, um die Identität der beiden Richtungen und ihres Kampfes zu erkennen.

2) Ed. K. Hartfelder in: Lat. Literaturdenkmäler d. XV. u. XVI. Jh. herausg. von Herrmann u. Szamatólski, Heft 4. Berlin 1892.

3) Cf. Böcking p. 330ff.

4) ib. 333ff.

fuisset iuvenis, tunc illa universitas bene stetisset, quia in XX miliaribus nullus poeta fuisset. et dixit etiam quod tunc supposita diligenter compleverunt lectiones suas formales et Materiales seu bursales: et fuit magnum scandalum quod aliquis studens iret in platea et non haberet Petrum Hispanum[1]) *aut Parva logicalia sub brachio. et si fuerunt Grammatici, tunc portabant Partes Alexandri vel Vade mecum vel Exercitium puerorum, aut Opus minus, aut dicta Iohannis Sinthen.*[2]) *et in scholis advertebant diligenter: et habuerunt in honore magistros Artium: et quando viderunt unum Magistrum, tunc fuerunt perterriti quasi viderent unum diabolum . . . . . . sed nunc supposita volunt audire Virgilium et Plinium et alios novos autores: et licet audiunt per quinque Annos, tamen non promoventur. et sic quando revertunt in patriam, dicunt eis parentes 'Quid es?' Respondent quod sunt nihil, sed studuerunt in Poesi. tunc parentes non sciunt quid est . . . . Et dixit mihi quod ipse Liptzigk olim habuit quadraginta domicellos, et quando ivit in Ecclesiam vel ad forum vel spaciatum in Rubetum, tunc iverunt post eum. et fuit tunc magnus excessus studere in poetria. et quando unus confitebatur in confessione quod occulte audierit Virgilium ab uno baculario, tunc Sacerdos imponebat ei magnam penitentiam . . . et iuravit mihi in conscientia sua quod vidit quod unus magistrandus fuit seiectus, quia unus de examinatoribus semel in die festo vidit ipsum legere in Terentio* (folgt eine Klage über Verminderung der Studenten an den Universitäten und das Gebet *quod moriantur omnes poete*). Ähnlich ep. 7 (p. 12). 17 (p. 26). ep. nov. 63 (p. 285).[3])

---

1) Ib. 393 f.

2) Ib. 472 f.

3) Hans Sachs' Meisterlieder aus der Jugend des Dichters (1511—1520) beschäftigen sich, wie mit andern scholastischen Problemen, so auch mit den 7 *artes*. Seit 1523 ist davon nichts mehr zu merken: er ist ein Kämpfer für die Gedanken der Reformation geworden und nun nimmt er seine Stoffe teils aus der Bibel, teils aus den ihm durch Übersetzungen bekannten Autoren, die der Humanismus erweckt hatte: cf. R. v. Liliencron l. c. (S. 728, 1) 39. — Es hat lange gedauert, bis die *artes* gänzlich beseitigt waren: Salutato ruft in dem Klagebrief über Petrarcas Tod: *fleat totum trivium atque quadrivium* (Colucci Salutati ep. ed. Rigacci [Flor. 1741] II ep. 7 p. 58). Im J. 1489 schrieb Alonzo de la Torre La vision deleytable de la Filosofia y artes Liberales (Tolosa 1489; 2. Ausg. Sevilla 1538); nach der Inhaltsangabe des (äußerst seltenen) Werkes bei L. Clarus, Darstell. d.

span. Lit. im Ma. II (Mainz 1846) 169 ff. treten hier die 7 Künste wie bei Martianus Capella auf. Im J. 1533 schrieb Guillaume Telin ein Brev Sommaire des sept Vertus, sept Arts liberaux (Paris 1533), mir unbekannt. Einiges ähnliche bei K. Hartfelder l. c. (S. 745, 2) p. XVIIIf. — Gewissermaßen eine Übergangsperiode bezeichnet der Bildungsgang des Heidelberger Humanisten Peter Luder, cf. seine im J. 1456 gehaltene Antrittsvorlesung (ed. Wattenbach in: Z. f. d. Gesch. d. Oberrheins XXII [1869] 100 ff.) p. 102f.: nachdem er die *artes* gelernt habe, *ut ad hasce omnes aut ad unamquamque illarum verum et infallibile fundamentum michi ponerem, ad studia humanitatis, historiographos oratores scilicet et poetas, toto me mentis ardore converti.*

Zweiter Abschnitt.

Der Stil der lateinischen Prosa im Mittelalter und im Humanismus.[1])

Erstes Kapitel.

Der Stil der lateinischen Prosa im Mittelalter.

Der alte und der neue Stil.

Wir haben gesehen, daß sich die scheinbar so verschiedenartigen Stilarten des Altertums sehr einfach unter zwei Gesichtspunkte fassen lassen: die klassizistische Richtung ist reaktionär, ihre Vertreter schreiben in einem durch Nachahmung erlernten alten Stil; die Vertreter der neoterischen Richtung passen ihren Stil der jeweiligen Zeit an, sie schreiben modern. Der alte Stil hält sich bei einigen Autoren, die ein besonders ausgebildetes stilistisches Anempfindungsvermögen besitzen, auf einer anerkennenswerten Höhe, macht aber den Eindruck des Künstlichen und Erlernten; der moderne Stil steht mitten im Leben und degeneriert mit ihm in dem langsam, aber stetig fortschreitenden Prozeß des Verfalls, der besonders fühlbar wird, als die Barbaren das Reich überschwemmen und den Stempel ihrer Anästhesie der Literatur aufdrücken. Auch im Mittelalter laufen die beiden Stile nebeneinander her.

1. Der alte Stil.

Klassizismus.

Den künstlich archaisierenden Stil suchten, so gut sie es vermochten[2]), alle diejenigen Männer anzuwenden, deren Tendenz,

1) Besonders für das Ma. beschränke ich mich auf die Darlegung nur der Hauptrichtungen, da alles Einzelne für mich kein Interesse hat.

2) Grammatische Fehler kommen selbst bei den Besten, wie Einhart, vor. Denn man mußte die Sprache ja mühsam erlernen, daher wurde keine der artes mit größerem Eifer getrieben als die Grammatik. In dem Katalog der Bibliothek von York, den Alcuin de sanctis Eboricensis eccle-

wie ich im vorigen Abschnitt zeigte, eine klassizistische war. Der Stil Einharts ist von Manitius l. c. (oben S. 694, 2) vortrefflich behandelt worden; er hat sich in die Diktion der Historiker so hineingefühlt, daß er viele Sätze hat, deren sich Caesar und Livius nicht geschämt hätten, z. B. um beliebig einen herauszugreifen vit. Car. 9: *cum enim assiduo ac paene continuo cum Saxonibus bello certaretur, dispositis per congrua confiniorum loca praesidiis Hispaniam quam maximo poterat belli apparatu aggreditur, saltuque Pyrenaei superato omnibus quae adierat oppidis atque castellis in deditionem acceptis salvo et incolumi exercitu revertitur.* Besonderes Interesse hat der Nachweis von Manitius p. 548 f., daß Einhart in seinen nicht streng historischen Werken in einem andersartigen „deutsch-lateinischen" Stil schreibt: man sieht daraus, daß derjenige der historischen Werke mühsam studiert ist: freilich läßt sich ja das gleiche bei Humanisten wie Petrarca konstatieren, dessen Briefe salopper sind als seine Geschichte Caesars. — Paulus Diaconus schreibt nicht ganz so rein und klassisch wie Einhart; er besaß aber doch ein lebendiges Gefühl für den guten Stil, wie seine von Mommsen (in: N. Arch. d. Ges. f. ält. deutsche Gesch. V [1879] 53, 1) nachgewiesenen stilistischen Besserungen an Gregor v. Tours zeigen;

---

siae v. 1540 ff. gibt, befinden sich von heidnischen Autoren nur wenig (s. oben S. 697), aber eine ganze Reihe Grammatiker: Probus, Focas, Donatus, Priscianus, Servius, Eutychius, Pompeius, Comminianus. Besonders bezeichnend ist der im J. 960 geschriebene Brief des Italieners Gunzo an die Mönche von Reichenau (bei Martène et Durand, Ampla collectio I [Paris 1724] 294 ff.). Im Kloster St. Gallen, wo er halb erfroren nach der langen Reise aus Italien angelangt war, hatte er das Unglück, den Akkusativ für den Ablativ zu gebrauchen, worauf ein St. Galler *pusio*, wie er ihn nennt, ein Spottgedicht verfaßte, in dem es u. a. hieß, daß der Greis Gunzo Prügel verdiene wie ein Schuljunge. Um sich nun zu rechtfertigen, schreibt er diesen mit aller möglichen Gelehrsamkeit vollgepfropften Brief, in dem er sich aber einmal (p. 298) doch zu dem Geständnis herbeiläßt: *falso putavit S. Galli monachus me remotum a scientia grammaticae artis, licet aliquando retarder usu nostrae vulgaris linguae, quae latinitati vicina est.* Für die zahllosen spätmittelalterlichen Grammatiken ist für alle Zeit grundlegend die berühmte Abhandlung von Ch. Thurot, Not. et extraits de divers mss. lat. pour servir à l'histoire des doctrines grammaticales au moyen âge in: Not. et extr. des ms. XXII 2, Paris 1868. Wesentlich auf Grund davon Fr. Eckstein, Lat. u. griech. Unterricht (Leipz. 1887) 54 ff.; cf. auch G. Salvioli l. c. (S. 696, 3) XIV 732 ff.

über sein Werk als Ganzes urteilt Mommsen l. c. 53 f.: „Wer auch nur einigermaßen die stammelnden und stümperhaften Schriftstücke kennt, wie sie in jener Zeit verfertigt wurden, der betrachtet mit Verwunderung und zuweilen mit Bewunderung dieses durchaus klare, meistens bequeme Latein, diese verständige und doch aller Affektierung frei stehende Wortfügung, diese Fähigkeit zu gestalten und zu stilisieren.“ — Für den Stil des Servatus Lupus erinnere ich an jenen Brief, in dem er seinen Freund Einhart beglückwünscht, daß er von dem häßlichen Stil der Modernen zu dem eleganten Ciceros und anderer *auctores* zurückgekehrt sei (o. S. 702 f.), und an den andern, in dem er die Lektüre der Alten als Mittel für die Zierde der Rede und für die Politur des Ausdrucks hinstellt (o. S. 701 f.). — Sein Schüler Heiric, Mönch v. Auxerre, schreibt gewandt und einfach in seiner Epistel an Karl den Kahlen, was um so deutlicher hervortritt, weil er zwei Briefe aus dem Anfang des VII. Jh. einlegt, deren Stil geschwollen und verzerrt ist.[1]) — Von Gerbert wurde bemerkt (o. S. 707), daß sein Stil wirklich etwas vom ciceronianischen Ethos habe. — In dem auf Gerberts Veranlassung verfaßten Geschichtswerk seines Schülers Richer tritt jene ganz an die humanistische Historiographie erinnernde Manier, antike Bezeichnungen auf mittelalterliche Begriffe unmittelbar zu übertragen, die wir schon bei Einhart und Widukind antrafen (S. 694. 710, 1), stark hervor: „er macht einen Grafen zu einem *vir consularis*, er spricht von Legionen und Cohorten, nennt, indem er die in Caesars Commentarien gegebene Einteilung Galliens auch für seine Zeit festhält, die Lothringer Belgier.“[2]) — Alle überragt Lambert von Hersfeld, nicht als ob seine Sprache im einzelnen durchaus korrekt wäre (im Gegenteil ist ihm darin z. B. Einhart über-

1) AA. SS. Jul. VII 221 ff.

2) A. Ebert l. c. (o. S. 660, 1) III (Leipz. 1887) 441. Ähnliches aus andern ma. Schriftstellern: F. Rühl, Die Verbreitung des Iustinus im Ma. (Leipz. 1871) 13, 1, wo aber ein Hauptbeispiel fehlt: Ekkehart IV († 1080) spricht in den Casus S. Galli von einem 'Senat der Brüder', von einer *toga praetexta*, bei der Beschreibung des Ungarneinfalls von *primipilaris*, *primicerius*, *legiones*; er nennt Petrus einen himmlischen 'Consul' und Gallus einen himmlischen 'Prätor': die Stellen bei G. Meier, Gesch. d. Schule v. St. Gallen im Ma., in: Jahrb. f. schweiz. Gesch. X (1885) 96. Wir werden weiter unten die gleiche Erscheinung in der Zeit der Renaissance wiederfinden.

legen): aber er hat es verstanden, die Präzision Sallusts und die Behaglichkeit des Livius in einer Weise zu vereinigen, daß man ihm seine Bewunderung nicht versagen kann. Die Nachahmung ist nicht so schablonenhaft wie die Einharts und gewinnt dadurch an Frische und Beweglichkeit. Wenn er sich nicht scheut, germanische Namen und Bezeichnungen zu gebrauchen, so spricht das nur für seinen Takt, der ihm das Übermaß als pervers erscheinen ließ und der ihn befähigte, trotz des gelehrten Studiums der Antike ein von nationalem Geist durchwehtes, sowie ein individuelles Werk zu schaffen. Die Kunst schlagender Charakteristik und der Ableitung von Ereignissen aus ihren Ursachen hat er dem Sallust, die Kunst der Erzählung in langen, aber nicht überladenen Perioden dem Livius abgelernt. Die Figuren der Rede (besonders die Anapher und das Homoioteleuton) verwendet er mit einem stilistischen Anstandsgefühl, das den meisten Autoren des ausgehenden Altertums und des Mittelalters abgeht. Von der Proprietät der lateinischen Wortstellung hat er, was stets etwas Besonderes ist, ein lebhaftes Bewußtsein. Man kann, wie bei Einhart, so auch bei ihm beobachten, daß er da besser schreibt, wo er sich an antike Vorbilder anlehnen kann, als da, wo er auf sich selbst angewiesen ist; z. B. ist eine geschickte Nachahmung des Livius (II 6)[1]) die Stelle ann. p. 71 f.[2]) *nec mora: dato militibus signo ad pugnam equis subdunt calcaria et pari utraque pars audacia, paribus odiis in mutua vulnera ruunt. ibi in prima fronte Brun et Otto, ambo pleni irarum, ambo sui tegendi inmemores dum hostem ferirent, tam concitatos in sese vicissim impetus dederunt, ut uterque alterum primo incursu equo excussum letali vulnere transfoderet. omissis ducibus aliquamdiu utramque aciem anceps pugna tenuit. sed Ecberdus, quamquam graviter saucius, dolore tamen interempti fratris efferatus, rapido cursu in confertissimos hostes praecipitem se mittit, Bernhardi comitis filium, egregium adolescentem sed vixdum miliciae maturum, interficit, caeteros languidius, quoniam ducem perdidissent, pugnantes in fugam convertit*; dagegen ist in der Wortwahl und Periodisierung unbeholfener z. B. p. 75 *ego exacta peregrinatione Ierosolimitana XV.*

---

1) Bemerkt von L. Rockrohr in: Forschungen z. deutsch. Gesch. XXV (1885) 571 ff.

2) Ed. O. Holder-Egger, Hann.-Leipz. 1894.

Kal. Octobris ad monasterium reversus sum, et quod in omni illa profectione mea praecipuum a Deo postulaveram, Meginherum abbatem superstitem inveni. timebam scilicet, quoniam sine benedictione illius profectus fuissem, si offensus inreconciliatusque decessisset, magni criminis reum me teneri apud Deum. sed non abfuit propicia divinitas redeunti, quae tanto illo itinere sepe usque ad ultimam necessitatem periclitatum misericordissime texerat. incolumem repperi, peccatum indulsit. Alles in allem wird man sagen dürfen, daß es im Mittelalter keinen Schriftsteller gegeben hat, der ihm in der Kunst der Nachahmung guter antiker Muster und gleichzeitiger Wahrung von Originalität und Individualität überlegen gewesen ist, und daß es der Geschichtschreibung des Humanismus erst nach vielen Irrwegen gelungen ist, ihren mumienhaften und vernunftwidrigen Charakter abzulegen und auf die Höhe des Könnens jenes einfachen Mönchs zu gelangen.[1]) — Auch Iohannes Sarisberiensis und die zu jenem Kreise gehörigen Männer (z. B. auch Abälard[2])) bemühen sich, ihrer antischolastischen klassizistischen Tendenz gemäß einfach und korrekt zu schreiben. Derartiges würde sich noch mehr anführen lassen[3]), doch kommt es mir, wie bemerkt, weniger auf das Einzelne an, das ich doch nur unvollkommen beherrsche, als auf die Skizzierung der Hauptrichtungen.

---

1) Einzelne Nachweise für die von ihm gelesenen Autoren gibt Holder-Egger l. c. 399ff. und in: N. Arch. d. Ges. f. ält. deutsche Gesch. IX (1884) 296ff. — Der Stil Ottos von Freising steht, wie ich mich durch die Lektüre von ein paar Kapiteln überzeugte, nicht auf der Höhe des Lambert'schen; durch die Einfügung von Versen (meist vergilischen) und manierierte Wortstellung hat er ein mehr mittelalterliches Gepräge, und den für die reine Latinität verderblichen Einfluß der Pariser Scholastik glaubt man auch an seiner Sprache und seinem Stil zu merken. Immerhin gehört er sowie sein Fortsetzer Rahewin (bei dem das für Otto nicht direkt nachweisbare Studium des Sallust hervortritt, ohne daß er sich dessen Art so zu eigen gemacht hätte wie Lambert: er begnügt sich meist mit wörtlichem Abschreiben, cf. G. Jordan, R.s gesta [Diss. Straßb. 1881] 30ff.) zu den besseren Stilisten des Ma., die sich die barbarischen Auswüchse des Modestils fern gehalten haben. Ein paar Bemerkungen über Otto bei W. Lüdecke, D. hist. Wert d. I. B. von O. v. F. (Diss. Halle 1884) 18ff.

2) Cf. S. Deutsch, P. Abälard (Leipz. 1883) 62f.

3) Z. B. sind merkwürdig korrekt die Predigten und Briefe des in Oberitalien gebildeten Abts von S.-Bénigne Wilhelmus (962—1031), was mit Recht als bemerkenswert hervorhebt G. Chevallier, Le vénérable Guillaume (Paris-Dijon 1875) 211 (dort 213ff. sind seine Werke veröffentlicht).

2. Der neue Stil.

In ihm pulsiert noch wirkliches Leben: wenn er bizarr, phantastisch, grell, verschnörkelt ist, so offenbart sich eben darin die herrschende Geschmacksrichtung des Mittelalters. Es gibt, soviel ich weiß, kein für die stilistische Geschmacksrichtung des Mittelalters bezeichnenderes und durch den Namen seines Urhebers interessanteres Zeugnis als dasjenige Dantes[1]) de vulgari eloquentia II 6[2]): *sunt gradus constructionum quamplures, videlicet insipidus, qui est rudium, ut: „Petrus amat multum dominam Bertham". est pure sapidus, qui est rigidorum scholarium vel magistrorum, ut: „Piget me civitatis*[3]), *sed pietatem maiorem illorum habeo, quicumque in exilio tabescentes patriam tantum somniando revisunt". est et sapidus et venustus, qui est quorundam superficie tenus rhetoricam haurientium, ut: „Laudabilis discretio marchionis Estensis et sua magnificentia, praeparata cunctis, illum facit esse dilectum". Est et sapidus et venustus, etiam et excelsus, qui est dictatorum illustrium, ut: „Eiecta maxima parte florum de sinu tuo, Florentia, nequicquam Trinacriam Totila*[4]) *serus adivit". hunc gradum constructionis excellentissimum nominamus, et hic est, quem quaerimus, cum suprema venemur, ut dictum est.* Ihn hält er einzig brauchbar für die hohe Gattung der Poesie, und in seiner Prosa befolgt er ihn selbst. Also die Einfachheit und Natur wird verpönt, der Schwulst und die Unnatur sanktioniert.[5]) Das ließe sich aus allen Jahrhunderten belegen, doch fehlt mir dazu die Lust. Eine Hauptfundgrube sind die Acta Sanctorum, über die der Card. Pitra einige feine

Degeneration.

---

1) Über seine Stellung zum Ma. am besten A. Wesselofsky in seiner Ausgabe des Paradiso degli Alberti I 2 (Bologna 1867) 9ff., besonders auch p. 16f. über seine Stellung zu den artes. Cf. auch R. v. Liliencron l. c. (S. 728, 1) 29ff. Über sein Verhältnis zu den klassischen Studien: J. Schück in: Fleckeisens Jahrb. XCII (1865) 253ff.

2) Vol. II² 216 in: Opere minori di D. Alighieri ed. Fraticelli, Florenz 1861.

3) *Cunctis* edd., corr. E. Böhmer, Über D.s Schrift de vulgari eloquentia (Halle 1867) 22, 3.

4) D. h. Carl v. Valois (Fraticelli).

5) Ganz ähnlich ist eine Äußerung des Rich. de Bury (1287—1345) l. c. (o. S. 740, 2) 7.

hierher gehörige Bemerkungen gemacht hat[1]), die sog. Prosen und Tropen des X. und XI. Jh.[2]), die sog. 'dictamina', worüber Genaueres im Anhang II, die in absichtlich dunkler Latinität verfaßten Werke.[3]) — Auf andere Weise degenerierte der Stil

---

1) Histoire de S. Léger, evêque d'Autun et martyr, et de l'église des Francs au septième siècle (Paris 1846) p. LXXXVIff. Natürlich sagen fast alle diese Skribenten in der Vorrede, daß sie in roher, unwürdiger Sprache schrieben (s. oben S. 595, 1). Nur selten ist das nicht rhetorische Floskel, sondern Wahrheit, cf. Merryweather, Bibliomania in the middle ages (Lond. 1849) 108.

2) Cf. L. Gautier, La poésie religieuse dans les cloîtres des IXe—XIe siècles (Paris 1887) 33ff. Sie gehören mit zu dem Haarsträubendsten, was je in lateinischer Sprache geschrieben ist: Schwulst und Unnatur feiern bacchantische Orgien, und dabei versichern diese „Dichter" gewöhnlich, daß sie einfach wären. Das Wunder von Kana wird beschrieben: *naturas lymphoeas hodie mutavit in saporiferos haustus* (p. 36 Gautier); die Heiligen heißen *plebs martyrica, iam uranica, sorte logica phalanx deica* (p. 37), natürlich auch Wortspiele wie *lauream regni tenet Laurentius* (p. 40), und sogar *tibi* (*deo*) *exhibet Phoeba ac Titan digna famulitia* (ib.). Cf. auch G. Dreves, Anal. hymn. med. aevi VII (Leipz. 1889) 10ff. Das einzige, was ihnen einigermaßen an die Seite zu stellen ist, sind die Hisperica famina, an die sie auch durch ihre wunderliche Sprachmischerei (griechische Brocken oft halb mißverstanden) und wahnsinnige Neubildung besonders von Adjektiven (allein von Bildungen mit *-fluus* finden sich in den 'Gedichten': *laudifluus, dulcifluus, almifluus, mellifluus*) erinnern, sowie der *Liber de planctu naturae* des Alanus de Insulis (210, 431ff. Migne) aus s. XII.

3) Cf. W. Giesebrecht l. c. (S. 693, 3) 22f. A. Ozanam, La civilisation chrét. chez les Francs p. 545, 1. V. L. Clerc, Hist. litt. de la France au XIV. siècle, 2. éd. I (Paris 1865) 428. Z. B. (außer den Hisperica famina) aus dem X. Jh.: Atto iunior Vercellensis episcopus, polypticum ed. A. Mai in: Script. vet. nov. coll. VI 43ff., worüber jetzt besonders G. Goetz, Über Dunkel- und Geheimsprachen im späten u. ma. Lat. in: Ber. üb. d. Verh. d. Sächs. Ges. d. Wiss. 1896, 62ff. Aus dem XIII. Jh.: Brief eines Mag. Adam Balsamiensis (ein Engländer) ed. M. Haupt in: Berichte der Sächs. Ges. d. Wiss. 1849, 276ff. (er fängt an: *falsae tholum cillentibus radiis conspicuum cum iam prospicerem, accelerantem ecce morabantur tesqua cum scabris, dumeta cum quisquiliis, et confraga rubetis circumvallata*) und das '*distigium*' ed. in: Not. et extr. XXVII 2 p. 27ff. Gegen solchen Stil (besonders die tolle Wortstellung) eifert s. X Rather v. Verona phrenesis c. 3 (136, 369 Migne) und s. XII der deutsche Cistercienser Gunther (cf. A. Pannenborg in: Forsch. zur deutschen Gesch. XIII [1873] 262ff.), de oratione etc. bei Migne 212, 104. Boncompagno (Prof. der Grammatik in Bologna s. XII) bei G. Tiraboschi, Storia de la litteratura Italiana IV (Modena 1788) 468.

in der Spätzeit der Scholastik. Jene Schriftsteller mit ihrem barbarisch tätowierten Stil glaubten schön zu schreiben und verwandten unsägliche Mühe darauf, ihre Farbenkleckse überall anzubringen: die Scholastiker, denen es nur auf ihre subtilen Distinktionen ankam, vernachlässigten die ästhetische Seite der Sprache ganz und gar und ließen sie auf ihre Art verwildern.[1]) Die exakte Grammatik wurde von oben herab angesehen: sie mußte der Logik und Dialektik weichen.[2])

Nur von drei Erscheinungsformen des mittelalterlichen Stils will ich in aller Kürze handeln, weil sie für ihn am bezeichnendsten sind und sich unmittelbar aus der antiken Tradition ableiten lassen.

a. Die Mischung von Prosa und Vers.

Antike Vorgänger.

Die Anfänge reichen, wie wir sahen (o. S. 74 f. 109 f.) in die Zeit des Gorgias und Platon zurück. Die Neigung der Kyniker zur Parodie, besonders von Versen Homers und der Tragiker, mag dem Menippos von Gadara im III. Jahrh. v. Chr. den Anlaß gegeben haben, in seinen burlesken, der Komödie stark angeglichenen Kompositionen Prosa und Vers miteinander wechseln zu lassen[3]): in welcher Art freilich und in welchem Umfang, ist uns nicht mehr möglich, auch nur zu vermuten; wenn wir aus

---

1) Cf. S. Deutsch, P. Abälard (Leipz. 1883) 62 f. — In der Hist. litt. de France XXIII 226 wird hingewiesen auf ein paar Verse der Vie St. Thomas le martir von Guernes du Pont de St. Maxence (geschrieben 1175) ed. Imm. Bekker in: Abh. der Berl. Akad. 1838, 55:

Deuant le pape esturent li messagier real.
alquant diseient bien, pluisur diseient mal,
li alquant en Latin, tel ben tel anomal,
tel qui fist personel del uerbe impersonal.
singuler e plurel aueit tut par igal.

2) Cf. aus s. XII den Brief des Boncompagno bei Ch. Thurot in: Not. et Extr. des ms. XXII (1868) 90, 2: *cum sit grammatica lac primarium, quo addiscentium corda nutriuntur, miror quod sine illius notitia te ad dialecticam transtulisti: nam qui partes ignorat, se ad artes transferre non debet, quia non convalescit plantula que humore indiget primitivo,* worauf der Student antwortet: *ars grammatica potest mole asinarie assimilari, que, dum laborioso impulsu volvitur, grana in farinam convertit, de qua fit nutritivus panis per adiutoria successiva. unde cupio per auxilium dialetice gramaticam adiuvare. sane qui proficit in dialetica, gramaticam non obmittit.* S. auch o. S. 712, 1.

3) Cf. R. Hirzel, D. Dialog I (Leipz. 1895) 389.

der bewußten Nachahmung seines Landsmannes Lukian einen Schluß auf Menippos selber ziehen dürfen, so würde er nur parodierte Verse eingelegt haben.[1]) Ob in dem Roman des Aristeides Verse in die Prosa eingelegt waren, wissen wir ebensowenig sicher: immerhin ist es möglich, weil sein Übersetzer Sisenna von Fronto 62 N. mitten zwischen Dichtern genannt wird und weil eins der aus Sisenna zitierten Bruchstücke nach Rhythmus und Sprache poetisch ist.[2]) Erst bei den lateinischen Schriftstellern kommen wir auf festeren Boden, denn bei ihnen, die stilistisch viel παχύτεροι waren, hat bezeichnenderweise diese bizarre Art der Komposition, die bei den Griechen nie recht in Aufnahme kam und gewissermaßen nicht als salonfähig angesehen wurde (das zeigt die ausführliche Verteidigung Lukians), sich großer Beliebtheit erfreut. Varro, stilistisch alles weniger als ein Feinschmecker, hat sie — angeblich in Anschluß an Menipp, vermutlich aber dessen χάριτες vergröbernd — eingebürgert; ihm sind dann die andern gefolgt, deren allbekannte Namen ich nicht aufzuzählen brauche.[3])

Das Mittelalter.

Für das Mittelalter wurde nun entscheidend, daß darunter seine beiden Hauptautoren, Martianus und Boethius, waren. Zu einer Zeit, als alles Krause und Bizarre des Stils für schön galt, war die Mischung von Prosa und Vers für den hohen Stil außerordentlich beliebt. Man prägte auch einen eignen Namen dafür, der in den Stilistiken des XII. und XIII. Jh. auftaucht: *prosimetrum*.[4]) Beispiele brauche ich nicht anzuführen, da die Tat-

1) Daß das παρῳδεῖν (sowohl als einfache μίμησις und als Travestie) jedenfalls eine besondere Rolle spielte, zeigt noch die Nachahmung der Römer, cf. für Varro die Zitate bei Buecheler [3] p. 250 und den τραγικὸς τρόπος von fr. 269 ff. 423 ff., für Seneca 2. 7. 12, für Petron 4 (Lucilius), 55 (Syrus) 119 ff. (Lucan) und die Vergilzitate 68. 111. 112. 132.

2) *Nocte vagatrix* bei Charis. 208 K., wozu Buecheler im Anhang seiner kleinen Ausgabe des Petron (3. Aufl. Berlin 1882) 237 bemerkt: *carminis puto verba.*

3) Cf. übrigens auch Sidonius ep. IX 16. Ennodius op. 6 p. 402, 4 ff. Hart. Parthenius presbyter (Afrika, s. VI) in Anecd. Casinensia ed. A. Reifferscheid (Ind. lect. Breslau 1871/2) 3.

4) Ich kenne folgende Zeugnisse: Hugo Bononiensis rationes dictandi, ed. Rockinger in: Quellen z. bayr. u. deutsch. Gesch. IX 1 (München 1863) 47 ff. aus drei Hss. des XII. Jh. (in Salzburg, Pommersfelden, Wolfenbüttel) c. 2 p. 54 *duo quidem dictaminum genera novimus, unum videlicet prosaicum,*

sache bekannt ist: wo die Rede einen hohen Schwung nahm, war der Übergang in Verse eins der bequemsten Hilfsmittel[1]), z. B. bei Gebeten[2]), bei den in eine Geschichte eingelegten Reden[3]), im pathetischen Stil der Urkunden[4]), in Subskriptionen[5]) usw. Die Humanisten haben dann auch hiermit gebrochen, indem sie ihren Abscheu offen aussprachen.[6])

b. Die rhythmische Prosa (s. o. S. 41 ff.).

Das merkwürdigste Dokument frühmittelalterlicher rhythmischer Prosa[7]) sind die durch ihre dunkle, kaum mehr als lateinisch zu bezeichnende Sprache berüchtigten Famina Hisperica, Hisperica famina.

---

alterum quod vocatur metricum. metricum vero . . . repperitur tripliciter: aut cum pedum mensura et carmen vocatur, vel numero dumtaxat sillabarum cum vocum consonantia et tunc riddimus (*ridmus* Guelf., *rithmius* Pom.) *appellatur, seu utroque mixtum quod quidem prosimetrum conpositione dicitur* (folgen Beispiele). Thomas Capuanus († 1239) dictator epistularis s. summa dictaminis ed. S. Fr. Hahn in seiner Collectio mon. vet. et rec. I (Braunschweig 1724) 279 ff., dort 280 f. *dictaminum vero genera tria sunt a veteribus diffinita, scilicet prosaicum, metricum et rithmicum. prosaicum ut Cassiodori, metricum ut Virgilii, rithmicum ut Primatis* (s. oben S. 730, 3) . . . . . *quodsi ex his fiat commixtio, ex tali commixtione denominationem assumit, ut dicatur prosimetricon sive mixtum. unde dictamen Boetii veteres prosimetricon appellarunt.* Ganz ähnlich in einem Werk De modo prosandi aus s. XIII/XIV, woraus Rockinger l. c. IX 2 (1864) einiges mitteilt, die betreffende Stelle p. 726. — In der Summa de arte prosandi des Conrad von Mure, verfaßt i. J. 1275, ed. Rockinger l. c. IX 1 wird p. 473 f. auf die Frage, ob man in einem Brief Prosa und Vers mischen dürfte, geantwortet, man müsse darin zurückhaltend sein.

1) Cf. auch W. Giesebrecht, De litterarum stud. ap. Italos (Progr. Berl. 1845) 23.

2) Cf. das Beispiel bei A. Ozanam, La civilisation chrétienne chez les Francs (Paris 1849) 465, 1.

3) Besonders bei Liudprand, cf. A. Ebert, G. d. Lit. d. Ma. III (Leipzig 1887) 423.

4) Cf. A. Giry, Manuel de diplomatique (Paris 1894) 450 ff.

5) Cf. Ozanam, Des écoles en Italie aux temps barbares (in: Oeuvres complètes. 2. éd. vol. II [Paris 1862]) 417.

6) L. Castelvetro, Poetica d'Aristotele vulgarizzata et sposata (1570) ed. Basil. 1576 p. 21 erklärt eine solche Mischung für ein *mostro* wie die Fabelwesen der Kentauren (dies Bild nach Horaz und Lukian); nicht einmal prosaische Vorbemerkungen wie bei Statius und Martial läßt er gelten.

7) Den Prosastil nennt *prosaica modulatio* Aunarius, Bischof v. Auxerre s. VII in.), bei Hericus, Vita S. Germani in: AA. SS. Boll. Jul. VII 222.

denen kürzlich durch H. Zimmers glänzenden Nachweis[1]) eine hervorragende Stellung in der Literatur- und Kulturgeschichte der Übergangsperiode des Altertums zum Mittelalter angewiesen worden ist. Sie sind, wie Zimmer bewiesen hat, im VI. Jh. in einem südwestbritannischen Kloster von einem Briten verfaßt, der seinen Confratres, vor allen den irischen, zeigen wollte, wie man nach seiner Meinung hisperisches, d. h. abendländisches, ausonisches oder italisches Latein schreiben müsse. Über den Satzbau urteilte schon P. Geyer, der nach der erstmaligen Veröffentlichung durch A. Mai (Class. auct. V [Rom 1833] 479 ff.) die Aufmerksamkeit wieder auf das sonderbare Schriftchen gelenkt hat (in: Arch. f. lat. Lexikogr. II [1885] 255 ff.), richtig[2]), daß in den Sätzen ein bestimmter Rhythmus hervortrete, der durch eine ganz bestimmt normierte Wortstellung innerhalb kleiner, nichtperiodisierter, sondern sich parallel laufender und fast gleich langer Sätze hervorgerufen werde: das Verbum nimmt die Mitte des Satzes ein und die übrigen Satzteile werden um dasselbe gruppiert, wobei die logisch und grammatisch zusammengehörigen Begriffe, besonders Substantiv und Attribut, fast prinzipiell voneinander getrennt werden, z. B. c. 6[3]):

Titaneus olimphium inflammat arotus tabulatum
thalasicum illustrat vapore flustrum,
flammivomo secat polum corusco supernum,
almi scandit camaram firmamenti.[4])

Der Verfasser tat sich offenbar etwas darauf zugute, denn er sagt in der Vorrede c. 2: *haec compta dictaminum fulget sparsio, at nullos vitioso aggere glomerat logos, ac sospitem lecto libramine artat vigorem et aequali plasmamine, mellifluam populans ausonici faminis per guttura sparginem;* er scheint, wie

1) Nennius vindicatus (Berlin 1893) 291 ff.; s. auch o. S. 754, 2. 3.

2) Cf. übrigens schon A. Ozanam, La civilisation chrétienne chez les Francs (Paris 1849), 481, der das Ganze nennt *une sorte de poëm en prose.*

3) Ed. J. Stowasser in: Jahresber. über d. Franz-Joseph-Gymn. in Wien 1886/87, cf. dens. in: Arch. f. lat. Lexikogr. III (1886) 168 ff.

4) Die einzelnen Kola, die ich als Verse abgeteilt habe (cf. Hartel in: Z. f. d. östr. Gymn. 1888, 471), sind in einigen Hss. meist durch große Anfangsbuchstaben gekennzeichnet, cf. Zimmer in: Nachr. d. Ges. d. Wiss. zu Göttingen 1895, 154.

J. Stowasser l. c. 17 bemerkt, das Kunststück der daktylischen Poesie abgelernt zu haben, in der Wortverschränkungen wie

mollia luteola pingit vaccinia calta (Verg. ecl. II 50)
mollia securae peragebant otia gentes (Ovid met. I 100)

beliebt gewesen seien, doch hat die Zwischenstellung des Verbum zwischen Substantiv und Attribut, wie sie ja auch z. B. Cicero besonders an gehobenen Stellen liebt, in der spätlateinischen Literatur genug Analogien: wird sie doch von einem antiken Rhetor ausdrücklich empfohlen.[1])

Mehr an die Art der rhythmischen Prosa des Querolus (s. oben S. 630 f.) erinnern die mittelalterlichen Schriftstücke, deren Sätze an gehobenen Stellen hexametrisch auslauten, z. B. lautet eine Stelle im Prolog der Vita S. Eligii (s. VII) ed. d'Achéry II² (Paris 1723) p. 76: *cum gentiles poetae studeant sua figmenta prolixis pompare stilis et saéva nefandarum renovent contagia rerum, ac plúrima Niliacis tradant mendacia chartis eorumque vana tantum discurrat gloria, qua veterum nectunt mendacia: cur nos Christiani salútiferi taceamus | mirácula Christi, cum possimus sermone vel tenui aedificationis historiam pándere plebi?* So endigen in einem Brief des Bonifacius (4 p. 29 Giles) zwei sehr nahe zusammenstehende Sätze *retia dignoscuntur, limina latrat,* und in einer merkwürdigen aus dem XIII. Jh. stammenden rhetorischen Anweisung für künftige Volksredner[2]) heißt es in einem Musterbeispiel *(de naufragium passis et spoliis eorumdem): miseremini. venimus non allaturi salutem, qua nos et tota patria nostra caret. singultus et lacrymae genas madentes et ora nostra tristes praepe-*

Andere Dokumente.

1) Cf. Iul. Vict. ars rhet. c. 20 p. 433 Halm: *inter nomina aut pronomina in eosdem casus cadentia nomen diversi casus interveniat,* was z. B. auch Martianus Capella befolgt, wenn er schreibt V. 426 *multa terrestrium plebs deorum* u. viel dgl. Hrotsvitha verschränkt in der Vorrede zu ihrem Gedicht auf Otto I. (p. 302 ff. Barack) fast prinzipiell die Worte. Über die Arengen von Urkunden aus der Zeit Heinrichs IV. sagt W. Gundlach, Ein Diktator aus der Kanzlei Heinrichs IV. (Innsbr. 1884) 32: „Das Verbum geht dem zugehörigen Substantivum oder Partizipium in der rhetorischen Rede mit einer gewissen Stetigkeit voran, und wenn das Substantivum mit einem Attribut verbunden ist, wird es in deren Mitte gestellt.“ Noch Aeneas Sylvius, Rhetorica praecepta (Basil. 1551) 996 gibt als 'praeceptum XIII': *inter adiectivum et substantivum aliquid mediare debet.*

2) Bei Muratori, Antiquit. Ital. IV 95 ff., cf. A. Ozanam, Des écoles en Italie aux temps barbares l. c. (o. S. 757, 5) 426 f. Man lese nach dem Akzent.

diunt, naufragium promere nostrum. sed pietas vestra, quod nequit exprimere lingua, penset obrutas insanis esse carinas aquis. devotio pia, terrae sanctae succurrere volentes, accinxerat armis milites quingentos et ultra totidemque plebeios: quos ardua puppis educta navalibus undis ordinibus geminis accepit in sedibus aptos. at iuvenes remigare suëti subito reducunt ad fortia pectora remos et currens saltu veloci secabat aequora navis. Auch in den 'Valedictiones' von Briefen scheint es Sitte gewesen zu sein, so zu schreiben: über ein Werk, in dem solche Grußformeln gesammelt waren, z. B. *vale raptim ex Parrhisius acta iam coena cadente lumine solis, vale ex Roma octobris decima velocius euro, dum nox tulerat silentia terris* etc. gießt die Schale seines Zorns aus der Tübinger Humanist Henricus Bebelius, Commentaria epistolarum conficiendarum (1513) f. IX^{v}. XX.

c. Die Reimprosa.

Literarhistorische Zusammenhänge.

Das ὁμοιοτέλευτον war, wie im Verlauf der vorausgegangenen Untersuchungen gezeigt worden ist, die wesentlichste und am meisten charakteristische Wortfigur der antiken Kunstprosa. Wie beliebt sie auch beim Volk war, haben wir besonders an Augustins Predigten (S. 621 ff.) und der oben (S. 629 f.) angeführten Inschrift eines Afrikaners gesehen. Gerade die Autoren des ausgehenden Altertums in beiden Sprachen haben reichlichen Gebrauch von ihr gemacht, und so wurde sie, wie man sagen kann, die eigentliche Signatur der gehobenen mittelalterlichen Prosa. Da nach dem seit Gorgias bestehenden Stilgesetz die ὁμοιοτέλευτα in gewissen, sich entsprechenden Satzteilen auftreten, so erhält dadurch die Rede eine ausgeprägt rhythmische Färbung: die Reimprosa ist also eine und zwar die am häufigsten vorkommende Spezies der rhythmischen Prosa. Das rhythmische Element ist so stark, daß man gelegentlich solche Prosa für wirkliche Verse angesehen hat, die aus volkstümlicher Überlieferung in die lateinische Sprache herübergenommen seien; so urteilt A. Ozanam (La civilisation chrétienne chez les Francs [Paris 1849] 122 adn.) über folgenden Passus der Vita S. Galli (Monum. Germ. ed. Pertz II 5): *ecce peregrini venerunt qui me de templo eiecerunt. en unus illorum est in pelago, cui numquam nocere potero. volui enim retia sua laedere, sed me victum probo lugere. signo orationis est semper clausus nec umquam oppressus: „peut-être faut-il y reconnaître le reste d'un ancien chant populaire parmi les populations latines de la Suisse, recueilli plus tard par le biographe de Saint-Gall"*, und in einer gereimten Partie des Prologs zur Lex Salica wollte in analoger Weise jemand die Spuren eines fränkischen Volksliedes wiederfinden, cf. G. Waitz, Deutsche Verfassungsgesch. II³ 1 (Kiel 1882) 125. Das ist derselbe Fehler, den Philologen und Theologen begingen, wenn sie aus hochpathetischen Stellen, z. B. der pseudohippokratischen Briefe, der griechischen Deklamatorenfragmente bei Seneca, einer Stelle des [Paulus] (ep. ad Tim. I 3, 14 ff.), des Homilienfragments am Schluß des pseudoiustinischen Diognetbriefes, der Fragmente des Maecenas und des pseudoxenophontischen Kynegetikos, Verse herauslasen. Bemerkenswert ist, daß in den Prosadramen der Hrotsvitha (s. X) die einzelnen rhythmischen, meist reimenden Kola durch Punkte voneinander getrennt zu werden pflegen.[1])

Über die Geschichte der Reimprosa im Mittelalter zu handeln, muß ich den Historikern überlassen[2]); mir genügt es, festgestellt

1) Das hat aus der Hs. (cod. Monac. s. X) festgestellt J. Bendixen in seiner Ausgabe der Komödien (Lübeck 1857), praef. X ff. Z. B. *Interim eram consternatus mente. ex ostensae visionis terrore. — Postquam evigilans huius solamine visionis. temperabam tristitiam prioris. — Nam nimium confundor. cordetenus contristor. anxio. gemo. doleo super gravi impietate mea. — Rapido impetu adveniens. candidulam secus me columbam repperiens. cepit. devoravit. subitoque comparuit.* Cf. auch R. Köpke, Hrotsuit von Gandersheim = Ottonische Studien II (Berlin 1869) 152 ff. Die Tatsache scheint ganz vereinzelt zu stehen, denn eine verwandte Erscheinung (Akzente zur Bezeichnung des Rhythmus in Prosaurkunden) dürfte noch nicht sicher genug festgestellt sein: cf. G. v. Buchwald, Bischofs- u. Fürsten-Urkunden des XII. u. XIII. Jh. (Rostock 1882) 44.

2) Es gibt nämlich verschiedene Formen dieser Reimprosa, z. B. ist besonders merkwürdig eine Form des VII. Jh.: Cinq formules rhythmées et assonancées ed. A. Boucherie, Montpellier-Paris 1867 (kurze, ganz versähnliche Glieder mit eigenartigen Reimen); ferner eine ganz rohe Form dieser Reimprosa, wo die Glieder an Länge ganz verschieden sind und unmotiviert ein nicht sich reimender Satz zwischen gereimte geschoben wird, cf. P. Scheffer-Boichorst in: Z. f. G. d. Oberrheins N. F. III (1888) 182 ff. über Urkunden s. XII. Wissen möchte ich vor allen Dingen, wann man angefangen hat, als Reim aufzufassen und zu behandeln auch solche Worte, die zwar auf gleiche Silben ausgehen, aber keine ὁμοιοτέλευτα im antiken Sinne sind, weil sie von ungleicher Flexion sind, wie in dem S. 762 Anm. 2

zu haben, daß sie das Resultat einer tausendjährigen Entwicklung seit Gorgias gewesen ist und die Spuren ihrer Entstehung durchaus bewahrt hat: dazu gehört, daß sie sich nur (oder doch fast ausschließlich) an gehobenen Stellen findet[1]), z. B. mit besonderer Vorliebe in den Arengen, d. h. den hochrhetorischen Exordia der Urkunden, und daß sie, wozu der Parallelismus der Glieder von selbst führte, gern in der Figur der Antithese auftritt.[2]) Man nannte diese Schreibart entweder allgemein *stilus rethoricus*[3]) oder später, als man für die einzelnen Stile besondere Namen erfand, *stilus Isidorianus.*[4]) Die Huma-

angeführten Beispiel *venere* — *habere*, oder bei Hrotsvitha *extorsi* — *cremari* etc. — Ist ferner die besonders stark ausgeprägte Reimprosa der Chronik des sog. Isidorus von Beja (geschrieben 754 in Südspanien), woraus R. Dozy, Recherches sur l'histoire et la littérature de l'Espagne pendant le moyen âge. Ed. 2 I (Leyden 1860) 2 ff., Proben veröffentlicht hat, auf Rechnung des Arabischen zu setzen oder hat man auch sie aus der Entwicklung des lateinischen Stils zu erklären? Vielleicht waren beide Motive wirksam. — Über deutsche Reimprosa im Mittelalter cf. W. Wackernagel, Hdb. d. deutsch. Nationallit. I² (Basel 1879) § 40.

1) Man erkennt das z. B. deutlich aus Ekkehart († 1080) casus S. Galli, in den Mon. Germ. ed. Pertz II 85.

2) Cf. W. Gundlach, Ein Diktator aus der Kanzlei Kaiser Heinrichs IV. (Innsbr. 1884) 32. 51. 125; z. B. *quam sicut ceteris specialius dilectione nostra dignamur, ita quoque nobis preciosiora eidem ceteris specialibus addere conamur. — deus, qui et invisibili disciplina ut voveat animum informat et ad exsequenda in visibilibus quae voverat sollicitat. — inimicos regis . . . ut sicut periurii infamia sunt exleges ita bonorum suorum omnium fiant exheredes.* Cf. auch Hugo Bononiensis (s. XII) ars dictandi ed. Rockinger in: Quellen z. bayer. u. deutsch. Gesch. IX 1 (1863) 58 *sunt preter hoc duo necessaria, id est coma et cola* (im Ma. ist dies Wort fem. gen.), *sine quibus orator perfecta non utitur eloquentia. est coma divisio, videlicet subsequens precedenti non multum inpar positio, quando scilicet distinctione videntur quasi currere. et sint fere conpares. verbi gratia: 'vestrae dilectionis et fraternitatis litterae meas ad aures usque venere: quorum presentiam vellem si possem pre oculis semper habere'. hoc in epistola est necessarium sine quo inconcinnum constat omne prosaicum* (er gibt dann noch mehr Beispiele). Auch Vincentius Bellovacensis behandelt im Speculum doctrinale IV c. 129 unter den Wortfiguren am ausführlichsten das Antitheton, gestützt auf je ein Beispiel aus Cicero und der Bibel (ersteres hat er aus den lateinischen Rhetoren, letzteres aus Augustin).

3) Cf. Odilo vita S. Maioli in AA. SS. Boll. Mai. vol. II 688.

4) Cf. Johannes Anglicus (s. XIII) ars dictandi ed. Rockinger l. c. 502.

nisten haben damit aufgeräumt, indem sie die Anwendung des *ὁμοιοτέλευτον* auf die bei Isokrates und Cicero eingehaltenen Normen zurückführten.

Zweites Kapitel.

Der Stil der lateinischen Prosa in der Zeit des Humanismus.

I. Die allgemeinen Verhältnisse.

Polemik der Humanisten gegen das ma. Latein.

1. Die rhetorisch-stilistische Tendenz war in dem Zeitalter, für welches der Begriff der allgemeinen Bildung echt antik mit dem der 'Eloquenz' zusammenfiel, zwar von Anfang an stark vertreten, aber im ersten Jahrhundert doch noch nicht die einzige: man denke an Petrarcas glühende Begeisterung für das auf Restitution der alten Roma ausgehende Unternehmen Colas, an die Gründung der platonischen Akademie, an die Sehnsucht nach Kenntnis Homers als des Urquells der Poesie. Man kann also sagen: anfangs war die Verbesserung des Stils nur eine Ausstrahlung des allgemeinen Ringens nach Klarheit und Reinheit auf Grund der Antike im Gegensatz zum Formenchaos des Mittelalters.

Schon Petrarca verglich das Mönchslatein einem verkrüppelten Baume, der weder grüne noch Früchte trage.[1]) Vor allem charakteristisch aber für ihn und die ganze Stellung des Humanismus zum Mittelalter in Fragen des Stils ist ein von Petrarca selbst (ep. de reb. fam. XIII 5) mit seiner gewohnten antiken Liebenswürdigkeit und Eitelkeit geschilderter Vorgang aus dem Jahre 1352. Zwei befreundete Kardinäle haben ihn zum Sekretär der päpstlichen Kanzlei vorgeschlagen, einem Amte, zu dem man sich seit alters die besten Latinisten aus aller Herren Länder kommen ließ; Petrarca hat keine Lust, sich irgendwie zu binden, weiß aber nicht recht, wie er mit guter Manier ablehnen kann: da kommt ihm die Kurie selbst zu Hilfe, sie fordert nämlich, er solle seinen hohen Stil erniedrigen, denn so gezieme es sich für die Niedrigkeit des römischen Stuhls. Dieses Ansinnen erfüllt Petrarca, wie er sagt, mit einer Freude, wie sie

---

1) Cf. G. Voigt, D. Wiederbeleb. d. klass. Altert. I³ (Berl. 1893) 35.

der empfindet, der auf der Schwelle des verhaßten Kerkers seinen Befreier unverhofft erblickt: denn in der Probeschrift entfaltet er nun erst recht alle Schwingen seines Genies und versucht es, so hoch zu fliegen, daß diejenigen, die ihn fangen wollen, ihn aus dem Gesicht verlieren möchten: und die Musen und Apollon stehen ihm bei: *quod dictaveram, magnae parti non satis intelligibile, cum tamen esset apertissimum, quibusdam vero graecum seu magis barbaricum visum est. en quibus ingeniis rerum summa committitur.* Drei Arten des Stils, führt er weiter aus, erkennt Cicero an, den hohen, mittleren und niederen: in dem ersten vermag jetzt so gut wie niemand zu schreiben, in dem zweiten wenige, in dem dritten viele; was aber darunter ist, *iam profecto nullum orationis ingenuae gradum tenet, sed verborum potius quaedam et agrestis et servilis effusio est, et quamquam mille annorum observatione continua inoleverit, dignitatem tamen, quam naturaliter non habet, ex tempore non habebit .... Quid est igitur quod me poscunt? certe quo me uti iubent et quem ipsi stilum nominant, non est stilus ... Has ad scholas ire iubeor iam senescens, quas iuvenis semper fugi.* Den Göttern, führt er aus, sei Dank, daß Cicero, Seneca und Juvenal, die gegen den Verfall der Beredsamkeit geeifert haben, diese Zustände nicht erlebt haben! Man erkennt den Unterschied zwischen der Diktion mittelalterlicher Menschen und der des Petrarca am deutlichsten, wenn man nebeneinander Dokumente liest, die in einer und derselben Angelegenheit von beiden Parteien verfaßt sind, z. B. die Invektive des Franzosen (eines echten Pariser Scholastikers) gegen Petrarca und dessen Antwort[1]), den Brief Karls IV. an Petrarca[2]) und die — zum Teil glänzend geschriebenen — Briefe dieses an jenen[3]); diese Dokumente sind um so bezeichnender, als sowohl der französische Anonymus wie der böhmische König (bezw. sein Sekretär) in ihren Schreiben an den berühmten Latinisten sich viel Mühe gegeben haben, aber ohne Erfolg. — In demselben Sinn hat Salutato speziell gegen die mittelalter-

1) Beide Schreiben in der Basler Ausgabe Petrarcas vom Jahre 1554 p. 1060 ff.

2) Bei J. de Sade, Mém. pour la vie de Fr. Petr. II (Amsterd. 1764), pièce just. XXXIV.

3) Z. B. ep. de reb. fam. X 1. XIII 1 u. ö.

liche Reimprosa geeifert[1]), und für alle Späteren ist, wie jeder weiß, bis auf die Epistulae obscurorum virorum das scholastische Latein ein „Schlammpfuhl, in dem sich Menschen wühlen, die man besser Schweine nenne“, „Menschen, die Gott zur Strafe in jenem durch Barbarei verseuchten Zeitalter habe leben lassen“, „Menschen, die mehr Soloezismen als Worte machten und die man daher lieber schnarchen als reden höre“ und so weiter.[2]) Peinlich war es, daß man auch Dante, den allgemein verehrten, von diesem Gesichtspunkt aus mitsamt den übrigen verwerfen mußte[3]): aber das wollte nicht viel heißen, genügten doch späteren

---

1) Da die Stelle nicht bekannt zu sein scheint, will ich sie anführen: Lini Coluci Salutati epistolae ed. Rigacci I (Florenz 1741) ep. 80 (p. 183 f.): *Episcopo Florentino. vidi gavisusque sum elegantissimam illam orationem vestram quam mihi dignatus fuistis* (sic) *vestra benignitate transmittere .... Et quum omnia placeant, super omnia michi gratum est, quod more fratrum ille sermo rythmica lubricatione non ludit, non est ibi syllabarum aequalitas, quae sine dinumeratione fieri non solet, non sunt ibi clausulae quae similiter desinant aut cadant. quod a Cicerone nostro non aliter reprehenditur quam puerile quiddam, quod minime deceat in rebus seriis vel ab hominibus, qui graves sint, adhiberi. benedictus deus, quod sermonem unum vidimus hoc fermento non contaminatum et qui legi possit sine concentu et effeminata consonantiae cantilena.* — Ganz ähnlich verurteilt der (unbekannte) Verf. einer in Köln 1484 gedruckten ars dicendi (bei Panzer, Ann. typ. I p. 292 n. 117. Ich habe sie auf der Kgl. Bibl. zu Berlin benutzt): l. XIII tract. VI cap. XII (De similiter desinente) die Reimprosa als *puerilitas* und erbost sich über *quidam moderni predicatores,* die sie trotzdem anwendeten.

2) Außer den ep. obsc. vir. vgl. etwa noch die Sammlung von K. Hartfelder, Melanchthon als Praeceptor Germaniae (in: Mon. Germ. Paedag. VII 1889) 155 ff. L. Bruni Aretini dial. de trib. vatibus Florentinis (1401) ed. Wotke (Wien 1889) 14 f. Erasmus dial. Ciceron. (Opera 1703 vol. I) 1008 D. G. J. Vossius inst. orat. (1606) l. IV c. 1. Wie selten dagegen einmal ein Wort der Anerkennung! Melanchthon or. de art. lib. (1517) l. c. (o. S. 745, 2) von den Scholastikern: *aridi sunt ac ieiuni sermonem, fecundi sensa.* Muretus notae ad Senecam p. 383 (zitiert von Mosheim in der Vorrede s. Ausgabe von Vberti Folietae de linguae lat. usu et praestantia [Hamb. 1723] p. 23): Seneca (ep. 58) klage, daß er τὸ ὄν nicht übersetzen könne, Thomas und Duns hätten es getan und es sei unrecht, sie deshalb zu verlachen.

3) Der Stimmung dieser Kreise leiht, ohne sie selbst zu teilen, Worte Lionardo Bruni in der berühmten Invektive gegen die florentinischen Triumvirn (1401): Leon. Bruni Aretini dial. de trib. vatib. Florent. ed. Wotke (Wien 1889) 20 f.: *de his loquamur quae ad studia nostra pertinent, quae quidem ab isto ita plerumque ignorata video, ut appareat id quod verissimum est, Dantem quodlibeta fratrum atque huius modi molestias lectitasse, librorum*

Generationen bei immer steigender stilistischer Empfindlichkeit nicht einmal Petrarca und Boccaccio mehr.[1])

Folgen für das Humanistenlatein: 2. Die vom Standpunkt der Humanisten selbst höchst verhängnisvollen Folgen dieser steigenden Einseitigkeit waren unausbleiblich. Sie sind für uns erkennbar in folgenden zwei für die ganze Kulturentwicklung sehr wichtigen Symptomen.

---

autem gentilium, unde maxime ars sua dependebat, nec eos quidem qui nobis reliqui sunt attigisse. denique ut alia omnia sibi adfuissent, at certe latinitas defuit. nos vero non pudebit eum poetam appellare et Virgilio etiam anteponere, qui latine loqui non potest? legi nuper quasdam eius litteras, quas ille videbatur peraccurate scripsisse — erant enim propria manu atque eius sigillo obsignatae —, at mehercule nemo est tam rudis, quem tam inepte scripsisse non puderet. quam ob rem, Colucci, ego istum poetam tuum a concilio literatorum seiungam atque eum zonariis, pistoribus et eius modi turbae relinquam. sic enim locutus est, ut videatur huic generi hominum valuisse esse frater. Das Urteil über Dantes lateinische Prosa wird nicht, wie die andern Beschuldigungen, im zweiten Teil des Dialogs zurückgenommen. — Über den Stil des Albertino Mussato († 1329) cf. Voigt l. c. 18; des Ferreto von Vicenza ib. 19; des Cola di Rienzo ib. 53. 60, 1; des Salutato ib. 201 f.; des Giovanni di Conversino ib. 218.

1) Cf. Paulus Cortesius († 1510) de hominibus doctis (ed. Florentina 1734): *huius sermo nec est latinus et aliquanto horridior, sententiae autem multae sunt sed concisae, verba abiecta, res compositae diligentius quam elegantius. fuit in illo ingenii atque memoriae tanta magnitudo, ut primus ausus sit eloquentiae studia in lucem revocare: nam huius ingenii magnitudine primum Italia exhilarata et tanquam ad studia impulsa atque incensa est. declarant eius rhythmi, qui in vulgus feruntur, quantum ille vir consequi potuisset ingenio, si latini sermonis lumen et splendor affuisset: sed homini in faece omnium saeculorum nato illa scribendi ornamenta defuerunt ..... quamquam omnia eius nescio quo pacto sic inornata delectant ... Et iisdem temporibus fuit Iohannes Boccaccius ... Huius etiam praeclarissimi ingenii cursum fatale illud malum oppressit: excurrit enim licenter multis cum salebris ac sine circumscriptione ulla verborum; totum genus inconditum est et claudicans et ieiunum, multa tamen videtur conari, multa velle: ex quo intelligi potest, naturale eius quoddam bonum inquinatum esse pravissime loquendi consuetudine.* L. Vives de tradendis disciplinis (1531) in: Op. ed. Bas. 1555 I p. 482: *non est omnino impurus* (Petrarca), *sed squalorem sui saeculi non valuit prorsum detegere.* Ant. Sabellicus de lat. ling. reparatione (Cöln 1529) 10 preist den Gasparinus Barziza als den ersten, *qui ad veteris eloquentiae umbram oculos retorsit, quum mille et amplius annos semper omnia in peius abiissent.* Wie viel gerechter die schönen Worte eines älteren Humanisten bei Nolhac l. c. (o. S. 734, 1) 426.

a) Das Latein eine tote Sprache.

Erstens. Der lateinischen Sprache, die im Mittelalter nie ganz aufgehört hatte zu leben[1]) und demgemäß Veränderungen aller Art unterworfen gewesen war, wurde von denselben Männern, die sich einbildeten, sie zu neuem dauernden Leben zu erwecken, sie zu einer internationalen Kultursprache zu machen[2]), der Todesstoß gegeben. Die Geschichte der lateinischen Sprache hört damit endgültig auf, an die Stelle tritt die Geschichte ihres Studiums. Das ist von vielen modernen Forschern sehr richtig hervorgehoben worden[3]); ja, wenn man genau zusieht, findet man, daß die Erkenntnis den Humanisten selbst nicht ganz verborgen blieb. Sie kommt deutlich zum Ausdruck in einem literarischen Streit des Picus de Mirandula und Melanchthon, in welchem ersterer die Freiheit des scholastischen Lateins gegenüber der Gebundenheit des künstlich archaisierenden verteidigt (Corp. reform. IX 678 ff.). Man vergleiche ferner den in den ep. obsc. vir. (ep. 1 p. 4, 35 Böck.) vertretenen Standpunkt der Scholastiker: *non obstat quod 'nostro — tras — trare' non est in usu, qui possumus fingere nova vocabula, et ipse allegavit super hoc Horatium* (nämlich de a. p. 52 *nova fictaque nuper habebunt verba fidem*) mit folgenden Worten des Melanchthon de imitatione (zuerst 1519) p. 493[4]): *cum hoc tempore tota nobis latina lingua ex libris discenda est, facile iudicari potest necessariam esse imitationem, ut certum sermonis genus, quod ubique et omnibus aetatibus intelligi possit, nobis comparemus. quis enim intelligit istos, qui genuerunt novum quoddam sermonis genus, quales sunt Thomas, Scotus et similes. certa igitur aetas autorum eligenda est, qui propriis-*

---

1) Cf. G. Salvioli l. c. (S. 696, 3) XIV 525 f.

2) Francisc. Vavassor or. III (gehalten 1636, in: Opera ed. Amstelodami 1709) p. 203.

3) Wohl zuerst von Fr. Haase, De med. aev. stud. philol. (Progr. Bresl. 1856) 25 f. Ferner: Vahlen, Lorenzo Valla (in: Almanach d. Kais. Akad. d. Wiss. in Wien XIV 1864) 193. Ch. Thurot l. c. (S. 748, 2) 500 ff. H. Kämmel, Gesch. d. deutsch. Schulwesens im Übergang vom Ma. zur Neuzeit (Leipz. 1882) 381. A. Graf, Roma nella memoria e nelle imaginazioni del medio evo II (Turin 1883) 169. H. Rashdall, Te universities of Europe in the middle ages II 2 (Oxford 1895) 596. Alle voneinander unabhängig.

4) Ein Teil seines Werkes Elementa rhetorices ed. im Corp. Reform. XIII 413 ff.

sime[1]) *et purissime locuti sunt.*[2]) Petrarca selbst hatte sich freilich, auch darin den Instinkt und den weiten Blick des Genius bewährend, eine durchaus freie Stellung den geliebten Autoren gegenüber zu wahren gewußt: wie es ihm eine Herzensfreude ist, wenn er sie loben, ein Gram, wenn er sie tadeln muß, so will er in der *imitatio* durchaus nicht seine eigne so unendlich stark ausgeprägte Individualität verleugnen: das Nachahmende, sagt er einmal (ep. fam. XXIII 19), solle mit dem Nachgeahmten nicht die Ähnlichkeit eines Porträts, sondern die des Sohnes zum Vater haben: *providendum, ut cum simile aliquid sit, multa sint dissimilia et id ipsum simile lateat nec deprehendi possit nisi tacita mentis indagine, ut intelligi simile queat potius quam dici. utendum igitur ingenio alieno utendumque coloribus, abstinendum verbis: illa enim similitudo latet, haec eminet.*[3]) Das war der Standpunkt der größten Stiltheoretiker des Altertums gewesen (Petrarca kennt ihn aus Quintilian)[4]), aber wie im Altertum nur die bedeutendsten Stilisten, allen voran Cicero, ihn in der Praxis haben behaupten können, die meisten zu *imitatores, servum pecus* herabsanken, so auch in der Zeit dieser stilistischen Wiedergeburt der Antike: die Last, die das gestaltende Genie leicht auf den Schultern trug, drückte die Epigonen nieder; statt die 'Fehler' der Sprache und des Stils Petrarcas zu rügen, sollte man lieber hervorheben, daß er gerade dadurch so liebenswürdig und indi-

1) Eine seltsame Laune des Zufalls, daß ihm das Wort gerade in diesem Zusammenhang in die Feder kommen mußte.

2) Cf. ib. p. 500 *stultum est nunc de numeris praecipere, cum sonus linguae latinae hoc tempore non sit nativus.* Ähnliche Äußerungen bei Erasmus (de rat. conscr. epist. 4 = Op. I 348 A und ep. 633 = Op. III 724 D—F), cf. G. Glöckner, Das Ideal d. Bildung u. Erziehung bei E. (Dresden 1889) 12.

3) Besonders eingehend hat er sich darüber ausgesprochen ep. fam. XXII 2, z. B. *vitam mihi alienis dictis ornare, fateor, est animus, non stilum . . . Decet non omnis scribentem stilus: suus cuique formandus servandusque est . . . Quid ergo? sum quem priorum semitam sed non semper aliena vestigia sequi iuvet . . . Sum quem similitudo delectet, non identitas, et similitudo ipsa quoque non nimia, in qua sequacis lux ingenii emineat, non caecitas, non paupertas. sum qui satius rear duce caruisse quam cogi per omnia ducem sequi* usw.

4) Das geht mit Sicherheit hervor aus seiner Randbemerkung (bei Nolhac l. c. 288) zu Quint. X 2, 27 (*'imitatio, nam saepius idem dicam, non sit tantum in verbis'): lege, Silvane, memoriter.*

viduell schreibt im Gegensatz zu der mumienhaften Diktion der Späteren.

b) Aufblühen der modernen Sprachen.

Zweitens. Die endgültige Beseitigung des Lateins als lebender Sprache hatte zur Folge, daß jetzt den einzelnen Volksidiomen eine freiere Bahn zu selbständiger Entfaltung gegeben wurde. Denn war jenes Barbarenlatein bis zu einem gewissen Grade fähig gewesen, dem Gefühl und Denken der Menschen auch bei den praktischen, in Staat und Kirche eingreifenden Fragen einen deutlichen Ausdruck zu verleihen, so war das in dem klassischen Latein, der toten Sprache, nicht mehr möglich.[1]) Dadurch hatte sich nun aber der Humanismus selbst den schwersten Stoß versetzt. Denn was waren diese Volkssprachen der Kulturländer in den Augen der Humanisten? Vom Deutschen und Englischen stand es ein für allemal fest, daß es Barbarensprachen seien, an die man bloß zu denken brauchte, um ein Fieberschütteln in den Gliedern zu spüren.[2]) Die Volkssprachen der romanischen Länder, das Französische und vor allem das Italienische selbst, mußten aber den Humanisten, die linguistisch noch unwissender waren als die Gelehrten des Altertums und daher von einer spontanen, gesetzmäßigen Entwicklung der Sprachen keine Idee hatten, als

1) Cf. Kämmel l. c. (S. 767, 3) 381.

2) Auch im Mittelalter galt bei den Gelehrten die Gleichung *Teutonice loqui* und *barbarice loqui*. Wer liest heute ohne Lächeln die langen Expektorationen Otfrids in dem lateinischen Prolog zu seinem Gedicht, wo er sich darüber beklagt, daß er in einer solchen *agrestis lingua* schreiben müsse? Die Barbarismen und Solözismen dieser Sprache mißt er an der lateinischen, die für ihn die Norm alles Richtigen ist (p. 10 Piper). Notker († 1022) muß sich in seinem berühmten Brief (zuletzt ed. Piper, Die Schriften N.s und seiner Schule I 860 f.) wegen seiner Übersetzungen aus dem Lateinischen ins Deutsche geradezu entschuldigen: *scio quia primum abhorrebitis quasi ab insuetis; sed paulatim forte incipiant se commendare vobis et prevalebitis ad legendum et ad dinoscendum, quam cito capiuntur per patriam linguam, quę aut vix aut non integre capienda forent in lingua non propria.* Solche Äußerungen wie diese Notkers sind gewiß ganz vereinzelt, die gewöhnliche Anschauung finde ich besonders drastisch ausgesprochen in Ekkeharts IV († c. 1080) casus S. Galli c. 3 (MGH II 98), wenn er den Teufel in seiner höchsten Not deutsch sprechen läßt: *tot iam ictus et incussiones ferre non sustinens b a r b a r i c e clamans: au wê! mir wê! vociferavit.* Cf. auch R. v. Raumer, Die Einwirkung des Christentums auf die althochdeutsche Sprache (Stuttg. 1845) 201 f.

sogenanntes 'depraviertes Latein' erscheinen.[1]) So hatten sie also glücklich der Hydra des scholastischen Lateins den Kopf abgehauen, aber sofort waren neue Köpfe nachgewachsen, die sich

1) Man sah nämlich Hunnen, Vandalen und besonders Goten als die Zerstörer der lateinischen Sprache an. Dieses in solcher Einseitigkeit ganz wesenlose Phantom spukte in fast allen Köpfen der Gelehrten des XV.—XVII. Jh.; cf. L. Valla, Elegantiae (c. 1440) l. III praef. (ed. Argentor. 1517) f. 76v *postquam hae gentes (Gothi et Vandali) semel iterumque Italiae influentes Romam ceperunt, ut imperium eorum ita linguam quoque, quemadmodum aliqui putant, accepimus et plurimi forsan ex illis oriundi sumus. argumento sunt codices gothice scripti, quae magna multitudo est. quae gens si scripturam romanam depravare potuit, quid de lingua putandum est?* M. Antonius Sabellicus de lat. ling. reparatione dialogus (Colon. 1529) 2 und 8: die Verderbnis datiere sich *ex Gothica tempestate*; Erasmus dial. Ciceronianus I 983 (der Gesamtausgabe vom J. 1703) *Gotticas voces aut Teutonum soloecismos.* Viel Material bei: A. Schott, Tullianae quaestiones (1610) 41. 43. 163 und besonders bei: Ch. Cellarius de origine ling. Italicae (1694) 90 ff. (in: Cellarii dissertationes academ. ed. Walch, Leipz. 1712). Von der französischen Sprache behauptete man natürlich dasselbe, cf. Vavassor or. 3 (gehalten 1636) in: Opera ed. Amstelod. 1709 p. 203. Balzac, Oeuvres II (Paris 1665) 570. Bouhours, Les entretiens d'Ariste et d'Eugene (1671) 124. 139 (er zitiert Jul. Caes. Scaliger, der als selbstverständlich hinstellt, *linguam Gallicam, Italicam et Hispanicam linguae Latinae abortum esse*). Cf. auch unten Anhang I 4b Anm. — Sollte nicht dies Vorurteil einige national gesinnte und zugleich humanistisch gebildete Franzosen des XVI. Jh. veranlaßt haben zu den tollen Herleitungen französischer Worte aus dem Griechischen statt aus dem Lateinischen? Wer kann z. B. glauben, daß ohne eine bestimmte Veranlassung Henri Estienne in seiner Schrift Conformité du langage françoys avec le grec (1565) nicht gewußt haben soll, daß frz. *despense* sich leichter von *dispensa* als von *δαπάνησις*, *coin* von *cuneus* als von *γωνία* herleiten lasse, oder daß ein späterer Etymologe bei der Erklärung von *vestement* an *vestimentum* vorbeigegangen wäre und *ἐσθής* als Grundwort für das Franz. aufgestellt hätte (cf. E. Egger, L' hellénisme en France I 110 ff.)? Die Abneigung gegen 'gotische' Drucktypen (cf. A. Birch-Hirschfeld, Gesch. d. frz. Lit. I 109 f.) hängt jedenfalls damit zusammen, ebenso die uns geläufige Gegenüberstellung des 'gotischen' und 'romanischen' Baustils. — Nur wenige Gelehrte der früheren Jahrhunderte haben sich von dieser Anschauung zu emanzipieren vermocht. Im XVII. Jahrh. waren einige auf dem richtigen Wege, indem sie mit scharfem Blick die Goten-Theorie als falsch erkannten, weil sich schon viel früher deutliche Spuren der *lingua vulgaris* fänden, z. B. wies man schon ganz richtig auf die Cena Trimalchionis hin und tadelte diejenigen, die aus ihr die Vulgarismen entfernen wollten. Die Urteile dieser Gelehrten (zu denen z. B. auch Lipsius gehörte) sind gesammelt von D. Morhof, De Patavinitate Liviana (1684) c. 6 (in seinen

trotz heißen Bemühens als unvertilgbar bewiesen. Dieser Kampf der Humanisten gegen die Volkssprachen, die unpatriotischen, beleidigenden Äußerungen, die in ihm zuliebe einem außerhalb jeder Entwicklung stehenden unklaren Phantasiegemälde gefallen sind, bilden in der Geschichte der menschlichen Irrtümer wohl eins der unerfreulichsten Kapitel[1]), dessen genauere Behandlung — sie muß ja bekanntlich leider schon mit Petrarca beginnen — ich andern überlasse, wenn sie sich überhaupt lohnt.[2]) Nur auf ein Dokument, welches uns den lebendigsten Einblick in diesen Streit gewährt, möchte ich aufmerksam machen: die Schrift des Ciceronianers Ubertus Folieta aus Genua (1516—1581) de ling. lat. usu et praestantia libri III, Rom 1574 (bekannter in der von Mosheim zu Hamburg 1723 besorgten Ausgabe). In Form eines Dialogs legen die beiden Gegner ihre sich schroff

---

Dissert. academ. et epistol. ed. Hamburg 1699) 517 ff. Das erste mir bekannte (von Morhof übersehene) Zeugnis ist: Celso Cittadini in seinem Trattato della vera origine e del processo e nome della nostra lingua (1601) ed. Gigli (in: Opere di C. C., Roma 1721). Er polemisiert c. 1 gegen die Goten-Theorie und weist weiterhin nach, daß die Anfänge der vulgären Diktion viel früher liegen. Das Werk ist für jene Zeit wirklich bewundernswert (uns erscheint das alles als selbstverständlich): es werden die ältesten Inschriften und Schriftsteller herangezogen, dann auch spätlateinische Inschriften und Autoren, Zeugnisse über den *sermo militaris* und *rusticus*.

1) Ein Analogon aus einem verwandten Kulturkreis ist der Kampf der Attizisten gegen die *κοινή*, eins aus einem getrennten Kulturkreis der Kampf der jüdischen Gelehrten gegen die aramäische Volkssprache zu gunsten des klassischen, aber toten Hebräisch (cf. Th. Zahn, Einl. in d. N. T. I [Leipz. 1897] 17, 9).

2) Für die ältere Zeit cf. Voigt l. c. 13. 117 f. 166. 381; der Brief (de reb. fam. XXI 15), in dem Petrarca sich wegen seines gleichgültigen Verhaltens gegenüber Dante zu verwahren sucht, macht — wenigstens auf uns — den Eindruck nicht einer Selbstverteidigung, sondern einer Selbstanklage, bei der versöhnend nur das uns auch so fremdartige Motiv wirkt, daß er ebenso verächtlich auf seine Lauralieder herabsieht. Aus Erasmus hat höchst bezeichnende Aussprüche gesammelt G. Glöckner, Das Ideal d. Bild. u. Erzieh. bei E. (Dresden 1889), 10, cf. A. Richter, Erasmus-Studien (Leipz. 1891) p. XIX. Der humanistisch gebildete Verf. der zu Köln 1484 gedruckten Ars dicendi (genauer oben S. 765, 1) gesteht bei einem Abschnitt über die vulgäre Reimpoesie (l. XIII tract. VI c. XII): er würde gern Beispiele geben, aber da er sie nur aus den 'Barbarensprachen' (er meint die franz. und deutsche) geben könne, so lasse er es lieber. Nachher läßt er sich aber doch herab, ei Beispiel zu bilden: *possum graviter sufferre, quod in mundo tot sunt guerre.*

entgegenstehenden Anschauungen dar. Der Vertreter des italienischen Idioms führt fünf Gründe an (p. 94ff. Mosh.): 1) Es ist a priori unnatürlich, nicht in der Sprache zu schreiben, die im täglichen Gebrauch ist. 2) Es ist vom rein praktischen Gesichtspunkt aus falsch, denn das Latein wird als eine tote Sprache nur von den Gelehrten mehr verstanden. 3) Es kostet eine lange Reihe von Jahren, es zu einer annähernden Vollkommenheit im Gebrauch dieser Sprache zu bringen. 4) Wenn aus den bisher vorgebrachten Gründen folgt, daß das Latein nicht mehr geschrieben werden soll, so folgt aus dem jetzt vorzubringenden, daß es gar nicht mehr geschrieben werden kann. Denn jede Sprache ist dazu da, den Gedanken Ausdruck zu verleihen; das kann das Latein nicht, weil inzwischen eine vollständige Veränderung aller Verhältnisse eingetreten und eine unzählige Reihe von Dingen erfunden ist, für die es keine lateinischen Ausdrücke gibt. 5) Aus diesen Gründen würde folgen, daß man italienisch schreiben müsse, auch wenn es eine häßliche Sprache wäre; nun aber gibt es tatsächlich keine schönere. — Diese Gründe, die uns so vernünftig erscheinen, sucht nun der Gegner zu entkräften. Von der Bitterkeit, mit der der Streit geführt wurde, kann z. B. die Diskussion über den fünften Punkt eine Vorstellung geben (p. 115): *Quare debemus* (beginnt der Vertreter des Lateinischen) *vestigia priscorum persequentes nobilissimam, patriam, latinam linguam nostram tenere, populari Italica prae illa ignobili et manca spreta, quippe quae nihil aliud sit quam latina lingua corrupta et depravata. — Hoc vero aures ferre non possunt ingensque piaculum committi puto linguam patriam nostram Italam ita aspere et probrose appellare, quae non latina corrupta vocanda sit, sed pulcherrimae matris latinae linguae pulchrior filia. — Tu vero illam, ut libet, filiam appellato, modo id memineris, tum eam conceptam et natam, cum misera parens omni barbararum gentium colluvioni prostituta ex incesto concubitu illam protulit. — Tu vero vide, quanto te parricidio patriae obstringas. — Meo periculo pecco. quid autem per deum immortalem est indignius, quam filiam hanc degenerem et notham tanta esse audacia tamque proiecta impudentia, ut matrem per summum scelus et impietatem extinguere conetur?* Sie sei gerade gut genug für *vulgus et opifices*, denen man sie immerhin lassen möge.

II. Das Humanistenlatein und seine Einwirkung auf die modernen Sprachen.

A. Der Ciceronianismus und seine Gegner.

1. Die Ciceronianer.

Wir haben gesehen, daß durch den Humanismus die lateinische Sprache zu Grabe getragen wurde. Petrarca hatte das Mönchslatein einem verkrüppelten Baume verglichen und ein französischer Dichter (Clement Marot) von den Knospen gesprochen, die zu neuer Blüte sich erschlossen, nachdem ein eisiger Wintersturm sie hatte verdorren lassen. Nun (um im Bilde zu bleiben), diese neuen Pflanzen wuchsen nicht mehr auf einem, wenn auch gealterten, so doch noch zeugungsfähigen Boden, sondern waren Kunstpflanzen des Treibhauses. Die Parole lautete von jetzt ab: *imitatio*, aber die Frage war: imitatio wessen? Um sie wurde der Kampf länger als ein Jahrhundert mit einer Erbitterung geführt, die wahrlich einer besseren Sache wert gewesen wäre: *quae (imitatio)*, sagte einer[1]), *cum vehementer multorum animis non solum in Italia sed et in aliis regionibus, in quibus bonae litterae vigent, insederit, ita litteratorum ingenia torquet, ut nulla unquam de re acrius magisque capitali inter eos odio meo iudicio certatum sit.* Für Petrarca spielte, wie bemerkt (S. 768), diese Frage verhältnismäßig noch eine Nebenrolle: stand auch für ihn in der Prosa Cicero, wie in der Poesie Virgil, schon durchaus im Vordergrund, so dachte er doch nicht daran, ihn allein auf den Schild zu erheben und sich ihm als Sklave unterzuordnen: er umfaßte sie alle mit zärtlicher Liebe, 'seine' auctores, weil ihm jeder einzelne das Bild jener Zeiten vervollständigte, in die er sich sehnsuchtsvoll hineinträumte, er korrespondierte wie mit Cicero, so auch z. B. mit Varro und Seneca. Aber als bald nach Petrarca das rhetorisch-stilistische Element sich mehr und mehr vordrängte und schließlich zum allein herrschenden wurde, als durch die Bemühungen der großen Sammler der Kreis der Autoren, die man glaubte auffinden zu können, geschlossen war, da wurde man wählerisch: an die Stelle der Vielheit trat für die imitatio der große Eine, Cicero. Die Nachahmer Ciceros

1) Floridus Sabinus adversus Stephani Doleti Aurelii calumnias liber (Rom 1541) 7.

nannten sich und wurden von ihren Gegnern genannt *Ciceroniani*, eine nicht gerade klassische Bezeichnung, die man wohl einem berühmten Brief des Hieronymus (ep. 22) entnahm.

Eine Geschichte dieses Streites gibt es noch nicht[1]), auch beabsichtige ich nicht, obwohl ich mir seine Akten einigermaßen vollständig, wie ich glaube, gesammelt habe, sie zu liefern, weil sie, an sich unerfreulich[2]), einem zu geringen Interesse begegnen dürfte. Doch muß ich zum Verständnis des Folgenden (B), das mir wichtig und allgemein interessant erscheint, ein paar mehr allgemeine Momente herausheben.

Es waren hauptsächlich zwei Argumente, mit denen die Anticiceronianer operierten.

2. Die Anticiceronianer.

Erstens. Ihr könnt, sagten sie, eine Unzahl von Dingen des gewöhnlichen Lebens nicht ausdrücken, weil euch dafür die

---

1) R. Sabbadini, Storia del Ciceronianismo, Turin 1886, behandelt nur die Anfänge. Eine gedrängte Übersicht bei G. Bernhardy, Grundriß d. röm. Lit.[5] (Braunschw. 1872) 115ff. Über die verschiedenen Parteien orientiert gut schon der spanische Humanist Matamoro de formando stilo (1570), c. 11 (in: Opera ed. Madrid 1769 p. 503ff.). Einige die imitatio betreffende Schriften sind abgedruckt in: Fr. Andr. Hallbauer, Collect. praestantissimorum opusc. de imit. orat., Jena 1726. Die Hauptführer der Ciceronianer faßt zusammen Will. Camden in einem lateinischen Gedicht auf den englischen Ciceronianer Roger Ascham, gedruckt bei Giles in seiner Ausg. A.s I 1 (Lond. 1865), sowie Ascham in einem Brief an Sturm vom J. 1568: bei Giles vol. II ep. 99 p. 186f.

2) Aber — das sei erlaubt, in einer Anmerkung zu betonen — man kann doch sehr vieles daraus für das Verständnis Ciceros lernen, wie ich schon oben (S. 213f. 218) hervorgehoben habe. Für mich wenigstens haben manche dieser Schriften das Verständnis ciceronianischer Kunst geradezu vermittelt, und meine Ansicht ist, daß unser Schulunterricht in vielen Punkten daraus verbessert werden könnte. Wie wenige nehmen heutzutage aus der Schule ins Leben mit sich die Bewunderung Ciceros als Redners und Stilisten! Aber ist das auch anders denkbar, wo es vorkommt, daß Lehrer ihre Schüler sofort übersetzen lassen, ohne daß vorher die lateinischen Worte gelesen werden, auf deren Stellung und Zusammenfügung doch eben der hauptsächliche, oft alleinige Reiz beruht? Wir müssen Ohren und Zunge schulen durch wiederholtes lautes Lesen, erst des einzelnen (vorher sorgfältig auf seine oratorische Kunst analysierten) Satzes, dann des ganzen Abschnitts, dann der ganzen Rede: dann werden wir unsere Schüler nicht langweilen, sondern sie etwas von dem Zauber empfinden lehren, durch den die Hörer des Mannes und zahllose Generationen nach ihm gebannt wurden.

Worte bei Cicero fehlen; ihr müßt daher zu Umschreibungen greifen, die absurd und oft unverständlich sind. Diese Anschauung tritt besonders klar hervor in der Kritik, der Justus Lipsius, ein Führer der Anticiceronianer, die venetianische Geschichte (Rerum Venetarum historiae l. XII, erschienen 1551, vier Jahre nach des Verfassers Tod) des Pietro Bembo, des Haupts der Ciceronianer, unterzieht in einem Brief an Janus Dousa (wahrscheinlich aus d. J. 1588).[1] Er tadelt die affektierte Nachahmung Ciceros, die zur Folge habe, daß *universa scriptio composita et formata ad aevum priscum et omnia sic de re Veneta quasi de potenti illa re Romana. hoc fero; etiamne verba omnia ex illorum moribus tracta ad hos nostros ...? hoc, ut mea quidem mens est, damno et fallor aut tu et viri omnes mecum. ecce patres conscripti semper Venetorum senatus, ipsae Venetiae κατ' ἐξοχὴν urbs, anni numerati non a Christo nato sed ab urbe condita .... illa iam γελαστὰ καὶ οὐκ ἐπιεικτά: rex Urbini, rex Mantuae, rex Populoniae: quid censes eum dicere? duces; atque item ducatus ipsos regna .... nec in titulis solum isti lus sed in nominibus ipsis. quale illud de Ludovico Gallorum rege, quem Aloysium (magis ῥωμαϊστί scilicet) ubique appellat et alibi cum faceta additiuncula quem isti (qui isti? barbari nos et inepti) Ludovicum appellant. quid quod etiam in divinis rebus haec sibi permittit et fides nostra non nisi persuasio illi est, excommunicatio aqua et igni interdictio, peccata morituro remittere deos superos manesque illi placare, ipse deus raro in stilo aut animo, sed prisco ritu dii immortales .... atque adeo, quod omnem stultitiam superet, prudens ille senatus Venetus ad Iulium pontificem publice scribit uti fidat diis immortalibus, quorum vicem gerit in terris. felicem te gentis et patriae, Bembe: quia si nostrum aliquis trans Alpes sic scripsisset, profecto non tulisset impune. iam quae periphrases in eo et circuitus verborum: senatus Venetus dono misit Aloysio regi Gallorum aquilas sexaginta ex earum genere quibus in aucupio reges consueverunt. quid aquilas? ita falcones tibi dicere religio est? ... scribis ibidem donatas regi pelles pretiosiores canis ab summo inter nigrum colorem conspersas ducentas. quae istae sunt? genettas dicis an potius zebellinas? quin, malum, exprimis et res novas novo*

1) In den Epist. misc. centur. II n. 57.

aliquo nomine dicis? si puritati sermonis tui metuis, adde 'ut vulgo dicimus': nihil infuscas usw. Wer mehr dergleichen wünscht, findet es bei Erasmus in seinem Dialogus Ciceronianus, der ergötzlichsten in dieser Sache geschriebenen Satire, op. (ed. 1703) I 992ff.[1]) Strebaeus de verb. elect. et colloc. (Bas. 1539) 109. Caussin eloquentiae sacrae et humanae parallela (1619) 627. H. Stephanus, Nizoliodidascalus (Paris 1678) 169ff. Mabillon de studiis monasticis (1619) 185f. (der Ausg. Venetiis 1729). Wenn in der oben (S. 771) zitierten Schrift des Ubertus Folieta im zweiten Buch, welches die ganze Frage ausführlich behandelt, die Berechtigung der modernen Worte dadurch motiviert wird, daß auch Cicero griechische Worte gebrauche, so ist das doch ein verzweifelt schlechter Ausweg, denn das Griechische war in Ciceros Augen eine, vielmehr die Kultursprache, die modernen Idiome in den Augen der Humanisten Barbarensprachen. Wenn wir unser Urteil in dieser ganzen Frage fällen, so werden wir sagen: das Vorgehen der Ultras im ciceronianischen Lager war widersinnig, aber der Besserungsvorschlag der Gegner glich dem Versuch, einem Toten neues Leben einzuflößen. Das Fazit lautet: man war an einem Punkt angelangt, wo es nicht weiterging, der Humanismus hatte sich infolge seiner einseitigen Beschränkung überlebt und mußte seine Rechte an die vielgeschmähten modernen Sprachen abtreten.

Zweitens. Cicero allein sollte nicht zur imitatio dienen, so weit war man endlich gekommen, denn die Ultras hatten den unablässigen Angriffen nicht standhalten können, besonders durch die scharfe Zunge des Erasmus waren sie ziemlich allgemein zum Gespött geworden. Wen also sollte man nachahmen? Das war nun die weitere Frage, in der eine Einigkeit nicht zu erzielen war, denn hier waltete individuelle Neigung ob. Lipsius zog bekanntlich Seneca und Tacitus dem Cicero vor und setzte daher an die Stelle der langen und kunstvollen Perioden den zerhackten pointierten Satzbau; auch liebte er alte Worte.[2])

1) Für Christus sagten sie z. B. Apollo oder Aesculapius, sehr charakteristisch.

2) Cf. z. B. Balzac Oeuvres II (Par. 1665) 608, wo er mitteilt *viri magni iudicium de imitatione Lipsianae Latinitatis: Si quis scribere Latine vellet, a Pacuvio et Ennio demortua accersebantur verba; saltitabant periodi; macra ieiuna ac famelica oratio, succo omni, nervis destituta omnibus et*

Das ließ man sich schließlich noch gefallen, denn jene beiden waren Autoren, die offen zu tadeln man sich doch nicht recht herausnahm, obwohl einige sich für die Herabsetzung Senecas auf Quintilian beriefen.[1]) Aber nun kamen andere, die sich an die allgemein verpönten Autoren heranmachten, vor allen an den Unglücklichen, dem es nicht vergessen wurde, daß er einst in einen Esel verwandelt worden war. Man fing an, blendend und pikant zu schreiben, indem man alle jene *pigmenta* anwandte, mit denen, wie früher gezeigt wurde, die spätlateinischen Schriftsteller ihre ärmlichen Gedanken herauszuputzen versuchten: es begann die Periode der concetti, zunächst im lateinischen Stil. Über diese Skribenten fiel nun alles her, sowohl was sich Ciceronianer wie was sich Anticiceronianer nannte, denn den Gebildeten unter den letzteren war es natürlich höchst peinlich, daß man sie in einer Gesellschaft sah, die ihre Partei nur kompromittieren konnte. Ein wunderliches Durcheinander, in dem Schimpfwörter fielen, als ob es sich um Majestätsverbrechen handelte. Für uns, die wir kühlen Sinnes, von der sicheren Warte der historischen Beobachtung in dies Gewimmel hinabblicken, bietet sich eine frappante Parallele aus dem Altertum selbst. Hatte doch einst Quintilian und seine Partei mit nicht

---

copia, punctulis quibusdam et allusiunculis aut membris interim praecisis et interrogatiunculis abrupta, nauseam fastidiumque sui pariebat usw. Ihn meint Ios. Scaliger in dem interessanten Gedicht De stilo et charactere, in dem er die verschiedenen Arten des lateinischen Stils seiner Zeit Revue passieren läßt, ohne direkte Nennung der einzelnen Vertreter, aber so, daß man wenigstens damals wissen mußte, wer gemeint sei. Auf Lipsius beziehen sich sicher folgende Verse:

offendit alios planitas aequabilis,
quam Caesar olim, quam colebat Tullius,
constrictae in arctum quos iuvant argutiae,
quae per salebras saltitant, non ambulant,
et dum legentis haeret exspectatio,
intelligendum quam legendum plus ferent

(Ios. Scaligeri poemata omnia ex museo Scriverii, ed. 2 [Berlin 1864] n. 14 p. 20 ff.).

1) Z. B. läßt der Jesuit Vavassor or. 3 (Pro vetere genere dicendi contra novum, gehalten 1636, in seinen Werken ed. Amsterd. 1709) p. 208 den Quintilian auftreten und ihn perorieren gegen die Verehrer Senecas, *quem vos in amoribus nunc habetis, quem tanquam numen observatis.*

geringerer ἀνιστορησία als Bembo und Genossen die Nachahmung Ciceros dekretiert, und was war die Folge gewesen? Nach kurzem erfolgreichen Bemühen war der Zusammenbruch der ganzen Scheinarchitektur erfolgt: der Lebende forderte gebieterisch sein Recht und nahm es sich trotz dem Entsetzen der reaktionären Theoretiker; es erstanden Appuleius, Sidonius und wie sie sonst heißen, jene Skribenten der Decadencezeit: ihre treuen Spiegelbilder sind eben diese Autoren der Spätrenaissance, die sich mit ihren Farben putzten.[1])

Ende des Streites. Etwa seit dem letzten Drittel des XVII. Jh. hat dieser Streit aufgehört. Endlich begann man, wesentlich gestützt auf das Griechische, dessen Kenntnis sich erweiterte, das einseitig rhetorisch-stilistische Moment des Humanismus zurücktreten zu lassen und in den wahren und unvergänglichen Geist der Antike einzudringen. Diese Vertiefung ist wesentlich ein Verdienst des entwickelten deutschen Protestantismus gewesen, während der jesuitische Unterricht nach wie vor ängstlich bemüht war, die

---

1) Es gibt zahlreiche Belege, von denen ich nur ein paar anführen will. Pico della Mirandola (in: Bembi opp. Vened. 1729) 332 *vetustos illos et cariosos Romanorum augurum et Mutiorum fratrum cophinos adeunt, atque cum resciverunt Catonem et Ennium ditasse patriam, in eorum etiam supellectilem praedabundi et populabundi penitus irruunt. nec desunt qui asinum cum existiment bellum animal et aureum, de illius pilis sibi lacernam conficiunt.* Andr. Schottus S. J., Tullianae quaestiones (Antwerp. 1610) 44: *vixerunt hac temporum infelicitate balbi potius quam diserti scriptores, Symmachus Appuleius Cassiodorus Sidonius Apollinaris Fulgentius Planciades Martianus Capella et Boethius, in quibus illustrandis hac tempestate recentiores tantum operae ac diligentiae posuisse vehementer equidem miror, neglectis interim melioris notae auctoribus*; von Appuleius: *cum quo rudere hoc saeculo plerique quam cum Cicerone loqui malunt* (cf. gegen ihn besonders noch p. 58ff.). Ferner etwa noch: Paul. Cortesius prohoem. in l. I sententiarum ad Iul. II. pont. max. (1503) ed. Bas. 1513f. 1v. Vives de ratione dicendi (1532) l. II p. 114 (in: Opera ed. Bas. 1555). Baco de Verulam de augmentis scientiarum (1605) l. I p. 15f. (in: Opera ed. Lips. 1694). Vavassor S. J. l. c. (S. 777, 1). Ianus Nicius Erythraeus oft, z. B. ep. ad diversos (ed. J. Chr. Fischer, Köln 1739) l. III 10 (1630). IV 13 (1634). V 10 (1636). Albertus de Albertis S. J. Thesaur. eloquentiae sacrae profanaeque per actionem contra eiusdem corruptores erutus (Coloniae 1669) 9, 49f., 80f., 97ff., 190f., 429ff.; an letzter Stelle gibt er eine (selbstgebildete) Probe mitsamt Verhöhnung, ebenso H. Bebel, Commentaria epistolarum conficiendarum (1513) f. 15v, cf. id. de modo bene dicendi et scribendi (c. 1505) f. CXXIVr (der Ausg. von 1515).

Autoren nur als Mittel zur Bildung des Stils zu lesen.[1]) Doch jene neue Richtung der humanistischen Studien zu verfolgen gehört nicht hierher. Ich will vielmehr versuchen, der Frage näher zu treten, welchen Einfluß die soeben dargelegten

---

1) Vortreffliche Bemerkungen darüber bei dem anonymen Verf. (es ist, wie mir mein Kollege J. Haussleiter mitteilt, C. F. Nägelsbach) eines noch heute lesenswerten Aufsatzes: „Das Bewußtsein der protestantischen Kirche über die Notwendigkeit und Methodik des klassischen Unterrichtes" in: Z. f. Protestantismus u. Kirche (herausg. von Harless, Erlangen) 1838 p. 66 ff. 83 ff. Nur ist nicht richtig, wenn der Verf. dies Prinzip schon von Anfang an in den protestantischen Schulen maßgebend sein läßt: das widerlegt doch schon das Sturmsche Gymnasium, über dessen Anlehnung an die jesuitische Unterrichtsmethode G. Paechtler S. J., Ratio studiorum et institutiones scholasticae s. J. (in: Mon. Germ. paedag. V 1887 p. VI) richtig urteilt. Luther freilich hat auch hier einen viel weiteren Blick gehabt, wie die von Nägelsbach p. 70 aus seinen Schriften angeführten Sätze beweisen, aber es fehlte viel, daß diese theoretische Einsicht gleich praktisch durchgeführt wäre, dazu war die Zeit noch nicht reif, wie keiner besser als Melanchthon, der enragierte Ciceronianer (cf. Corp. ref. XIII 492 ff.), lehrt. — Für die Geschichte des jesuitischen Unterrichts besitzen wir jetzt das genannte ausgezeichnete Werk eines Mitglieds der Gesellschaft G. M. Paechtler, welches sich über mehrere Bände der Mon. Germ. Paedag. erstreckt (II. V. IX. XVI, der letzte von B. Duhr S. J.); hier findet man für die im Text ausgesprochene Behauptung massenhafte Belege, z. B. wird in der Studienordnung vom J. 1586 in dem Abschnitt De libris (Mon. V 179 f.) sogar die Lektüre der Dichter einzig wegen des rhetorischen Materials, das sie bieten, empfohlen und eine Auswahl aus den verschiedenen Gattungen der Poesie gewünscht, woraus zu ersehen sei, *quis stylus historicus, quis poeticus, quis epistolaris, quae dicendi genera.* — Daher waren die Jesuiten im XVI. und XVII. Jh. die Vorkämpfer des Ciceronianismus: die größte Anzahl der S. 778, 1 Genannten gehörten ihrer Gesellschaft an, cf. außerdem noch eins der frühesten dieser Werke: Caussin S. J., Eloquentiae sacrae et humanae parallela 1619, reich an feinen stilistischen Bemerkungen und von mir öfters zitiert; Perpinianus S. J. (verherrlicht von Andr. Schottus S. J. in seiner 'Hispaniae bibliotheca' II [Frankf. 1608] 287 ff.) ad Romanam iuventutem de avita dicendi laude recuperanda or., gehalten zu Rom i. J. 1564 ed. in: Petri Ioannis Papiniani Valentini e S. J. or. duodeviginti. Ed. IV. Ingolstadt 1599 p. 333 ff.; Nigronius S. J. de imitatione Ciceronis, gehalten 1583, in seinen zu Mainz 1610 edierten Reden n. XVI. XVII. XVIII, gerichtet gegen die, welche Cicero einen 'Asianer' nannten. Die berühmteste jesuitische Rhetorik wurde verfaßt von Cyprianus Soarez aus Ocaña († 1593); sie erschien zuerst 1566 unter dem Titel De arte rhetorica libri tres ex Aristotele, Cicerone et Quintiliano deprompti und erlebte eine große Anzahl von Auflagen, die zusammengestellt sind von A. de Backer in: Bibliothèque des écrivains de la compagnie de Jésus II (Liége 1854) 569.

Vorgänge auf die Ausbildung des Prosastils der modernen Sprachen gehabt haben.

B. Der Einfluß des Humanistenlateins auf den Prosastil der modernen Sprachen im XVI. und XVII. Jh.

Das Prinzip. Die Humanisten haben, wie bemerkt, die von ihnen verpönten modernen Sprachen durch den Todesstoß, den sie der lateinischen Sprache gaben, in ihrer Entwicklung gefördert. Wenn sie sich einmal herabließen, der 'barbarischen' Idiome zu gedenken, so pflegten sie daran die Ermahnung zu knüpfen, jene sollten sich den antiken Stil zum Muster nehmen; so sagt der spanische Humanist Vives de tradendis disciplinis (1531; in: Opera ed. Bas. 1555 vol. I) 463: die romanischen Sprachen (das Italienische, Spanische und Französische) seien aus der lateinischen abgeleitet, *quas maxime expediret latino sermoni assuescere, tum ut eum ipsum et per eum artes omnes probe intelligerent, tum ut sermonem suum patrium ex illo velut aqua copiosius ex fonte derivata puriorem atque opulentiorem redderent.* Wie selbstverständlich diese Anschauung war, ersieht man besonders daraus, daß sogar ein Schriftsteller, der im Gegensatz zu den meisten andern der damaligen Zeit die Vollkommenheit der französischen Sprache nachzuweisen unternahm, Du Bellay, in seiner 1549 erschienenen Deffence et illustration de la langue Françoise ein Kapitel (8) einlegt, welches handelt *d'amplifier*[1]) *la langue Francoyse par l'immitation des anciens Aucteurs Grecz et Romains.*[2])

1) Dies, das *opulentiorem reddere*, wie es Vives l. c. nennt, scheint der gewöhnliche Terminus gewesen zu sein. Vgl. noch folgende (von Fr. Landmann, Der Euphuismus [Diss. Gießen 1881] 62 zitierte) Äußerung des Sir Thomas Elyot in der Vorrede zu seinem 1533 erschienenen Buch Of the knowledge which maketh a wise man: *His hignesse* (König Heinrich VIII) *benignely receyving my booke, whiche I named the Governour* (erschienen 1531), *in te redynge therof soone perceyved, that I intended to augment our Englyshe tongue* und zwar, wie er ausführt, aus dem Griechischen, Lateinischen und andern Sprachen. Cf. auch Alphonso Matamoro, den spanischen Humanisten s. XVI, in: Opera ed. Matriti 1769 p. 429: *Ciceronem omnibus concionatoribus proposui, quem in omnibus linguis nemo non imitaretur: de vulgaribus autem linguis loquor, quae nobis sunt vernaculae, quas Ciceronis artificio informandas censeo.*

2) Denselben Standpunkt vertrat Ronsard, worüber cf. K. Borinski, Poetik der Renaissance (Berl. 1886) 206f.

Daß die außerordentliche Verbreitung der Kenntnis der klassischen Sprachen im XVI. und XVII. Jh. auf die Gestaltung des modernen Prosastils bei allen europäischen Kulturvölkern von bedeutendem Einfluß war, ist allgemein bekannt und zugegeben. „In allen Literaturen des modernen Europa läßt sich der Gärungsprozeß, der sich in dem Bestreben nach Einführung neuer Ideen, neuer Formen, ja selbst neuer Konstruktionen in der heimischen Sprache äußerte, verfolgen und man muß sagen, in der ersten Zeit, ja in den ersten Jahrhunderten, hat dieser Prozeß auf die selbständige Entwicklung der Sprachen und Literaturen Europas in gewisser Beziehung nachteilig gewirkt. Italien machte diesen Prozeß am schnellsten durch und war am frühesten fertig, es folgen dann die übrigen romanischen Literaturen, besonders Frankreich und Spanien, dagegen haben die germanischen Literaturen, namentlich England und Deutschland, längere Zeit gebraucht, das Neue mit dem Einheimischen zu verschmelzen."[1]) Die anfänglich nachteilige Wirkung erklärt sich daraus, daß im XVI. und XVII. Jh. in bezug auf die Auswahl der klassischen Muster jene Perversität des stilistischen Geschmacks herrschte, die ich eben behandelt habe; die beste Analogie bildet das Verhältnis des Rokoko- und Barockgeschmacks zum Klassizismus der eigentlichen Renaissancekunst. Ich will nun versuchen, das durch ein paar Beispiele zu beweisen; da mir die Führer fehlten, habe ich mich mit den Quellen selbst vertraut gemacht, wobei mir gewiß manches entgangen ist.

Der Einfluß im allgemeinen.

1. Der Klassizismus.

Daß Frankreichs Boden für die Aufnahme der antiken Rhetorik so geeignet wie möglich war, hat sich aus den Untersuchungen dieses ganzen Werks ergeben. Bis auf den heutigen Tag gilt, daß „der französische Prosastil sich den Vorrang bewahrt hat, als Kunstprosa mit der antiken und nicht bloß der römischen Kunstprosa verglichen werden zu können".[2]) Die

Frankreich und die antike Kunstprosa.

---

1) Fr. Landmann, l. c. 25. — Einflüsse der lateinischen Periodisierung auf französische Autoren der ersten Hälfte des XVI. Jh. werden gestreift von A. Birch-Hirschfeld l. c. (o. S. 770, 1) 78. 79. 80. 92. 121. 278 mit Anm. 12. 280f. mit Anm. 14.

2) v. Wilamowitz, Eur. Her. II² 200, cf. o. S. 2, 1.

rhetorischen Schriften des Dionys von Halikarnaß gehörten hier zu den am frühesten gedruckten Büchern, die feinsinnigste rhetorisch-stilistische Schrift des Altertums (περὶ ὕψους) fand hier früh volles Verständnis, schon 1562 druckte Henri Estienne die Reden des Themistios, 1567 die des Polemon und Himerios.[1])

Balzac. Für einen der besten Prosaisten galt bei seinen Zeitgenossen und gilt wohl noch heute Balzac (1594—1654); *virum ad elegantias omnes factum* nennt ihn einer[2]); es gibt, wie auch ich zu konstatieren vermag, vielleicht keinen Schriftsteller, der in einem modernen Idiom mit solcher Grazie den Stil der besten alten Autoren nachgeahmt hat, der ihn, was mehr sagen will, sich so zu eigen gemacht hat, daß man die Nachahmung nicht mehr als solche unangenehm empfindet. Er besaß einen erlesenen Geschmack: er bewundert Aristoteles und Cicero als Theoretiker, Demosthenes, Cicero, Livius als Redner und Schriftsteller, Terenz und Vergil als Dichter, während er die Autoren der späteren Zeit mit Phaethon und Icarus vergleicht (Oeuvres II [Par. 1665] 558); er besitzt eine außerordentliche Belesenheit in der griechischen Literatur, so daß er einem Schriftsteller Entlehnungen aus Themistios nachzuweisen vermag (ib. 569); er spricht sich energisch gegen Übergriffe der Poesie in das Gebiet der Prosa aus (ib. 570f.). Und wenn er auch Pointen keineswegs scheut[3]), so hat er doch dabei die schmale Grenze des Erhabenen gegen das Lächerliche selten oder nie überschritten.[4])

---

1) Cf. im allgemeinen E. Egger l. c. (o. S. 770, 1) II 147ff.

2) D. Morhof de Patavinitate Liviana (1684) c. 7 (Diss. acad. et epistol. p. 533). Von ihm sagt, ohne ihn zu nennen, sein Zeitgenosse de la Mothe le Vayer, De l' Eloquence Françoise 1638 (in: Oeuvres II 1 [Dresden 1756] 236): *pour ce qui est des nombres et du son des periodes, il faut avouer que nôtre langage a reçu depuis peu tant de graces pour ce regard, que nous ne voions gueres de periodes mieux digerées, ni plus agreablement tournées dans Demosthene ou dans Ciceron, que sont celles de quelques-uns de nos Ecrivains .. L' un d' entre eux, que je croi avoir le plus merité en cette partie, comme au reste des ornemens de nôtre Langue, a couru la fortune de tous ceux qui excellent en quelque profession, par l' envie qui s' est particulierement attachée à lui.*

3) Proben bei Bouhours l. c. 264 und im 3. Dialog.

4) Nicht ganz gerecht scheint mir über ihn zu urteilen E. Havet, Le discours d' Isocrate sur lui-même (Paris 1862) p. LXXXIf. Man muß ihn an seinen Zeitgenossen messen!

2. Der Stil der Pointen (précieuses) und des Schwulstes (galimatias).

Verderbnis des Stils durch Nachahmung antiker Manieristen.

1. Frankreich. Der eigentliche Geschmack der Zeit war ein anderer als derjenige Balzacs. Seine beste Darlegung findet sich in dem zierlichen, an geistvollen stilistischen Bemerkungen reichen und daher von mir schon öfters zitierten Werk von Bouhours, La maniére de bien penser dans les ouvrages d'esprit, 1649 (ich benutze die Ausgabe Paris 1687). In Dialogform werden die sich gegenüberstehenden Stiltheorien diskutiert. Der Vertreter der neuen begeistert sich an Wortspielen und Hyperbeln, seine erkorenen Schriftsteller sind Velleius, Seneca, Lucan, Tacitus, sowie die pointierten Epigramme des Martial und Ausonius, er freut sich, daß sogar Cicero an dem tollen Aperçu des Timaeus über den Brand des ephesischen Tempels (oben S. 232, 1) Gefallen findet. Auf p. 56ff. werden eine lange Reihe falscher Pointen aus französischen Predigten angeführt, besonders die Frauen seien darüber sehr entzückt gewesen, z. B. als ein Prediger am Ostertage *cherchant pourquoy Jesus-Christ ressuscité apparut d'abord aux Maries, dît froidement que c'est que Dieu vouloit rendre public le Mystére de la Résurrection, et que des femmes sçachant les premiéres une chose si importante, la nouvelle en seroit bientost répanduë par tout.* Besonders schwärmte man für Seneca, gegen den daher die Vertreter des besseren Stils im Sinn und mit den Worten Quintilians polemisierten. Wie weit die Vorliebe ging, zeigt besonders deutlich das, was Bouhours p. 504f. aus einem Buch Les derniéres paroles de Séneque (von wem?) zitiert; der sterbende Philosoph sagt eine Pointe über der andern, so, um nur zwei anzuführen: *Ce poignard qui ne rougit que du sang de Pauline, comme s'il avoit honte d'avoir blessé une femme, aprés avoir fait les premiéres ouvertures inutilement, fera les derniéres avec effet. — Tout insensible qu'il est, il a pitié de Neron, et le voyant travaillé d'une soif enragée, il luy ouvre des sources où sa cruauté se pourra desalterer dans le sang, qui est son breuvage ordinaire.* Zusammenfassend sagt Bouhours p. 316ff.: *On s'expose quelquefois à passer le but, quand on veut aller plus loin que les autres. Les Modernes tombent d'ordinaire dans ce défaut dés qu'ils veulent renchérir sur les Anciens,* was er dann beweist durch eine Reihe von Nachahmungen des Martial.

Tacitus, Seneca usw.[1]) Den bis zur Dunkelheit gehobenen Stil nannte man *galimatias*, den glänzenden und pointenreichen *phébus*, die brillanten concetti *pensées alambiquées* cf. Bouhours p. 333. 346. 355.[2])

Ein treffendes Urteil über diesen verkünstelten Stil gibt auch François Ogier. Dom Jean Goulu hatte in seinen Douze livres de lettres de Philarque à Ariste den Stil Balzacs angegriffen, in dessen Namen Ogier 1627 antwortete in seiner an Richelieu gerichteten Apologie pour M. de Balzac.[3]) Seine Angreifer seien Leute, in deren Stil herrschten (p. 123) *de fausses subtilitez, des sottises estudiées et des raisons contraires aux bonnes. Toutefois il meritent quelque excuse, puisqu'en cela ils ont imité les Anciens, et que devant eux il y a eu des fous de la mesme espece, tels que Gorgias le Leontin, Callisthenes, Clitarchus, Amphicatres, Hegesias, et autres, dont nous n'avons pas les livres, et ne connoissons les defauts que par le rapport que le Sophiste Longin en a fait.*

2. In Italien herrschte dieselbe Manier. Am besten erkennt man das einzelne aus der bittern Invektive des Muratori, Della perfetta poesia Italiana I (Venezia 1748) 10 ff. 417 ff., besonders II 428 ff. III 172 ff.: wenn man sich für die hochpoetische, mit Figuren überladene Prosa auf die Alten berufe, so solle man nicht vergessen, daß sie bei ihnen in Gebrauch war erst nach den Zeiten des Demosthenes und des Cicero. Die Verwandtschaft dieser manierierten italienischen Prosa mit der spätlateinischen weist er an einigen geschickt ausgewählten Beispielen nach.[4]) Unter den Poeten war bekanntlich der Typus

---

1) Appuleius wird hinzugefügt von Strebaeus de verb. electione et collocatione (1539) 2 f.: seine Florida ahme man nach statt Cicero. Appuleius wurde in Frankreich zuerst 1522 übersetzt.

2) Cf. auch Caussin S. J., Eloquentiae sacrae et humanae parallela (1619) 2. 619. 629.

3) Sie ist angehängt der Pariser Ausgabe der Werke Balzacs (1665) T. II p. 105 ff.

4) Cf. auch: Del segretario del Sig. Panfilo Persico libri quattro, nè quali si tratta dell' arte, e facoltà del Segretario, della Istitutione e vita di lui nelle Republiche e nelle Corti. Della lingua, e dell' arteficio dello scrivere, Del soggetto, stile, e ordine della lettera, Dei titoli etc. Venetia 1620 p. 86—103 (bes. p. 100).

dieser perversen Art Marino[1]; als abschreckendes Muster des verkünstelten Geschmacks in der italienischen Prosa stellt der französische Kritiker de la Mothe le Vayer l. c. (oben S. 782, 2) 234 den Virgilio Malvezzi (1599—1654) hin.[2]

3. Auch England, Spanien und Deutschland sind in Prosa und Poesie von dieser Stilmanier infiziert worden. In England[3] traten vor allem Roger Ascham in seinem Scholemaster (Lond. 1570) 99 (in Arbers reprints n. 23) und Philipp Sidney in seiner Apologie for poetrie (Lond. 1595) 68 (in Arbers reprints n. 4) diesem Geschmack entgegen. In Spanien war Gongora der berüchtigte Typus, gegen den sich alle urteilsfähigen Männer wandten wie einst griechische Stilkritiker gegen Hegesias.[4] In Deutschland steht wegen dieser Manier die sog. zweite schlesische Schule in schlechtem Andenken.[5]

Franzosen, Italiener und Spanier haben sich gegenseitig als Erfinder dieses schlechten Geschmacks angeklagt[6]; es ist bei dem beständigen Geben und Nehmen gerade dieser Nationen in jener Zeit auch fraglos, daß eine bedeutende Wechselwirkung stattgefunden hat — besonders der Einfluß des auch in Frankreich hochgefeierten Marino war verhängnisvoll —, aber die

1) Cf. jetzt besonders M. Menghini, La vita e le opere di Giambattista Marino. Rom 1888.

2) Die deutlichsten Beispiele bietet sein Romulo (1635). Von derselben Art soll (nach la Mothe l. c.) des Malvezzi David perseguitato sein, von dem ich nur die lateinische Übersetzung (Virgilii Malvezzi Historia politica de persecutione Davidis, Lugd. Bat. 1660) kenne. In seinem Jugendwerk, den Discorsi sopra Cornelio Tacito (1622) tritt dies Haschen nach Effekt lange nicht so stark hervor. — Beispiele aus italienischen Predigern bei Bouhours l. c. 124. 162. 306.

3) Cf. E. Schwan in: Engl. Stud. VI 105 ff.

4) Cf. N. Antonio in seiner Hispan. bibliotheca II 29 f. und Bouhours l. c. 357 u. ö.

5) Ihre literarischen Zusammenhänge mit Frankreich und Italien sind von J. Ettlinger, Chr. Hofman v. Hofmanswaldau (Halle 1891) 67 ff. 89 ff. sehr gut klargestellt worden.

6) Cf. Bouhours l. c. im 3. Dialog passim. Muratori l. c. III 172 ff. (der französische *dialogista*, gegen den er dort polemisiert, ist eben Bouhours und zwar dessen Entretiens d'Ariste et d'Eugene [1671] c. 2 p. 42 ff.). Mascardi, Dell' arte historica trattati (Rom 1636) 614 beschuldigt den Franzosen Matthieu (dies Zitat aus de la Mothe l. c. 234). Cassaigne in seiner Vorrede zu Balzacs Werken (Par. 1665) 33. Für Spanien cf. Menghini l. c. 315 ff.

gemeinsame Quelle aller war die Nachahmung schlechter antiker Muster, mit denen die modernen Sprachen ebenso wie das gleichzeitige Humanistenlatein konkurrieren wollten.[1])

3. Der Stil der formalen Antithese (Euphuismus).

Formaler Antithesenstil.

Lag die Perversität der eben gezeichneten Richtung wesentlich auf dem Gebiet des Gedankens, der in pointierte oder schwülstige Worte gekleidet wurde, so werden wir im folgenden eine Stilmanier kennen lernen, die sich auf bloß formalem Gebiet bewegte. Es kann nicht stark genug betont werden, daß, wenn wir zu irgendwelcher Klarheit gelangen wollen, wir beide Richtungen voneinander trennen müssen.[2])

Die Signatur dieses zweiten Stils ist die formale Antithese. Man kann behaupten, daß sie in jenen Jahrhunderten das internationale Kunstmittel des Stils gewesen ist. Bei ihrer Behandlung muß ich ausführlicher sein, da ich nur so glaube, die vielbehandelte Frage mit absoluter Sicherheit beantworten zu können.

a. John Lyly.

I. In England.

Im J. 1579 erschien in England ein Roman mit folgendem Titel: „Euphues. The Anatomy of Wit. Verie pleasaunt for all Gentlemen to read, and most necessarie to remember, wherein are contained the delightes that Wit followeth in his youth by

1) Mit diesem Resultat glaube ich die bis in die neueste Zeit (cf. das zitierte Werk Menghinis p. 315 ff.) diskutierte Streitfrage endgültig gelöst zu haben.

2) Das hat schon Landmann l. c. (o. S. 780, 1) getan. Gut darüber auch Schwan l. c. Auch die Zeitgenossen haben geschieden, z. B. schilt Bouhours l. c. maßlos auf Gongora, während er in seinen Entretiens l. c. 136 den Spanier Guevara, den Hauptrepräsentanten des zweiten Stils, wegen seiner *netteté et elegance* in ausdrücklichem Gegensatz zu den anderen Spaniern lobt. Daß gelegentliche Berührungen beider Stilarten vorgekommen sind (z. B. bei Shakespeare) weiß ich, übergehe das aber, um nicht zu verwirren; die Behauptung Menghinis l. c. 345: *l'eufuismo fu in Inghilterra ciò che fu il 'gongorismo' in Ispagna, l''esprit précieux' in Francia, il 'manirismo' in Italia* ist notorisch falsch und irreführend.

the pleasantnesse of love, and the happinesse he reapeth in age by the perfectnesse of Wisedome"; diesem ersten Teile folgte ein Jahr darauf der zweite: „Euphues and his England. Containing his voyage and adventures, myxed with sundry pretie discourses of honest Love, the description of the countrey, the Court, and the manners of that Isle." Der Verfasser war John Lyly, der ältere Zeitgenosse Shakespeares.[1]) „Die Bedeutung dieses Buches — sagt Fr. Landmann in seiner für immer grundlegenden Dissertation: „Der Euphuismus; sein Wesen, seine Quelle, seine Geschichte" (Gießen 1881) 6 — beruht nicht auf dem Inhalte der Erzählung, der für uns ein recht langweiliger und ermüdender ist, sondern auf dem Umstande, daß es in einem Stile geschrieben war, welcher die englische Prosa (bekanntlich auch die gewählte Shakespeares) in jener Zeit beherrschte und welcher als Konversationssprache der höheren Stände, sowohl am Hofe der Königin Elisabeth, wie in guter Gesellschaft Jahrzehnte hindurch Mode war." . . . . . „Das Hauptmerkmal des Euphuismus bildet die Antithese. Dieselbe ist in solchem Umfange durchgeführt, daß sich nur wenige Seiten in dem ganzen Buche finden, wo dieselbe fehlte. . . . Diese Antithese ist bei Lyly etwas rein Formelles, Äußerliches, eine Gegenüberstellung von Sätzen und Wörtern, welche entweder wirklich einen Kontrast enthalten oder nur der Konformität der Sätze zuliebe gegenübergestellt sind" (ib. 12f.). Jeder beliebige Satz kann das illustrieren; ich führe, da ich den Roman selbst nur flüchtig durchblättert habe, ein paar der von Landmann gegebenen Beispiele an. p. 74 Arb. *Gentleman, as you may suspect me of idlenesse in giving eare to your talke, so may you convince me of lightnesse in aunswering such toyes: certes as you have made mine eares glow at the rehearsall of your love, so have you galled my heart with the remembraunce of your folly.* p. 65: *Friend and fellow, as I am not ignoraunt of thy present weakness, so I am not privie of the cause: and although I suspect many things, yet can I assure myself of no one thing. Therefore my good Euphues, for these doubts and dumpes of mine, either remove the cause or reveale it. Thou hast hetherto founde me a cheerefull companion in thy myrth, and nowe shalt*

1) Jetzt am bequemsten zu lesen in Arbers reprints n. 9.

thou finde me as carefull with thee in thy moane. If altogether thou maist not be cured, yet maist thou bee comforted. If ther be any thing yat either by my friends may be procured, or by my life atteined, that may either heale thee in part, or helpe thee in all, I protest to thee by the name of a friend, that it shall rather be gotten with the losse of my body, then lost by getting a kingdome. Die Antithese wird oft den Ohren fühlbarer gemacht durch Alliteration, Assonanz, Reim, z. B. p. 47 *Learning without labour and treasure without travaile.* 51 *Why goe I about to hinder the course of love with the discourse of law.* 43 *We merry, you melancholy: we zealous in affection, you iealous in all your doings: you testie without cause, we hastie for no quarrell.*

b. Antonio Guevara.

II. In Spanien. 1. Guevara.

Woher stammt dieser Stil der englischen Prosa? Nachdem darüber viel Falsches gesagt war, wies Landmann mit völliger Evidenz und unter allgemeiner Zustimmung[1]) die Quelle nach: es ist der berühmte Roman des Spaniers Don Antonio de Guevara, El libro de Marco Aurelio, erschienen 1529. Der Verfasser „lebte am Hof der Königin Isabella und trat dann in den Franziskanerorden ein. Bald jedoch spielte er eine bedeutende Rolle am Hof Karls V., wo er sich zum Historiographen des Kaisers emporschwang und Hofprediger wurde. Er starb im J. 1545, als Erzbischof von Mondoñedo und Guadix.“[2]) Sein

1) Die sehr umfangreiche Literatur findet sich jetzt am besten vereinigt bei: Clarence Griffin Child, John Lyly and Euphuism in: Münchener Beitr. z. rom. u. engl. Philol. (herausg. von Breymann u. Köppel), Heft VII (1894). Hinzuzufügen ist dort noch: in euphuistischem Stil schreibt auch Edw. Young (1684—1765), durchgängig in seiner Schrift A true estimate of human life (The Works of the author of the night-thoughts vol. V Lond. 1773 p. 11 ff.). Er wird deshalb getadelt von H. Blair, Lectures on rhetoric and belles-lettres, deutsche Übers. von Schreiter II (Liegnitz-Leipz. 1785) 124. Ib. 125 wird bemerkt, daß Alex. Pope (1688—1744) mit großer Kunst den antithetischen Stil kultiviert habe. Manche Beispiele aus Autoren von Shakespeare an gibt schon H. Homer, Elements of criticisme (1762) c. XIII. — Ich bemerke noch, daß der erste, der die Antithese als das wesentliche Charakteristikum erkannte, Nathan Drake war in seiner Schrift: Shakespeare and his time 1817, vol. I 441, angeführt von Schwan l. c. (oben S. 785, 3) 96.

2) Landmann l. c. 65.

Buch erhielt sofort nach dem Erscheinen einen Weltruf und wurde bald in viele Sprachen übersetzt. Die englische Übersetzung von Thomas North (1568) war die unmittelbare Quelle des englischen Euphuismus, dessen Hauptrepräsentant eben Lyly war: aber nicht der einzige; denn, wie schon Landmann bemerkte und andere wiederholten[1]), hatte er mehrere Vorgänger, besonders an George Pettie, dessen 1576, also 3 Jahre vor Lylys Euphues, erschienene Novellen denselben Stil in Anlehnung an die genannte englische Übersetzung des Guevara schon recht deutlich, wenn auch noch nicht so einseitig, ausgeprägt zeigen. Ein paar Proben aus dem Werke des Guevara führe ich nach Landmann an: *Quedate a Dios mundo, pues prendes y no fueltas atas y no afloxas, lastimas y no cõsuelas, robas y no restituyes, alteras y no pacificas, desonras y no halagas accusas sinque aya quexas, y sentencias sin oyr partes: por manera, que en tu casa, o mundo nos matas sin sentenciar: y nos entierras sin nos morir. — No hay oy generoso señor ni delicada señora: que antes no suffriesse una pedrada en la cabeça que no una cuchillada en la fama: porque la herida de la cabeça en un mes se la darã sana: mas la mãzilla de la fama no saldra en toda su vida.*

c. Guevara und der spanische Humanismus.

2. Fragestellung.

Mit der Erkenntnis, daß die unmittelbare Quelle des englischen Euphuismus im Spanischen zu suchen sei, haben sich die Anglisten begnügt: sie war ja auch für ihre Zwecke ausreichend. Aber ich, dem das Englische nebensächlich war, fragte weiter: woher hat diesen Stil der Spanier? Die Antwort ergab sich mir sofort: dieser Antithesenstil oder, was dasselbe ist, dieser Satzparallelismus kann nur eine der vielen Erscheinungsformen jenes alten gorgianischen σχῆμα sein, dessen tändelnde, auf Ohr und Auge sinnlich wirkende Art seit zwei Jahrtausenden auf Menschen verschiedenster Zunge seine Wirkung ausübte und zur Nachahmung reizte, wie wir im ganzen Verlauf dieser Untersuchungen erkannt haben. Aber, fragte ich mich weiter, besteht hier auch ein wirklich histo-

1) E. Köppel, Stud. z. Gesch. d. ital. Novelle, in: Quellen u. Forsch. z. Sprach- u. Kulturgesch. d. germ. Völk., Heft LXX (1892) 24 ff.

rischer, nachweisbarer Zusammenhang oder müssen wir — was ja an sich nie ganz ausgeschlossen ist — annehmen, daß im XVI. Jh. durch spontane Eingebung dieselbe 'Erfindung' zum zweitenmal gemacht wurde, die Gorgias zweitausend Jahre vorher zum erstenmal machte? Ich begriff, daß zur Beantwortung dieser Frage zweierlei notwendig sei: erstens mußte ich mir Auskunft verschaffen über den Bildungsgrad des Guevara, denn nur wenn er der humanistischen Bewegung seiner Zeit nahe stand, war eine unmittelbare Beeinflussung durch das Altertum denkbar; zweitens mußte ich zusehen, ob bei den Humanisten jener Zeit sowohl in der Theorie wie in der Praxis eine Vorliebe für diese Stilfigur nachweisbar sei. Da ich beide Vorbedingungen bestätigt fand, glaubte ich schließen zu müssen, daß wir in diesem Stil, der einst durch ganz Europa seinen Triumphzug hielt, von dessen prickelndem Reiz auch Shakespeare berührt wurde, eine der vielen, leider nicht gar erfreulichen, weil rein äußerlichen und schematischen, Einwirkungen der Renaissance auf die modernen Literaturen zu erkennen haben.

3. Humanismus in Spanien. Eine Geschichte des Humanismus in Spanien gibt es nicht, wenigstens habe ich trotz vielen Suchens und Fragens auch nicht einmal Anfänge zu einer solchen finden können. Es blieb also nichts übrig, als die Quellen selbst zu befragen, was aber in vollem Umfang nur in Spanien selbst möglich wäre, da die wenigsten dieser Werke diesseits der Pyrenäen bekannt geworden sind. Die Tatsache ihrer Existenz erkennt man aber aus den großen, im XVII. Jh. angelegten Bibliothekskatalogen des Andreas Schottus (Hispaniae bibliotheca, Frankf. 1608) und besonders des Nic. Antonio (Bibliotheca Hispana, Rom 1672). Die dort verzeichneten Werke dreier, der berühmtesten, Humanisten sind auch in unsern größeren Bibliotheken verbreitet: die des Lud. Vives, des berühmtesten und verhältnismäßig selbständigsten spanischen Humanisten (1492—1540; Opera ed. Basileae 1555), die des Alphonso Garsias Matamoro (seit 1542 Professor der Rhetorik in Alcala, † 1572. Opera ed. Matriti 1769), und die (nur für syntaktische Fragen in betracht kommende) Minerva des Francisc. Sanctius (1587). Liest man die Werke der beiden ersten und sammelt sich aus den genannten Katalogen die stattliche Reihe der Humanisten, so erkennt man, daß die formalistische Renaissancerhetorik seit dem Ausgang des

XV. Jh. in Spanien eine außerordentlich große Rolle spielte[1]), was ja bei dem stark ausgeprägten oratorischen Naturell dieses Volkes auch begreiflich genug ist. Selbständiges scheinen diese spanischen Humanisten so gut wie gar nicht produziert zu haben:

---

1) Ein paar Beispiele aus der Bibliotheca des Antonio (die alphabetisch geordnet ist, so daß man Mühe hat, aus dem Chaos das herauszufinden, was man gerade sucht):

Alphonsus de Alvarado: In Ciceronis orationes analyses et enarrationes etc. Basileae 1544. id. Artium disserendi ac dicendi indissolubili vinculo iunctarum libri duo. ibidem 1600.

Alphonsus Garsias Matamoros: De ratione dicendi libri duo. Compluti 1548 et 1561. De tribus dicendi generibus sive de recta informandi styli ratione. ib. 1570. De methodo concionandi iuxta rhetoricae artis praescriptum ib. 1570. etc.

Alphonsus de Torres: Progymnasmata Rhetoricae, Compluti 1569.

Andreas Baianus: In Aphtonium de elementis Rhetoricae (s. l. s. a., Anf. s. XVII).

Andreas Semperius († 1572, gepriesen als *grammaticorum Aristarchus, Rhethorum Gorgias, in antiquitate Varro alter, Latinarum Graecarumque literarum Coriphaeus, tertius Uticensis Cato, eloquentiae ac doctrinae omnis instaurator, cuius in labiis Ciceroniana dicendi facultas, in pectore Demosthenica, in capite Platonica sapientia residebant*): Methodus oratoria; De sacra concionandi ratione (Valentiae 1568); In Tabulas rhetoricae Cassandri; In Ciceronis Brutum.

Antonius Iolius: Adiuncta Ciceronis, sive quae verba Cicero simul dixit tanquam synonyma aut vicini sensus. Barcinone 1579.

Antonius Nebrissensis: Artis rhethoricae compendiosa coaptatio ex Aristotile, Cicerone et Quintiliano. Compluti 1529.

Antonius Lullus: Progymnasmata rhetorica. Basileae 1550.

Antonius Pinus Portodomeus: Ad Fabii Quintiliani oratoriarum institutionum librum III scholia (s. XVI in.).

Ferdinandus Mancanares Flores (*inter rhetores nascentium in Hispania liberalium disciplinarum aut verius renascentium tempore numerabatur, qui Antonii Nebrissensis magistri iussu olim edidit*:) Rhetoricam s. de dicendi venustate, de verborum sententiarum coloribus, de componendis epistolis (s. l. s. a.).

Usw. Vives verfaßte Deklamationen nach antikem Muster, cf. Opera I 179 ff., sowie eine lange Reihe anderer rhetorischer Werke. — Ein paar humanistische Werke verzeichnet K. Wotke in der Einl. zu seiner Ausgabe des Gyraldus de poetis nostrorum temporum (Lat. Literaturdenkm. des XV. u. XVI. Jh. Heft 10. Berlin 1894) p. XXIII f. — Eine „Rhetorica en lengua castellana en la qual se pone muy en breve lo necessario para saber bien hablar y escriver y conoscer qui en habla y escrive bien. Alcala de Henares, en casa Ioan de Brocar. 1541, in 4. goth." als bibliographische Seltenheit erwähnt von Brunet, Manuel du libraire. IV 5 éd. (Paris 1863)

sie beschränkten sich, wie im allgemeinen auch die Humanisten der andern Länder, auf eine Hinüberleitung der Theorien italienischer Gelehrter — einer der frühesten spanischen Humanisten, Antonius Nebrissensis (de Lebrixa, geb. 1444), verkehrte lange Zeit in Italien mit den dortigen Gelehrten, s. o. S. 741, 2 —[1]) und ihre praktische Einführung in den Schulunterricht: der Kampf gegen die scholastischen Lehrbücher stand auch hier im Mittelpunkt, wie oben (S. 741, 2) durch ein Zeugnis bewiesen wurde. Daß dabei in Spanien wie überall die Lehre von den oratorischen Stilfiguren eine Hauptrolle spielte, erkennt man deutlich z. B. aus Vives de tradendis disciplinis l. III (1531) in den Opera I 476: eine Übersichtstafel der Figurenlehre (wie uns mehrere aus jener Zeit erhalten sind, z. B. von Petrus Ramus) solle an die Wand gehängt werden, *ut deambulanti studioso occurrant figurae et quasi ingerant se oculis.*

4. Urteile über Guevaras Stil. Daß nun Guevara in einer humanistischen Schule erzogen wurde, ist bei einem Mann von solcher Herkunft von vornherein begreiflich, auch zeigt es überall sein im Altertum handelnder, mit Anspielungen auf die Antike geradezu vollgestopfter Roman.[2])

1267. — Von einem Pietr. Joh. Nunnez aus Valencia, Professor der Rhetorik in Barcelona († 1602 fast achtzigjährig), gibt es Institutiones rhetoricae (Barcelona 1578 u. ö.), notiert von D. Morhof, Polyhistor I (ed. Fabricius, Lübeck 1747) 953, eine kurze Inhaltsangabe (aber wohl nach Miraeus de script. sec. XVI c. 133) bei Gibert in: Jugemens des savants T. VIII (Amsterd. 1725). — Quintilian in Spanien s. XV./XVI.: Ch. Fierville in seiner Ausgabe des I. Buches (Par. 1890) p. CXII. CXV adn. 1. CXXII. — Lehrstühle der Rhetorik an den Universitäten: Andr. Schottus l. c. I c. 2 p. 31 ff. — Briefwechsel des Erasmus mit humanistisch gebildeten Spaniern: A. Helfferich in: Z. f. d. hist. Theologie N. F. XXIII (1859) 592 ff. — Für die Geschichte des Humanismus wichtig jetzt auch der Katalog der lat. Hss. des Escorial von W. Hartel in: Sitzungsber. d. Wien. Ak., phil.-hist. Kl. CXII (1886) 161 ff. Die von mir (in: Fleck. Jhb. Suppl. XIX [1892] 378, 1) vermutete Benutzung eines Hippokratesbriefs durch Velez de Guevara in seinem Diablo cujaelo erscheint mir jetzt gesichert, seitdem ich weiß, daß diese Briefe dort in lateinischer Übersetzung bekannt waren (Hartel p. 162).

1) Aus G. Voigt, Die Wiederbeleb. d. klass. Altertums I³ (Berl. 1893) 351 u. 458 habe ich mir notiert, daß schon um 1430 bei Filelfo in Florenz spanische Zuhörer waren und daß König Alfonso v. Neapel, der Aragonier, von Spanien aus mit Lionardo Bruni korrespondierte.

2) Das Ganze ist eine fabulose Erfindung, wie auch die aus Dares-Dictys entlehnte Einleitung zeigt. Die Erfindungen deckte zuerst auf Pe-

Daß er daher, wie den Inhalt, so auch den Stil nach antiken Mustern gestaltet hatte, ergab sich mir als selbstverständliche Folgerung. Ich fand sie bestätigt zunächst durch die einzigen lateinischen Worte, die es von ihm zu geben scheint, nämlich seine selbstverfaßte Grabschrift, die ich hier folgen lasse, aber nicht in einem fortlaufenden Satz, wie sie in N. Antonios Katalog, sondern so, wie sie in der Frankfurter Ausgabe seiner Briefe vom J. 1671 (p. 272) gedruckt ist:

Carolo V. Hispaniarum rege imperante
Illustris D. Dominus Frater Antonius de Guevara
Fide Christianus
Natione Hispanus
Patria Alavensis
Genere de Guevara
Religione S. Francisci
Habitu huius conventus
Professione theologus
Officio praedicator et chronista Caesaris
Dignitate episcopus Mondoniensis.
Fecit anno Domini MDXLII.
Posui finem curis. Spes et Fortuna valete.

Eine weitere Bestätigung fand ich in Urteilen von Zeitgenossen, die den Stil des Guevara ohne weiteres auf eine Linie stellten

trus de Rua in drei Briefen unter dem Titel Cartas del Bachiller Rua (s. XVI), cf. Schott l. c 567. Antonio II 187. Der uns Philologen wohlbekannte Landsmann des Guevara, Antonius Augustinus, urteilt über den Inhalt des Werks (Dialogos de las medallas, inscriptiones y otras antiguidades 1575; ins Lat. übersetzt von A. Schott: Antonii Augustini antiquitatum dialogi [Antwerp. 1617] 152): *scire se antiqua Romanasque historias fingit eaque comminiscitur, quae nec visa nec audita mortalibus: nemo ut divinare queat, in quos ille libros inciderit. nova itaque nomina scriptorum excogitavit somniaque venditat obtruditque quae apud nullum reperias auctorem.* Ähnlich Miraeus, Bibl. ecclesiastica, pars altera (Antwerp. 1649) 47: *quod ad 'horologium principum' seu librum 'de vita Marci Aurelii Imp.' attinet, est is totus fabulose confictus, non ex priscis historiis Romanis petitus. quod moneo, ne quis erret, ut in Hispania et Gallia aulici passim errant, ubi cupide nimis in sinu manibusque gestari a viris nobilibus merito eruditi indignantur. idem iudicium est de Guevarae epistolis, quae ineptiarum sunt plenae nec 'aurearum epistolarum' titulum merentur, quo eas Gallicum vulgus indigetat.* Keins dieser Zeugnisse scheint bekannt.

mit dem entsprechenden antiken; da sie nicht bekannt sind, teile ich sie hier vollständig mit. 1) Das früheste dieser Urteile (drei Jahre nach dem Erscheinen des Romans) stammt von Vives, wo freilich Guevara nicht genannt, aber für jeden Leser mit absoluter Deutlichkeit bezeichnet ist: de ratione dicendi (1532) l. II 114: das Gegenteil der *gravis et sancta oratio* sei eine *oratio deliciosa lasciva ludibunda, cum semper ludit omnibus translationum generibus et figuris et schematis et periodis contortis et comparatis, tum sententiolis argutis concinnisque, molli structura et delicata, salibus, allusionibus ad fabellas, ad historiolas, ad carmina, ad dicta in scriptoribus celebria: in quam orationis formam degeneravit ea quae aulica dicitur, multorum itidem, qui se enascentium linguarum studio dediderunt.* — 2) Matamoro hat sich, als Zeitgenosse des Guevara, begreiflicherweise gelegentlich über ihn und seinen Stil geäußert, aber nur einmal direkt, nämlich in seiner Gelehrtengeschichte Spaniens (De adserenda Hispanorum eruditione sive de viris Hispaniae doctis 1553) 64 (der genannten Ausgabe): *decretum mihi erat, nihil de praestantissimo viro et antiquae nobilitatis praesule Mindoniensi* (d. i. Guevara), *qui solus aulicorum manibus proximis annis gestabatur, privato iudicio statuere: nisi me invitum et plane repugnantem libellus vulgatus a Petro Rhua Soriensi, homine cum paucis erudito, in hanc censuram pertraxisset. ego vero sic existimo, virum hunc mirae facundiae fuisse et incredibilis ubertatis naturae, sed omnia rerum momenta, quod Pedio obiecit Persius, 'rasis librat in antithetis, doctas posuisse figuras' laudari contentus* (Pers. 1, 85ff.): *fulgurat interdum et tonat, sed non totam, ut olim Pericles, dicendo commovet civitatem, et dum nihil vult nisi culte et splendide dicere, saepe incidit in ea quae derisum effugere non possunt. qui si illam extra ripas effluentem verborum copiam artificio dicendi repressisset . ., dubito quidem, an parem in eo eloquentiae genere in Hispania esset inventurus.* An ihn wird er daher auch wohl gedacht haben, als er in dem 1548 verfaßten Werk De ratione dicendi schrieb (p. 296): man habe sich vor nichts so zu hüten, wie vor der fortwährenden Anwendung der schemata, wodurch man alles verderbe und die Rede verweichliche. *hoc vitio*, fügt er hinzu, *quum iuvenes essemus, orationem corrupimus, quam 'de laudibus Davidis' Valentiae scripsimus; nam frequentissimis tropis et schemate perpetuo totam orationem effemi-*

navimus (diese Rede ist nicht erhalten). *ceterum haec luxuries dictionis commendatur in iuvenibus, quam speramus tamen stilo cum aetate depascendam esse.* — 3) A. Schott l. c. (1608) 250f. *scripsit lingua patria tum disertissimus, ut Caroli V ecclesiastes atque historicus sit delectus, vernaculo sermone, in quo affectasse nimium schemata visus, pompa quadam tumens, et antithetis putide nimium iteratis lectorem enecat. quin, ut poetae verbis utar* (Hor. de a. p. 97): *proicit ampullas et sesquipedalia verba.* Über dies Urteil ereiferte sich ein Ordensbruder des Guevara, Lucas Wadding, in den Scriptores ordinis Minorum (Rom 1650) 32: *multa scripsit patrio ac cultissimo quidem et sublimi sermone, qua de causa et ob variam gratamque per omnia opera sparsam eruditionem in omnes ferme Europeae gentis linguas translata sunt. nescio itaque, unde tantus livor auctori Bibliothecae Hispanicae, ut quem in principio elogii dixerat 'lingua patria tum facundum ... (etc.)', postea iniuriose nimis circa stilum vituperet.* Dagegen wieder Nic. Antonio l. c. I (1672) 98, der sich dem Urteil des Matamoro und Schott gegen Wadding anschließt und hinzufügt: *demus tamen aliquid auctoris aevo, quando scilicet non bene adeo fundata ea Hispani sermonis, quae nunc in summo est, puritatis et eloquentiae forma hisce aurium lenociniis, quae ex antithetis et syllabarum paritate veniunt, quasi extollere se ex socco ad cothurnum videbatur, uti olim fatiscentis iam linguae latinae vitia crebris vocabulorum et periodorum figuris abscondi subtrahique imminenti ruinae sequior aetas credidit.* — 4) George Puttenham, The art of english poesie (London 1589) 219f. (in Arbers reprints, n. 15): das Antitheton gebe oft dem Redner und Dichter große Anmut, aber *Isocrates was a litle too full of this figure, and so was the Spaniard that wrote the life of Marcus Aurelius, and many of our moderne writers in vulgar use it in excesse and incurre the vice of fond affectation: otherwise the figure is very commendable.*

d. Der Ursprung des Antithesenstils im XVI. u. XVII. Jh. Isokrates und Cicero bei den Humanisten.

III. Im Humanistenlatein überhaupt.

Guevara stand mit seiner Vorliebe für diese Redefigur keineswegs allein: im Gegenteil gab er durch ihre Verwendung nur einer bei den Humanisten aller Länder verbreiteten theoretischen Überzeugung und praktischen Anwendung besonders lebhaften Ausdruck.

Daß die Humanisten die reichliche Verwendung dieser Redefigur als das wesentlichste Erfordernis eines gewählten Stils ansahen, erklärt sich aus ihrer Vorliebe für Isokrates, der schon im Altertum als der Hauptrepräsentant des antithetischen Satzbaues galt[1]), und für Cicero, bei dem diese Figur in Theorie und Praxis eine so bedeutende Rolle spielt.

1. Isokrates.

1. Nachahmung des isokrateischen Stils a) bei ital., span., franz. u. deutsch. Humanisten.

Er wurde schon in der Schule Vittorinos da Feltre neben Demosthenes gelesen.[2]) Vives übersetzte im J. 1523, also sechs Jahre vor dem Erscheinen jenes spanischen Romans, den Areopagitikos und Nikokles ins Lateinische (I 306 ff.); er preist im Vorwort die Reden des Isokrates: *in quibus est mira sermonis dulcedo et aptissima compositio, numeris ad ornatum adstricta,* womit er eben die παρίσωσις, das ἀντίθετον meint, Figuren, deren Schönheit er in seinen rhetorisch-stilistischen Schriften öfters preist.[3]) In seiner Schrift De tradendis disciplinis (1531) nennt

---

1) Daß sich die Figur bei Isokrates finde, bemerkt auch Landmann l. c. 65 (cf. 15. 19. 47), doch fehlten ihm die Mittel, mehr als einen bloßen Vergleich anzustellen.

2) Cf. Voigt l. c. I 541.

3) Besonders de ratione dicendi (1532), vol. I 97: *periodi vim habent incisa quaedam apte inter se quadrantia: 'Ad amentiam te natura peperit, ad scelus exercuit educatio, ad supplicium fortuna reservavit'* (Cic. in Cat. 1, 25). *ipsa enim congruens applicatio nexus habet vicem, ut in structura lapidum sine calce vel gypso quadrantium. venustissimae sunt periodi, quae fiunt vel ex antithetis, de quibus mox loquimur, vel acute concluso argumento, atque adeo sunt quidam, qui acute concinnata argumenta et breviter conclusa et contorte vibrata eas demum veras periodos esse censeant, ut Hermogenes*; über die antitheta spricht er dann ausführlich p. 101 f., wo er Beispiele gibt wie *'saepe vicit alea, saepe victus est proelio', 'dicendum quod non sentias aut faciendum quod non probes', 'non tam allicere volui quam alienare nolui'* usw. Er wirft dann die Frage auf, wie es komme, daß die Antithesen solche *venustas* besäßen; er meint: *habent adversa haec gratiae plurimum ad gentes omnes propter illam rerum pugnantium complexionem, similem naturali compositioni elementorum, qua constant humana corpora.* Infolge der ganz mangelhaften Disposition der Schrift kommt er noch einmal darauf zurück p. 107: eine *oratio florida* sei u. a. die, in welcher *verba verbis quasi demensa et paria respondeant, ut crebro conferant pugnantia, comparent contraria, ut pariter extrema terminentur eundemque referant in cadendo sonum. hoc orationis genus et florens et iucundum et laetum dicitur et pictum atque expolitum, in quo omnes verborum, mnes sententiarum illigantur lepores, ut inquit Cicero* (or. 38).

er unter den auf der Schule zu lesenden griechischen Autoren zuerst *Isocratem, quo simplicius ac purius cogitari nihil potest* (ib. 480). An einem portugiesischen Redner der ersten Hälfte des XVI. Jh. wird gelobt *Isocratica iucunditas lenitasque* (Nic. Antonio l. c. I 411). Gleich das erste in Frankreich mit griechischen Lettern gedruckte Buch brachte etwas von Isokrates: es ist der im J. 1507 erschienene Liber gnomagyricus, dessen interessante Entstehungsgeschichte u. a. E. Egger, L'hellénisme en France I (Par. 1869) 154ff. erzählt. Während es sich hier nur um den gnomologischen Gehalt dieses Autors handelte, hob Estienne Dolet in seiner Schrift La maniere de bien traduire d'une langue en autre (1540)[1] die Wichtigkeit einer nach seiner Ansicht aus keinem Autor besser als aus Isokrates zu lernenden rhythmischen und harmonischen Diktion hervor, die sich in Wortstellung und Periodenbau zeige. Im Anfang des XVII. Jh. ging man in Frankreich so weit, daß man nach dem Muster des Isokrates das Zusammentreffen zweier Vokale in zwei Wörtern mied[2]; auch von der Kanzel herab ertönten die nach isokrateischem Schema geleckten und gedrechselten Perioden[3]),

1) Ich kenne nur das, was Gibert in: Jugemens des savants VIII 2 p. 547ff. daraus mitteilt.

2) Cf. De la Mothe le Vayer, De l'éloquence Françoise (1638): in Oeuvres II 1 (Dresden 1756) 242, cf. auch O. Gerber, D. Sprache als Kunst I (Bromberg 1871) 417.

3) Der Hauptvertreter war Fléchier (1632—1710), neben Bossuet der berühmteste Kanzelredner des XVII. Jh., cf. über ihn und seine Manier Crevier, Rhétorique Françoise II (Paris 1767) 141ff. und den Artikel in Michauds Biogr. univ. XIV 211. Ein Beispiel aus seiner Oraison funebre de M. le Chancelier le Tellier (gehalten 1686) in: Recueil des oraisons funebres prononcées par Messire Esprit Flechier, evêque de Nismes. Nouv. éd. (Paris 1705) 322f.: *Dans l'éloge que je fais aujourd'huy de . . . Messire Michel le Tellier . . ., j'envisage non pas sa fortune, mais sa vertu; les services qu'il a rendus, non pas les places qu'il a remplies; les dons qu'il a receus du Ciel, non pas les honneurs qu'on luy a rendus sur la terre; en un mot, les exemples que votre raison vous doit faire suivre, et non pas les grandeurs que votre orgueil pourroit vous faire desirer.* In solchen parallel gebauten Sätzen, wo einem Wort das andere entspricht, bewegt sich sein Stil fast immer. — Mit viel größerer Feinheit hat Bossuet (1627—1704) den Isokrates nachgeahmt; ich wähle ein von A. Chaignet, La rhétorique et son histoire (Paris 1888) 448 zitiertes Beispiel aus einem Panegyricus: 1. *L'homme lui a donné premièrement une forme humaine;* | 2. *ensuite il a adoré ses propres ouvrages;* | 3. *enfin il a fait des dieux de ses propres passions,* ‖ *afin que*

ein Unfug, gegen den feinfühlige Männer ihre warnende Stimme erhoben, wie einst die Gegner des Isokrates gegen diesen.[1]) Der Jesuit Nigronius aus Genf sagt in einer 1579 gehaltenen Rede[2]): *undenam affulsit Isocrati et apud Athenienses et apud posteros in Graecia, Europa tanta gloria, tanta laus ab eloquentia, tantus splen-*

---

l'homme, n'ayant plus devant les yeux || *1. ni l'autorité de son nom,* | *2. ni les conduites de sa providence,* | *3. ni la crainte de ses jugements,* || *n'eût plus* || *1. d'autres règles que sa volonté,* | *2. d'autres guides que ses passions,* | *3. enfin plus d'autres dieux que lui même.* — Ähnliche Beispiele aus französischen Panegyriken gibt Bouhours l. c. p. 39; 105; 107; 113. Cf. auch den Artikel 'Antithèse' in der Encyclopédie méthodique, Grammaire et littérature I 1782. — In die Geschichtschreibung führte diesen Geschmack ein Pierre Matthieu (1563—1621), der in seinem der Histoire des derniers troubles en France (1594) vorausgeschickten advertissement den Satz aufstellt, *qu'il est permis à l'histoire de faire le Rheteur et que ceux qui ont escrit les Histoires Grecques et Latines, les ont ainsi embellies.*

1) Cf. Rapin S. J., Reflexions sur l'éloquence (Par. 1684) in seinen Oeuvres (Amsterd. 1709) II 21. 64. 68. Lamy, La rhétorique ou l'art de parler (Par. 1670), ed. Amsterd. 1699 p. 298f. Cassaigne in der Vorrede zu seiner Ausgabe der Werke Balzacs (Paris 1665) 31: *Il* (Balzac) *s'est bien donné de garde de tomber dans l'affection de ces disciples d'Isocrate, qui taschoient par tout d'arrondir également leur stile, qui de toutes leurs periodes faisoient autant de cercles, et qui ne songeoient pas, que comme dans la prononciation il n'y a point de plus grand defaut que la monotonie, aussi le plus vicieux de tous les stiles est celuy qui manque de variété.* Sehr fein auch Balzac selbst in seiner Dissertation De la grande éloquence (vol. II 519ff.). Vor allem Fénélon in seinen Dialogues sur l'éloquence en general, et sur celle de la chaire en particulier, erschienen Paris 1718 nach seinem Tode (nach Gibert in den Jugemens des savans VIII 2 p. 558 sind sie ein aus unbekannten Gründen nicht erschienenes Jugendwerk F.s; der Grund ist aber doch klar: die maßlosen Angriffe würden einen so einflußreichen Mann wie Fléchier † 1710 verletzt haben). Ihre Tendenz ist, dem herrschenden Geschmack entgegenzutreten und Vorschriften für eine verbesserte Art des Predigens zu geben. Das Vorbild dieser Redner sei Isokrates, dessen blumenreicher, weichlicher, antithesenreicher Stil es den modischen „Isokratessen" angetan habe; ihn unterwirft er daher einer vernichtenden Kritik, immer mit Hinblick auf die Nachahmer, die er nicht nennen wolle (cf. 16ff. 134. 151ff.); er verurteile nicht prinzipiell alle Antithesen, wolle aber nur die gelten lassen, wo die Dinge, von denen man spreche, durch ihre Natur sich entgegengesetzt seien (156). Da er bemerkt, daß auch christliche Prediger, vor allem Augustin, jenen parallelen Satzbau bevorzugten, so wagt er es, sich auch gegen diese zu wenden, cf. 238 und die angehängte Lettre écrite à l'académie Françoise sur l'éloquence 301f.

2) Or. de stylo optimo dicendi magistro in der Ausg. seiner Reden (Mainz 1610) 223.

dor, ut eius memoria numquam interitura videatur? A stylo, dicendi magistro.[1]) Im Stil des Rudolph Agricola († 1485) fand Erasmus[2]) etwas von der *orationis structura* des Isokrates.[3]) Vor allem aber gefiel er in England, wo ihn Roger Ascham († 1568), der bekannte Humanist, einbürgerte.[4]) Im J. 1550 schreibt er an seinen Freund Sturm in Straßburg (The whole works of Ascham, ed. Giles I 1, London 1865, ep. 99) über seine Schülerin, die damals eben sechzehnjährige Prinzessin Elisabeth, von den vielen humanistisch gebildeten Frauen jener Zeit die erlauchteste: *Gallice Italiceque aeque ac Anglice loquitur; Latine expedite proprie considerate, Graece etiam mediocriter mecum frequenter libenterque colloquuta est. . . Perlegit mecum integrum fere Ciceronem, magnam partem Titi Livii, ex his enim propemodum solis duobus auctoribus Latinam linguam hausit, exordium diei semper novo testamento Graece tribuit, deinde selectas Isocratis orationes et Sophoclis tragoedias legebat. . . Orationem ex re natam, proprietate castam, perspicuitate illustrem libenter probat. verecundas translationes et contrariorum collationes apte commissas et feliciter confligentes unice admiratur. quarum rerum diligenti animadversione aures eius tritae adeo teretes factae sunt et iudicium tam intelligens, ut nihil in Graeca, Latina et Anglica oratione vel solutum et pervagatum, vel clausum et terminatum, vel numeris aut nimis effusum aut rite temperatum occurrat, quod non illa inter legendum ita religiose attendit, ut id statim vel magno rejiciat cum fastidio vel summa excipiat cum voluptate.*[5]) Man sieht aus den angeführten

b) bei englischen Humanisten.

---

1) In dem jesuitischen Catalogus perpetuus der oberdeutschen Provinz vom J. 1602/4 (Mon. Germ. Paedag. XVI [1894] 1 ff.) findet sich unter der verschwindend kleinen Zahl griechischer Autoren auch Isokrates, und zwar nicht bloß seine ethischen Reden, sondern auch der Panegyricus und Euagoras.

2) Dialogus Ciceronianus p. 1013 (vol. I der Ausgabe von 1703).

3) Für Belgien cf. Ruhnken de doctore umbratico (Lugd. Bat. 1761) 25 f.

4) Doch nicht er allein. Sir Thomas Elyot spricht 1541 von *quicke and proper sentences of the Greeke* mit Bezug auf Isokrates (Landmann l. c. 65), und in der Diktion des Thomas Morus (1480—1535) erkannte wenigstens Erasmus eine Hinneigung zur *Isocratica structura* (Dialog. Ciceronianus p. 1013).

5) Cf. über diese Studien der Prinzessin noch ep. I 191 (vom J. 1555). II 34 (vom J. 1562): sie habe leicht gefaßt *orationis ornamenta et totius sermonis numerosam ac concinnam comprehensionem.* Desselben Schoolmaster l. II p. 180 Giles: sie übersetzte jeden Vormittag aus De-

Worten, daß er die Freude seiner Schülerin an dem antithetischen Satzbau billigt; auch in seinem Urteil über den portugiesischen Humanisten Osorius (ep. I 161 vom J. 1553) hebt er hervor, dessen Stil sei *frequens et felix in contrariis*, und in einem Brief an Sturm (II 99 vom J. 1568) lobt er dessen Analyse mehrerer Antitheta aus Ciceros Rede für Quinctius. Er selbst schwelgt förmlich in diesem Stil, wie schon die oben angeführten Worte zeigen und jeder beliebige Brief bestätigt, so, um aufs Geratewohl eine Stelle herauszugreifen: ep. I 173 (vom J. 1554) an König Philipp: *inter tot hodie in hac urbe praeclara spectacula quae oculos tuos oblectant, inter tot laetas congratulationes quae aures tuas demulcent, ecce vocem et gemitum pauperum, quae animum tuum, ut speramus, etiam commovebunt, vocem quidem laetitiae, gemitum vero miseriae. . . Hic locus non sceleratorum carcer sed miserorum custodia et est et nominatur, et in hanc custodiam nos non intrudimur ab aliis sed ipsi confugimus, et huc confugimus non metu supplicii sed spe melioris fortunae.* Von seinem lateinischen Stil, in dem jeder die affektierte Nachahmung des Isokrates oder Cicero deutlich fühlt, übertrug er diese Manier nun auch auf die englische Sprache. Denn er hatte die ausgesprochene Absicht, in diese die Feinheiten der antiken Diktion einzubürgern. So schreibt er im J. 1568 an Sturm (II 99), er verwende in seinem für Engländer bestimmten 'Praeceptor' die englische Sprache, was freilich ein gefährliches Unternehmen sei: *neque tamen ipse sum tam nostrae linguae inimicus, quin sentiam illam omnium ornamentorum quum dictionis tum sententiarum admodum esse capacem*; besonders aber hat er diesen Standpunkt dargelegt in dem 1545 erschienenen Buch mit dem eigentümlichen Titel 'Toxophilus, The schole of shootinge conteyned in two books. To all Gentlemen and Yomen of Englande, pleasante for theyr pastyme to rede, and profitable for theyr use to folow, both in war and peace'. Dies Buch hat abgesehen von seinem unmittelbaren Zweck, das Bogenschießen als nützlichste Übung für jeder-

---

mosthenes und Isokrates ins Lateinische, jeden Nachmittag aus Cicero ins Griechische. — Isokrates bei Ascham noch: ep. I 13 (1542). 17 (1543) 136 (1552?). 164. Toxophilus p. 52. Cf. E. Grant, De vita et obitu Rogeri Aschami, in seiner Ausgabe von 1576 (abgedruckt bei Giles III 313): *Demosthenem et Isocratem suavissimos oratores privatim discipulis praelegebat.*

mann zu empfehlen[1]), zugleich noch die Absicht, die Kunst der lateinischen Sprache auf die englische zu übertragen. Das sagt er selbst p. 6f. Giles[2]): „Wenn jemand tadeln wollte, daß ich . . . in englischer Sprache geschrieben habe, so möchte ich ihm folgendes erwidern. Was die lateinische und griechische Sprache betrifft, so ist in ihnen bereits alles so vortrefflich behandelt, daß schwerlich jemand diese Meisterwerke übertreffen wird. Was dagegen in englischer Sprache seither geschrieben wurde, steht sowohl nach Inhalt als Form auf so niedriger Stufe, daß schwerlich jemand noch schlechter schreiben wird. Denn je geringer das Wissen, desto geneigter war man stets, zur englischen Sprache zu greifen, und die am wenigsten Aussicht hatten sich durch ihr Latein auszuzeichnen, glaubten um so unverschämter mit ihrem Englisch hervortreten zu dürfen. (Falsch sei es, dadurch die englische Sprache bessern zu wollen, daß man sie mit Fremdwörtern überschwemme:) Indem Cicero den Stil des Isokrates, Platon und Demosthenes zu seinem Vorbilde nahm, erweiterte auch er die lateinische Sprache, aber doch in einer durchaus andern Weise als jene. Dieser Weg bleibt von den meisten Schriftstellern unbenutzt: entweder können sie ihn nicht einschlagen, weil ihre Unwissenheit ihnen im Wege ist, oder sie wollen ihn nicht einschlagen, weil ihre Eitelkeit sie daran hindert.“ Er wolle das Versäumte nachholen.[3]) Demgemäß überträgt er nun auch jenes Stilornament des parallelen (antithetischen) Satzbaues, das ihm als das wichtigste von allen erschien, in maßloser Weise in seine englische Prosa; auch hier braucht man nur beliebig zuzugreifen, um ein Beispiel zu finden: so gleich in der an König Heinrich VIII. gerichteten Vorrede des genannten Buches: *I trust that your Grace shall perceive it to be*

1) Ob die Idee, das Bogenschießen neben geistiger Tätigkeit hergehen zu lassen, nicht, wie fast alles bei diesen hyperboreischen Humanisten, aus Italien entlehnt ist? Cf. G. Voigt l. c. I³ 539 von der Schule des Vittorino da Feltre: „Neben dem Unterricht gingen die Spiele und Übungen in freier Luft her. — Täglich gab es Übungen im Laufen, Ringen und Schwimmen, im Reiten, Ballspiel und Bogenschießen.“

2) Ich führe die Worte an in der Übersetzung A. Katterfelds, Roger Ascham, sein Leben und seine Werke (Straßburg 1879) 49.

3) Die englische Orthographie auf Grund der lateinischen zu reformieren versuchte Th. Smith, De recta et emendata linguae Anglicae scriptione, Lutetiae 1568.

a thing honest for me to write, pleasant for some to read, and pro fitable for many to follow; containing a pastime honest for the mind, wholesome for the body, fit for every man, vile for no man, using the day and open place for honesty to rule it, not lurking in corners for misorder to abuse it.

Wenn man diese Verhältnisse überblickt, so dürfte man folgender Schlußfolgerung nicht aus dem Wege gehen können. Als John Lyly im J. 1579 seinen Roman schrieb, verwendete er in ihm den Stil, der damals infolge einseitiger, durch die Humanisten aufgebrachter Nachahmung des Isokrates (und Cicero) als der einzig feine galt und aus dem Latein der Humanisten auf die modernen Sprachen übertragen wurde[1]; der Spanier Guevara war nur einer dieser vielen, die das taten; eine unmittelbare Beziehung Lylys zu dem durch seine Stellung am Hof einflußreichsten englischen Humanisten Ascham scheint sich klar auch daraus zu ergeben, daß in dessen 1570 erschienenem 'Schoolmaster' als erstes Erfordernis für einen jungen Menschen hingestellt wird, daß er εὐφυής sein und gesunden Witz haben müsse (p. 106f. Giles): der Titel des Lylyschen Buches aber ist: 'Euphues. The anatomy of wit.'[2])

2. Cicero.

2. Nachahmung des ciceronianischen Stils.

Unter den Ciceronianern des XVI. Jh. nahm eine hervorragende Stellung ein der berühmte Straßburger Humanist und Pädagoge Johannes Sturm (1507—1589).[3]) Er hat den

1) Die starke Anwendung der Alliteration in den korrespondierenden Worten (z. B. *that all that are woed of love should be wedded to lust*) ist wohl etwas spezifisch Englisches: diese Sprache neigte von Anfang dazu, wie die hierfür von Landmann angeführten Beispiele zeigen. Bei dem Spanier wird dagegen ein anderes, uns mehr antik anmutendes Klangmittel zur Verstärkung der Parisosis verwendet, das Homoioteleuton, z. B. *Costumbre es rescebir presto y alegres: y dar tarde y tristes. En lo uno presumptuosos: y en lo otro perezosos* und sehr viel dgl.

2) Landmann l. c. 68 gedenkt Aschams auch, aber ganz im Vorbeigehn: mir scheinen die Beziehungen aber sehr eng zu sein. Ob übrigens εὐφυής auch bei Humanisten anderer Länder in jener Zeit nachweisbar ist? A priori ist es sehr wahrscheinlich.

3) Die Bedeutung dieses Mannes für den deutschen Humanismus ist vortrefflich hervorgehoben von Ch. Schmidt, La vie et les travaux de Jean Sturm, Straßb. 1855 und H. Veil, Zum Gedächtnis J. Sturms in: Festschr. d. prot. Gymn. zu Straßb. (Straßb. 1888) 3ff.

Cicerokultus förmlich organisiert. Er ließ seine Schüler auftreten und mit Anwendung aller Affekte die ciceronianischen Prozesse führen; *erat etiam in eodem loco quaesitor iudicii ipsique iudices, fasces etiam consulares et lictores, viatores etiam et circumstans corona eorum qui audiunt, inprimis vero rei et litigatores utrinque, patroni et amici quos ipsi sibi advocarint qui causas dicunt* .... Es wurde ein Gegner aufgestellt, der unterbrechen durfte, worauf dann der kleine Cicero 'im Geist des toten' antwortete; *sic nos vera iudicia in veris causis instituimus et quasi gladiatorum oratorum paria introducimus.*[1]) Was den Stil betrifft, so hat er, wie sein Freund Ascham, eine außerordentliche Vorliebe für den parallelen (antithetischen) Satzbau, in dem er wie alle[2]) das Wesen der ciceronianischen *concinnitas* be-

---

1) De exercitationibus rhetoricis (Straßburg 1575) 71. 79 f. Übrigens war auch dieser Gedanke nicht originell, cf. G. Voigt l. c. I³ 540 f. von Vittorino da Feltre: „Rednerische Übungen wurden in der Weise der antiken Rhetorenschule veranstaltet: die Knaben lernten fingierte Fälle behandeln, so daß sie bald vor Gericht, bald vor einem Senat oder einer Volksversammlung ihre Reden hielten" (s. o. S. 801, 1). Die analogen Aufführungen antiker Dramen an dem Gymnasium Sturms haben ihre Quelle gleichfalls in Italien, cf. J. Crüger in der (S. 802, 3) zitierten Festschrift p. 309. Dagegen heißt es in der jesuitischen Verordnung vom J. 1619 (Mon. Germ. Paed. XVI 1894 p. 186): *in rhetorica etiam exhiberi poterit aliquod Senatus consultum, iudicium, sed absque apparatu solenniori personarum v. theatri.*

2) Cf. z. B. Doletus de imitatione Ciceroniana adversus Desiderium Erasmum pro Christophoro Longolio (Lugd. 1535) 68 f.: die *concinnitas* sei den Ohren erwünscht, daher Cicero *antitheta crebro confert, quae numerum oratorium ipsa necessitate gignunt et sine industria conficiunt* (wörtlich wiederholt in seinem: Liber de imit. Cic. adv. Floridum Sabinum [Lugd. 1540] 17). — Strebaeus de verborum electione et collocatione (Bas. 1539) l. II c. 7—9 (p. 202 ff.): er sieht in jenen Stellen Ciceros (or. 38 ff. 164 ff.) von der Konzinnität das wesentlichste Erfordernis für die *suavitas* der Rede. — P. Ramus. Ciceronianus (1556) 95 (der Ausg. Francofurti 1580) *nulla parte Cicero magis Ciceronianus videtur quam in orationis compositione et structura: tam eleganter et venuste orationem composuit .... frequentibus verborum figuris totum corpus exornat, dum prima primis, postrema postremis, prima mediis. media postremis, omniaque inter se paria concinnitate sua numerum quendam faciunt, vel gradatim aliis consequentia praecedentium loco redeunt vel collusione vocum similium aut casuum varietate veluti concinunt.* — Antonius Lullus Balearis de oratione (Bas. 1558) l. V c. 7 über die *concinnitas.* — Fr. Sanctius de arte dicendi (1573) in: Opera ed. Maiansius I (Genf 1766) 362 f. mit richtiger Herleitung aus Gorgias. — Daher schärfen die jesui-

schlossen sah. In seiner Schrift De amissa dicendi ratione (zuerst 1538) l. II c. 14 analysiert er[1]) daraufhin ciceronianische Perioden wie: *plus huius inopia possit ad misericordiam quam illius opes ad crudelitatem* (pro Quinct. 91) und *non ab homine alieno neque ab aliquo calumniatore atque improbo, sed ab equite Romano, propinquo et necessario suo* (ib. 87). Er rät, *ut in eiusmodi propositis exemplis adolescentes exerceantur* und führt eine selbstgemachte Probe an. Ähnlich in seinem — übrigens vortrefflichen (s. oben S. 42, 1) — Werk De periodis (1567): als Proben der *elegantia*, der *venustas* zitiert er (f. 87v. 103r) pr. Quinct. 26 *etenim, si veritate amicitia, fide societas, pietate propinquitas colitur, necesse est, iste qui amicum socium affinem fama ac fortunis spoliare conatus est, vanum se et perfidiosum et impium esse fateatur;* pr. Caec. 1 *si quantum in agro locisque desertis audacia potest, tantum in foro atque iudiciis impudentia valeret: non minus in causa cederet A. Caecina Sex. Aebutii impudentiae quam in vi facienda cessit audaciae;* div. in Caec. 54 *hic tu, si laesum te a Verre esse dices, patiar et concedam: si iniuriam tibi factam quereris, defendam et negabo.* In derselben Weise analysiert er (f. 105r. 154v—156v) isokrateische Perioden wie οὐ γὰρ δήπου πάτριόν ἐστιν, ἡγεῖσθαι τοὺς ἐπήλυδας τῶν αὐτοχθόνων οὐδὲ τοὺς εὖ παθόντας τῶν εὖ ποιησάντων οὐδὲ τοὺς ἱκέτας γενομένους τῶν ὑποδεξαμένων und bemüht sich, sie möglichst genau ins Lateinische zu übersetzen.[2]) Auch Sturm wollte die Kunst

---

tischen Rationes studiorum diese Figur vor allen andern ein, z. B. die vom J. 1622 (Mon. Germ. Paedag. XVI 1894) p. 217 cf. 219 f., und der Jesuit Julius Nigronius verwendet sie oft in seinen Reden, z. B. in der 1583 gehaltenen (XV p. 483 der oben [S. 798, 2] zitierten Ausgabe). — Sogar Lipsius, sonst der erbitterte Gegner der ciceronianischen Konzinnität (s. oben S. 775), empfiehlt am Schluß seiner Oratoria institutio (1573; ed. Koburg 1630 p. 106 f.), die *insignis periodus* der Miloniana (*est enim haec, iudices, non scripta sed nata lex* etc.) so umzusetzen in eine Rede De pietate in patriam: *est enim haec, auditores, animis hominum innata virtus, ad quam non doctrina nos instituit sed natura imbuit, quae non tradita nobis sed infixa, non instillata sed insita est*, sowie den Satz (in Catil. 1, 25) *ad hanc te amentiam natura peperit, voluntas exercuit, fortuna servavit* in folgenden: *ad quam nos virtutem natura peperit, doctrina exercuit, fortuna ipsa destinavit.*

1) Den Kommentar zur Quinctiana, in dem er nach Ascham ep. II 99 Giles solche Perioden analysierte, habe ich nicht finden können.

2) Cf. noch De universa ratione elocutionis (Straßburg 1575) 412 ff.; 665 ff.; nur der *exilis orator* solle diese Figur meiden: De imitat. orat. (ib.

des lateinischen Periodenbaus in seine Muttersprache übertragen wissen, denn auch das Deutsche sei solcher Finessen fähig.[1]) Aber er selbst hat sich für zu gut gehalten, um deutsch zu schreiben, und der Antithesenstil, der im Spanischen, Englischen, Französischen und Italienischen grassierte, hat in unsere Sprache meines Wissens überhaupt nur geringe Aufnahme gefunden.[2])

Ich könnte noch eine ganze Reihe von Belegen geben, aus denen zu ersehen ist, daß im XVII. und XVIII. Jh. in den unter Einfluß des Humanistenlateins stehenden Sprachen eine wahre Antithesenwut herrschte. Doch lasse ich sie hier beiseite[3]), und will, statt den Leser zu ermüden, ihn lieber belustigen durch das tollste Stück, das auf diesem Gebiete geleistet wurde. Ein viel gelesenes Buch[4]) war das des Emanuele Tesauro: Il cannocchiale Aristotelico, osia idea dell' arguta et ingeniosa elo-

---

1576) l. II c. 9 (p. 249). — Die Vorliebe Sturms steigert ins Lächerliche sein 'Scholiast' Valentinus Erythraeus: er (und mit ihm andere) zerlegt z. B. den oben aus der Rede für Caecina angeführten Satz *si — potest* in 3 κόμματα zu je 6 Silben: *si quantum in agro* | *locisque desertis* | *audacia potest*, und um nun auch in dem folgenden korrespondierenden Satz von 19 Silben *tantum in foro atque iudiciis impudentia valeret* 18 Silben herauszubekommen, ließ man entweder *in* aus oder schrieb *ac* für 'atque' (in der Anmerkung zu der zitierten Stelle Sturms de periodis).

1) De exerc. rhet. l. c. 81.

2) Doch vgl. Anm. 4.

3) Nur einen will ich hier noch anführen, weil er recht bezeichnend ist. Die Rhetorik des Bartolomeo Cavalcanti (Vinegia 1559), ein unendlich weitschweifiges Werk, handelt im fünften Buch vom Stil, wobei an verschiedenen Stellen mehr als jede andere Figur das *ἰσόκωλον* gepriesen und mit Beispielen vor allem aus Cicero belegt wird, dessen theoretische Ausführung über diese Figur im Orator dem Vf. natürlich auch bekannt ist (cf. p. 314), wie überhaupt das ganze Werk auf antiker Grundlage ruht. Cf. p. 279 (wo er selbst folgendes Musterbeispiel bildet: *costui nella pace inquieto, nella guerra otioso, nei pericoli timido, nella sicurezza ardito si dimostrava*); 305; 312; 313 f. (er schließt p. 314: *questi quattro ornamenti, la parità dico, i simili casi, le simili terminationi, la contrappositione sono quegli, i quali danno ciascuno per se stesso e senza altro artificio risonanza ed harmonia molto suave al parlare, come negli esempi allegati possono i nostri purgati orecchi comprendere*). Doch warnt er vor dem zu häufigen Gebrauch, und zwar in so scharfer Form, daß er offenbar jene Manier seiner Zeit im Auge hat: p. 279.

4) Deutsche Nachahmungen nennt J. Chr. Gottsched, Ausführl. Redekunst² (Leipz. 1739) 330 f.

cutione, Venetia 1663. Von p. 114 an handelt er von den *figure harmoniche.* Das sei vor allem das *ἰσόκωλον* mit seinen parallelen oder gegensätzlichen Gliedern und gelegentlichem Gleichklang am Ende (das sei ciceronianische *concinnitas*). Es genügt ihm aber nicht, die unnachahmliche Schönheit dieser Figuren bloß dem Ohr bemerklich zu machen, sondern auch das Auge soll sich daran erfreuen; zu diesem Zweck teilt er die einzelnen, meist Cicero entnommenen, Beispiele durch Linien ab, z. B. Cic. in Mil. 102:

an	
Tu	*Ego*
Me	*Te*
Per hos	*Per eosdem*
In patriam	*In Patria*
Revocare	*Retinere*
Potuisti	*Non potero?*

Dann folgen noch ein paar andere derartige Analysen ciceronianischer Perioden; von einer sagt er: *di cui nel giardin delle Muse niun' altro è più fiorito,* denn sie enthielte eine Komposition *dolcemente sonora e vigorosamente soave, ornata insieme et ordinata, ricrea il Dotto, insegna l'Idioto;* ebenso Cic. pr. Scaur. 45:

domus tibi deerat: *at habebas;*	*pecunia supererat:* *at egebas;*
incurristi *amens* *in columnas*	*in alienas* *insanus* *insanisti.*

Welchen erschreckenden Umfang diese Manier angenommen hatte, sieht man daraus, daß nicht bloß Tesauro sich (p. 187 ff.) daran macht, alte Ehreninschriften auf Augustus und Constantinus nach diesem Schema umzuformen, sondern daß man — ganz wie Guevara (s. oben S. 793) — damals tatsächlich solche Ehreninschriften verfaßte, von denen z. B. nach Tesauro (p. 189) eine lautet:

Omasius Fagoniae Dux
Dominus, Victor, Princeps, Deus;
Hic iaceo.

Nemo me nominet famelicus,
Praetereat ieiunus,
Salutet sobrius.
Haeres mihi esto, qui potest;
Subditus qui vult;
Hostis qui audet.
Vivite Ventres et valete.

Doch man muß diesen ganzen Abschnitt des Cavaliere lesen, um einen Begriff von der Monomanie jenes Jahrhunderts für diese Spielereien zu bekommen.

Schlufs.

Der Mann, dessen Stilfazetien wir soeben kennen lernten, hat in richtiger Selbstschätzung als seine und seiner Genossen Vorgänger gepriesen Gorgias, den Sophisten von Leontini, sowie jene gezierten spätlateinischen Autoren aus der Deklamatorenschule, *ne' quali parve rinato Gorgia Leontino.* Vernünftige Männer haben ihre in orgiastischem Stil schwelgenden Zeitgenossen darauf hingewiesen, daß sie es nicht besser machten, als Gorgias, Hegesias und jene Asianer, deren Exzesse Cicero und der Autor *περὶ ὕψους* verpönten.[1]) In diesen Vergleichen ist eine durchaus zutreffende historische Erkenntnis niedergelegt. Denn wenn wir, auf der Höhe angelangt, einen Rückblick werfen auf den langen Weg, den wir zurückgelegt haben, so sehen wir hinter uns liegen eine zweitausendjährige, nie unterbrochene Tradition. Dem alten sizilischen Redekünstler, „dem Mann der Mache und des Esprit“[2]), hatte das für Geist und Witz so empfängliche und für sinnliche Formenschönheit auch der Sprache von der Natur einzig prädestinierte Athenervolk zugejubelt und die Süßigkeiten, die er ihm bot, begierig eingesogen. Von Gorgias und Genossen haben die Attiker mit

Zusammenhänge.

---

1) Fr. Ogier, l. c. (S. 784). R. Ascham, The schoolmaster (London 1570) 99 Arber.

2) v. Wilamowitz, Hom. Unters. (Berlin 1884) 313. — Es hätte oben (S. 15, 1) bemerkt werden müssen, daß v. Wilamowitz l. c. 311 ff. zuerst das zeitliche Verhältnis des Thrasymachos zu Gorgias richtig beurteilt hat.

ihrem merkwürdigen Geschick, Fremdes sich anzueignen und durch den Stempel ihrer Eigenart zu adeln, die Kunst gelernt, durch äußerliche Mittel den Sinn und Geist von Hörern und Lesern zu bewegen. Die Klassizität der großen attischen Schriftsteller beruht auf der Stellung, die sie zur sophistischen Kunstprosa einnahmen, deren Verkehrtheiten sie vermieden und deren Vorzüge sie mit dem ihnen angeborenen Gefühl für Takt und Grazie zur Vollendung erhoben: am meisten gelang das Platon, dem Dichterphilosophen, und den Rednern der Praxis. Aber da sie sich kraft ihres individuellen Könnens am weitesten von der bewußten τέχνη der sophistischen Kunstprosa entfernten, so geht deren eigentliche Entwicklungslinie nicht über sie fort. Vielmehr war es Isokrates, der Schüler des Gorgias, der die Praxis seines Lehrers und der sophistischen Redekünstler überhaupt wissenschaftlich begründet und sie — nicht ohne wesentliche, mildernde Änderungen — für alle Zeit den Gemäßigten verbindlich gemacht hat. Die asianische Rhetorik dagegen hat in unmittelbarer Anknüpfung an Gorgias und mit absichtlicher Übergehung des Isokrates (und Demosthenes) jene Manier ins Bizarre gesteigert. Gerade durch die grellen Farben, die sie auftrug, zog sie die Augen der Römer auf sich, sobald diese in die Sphäre der hellenischen Kultur eintraten. In den griechischen und lateinischen Rhetorenschulen der Kaiserzeit, bei den Verehrern sowohl der alten Götter wie der neuen Gottheit, fand diese Manier begeisterte Adepten, die ihr bis ins byzantinische und okzidentalische Mittelalter treu geblieben sind und weiterhin den an der Antike sich emporrankenden modernen Sprachen anfangs ihren Stempel aufgedrückt haben. Diese von der alten sophistischen Kunstprosa ausgegangene und in Einzelheiten stetiger Umbildung und Weiterbildung unterworfene Stilrichtung haben wir nach einem aus dem Altertum selbst stammenden Unterscheidungsprinzip die „moderne“ genannt. Dem progressiven Verfall hat sich von Anfang an eine reaktionäre Partei, die der „Alten“, entgegengestemmt, die in Theorie und Praxis Rückkehr zum Archaischen und Einfachen befahl, das sie in den attischen Klassikern versinnbildlicht fand: ein vergebliches Unternehmen, da sie in romantisch-idealistischer Schwärmerei das Wollen mit dem Können verwechselte und den Anforderungen der wechselnden Generationen keine Rechnung trug: der größte und geschichtlich bedeutendste dieser reaktionären Versuche wurde von den Humanisten — auch auf dem Gebiete des Stils — unternommen, aber er scheiterte wie alle seine Vorgänger. Auch an Vermittlungsversuchen zwischen den „Neuen“ und den „Alten“ hat es in der ganzen Zeit nie gefehlt: mit unerreichter und daher der Ewigkeit für würdig befundener Virtuosität schloß diesen Kompromiß Cicero, und in langer ununterbrochener Arbeit schlossen ihn auch die modernen Sprachen, indem sie nach jahrhundertelangem Tasten und Irren zur Erkenntnis kamen, daß nicht eine überstürzte mechanische Übertragung des Fremdartigen, sondern nur ein langsamer inniger Verschmelzungsprozeß zu dem Ziele führen könne, dem jedes Kulturvolk, nur seiner Veranlagung gemäß mit größerer oder geringerer Intensität, zustrebt, der reinen Schönheit der Form wie in der bildenden Kunst, so auch in der gesprochenen und geschriebenen Rede.

Weit über ihre zeitlichen Grenzen hinaus hat sich uns die Antike als die alles bewegende und belebende Kulturmacht erwiesen. Die Barbarennationen, von denen sie zertreten zu werden in Gefahr war, hat sie ihrerseits veredelt und die rohen, planlos hinstürmenden Gewalten befähigt, durch edelste Menschenbildung die große Mission einer Zivilisation des Erdkreises zu vollbringen. Die feindliche Gewalt der neuen Religion hat ihre stolze Gegnerin nach einem Ringen, wie es länger und furchtbarer in der Weltgeschichte des menschlichen Denkens nicht stattgefunden hat, zu Boden geworfen, aber wie des Lichtes Fackel auch umgewendet emporschlägt, so ist die Besiegte von der hoheitsvollen Siegerin selbst wieder aufgerichtet worden und hat mit ihr, wie auf allen Gebieten, so auch auf dem des kunstmäßigen Ausdrucks der Gedanken in Worten und in Schrift, einen Freundschaftsbund geschlossen, welcher der Menschheit zum Segen die Äonen hindurch dauern wird, so gewißlich wahr das Wort des ernsten Dichters von der Ewigkeit des Guten ist: τὸ εὖ νικᾷ.

Anhang I.

Über die Geschichte des Reims.

Es gibt wenige literarhistorische Probleme, über die so viel geschrieben ist wie über das vom Ursprung des Reims. Eine bloße Aufzählung der Titel dieser Abhandlungen, die ich ziemlich vollständig geben zu können glaube — wer heute darüber schreibt, tut so, als ob er keine oder fast keine Vorgänger hat — würde Seiten füllen[1]), und wollte ich den ganzen Stoff in allen seinen Einzelheiten bearbeiten, so bedürfte es dazu eines eignen Werkes. Ohne daher auf das Detail einzugehen und ohne mich mit einer genauen Widerlegung des vielen Falschen und Abenteuerlichen, das in dieser Frage vorgebracht ist, zu befassen, werde ich mich darauf beschränken, die wesentlichen Resultate meiner Untersuchungen vorzulegen; wenn ich trotzdem ausführlich werde, so geschieht es deshalb, weil ich nur auf breitester Grundlage das Problem lösen zu können glaube.

I. Prinzipielle Fragestellung.

Der Reim ein formaler Völkergedanke.

Wer vor etwa hundert Jahren über dies Thema schreiben wollte, mußte vor allem zu einer prinzipiellen Frage Stellung nehmen: ist der Reim die 'Erfindung' irgend eines bestimmten Volks gewesen, von dem er den übrigen vermittelt wurde? Heutzutage herrscht darüber Einigkeit, daß eine solche Frage in sich

1) Die erste systematische Untersuchung stammt von Muratori in seinen Antiquitates Italiae medii aevi III (1740) diss. XL De rhythmica veterum poesi et origine Italicae poeseos, cf. besonders p. 685 ff.

selbst zusammenfällt: die aus allgemeinen Gesichtspunkten sich ergebende Anschauung, daß etwas derartiges überhaupt nicht 'erfunden' wird, erhält immer neue positive Beweise durch die Erforschung der Sprachen primitiver oder wenigstens von der europäischen Kultur abseits stehender Völker. Wir erkennen, daß der Hang zur Verknüpfung von Versteilen oder ganzen Versen durch gleichklingende Silben potentiell (um mich so auszudrücken) überall vorhanden ist[1]), daß es sich mithin nur darum handelt, ob, wann, in welchem Umfang und durch welche Einflüsse er aktuell geworden ist. — Jeder Gebildete weiß, daß der Reim in der späten Kaiserzeit in die Verse der christlichen Hymnen[2]) eindrang und hier, von bescheidenen Anfängen ausgehend, mehr und mehr seine Herrschaft ausdehnte, die er endgültig besaß, als die alte Welt zu Boden gesunken war und auf ihren Trümmern neue Völker zu wirtschaften anfingen. — Auch darüber herrscht jetzt allgemeines Einvernehmen, daß das germanische Volk in Anlehnung an die lateinischen Hymnen diese Verszier für seine Poesie nutzbar gemacht, d. h. dem Reim seine originalen Versformen geopfert hat.[3]) Zwar sträubt sich unser Gefühl anfangs gegen die Zumutung, ein wesentliches formales Element der Poesie als Import aus der Fremde anzusehen. Aber es fehlen dafür nicht Analogien. Über die Verse der Kirgisen urteilt der erste Kenner dieses und der verwandten

Der germanische Reim eine Entlehnung aus den lat. Hymnen.

1) Weite Verbreitung des Reims: George Puttenham, The art of english poesie (1589) in Arbers reprints n. 15 p. 26. Theophilus Swift, Essay on the rise and progress of rhime in: Transactions of the royal irish academy IX (Dublin 1803) 3 ff., wo er ihn nennt: *the universal voice of nations.* J. Kayser, Beitr. z. Gesch. d. ält. Kirchenhymnen [2] (Paderborn 1881) 110, 4 u. a.

2) Ein wissenschaftliches Buch über die Geschichte des christlichen Gesanges fehlt. In den bekannten Darstellungen sucht man vergebens so wichtige Stücke wie den (jetzt durch M. R. James in Texts and studies V [Cambridge 1897] 12 f. vervollständigten) Hymnus in den (aus s. II stammenden) gnostischen acta Iohannis p. 220 f. Zahn (genau wie es Tertull. de or. 27 beschreibt), den Hymnus des Valentinos bei Hippol. ref. haer. VI 37, den der Naassener ib. V 10, die Lieder des Apollinarios nach Sozom. h. e. VI 25 und die des Areios nach Athanas. I 247. 406. 728 ed. Maur. Künftig wird auch hinzuzunehmen sein der kürzlich in Ägypten gefundene, von Usener (Religionsgesch. Unters. I 189 f.) ins rechte Licht gestellte liturgische Antiphonengesang am Epiphanienfest.

3) Wohl zuerst hat W. Wackernagel, Gesch. d. deutsch. Nationallit. I[2] (Basel 1879) § 30 das nachdrücklich hervorgehoben.

Völker, W. Radloff[1]), folgendermaßen: „Was die rhythmischen Gesetze betrifft, durch die die gebundene Rede geregelt wird, so sehen wir, daß hier die persische Poesie einen großen Einfluß geübt. Die ursprünglichen türkischen Versmaße sind verloren gegangen: an Stelle der akrostichischen Verse sind Verse mit Endreim getreten.“ Die Perser haben, soviel ich weiß, ihre originalen Versformen denen der Araber geopfert. Das nationalitalische Versmaß, in dem Priester Hymnen, Dichter Epen, Aristokraten Grabschriften, Aristokraten und Plebejer Dedikationen verfaßten und nach dessen Takt der Landmann beim Erntefest tanzte und sang, ist durch die um 200 v. Chr. importierten griechischen Versmaße bis zu dem Grade verdrängt worden, daß Gelehrte um 50 v. Chr. von der alten Versform keine klare Vorstellung mehr besaßen und daß, was noch mehr sagen will, der Soldat Verse auf die Kaiser in trochäischen Langzeilen, die weise Frau Losorakel in Hexametern, der gewöhnliche Mann Grabschriften in Senaren oder Distichen konzipierte. So übte also die antik-christliche Kultur ihre überwältigende Macht auch auf die Versformen der modernen Völker aus: der Germane, der gemäß seiner Aussprache das charakteristische Ornament des Verses von jeher auf die Anfangssilben gelegt hatte, begann nun, es auf die Endsilben zu legen und das in einer Zeit, wo die Entwicklung der eignen Sprache, nämlich der beginnende Verfall dieser Endsilben, umsomehr ein Festhalten an dem alten Prinzip empfohlen hätte: der alliterierende Vers des Hildebrandliedes wich dem gereimten, der wenigstens für uns zuerst und gleich voll ausgebildet in Otfrids Werk vorliegt, ohne daß die Zufälligkeit unserer Überlieferung ausschlösse, daß infolge der Einwirkung der lateinisch-christlichen Poesie der Reim schon vor ihm wenigstens partielle Verwendung gefunden haben könnte; denn erstens pflegt die volle Ausbildung irgend welcher Erscheinung primitive Vorstufen zu haben und zweitens ist, wie mich F. Vogt belehrt, die kanonische Geltung des Reims in der ganzen deutschen Poesie seit der karolingischen Zeit nicht aus Otfrids Werk zu erklären, das nur in gelehrten Kreisen gelesen wurde und dessen Einfluß über-

1) Die Sprachen der türkischen Stämme Süd-Sibiriens I. Abt. 3. Teil (St. Petersb. 1870) p. XXII.

haupt sehr gering war. — Die Einwände, die früher gegen die Herkunft des Reims aus der lateinischen Hymnenpoesie gemacht wurden, sind hinfällig. Wenn in altgermanischen Liedern ganz gelegentlich ein oder der andere Vers reimt[1]), wenn, wie wir nachher sehen werden, der Reim in germanischen Zauberformeln aus heidnischer Zeit begegnet, oder wenn selbst, was jetzt von maßgebenden Forschern in Abrede gestellt wird, jene in der Notkerschen Rhetorik zitierten altdeutschen Reimverse[2]) sehr alter volkstümlicher Poesie angehören sollten, was folgt daraus anderes als das, was jeder ohnehin zugeben muß: daß das germanische Ohr für den Zusammenklang auch des Auslauts der Worte empfänglich war, daß also (um mich des obigen Ausdrucks zu bedienen) der Reim auch im Deutschen seiner *δύναμις* nach vorhanden war, ehe er durch die auf allen Gebieten des Denkens und Dichtens so einschneidende Einführung der christlichen Hymnen zur *ἐνέργεια* wurde? — Da mithin die Tatsache, daß der Reim in der Poesie der modernen Völker in aktuelle Erscheinung getreten ist durch Übertragung aus dem lateinischen Hymnengesang, als sicher zu gelten hat, wird die prinzipielle Fragestellung für die Völker unsres Kulturkreises zu lauten haben: wie ist der Reim in die lateinische Hymnenpoesie gekommen? Bevor wir aber diese Frage beantworten können, sind noch mehrere Punkte zu erörtern. Der Reim der Hymnen.

II. Der Parallelismus als Urform der Poesie und der Reim in Formeln.

1. Es war nicht bloß das allen Menschen angeborene Vergnügen an harmonischem Wohlklang, das den Reim potentiell bei den meisten Völkern hervorbrachte[3]), sondern es bedurfte Parallelismus ein formaler Völkergedanke.

---

1) Cf. C. F. Meyer, De theodiscae poeseos verborum consonantia finali (Diss. Berl. 1849) 9 ff.

2) Bei P. Piper, D. Schriften Notkers u. s. Schule I 673 f., cf. darüber z. B. O. Schrader in: Germania XIV (1869) 42 ff.

3) Harsdörffer in seinem Poetischen Trichter, dritter Teil (Nürnb. 1653) p. 79 (cf. K. Borinski, Die Poetik d. Renaissance [Berl. 1886] 205) antwortet auf die Frage 'warum die Reimen das Ohr belustigen': „nemlich wegen ihrer ungezwungenen Lieblichkeit, welche sich etlicher Maßen mit einer

einer ganz bestimmten Grundlage, von der er nicht losgelöst werden kann, ohne seiner Existenzmöglichkeit verlustig zu gehen. Das Substrat des Reims ist der Parallelismus, oder, wie Herder es einmal etwas weniger scharf ausdrückt: „Der Reim, das große Vergnügen nordischer Ohren, ist ja ein fortgehender Parallelismus.“[1]) Parallelismus ist vielleicht der wichtigste formale Völkergedanke, den es gibt. Treffend urteilt A. Wuttke, D. deutsche Volksaberglaube d. Gegenwart² (Berlin 1869) 157 f.: „In Formeln wie 'Mond nimt zu, Warze nimt ab' 'Glocken gehn Toten nach, Warzen gehn mit' liegt eine echte und ursprüngliche Volkspoesie, ein Parallelismus der Gedanken, wie er in der hebräischen Dichtkunst und in den Volkssprüchen und besonders in den Gleichnissen sich kundgibt, der Ursprung aller Dichtkunst überhaupt. Was der Reim im äußeren Klange ausdrücken will, das drückt sich hier in kernhafter Wirklichkeit aus, die innere Gleichstellung und Verbindung des äußerlich Unterschiedenen.“ Wer die Veröffentlichungen der Folkloristen durchblättert, findet genug Beweise dafür; so kleiden die Stämme am Altai ihre Sprichwörter so gut wie ausschließlich in die Form des Parallelismus, z. B.

„Was gedenkst du die Vögel des Himmels zu fangen?
Was gedenkst du die Fische des Meeres zu fangen?“

oder:

„Wer hat gesehen, daß des Bockes Horn zum Himmel reicht?
Wer hat gesehen, daß des Kamels Schwanz zur Erde reicht?“[2])

Ebenso Sprichwörter der Tataren, z. B.

„Des Alten Worte bewahre im Sack,
Seinen Leichnam bewahre nach Gebühr.“

oder:

„Des Menschen Dummheit ist innen,
Des Viehes Buntheit außen.“[3])

---

gleichkünstlicher Zusammenstimmung in der Music vereinbahren; aller Maßen auch ein wolgestaltes und nach kunstrichtigem Ebenmaß wolgestelltes Gemähl dem Aug beliebet. Es ist dieses der Natur eingepflanzet, daß ihm angenehm ist, was eine Gleichheit hat und hingegen mißfällig, was eine ungleichheit ausweiset.“

1) In seiner Abhandlung „Vom Geist der ebräischen Poesie“ 1782 = Werke ed. Suphan XI 238.

2) Radloff l. c. I 1 (St. Petersb. 1866) 1 ff.

3) Ders. l. c. I 6 (St. Petersb. 1886) 7.

Ein Eskimolied[1]):

„Den großen Koonak Berg im Süden drüben,
Ich sehe ihn.
Den großen Koonak Berg im Süden drüben,
Ich schaue ihn.
Den leuchtenden Glanz im Süden drüben,
Staune ich an.
Jenseits von Koonak
  Dehnt es sich aus,
Dasselbe was Koonak
  Seewärts umschließt.
Schau, wie sie (die Wolken) im Süden
  Wogen und wechseln,
Schau, wie sie im Süden
  Einander verschönern;
Während er (der Gipfel) seewärts umhüllt ist
  Von wandelnden Wolken,
Seewärts umhüllt,
  Einander verschönernd."

Ein finnischer Sang[2]):

A maiden walked along the air's edge — a girl along the 'navel' of the sky,
Along the outline of a cloud, — along the heaven's boundary,
In stockings of a bluish hue, — in shoes with ornamented heels,
A wool-box in her hand, — under her arm a hairfilled pouch
usw.

2. Dieser Parallelismus der Poesie und der gehobenen Prosa[3]) Arten des Parallelismus:

1) Bei E. Grosse, D. Anfänge d. Kunst (Freib.-Leipz. 1894) 232.

2) In englischer Übersetzung mitgeteilt von J. Abercromby, Magic songs of the Finns in: Folk-Lore, a quaterly review of myth etc. I (Lond. 1890) 26 cf. p. 22: *In Finnish, the second line of a couplet is nearly always a repetition in other words of its predecessor, and stands in apposition to it.* Wem die Folk-Lore-Literatur besser zugänglich ist als es einem Deutschen (selbst an den größten Bibliotheken) möglich ist, wird zweifellos Beispiele auch anderer Völker beibringen können. Es wäre dringend zu wünschen, daß die Folkloristen (was jetzt Ausnahme zu sein scheint) stets genaue Mitteilung auch über die äußere Form der Lieder machten (am liebsten auch mit einer oder der andern Probe im Original): allgemeine Inhaltsangaben allein genügen uns nicht.

3) Cf. A. Jeremias, Die babylonisch-assyr. Vorstell. v. Leben nach dem

— wir haben bereits oben (S. 30 ff.) gesehen und werden weiterhin darauf zurückkommen, daß beides nicht zu trennen ist — zeigt bei verschiedenen Völkern oft eine verschiedene Erscheinungsform: teils entsprechen sich die parallel laufenden Sätze ganz oder zumeist Wort für Wort, teils ist die Responsion eine erheblich freiere; wenn wir den wesentlichen Unterschied ins Auge fassen, so können wir die erstere Erscheinung Parallelismus der Form, die zweite Parallelismus des Gedankens nennen.

a. Griech. Formenparallelismus.

a. Den Parallelismus der Form nannten die Griechen *παρίσωσις*; wir haben gesehen, daß diese das wesentlichste Charakteristikum der griechischen, dann der lateinischen Kunstprosa war; ein Satz wie der des Gorgias:

τί γὰρ ἀπῆν τοῖς ἀνδράσι τούτοις ὧν δεῖ ἀνδράσι προσεῖναι;
τί δὲ καὶ προσῆν ὧν οὐ δεῖ προσεῖναι;
εἰπεῖν δυναίμην ἃ βούλομαι,
βουλοίμην δ' ἃ δεῖ·
λαθὼν μὲν τὴν θείαν νέμεσιν,
φυγὼν δὲ τὸν ἀνθρώπινον φθόνον

mag typisch dafür sein. Die Griechen müssen es sich gefallen lassen, hier mit den Chinesen zusammenzugehen (deren Sprache übrigens charakteristischerweise wie die der Griechen den musikalischen Akzent haben soll: s. o. S. 5); über sie teilt G. v. d. Gabelentz folgendes mit (Zeitschr. f. Völkerpsych. X [1878] 230 ff.): „Der Chinese, ein stilistischer Feinschmecker der empfindlichsten Art, ist ein großer Verehrer scharf zugespitzter Antithesen. Schärfer aber können die Spitzen nicht aneinanderstoßen, als wenn man beide entgegengesetzte Gedanken in völlig symmetrischer Gestalt, Glied auf Glied einander entsprechend, nebsammen rückt. Dies ist eine der gebräuchlichsten Arten ihrer Stilkunst“, was dann durch ein auch für Laien verständliches Beispiel illustriert wird.[1])

Tode (Leipzig 1887) 9: „Die Form der Darstellung (in der Höllenfahrt der Istar) ist Parallelismus der Glieder, eine Form der poetischen Sprache, die sicherlich ursprünglich keine bewußt kunstmäßige ist, sondern das natürliche Ergebnis schwungvoll gehobener Rede.“

1) Bemerkenswert ist auch, daß aus diesem Formparallelismus sich nach v. d. Gabelentz die chinesische Sitte erklärt, sehr oft ohne Interpunktion zu schreiben. Auch der Grieche brauchte z. B. seinen Gorgias kaum zu interpungieren.

b. Der Parallelismus des Gedankens tritt vor allem klar entgegen in der hebräischen Sprache. Wer ihn zusammenwirft mit dem griechisch-lateinischen, oder gar den Parallelismus im Stil jüngerer lateinischer Autoren (z. B. des Appuleius oder Augustin) aus dem Hebräischen ableitet, beweist, daß er von der Art des hebräischen Parallelismus gar keine Vorstellung hat. Ich will, damit der Kontrast um so deutlicher hervortrete, nicht das Hebräische unmittelbar mit dem Griechischen, sondern das von Juden geschriebene Griechisch mit dem von echten Hellenen geschriebenen Griechisch vergleichen. Wer des nationalgriechischen Parallelismus Kundige, der etwa den eben angeführten Satz des Gorgias liest, könnte auch nur in Versuchung kommen, ihn für identisch zu erklären etwa mit Jes. Sir. 1

b. Hebr. Gedankenparallelismus.

πᾶσα σοφία παρὰ κυρίου,
καὶ μετ' αὐτοῦ ἐστιν εἰς τὸν αἰῶνα.
ἄμμον θαλασσῶν καὶ σταγόνας ὑετοῦ
καὶ ἡμέρας αἰῶνας τίς ἐξαριθμήσει;
ὕψος οὐρανοῦ καὶ πλάτος γῆς
καὶ ἄβυσσον καὶ σοφίαν τίς ἐξιχνιάσει;
προτέρα πάντων ἔκτισται σοφία,
καὶ σύνεσις φρονήσεως ἐξ αἰῶνος

(usw. in 51 langen Kapiteln), oder mit dem in den (griechischen) Thomasakten erhaltenen gnostischen Hymnus auf die Sophia (Act. apost. apocr. 195 f. Tischend.), dessen erste und sechste Strophe R. Lipsius, Die apokr. Apostelgesch. I (Braunschweig 1883) 301 f. so übersetzt:

„Das Mädchen ist des Lichtes Tochter,
Der Abglanz der Könige wohnt ihr ein.
Fröhlich und erquickend ist ihr Anblick,
In strahlender Schönheit erglänzt sie.“ —

„Ihr Brautgemach duftet von Balsam und allen Aromen,
Gibt süßen Wohlgeruch von Myrrhen und Laubwerk.
Drinnen sind Myrthenzweige und duftende Blumen gebreitet,
Das Brautbett mit Schilfrohr geschmückt“[1]),

oder mit folgenden Sätzen aus den Reden Jesu[2]) im Evangelium Matth. 7, 13 f.:

---

1) Cf. in denselben Akten noch p. 198 f. 213 f. 216. 224.

2) Daß sie so komponiert sind, ist von D. Müller, Die Propheten in

εἰσέλθετε διὰ τῆς στενῆς πύλης.

ὅτι πλατεῖα ἡ πύλη
καὶ εὐρύχωρος ἡ ὁδὸς
ἡ ἀπάγουσα εἰς τὴν ἀπώλειαν
καὶ πολλοί εἰσιν οἱ εἰσερχόμενοι δι' αὐτῆς.

ὅτι στενὴ ἡ πύλη
καὶ τεθλιμμένη ἡ ὁδὸς
ἡ ἀπάγουσα εἰς τὴν ζωὴν
καὶ ὀλίγοι εἰσὶν οἱ εὑρίσκοντες αὐτήν.

ib. 16 ff.

ἀπὸ τῶν καρπῶν αὐτῶν ἐπιγνώσεσθε αὐτούς·
μήτι συλλέγουσιν ἀπὸ ἀκανθῶν σταφυλὴν
ἢ ἀπὸ τριβόλων σῦκα;
οὕτω πᾶν δένδρον ἀγαθὸν καρποὺς καλοὺς ποιεῖ·
τὸ δὲ σαπρὸν δένδρον καρποὺς πονηροὺς ποιεῖ.

οὐ δύναται δένδρον ἀγαθὸν καρποὺς πονηροὺς ποιεῖν
οὐδὲ δένδρον σαπρὸν καρποὺς καλοὺς ποιεῖν.
πᾶν δένδρον μὴ ποιοῦν καρπὸν καλὸν ἐκκόπτεται
καὶ εἰς πῦρ βάλλεται·
ἄρα γε ἀπὸ τῶν καρπῶν αὐτῶν ἐπιγνώσεσθε αὐτούς.

---

ihrer ursprünglichen Form I (Wien 1896) 216 ff. richtig hervorgehoben, cf. schon Chr. Wilke, D. neutest. Rhet., Leipz. 1843, 192. (Für Paulus cf. jetzt J. Weiß, Beitr. z. paul. Rhet., Gött. 1897, wonach o. S. 509 f. zu erweitern). Auch B. Resch, Agrapha l. c. (o. S. 474, 2) 244 ff. hat auf solche Parallelismen zu vier Gliedern in den λόγια κυριακά hingewiesen, und sehr belehrend ist, was derselbe p. 32. 35 notiert: bei Lukas 10, 16

ὁ ἀκούων ὑμῶν ἐμοῦ ἀκούει
καὶ ὁ ἀθετῶν ὑμᾶς ἐμὲ ἀθετεῖ·
⟨ὁ δὲ ἐμοῦ ἀκούων ἀκούει τοῦ ἀποστείλαντός με⟩,
ὁ δὲ ἐμὲ ἀθετῶν ἀθετεῖ τὸν ἀποστείλαντά με

sind die in Klammern eingeschlossenen Worte nur in dem berühmten Codex Cantabrigiensis (s. VI), sowie in mehreren Übersetzungen und in älteren Zitaten erhalten; der Philologe würde daraus einfach folgern, daß sie in unsern Evangelienhss., mögen diese auch ein paar Jahrhunderte älter sein als der Cod. Cant., ausgefallen sind: ob die Folgerung des genannten Theologen, sie gehörten dem Urevangelium an und seien von Lukas ausgelassen worden, irgend welche innere oder äußere Wahrscheinlichkeit hat, wage ich nicht zu beurteilen, glaube es aber nicht.

ib. 24 ff.

πᾶς οὖν ὅστις ἀκούει μου τοὺς λόγους τούτους καὶ ποιεῖ αὐτούς,
ὁμοιώσω αὐτὸν ἀνδρὶ φρονίμῳ,
ὅστις ᾠκοδόμησε τὴν οἰκίαν αὐτοῦ ἐπὶ τὴν πέτραν·
καὶ κατέβη ἡ βροχή,
καὶ ἦλθον οἱ ποταμοί,
καὶ ἔπνευσαν οἱ ἄνεμοι,
καὶ προσέπεσον τῇ οἰκίᾳ ἐκείνῃ,
καὶ οὐκ ἔπεσε·
τεθεμελίωτο γὰρ ἐπὶ τὴν πέτραν.

καὶ πᾶς ὁ ἀκούων μου τοὺς λόγους τούτους καὶ μὴ ποιῶν αὐτούς,
ὁμοιωθήσεται ἀνδρὶ μωρῷ,
ὅστις ᾠκοδόμησε τὴν οἰκίαν αὐτοῦ ἐπὶ τὴν ἄμμον·
καὶ κατέβη ἡ βροχή,
καὶ ἦλθον οἱ ποταμοί,
καὶ ἔπνευσαν οἱ ἄνεμοι,
καὶ προσέκοψαν τῇ οἰκίᾳ ἐκείνῃ,
καὶ ἔπεσε·
καὶ ἦν ἡ πτῶσις αὐτῆς μεγάλη.

Das ist derselbe Strophen-, Satz- und Gedankenparallelismus, der gelegentlich, an besonders gehobenen Stellen, auch die Reden der Propheten auszeichnet: der hellenischen Prosa ist derartiges ganz fremd.[1])

3. Was ist nun begreiflicher, als daß in diesen beiden Arten Spontaner Reim in Formeln:

1) Ich erwähne das alles nur, weil immer wieder von neuem der echtgriechische und echtlateinische Parallelismus der Kunstprosa mit dem hebräischen Parallelismus zusammengeworfen wird. Am verwegensten ist die Behauptung von K. Deutschmann, De poesis Graecorum rhythmicae usu et origine (Progr. Koblenz 1889) 25: der Reim der christlichen Poesie sei aus der Septuaginta abzuleiten, denn: *psalmi illius versionis tam pleni sunt rimorum, ut prope ad macamas Arabum accedant*, worin jedes Wort unrichtig ist. Über das Wesen des hebräischen Parallelismus hat schon R. Lowth in seinem berühmten Werk De sacra poesi Hebraeorum (1753), praelectio XIX richtig geurteilt, cf. auch E. du Méril, Essai philosophique sur le principe et les formes de la versification (Paris 1841) in dem Kapitel, das handelt Du rhythme basé sur les idées (p. 47 ff.). Mit dem Hebräischen stimmt genau das Finnische: der Kalewala zeigt durchgängigen Parallelismus, über dessen Wesen D. Comparetti, Der Kalewala (Halle 1892) 31 sagt: „Jeder Vers muß einen vollständigen Gedanken oder einen vollständigen Teil eines größeren Gedankens enthalten, welcher im nächsten Verse in anderen Worten wiederholt wird.

des Parallelismus und zwar naturgemäß weit öfters in der ersten als in der zweiten die beiden sich gegenübergestellten Sätze durch den Zusammenklang der auslautenden Silben der letzten Worte 'gebunden' werden, wie wir mit einer bezeichnenden Metapher[1]) sagen? In der griechisch-lateinischen Kunstprosa geschah es durch bewußte Absicht der Schriftsteller, aber wie tief der Hang dazu in der Volksseele selbst wurzelte, zeigen jene uralten 'carmina', die die antiken Völker so gut besaßen wie die anderen. Buecheler hat auf ihre Bedeutung auch für die uns hier interessierende Frage hingewiesen im Rh. M. XXXIV (1879) 345. Nach Anführung einiger Beispiele gereimter Zauberformeln urteilt er: *recentissima haec est latinorum poematum forma, etsi primordia eius ipsa quoque ad horridam antiquitatem, immo ultra gentis romanae originem redeunt.* Auf Anregung Buechelers hat dann R. Heim das Material vorgelegt: Incantamenta magica graeca latina in Fleckeisens Jahrb. Suppl. XIX (1893) 465 ff. Mustert man die Beispiele, so findet man, daß die Urform dieser 'carmina' der Parallelismus ist, der gelegentlich durch den Reim gehoben wird. Nur ein paar Beispiele wiederhole ich daraus. Die beiden ältesten stehen bei Varro de r. r. I 2, 27 und de l. l. VI 21:

a) im Lateinischen.

terra pestem teneto
salus hic maneto

und:

novum vetus vinum bibo
novo veteri morbo medeor;

alt ist auch die Formel, die einem bekannten Vergilvers (ecl. 8, 79) zugrunde liegt:

limus ut hic durescit et haec ut cera liquescit.

Ferner der akzentuierende Vers bei Marc. Emp. VIII 191:

néc huic morbo caput crescat aut si creverit tabescat;

Marc. XV 11:

si hodie nata — si ante nata
si hodie creata — si ante creata
hanc pestem — hanc pestilentiam

---

1) Cf. O. Plate, Die Kunstausdrücke der Meistersinger in: Straßburger Studien III (1888) 195 mit Belegen seit dem Beowulf. Die Metapher findet sich übrigens auch bei andern Völkern: cf. E. du Méril l. c. 21, 2. Dem Altertum war sie für die Poesie fremd, s. oben S. 53, 2.

hunc dolorem — hunc tumorem — hunc ruborem
has toles — has tosillas
hanc strumam — hanc strumellam
hanc religionem
evoco educo excanto
de istis membris medullis.

id. XV 101:

albula glandula
nec doleas nec noceas
nec paniculas facias
sed liquescas tamquam salis in aqua.

id. XXI 3. XXVIII 16:

pastores te invenerunt
sine manibus colligerunt
sine foco coxerunt
sine dentibus comederunt.

id. XX 78:

lupus ibat per viam per semitam
cruda vorabat liquida bibebat.

id. VIII 199:

ne lacrimus exeat
ne extillet ne noceat.

Pelagonius 19:

si tortoniatus si hordiatus
si lassatus si calcatus
si vermigeratus si vulneratus
si marmoratus si roboratus,

wozu noch kommen: die Evokationsformel bei Macr. sat. III 9, 7 f.:

ut vos populum civitatemque Carthaginiensem deseratis loca templa sacra urbemque eorum relinquatis absque his abeatis eique populo civitati metum formidinem oblivionem iniciatis proditique Romam ad me meosque veniatis,

der Fluch des Kochs im Testamentum porcelli (p. 242, 10 Buech.):

de Tebeste usque ad Tergeste liget sibi collum de reste,

sowie die Reimspiele in den *Ἐφέσια γράμματα* bei Cato r. r. 160:

daries dardaries astataries

und:

huat huat huat
ista pista sista. —

Aus den iguvinischen Tafeln habe ich schon oben (S. 159 f.) einiges hierher Gehörige angeführt, was ich zu vergleichen bitte; außerdem noch das Gebet II B 24:

Iupater Saše, tefe estu
vitlu vufru sestu

sowie die Exekrationsformel VI B 54 f.:

nosve ier ehe esu poplu
sopir habe esme pople,
portatu ulo pue mersest
fetu uru pirse mers est.[1])

b) im Griechischen.

Für das Griechische habe ich mir folgendes gesammelt. Die altehrwürdige Rhetra des Lykurg beginnt hochfeierlich (Plut. v. Lyc. 6): *Διὸς Ἑλλανίου καὶ Ἀθανᾶς Ἑλλανίας ἱερὸν ἱδρυσάμενον, φυλὰς φυλάξαντα καὶ ὠβὰς ὠβάξαντα, τριάκοντα γερουσίαν σὺν ἀρχαγέταις καταστήσαντα, ὥραις ἐξ ὡρᾶν*[2]) *ἀπελλάζειν.* In dem alten Demeterhymnus stammt die formelhafte Verbindung *ἀγέλαστος ἄπαστος* (V. 200) aus der Mysteriensprache.[3]) Dann späte Beispiele, in deren Formulierung aber manches älter sein kann. Zunächst jene auf den Steinen sich oft findende Fluchformel, die in der Fassung einer Inschrift von Halikarnass lautet (Anc. greek inscr. in the Brit. Mus. IV 1 n. 918): *εἰ δέ τις ἐπιχειρήσι θεῖναί τινα, μηδὲ γῆ καρποφορήσοιτο αὐτῷ μηδὲ θάλασσα πλωτή, μηδὲ τέκνων ὄνησις μηδὲ βίου κράτησις, ἀλλὰ ὤλη πανώλη,* wofür es in einem Punkte auf andern Inschriften (z. B. CIGr. 2667. 2826 u. ö. Lebas-Wadd. 509. Petersen-v. Luschan, Reisen in Lyk. u. Kar. 6) bezeichnender heißt: *μήτε γῆ βατὴ μήτε θάλασσα πλωτή.*[4]) Ferner ein gnostischer Zauberspruch auf Amuletten (besonders Gemmen) bei W. Fröhner im Philol. Suppl. V (1889) 42 ff. und C. Wessely in Wien. Stud. VII (1885) 180: *ὑστέρα μελάνη μελανωμένη, ὡς ὄφις εἱλύεσαι | καὶ ὡς λέων*

---

1) Cf. dazu die Anm. Buechelers p. 97 und C. Pauli, Altital. Stud. V (1887) 139 ff.

2) So v. Wilamowitz, Isyllos p. 11 für *ὥρας ἐξ ὥρας*.

3) Cf. Diels, Sibyll. Blätter 123.

4) Herodes Atticus hat das stilisiert: *τούτῳ μήτε γῆν καρπὸν φέρειν μήτε θάλασσαν πλωτὴν εἶναι κακῶς τε ἀπολέσθαι αὐτοὺς καὶ γένος* (CIA III 1417). — Über Paarung von Ausdrücken wie *οὐ τλητὸν οὐδὲ ῥητόν, βράχιστα γὰρ κράτιστα* cf. Nauck zu Soph. O. C. 1676.

βρυχᾶσαι | *καὶ ὡς ἄρνιον κοιμοῦ* d. h. „Hystera[1]) schwarze geschwärzte, wie eine Schlange windest du dich, und wie ein Löwe brüllst du, und wie ein Lamm werde sanft.“ Eine Bronzetafel in Avignon bei Fröhner l. c. 44 ff. enthält einen Wettersegen gegen Hagel, Frost und alles was dem Felde schadet; dort heißt es nach Anrufung der Dämonen: *τρέψον ἐκ τούτου τοῦ χωρίου πᾶσαν χάλαζαν* | *καὶ πᾶσαν νιφάλαν* | *καὶ ὅσα βλάπτει χώραν*.[2]) — Ich bemerke noch, daß auch in dem berühmten rhodischen Schwalbenlied (bei Athen. VIII 360 C) je zwei Verse gepaart werden, die meist durch gleichen Anfang oder gleichen Schluß zusammengefaßt sind:

ἦλθ', ἦλθε χελιδὼν

καλὰς ὥρας ἄγουσα
καλοὺς ἐνιαυτούς,

ἐπὶ γαστέρα λευκὰ
ἐπὶ νῶτα μέλαινα.

παλάθαν σὺ προκύκλει
ἐκ πίονος οἴκου,

οἴνου τε δέπαστρον
τυροῦ τε κάνυστρον.[3])

Für das Deutsche habe ich bereits oben (S. 161, 3) einiges zusammengestellt, was ich zu vergleichen bitte. Es ließe sich manches hinzufügen, besonders aus heidnischer Zeit die beiden Merseburger Sprüche, z. B. 1, 4 c) in anderen Sprachen.

insprinc haptbandun *invar vîgandun,*

2, 6 ff.

sôse bênrenkî *sôse bluotrenkî*
sôse lidirenkî:

---

1) Eine gnostische Göttin, cf. A. Dieterich bei F. Skutsch in Fleckeisens Jhb. Suppl. XIX (1893) 567.

2) Aus mittelgriechischen Exorzismen manches derart in: Anecd. Graeco-Byzantina ed. A. Vassiliev I (Moskau 1893) 332 ff.

3) Cf. auch das von Demetr. de el. 156 aus Sophron (fr. 110 B.) angeführte Sprichwort: *τόρυναν ἔξεσεν, κύμινον ἔπρισεν*. Hierher gehört vielleicht auch der Gleichklang in einem Orakel bei Ps. Kallisth. I 3 *οὗτος ὁ φυγὼν βασιλεὺς ἥξει πάλιν ἐν Αἰγύπτῳ, οὐ γηράσκων ἀλλὰ νεάζων.*

bên zi bêna *bluot zi bluoda,*
lîd zi geliden *sôse gelîmidâ sîn.*

Kürzlich wurde ich auf den von Grimm, Deutsche Myth. (Anh. no. IX) mitgeteilten Waffensegen König Konrads aufmerksam, den Olbrich, Über Waffensegen in: Mitt. d. Schles. Ges. für Volkskunde 1897 p. 88 mit Recht als eine „uralte Formel“ ansieht:

mîn bûch sî mir beinîn,
mîn herze sî mir stâhelîn,
mîn houbet sî mir steinîn.

Viel Material aus dem Ehstnischen findet man in: Myth. u. magische Lieder der Ehsten ed. Fr. Kreutzwald und H. Neus, St. Petersburg 1854; z. B. ein Zauberspruch gegen Zahnschmerz (p. 87):

koera amba kadunego, „In des Hunds Zahn mög' er schwinden,
hụndi amba idanego, In des Wolfs Zahn mög' er wachsen,
põhja tuulde põgenego, In des Nordes Wind entweichen,
tuulesta tühja taganego! Aus dem Wind hinaus ins Leere!“

oder einer gegen Verrenkung (p. 99):

luu luu asemele, „Bein du, an des Beines Stelle,
liige liikme ligemale, Näher, du Gelenk, Gelenke,
weri were asemele Blut du, an des Blutes Stelle,
soon soone asemele! Sehne, an der Sehne Stelle!“

Wer mehr in diesen Dingen bewandert ist als ich, wird die Beispiele zweifellos sehr vermehren können.

III. Resultat und spezielle Fragestellung.

Spontaner und bewußter Reim.

Fassen wir die bisherigen Ergebnisse zusammen, so läßt sich folgendes behaupten. Eine gewisse Neigung, parallele Verse durch den Gleichklang am Ende zu binden, hat in sehr beschränktem Umfang bei den antiken Völkern bestanden; doch wurde der Reim nicht als solcher gesucht, sondern stellte sich nur ganz gelegentlich, durch spontane Entstehung ein. Vergleichen wir dies Resultat mit den Tatsachen der späteren eigentlichen Reimpoesie, so müssen wir konstatieren, daß letztere aus jenen Anfängen auf keine Weise direkt abzuleiten ist. Es muß vielmehr ein entscheidendes Faktum dazwischen getreten sein, welches die potentielle Neigung zur Aktualität umwandelte, welches die nur gelegentliche und spontane Verwendung zur gesetzmäßigen und beabsichtigten steigerte. Welches war dies *πρῶτον κινοῦν*? Danach ist natürlich von vielen gesucht worden. Wenn heutzutage im allgemeinen angenommen wird, daß der Übergang von der quantitierenden Poesie zur akzentuierenden das entscheidende Moment war, so ist damit die Sphäre, innerhalb welcher das neue Formenprinzip wirksam wurde, ohne Frage richtig erkannt: denn jeder sieht ein, daß sich, sobald die Metrik in der Auflösung begriffen war, das Bedürfnis einstellen mußte, die rhythmischen Verse mit einem neuen Distinktiv auszustatten, das geeignet war, die feste Norm der Quantität einigermaßen zu ersetzen[1]), wie ja auch der 'Reim' schon durch seinen Namen mit dem 'Rhythmus' verknüpft ist.[2]) Aber es

1) Cf. R. Gottschall, Poetik³ (Breslau 1873) 258: „Der Reim ist keineswegs die Erfindung eines besonderen Volkes, der Araber oder irgend eines andern, er ist die innere Notwendigkeit der akzentuierenden Poesie, denn er hebt den Akzent hervor und kräftigt den Rhythmus."

2) Die etwas komplizierte, aber wohl allgemein interessierende Sache will ich hier kurz darlegen: 1) In den altgermanischen Dialekten heißt *rîm* 'Reihe, Reihenfolge, Zahl' (cf. z. B. F. Kluge, Etym. Wörterb. d. deutsch. Spr.⁵ s. v.), was etymologisch mit *rhythmus* nichts zu tun hat, aber der Bedeutung nach mit ihm zusammenfällt, denn *ῥυθμός* wird schon von Aristoteles (Rhet. III 8. 1408b 29) als *ἀριθμός* definiert (offenbar brachte man, d. h. in diesem Fall ein Sophist der platonischen Zeit, beide Worte durch eine spielerische Etymologie zusammen), und bei den Lateinern ist die konstante Übersetzung von *ῥυθμός numerus*, cf. z. B. Varro de serm. lat. fr. 64 mit den Zeugnissen bei Wilmanns. Auch das romanische *rima* kann nach dem Urteil der maßgebenden Forscher (cf. Diez im Etym. Wörterb.) lautlich nicht aus *rhythmus* geworden sein, besonders deshalb nicht, weil im Italienischen daraus *rimmo* hätte werden müssen, wie *flemma* aus *phlegma, dramma* aus *drachma, ammirare* aus *admirari* etc.; daher wird angenommen, daß das romanische Wort aus dem Germanischen entlehnt ist. (Früher brachte man *rithmus* mit *rima* in etymologischen Zusammenhang, cf. z. B. Maffei, Dissertazione sopra i versi ritmici, in: Opere XXI [Venezia 1790] 330). — 2) Also hat germ. *rîm* <rom. *rima* mit *rhythmus* lautgeschichtlich nichts zu tun, sondern wir haben eine Übertragung auf Grund bloßer Klangähnlichkeit zu konstatieren; um diese Klangähnlichkeit noch deutlicher zu erkennen, muß man bedenken, daß *rhythmus* (wie alle griechischen Worte im Mittelalter) stärksten Veränderungen unterworfen war: die gewöhnlichen Formen sind *rithmus ritmus rithimus rigmus*; man findet viele Belege in den Varianten, die J. Wrobel in seiner Ausgabe des Graecismus des Eberhard v. Béthune zu c. 8 V. 281

ist klar, daß durch jene Antwort die Frage nicht in ihrem ganzen Umfang beantwortet wird: denn, fragt man sofort weiter,

---

p. 49 sammelt, ferner in den Varianten der Quintilianhandschriften bei Halm vol. II p. 178, 11 und 179, 10 f. (in den ep. obsc. vir. wird zweimal *rigmizare* geschrieben: p. 28, 22. 285, 36 Böck.). Daß nun unter diesen Verstümmlungen öfters auch *rymus rimus* begegnen, darauf will ich kein großes Gewicht legen, weil die Möglichkeit besteht, daß die Schreiber hier die ihnen aus den modernen Sprachen geläufige Form an die Stelle gesetzt haben, obwohl ich bemerke, erstens daß die Form *rymus* schon im cod. Ambrosianus des Quintilian aus s. XI vorkommt (bei Halm l. c. 179, 10), zweitens daß auch innerhalb des sogen. Mittellateins aus *rigmus* werden konnte *rimus*, wie die Schreibung *sima* für *sigma* bei Eberhardus l. c. V. 288 beweist. Wie dem aber auch sei: wenn man in *rithmus* oder *rigmus* die lateinische Endung fortließ, so war die Klangähnlichkeit mit dem germ. *rîm* groß genug, um — auf Grund der Bedeutungsähnlichkeit — den Zusammenfall zu bewirken. — 3) Natürlich hieß nun mlat. *rithmus* auf Grund des germ. *rîm* ursprünglich nur 'Reimzeile', nicht das was wir jetzt unter 'Reim' verstehen: man erkennt das z. B. deutlich aus der Definition in einer Ars rithmicandi, die von Wright-Halliwell, Reliq. antiquae I (London 1841) aus einem Cod. Cotton. s. XIV ediert ist, p. 30: *rithmus est consona paritas sillabarum sub certo numero comprehensarum*, wo *rithmus* die ganze Zeile bezeichnet, während der Verfasser den 'Reim' in unserm Sinne nie anders als *consonantia* nennt. Ebenso Henricus Gandavensis († 1293), De scriptoribus ecclesiasticis (ed. in: Bibliotheca ecclesiastica, ed. Fabricius, Hamburg 1718) 128: *Wilhelmus monachus Affligeniensis* (s. XIII) . . . *vitam dominae Lutgardis a fratre Thoma latine scriptam convertit in teutonicum rithmice duobus sibi semper rithmis consonantibus.* — 4) Wann ist nun jene Bedeutungsverengerung eingetreten, d. h. wann hat man einen allerdings wesentlichen Teil der Reimzeile, nämlich die *consonantia* an ihrem Ende, mit dem Namen des Ganzen zu bezeichnen begonnen? Ich kann das nicht genau sagen, will aber eine für diese Frage, wie mir scheint, wichtige Stelle mitteilen. Ich fand sie in den Flors del gay saber estier dichas las leys d'amors, verfaßt 1356 von Guillaume Molinier, dem Kanzler des Poetenkollegiums von Toulouse (ed. in: Monumens de la littérature Romane depuis le quatorzième siècle, publiés par Gatien-Arnoult. Paris-Toulouse s. a. vol. I—III): vol. I p. 143 [ich gebe die Übersetzung des Herausgebers], in dem Abschnitt: *Définition des rimes.* Er definiert ihn nämlich so: *la rime est une certaine suite de syllabes, à laquelle on joint un autre vers pour lui correspondre, ayant même accord et même nombre de syllabes, ou un différent* (sc. *accord et nombre*; denn daß sich *différent* auch auf *accord* beziehe, sagt er später ausdrücklich). Dann fügt er hinzu: *il faut observer qu'aujourd'hui beaucoup de gens ont une opinion mal fondée, ou pour mieux dire abusive, qui consiste à ne point réputer ni tenir pour rimes des vers ayant même nombre de syllabes, si la fin de l'un ne s'accorde par assonance, consonnance ou léonisme, avec celle de l'autre, qui lui correspond . . . . En*

warum war es gerade der Reim, der diese Funktion übernahm? warum beispielsweise nicht die Alliteration, zu der eine mindestens ebenso starke Neigung bestand? Solche Erwägungen mögen es gewesen sein, die den hervorragendsten Forscher auf diesem Gebiet, Wilh. Meyer, bestimmten, in einer berühmten Abhandlung: „Anfang und Ursprung der lateinischen und griechischen rhythmischen Dichtung"[1]) die Behauptung aufzustellen, daß der Reim aus der Poesie der semitischen Völker in die griechisch-lateinische Dichtung eingedrungen sei. Doch hat diese Hypothese mehr Widerspruch als Zustimmung erfahren. Man

---

somme, on ne veut pas admettre que la rime consiste dans un nombre égal de syllabes sans accord final. Das sei aber ganz verkehrt, denn nach dieser Theorie seien z. B. keine 'Reime' in folgendem Couplet:

Pres et enclaus. estau dedins. j. cercle.
On me destrenh. osses. nervis. e cambas.
Amors. e pueysh fam ayssi batr els polces
Cum li martel. can fero sus lenclutge usw.

Ebenso äußert er sich im vierten Teil seines Werks, der Lehre von den rhetorischen Figuren: vol. III 331: *compar est une autre fleur. Ce mot signifie 'parité' et désigne un nombre égal ou presque égal de syllabes, avec une cadence agréable. Nous appellons cette parité 'rim'. Il n'est pas nécessaire de donner des exemples, chacun pouvant assez en trouver de luimême. Car partout où il y a égalité ou presque égalité de syllabes, quoiqu'il n'y ait pas de consonnance, on a cette fleur appelée 'compar'.* Für ihn ist also der Gleichklang am Ende etwas rein Akzessorisches, keineswegs mit 'Reim' in unserm Sinne verwandt, aber man sieht, daß zu seiner Zeit jene uns geläufige Übertragung schon ziemlich allgemein durchgedrungen war, der er sich nur von seinem gelehrten Standpunkt widersetzen kann. Ganz ähnlich (auch recht lesenswert) Du Bellay, La deffence et illustration de la langue Françoise (1549) c. 8. Für viele Humanisten war aber die ursprüngliche Bedeutung verloren, z. B. nennt der Verfasser der 1484 in Köln gedruckten Ars dicendi (Näheres über sie oben S. 765, 1) in seinem (übrigens ganz interessanten) Abschnitt über die gereimte Vulgärpoesie (l. XIII tract. VI cap. XII) den 'Reim' *rythmum* (so, als neutrum), z. B. *similis desinentia seu rythma dictis vulgaribus metris solet aptari.* In England ging man seit ca. 1550 so weit in der Identifikation des lateinischen und germanischen Wortes, daß man statt *rime* schrieb *rhime* oder *rhyme* (die Humanisten hatten nämlich inzwischen rh und y wieder eingeführt: besonders das erstere war dem Mittelalter in diesem wie in andern Worten abhanden gekommen), cf. The century dictionary s. v. *rime.*

1) In: Abh. d. Bayr. Ak. d. Wiss. I. Cl. Bd. XVII. 2. Abt. (München 1885) 270—450. Die Rezension von G. Dreves in: Gött. gel. Anz. 1886, 284 ff. wird den Verdiensten des Verf. nicht gerecht.

wandte vor allen Dingen ein, daß kein Volk sich auf dem Gebiet seiner Poesie ein so einschneidendes Mittel, wie es der Reim sei, als fremdländisches Produkt aufdrängen lasse. Aber das ist nicht richtig: nach meinen obigen Bemerkungen (S. 811 f.) ließe sich aus der Poetik der Germanen und mehrerer dem europäischen Kulturkreise fremder Völker ohne weiteres der Gegenbeweis gegen diesen Einwand führen. Viel größeres Gewicht würde ein zweiter Einwand haben: bei den semitischen Völkern spielt nach dem Urteil aller Spezialforscher der Reim nicht entfernt jene Rolle, die ihm Meyer anweist[1]): man müßte also annehmen, daß die antiken Völker eine durchaus sekundäre Erscheinungsform der fremden Poesie übernommen und sie nun ihrerseits zur Norm ihrer eignen Poesie gemacht hätten, ein Entwicklungsgang, der a priori höchst unwahrscheinlich ist. Ich glaube aber nicht, daß wir hier mit Erwägungen allgemeiner Art zu sicheren Resultaten kommen können, sondern wir werden folgende Alternative aufstellen müssen: entweder ist der Ursprung des bewußten Reims auf griechisch-lat. Boden nachzuweisen oder, wenn sich das als unmöglich herausstellt, so ist fremdländischer Ursprung anzunehmen; nur wenn das erstere sicher bewiesen ist, fällt ein für allemal jede Hypothese der zweiten Art.

Der bewußte Reim aus der Rhetorik.

Nun läßt sich, wie ich hoffe, mit Sicherheit der Nachweis führen, daß der Reim eine durchaus originale Schöpfung der

---

1) Cf. z. B. J. G. Sommer, Vom Reim in d. hebr. Volkspoesie, in seinen Bibl. Abhandl. (Bonn 1846) 85 ff. F. Bleek, Einl. in d. A. T. 8. Aufl. (Berl. 1869) 242 ff. P. Zingerle in: Z. d. deutsch. morg. Ges. X (1856) 110. Cf. auch E. Wölfflin in: Arch. f. lat. Lexikogr. I (1884) 362. In Betreff der Hymnen des Bardesanes und Ephraem bemerkt A. Hahn, Bardesanes Gnosticus Syrorum primus hymnologus (Diss. Königsb. 1819) 42, daß sich in ihnen das Homoioteleuton gelegentlich finde, aber K. Kessler bemerkt mir, daß sämtliche dort gegebenen Beispiele sich aus dem Präponderieren gewisser Formen der syrischen Nominalbildung erklären und auch in der Prosa ganz geläufig seien. Trotzdem wird immer und immer wieder eine Entlehnung aus dem Syrischen oder Hebräischen behauptet, z. B. von H. Grimme, der Strophenbau in den Gedichten Ephraems des Syrers in: Collectanea Friburgensia II 1893, Ph. Thielmann in: Arch. f. lat. Lexikogr. VIII (1893) 548: es kann nicht dringend genug betont werden, daß diese Ansicht ein Rudiment aus dem XVI. Jh., dem Zeitalter der *ἀνιστορησία*, ist, cf. K. Borinski, Die Poetik der Renaissance (Berl. 1886) 45 f.

antiken Völker gewesen ist, daß er sich mit einer gewissen Notwendigkeit aus dem Gang ihrer Literatur ergeben hat. Um das Resultat der nachfolgenden Untersuchungen vorwegzunehmen: der Reim der Poesie war nichts anderes als jenes ὁμοιοτέλευτον, welches, wie im Verlauf dieses Werkes gezeigt worden ist, das hervorragendste Charakteristikum der antiken Kunstprosa von Anfang bis zu Ende gewesen ist. Um eins möchte ich vorher den Leser bitten: da er weiß, daß ich eine so volkstümliche Erscheinung, wie es der Reim ist, aus der Kunstprosa ableiten werde, so möchte er mit einem gewissen Vorurteil an meine Argumente herangehen; doch bedenke er, daß, wie ich nachgewiesen habe, die antike Kunstprosa gerade deshalb eine solche Kontinuität in ihrer Entwicklung gehabt hat, weil sie tief aus der Volksseele selbst geschöpft war, ihren Regungen entgegenkam und aus ihr wiederum Nahrung empfing; und ist es nicht überhaupt der Triumph aller Kunst, gerade das Volkstümliche künstlerisch zu gestalten, den Bund zwischen sich und der Natur, der von Ewigkeit her besteht, immer aufs neue zu befestigen?

IV. Der rhetorische Reim in der quantitierenden Poesie des Altertums.

1. Den Anstoß zu Untersuchungen über das Vorkommen des Reims in der quantitierenden Poesie des Altertums gab eine bekannte Abhandlung von W. Grimm, Zur Geschichte des Reims in: Abh. d. Kgl. Akad. d. Wiss. zu Berlin 1851 p. 521—707, wo er die von ihm als „Reime“ aufgefaßten Gleichklänge der lateinischen Hexameter und Pentameter einiger Dichter sammelte: leider eine ebenso mühsame wie von vornherein wenig fruchtbare Arbeit, deren Wert noch dadurch vermindert wird, daß eine außerordentlich große Zahl notorisch falscher Beispiele angeführt ist. Für den entwickelten Saturnier hat besonders K. Bartsch, D. sat. Vers u. d. deutsche Langzeile (Leipz. 1867) 27 f. die Beispiele gesammelt, für den trochäischen Septenar Usener in Fleckeisens Jhb. 1873 p. 175 f. (cf. Altgr. Versbau 116), für diesen und andere szenische Metra der Lateiner L. Buchhold, De paromoeoseos apud veteres Romanorum poetas usu, Diss. (Leipz.

Aussonderung der spontanen Reime in quantitierender Poesie.

1883. Dann sind diese Untersuchungen auf einige griechische Dichter der klassischen Zeit ausgedehnt: die Resultate[1]) findet man in dem neuesten, vom Verf. gewiß nur für populäre Zwecke bestimmten, Büchlein über diesen ganzen Gegenstand von O. Dingeldein, Der Reim bei den Griechen und Römern, Leipzig 1892. Aus allen genannten Untersuchungen hat sich ergeben, daß die Dichter, von Homer und Livius Andronicus angefangen, in den durch die Hauptzäsur scharf abgeteilten Vershälften ganz gelegentlich gereimte Silben aufweisen[2]), z. B.

Ἔσπετε νῦν μοι Μοῦσαι ‖ *Ὀλύμπια δώματ' ἔχουσαι* (Hom.
ἐκ δ' ἔβη αἰδοίη ‖ *καλὴ θεός, ἀμφὶ δὲ ποίη* (Hes.)
εὐφήμοις μύθοις ‖ *καὶ καθαροῖσι λόγοις* (Xenoph.)
ῥιπτεῖν καὶ πετρέων, ‖ *Κύρνε, κατ' ἠλιβάτων* (Theogn.)
argénteo polubro ‖ *aureo eeglutro* (Liv.)
bicórpores gigantes ‖ *magnique Atlantes* (Naev.)
stúlti hau scimus, ‖ *frustra ut simus,* ⏑́ ⏑ – ⏑ ⏑́ ⏑ – (Plaut.)
Crúsalus me hodie dilaceravit, Crusalus me miserum spoliavit (Plaut.)
inde boves lucas ‖ *turrito corpore, taetras,* (Lucr.)
anguimanus, belli ‖ *docuerunt volnera Poeni*
sufferre et magnas ‖ *Martis turbare catervas*
Cynthia prima fuit, ‖ *Cynthia finis erit* (Prop.)
clare decore tuo, ‖ *care favore meo* (Ov.)
terrarum dominos ‖ *evehit ad deos* (Hor.)
iam caeruleis ‖ *evectus equis* (Sen.)
Titan summa ‖ *prospicit Oeta.*

Wie diese Erscheinung aufzufassen ist, ist nach dem vorhin (unter III) Ausgeführten sofort klar. Das ganz gelegentliche Vorkommen des Reims in der kunstmäßigen, quantitierenden Poesie der Griechen und Lateiner erklärt sich bei den weitaus meisten Dichtern aus dem spontanen

1) Es fehlt F. Gustafsson, De vocum in poematis graecis consonantia in: Acta soc. Fennicae XI (Helsingfors 1880) 297 ff.

2) Cf. auch Th. Birt, Ad historiam hexametri lat. symbola (Diss. Bonn 1876) 50 f. und speziell für den Pentameter E. Eichner, Bemerk. üb. d. Gebrauch d. Homoiot. bei Catull, Tibull, Properz und Ovid (Progr. Gnesen 1875) 29 ff. Übrigens hat Lehrs, De Aristarchi studiis Homericis[3] (Leipzig 1882) 450 ff., besonders 472 ff., sich energisch gegen solche gewendet, die in den Versen Homers, Hesiods, Vergils usw. auf 'Reime' Jagd machen; aber die Erfahrung zeigt leider, daß er in den Wind gesprochen hat.

Trieb aller Sprachen, parallel geformte Sätze hin und wieder durch Gleichklang im Auslaut miteinander in enge Verbindung zu bringen. Wer solche in der kunstmäßigen Poesie ganz sporadisch auftretenden Reime als „volkstümlich" bezeichnet, meint vielleicht das Richtige, drückt es aber mit einem Wort aus, welches leicht zu mißverständlicher Auffassung verleiten kann und tatsächlich verleitet hat. Der Reim ist auch hier bedingt durch den in den Versteilungen stark hervortretenden, oft auch inhaltlich ausgedrückten und äußerlich durch gleiche Anfänge der Teile markierten Parallelismus der Form[1]): nur insofern dieser Parallelismus überhaupt die Grundlage des Reims ist, kann man jene Reime „volkstümlich" nennen, aber von einer bewußten Anwendung eines volkstümlichen Elements kann nicht die Rede sein: wer das von den Saturniern der ersten römischen Dichter oder den trochäischen Langversen des Plautus behauptet, muß es konsequenterweise auch für alle übrigen Versarten zugeben, und wozu soll das führen? Schon die eine Tatsache, daß die in trochäischen Langzeilen geschriebenen uns erhaltenen Soldatenverse der Kaiserzeit sowie die der Inschriften keinen Reim zeigen[2]), genügt zur Widerlegung jener Ansicht.

Rhetorischer Reim in quantitierender Poesie:

2. Daß in den genannten Fällen eine bewußte rhetorische Absicht vorliege, ist von keinem behauptet worden und ist ja auch von vornherein ausgeschlossen. Aber es läßt sich nun — und das ist für meine weiteren Untersuchungen wichtig — der Beweis erbringen, daß einige Dichter auch in quantitierenden Versen den Reim mit Bewußtsein als rhetorisches Mittel verwendet, oder mit anderen Worten den beliebtesten Schmuck der Kunstprosa auf die Poesie übertragen haben.

1) Schon W. Wackernagel, Gesch. d. deutsch. Hexam. u. Pent. p. IX bemerkt, „daß der syntaktische Parallelismus in den Hauptabschnitten beider Versarten auf den Reim hingewirkt und ihm seinen Platz angewiesen habe" (cf. auch G. Gerber, D. Sprache als Kunst II 1 [Bromberg 1873] 169f.). Grimm zitiert diese Worte (l. c. 679), legt aber wenig Gewicht darauf, weil er den Reim aus der „Volkspoesie" ableiten will. Über den Pentameter hatte schon im J. 1816 Lachmann zu Prop. I 5, 20 richtig geurteilt; diese Bemerkung scheint Grimm nicht gekannt zu haben.

2) Das hebt auch Dingeldein l. c. 81 richtig hervor.

a. Die Griechen.

a) bei den Griechen. Tragiker.

Wir haben früher (S. 73 ff.) gesehen, daß in der platonischen Zeit von den zünftigen Vertretern der sophistischen Kunstprosa die Poesie mit der hohen Prosa bis zur Unterscheidungslosigkeit vermischt wurde und daß der Haupttypus solcher Dichter Agathon war, der in seinen Versen all die Ornamente anbrachte, die seine von Platon parodierte Prosa aufweist (S. 77). Daß also bei diesem 'Dichter' in den Versen

fr. 11 N.² τὸ μὲν πάρεργον ἔργον ὡς ποιούμεθα,
τὸ δ' ἔργον ὡς πάρεργον ἐκπονούμεθα
12 εἰ μὲν φράσω τἀληθές, οὐχὶ σ' εὐφρανῶ·
εἰ δ' εὐφρανῶ τί σ', οὐχὶ τἀληθὲς φράσω

die Reime nichts anderes sind als rhetorische ὁμοιοτέλευτα, würden wir wissen, auch wenn es nicht bestätigt würde durch den Hohn, mit dem ihn Aristophanes Thesm. 198 f. sagen läßt:

τὰς συμφορὰς γὰρ οὐχὶ τοῖς τεχνάσμασιν
φέρειν δίκαιον, ἀλλὰ τοῖς παθήμασιν.

Auch Euripides, der Zögling der Sophisten, hat gelegentlich in ganz deutlicher Absicht seine Diktion durch dieses Kunstmittel gehoben; mir sind folgende fünf Stellen bekannt[1]), von denen die vier ersten den Schluß längerer Reden, die fünfte eine Sentenz bildet, d. h. sie gehören Partien an, wo auch in der Prosa gerade dies Mittel besonders beliebt war:

Med. 313 ff. τήνδε δὲ χθόνα
ἐᾶτέ μ' οἰκεῖν· καὶ γὰρ ἠδικημένοι
σιγησόμεσθα, κρεισσόνων νικώμενοι

Phoen. 1479 f. πόλει δ' ἀγῶνες οἱ μὲν εὐτυχέστατοι
τῇδ' ἐξέβησαν, οἱ δὲ δυστυχέστατοι

Andr. 689 f. ἣν δ' ὀξυθυμῇς, σοὶ μὲν ἡ γλωσσαλγία
μείζων, ἐμοὶ δὲ κέρδος ἡ προμηθία.

Hec. 1250 f. ἀλλ' ἐπεὶ τὰ μὴ καλὰ
πράσσειν ἐτόλμας, τλῆθι καὶ τὰ μὴ φίλα

---

1) Cf. P. Herrmanowski, De homoeoteleutis quibusdam tragicorum, Diss. Berlin 1881, das relativ Beste, was es für die 'Reime' der Tragödie gibt (Dingeldein l. c. 47 ff. kennt die Abhandlung zu seinem Schaden nicht); aber auch hier werden nicht die Arten geschieden, und das rhetorische Element wird ignoriert.

Alc. 782 ff. βροτοῖς ἅπασι κατθανεῖν ὀφείλεται
κοὐκ ἔστι θνητῶν ὅστις ἐξεπίσταται
τὴν αὔριον μέλλουσαν εἰ βιώσεται·
τὸ τῆς τύχης γὰρ ἀφανὲς οἷ προβήσεται.[1])

Bei meiner Lektüre der späteren griechischen Poesie traf ich dann den bewußten rhetorischen Reim zunächst bei Kallimachos.[2]) Er hat der Rhetorik einen nicht geringen Einfluß auf seine Verse eingeräumt, z. B. hat er von der Anapher einen Kallimachos.

---

1) Über die beiden andern Tragiker hier ein paar Worte. Für Aischylos habe ich mir nur notiert

Pers. 170 ff. K. σύμβουλοι λόγου
τοῦδέ μοι γένεσθε, Πέρσαι, γηραλέα πιστώματα·
πάντα γὰρ τὰ κέδν' ἐν ὑμῖν ἐστί μοι βουλεύματα

(Schluß einer längeren Rede, also wohl gesucht; daß Aischylos schon im J. 472 ein von den Sophisten im letzten Viertel des Jahrhunderts verbreitetes Kunstmittel kennt, ist nach dem oben S. 25 ff. Ausgeführten nicht befremdlich). Verwandt ist die lang beobachtete Tatsache, daß unter den Tragikern besonders Aischylos in korrespondierenden Stellen der Strophe und Antistrophos durch dies Mittel starken (durch die Musik wohl noch gehobenen) Effekt zu erzielen wußte, z. B.

Pers. 694 ff. Strophe:
σέβομαι μὲν προσιδέσθαι,
σέβομαι δ' ἀντία λέξαι
σέθεν ἀρχαίῳ περὶ τάρβει

700 ff. Antistrophos:
δίεμαι μὲν χαρίσασθαι,
δίεμαι δ' ἀντία φάσθαι
λέξαι δύσλεκτα φίλοισιν.

Bei Sophokles halte ich in der Stichomythie zwischen Elektra und Chrysothemis

El. 1031 f. ἄπελθε· σοὶ γὰρ ὠφέλησις οὐκ ἔνι.
ἔνεστιν· ἀλλὰ σοὶ μάθησις οὐ πάρα

den Reim für beabsichtigt und glaube, daß der zweite Vers gerade darum halbiert ist, um das ἦθος zu steigern; aus demselben Grund dürfte

Phil. 1009 ἀνάξιον μὲν σοῦ, κατάξιον δ' ἐμοῦ

halbiert sein. Auch

Ai. 666 f. τοιγὰρ τὸ λοιπὸν εἰσόμεσθα μὲν θεοῖς
εἴκειν, μαθησόμεσθα δ' Ἀτρείδας σέβειν

ist beabsichtigt. — Genauere Untersuchungen werden für alle drei Tragiker wohl noch mehr ergeben, cf. auch Vahlen im Progr. Berl. 1883, 12 f.

2) In dem delphischen Apollonhymnus des Kleochares ist V. 14 ἀνακίδναται ∾ V. 16 ἀναμέλπεται rein musikalisch, cf. O. Crusius im Philol. N. F. VII (1894) Ergänzungsheft p. 55.

für die frühere Poesie unerhörten Gebrauch gemacht[1]), und sie zweimal noch durch ein anderes Mittel, das uns interessierende, gesteigert:

h. 2, 26 ὃς μάχεται μακάρεσσιν, ἐμῷ βασιλῆι μάχοιτο·
ὅστις ἐμῷ βασιλῆι, καὶ Ἀπόλλωνι μάχοιτο
4, 84 Νύμφαι μὲν χαίρουσιν, ὅτε δρύας ὄμβρος ἀέξει·
Νύμφαι δ' αὖ κλαίουσιν, ὅτε δρυσὶν οὐκέτι φύλλα,

und zu demselben Zweck hat er öfters seine eignen metrischen Gesetze vernachlässigt, z. B. in folgenden Versen[2]):

ep. 25, 2 ἕξειν μήτε φίλον κρέσσονα, μήτε φίλην

(iambisches Wort am Schluß der ersten Hälfte des Pentameters),

h. 3, 262 μηδ' ἐλαφηβολίην, μηδ' εὐστοχίην ἐριδαίνειν

(Spondeus im dritten Fuß und Wortschluß nach der Länge des fünften Fußes),

6, 91 ὡς δὲ Μίμαντι χιών, ὡς ἀελίῳ ἔνι πλαγγών

(ebenso),

3, 63 οὔτ' ἄντην ἰδέειν οὔτε κτύπον οὔασι δέχθαι
6, 73 οὔτε νιν εἰς ἐράνως οὔτε ξυνδείπνια πέμπον

(Spondeus im dritten Fuß und Oxytonierung eines trochäischen Wortes).

Ps.-Oppian. Aber weitaus das meiste Material bot mir unter den unbedeutenden Dichterlingen der Kaiserzeit einer der ärmlichsten, Pseudo-Oppian, der Verfasser der *Κυνηγετικά*, die er dem Caracalla widmete. Er hat seine bekanntlich auch rein metrisch betrachtet schlechten Verse mit rhetorischen Putzmitteln in einer für antike Poesie widerlichen Aufdringlichkeit aufgeflittert (wie er ja auch inhaltlich stark rhetorisch ist, besonders in den zahlreichen ἐκφράσεις z. B. I 173 ff.). Von der Anapher macht er einen albernen Gebrauch, z. B.

I 504 πάντα λίθον καὶ πάντα λόφον καὶ πᾶσαν ἀταρπόν
II 565 νόσφι πόθων καὶ νόσφι γάμων καὶ νόσφι τόκοιο

---

1) H. 1, 2. 6 f. 22 ff. 46 f. 55. 70 f. 87 f. 91 f. 92; 2, 1 f. 6 f. 17 f. 32 ff. 43 ff.; 3, 9 f. 14. 33 f. 43. 56 f. 110 ff. 130 f. 136 f. 138. 183 ff.; 4, 39 f. 70. 103 ff. 194. 219. 260 ff. 324 f.; 5, 1 f. 4. 45. 127 f.; 6, 18 f. 34 f. 46 f. 122. 136 f.

2) Darauf hat zuerst Kaibel hingewiesen in den Comm. in hon. Momms. (1877) 327 f., vgl. außerdem Fr. Beneke, De arte metr. Callimachi (Diss. Straßb. 1880) 15. G. Heep, Quaest. Callim. metr. (Diss. Bonn 1884) 13. 17. J. Hilberg, Das Gesetz d. troch. Wortformen etc. (Wien 1878) 14. W. Meyer in: Sitzungsber. d. Bayr. Ak. 1884, 982. 991.

II 410f. ὄβριμ' ἔρως, πόσος ἐσσί, πόση σέθεν ἄπλετος ἀλκή,
πόσσα νοεῖς, πόσα κοιρανέεις, πόσα, δαῖμον, ἀθύρεις
II 70 θεινόντων ἄμοτον καὶ θεινομένων κεράεσσιν[1]),

ebenso von Wortspielen, z. B.

I 53ff. ἰξευτῆρι
ἄγρη νόσφι πόνοιο· πόνῳ δ' ἅμα τέρψις ὀπηδεῖ
μούνη, καὶ φόνος οὔτις, ἀναίμακτοι δὲ πέλονται
I 399 φῦλα μένειν μονόφυλα
II 376 αὐτόδετοι βαίνουσι καὶ αὐτόμολοι περόωσι,

und von allerlei Witzeleien, z. B.

III 68 μείοσι μὲν μείζων τελέθει, μεγάλησι δὲ μείων
I 260f. (von der μῖξις der Stute mit ihrem Füllen):
ἡ μὲν ἄρα τλήμων ἄγονον γόνον (sc. ἄθρησεν), αὐτὰρ ὅγ' αἶψα
αἰνόγαμος κακόλεκτρος ἀμήτορα μητέρα δειλήν
III 264 δείματι δαιμονίῳ πεπτηότες.

Aber einen ganz besonders unmäßigen Gebrauch hat er von dem rhetorischen ὁμοιοτέλευτον gemacht.

I 1ff. σοί, μάκαρ, ἀείδω, γαίης ἐρικυδὲς ἔρεισμα,
φέγγος ἐνυαλίων πολυήρατον Αἰνεαδάων,
Αὐσονίου Ζηνὸς γλυκερὸν θάλος, Ἀντωνῖνε·
τὸν μεγάλη μεγάλῳ φιτύσατο Δόμνα Σεβήρῳ
ὀλβίῳ εὐνηθεῖσα καὶ ὄλβιον ὠδίνασα,
νύμφη ἀριστοπόσεια, λεχὼ δέ τε καλλιτόκεια,
Ἀσσυρίη Κυθέρεια, καὶ οὐ λείπουσα Σελήνη

so beginnt er, woraus man schon sieht, daß er die Figur besonders oft in der Stelle der Hauptzäsur verwendet; hier kann von einem bloß zufälligen, durch Parallelismus der beiden Versglieder spontan entstandenen Reim nicht mehr die Rede sein, was allein schon ein Zahlenverhältnis beweist[2]): die Odyssee hat in ihren ersten 100 Versen 5 solche Binnenreime, Pseudo-

1) Cf. I 82. 224ff. 330. 377 bis 385. II 28. 34ff. 375. 393. III 204. 284f. 350f. 465. 506. IV 1. 43f.

2) Daß Fälle wie ἔραμαι — ἀεῖσαι, ἔχουσιν — ὀδοῦσιν, τρίγλαι — ἕπονται, ὠθεῦνται — ἀπογυμνωθεῖσαι, μούνοισιν — ἔασιν usf. (alles aus Pseudooppian) nicht mitgezählt werden dürfen, versteht sich von selbst: derartige heterogene Flexionssilben sind im Altertum nie als Homoioteleuta empfunden worden.

oppian 18, wobei nur als einfach gezählt sind die Fälle, in denen sich der Reim über $1^1/_2$ Verse erstreckt, wie

I 35 f. μέλπε μόθους θηρῶν τε καὶ ἀνδρῶν ἀγρευτήρων·
μέλπε γένη σκυλάκων τε καὶ ἵππων αἰόλα φῦλα
70 f. ἢ θῶας κίρκοις ἢ ῥινοκέρωτας ἐχίνοις,
ἢ λάρον αἰγάγροις ἢ κήτεα πάντ' ἐλέφαντι.

Oft sind solche Binnenreime noch durch besondere Mittel fühlbarer gemacht, z. B.

I 111 ἤματος ἱσταμένοιο καὶ ἤματος ἀνομένοιο
290 ἀμφὶ δρόμους ταναούς τε καὶ ἀμφὶ πόνους ἀλεγεινούς
297 πάσσονες εἰσιδέειν καὶ κρείσσονες ἰθὺς ὀρούειν
IV 399 ὀξὺ λέληκε θοροῦσα καὶ ὀξὺ δέδορκε λακοῦσα,

manchmal hat er auch zwei Verse mit Zäsurenreim hintereinander, so

II 207 f. θηλυτέρη τίκτει, τρίβον ἀνθρώπων ἀλεείνει,
οὕνεκεν ἀτραπιτοὶ μερόπων θήρεσσι βέβηλοι
451 f. αἰχμαὶ πευκεδαναὶ μελανόχροον εἶδος ἔχουσαι
καὶ χαλκοῦ θηκτοῖο σιδήρου τε κρυεροῖο
III 1 f. ἀλλ' ὅτε δὴ κεραῶν ἠείσαμεν ἔθνεα θηρῶν
ταύρους ἠδ' ἐλάφους ἠδ' εὐρυκέρωτας ἀγαυούς.

Aber auch die Enden von Versen reimt er in oft sehr auffälliger Weise, so

I 298 f. ἐσθλοὶ δ' ἠελίου φορέειν πυρόεσσαν ἐρωήν
καί τε μεσημβρινὴν δίψους δριμεῖαν ἐνιπήν
317 f. στικτὸν ἀρίζηλον, τοὺς ὤρυγγας καλέουσιν,
ἢ ὅτι καλλικόμοισιν ἐν οὔρεσιν ἀλδήσκουσιν
440 f. ἀλλ' ἐλάφων ἤ που μαζῷ τιθασοῖο λεαίνης
ἤ που δορκαλίδων ἢ νυκτιπόροιο λυκαίνης
475 f. ἀλλ' ὀνύχεσσι πόδας κεκορυθμένον ἀργαλέοισι
καὶ θαμινοῖς κυνόδουσιν ἀκαχμένον ἰοφόροισι
II 126 f. αἰὲν ἀεξόμενος καὶ τείχεος ἐγγὺς ὁδεύων,
χέρσον ὁμοῦ καὶ νῆσον, ἐμὴν πόλιν, ὕδατι χεύων
I 50 f. ἰχθὺν ἀσπαίροντα βυθῶν ἀπομηρύσασθαι
καὶ ταναοὺς ὄρνιθας ἀπ' ἠέρος εἰρύσασθαι
ἢ θηρσὶν φονίοισιν ἐν οὔρεσι δηρίσασθαι,

cf. I 366 f. 383 f. 485 f. II 264 ff. 589 f. III 467 f. Die Mitten und Enden reimen z. B.

I 223f. αἰὲν γινώσκουσιν ἑὸν φίλον ἡνιοχῆα
καὶ χρεμέθουσιν ἰδόντες ἀγακλυτὸν ἡγεμονῆα
II 167f. χαλκείοις γναμπτοῖσιν ἐπείκελοι ἀγκίστροισιν·
ἀλλ' οὐχ ὡς ἑτέροισιν ἐναντίον ἀλλήλοισιν
176ff. ναὶ μὴν ὠκυπόδων ἐλάφων γένος ἔτραφεν αἶα
εὐκέραον μεγαλωπὸν ἀριπρεπὲς αἰολόνωτον
στικτὸν ἀρίζηλον ποταμηπόρον ὑψικάρηνον
πιάλεον νώτοις καὶ λεπταλέον κώλοισιν,
οὐτιδανὴ δειρὴ καὶ βαιοτάτη πάλιν οὐρή
102ff. αἴθωνες κρατεροὶ μεγαλήτορες εὐρυμέτωποι
ἄγραυλοι σθεναροὶ κερααλκέες ἀγριόθυμοι
μυκηταὶ βλοσυροὶ ζηλήμονες εὐρυγένειοι·
ἀλλ' οὐ πιαλέοι δέμας ἀμφιλαφὲς βαρύθουσιν
οὐδὲ πάλιν λιπόσαρκοι ἑὸν δέμας ἀδρανέουσιν·
ὧδε θεῶν κλυτὰ δῶρα κερασσάμενοι φορέουσιν
I 71ff. θηρητῆρε λύκους ὄλεσαν, θύννους ἁλιῆες,
ἀγρευτῆρες ὄϊς, τρήρωνας ἕλον δονακῆες,
ἄρκτον ἐπακτῆρες καὶ μορμύλον ἀσπαλιῆες,
τίγριν δ' ἱππῆες καὶ τριγλίδας ἰχθυβολῆες,
κάπριον ἰχνευτῆρες, ἀηδόνας ἰξευτῆρες.

Doch damit noch nicht genug: er hat nicht selten zwei oder mehrere Verse, die sich ganz oder größtenteils Wort für Wort entsprechen: rhetorische Isokola (wie üblich mit gelegentlichem Homoioteleuton) in der Poesie!

I 39f. καὶ θαλάμους ἐν ὄρεσσιν ἀδακρύτοιο κυθείρης
καὶ τοκετοὺς ἐνὶ θηρσὶν ἀμαιεύτοιο λοχείης
II 20f. καὶ γὰρ πυγμαχίῃσι λυγροὺς ἐναρίξατο φῶτας
καὶ σκυλάκεσσι θοαῖς βαλίους ἐδαμάσσατο θῆρας
III 223f. οὐ γόνον ἰοφόρον παναμειλίκτοιο δρακαίνης,
οὐ σκύμνον πανάθεσμον ὀριπλάγκτοιο λεαίνης
I 281ff. αἰετὸς αἰθερίοισιν ἐπιθύων γυάλοισιν
ἢ κίρκος ταναῇσι τινασσόμενος πτερύγεσσιν
ἢ δελφὶς πολιοῖσιν ὀλισθαίνων ῥοθίοισι
IV 33ff. οὐκ ἔλαφος κεράεσσι θρασύς, κεράεσσι δὲ ταῦρος,
οὐ γενύεσσιν ὄρυξ κρατερός, γενύεσσι λέοντες,
οὐ ποσὶ ῥινόκερως πίσυνος, πόδες ὅπλα λαγωῶν·
πόρδαλις οἶδ' ὀλοὴ παλαμάων λοίγιον ἰόν,
καὶ σθένος αἰνὸς ὄϊς μέγα λαϊνέοιο μετώπου,
καὶ κάπρος μένος οἶδεν ἑῶν ὑπέροπλον ὀδόντων

I 386 ff. ἵπποι δ' ἀγραύλοις ἐπὶ φορβάσιν ὁπλίζονται,
ταῦροι δ' ἀγροτέρας ἐπὶ πόρτιας ὁρμαίνουσι,
καὶ κτίλοι εἰλικόεντες ἐν εἴαρι μηλοβατεῦσι,
καὶ κάπροι πυρόεντες ἐπαιχμάζουσι σύεσσι,
καὶ χίμαροι λασίῃσιν ἐφιππεύουσι χιμαίραις

II 456 ff. οὔτε γὰρ εὐρίνοιο κυνὸς τρομέουσιν ὕλαγμα,
οὐ συὸς ἀγραύλοιο παρὰ σκοπέλοισι φρύαγμα,
οὐδὲ μὲν οὐ ταύρου κρατερὸν μύκημα φέβονται,
πορδαλίων δ' οὐ γῆρυν ἀμειδέα πεφρίκασιν,
οὐδ' αὐτοῦ φεύγουσι μέγα βρύχημα λέοντος,
οὐδὲ βροτῶν ἀλέγουσιν ἀναιδείῃσι νόοιο.

Spätere. Ein Dichter, der auch nur in annähernd ähnlicher Art wie dieser Anonymus aus der ersten Hälfte des III. Jh. seine Verse mit den Mitteln der Rhetorik aufgeputzt hätte, ist mir aus dem Altertum nicht bekannt.[1]) Aus späterer Zeit (saec. VIII) fand ich nur noch eine von Lanckoroński, Städte Pamphyliens und Pisidiens I (Wien 1890) 159, 12 edierte Inschrift von Attaleia in Pamphylien, wo unter 14 iambischen Trimetern 4 aufeinander folgende so lauten (sie betreffen Leo IV, der die Stadt neu ummauerte):

δεικνὺς ἑαυτῆς μᾶλλον ἀσφαλεστέραν
ἐχθρῶς τε πάσης μηχανῆς ἀνωτέραν.
καὶ χεὶρ μὲν ἡ μόναρχος ἔργου προστάτις
ὡς καὶ χορηγὸς τῶν καλῶν καὶ δεσπότις.

Ob es aus byzantinischer Zeit sonst derartiges gibt, vermag ich nicht zu beurteilen; mir ist nichts begegnet. Immerhin ist ganz bezeichnend für die theoretische Auffassung, daß Eustathios in seinen Kommentaren die gelegentlichen Zäsurenreime in den Homerischen Gedichten als rhetorische Figuren erklärt, worüber sich Lehrs l. c. (o. S. 830, 2) 465 f. aufregt, mit Recht des Homer, mit Unrecht des Eustathios wegen.[2])

1) Daß Ioannes v. Gaza (s. VI) in seiner ἔκφρασις und seinen Anakreontika Schlußworte absichtlich gereimt habe, ist eine der vielen falschen Behauptungen von K. Seitz, Die Schule v. Gaza (Diss. Heidelberg 1892) 45, 1. Für Makedonios, den Epigrammatiker aus der Zeit Iustinians, weniges und nicht sehr Auffälliges bei A. Dittmar, De Meleagri Macedonii Leontii re metrica (Diss. Königsb. 1886) 23 f.

2) Die Stellen jetzt sämtlich bei H. Großmann, De doctrinae metricae reliquiis ab Eustathio servatis (Diss. Straßb. 1887) 34 f. und G. Lehnert, De scholiis ad Homerum rhetoricis (Diss. Leipz. 1896) 29.

b. Die Lateiner.

Aus der alten Tragödie, die, wie später noch etwas näher ausgeführt werden soll, von Anfang an hochrhetorisch war, gehören hierher folgende sehr gehobenen Verse des **Ennius** bei Cicero Tusc. I 69 **b) bei den Lateinern.** **Ennius.**

caelum mitescere, arbores frondescere,
vites laetificae pampinis pubescere,
rami bacarum ubertate incurvescere

und ib. 85. III 45

haec omnia vidi inflammari,
Priamo vi vitam evitari,
Iovis aram sanguine turpari,

Verse, an denen — begreiflich genug — Cicero seine helle Freude hatte.[1]) **Cicero** selbst hat in jenem famosen Gedicht, das ihn kompromittierte, die rhetorischen Homoioteleuta an einer von ihm selbst zitierten hochpathetischen Stelle zur Anwendung gebracht, wo er die Muse die Prophezeiungen der sibyllinischen Bücher verkünden läßt: **Cicero.**

ingentem cladem pestemque monebant,
vel legum exitium constanti voce ferebant,
templa deumque adeo flammis urbemque iubebant
eripere et stragem horribilem caedemque vereri,
atque haec fixa gravi fato ac fundata teneri etc.[2])

Es gibt meines Wissens keinen andern lateinischen Dichter, der ähnliches gewagt hätte; denn was etwa sonst angeführt werden könnte, beruht entweder auf offenbarem Zufall[3]) oder ist

---

1) Zu letzteren Versen bemerkt er: *praeclarum carmen. est enim et rebus et verbis et modis lugubre*; außer den Homoioteleuta wird ihm das doppelte *κομψόν* in *vi vitam evitari* imponiert haben.

2) Cf. Dingeldein l. c. 15. 107.

3) Z. B. Verg. Aen. IV 256f. *haud aliter terras inter caelumque volabat* | *litus harenosum ad Libyae ventosque secabat*; immerhin würde die Aufzählung der ziemlich zahlreichen Verse dieser Art bewirken, daß man sie nicht mehr verdächtigt (cf. Bentley zu Hor. carm. I 34, 5. Heinsius zu Verg. Aen. VIII 396f. Ribbeck zu Verg. Aen. X 804f. Cf. übrigens schon Gebauer, Pro rhythmis seu *ὁμοιοτελεύτοις* poeticis in: Anthologicarum dissertationum liber, Leipz. 1733, p. 284f. 327 adn. f. 335f.). — Hexameter mit 'leoninischem' Reim hat kein lateinischer Dichter ängstlich gemieden, aber sollte nicht

anders zu erklären.[1]) Wie zurückhaltend die Dichter gegen dies Ornament wurden, zeigt allein die Tatsache, daß sich selbst so rhetorische Dichter wie Ovid[2]) und Seneca[3]) seiner enthielten.

doch Vergil an zwei Stellen absichtlich geschrieben haben: ecl. 8, 28 *cum canibus timidi venient ad pocula dammae,* ge. I 183 *aut oculis capti fodere cubilia talpae?* Zum ersten Vers bemerkt es ausdrücklich der interpolierte Servius und, ohne diesen zu kennen, auch G. Vossius, De poematum cantu et de viribus rhythmi (Oxf. 1673) 26, cf. auch Gebauer l. c. 280 adn. g. (Bentley nahm übrigens — gewiß mit Unrecht — Anstoß an Manil. IV 217 *scorpios armata violenta cuspide cauda*, cf. Naeke zu Val. Cat. 286). — Zu prüfen wäre noch, wie weit auf wirklicher Beobachtung beruht die im Altertum aufgestellte Behauptung, daß zwei mit derselben Silbe endigende Wörter im Vers nicht nebeneinander gestellt werden dürften, weil das ein *κακοσύνθετον* sei (Quint. IX 4, 42. Serv. z. Aen. IV 504. IX 49. 606. Serv. Dan. z. ecl. 3, 1. Aen. IV 487, für das Griechische Eustathios an den von Großmann l. c. [o. S. 838, 2] 29ff. angeführten Stellen unter *ἐπισυνέμπτωσις*); mir ist aufgefallen, daß Vergil tatsächlich gleiche Kasusausgänge zweier aufeinander folgender Worte ungern gebraucht zu haben scheint, wenigstens braucht er an fünf Stellen *biiugus* nach der 2. Deklination, wo kein Nomen mit gleicher Endung dabei steht, aber zweimal *biiugis*, wo ein Nomen der 2. Dekl. folgt: ge. III 91 *equi biiuges* Aen. XII 355 *equos biiuges*; ebenso zweimal *quadriiugus* (ge. III 18 *quadriiugos currus* Aen. XII 162 *quadriiugo curru*), aber einmal *quadriiugis*: Aen. X 571 *quadriiugis in equos*; ebenso Aen. X 425 *pectus inermum* XII 131 *volgus inermum*, aber Aen. II 67 *turbatus inermis* cf. XI 672, wo durch diese Form leoninischer Reim vermieden wird: *dum subit ac dextram labenti tendit inermem*; daher Aen. VI 161 richtig cod. M. *socium exanimem* (gegen *exanimum* PR), aber XI 51 *iuvenem exanimum* richtig MP (gegen R). Cf. auch G. Wagner, Quaest. Virg. XXXIII (in der 4. Aufl. des Heyneschen Vergils, Leipz. 1832) p. 549.

1) Eine durchaus spielerische, tändelnde, keine rhetorische Absicht liegt vor in dem hübschen Gedichtchen des Modestinus (etwa saec. IV in.) auf den schlafenden Amor AL 273 Riese, wo sieben Hexameter hintereinander neckisch enden auf *ligemus metamus necemus perimamus crememus necemus volemus*, und in dem Epigramm des Ausonius (29) auf den *Πάνθεος*, wie er in neuplatonischer Anwandlung einen Allerweltsgott nennt: es sind 7 akatalektische iambische Dimeter, deren 4 erste enden auf *vocant putant nominant existimant*, die 3 letzten auf *Liberum Adoneum Pantheum* (verfehlt ist die Ausführung von W. Brandes in seinen sonst wertvollen Beiträgen zu Ausonius, Progr. Wolfenbüttel 1895 p. 5 ff.).

2) Z. B. hat er viel weniger Binnenreime im Pentameter als Properz, cf. Eichner l. c. (o. S. 830, 2) 40. Daß sich übrigens gerade bei den Elegikern im Pentameter so viele Reime finden, erklärt sich ganz einfach aus der bekannten Manier, Substantiva von ihren gleichauslautenden Attributen zu trennen, cf. Eichner l. c. 35f.

3) Verfehlt ist, was Lehrs l. c. (o. S. 830, 2) 474 darüber sagt.

Wir sind also zum Resultat gekommen, daß es in der quantitierenden Dichtung der Altertums einen rhetorischen Reim gab, vor dessen Anwendung aber die meisten und besten Dichter begründete Scheu hatten. Aber von hier führt kein direkter Weg zur Hymnenpoesie und daher auch nicht zur Erklärung des Reims in dieser sowie den von ihr beeinflußten neueren Sprachen. Um hier zur Erkenntnis vorzudringen, müssen wir vielmehr noch einen Umweg machen, auf den wir aber durch die soeben festgestellte Tatsache die Gewißheit mitnehmen, daß es einen rhetorischen Reim in der Poesie wirklich gegeben hat. Resultat.

V. Predigt und Hymnus. Das Eindringen des rhetorischen Reims in die Hymnenpoesie.

1. Das Bedürfnis, den Schöpfer und seine Werke im Gesang zu preisen, war in der christlichen Gemeinde früh empfunden worden. Das lehren zwei berühmte Stellen der pseudopaulinischen Briefe: ep. ad Ephes. 5, 18f. πληροῦσθε ἐν πνεύματι λαλοῦντες ἑαυτοῖς ἐν ψαλμοῖς καὶ ὕμνοις καὶ ᾠδαῖς, ᾄδοντες καὶ ψάλλοντες τῇ καρδίᾳ ὑμῶν τῷ κυρίῳ, ad. Col. 3, 16 ὁ λόγος τοῦ χριστοῦ ἐνοικείτω ἐν ὑμῖν πλουσίως, ἐν πάσῃ σοφίᾳ διδάσκοντες καὶ νουθετοῦντες ἑαυτούς, ψαλμοῖς ὕμνοις ᾠδαῖς πνευματικαῖς, ἐν τῇ χάριτι ᾄδοντες ἐν ταῖς καρδίαις ὑμῶν τῷ θεῷ. Es ist bekannt, wie dann die Häretiker sich die Ausbildung des Kirchengesangs als eines auf die Sinne besonders stark wirkenden Mittels angelegen sein ließen, während sich die katholische Kirche in ihrem instinktiven Bestreben, sich von den Häretikern zu unterscheiden und alle sinnlichen Elemente aus dem Kultus zu beseitigen, lange Zeit zurückhielt, bis auch sie diese Scheu überwand und dem innern Bedürfnis ihrer Mitglieder Rechnung trug, im Osten sich stützend auf die Autorität des Ioannes Chrysostomos, im Westen auf die des Hilarius (der sich lange im Osten aufgehalten hatte), des Ambrosius (der in vielem sich an die großen Vorbilder des Ostens anschloß) und des Augustinus (der anfangs große Bedenken hegte, dem Ambrosius hierin zu folgen, bis ihn die praktischen Erfolge in der Mailänder Kirche veranlaßten, auch seinerseits sowohl in der Theorie wie in der Praxis nachzugeben). Dadurch war der Kirche eine neue, große Prinzipien der christlichen Poesie.

Aufgabe gestellt: es waren Hymnen nicht nur zu dichten, sondern, was viel schwieriger war, zu komponieren.

Auf Grund der alten Verskunst und Musik sollte und konnte das nicht geschehen. Es sollte nicht geschehen, weil die Anwendung heidnischer Metra zu orthodoxen Bedenken Veranlassung geben konnte; man lese, was darüber Nilos (s. IV/V) an einen Mönch schreibt, der Grammatiker gewesen war und sich noch weiter der epischen Form bediente (ep. II 49, vol. 79, 221 Migne): Paulus habe gesagt: *ἡ σοφία τοῦ κόσμου τούτου μωρία παρὰ τῷ θεῷ ἐστιν* und es sei daher verboten, sich der Formen der Hellenen zu bedienen, der Hexameter und Iamben; denn wenn geschrieben stehe (prov. 5, 3) *μέλι ἀποστάζει ἀπὸ χειλέων γυναικὸς πόρνης*, so bedeute diese *πόρνη* die *καλλιέπεια τῶν Ἑλλήνων*, daher: *πολλοὶ τῶν αἱρετικῶν πολλὰ ἐπισυνέταξαν ἀλλ' οὐδὲν ὠφέλησαν . . . · εἰ δὲ θαυμάζεις τοὺς γράφοντας τὰ ἔπη, ὥρα σοι καὶ Ἀπολλινάριον τὸν δυσσεβῆ καὶ καινοτόμον θαυμάζειν, πολλὰ λίαν μετρήσαντα καὶ ἐποποιήσαντα καὶ ματαιοπονήσαντα καὶ παντὶ καιρῷ ἐν λόγοις ἀνοήτοις κατατριβέντα οἰδήσαντά τε τοῖς ἀκερδέσι τῶν ἐπῶν καὶ φλεγμήναντα.* Doch wäre dieses Moment allein nicht ausschlaggebend gewesen; denn Männer wie Methodios, Gregor von Nazianz, Synesios u. a. haben sich über dieses ängstliche Vorurteil hinweggesetzt[1]), und vor allem im Abendland hat nicht bloß eine Reihe von Dichtern in vergilischen Versen alt- und neutestamentliche Stoffe behandelt, sondern Hieronymus hat (auch hierin anknüpfend an griechische Vorgänger) sogar zu beweisen versucht, daß sich in den religiösen Urkunden jene Versmaße vorfänden (s. oben S. 526). Wichtiger also war das zweite Moment: weitaus den meisten war das Verständnis für die alte Verskunst und Musik längst abhanden gekommen, so daß eine Erneuerung der Hymnenpoesie auf der alten Grundlage gar nicht vorgenommen werden konnte. Für die Verskunst beweist es das nach Ausweis der Inschriften immer mehr schwindende Bewußtsein der nach Silbenquantität geregelten Metrik. Für die mit der melischen Poesie verwachsene Musik bezeugt es (abgesehen von der Kolometrie unserer Texte)[2])

---

1) Näheres bei Krumbacher, Gesch. d. byz. Lit.² 653ff.

2) Die folgenden Stellen aus R. Volkmann in seiner Ausgabe von [Plutarch] de mus. (Leipz. 1856) p. 56. 101.

Dio Chrys. or. 19, 4 τὰ πολλὰ αὐτῶν (sc. τῶν κιθαρῳδῶν καὶ ὑποκριτῶν) ἀρχαῖά ἐστι καὶ πολὺ σοφωτέρων ἀνδρῶν ἢ τῶν νῦν· τὰ μὲν τῆς κωμῳδίας ἅπαντα, τῆς δὲ τραγῳδίας τὰ μὲν ἰσχυρὰ ὡς ἔοικε μένει, λέγω δὲ τὰ ἰαμβεῖα, καὶ τούτων μέρη διεξίασιν ἐν τοῖς θεάτροις, τὰ δὲ μαλακώτερα ἐξερρύηκε, τὰ περὶ τὰ μέλη und (aus später Zeit) anecd. ed. Bekker p. 752, 1 τὴν λυρικὴν ποίησιν δεῖ μετὰ μέλους ἀναγινώσκειν, εἰ καὶ μὴ παρελάβομεν μηδὲ ἀπομεμνήμεθα τὰ ἐκείνων μέλη. Interessant sind vor allem zwei Zeugnisse Iulians, weil sie zeigen, wie er, offenbar als Platoniker und vielleicht in bewußtem Gegensatz zu den Christen, die alte Musik künstlich wieder zu beleben suchte: Misop. 337 B ἀφαιρεῖται τὴν ἐν τοῖς μέλεσι μουσικὴν ὁ νῦν ἐπικρατῶν ἐν τοῖς ἐλευθέροις τῆς παιδείας τρόπος, αἴσχιον γὰρ εἶναι δοκεῖ νῦν μουσικὴν ἐπιτηδεύειν ἢ πάλαι ποτὲ ἐδόκει τὸ πλουτεῖν ἀδίκως und besonders ep. 56 p. 442 A ἄξιόν ἐστιν, εἴπερ ἄλλου τινός, καὶ τῆς ἱερᾶς ἐπιμεληθῆναι μουσικῆς: er setzte Preise aus für die alexandrinischen Knaben, die es darin am weitesten bringen würden, denn: ὅτι πρὸ ἡμῶν αὐτοὶ τὰς ψυχὰς ὑπὸ τῆς θείας μουσικῆς καθαρθέντες ὀνήσονται, πιστευτέον τοῖς προαποφαινομένοις ὀρθῶς ὑπὲρ τούτων, worauf noch ein spezieller Befehl an den Musiker Dioskoros folgt.

Eine Anknüpfung an die Vergangenheit war also unmöglich: ein neuer Weg mußte gesucht werden und er bot sich leicht. Während Orient und Okzident in den Einzelheiten hier völlig auseinander gingen, war doch die gemeinsame Grundlage der neuen Poesie dieselbe: als Prinzip wurde nicht die Quantität der Silben, sondern der Rhythmus aufgestellt. Dazu bedurfte es keiner Anleihe bei den stammfremden semitischen Völkern, sondern alle Grundvoraussetzungen waren in der hochrhetorischen Prosa gegeben, die von alters her nach dem Prinzip des Rhythmus gegliedert und jene engen Beziehungen zur Poesie eingegangen war, wie wir sie festgestellt haben. Aus dieser rhythmischen Prosa hat sich die rhythmische Dichtung und der mit ihr aufs engste verknüpfte Reim herausentwickelt. Diese Ansicht, die sich mir mit notwendiger Konsequenz aus der Geschichte der antiken Kunstprosa ergab, ist, wie ich sehe, nicht ganz neu. F. Probst, Lehre und Gebet in den drei ersten christl. Jahrhunderten (Tübingen 1871) 267 ff. hat, soviel ich weiß, als erster in unserm Jahrhundert (über die frühere Zeit werde ich weiter unten zu handeln haben) das ὁμοιοτέλευτον der Rhetorik zu demjenigen der Poesie in Beziehung gesetzt. Ohne Probst zu kennen, hat dieselbe Ansicht aufgestellt und kurz begründet E. Bouvy, Poètes et mélodes. Étude sur les origines du rythme tonique dans l'hymnographie de l'église grecque (Nîmes 1886), 183 ff. und K. Krumbacher hat sie l. c. 700 f. 704 f. angenommen. Aber trotzdem bewegen sich alle neueren Untersuchungen noch im alten Geleise.[1]) Das mag daran liegen, daß eine neue Ansicht auf solchem Gebiet nur dann Anerkennung zu finden pflegt, wenn sie auf Grund vieles Beweismaterials allseitig begründet und aus der Sphäre einer bloßen Vermutung in die einer historisch beweisbaren, ja notwendigen Tatsache erhoben wird. Den Nachweis dieser Tatsache will ich im folgenden zu erbringen versuchen.

Hellenische Prosahymnen.

2. Die rhetorischen, an den hohen Festtagen gehaltenen Predigten der Christen waren nichts anderes als Hymnen in Prosa. Nicht die Christen waren die Erfinder dieser literarischen Gattung, sondern der von allen Hellenen zugleich am tiefsten religiös gestimmte und poetisch am höchsten begabte Mensch, Platon. Auf der Höhe seines Lebens schrieb er die Hymnen auf Eros, im Alter den auf das All und seinen Schöpfer: im ersten Hymnus auf Eros werden zu Anfang (Phaidr. 237 A) die Musen angerufen und der lyrische Schwung steigert sich zu solcher Höhe, daß er schließlich geradezu in den Dithyrambus umschlägt (241 E); der zweite Hymnus auf Eros (244 A ff.) ist das Grandioseste, was in der poetischen Prosa je geschrieben worden ist (s. auch oben S. 109 ff.); im Hymnus des Timaios spricht er feierlich wie ein Hierophant. Es dauerte lange, bis er Nachfolger fand, denn Kleanthes hat seinen Hymnus auf Zeus, der an Innigkeit (wenn auch nicht an technischem Können) seinesgleichen im Altertum sucht, im althergebrachten Versmaß der theologischen Dichtung verfaßt. Dann aber kam die Zeit, in der das religiöse Empfinden, hervorbrechend aus den Herzen der im Chaos der Meinungen sehnsüchtig nach der Er-

1) U. Ronca, Metrica e ritmica latina nel medio evo (Rom 1890), 151 ff. und Cultura medioevale I (Rom 1892) 341 ff. zieht, ohne die genannten Arbeiten zu kennen, wenigstens vergleichsweise die Prosa heran (auf Grund einer Bemerkung, die schon W. Meyer l. c. 378 machte), aber er weiß keine Verbindung zwischen beiden herzustellen: das aber ist eben die Hauptsache.

lösung ausblickenden Menschen, in vorher nie gekannter Stärke die weitesten Schichten ergriff. Ein Kind dieser Zeit war der Rhetor Aristeides; er hat nicht unbewußt wie Platon, sondern mit deutlich ausgesprochener Absicht die prosaische Predigt als Lobrede auf die Götter an die Stelle der Hymnen gesetzt: dafür haben wir sein eignes Zeugnis in der Einleitung zu seiner Rede auf Sarapis (8 p. 81 ff. Dind.). Warum sollen, führt er aus, die Dichter das Vorrecht haben, die Götter zu besingen, obgleich die prosaische Rede es viel besser vermag? Wie die lange Rechtfertigung (p. 81—87) zeigt, tut er so, als ob er eine neue Gattung der Rede einführte: aber charakteristisch ist, daß das Gebet, mit dem er anhebt (p. 87), hier wie in den andern Götterreden (1 auf Zeus, 2 auf Athene, 3 auf Poseidon, 4 auf Dionysos, 5 auf Herakles, 6 auf Asklepios) sich ganz deutlich, z. T. wörtlich (z. B. 1 p. 2), an die gleichartigen platonischen (Phaidr. 237 A 257 A Tim. 27 C) anlehnt, wie überhaupt die ganze Haltung dieser Reden aufs stärkste durch die platonischen beeinflußt ist. Er nennt diese Art der Komposition *ὑμνεῖν ἄνευ μέτρου*, *καταλογάδην ᾄδειν* u. dgl., auch bloß *ὑμνεῖν* (8 p. 97)[1]; daher ist der Ton der Reden feierlich, hochpathetisch, dithyrambisch weniger in den Worten (davor hütete sich der Rhetor seinem Stilprinzip zuliebe) als in dem Schwung der Gedanken: Pindar wird oft zitiert, wohl noch öfter benutzt. — Neben Platon und Aristeides[2]) steht als Vertreter dieser Kompositionsart Iulian mit seinen Reden auf Helios und die Göttermutter (4. 5): als Neuplatoniker glaubte er an seine Götter und suchte sich mit ihnen in nicht geringerer Inbrunst zu verbinden als die geschmähten Galiläer mit ihrem Gott. Man darf vielleicht annehmen, daß er — beseelt von dem Gedanken, 'die Menschheit

1) Cf. schon Theon (s. I p. Chr.) progymn. 8 (109, 23 Sp.) *τὸ εἰς τοὺς τεθνεῶτας ἐγκώμιον ἐπιτάφιος λέγεται, τὸ δὲ εἰς τοὺς θεοὺς ὕμνος*. Schematische Regeln für Enkomien auf Götter gab ferner schon vor Aristeides Alexander Numeniu (Rhet. gr. III 4 ff. Sp.) und nach Aristeides besonders 'Menander', der in der Einleitung mit Berufung auf Platon nachweist, daß es Prosahymnen gebe (III 334 Sp.). Cf. übrigens auch E. Maaß, Orpheus (München 1895) 122 f.

2) Cf. außer den angeführten Reden noch 45 II p. 139 Dind. *ἔτι γὰρ μᾶλλον αἱ πανηγύρεις καὶ τὰ τῆς εἰρήνης χαρίεντα τοῦ παρ' αὐτῆς (τῆς ῥητορικῆς) κόσμου προσδεῖται, καὶ νὴ Δία αἵ τε θεῶν τιμαὶ καὶ ἡρώων καὶ ὅσαι τοῖς ἀγαθοῖς τῶν ἀνδρῶν ὀφείλονται δικαίως εὐφημίαι.*

aus der Nacht des Tartarus wieder emporblicken zu lassen zum Glanz des himmlischen Lichts' (so drücken sich seine Lobredner Libanios, Himerios, Mamertinus aus) — mit vollem Bewußtsein und in bestimmter Absicht den christlichen Predigten, denen er in seiner Jugend erst gläubig, dann widerwillig zugehört hatte, diese heidnischen Hymnen in Prosa entgegengestellt hat. Auch er schließt sich im *ἦθος* und in manchen Einzelheiten an das Vorbild Platons an, auch er spricht von seinem *ὑμνεῖν* (131 D), wie denn z. B. der Schluß der fünften Rede ganz hymnenartig ist. — Auch Iulians Zeitgenosse Libanios hat einen solchen Prosahymnus auf Artemis geschrieben: vol. I. 225 ff. R. Er sagt selbst p. 225, es weihe der Gottheit ein *ποιητὴς ὕμνον ἐν μέτρῳ*, ein *ῥητορικὸς ὕμνον ἄνευ μέτρου*, spricht p. 226 von *ᾄδειν* und nennt p. 240 seine Rede eine *ᾠδή*, die er mit der des Simonides auf die Dioskuren vergleicht. — Endlich ist noch zu nennen der unbekannte Rhetor saec. III ('Menander'), der am Schluß seiner Schrift *περὶ ἐπιδεικτικῶν* (Rhet. gr. III 437 ff. Sp.) Vorschriften und Beispiele für prosaische Hymnen auf Apollon Smintheus gibt; die Vorrede schließt (p. 438): *αἰτήσω παρὰ τῶν Μουσῶν μανθάνειν, καθάπερ Πίνδαρος τῶν ὕμνων πυνθάνεται 'ἀναξιφόρμιγγες ὕμνοι', πόθεν με χρὴ τὴν ἀρχὴν ποιήσασδαι; δοκεῖ δ' οὖν μοι πρῶτον ἀφεμένῳ τέως τοῦ γένους ὕμνον εἰς αὐτὸν ἀναφθέγξασθαι.* Der Anfang dieses 'Hymnus' lautet, sehr poetisch: *ὦ Σμίνθιε Ἄπολλον, τίνα σε χρὴ προσειπεῖν; πότερον ἥλιον τὸν τοῦ φωτὸς ταμίαν καὶ πηγὴν τῆς οὐρανίου αἴγλης ἢ νοῦν, ὡς ὁ τῶν θεολογούντων λόγος, διήκοντα μὲν διὰ τῶν οὐρανίων, ἰόντα δὲ δι' αἰθέρος ἐπὶ τὰ τῇδε; ἢ πότερον αὐτὸν τὸν τῶν ὅλων δημιουργόν, ἢ πότερον δευτερεύουσαν δύναμιν, δι' ὅν σελήνη μὲν κέκτηται σέλας, γῆ δὲ τοὺς οἰκείους ἠγάπησεν ὅρους, θάλαττα δὲ οὐχ ὑπερβαίνει τοὺς ἰδίους μυχούς κτλ.* Das Ganze schließt (p. 445 f.) mit einem hochfeierlichen Gebet ganz im Stil der poetischen Gebete.[1])

Christliche Prosahymnen.

3. Um so viel inniger und wahrer nun die christlichen Predigten sind als die zuletzt genannten rhetorischen Muster-

---

1) Cf. über letztere Maaß l. c. 198 f. — An Platon hat dann erst wieder Gemistos Plethon angeknüpft: seine *προσρήσεις* und *εὐχαί* an die Götter sind prosaische Umschreibungen neuplatonischer Hymnen (die Stücke stehen in der Ausgabe seiner *Νόμοι* von Alexandre [Paris 1858] p. 44. 132 ff. 273 f.).

stücke, in desto höherem Sinn können wir sie Hymnen nennen, die zwar *ἄνευ μέτρου*, aber nicht *ἄνευ ῥυθμοῦ* sind. Gregor von Nazianz feiert am Schluß seiner zweiten 'theologischen' Rede (28 c. 31, vol. 36, 72 Migne), ganz wie Platon, das Überhimmlische: er nennt das *ἀνυμνεῖν* und sagt zum Schluß: *ταῦτα εἰ μὲν πρὸς ἀξίαν ὕμνηται, τῆς Τριάδος ἡ χάρις*. In der ersten Invektive gegen Iulian ruft er — ganz wie gleichzeitige heidnische Redner, besonders Himerios (s. oben S. 429) — sich einen 'Chor' seiner Zuhörer herbei, denen er seine *ᾠδή* vortragen wolle (or. in Iul. 1 c. 7—17, vol. 35, 537 ff. Migne). Daher nennt Fénélon an einer oben (S. 569, 1) zitierten Stelle seine Reden 'hymnes'. Was aber von diesem Prediger des IV. Jh. gilt, hat noch erhöhte Geltung für die der folgenden Jahrhunderte, als der Ton der Predigten ein immer aufgeregterer wurde und sich dem Stil des Dithyrambus immer mehr näherte[1]), wofür ich gleich Beispiele anführen werde.

4. Die Signatur dieser hymnenartigen Predigten war nun der Rhythmus — das versteht sich nach der oben (S. 537 ff.) gegebenen Entwicklungsgeschichte der Predigt von selbst — und das *ὁμοιοτέλευτον*. Wir wissen aus den Darlegungen dieses Werkes, daß beides aufs engste zusammenhängt, denn das *ὁμοιοτέλευτον* tritt ja nur in parallel laufenden, nicht zu langen Sätzen auf, die durch ihren Bau, wie Cicero sagt, 'Versen ganz ähnlich sind und von selbst rhythmisch fallen'. Wir wissen ferner, daß das *ὁμοιοτέλευτον* nach einer Praxis, die wir von Gorgias an bis in das Mittelalter beider Sprachen verfolgt haben, nie willkürlich gesetzt wurde, sondern den Stellen des höchsten

Der Reim in den Prosahymnen.

1) *Ὑμνεῖν* auch Sophronios (s. VII), or. 7 in S. Ioannem Bapt. c. 1 (vol. 87 III, 3321 Migne) *δίδου, ὦ φωνὴ τοῦ λόγου, φωνήν· δίδου ἡμῖν, ὦ λύχνε τοῦ φωτός, τὴν αὐγήν· δίδου ἡμῖν, ὦ τοῦ λόγου πρόδρομε, τοῦ λόγου τὸν δρόμον, ἵνα σε πρὸς ἀξίαν τοῖς σοῖς εὐφημήσαντες ἐντρυφήσωμεν σήμερον· ὑμνεῖν γάρ σε κατὰ χρέος πατρῷον.* Cf. auch die *ὑμνῳδία κρυπτή* eines (gnostisch beeinflußten) Traktats des Hermes Trismegistos (Poim. 13, 17 ff.): *πᾶσα φύσις κόσμου προσδεχέσθω τοῦ ὕμνου τὴν ἀκοήν. ἀνοίγηθι γῆ, ἀνοιγήτω μοι πᾶς μοχλὸς ὄμβρου, τὰ δένδρα μὴ σείεσθε· ὑμνεῖν μέλλω τὸν τῆς κτίσεως κύριον καὶ τὸ πᾶν καὶ τὸ ἕν κτλ.* Vom Gebet: Definition der orthodoxen Kirche bei W. Gaß, Symbolik d. gr. Kirche (Berl. 1872) 352 *ἡ προσευχή ἐστιν ἀνάβασις τοῦ νοὸς καὶ τῆς θελήσεως ἡμῶν πρὸς τὸν θεόν, δι' ἧς τὸν θεὸν ὑμνοῦμεν ἢ τὸν παρακαλοῦμεν ἢ τοῦ εὐχαριστοῦμεν διὰ τὰς εἰς ἡμᾶς εὐεργεσίας αὐτοῦ.*

Pathos vorbehalten blieb. Ich will das hier noch an Dokumenten zeigen, deren einige ich absichtlich aus einem nichtchristlichen Kreise auswähle, damit man sieht, wie allgemein verbreitet diese Form der religiösen Rede war.

a) hellenische Beispiele.

a. Ein Traktat des Hermes Trismegistos (Poim. 5) schließt mit folgenden Worten (§ 11): πότε δέ σε, πάτερ, ὑμνήσω; οὔτε γὰρ ὥραν σου οὔτε χρόνον καταλαβεῖν δυνατόν. ὑπὲρ τίνος δὲ καὶ ὑμνήσω; ὑπὲρ ὧν ἐποίησας ἢ ὑπὲρ ὧν οὐκ ἐποίησας; διὰ τί δὲ καὶ ὑμνήσω σε; ὡς ἐμαυτοῦ ὤν; ὡς ἔχων τι ἴδιον; ὡς ἄλλος ὤν; σὺ γὰρ εἶ ὃ ἂν ὦ, σὺ εἶ ὃ ἂν ποιῶ, σὺ εἶ ὃ ἂν λέγω. σὺ γὰρ πάντα εἶ καὶ ἄλλο οὐδέν ἐστιν ὃ μὴ εἶ. σὺ εἶ πᾶν τὸ γενόμενον, σὺ τὸ μὴ γενόμενον, νοῦς μὲν νοούμενος, πατὴρ δὲ δημιουργῶν, θεὸς δὲ ἐνεργῶν, ἀγαθὸς δὲ καὶ πάντα ποιῶν. ὕλης μὲν γὰρ τὸ λεπτομερέστερον ἀήρ, ἀέρος δὲ ψυχή, ψυχῆς δὲ νοῦς, νοῦ δὲ ὁ θεός. — In einem der sog. Zauberpapyri des III./IV. Jh. tritt die Figur an der Stelle auf, wo die an den Ton der orphischen Hymnen erinnernde ἐπίκλησις θεῶν beginnt (Pap. graec. ed. C. Leemans II [Leyden 1885] pap. V col. 7ª 7 ff.): ὦ τῶν πάντων ζωῶν τε καὶ τεθνηκότων κραταιοί, τῶν ἐπὶ πολλαῖς ἀνάγκαις θεῶν τε καὶ ἀνθρώπων διακουσταί· ὦ τῶν φανερῶν καλυπταί· ὦ τῶν Νεμέσεων τῶν σὺν ὑμεῖν διατρειβουσῶν τὴν πᾶσαν ὥραν κυβερνῆται· ὦ τῆς Μοίρας τῆς ἅπαντα περιισταμένης ἐπίπομποι· ὦ τῶν ὑπερεχόντων ἐπιτάκται· ὦ τῶν ὑποτεταγμένων ὑψῶται· ὦ τῶν ἀποκεκρυμμένων φανερῶται· ὦ τῶν ἀνέμων ὁδηγοί· ὦ κυμάτων ἐξεγερταί· ὦ πυρὸς κομισταὶ κατά τινα καιρόν· ὦ πάσης γέννης κτίσται καὶ εὐεργέται· ὦ πάσης γέννης τροφοί· ὦ βασιλέων κύριοι καὶ κράτιστοι — ἔλθατε εὐμενεῖς ἐφ' ὃ ὑμᾶς ἐπικαλοῦμαι ....'Επάκουσόν μου κύριε, οὗ τὸ ὄνομα ἡ γῆ ἀκούσασα ἐλεύσεται, ὁ ᾅδης ἀκούων ταράσσεται, ποταμοὶ θάλασσα λίμναι πηγαὶ ἀκούσασαι πήγνυνται, αἱ πέτραι ἀκούσασαι ῥήγνυνται· καὶ οὐρανὸς μὲν κεφαλή, αἰθὴρ δὲ σῶμα, γῆ πόδες, τὸ δὲ περὶ σὲ ὕδωρ ὠκεανός, ἀγαθὸς δαίμων. σὺ εἶ κύριος, ὁ γεννῶν καὶ τρέφων καὶ αὔξων τὰ πάντα. Τίς μορφὰς ζῴων ἔπλαγε; τίς δὲ εὗρε κελεύθους; usw. in Hexametern; erst wo der Ton ruhiger und sachlicher wird, setzt die Prosa wieder ein.[1]) — In

1) Cf. auch die Stelle aus einem Gebet eines Leydener Papyrus bei A. Dieterich, Abraxas (Leipz. 1891) 24 f. Wer etwa hier an einen auf das Hebräische zurückgehenden Parallelismus denken sollte (s. o. S. 817 ff.), der kann sich selbst widerlegen aus den bei Leemans p. 77 ff. folgenden 'Excerpta ex libris apocryphis Moïsis', deren magische Incantamenta sich in-

einem Gebet an den löwenköpfigen Gott von Leontopolis (ed. W. Fröhner im Philol. Suppl. V [1889] 46) heißt es auf einer Gemme: *κλῦθί μοι* (sic), *ὁ ἐν Λεοντωπόλι* (sic) *τὴν κατοικίαν κεκληρωμένος, ὁ ἐν τῷ ἁγίῳ σηκῷ ἐνιδρυμένος, ὁ ἀστραπῶν καὶ βροντῶν καὶ γνόφου καὶ ἀνέμων κύριος, ὁ τὴν ἐνουράνιον τῆς ἐωνίου* (sic) *φύσεως κεκληρωμένος ἀνάνκην* (sic).

b. Auch der Christ liebte diese Redefigur gerade da, wo seine Rede am feierlichsten wurde, bei der Anrufung Gottes im Gebet[1]; ich will dafür ein paar Stellen zitieren, zunächst nicht aus eigentlichen Predigten. Aus den Liturgien vgl. z. B. den Passus der alexandrinischen Liturgie[2]) p. 4^b *δεόμεθα καὶ παρακαλοῦμέν σε, φιλάνθρωπε, ἀγαθέ, ἐπίφανον, κύριε, τὸ πρόσωπόν σου ἐπὶ τὸν ἄρτον τοῦτον καὶ ἐπὶ τὸ ποτήριον τοῦτο, εἰς μεταποίησιν τοῦ ἀχράντου σώματος καὶ τοῦ τιμίου σου αἵματος, ἐν οἷς σε ὑποδέχεται τράπεζα παναγία, ἱερατικὴ ὑμνῳδία, ἀγγελικὴ χοροστασία, εἰς μετάληψιν ψυχῶν καὶ σωμάτων.* 32^a *ὅτι σὺ ὁ θεὸς ἡμῶν, ὁ λύων τοὺς πεπεδημένους, ὁ ἀνορθῶν τοὺς κατερραγμένους, ἡ ἐλπὶς τῶν ἀπελπισμένων, ἡ βοήθεια τῶν ἀβοηθήτων, ἡ ἀνάστασις τῶν πεπτωκότων, ὁ λιμὴν τῶν χειμαζομένων, ὁ ἔκδικος τῶν καταπονουμένων· πάσῃ ψυχῇ χριστιανῇ θλιβομένῃ καὶ περιεχομένῃ δὸς ἔλεος, δὸς ἄνεσιν, δὸς ἀνάψυξιν.* 48^a *λύτρωσαι δεσμίους, ἐξέλου τοὺς ἐν ἀνάγκαις· πεινῶντας χόρτασον, ὀλιγοψυχοῦντας παρακάλεσον, πεπλανημένους ἐπίστρεψον, ἐσκοτισμένους φωταγώγησον, πεπτωκότας ἔγειρον, σαλευομένους στήριξον, νενοσηκότας ἴασαι.* 60^a *θεέ, φωτὸς γεννῆτορ, ζωῆς ἀρχηγέ, χάριτος ποιητά, αἰωνίων θεμελιῶτα, γνώσεως δωροδότα, σοφίας θησαυρέ, ἁγιωσύνης διδάσκαλε.* 62^a *δέσποτα κύριε· ὁ θεός, ὁ παντοκράτωρ, ὁ καθήμενος ἐπὶ τῶν χερουβίμ καὶ δοξαζόμενος ὑπὸ τῶν σεραφίμ· ὁ ἐξ ὑδάτων οὐρανὸν σκευάσας καὶ τοῖς τῶν ἀστέρων χοροῖς τοῦτον κατακοσμήσας* und oft ähnlich; cf. auch das lange liturgische Gebet in den Constitutiones apostolicae VII 33—38 (p. 212 ff. Lagarde).[3]) — Aus den apokryphen Apostelge-

b) christliche Beispiele: Liturgien. Apokryphen.

haltlich mit den angeführten Worten gelegentlich decken, während die Form eine ganz andere ist, mehr den Psalmen ähnelnd, ohne Satzparallelismus und ohne *ὁμοιοτέλευτα*.

1) Cf. Clem. Al. Strom. VII 7 p. 854 P *ἔστιν, ὡς εἰπεῖν τολμηρότερον, ὁμιλία πρὸς τὸν θεὸν ἡ εὐχή.*

2) Ich zitiere nach: The Greek Liturgies ed. Swainson, London 1884.

3) Nicht so viel in den andern Liturgien, doch cf. aus der des Chry-

schichten: act. Petr. 10 (p. 96 Lipsius) εὐχαριστῶ σοι οὐκ ἐν χείλεσιν τούτοις προσηλωμένοις . . . . ., ἀλλ' ἐκείνῃ τῇ φωνῇ εὐχαριστῶ σοι, βασιλεῦ, τῇ διὰ σιγῆς νοουμένῃ, τῇ μὴ ἐν φανερῷ ἀκουομένῃ, τῇ μὴ δι' ὀργάνων σώματος προϊούσῃ, τῇ μὴ ἐν σάρκινα ὦτα πορευομένῃ, τῇ μὴ οὐσίᾳ φθαρτῇ ἀκουομένῃ und so noch mehrere Glieder; act. Andr. 10 (p. 121 Tisch.) χαίροις ὦ σταυρὲ ὁ ἐν τῷ σώματι τοῦ Χριστοῦ ἐγκαινισθεὶς καὶ ἐκ τῶν μελῶν αὐτοῦ ὡσεὶ μαργαρίταις κοσμηθείς . . . . ὦ ἀγαθὲ σταυρέ, ὁ εὐπρέπειαν καὶ ὡραιότητα ἐκ τῶν μελῶν τοῦ κυρίου δεξάμενος, ἐπὶ πολὺ ἐπιπόθητε καὶ σπουδαίως ἐπιθυμητὲ καὶ ἐκτενῶς ἐπιζητούμενε, καὶ ἤδη ἐπιποθούσης σε τῆς ψυχῆς μου προητοιμασμένε, λαβὲ με ἀπὸ τῶν ἀνθρώπων κτλ., cf. ib. 13 (p. 126); martyr. Bartholomaei 7 (p. 255 Tisch.) εἷς θεὸς ὁ πατὴρ ὁ ἐν υἱῷ καὶ ἁγίῳ πνεύματι γνωριζόμενος, εἷς θεὸς ὁ υἱὸς ὁ ἐν πατρὶ καὶ ἐν ἁγίῳ πνεύματι δοξαζόμενος, εἷς θεὸς τὸ πνεῦμα τὸ ἅγιον ὁ ἐν πατρὶ καὶ υἱῷ προσκυνούμενος. act. Ioann. cathol. 21 (p. 276 Tisch., p. 249 Zahn) πορευομένου μου πρός σε ὑποχωρησάτω πῦρ, νικηθήτω σκότος, ἀτονησάτω κάμινος, σβεσθήτω γέεννα· ἀκολουθησάτωσαν ἄγγελοι, φοβηθήτωσαν δαίμονες, θραυσθήτωσαν ἄρχοντες· δυνάμεις σκότους πεσέτωσαν, δεξιοὶ τόποι στηκέτωσαν, ἀριστεροὶ μὴ μεινάτωσαν· ὁ διάβολος φιμωθήτω, ὁ σατανᾶς καταγελασθήτω· ἡ μανία αὐτοῦ ἠρεμησάτω, ἡ ὀργὴ αὐτοῦ παυσθήτω· τὰ τέκνα αὐτοῦ παταχθήτω, καὶ ὅλη αὐτοῦ ἡ ῥίζα ἀπορριζωθήτω.[1]) act. Andr.

---

sostomos (s. XI) p. 129f. μεμνημένοι τοίνυν τῆς σωτηρίου ταύτης ἐντολῆς καὶ πάντων τῶν ὑπὲρ ἡμῶν γεγενημένων, τοῦ σταυροῦ τοῦ τάφου, τῆς τριημέρου ἀναστάσεως τῆς εἰς οὐρανοὺς ἀναβάσεως, τῆς ἐκ δεξιῶν καθέδρας, τῆς δευτέρας καὶ ἐνδόξου πάλιν παρουσίας, wo man die Absichtlichkeit erkennt durch Vergleich mit der betr. Stelle in der Liturgie des Basileios (ebenfalls s. XI) p. 161: μεμνημένοι οὖν, δέσποτα, καὶ ἡμεῖς τῶν σωτηρίων αὐτοῦ παθημάτων, τοῦ ζωοποιοῦ σταυροῦ, τῆς τριημέρου ταφῆς, τῆς ἐκ νεκρῶν ἀναστάσεως, τῆς εἰς οὐρανοὺς ἀνόδου, τῆς ἐκ δεξιῶν σου τοῦ θεοῦ καὶ πατρὸς καθέδρας καὶ τῆς ἐνδόξου καὶ φοβερᾶς δευτέρας αὐτοῦ παρουσίας. Ferner ein Abschnitt aus der pontischen Liturgie bei F. Brightman, Liturgies eastern and western I (Oxford 1896) 522. Auf Antithesen an sehr gehobenen Stellen von angeblich liturgischen Partien bei Clemens Al., Hippolytos, Novatian u. a. weist hin F. Probst, Lit. d. erst. drei Jahrh. (Tübingen 1870) 91. 138. 212ff. 225: aber der Beweis, daß die Stellen aus Liturgien sind, scheint mir nicht erbracht.

1) Th. Zahn in seiner Ausgabe der Acta Iohannis (Erlangen 1880) XCIVff. teilt die Beschreibung des Lebensendes des Johannes (bei Tischendorf p. 272ff. §§ 15—21, bei Zahn p. 239ff.) in ihrem ganzen Umfang dem

gnostica ap. [Augustin.] de vera et falsa poenitentia c. 32 (cf. R. Lipsius, Die apokr. Apostelgesch. I 592 f. Das Original war griechisch): *ipse autem coepit dominum rogare 'ne me permittas, domine, descendere vivum, sed tempus est ut commendes terrae corpus meum. tamdiu enim iam portavi, tamdiu super commendatum vigilavi et laboravi, quod vellem iam ipsa obedientia liberari et isto gravissimo indumento exspoliari: recordor quantum in portando onerosum, in fovendo infirmum, in coercendo lentum, in domando superbum laboravi* und was weiter folgt. — Aus gnostischen Schriften: in dem von C. Schmidt in: Texte u. Untersuch. VIII (1892) herausgegebenen zweiten[1]) gnostischen Werk in koptischer Sprache finden sich mehrere hymnenartige Partien, die auch noch in der deutschen Übersetzung (das Original war griechisch) den Parallelismus stark hervortreten lassen, z. B. p. 304 *Und die Mutter des Alls und der* προπάτωρ[2]) *und der* αὐτοπάτωρ *und der* Gnostisches.

Leukios zu, d. h. der ersten Hälfte des zweiten Jahrhunderts. Aber das ist sicher falsch, wie sich aus dem Stil dieser Partie ergibt, der von den sicher bezeugten Fragmenten des Leukios ganz und gar abweicht; auch die Sprache (Wortgebrauch, Formen) ist andersartig. Hätte Leukios so geschrieben, wie in der genannten Partie, so hätte Photios (bibl. cod. 114) nicht ein so verächtliches Urteil über seinen Stil abgegeben (φράσις εἰς τὸ παντελὲς ἀνώμαλός τε καὶ παρηλλαγμένη, λέξις ἀγοραῖος καὶ πεπατημένη). Der echte Leukios hat in den langen und feierlichen Reden, die er den Johannes halten läßt, die Figur des ὁμοιοτέλευτον nur ein einziges Mal angewendet p. 230 Zahn (am Schluß einer Rede): ὑπὸ ἡδονῆς ῥυπαρᾶς μὴ ἐκλυθῆναι, ὑπὸ ῥαθυμίας μὴ ἡττηθῆναι, ὑπὸ ἀκμῆς σώματος μὴ προδοθῆναι. Die genannte Partie stammt vielmehr aus einer frühestens dem vierten Jahrhundert angehörenden katholisierenden Bearbeitung des häretischen Werkes des Leukios, wie aus inneren Gründen von R. Lipsius, Die apokryphen Apostelgesch. I (Braunschw. 1883) 500 ff. erschlossen ist. — Vorstehendes war längst geschrieben, bevor es M. R. James glückte, ein großes neues Stück der echten Leukios-Akten aufzufinden (Texts and studies V [Cambridge 1897] 2 ff.): dadurch wird das Gesagte vollauf bestätigt.

1) Welches sich formell und inhaltlich durch seinen griechischen Charakter von dem ersten unterscheidet, wie Schmidt im einzelnen ausgezeichnet bewiesen hat. In jenem ersten findet sich bezeichnenderweise keine so komponierte Stelle; ebensowenig in der (überhaupt nicht stark von griechischen Ideen beeinflußten) Pistis Sophia trotz der vielen dort ausdrücklich als ὕμνοι bezeichneten Partien.

2) Die griechischen Worte sind im Koptischen beibehalten und zwar da, wo sie nicht in Klammern gesetzt sind, wörtlich, da, wo sie in Klammern stehen, mit koptischer Flexionssilbe.

προγενήτωρ und die Kräfte des Äons (αἰών) der Mutter stimmten einen großen Hymnus (ὕμνος) an, indem sie den Einigen Alleinigen priesen und zu ihm sprachen: Du bist der allein Unendliche (ἀπέραντος), und Du bist allein die Tiefe (βάθος), und Du bist allein der Unerkennbare, und Du bist's nach dem ein jeder forscht, und nicht haben sie Dich gefunden, denn niemand kann Dich gegen Deinen Willen erkennen, und niemand kann Dich allein gegen Deinen Willen preisen . . . Du bist allein ein ἀχώρητος, und Du bist allein der ἀόρατος, und Du bist allein der ἀνούσιος usw. 307 *Die Geburten der Materie baten das verborgene Mysterium (μυστήριον): „Gib uns Macht (ἐξουσία), damit wir uns Äonen (αἰῶνες) und Welten (κόσμοι) schaffen Deinem Worte gemäß (κατά), welches Du, o Herr, mit Deinem Knechte verabredet, denn Du allein bist der Unveränderliche, und Du bist allein der ἀπέραντος, und allein der ἀχώρητος, und Du bist allein der ἀγέννητος und αὐτογενής und αὐτοπάτωρ, und Du bist allein der ἀσάλευτος und ἄγνωστος* usw., cf. 311 f.

Predigten. c. Aus den Predigten selbst, besonders denen des Gregor von Nazianz und Augustin, habe ich schon oben (S. 564 ff. und 621 ff.) eine Reihe von Beispielen gegeben, die ich den Leser zu vergleichen bitte. Ich füge hier noch einiges zeitlich Frühere und Spätere hinzu. Die Reihe wird eröffnet mit einer berühmten Stelle aus dem unter Paulus' Namen gehenden ersten Brief an Timotheos (erste Hälfte des II. Jh.): wenn ich die Stelle eines Briefes unter Predigten zitiere, so glaube ich nach dem früher (S. 538, 2) über die Beziehungen beider Literaturgattungen im Urchristentum Gesagten Berechtigung dazu zu haben. Es heißt da am Schluß eines Abschnitts (c. 3, 14 ff.): *ταῦτά σοι γράφω ἐλπίζων ἐλθεῖν πρός σε ἐν τάχει, ἐὰν δὲ βραδύνω, ἵνα εἰδῆς πῶς δεῖ ἐν οἴκῳ θεοῦ ἀναστρέφεσθαι, ἥτις ἐστὶν ἐκκλησία θεοῦ ζῶντος, στῦλος καὶ ἑδραίωμα τῆς ἀληθείας. καὶ ὁμολογουμένως μέγα ἐστὶν τὸ τῆς εὐσεβείας μυστήριον·*

ὃς *ἐφανερώθη ἐν σαρκί,*
ἐδικαιώθη ἐν πνεύματι·
ὤφθη ἀγγέλοις,
ἐκηρύχθη ἐν ἔθνεσιν·
ἐπιστεύθη ἐν κόσμῳ,
ἀνελήμφθη ἐν δόξῃ.

Ich habe diese Worte in unserer Manier als Verse abgeteilt, weil die Exegeten darin gewöhnlich einen Rest jener ältesten christlichen Kirchenpoesie erkennen, von welcher der unter Paulus' Namen schreibende Verfasser des Ephesier- und Kolosserbriefs an den beiden oben (S. 841) zitierten Stellen spricht (cf. J. Kayser, Beitr. zur Gesch. u. Erkl. der ältesten Kirchenhymnen [Paderborn 1866] 21 f., F. Probst l. c. 275), und K. Weizsäcker hat, wie ich sehe, in entsprechender Weise übersetzt, sehr mit Recht, da uns Deutschen das Ethos des pathetischen Stils am besten in gebundener Rede zum Gefühl gebracht wird. Aber daß die Worte nicht in unserm Sinn für 'Verse' zu halten sind, dürfte doch wohl feststehen[1]); eher annehmbar wäre die Bezeichnung, deren sich einige Exegeten bedient haben: 'liturgische (?) Bekenntnisformel'.[2]) Jedenfalls ist die Form der Einkleidung nichts

1) Die *ᾠδαί*, von denen der Verf. des Ephesier- und Kolosserbriefs an jenen Stellen spricht, dürfte man sich eher zu denken haben nach apoc. Joh. 5, 9 f. *καὶ ᾄδουσιν ᾠδὴν καινήν, λέγοντες Ἄξιος εἶ λαβεῖν τὸ βιβλίον καὶ ἀνοῖξαι τὰς σφραγῖδας αὐτοῦ, ὅτι ἐσφάγης καὶ ἠγόρασας τῷ θεῷ ἐν τῷ αἵματί σου ἐκ πάσης φυλῆς καὶ γλώσσης καὶ λαοῦ καὶ ἔθνους καὶ ἐποίησας αὐτοὺς βασιλείαν καὶ ἱερεῖς, καὶ βασιλεύουσιν ἐπὶ τῆς γῆς*, cf. 15, 3 *καὶ ᾄδουσιν τὴν ᾠδὴν Μωυσέως . . . καὶ τὴν ᾠδὴν τοῦ ἀρνίου, λέγοντες Μεγάλα καὶ θαυμαστὰ τὰ ἔργα σου κτλ.* Die Stellen über solche alten Gesänge in frühchristlicher Zeit bei Harnack, Über das gnostische Buch Pistis Sophia in: Texte u. Unters. VII H. 2 (1891) p. 46, 2, cf. auch Dogmengesch. I³ 157, 1. Cf. auch Krumbacher l. c. 309 f., der die neuern Forschungen über die ältesten Kirchengesänge zusammenfaßt.

2) An die Stelle knüpft sich ein interessantes Problem. Alle Handschriften haben: *ὁμολογουμένως μέγα ἐστὶ τὸ τῆς εὐσεβείας μυστήριον, ὃς ἐφανερώθη κτλ.*, während das in älteren Ausgaben stehende ὃ nur auf der für solche Dinge nicht in Frage kommenden lateinischen Übersetzung beruht. Aus dem mangelnden grammatischen Anschluß wird nun in den meisten exegetischen Kommentaren eine wichtige äußere Stütze abgeleitet für das in dem Inhalt hervortretende formelhafte Gepräge der ganzen Stelle. Diese Auslegung ist sehr ansprechend; der Vorschlag der Gegner dieser Auslegung (z. B. bei H. Kölling, Der erste Brief Pauli an Tim. II [Berlin 1887] 214, cf. auch H. Holtzmann, Die Pastoralbriefe [Leipzig 1890] 329), eine Konstruktion ad sensum anzunehmen nach Analogie von [Paul.] ep. ad Col. 2, 19 *οὐ κρατῶν τὴν κεφαλήν, ἐξ οὗ πᾶν τὸ σῶμα διὰ τῶν ἀφῶν καὶ συνδέσμων ἐπιχορηγούμενον καὶ συμβιβαζόμενον αὔξει τὴν αὔξησιν τοῦ θεοῦ*, ließe sich ja an und für sich hören: aber man bemerke die Tatsache, daß gerade der Verf. der beiden Briefe an Timotheos und des an Titus das *ὁμοιοτέλευτον* sonst nicht anwendet außer an einer Stelle, die von einigen wieder als eine Art von Zitat aufgefaßt wird: ep. ad Tim. II 2, 10 ff. *διὰ*

als eben jene hymnenähnliche, feierliche, in kleine Kola mit *ὁμοιοτέλευτα* gegliederte Kunstprosa, die auch Paulus selbst an gehobenen Stellen hat, von denen einige oben (S. 502 ff.) angeführt sind. — Aus spätern eigentlichen Predigten hat schon Bouvy l. c. 192 ff. (und nach ihm Krumbacher l. c. 339) Proben angeführt und sie durchaus richtig beurteilt, wenn er sie mit Stellen aus Isokrates vergleicht. Ich gebe hier einige Proben, von denen zwei (Pseudojustin, Sophronios) sich schon bei den genannten Gelehrten finden. Der pseudojustinische Brief an Diognet bricht unvermittelt ab, ihm ist in der Überlieferung angefügt ein Stück einer Homilie, die Harnack (Gesch. d. altchr. Lit. bis Euseb. I [Leipz. 1893] 758) vermutungsweise ins IV. Jh. setzt; sie schließt so[1]):

ὧν ὄφις οὐχ ἅπτεται
οὐδὲ πλάνη συγχρωτίζεται·
οὐδὲ Εὔα φθείρεται,
ἀλλὰ παρθένος πιστεύεται·
καὶ σωτήριον δείκνυται,
καὶ ἀπόστολοι συνετίζονται,
καὶ τὸ κυρίου πάσχα προέρχεται,
καὶ καιροὶ συνάγονται,
καὶ μετακόσμια ἁρμόζεται,
καὶ διδάσκων ἁγίους ὁ λόγος εὐφραίνεται,
δι' οὗ πατὴρ δοξάζεται·
ᾧ ἡ δόξα εἰς τοὺς αἰῶνας. ἀμήν.

τοῦτο πάντα ὑπομένω διὰ τοὺς ἐκλεκτούς, ἵνα καὶ αὐτοὶ σωτηρίας τύχωσιν τῆς ἐν χριστῷ Ἰησοῦ μετὰ δόξης αἰωνίου. πιστὸς ὁ λόγος· *εἰ γὰρ συναπεθάνομεν, καὶ αὐξήσομεν· εἰ ὑπομένομεν, καὶ συμβασιλεύσομεν· εἰ ἀρνησόμεθα, κἀκεῖνος ἀρνήσεται ἡμᾶς· εἰ ἀπιστοῦμεν, ἐκεῖνος πιστὸς μένει· ἀρνήσασθαι γὰρ ἑαυτὸν οὐ δύναται* (die — dem Paulus selbst ganz fremden — Worte *πιστὸς ὁ λόγος* finden sich übrigens auch ep. ad Tim. I 3, 1. 4, 9. ad. Tit. 3, 8; daher darf wenigstens aus ihnen nicht gefolgert werden, daß die angeführte Stelle ein Zitat sein müsse). Die endgültige Entscheidung, ob wir es an solchen Stellen mit Zitaten zu tun haben, ist deshalb schwer und meist unmöglich, weil wir von der Literatur, die dem Paulus und dem unter seinem Namen schreibenden Epistolographen vorlag, manches nicht besitzen (s. oben S. 474, 2).

1) Ich teile auch hier und im folgenden zur Bequemlichkeit des Lesers die Kola durch Absetzen der Zeilen mit. Übrigens hat schon W. Meyer in der oben (S. 827) zitierten Abhandlung diese Stelle herangezogen, aber nicht richtig verwertet.

Amphilochios aus Caesarea in Kappadokien, Bischof von Ikonium, der Freund des Basileios und Gregor von Nazianz, sagt am Anfang seiner Weihnachtspredigt (hom. I c. 1; 39, 36 Migne): ὃν τρόπον ὁ αἰσθητὸς ἐκεῖνος καὶ ἀκήρατος |χορὸς δένδρεσιν ἀφθάρτοις καὶ καρποῖς ἀθανάτοις καὶ μυρίοις ἄλλοις ὑπερλάμπροις φαιδρύνεται κάλλεσιν, οὕτω δὴ καὶ οὗτος ὁ θεοειδέστατος τῆς ἱεροπρεπεστάτης ἐκκλησίας θίασος νοητοῖς καὶ ἀρρήτοις καταλαμπρύνεται μυστηρίοις, ὧν

κρηπὶς ἡμῖν ἀρραγὴς
καὶ θεμέλιος ἀστεμφὴς
καὶ ἀρχὴ σωτήριος
καὶ κορυφὴ πανσεβάσμιος

ἡ σήμερον τῶν ἁγίων Χριστοῦ τοῦ ἀληθινοῦ θεοῦ ἡμῶν γενεθλίων ἐστὶν ἑορτή·

δι' ἣν καὶ τὰ παλαιὰ πεπροφήτευται τυπικῶς
καὶ τὰ νέα διαρρήδην εἰς πᾶσαν τὴν οἰκουμένην κεκήρυκται·
δι' ἣν φθορᾶς δύναμις πεπάτηται
καὶ διαβόλου σέβας ὀλέθριον πέπαυται·
δι' ἣν ἀνθρώπινα πάθη τεθανάτωται,
ἀγγελικῆς δεσποτείας βίος ἀνακεκαίνισται·
δι' ἣν οὐρανὸς ἡνέῳκται
καὶ γῆ εἰς θεῖον ὕψος μετεώρισται·
δι' ἣν παράδεισος ἀνθρώποις ἀποδέδοται
καὶ θανάτου κράτος κατήργηται·
δι' ἣν πλάνη δαιμόνων δεδίωκται,
θεοῦ σοφία καὶ πάναγνος παρουσία μεμήνυται.

οὐκ ἄγγελος γάρ, φησίν (Jes. 63, 9), οὐδὲ πρέσβυς, ἀλλ' αὐτὸς ὁ κύριος ἥξει καὶ σώσει αὐτούς.

ὦ θείων εὐαγγελίων πλοῦτος ἀμύθητος,
ὦ πανσόφων μυστηρίων γνῶσις ἀνεκδιήγητος,
ὦ θείων ἀφράστων δωρεῶν θησαυρὸς ἀνεξάλειπτος,
ὦ προνοητικῆς φιλανθρωπίας χάρις ἀναρίθμητος

und so derselbe öfters. — Von Proklos, Bischof von Konstantinopel (s. V), haben wir einige Reden, die wohl zu den am stärksten rhythmisch gegliederten und mit Figuren geschmückten gehören, die uns überliefert sind. Er lehnt sich deutlich an Gregor von Nazianz an, steigert aber dessen Eigenart aufs äußerste.

Lange Perioden sucht man bei ihm vergebens, er löst alles in kleine zerhackte Sätzchen auf, die sich meist parallel laufen, z. B. finden sich in der Weihnachtsrede hintereinander 32 Sätzchen von der Form *ἡ γῆ (προσφέρει) τὴν φάτνην* (or. 4 c. 3, vol. 65, 713 M.) Ich müßte diese Reden ganz abschreiben, wollte ich eine deutliche Vorstellung von dem maßlosen orgiastischen Taumel der Phantasie und der Sprache geben; ich begnüge mich mit einigen Proben. Or. de laud. S. Mariae (1 c. 9, l. c. 689):

αὐτὸς καὶ τὸν ἀκάνθινον ἐφόρεσε στέφανον
καὶ τὴν τῶν ἀκανθῶν ἔλυσεν ἀπόφασιν·
ὁ αὐτὸς ὢν ἐν τοῖς κόλποις τοῦ πατρὸς
καὶ ἐν γαστρὶ παρθένου·
ὁ αὐτὸς ἐν ἀγκάλαις μητρὸς
καὶ ἐπὶ πτερύγων ἀνέμων·
ὁ αὐτὸς ἄνω ὑπὸ ἀγγέλων προσεκυνεῖτο
καὶ κάτω τελώναις συνανεκλίνετο·
τὰ Σεραφὶμ οὐ προσέβλεπε
καὶ Πιλάτος ἠρώτα·
ὁ δοῦλος ἐρράπιζε
καὶ ἡ κτίσις ἔφρισσεν·
ἐπὶ σταυροῦ ὁ αὐτὸς ἐπήγνυτο
καὶ ὁ θρόνος τῆς δόξης αὐτοῦ οὐκ ἐγεγύμνωτο·
ἐν τάφῳ κατεκλείετο
καὶ τὸν οὐρανὸν ἐξέτεινεν ὡσεὶ δέρριν·
ἐν νεκροῖς ἐλογίζετο
καὶ τὸν ᾅδην ἐσκύλευσεν·
ὧδε πλάνος ἐσυκοφαντεῖτο
καὶ ἐκεῖ ἅγιος ἐδοξολογεῖτο.[1])

Or. de laud. S. Mariae (5 c. 2, l. c. 712):

ἀλλὰ πᾶσαι μὲν τῶν ἁγίων αἱ μνῆμαι θαυμασταί· οὐδὲν δὲ τοσοῦτον εἰς δόξαν, οἷα ἡ παροῦσα πανήγυρις.

ὁ Ἄβελ διὰ θυσίαν ὀνομάζεται·
ὁ Ἐνὼχ δι' εὐαρέστησιν μνημονεύεται·
ὁ Μελχισεδὲκ ὡς εἰκὼν θεοῦ κηρύσσεται·

---

1) Man bemerke, daß die ganze Stelle ein Zento aus den Evangelien ist: die Worte ändert er so ab, daß sie die von ihm gewollte Figur ergeben.

ὁ Ἀβραὰμ διὰ πίστιν ἐγκωμιάζεται·
ὁ Ἰσαὰκ διὰ τύπον ἐπαινεῖται·
ὁ Ἰακὼβ διὰ πάλην μακαρίζεται·
ὁ Ἰωσὴφ διὰ σωφροσύνην τιμᾶται·
ὁ Ἰὼβ δι' ὑπομονὴν μακαρίζεται.
Μωυσῆς ὡς νομοθέτης εὐφημεῖται·
Σαμψὼν ὡς συνόμιλος θεοῦ μακαρίζεται·
Ἡλίας ὡς ζηλωτὴς μαρτυρεῖται·
Ἡσαΐας ὡς θεολόγος ἀναγράφεται·
Δανιὴλ ὡς συνετὸς κηρύσσεται·
Ἰεζεκιὴλ ὡς θεατὴς τῶν ἀπορρήτων θαυμάζεται·
Δαβὶδ ὡς πατὴρ τοῦ κατὰ σάρκα μυστηρίου λαλεῖται·
Σολομὼν ὡς σοφὸς θαυμάζεται.[1])

Or. de laud. S. Mariae (6 c. 8, l. c. 756 f.) ein merkwürdiges Zwiegespräch zwischen Joseph und Maria, gewissermaßen der erste Anfang einer dramatischen Ausgestaltung der h. Geschichte. Joseph beginnt:

Ἄπιθι μακρὰν τῆς Ἰουδαϊκῆς συγγενείας,
τῆς ἐθνικῆς ἀπολαβοῦσα ἀκαθαρσίας.

εἶτα καὶ ἡ ἁγία παρθένος πρὸς τὴν βαρεῖαν ἐπιτίμησιν πραεῖαν ἐδίδου ἀπόκρισιν λέγουσα·

Βεβηλωμένην ἐννοεῖς,
ὅτι ὠγκωμένην με θεωρεῖς;

πρὸς τοῦτο ὁ Ἰωσήφ·

Γυναικὸς οὐκ ἐστὶ κοσμίας
ἀλλότρια φρονεῖν εὐσεβείας.

ἡ ἁγία λέγει·

Δικάζων τρόπον πορνείας
οὐ δίδως τόπον ἀπολογίας;

καὶ ὁ Ἰωσήφ·

Ἐπιμένεις γὰρ ἀρνουμένη
οὕτως ἐγκύμων γενομένη;

καὶ ἡ ἁγία·

Ζήτησον τὸ ἀψευδὲς πιστῶς τῆς προφητικῆς προρρήσεως
καὶ μαθήσῃ σαφῶς ἐξ αὐτῆς τὸ καινοπρεπὲς τῆς δεσποτικῆς συλλήψεως

1) Je acht Glieder; die μεταβολή wird nur durch Weglassung des Artikels gekennzeichnet.

und so noch eine lange Strecke weiter.[1]) — Sophronios, Patriarch von Jerusalem (s. VII), hom. 2 in S. Deiparae annunt. c. 18 (87 III, 3237 Migne):

χαίροις, ὦ χαρᾶς τῆς ἐπουρανίου γεννήτρια·
χαίροις, ὦ χαρᾶς τῆς ὑπερτάτης μαιεύτρια·
χαίροις, ὦ χαρᾶς τῆς σωτηρίου μητρόπολις·
χαίροις, ὦ χαρᾶς τῆς ἀλέκτου μυστικὸν καταγώγιον·
χαίροις, ὦ χαρᾶς τῆς ἀρρήτου ἀξιάγαστος ἄρουρα·
χαίροις, ὦ χαρᾶς τῆς ἀϊδίου θεοφόρον κειμήλιον·
χαίροις, ὦ χαρᾶς τῆς ζωοπαρόχου φυτὸν εὐθαλέστατον·
χαίροις, ὦ θεοῦ μῆτερ ἀνύμφευτε·
χαίροις, ὦ παρθένε μετὰ τόκον ἀσύλητε·
χαίροις, ὦ πάντων παραδόξων παραδοξότατον θέαμα.
τίς σου φράσαι τὴν ἀγλαΐαν δυνήσεται;
τίς σου φάναι τὸ θαῦμα τολμήσειε;
τίς σου κηρύξαι θαρσήσει τὸ μέγεθος;
ἀνθρώπων τὴν φύσιν ἐκόσμησας·
ἀγγέλων τὰς τάξεις νενίκηκας·
τῶν ἀρχαγγέλων τὰς φωταυγείας ἀπέκρυψας·
τῶν θρόνων τὰς προεδρίας δευτέρας σου ἀπέδειξας·
τῶν κυριοτήτων τὸ ὕψος ἐσμίκρυνας·
τῶν ἀρχῶν τὰς καθηγήσεις προέδραμες·
τῶν ἐξουσιῶν τὸ σθένος ἐνεύρωσας·
τῶν δυνάμεων δυναμωτέρα προελήλυθας δύναμις·
τὸ τῶν Χερουβὶμ πολυόμματον γηΐνοις ὀφθαλμοῖς ὑπερέβαλες·
τὸ τῶν Σεραφὶμ ἑξαπτέρυγον ψυχῆς θεοκινήτοις πτεροῖς ὑπερβέβηκας.[2])

1) A. Kirpitschmikow, Byzant. Reimprosa in: Byz. Zeitschr. I (1892) 527 ff. bespricht kurz diese Stelle, begeht aber den fundamentalen Fehler, einige nicht reimende Stellen durch Konjektur zu ändern. Daß in dieser Stelle der Reim stärker auftrete als sonst bei Proklos, ist, wie das Angeführte zeigt, nicht ganz richtig: er findet sich in sehr gehobenen Partien, wie es diese doch ist, regelmäßig.

2) Die Belege lassen sich beliebig vermehren, vgl. etwa noch [Hippol.] in S. Theophania IV 851 ff. Migne. [Greg. Thaumat.] hom. 2 in annunt. virg. Mar. ib. 1160 ff., id. hom. 4 in S. Theophan. ib. 1180 ff.; Eustath. episc. Antioch. alloc. ad imp. Const. in concilio Nic. XVIII 673; [Athanas.] hom. in nativ. praecursoris XXVIII 905 ff., id. serm. de descriptione Deiparae ib. 943 ff., id. serm. in occursum domini ib. 973 ff., id. in caecum a nativitate ib. 1001 ff., id. serm. in feriam ib. 1047 ff., id. serm. in passionem

5. Um nun ohne weiteres zuzugeben, daß die ὁμοιοτέλευτα der eigentlichen Hymnen von denen der hymnenähnlichen Predigten nicht getrennt werden können, muß man zweierlei bedenken. Erstens. Jene Predigten wurden in einem dem Gesang nahekommenden Tonfall ('rezitativisch', wie wir sagen würden) mit ausgeprägter Modulation der Stimme vorgetragen; das steht nach den früheren Ausführungen über diesen Punkt (S. 55ff. 135f. 265. 294f. 352. 375ff. 555. 560) fest: wer es trotz der zahlreichen von mir vorgelegten Zeugnisse leugnet, muß sich darüber klar sein, daß er seine moderne Anschauung mit derjenigen fremder Völker und Zeiten fälschlich identifiziert. Zweitens. Der alte Kirchengesang selbst ist nichts anderes gewesen als ein feierlicher mit modulierter Stimme mehr rezitativisch gesprochener als gesungener Vortrag. Das hat schon v. Helmholtz, Lehre von den Tonempfindungen[3] (Braunschweig 1870) 375ff. mit bewunderungswürdiger Schärfe erkannt[1]); es ist jetzt unabhängig

Vortragsweise der Predigten und der Hymnen.

---

domini ib. 1053 ff., id. serm. pro eis qui saec. renunt. ib. 1409 ff.; Cyrillus Hieros., procatechesis XXXIII 332 ff., sowie in mehreren der Katechesen (bei der zweiten mehr in der zweiten Fassung 409 ff.); [Cyrillus] hom. in occurs. dom. ib. 1187 ff. (sehr viel); Serapion adv. Manich. XL 899 ff., id. ep. ad Eudoxium ib. 923 ff. (aber fast nichts in der ep. ad monachos ib. 925 ff.); [Epiphan.] homiliae XLIII 428 ff. (sehr viel); Eulogios hom. LXXXVI 2913 ff. usw. Bei Sophronios hom. de praesentatione domini p. 9 (ed. Usener im Bonner Progr. 1889) folgen sich 17 auf -ται endigende κόμματα. — Bemerkenswert scheint, daß diese Art von Prosa sich auch auf zwei christlichen Inschriften aus Zorava (südl. von Damascus, in Trachonitis) findet: CIGr. 2498. 8921 (= Lebas-W. 2498. 2501).

1) Ich wurde darauf aufmerksam durch O. Crusius, Die delphischen Hymnen im Philol. N. F. VII Ergänzungsheft 1894. Helmholtz sagt z. B. p. 375: „In dem singenden Tone der italienischen Deklamatoren, in den liturgischen Rezitationen der römisch-katholischen Priester mögen wir Nachklänge des antiken Sprechgesanges haben. . . . . 377 Die Feststellung der römischen Liturgie durch Papst Gregor d. Großen (590—604) reicht zurück in eine Zeit, wo Reminiszenzen der alten Kunst, wenn auch verblaßt und entstellt, durch Tradition noch überliefert sein konnten, namentlich wenn, wie man wohl als wahrscheinlich annehmen kann, Gregorius im wesentlichen nur die Normen für die schon seit der Zeit des Papstes Silvester (314—335) bestehenden römischen Singschulen endgültig festgestellt hat. Die meisten dieser Formeln für die Lektionen, Kollekten usw. ahmen deutlich den Tonfall des gewöhnlichen Sprechens nach" (folgt ein instruktives Beispiel).

davon durch die bahnbrechenden Forschungen der Benediktiner endgültig festgestellt, z. B. von einem der ersten Kenner dieser Dinge Dom Joseph Pothier, Les mélodies grégoriennes (Tournay 1881) c. XV p. 234 ff. Er geht aus von der Bemerkung Ciceros (or. 57) *est etiam in dicendo quidam cantus obscurior*; das komme daher, daß der Akzent der antiken Sprachen musikalischer Natur gewesen sei (s. auch oben S. 4 f. und besonders noch Crusius l. c. 113 ff.), daher: *les anciens, même en parlant, modulaient beaucoup plus leur voix que nous ne le faisons dans nos langues modernes*, und sie hätten daher die Liturgie stets rezitativisch vorgetragen; aus diesem rezitativischen Vortrag sei der gregorianische Gesang hervorgegangen: *c'est ainsi que la musique grégorienne est, par les formes de ses modulations, aussi bien que par la nature de son rhythme, un vrai récitatif.*[1]) Er hat das dann im einzelnen zu begründen versucht in einer Abhandlung De l'influence de l'accent tonique latin et du cursus sur la structure mélodique et rhythmique de la phrase Grégorienne in: Paléographie musicale III (Solesme 1892) 7 ff.[2]) Noch heute werden ja, besonders in den romanischen Ländern, einzelne Teile der Messe in einem verhaltenen Gesangston gelesen, vor allem die sog. Kollekten.[3])

1) Man kann das am besten sich vorstellen nach folgenden Worten Augustins (Conf. X 33, 80): *Athanasius tam modico flexu vocis faciebat sonare lectorem psalmi, ut pronuntianti vicinior esset quam canenti.*

2) Man muß immer noch diese nur an den größten Bibliotheken (z. B. der Berliner) vorhandene Publikation benutzen, da die dankenswerte deutsche Übersetzung „Der Einfluß des tonischen Akzentes auf die melodische und rhythmische Struktur der gregor. Psalmodie“ (Freiburg 1894) gerade das für die vorliegende Frage besonders wichtige Moment, den Kursus, nicht umfaßt.

3) Cf. für die Theorie M. Gerbert, De cantu et musica sacra I (St. Blasien 1774) 326. 355 f. 388 f. J. Augusti, Denkwürdigkeiten aus d. christl. Archaeol. VI (Leipz. 1823) 158 ff.; einiges auch bei J. Hilliger, De psalmorum hymnorum atque odarum discrimine, Wittenberg 1720, neu gedruckt in: Thes. commentationum selectarum ed. J. Vollbeding II (Leipz. 1849) 43 ff. — Unter 'Kollekte' im speziellen versteht man ein vom Priester (oder Diakon) gesprochenes Gebet, welches die Bitten der ganzen versammelten Gemeinde zusammenfaßt: in der griechischen Kirche heißt sie *συναπτὴ τῶν αἰτήσεων*, cf. C. Cracau, Die Liturgie des h. Joh. Chrys. mit Übersetz. u. Kommentar (Gütersloh 1890) 44, 3. Über ihren Vortrag lerne ich aus J. Gräffe, Anweisung zum Rhythmus in homiletischer u. liturg. Hinsicht (Göttingen 1809) 226: „Der Rhythmus, welcher diesem Vortrag gegeben wird, entspreche sowohl den allgemeinen Zwecken, welche durch das Gebet erreicht werden

Bezeichnend scheint mir auch der Name, den die mittelalterliche Kirche für die dem Halleluja untergelegten Gesangstexte wählte: sie hießen *prosae.*[1])

Identität des prosaischen und poetischen Reims.

Da nun also eine erhebliche Wesensverschiedenheit der hochrhetorischen Predigt und des feierlichen Kirchengesangs nicht existiert hat, so sind wir berechtigt oder vielmehr genötigt, beide in betreff ihrer am meisten charakteristischen Erscheinungsform, nämlich des Reims, in engste Beziehung zueinander zu setzen, oder — mit anderen Worten — den Reim der hohen Prosa mit dem der getragenen Poesie für identisch zu erklären. Das vermittelnde Bindeglied war der Rhythmus, auf dem beide Gattungen der Rede basiert waren. Eine gewisse äußere Bestätigung dieses Zusammenhangs liegt in folgenden zwei Tatsachen. a) Ganz wie in der Kunstprosa seit Gorgias findet sich der Reim in den Hymnen nur an besonders pathetischen Stellen: die Verfasser dieser Hymnen sind sich also bewußt gewesen, im Reim eine fakultative, nicht eine obligatorische Zier (*σχῆμα, figura*) der Verse zu besitzen. In der griechischen

---

sollen, als auch der besonderen Bestimmung der Kollekten, auf eine dem Gesang sich nähernde Weise gesprochen zu werden", wofür er einige (deutsche) Beispiele gibt; für die orientalische Kirche cf. das *Εὐχολόγιον* s. Rituale Graecorum ed. J. Goar (Venedig 1730): Stellen, die mit erhobener Stimme gesprochen werden sollen, werden mit *ἐκφώνως* bezeichnet (etwas anderes ist *μεγαλοφώνως*, was bloß 'laut' bedeutet, im Gegensatz zu *μυστικῶς* 'leise'), cf. die Bemerkungen Goars p. 27 u. 106. — Eine gute Analogie (aber nichts weiter) bietet auch die hebräische Poesie, worüber zuletzt D. H. Müller, Die Propheten in ihrer ursprünglichen Form I (Wien 1896) 251 so urteilt: „Die prophetische Rede hat sich aus dem Chore [?] herausgearbeitet . . .; sie fand aber in dem überlieferten Typus eine gewisse Schranke, aus der sie nicht heraustreten konnte. Zur Scheidung von Rhetorik und Dichtung ist es bei den Semiten niemals gekommen, und in der Tat schwankt die prophetische Rede zwischen beiden und neigt je nach der Art des Schriftstellers und je nach dem Stoff, den er behandelt, bald nach der einen, bald nach der andern zu." In der Synagoge spricht der Vorbeter noch heutzutage in einem singenden Ton; aber wenn kürzlich F. Consolo, Cenni sull' origine e sul progresso della musica liturgica (Florenz 1897) den gregorianischen Kirchengesang aus dem Hebräischen ableitet, so ist das eine Ungeheuerlichkeit, die sich selbst richtet.

1) Cf. L. Gautier, Hist. de la poésie liturgique au moyen âge I (Paris 1886) 154 f. 173, 2.

Hymnenpoesie ist, wenn ich nicht irre, diese Tradition durch das ganze Mittelalter bewahrt worden. — b) Die Byzantiner haben ihre Hymnen als Prosawerke aufgefaßt, wie Krumbacher l. c. 331 bemerkt: „Suidas und die Kommentatoren der Kirchenpoesie sagen mit trockenen Worten, diese Werke seien *καταλογάδην, πεζῷ λόγῳ* geschrieben"[1]); ich erwähne noch, daß der Abendhymnus des Gregor von Nazianz in der ältesten Überlieferung (s. X und XI) mit dessen Predigten, erst in der jüngeren (s. XIII—XVI) mit dessen Gedichten überliefert ist[2]), und daß Ambrosius seinen Hymnus *Aeterne rerum conditor*, in rhetorische Prosa aufgelöst, fast wörtlich wiederholt hat in seinen Predigten über die Schöpfungsgeschichte.[3])

Beispiele von Hymnenreimen: a) griechische.

6. Ich gebe nun ein paar Proben solcher Hymnen. Bevor ich aber solche aus der Zeit des entwickelten katholischen Kirchengesangs anführe, schicke ich die ältesten aus den Zeiten der ersten Häresien voraus. Der Hymnus der Naassener lautet bei Hippol. ref. haer. V 10[4]):

Νόμος ἦν γενικὸς τοῦ παντὸς ὁ πρῶτος Νάας,
ὁ δὲ δεύτερος ἦν τοῦ πρωτοτόκου τὸ χυθὲν χάος,
τρίτατον ψυχὴ δ' ἔλαβεν ἐργαζομένη νόμον.
διὰ τοῦτο ἐλάφου μορφὴν περικειμένη
κοπιᾷ θανάτῳ μελέτημα κρατουμένη.
ποτὲ μὲν βασιλείαν ἔχουσα βλέπει τὸ φῶς,
ποτὲ δ' εἰς ἔλεον ἐρριμμένη κλαίει,
ποτὲ δὲ κλαίει καὶ χαίρει,
ποτὲ δὲ κλαίει, κρίνεται,
ποτὲ δὲ κρίνεται, θνήσκει·
ποτὲ δὲ γίνεται ἀνέξοδος. ἡ μελεὰ κακῶν
λαβύρινθον ἐσῆλθε πλανωμένη.

---

1) Bemerkenswert ist übrigens auch, daß Eustathios in seinem Kommentar zum Pfingsthymnus des Ioannes Damasc. diesen Dichter *ῥήτορα* nennt: Spicil. Rom. ed. Mai V (1841) 164.

2) Cf. Fr. Hansen im Philol. XLIV (1885) 228 ff.

3) Cf. G. Dreves, Aurelius Ambrosius d. Vater des Kirchengesangs in: Stimmen aus Maria-Laach, Suppl. XV Heft 58 (Freiburg 1893). Hymnenzitate in den Predigten des Bischofs Petrus Chrysologus von Ravenna († c. 450) bei C. Weyman im Philol. N. F. X (1897) 466 ff.

4) Text nach A. Hilgenfeld, Die Ketzergesch. d. Urchristent. (Leipzig 1884) 260.

εἶπεν δ' Ἰησοῦς. Ἐσόρα, πάτερ,
ζήτημα κακῶν τόδ' ἐπὶ χθόνα
ἀπὸ σῆς πνοῆς ἐπιπλάζεται.
ζητεῖ δὲ φυγεῖν τὸ πικρὸν χάος
κοὐκ οἶδεν ὅπως διελεύσεται.
τούτου με χάριν πέμψον, πάτερ.
σφραγῖδας ἔχων καταβήσομαι.
αἰῶνας ὅλους διοδεύσω,
μυστήρια πάντα δ' ἀνοίξω,
μορφάς τε θεῶν ἐπιδείξω,
τὰ κεκρυμμένα τῆς ἁγίας ὁδοῦ
γνῶσιν καλέσας παραδώσω.

Der ψαλμός des Valentinos auf die große Ernte, das θέρος, bei Hippol. l. c. VI 37[1]):

πάντα κρεμάμενα πνεύματι βλέπω,
πάντα δ' ὀχούμενα πνεύματι νοῶ·
σάρκα μὲν ἐκ ψυχῆς κρεμαμένην,
ψυχὴν δὲ ἀέρος ἐξοχουμένην,
ἀέρα δ' ἐξ αἴθρης κρεμάμενον,
ἐκ δὲ βυθοῦ καρποὺς φερομένους,
ἐκ μήτρας δὲ βρέφος φερόμενον.

Für die spätere Zeit wähle ich einige Strophen aus Liedern des Synesios und Romanos. Synesios in dem ersten, noch vor seinem Übertritt zum Christentum verfaßten Hymnus V. 20 ff.:

ὁ μὲν ἵππον εὖ διώκοι,
ὁ δὲ τόξον εὖ τιταίνοι,
ὁ δὲ θημῶνας φυλάσσοι,

dann besonders stark hymn. 5, 58 ff.:

χαίροις, ὦ παιδὸς παγά,
χαίροις, ὦ πατρὸς μορφά·
χαίροις, ὦ παιδὸς κρηπίς,
χαίροις, ὦ πατρὸς σφρηγίς·
χαίροις, ὦ παιδὸς κάρτος,
χαίροις, ὦ πατρὸς κάλλος.

Die erste Strophe des berühmten Weihnachtshymnus des Romanos lautet (Anal. Sacra ed. Pitra I 1):

---

1) Hilgenfeld l. c. 304. Zeugnisse für die Psalmdichtung der Gnostiker bei Harnack l. c. (oben S. 853, 1).

ἡ παρθένος σήμερον — τὸν ὑπερούσιον τίκτει· —
καὶ ἡ γῆ τὸ σπήλαιον — τῷ ἀπροσίτῳ προσάγει. —
ἄγγελοι μετὰ ποιμένων — δοξολογοῦσιν,
μάγοι δὲ μετὰ ἀστέρος — ὁδοιποροῦσιν·
δι' ἡμᾶς γὰρ ἐγεννήθη —
παιδίον νέον, ὁ πρὸ αἰώνων θεός.

Die vierzehnte Strophe des Osterhymnus (l. c. p. 64):

μὴ γὰρ ἀγγέλους ἔστερξα, —
σὲ τὸν πτωχὸν ἐφίλησα, —
τὴν δόξαν μου ἔκρυψα, —
καὶ πένης ὁ πλούσιος —
φαίνομαι ἑκών;
πολὺ γάρ σε ποθῶν —
ἐπείνασα ἐδίψησα —
διά σε καὶ ἐμόχθησα.

Die dritte Strophe des Hymnus über den Verrat des Judas (l. c. p. 92):

τίς ἀκούσας — οὐκ ἐνάρκησε —
ἢ τίς θεωρήσας — οὐκ ἐτρόμασε —
τὸν Ἰησοῦν — δόλῳ φιλούμενον, —
τὸν Χριστὸν — φθόνῳ πωλούμενον —
τὸν θεὸν — γνώμῃ κρατούμενον;

b) lateinische. 7. Auf die im Prinzip analogen Verhältnisse im Abendlande brauche ich nicht näher einzugehen. Wenn man die dem Griechischen parallel gehende Entwicklung des rhetorischen *ὁμοιοτέλευτον* in lateinischer Sprache betrachtet, wenn man vor allem den Prosareim der augustinischen Predigten (S. 621 ff.) vergleicht, dessen Popularität auch aus einer oben (S. 629 f.) angeführten Inschrift eines Tribunen ersichtlich ist, so wird man zugeben, daß die für die eine Sprache gewonnenen Resultate ohne weiteres auch für die andere Gültigkeit haben.[1]) Aber in Einzel-

1) Die Forschung über die Geschichte des Reims in den alten lateinischen Hymnen halte ich noch nicht für abgeschlossen, soviel auch darüber geschrieben ist (die Literatur über das lateinische Kirchenlied findet man am besten bei U. Chevalier, Poésie liturgique du moyen âge in: L'université catholique X [1892] 177, 3, cf. auch L. Gautier, Les épopées françaises [Paris 1878] 281, 1; wozu jetzt neben anderem noch kommt N. Spiegel, Unters. üb. d. ältere chr. Hymnenpoesie. 1. Teil: Reimverwendung und Taktwechsel. Würzburg 1896). Das Thema liegt mir fern, nur ein

heiten gingen Orient und Okzident (wesentlich infolge der verschiedenen Natur ihrer Wortakzente, s. S. 867, 1) ihre gesonderten Wege, und die Geschmacklosigkeit der gereimten Hexameter, unter denen die sog. 'leoninischen'[1]) die Hauptrolle spielten, blieb dem Okzident vorbehalten.

---

paar Bemerkungen über prinzipielle Fragen. Die Tiradenreime bei Commodian, Augustin, Pseudocyprian (über letzteren cf. A. Ozanam, La civilisation chrét. au V. siècle, 2e éd. [Paris 1862] vol. II 140 ff.) sind, wie mir scheint (cf. auch Spiegel l. c. 35), als bloße Spielerei (bei Augustin auch mnemotechnisch) gesondert zu nehmen und nicht als erste Anfänge des eigentlichen Reims zu betrachten. Dieser beginnt erst mit Sedulius, denn ich stimme darin durchaus mit Dreves l. c. (oben S. 862, 3) 49 überein, daß für Ambrosius der Reim als bewußt angewendetes Kunstmittel noch nicht existiert, sondern daß er an den paar Stellen, wo die Verse gleich auslauten, eine bloße Folge der flexivischen Endungen ist (z. B. in dem Hymnus *Aeterne rerum conditor* Strophe 6: *Gallo canente spes redit, Aegris salus refunditur, Mucro latronis conditur, Lapsis fides revertitur*); dasselbe gilt für Prudentius, während M. Manitius, Gesch. d. chr. lat. Poesie (Stuttgart 1891) 16 f. über beide anders (aber m. E. unrichtig) urteilt. Wenn freilich die scharfsinnige Vermutung von W. Brandes l. c. (oben S. 840, 1) 9 richtig wäre, daß Ausonius in der am stärksten christlich gefärbten Strophe seiner Ephemeris v. 15 ff.: *Deus precandus est mihi Ac filius summi dei, Maiestas uniusmodi Sociata sacro spiritui* absichtlich den Reim verwendet hätte, so galt es damals schon als Charakteristikum der christlichen Poesie. Aber keiner hat im IV. Jahrh. *mihi dei spiritui* für Reime halten und als solche anwenden können: das war vielmehr erst im Mittelalter möglich (s. oben S. 835, 2); also besteht die Alternative: entweder sind die Reime als solche beabsichtigt — dann ist die Strophe nicht von Ausonius (für den Gedanken kann sie fehlen trotz Brandes p. 10) — oder sie sind überhaupt nicht als solche empfunden, dann kann sie echt sein, beweist aber für die Reimfrage nichts; ich neige zu ersterer Entscheidung, weil *spiritui* mit dreisilbiger Messung für Ausonius unerhört ist (cf. auch Leo in: Gött. gel. Anz. 1896, 778): Scaliger schrieb *spiritu*, ich glaube vielmehr, daß durch die Notwendigkeit einer Änderung die Interpolation bewiesen wird, was sich mir noch dadurch bestätigt, daß in den unmittelbar folgenden Versen, die das Ganze abschließen: *Et ecce iam vota ordior, Et cogitatio numinis Praesentiam sentit pavens; Pavetne quicquam spes fides?* ein schwerer metrischer Fehler ist, der von Leo (l. c.) nur durch eine, wie mir scheint, nicht überzeugende Änderung beseitigt wird.

1) Woher der Name kommt, habe ich mich vergeblich bemüht festzustellen (immer noch das Beste, aber historisch nicht Ausreichende enthält die Notiz bei Fabricius-Mansi, Bibl. lat. med. et inf. aet. III [Florenz 1858] 546 f.). Die Hoffnung, daß durch die Notiz von O. Dingeldein l. c. (oben S. 830) 4, 1: „Nach den Mitteilungen von Duchesne in der Revue

c) mittelalterliche.

8. Zum Schluß dieses Abschnitts will ich noch ein Dokument des lateinischen Mittelalters anführen, aus dem man das Ineinanderfließen des rhetorischen und poetischen Reims gut beobachten kann. A. Ozanam, Des écoles en Italie aux temps barbares (oeuvres complètes 2. éd. vol. II Paris 1862) 400 ff. hat zur Illustration mittelalterlicher Stilistik Teile einer bisher nicht bekannten Vita S. Donati, Bischofs von Fiesole († 874), aus einer Florentiner Hs. s. XI veröffentlicht. Darin wird erzählt, wie der Ire Donatus *suorum civium prosapia nobilium parentum progenitus et ab ipsis pene crepundiis totus fide catholicus, animus vero litteris deditus et erga Christi cultores devotus* auf einer Pilgerreise nach Fiesole gekommen sei, wo man gerade einen Bischof brauchte; Wunder verkünden, daß der unbekannte Pilger der erkorene sei: man veranlaßt ihn seinen Namen zu nennen:

nomine (sic) *cum audierunt,*
letabundo sic pectore dixerunt:
'eia Donate,
pater a deo date,
pontificale reside cathedra,
ut nos perducere valeas ad astra.'

tunc sanctus pectore puro verba dixit in unum:

'parcite,
o fratres, quod ista profertis inane . . .
mea crimina lugere sciatis,
non in plebe docere credatis.'

---

critique 1889, 260 kann die Herleitung des Namens von Papst Leo I. als sicher gelten" die Frage erledigt sei, sah ich getäuscht: an der in der Revue l. c. zitierten Stelle (Acad. des inscr. et belles lettres. Comptes rendus 22. März 1889 p. 141 ff.) ist von nichts hierher Gehörigem die Rede (es handelt sich um den cursus Gregorianus). Baeda (GLK VII 244) kennt den Namen noch nicht; im XII. Jh. wußte man nichts mehr über den Ursprung des Namens, wie die blödsinnigen Erklärungsversuche in Metriken jener Zeit beweisen, cf. z. B. den Traktat De cognitione metri, den H. Hoffmann in: Altdeutsche Blätter von Haupt und Hoffmann I (Leipzig 1836) 212 aus einem cod. Admont. nr. 759 (s. XII) ediert hat, ähnliches noch Pierre Fabri, Le grand et vray art de rethorique (1520) ed. A. Héron vol. II (Rouen 1890) 16. Die *leonina consonantia* wird genannt *continua scansio* von Hugo v. Trimberg, Registrum multorum auctorum (ed. Huemer in: Sitzungsber. d. Wien. Ak. 1888) V.858. Ich zweifle nicht, daß durch genauere Forschung das Dunkel, das über dem Namen liegt, gehoben werden kann.

ad haec sonantia verba
cuncta cepit dicere caterva:
'sicut visitavit nos oriens ex alto,
sic agamus in viro sancto:
Christus eum adduxit ex occiduis,
eligamus nos in Fesulis.
et ecce deo dignus
a Christo demonstratur
domino Donatus;
ad sedem nunc producatur,
ut nobis a deo datus
sit pater Donatus.
si est voluntas resistendi,
fiat vis eligendi.'

sicque factum est: licet multum renitendo plurimumque repugnando resisteret, inthronizatus tamen est .... Erat largus in eleemosynis, sedulus in vigiliis, devotus in oratione, praecipuus in doctrina, paratus in sermone, sanctissimus in conversatione. ipse enim omnibus vite sue diebus nunquam animum otio dedit, quin non aut orationi insisteret aut lectioni incumberet aut utilitatibus ecclesie describeret, seu etiam scemata metrorum discipulis dictaret vel in rebus ecclesiasticis insudaret necnon in sollicitudinibus viduarum et orphanorum instaret et egenorum curam haberet. Der Verfasser schreibt also in Reimprosa, die er in den Reden so steigert, daß man die einzelnen Kola von rhythmischen reimenden Versen nicht mehr unterscheiden kann.

VI. Resultate.

Ich fasse kurz zusammen. Potentiell ist der Reim in der griechischen und lateinischen Sprache von jeher so gut vorhanden gewesen wie in jeder andern Sprache; aber in der metrischen (quantitierenden) Dichtung hatte er keine rechte Stätte, erschien daher in ihr im allgemeinen nur ganz sporadisch und zufällig und wurde nur von wenigen Dichtern als rhetorisches Kunstornament hier verwendet. Aktuell wurde er beim Übergang der metrischen Dichtung in die rhythmische[1]); dieser Über- **Resultate.**

1) D. h. die silbenzählende, wozu im Lateinischen noch die Rücksicht auf den Wortakzent kommt. Ihre Entstehung verdankt bekanntlich

gang vollzog sich an der Hand der seit Jahrhunderten gepflegten, hochpoetischen, nach dem Prinzip des Rhythmus gegliederten Prosa, in der das rhetorische *ὁμοιοτέλευτον* eine immer steigende Bedeutung erhalten hatte. Speziell aus der in solcher Prosa abgefaßten, mit einer dem Gesange nahekommenden Stimme vorgetragenen Predigt fand der Reim dann in die der Predigt auch innerlich verwandte Hymnenpoesie Eingang. Aus der lateinischen Hymnenpoesie wurde er seit dem IX. Jh. in die fremden Sprachen übertragen; daß auch in diesen Sprachen der Reim

---

die silbenzählende statt silbenwägende Poesie dem schwindenden Bewußtsein für die Quantität der Vokale, das beiden Sprachen gemeinsam war: *praefătio nostrā viām errantĭ dĕmonstrat* (Commod. instr. praef. v. 1) ist wie *ἐνθάδ' Ἀκῦλειvον καὶ τοῦδε Τεἴμίην σινόμευνον* | *γαῖα φίλη κατέχει ψυχῆς ἀποπταμένης* (ep. 425 Kaibel, cf. ep. 393). Aber im Lat. kommt zu diesem Moment noch ein weiteres hinzu, das dem Griech. so gut wie fremd ist: das Zusammenfallen des Wortakzentes mit dem Versakzent. Mit den irrtümlichen Annahmen, nach denen dies Moment auch im Griech. eine bedeutende Rolle spielte, hat W. Meyer in seiner grundlegenden Abhandlung „Zur Gesch. d. griech. u. lat. Hexameters“ (in: Sitzungsber. d. bayr. Ak. 1884, 979 ff.), p. 1013 ff., aufgeräumt: danach besteht es nur bei Babrios (der sicher kein geborener Grieche war), für den es bekanntlich zuerst Ahrens beobachtete, sowie in einigen byzantinischen Versen, besonders den politischen (für Byzanz vgl. auch O. Crusius im Philol. N. F. VII [1894] Ergänzungsheft p. 123). Dagegen ist dies Moment in der lateinischen Sprache — zweifellos, weil deren Akzent ein ganz wesentlich exspiratorisch-energischer, kein musikalischer war — so alt wie lateinische Poesie überhaupt, hat in den Saturniern eine — wenn auch nur sekundäre — Rolle gespielt und nach Bentleys berühmter Beobachtung auf die Technik des Senars einen hervorragenden Einfluß ausgeübt. (Die gleiche Beobachtung hat Ritschl für den Hexameter gemacht: der Versuch Meyers l. c. 1033 ff., Ritschls Argumente zu widerlegen, ist, wie ich anderswo nachweisen werde, nicht gelungen.) Prosodisch regelwidrige Längungen durch den Akzent finden wir, abgesehen von den Saturniern (in denen sie nicht wegdisputiert werden können, ohne daß deshalb die saturnische Poesie eine ausschließlich akzentuierende gewesen wäre), schon in Pompeji: ep. 44 Buech. *magi properares, ut videres Vénerem, Pompeios defer, úbi dulcis est amor*, von wo es kein weiter Schritt mehr war bis zu *apparebit répentina magna díes dómini* (ganz anders zu beurteilen sind die zwei Verse der altlateinischen Orakel CIL I 1440 f. *de incerto certá ne fiant, si sapis, caveas* und *de vero falsá ne fiant iudice falso*, wo nach Buecheler, Lat. Decl.[2] 40 die Längung durch die Cäsur bedingt ist, sich also nicht unterscheidet von den gelegentlichen — rein metrischen, nicht prosodischen — Freiheiten altepischer griechischer Poesie, die auch Ennius und Vergil anwenden).

potentiell vorhanden war, ehe er durch die fremde Poesie aktuell wurde, ist selbstverständlich, denn auch auf diesem Gebiet gilt das höchste immanente Gesetz jedes Werdens und jeder Entwicklung, daß auf der großen Flur alles Lebendigen nichts absolut Neues erfunden, sondern ein bloß schlummernder Keim zu energischem Leben erweckt wird.[1])

---

1) Die Frage nach der Berechtigung des Reims in den modernen Sprachen war seit den ersten Tagen des Humanismus eine internationale. Für die Beurteilung der humanistischen Bestrebungen und ihres Einflusses auf die modernen Sprachen hat sie ein eignes Interesse. Ich will daher hier einiges von mir gesammelte Material für eine genauere Behandlung geben. (Anderes in Sulzers Allg. Theorie d. schönen Künste IV 1794 s. v. Reim.) Petrarca hat auf seine Liebeslieder mit ähnlicher Geringschätzung gesehen wie Catull auf die seinen, während uns die Rime des einen und die nugae des andern so unvergleichlich höher stehen als die 'Italica' und die Epyllien; cf. für Petrarca G. Voigt, Wiederbel. d. kl. Alt. I³ 22. 25. 29. 150. Zu was für Abgeschmacktheiten man kam, zeigt eine alte Dantevita, die aus einem cod. Riccardianus ediert ist von Mehus in der Vita generalis Camaldulensis (Florenz 1759) p. CLXXI: dort wird Dantes Gedicht mit einem Pfau verglichen, teils weil es so viele *colores* habe wie der Pfau, teils aber auch weil *pavo habet turpes pedes et mollem incessum: ita ipse stylus, quo tamquam pedibus ipsa natura consistit et firmatur, turpis videtur respectu literali, quamvis in genere suo sit pulcerrimus omnium et magis conformis ingeniis modernorum, vel pedes turpes sunt carmina vulgaria, quibus tamquam pedibus stylus currit, quae sunt turpia respectu literalium.* Erasmus läßt in seinem Conflictus Thaliae et Barbariei (Opera ed. 1703, vol. I 889ff.) die Barbaries, d. h. die Vertreterin von Zwolle, auftreten und in leoninischen Hexametern reden (col. 893), die dann von der Thalia mit dem Geschrei eines Esels und dem Krähen eines kastrierten Hahns verglichen werden. Überhaupt haben bekanntlich die Humanisten besonders in den Epistolae obscurorum virorum die rhythmischen Verse ihrer Gegner verhöhnt, die ihrerseits unbefangen zugaben, die quantitierende Poesie zu verachten, z. B. ep. obsc. vir. nov. 9 (p. 198, 23ff. Böck.) *sciatis quod composui rithmice non attendens quantitates et pedes, quod videtur mihi, quod sonat melius sic. etiam ego non didici illam poetriam nec curo,* ib. 27 (p. 229, 7) *ipsi dicunt, quod non est recte compositum seu comportatum in pedibus suis; et ego dixi: quid ego curo pedes? ego tamen non sum poeta secularis sed theologicalis, et non curo nec habeo respectum ad ista puerilia, sed tantum curo sententias*, ib. 34 (p. 242, 8) *sancte deus, ego non habui voluntatem scribere vobis metra et tamen scribo. sed factum est ex improviso. etiam illa metra non sunt de poetria seculari et nova, sed de illa antiqua quam etiam admittunt magistri nostri in Parrhisia et Colonia et alibi.* So gibt Mich. Neander im dritten Teil seiner Ethice vetus et sapiens veterum latinorum sapientium (Lipsiae 1590) eine große alphabetisch geord-

nete Zahl leoninischer Hexameter, entschuldigt sich aber in der Vorrede, daß er solches gesammelt habe *e coeno illo et stercore monastico et barbaro,* während der Tübinger Humanist Henricus Bebelius in seinen Commentaria epistolarum conficiendarum (1500) f. 1v mahnt, sich von den gereimten Gedichten fern zu halten *tanquam ab aspidum venenis.* — Für die modernen Sprachen empfiehlt Abschaffung des Reims in England Roger Ascham, The scholemaster (1570) p. 144ff. in Arbers reprints n. 23 (doch hatte er Vorgänger: cf. p. 147f.) und William Webbe, A discours of english poetrie (1586) p. 30. 56ff. bei Arber n. 26: der Reim sei eine Erfindung der Hunnen (cf. darüber oben S. 770, 1). Für Frankreich wertvolles Material in Goujets Bibl. franç. III (1741) c. 15 p. 351ff. und bei Louis Racine (dem zweiten Sohn des Dichters), De la poesie artificielle ou de la versification, publiziert in: Memoires de litterature, tirez des registres de l'academie royale des inscriptions et belles lettres depuis l'année MDCCXXXVIII jusques et compris l'année MDCCXL, Tome XV (1743) 212f.; er polemisiert besonders gegen die Verwerfung des Reims durch Fénélon (die Stelle, auf die er sich bezieht, steht in dessen Lettre à l'académie Franç. sur l'éloquence etc., hinter der Ausgabe seiner Dialogues sur l'éloquence [Paris 1718] 310ff. 351). Einen Versuch, in die modernen Sprachen die antiken Metren einzuführen, lobt bei den Franzosen Casaubonus im Komm. zu Persius (1609) p. 134 (p. 98 ed. Dübner), bei den Italienern Ubertus Folieta, De ling. lat. usu et praestantia (1574) ed. Mosheim (Hamb. 1723) p. 248f. Viel anderes Material enthält das ausgezeichnete Buch von K. Borinski, Die Poetik der Renaissance, Berlin 1886; cf. auch Rosenbauer, Die poet. Theorien der Plejade. Ein Beitr. z. Gesch. d. Renaissancepoet. in Frankr., in: Münchn. Beitr. z. rom. u. engl. Poesie X 1895. — Selten dagegen finden sich bei den Humanisten gerechtere Beurteilungen. Wohl die älteste ist: Francesco Rinuccini, Invettiva contro a cierti caluniatori di Dante e di messer Francesco Petrarca e di messer Giovanni Boccaci (verfaßt zwischen 1400 und 1407) ed. Wesselofsky (in seiner Ausgabe des Paradiso degli Alberti vol. I 2) p. 311: *Dante con maravigliosa brevità e legiadra mette due o tre comparazioni in uno rittimo vulgare che Virgilio non mette in venti versi esametri, essendo ancora la gramatica* (d. h. die Literatursprache, das Latein) *sanza comparizione più copiosa che 'l vulgare. Il perchè tengo che 'l vulgare rimare sia molto più malagevole e maestrevole che 'l versificare litterale* (das Zitat aus Voigt l. c. I 385). Salutato epist. vol. II 7 p. 57 Rigacci (nach Lobpreisungen der Werke Petrarcas) *taceo in hoc dicendi gymnasio, quo alternatis consonantibusque versiculorum finibus materna lingua vulgarium auriculae demulcentur, in quo octo sexque carminibus (aut si quid paucioribus expediendum fuit) omnium consensu et compatriotam suum Aldigerium Dantem, divinum prorsus virum, et ceteros antecessit.*

VII. Die mittelalterliche und humanistische Tradition über den rhetorischen Ursprung des Reims.

Zu dem vorgelegten Resultat wurde ich durch die unbefangene Prüfung der Tatsachen mit Notwendigkeit geführt. Ich suchte dann nach einer äußeren Gewähr für die Richtigkeit, und nicht ganz vergebens. Denn ich fand eine Reihe von Angaben, in denen die Entwicklung des poetischen Reims aus dem rhetorischen unmittelbar bezeugt wird. Wer also in unserm Jahrhundert den Reim aus der rhetorischen Prosa ableitet, unternimmt in Wahrheit nichts anderes als die Wiederherstellung einer Tradition, die ungezählte Jahre Bestand gehabt hatte.

1. Das Mittelalter.

Mittelalterl. Zeugnisse für den rhetorischen Reim.

Ich will nicht zu viel Gewicht darauf legen, daß man den Reim als *omoeoteleuton* bzw. *omotelenton*, wie das späte Mittelalter in seiner fast konstanten Barbarisierung griechischer Worte schrieb, zu bezeichnen pflegte[1]), denn daraus würde nur die Ähnlichkeit beider Erscheinungen folgen. Dagegen ist doch charakteristisch, daß man den Reim ganz gewöhnlich unter die Redefiguren oder, wie man diese damals gern nannte, die *colores rhetorici*[2]) rechnete. Ein paar Beispiele aus vielen mögen das

1) Z. B. Otfrid im Prolog zu seinem Gedicht p. 9 Piper: *non quo series scriptionis huius metrica sit subtilitate constricta, sed scema omoeoteleuton assidue quaerit.* — *Homotelenton* ist in den Poetiken s. XIII wohl die ausschließliche Form; noch der Humanist Mancinelli schreibt in seinem 1489 verfaßten Traktat De figuris unter n. XLII: *homotelenton vel homoteleuton dicitur.* Andere Barbarisierungen des Worts: cf. Guill. Molinier, Flors del gay saber estier dichas las leys d'amors (1356) l. c. (oben S. 825, 2) III 176 *De omotholeuton. Omotholeuton en autra maniera dicha Omoetheleuton, en autra maniera Omoleuton*; gleich darauf nennt er es *Othoeleuton.*

2) Der Ausdruck ist nicht antik (χρῶμα, *color* vielmehr = Kolorit, Charakter des Ausdrucks in Rücksicht auf Sinn und Gedanken: cf. Hermog. de id. p. 331, 7 Sp. Quint. II 12, 10. VI 5, 5. IX 1, 18. 4, 17 und die praktische Verwendung bei Seneca; A. Greilich, Dionys. Hal. quibus potissimum vocabulis ex artibus metaphorice ductis usus sit [Diss. Bresl. 1886] 31 f.), aber wohl der Gedanke, der zu seiner Prägung führte: Auct. ad. Her. IV 11, 16

zeigen. Baeda, De schematis et tropis sacrae scripturae, vol. 90, 178 Migne: *homoeoteleuton, similis terminatio, dicitur figura, quoties media et postrema versus sive sententiae simili syllaba fini-*

---

quae (exornationes) si rarae disponentur, distinctam sicuti coloribus reddunt orationem. Cic. or. 65 von der Diktion der Sophisten: *verba altius transferunt eaque ita disponunt ut pictores varietatem colorum, paria paribus referunt, adversa contrariis, saepissumeque similiter extrema definiunt*; ders. ep. ad. Att. II 1, 1 über die Farbentöpfe des Isokrates; Plut. de. glor. Ath. 3 p. 346 F; Lukian de hist. conscr. 48 etc., und über χρωννύναι, ποικίλλειν (*pingere, distinguere*) Greilich l. c. 33f. 44f. Für das Mittelalter mögen entscheidend gewesen sein Stellen wie Aquila Rom. § 21 (Rhet. lat. min. p. 29 Halm) *figurae elocutionis . . . ad ornandum et quasi ad pingendam orationem accommodatae, quibus princeps Gorgias Leontinus usus est, sed sine modo.* Ein paar Stellen aus dem Mittelalter: Petr. Damiani (s. XI), opusc. XVI c. 3. LIII c. 1. ep. VIII 8. Benzo (episc. Albensis s. XI) ad Henricum IV imp. l. II in: Mon. Germ. Script. XI 615, 16. Alanus de Insulis, Anticlaudianus praef. l. I (210, 487 Migne), l. I c. 4 (ib. 494), l. III c. 2 (ib. 512) die Rhetorik in buntem Kleide, etc. Johannes de Garlandia (s. XIII) ed. B. Hauréau in: Not. et extr. XXVII 2 (1879) 74ff. Molinier (s. XIV) l. c. (vorige Anm.) III 20ff. (die Rethorica gibt aus ihrem schönen Garten, der voll verschiedenfarbiger Rosen ist, jeder ihrer Töchter Blumen verschiedener Farben, z. B. Anaphora, Paronomasia, Similiter cadens, Similiter desinens, Antitheton etc.). Chaucer, The Canterbury Tales im Prolog des Freisassen V. 13594ff. und in der Erzählung des Junkers V. 12913ff. (die beiden Stellen aus Murrays New engl. dict. II 638 s. v. colour n. 13). Auf dem Fresko des Taddeo Gaddi († 1366) im Capellone dei Spagnuoli in Florenz steht auf der Rolle, welche die Rhetorik in der Hand hält: *mulceo, dum loquor varios induta colores* (nach Crowe-Cavalcaselle, Gesch. d. ital. Malerei, deutsch von M. Jordan I [Leipz. 1869] 307, 59). — Noch oft bei den Humanisten, z. B. Georgius Trapezuntius (1396—1486), Rhetoricorum liber V f. 125r (der Basler Ausg. von 1522); [Aeneas Sylvius], Artis rhetorice precepta p. 1014ff. (in Opera ed. Bas. 1551), cf. darüber M. Herrmann, Albr. v. Eyb (Berl. 1893) 179ff.; Peter Luder in seiner 1456 gehaltenen Antrittsvorlesung (ed. Wattenbach in: Z. f. Gesch. d. Oberrheins XXII 1869 p. 102); P. Fabri, Le grand et vray art de pleine Rhetorique (1520) ed. Héron vol. I (Rouen 1889) 154; James VI von Schottland (I von England), The essayes of a prentise in the divine art of poesie (1585) ed. Arber n. 19 p 54ff. Aber schon Valla machte gegen diesen Sprachgebrauch Front: cf. Henricus Bebelius, De abusione ling. lat. (1500), in seinen Opuscula (Straßb. 1513) f. XLVIIIr: *colores rhetoricos ineruditum vulgus putat significare exornationes et elegantias verborum atque sententiarum, ut cum proferunt elegantem orationem, dicunt committi colorem rhetoricalem; sed male sentiunt. audiamus Vallam super nonum librum Quintiliani institutionum sic inquientem: 'De figuris et coloribus verborum, hic titulus ab imperitorum aliquo est appositus, qui putant figuras verborum ac sententiarum colores dici, cum a rhetoribus probabilis causa alicuius facti color vocetur'.*

untur, ut Eccle. VI: '*Melius est videre quod cupias quam desiderare quod nescias*'. *Et iterum cap. VII:* '*Melius est a sapiente corripi quam stultorum adulatione decipi*'. *Hac figura poetae et oratores saepe utuntur. Poetae hoc modo:* '*Pervia divisi patuerunt caerula ponti*' (Sedul. c. pasch. I 136), *Oratores vero ita* (es folgt ein Beispiel aus Gregors des Großen Predigten). *quo schemate, ipse qui hoc dixit beatus papa Gregorius saepissime usus fuisse reperitur. et huiusmodi orationes esse reor, quas Hieronymus concinnas rhetorum declamationes appellat* (s. ob. S. 555). Eberhardus v. Béthune (s. XIII), Graecista c. 4, welches handelt *de coloribus rethoricis*, V. 37f. (p. 13 Wrobel):

consimili cadere faciet concordia vocum:
'*fac tibi fortunam, festina frangere lunam,*
et contra fatum faciet tibi cura beatum'

(dieselben beiden Verse werden zitiert für die Figur des 'similiter cadens' in einer verbreiteten mittelalterlichen Poetik, z. B. ed. Haupt in: Ber. d. Sächs. Ges. d. Wiss. 1848, 53 ff. c. 13). Anonymus ed. Zarncke (der dazu eine lesenswerte Bemerkung macht) in denselben Berichten 1871, 55 ff.: *rithimus est dictionum consonantia in fine similium, sub certo numero sine metricis pedibus ordinata ..... rithimus sumpsit originem secundum quosdam a colore rhetorico 'similiter desinens'*.

Ein Zeugnis von besonderem Interesse findet sich in dem merkwürdigen Prolog des Ekkehart von St. Gallen († c. 1060) zu seinem Liber benedictionum, herausgegeben aus einer von Ekkehart selbst geschriebenen und von ihm selbst glossierten Hs. in St. Gallen von E. Dümmler in Haupts Zeitschr. f. deutsch. Altertum N. F. II (1869) 51 ff. Das Latein ist ganz barbarisch und entzieht sich oft dem Verständnis. In dem metrischen Prolog an den Diakon Johannes, der ihn zu dieser Arbeit veranlaßt hatte, setzt er auseinander, jener solle nicht von ihm erwarten die Kunst und Sprache eines Livius, Cicero, Caesar und der lateinischen heidnischen Poeten: er müsse, entsprechend dem Befehl des Johannes, in gereimten Versen dichten und zwar so, daß meist zwei Silben zusammenklängen: cf. V. 94

opem
ferque pedem dictis tam presso tramite strictis

mit der Glosse: *propter consonantiam duplarum plerumque sylla-*

barum, ut monuisti, minus potenter inquiens concinnari per unam. Etwas nähere Angaben über die Art dieses gereimten Verses stehen nun V. 45ff.

nam fugiunt (nämlich Cicero, Cäsar etc.) *mentem nimis hęc concinna parantem,*
concinna a me
quę petis et brachiis asstringens exigis artis;
concinnis
his rigidumque senem flexum cecinisse Catonem
priscas virtutes memoras morumque salutes.
scęmata lexeos te, cerno, libent, sed et hic flos
in tot scęmaticis aures mulcet speciebus
tinnitus dans crebros crepitusque sonoros.
par sibi compactis repetatur syllaba dictis.
flore
hoc quoque lectorem benedicere ducis honorem.
flore concinnit(atis)
Tullius hoc prosas fore sed memorat vitiosas[1]),
versibus metricis non tamen esse vitiosa hoc flore metra.
carminibus verba decedere mille superba.[2])
Iohannes obedire
quam tamen, ó care, videar non subpeditare
dulcibus desideriis mihi tuo
nectareis votis tam grato pectore motis,
in facundia sua et cedant prius
Frontonis gravitas, Varronis acuta venustas,
et Atheniensium. Terentius: Nonne Atticam dixi in homine eloquentiam.
Atticus ornatus salis et sapor ille notatus, ab omnibus
et ipse alter oculus latinae eloquentiae, alter Cicero sed et flumen eloquentiae
Virgilii lumen Ciceronis ab oreque flumen, dicitur Cicero.
ornatis splendens
omnis et in pictis vernans facundia dictis
concinnis equiperatis
verbis collatis cedant prius et sociatis,
cantor concinnus victor est latinitatis. id est delectaris, nam iubere non
carmine victrici quis festa iubes benedici. est precipere.

---

1) Cicero spricht darüber nur im Brutus und im Orator, also den im Mittelalter verschollenen Schriften, und zwar tadelt er nur das Übermaß der Figur. Die Notiz wird ihm durch Rhetoren vermittelt sein, ebenso wie Alcuin seine Zitate aus 'de oratore' dem Iulius Victor entlehnt hat.

2) Natürlich sagt das Cicero nirgends; der Vf. meinte es aber aus dem Vers *o fortunatam* etc. schließen zu können (vón den ihm zugänglichen Autoren zitieren ihn Quintilian und Diomedes).

D. h. also: obgleich Cicero für die Prosa das (zu häufige) ὁμοιοτέλευτον für fehlerhaft erklärt, so werde ich es auf Befehl in meinen Versen doch anwenden, die dadurch schöner werden als die ganze lateinische Literatur.

Die rhetorische Auffassung scheint sich mir auch mit Notwendigkeit zu ergeben aus einem der merkwürdigsten Produkte des lateinischen Mittelalters, über das ich die neueren Forschungen ganz kurz zusammenfasse. Um 1500 fand Conrad Celtis[1]) in dem fränkischen Kloster Ebrach eine alte Handschrift, die ein großes hexametrisches Gedicht in 10 Büchern enthielt. Seine Freunde edierten es bald nachher, und da diese Humanisten wenig Interesse an der Erhaltung der in die Druckerei gegebenen Hs. hatten, ging diese verloren. Wer war nun der Dichter? Celtis hielt irrtümlicherweise den Titel 'Ligurinus' für den Namen des Dichters, obwohl dieser selbst X 615 von seinem Werk *noster Ligurinus* sagt; der Titel ist nämlich hergenommen von den Kämpfen Kaiser Friedrichs I im Lande der Ligurer, speziell mit deren Hauptstadt Mailand, die der Dichter *Ligurina urbs* nennt. Auf diesen Irrtum wurden die Freunde des Celtis bald aufmerksam. Auf Grund einer hier nicht darzulegenden Kombination fand man bald den wahren Namen: der Verfasser ist der Zisterziensermönch Gunther des Klosters Paris in der Diözese Basel. Das Gedicht wurde im J. 1737 von Senkenberg für unecht erklärt und galt seitdem als eine Fälschung der Humanisten, bis A. Pannenborg in mehreren Abhandlungen die Echtheit zur völligen Evidenz erhob. Die erste Abhandlung er-

1) Es ist doch bezeichnend, daß es gerade ein deutscher Humanist war, der den besseren mittelalterlichen Werken seine Aufmerksamkeit nicht versagte: die Romanen waren darin viel empfindlicher. Celtis hat auch die Dramen der Hrotsvitha aufgefunden und zu Ehren gebracht, cf. R. Köpke, Hrotsuit von Gandersheim (Berlin 1869) 5 ff. Auf Lambert hat Melanchthon zuerst aufmerksam gemacht (s. o. S. 741). Es gibt übrigens noch ein drittes mittelalterliches Gedicht, das wenigstens einige von den Humanisten gelten ließen: das des Benediktinermönchs Johannes Hautvillensis (c. 1200), worüber Fabricius, Bibl. lat. med. et inf. aet. II 369 (ed. Mansi) Näheres mitteilt (9 Bb. in nicht gereimten Hexx.). Das Gedicht wurde 1517 zu Paris gedruckt; ich habe es nicht gesehen, wüßte aber gern, welcher Humanist es entdeckt und es zuerst wenigstens in dem beschränkten Maße hat gelten lassen, wie es Vives, De tradendis disciplinis (1531) l. III (Op. Basil. 1555 vol. I 183) tut.

schien in den 'Forschungen zur deutschen Geschichte' XI (1871) 163 ff. Im Gegensatz zu der früheren Annahme, „daß Denkart, Sprache, Vers, Gleichnisse modern seien", wies er in allen diesen Punkten durchaus mittelalterliches Empfinden und mittelalterliche Technik nach. Uns interessiert hier das über den leoninischen Vers p. 184 ff. Gesagte. Daß nämlich leoninische Hexameter in diesem Gedicht so selten begegnen, war den Früheren ein Kriterium der Fälschung; dagegen weist Pannenborg nach, daß trotz der großen Beliebtheit dieser Art von Hexametern doch von der Zeit Karls des Großen an sich der nichtleoninische Vers neben dem leoninischen überall erhielt und vor allem im XII. Jh., dem Zeitalter des Klassizismus in der Poesie (s. o. S. 721 ff.), oft gebraucht wurde. Besonders interessant sind zwei von Pannenborg angeführte Stellen aus Dichtern, die in einem Teil ihres Werks der modernen Manier folgen, dann aber mit ausdrücklichem Vermerk zur antiken übergehen. Gilo von Paris (c. 1140) bewegt sich in den ersten fünf Büchern seines Werkes über den ersten Kreuzzug in gereimten Hexametern; am Eingang des sechsten spricht er sich darüber aus, daß er nunmehr den lästigen Zwang fallen lassen wolle: de expeditione Hierosolymitana ed. Martene, Thesaurus novus anecdotorum III (Par. 1717) 258:

iam duce materia, cuius pars magna peracta,
inspicimus propius portum finemque laboris.
obscurat, fateor, puerilis pagina grandem
historiam viresque leves onus aggravat ipsum.
quod tamen incoepi, sed non quo tramite coepi,
aggrediar, sensumque sequar, non verba sonora,
nec patiar fines sibi respondere vicissim etc.,

und ähnlich der Verf. der metrischen Vita Urbans IV (1261—64) bei Muratori, Rer. Ital. script. III 2 p. 405 ff. V. 9 ff. Diesen Beispielen füge ich noch ein drittes hinzu. Von Marbod, Bischof von Rennes in der Bretagne, † 1123, besitzen wir Gedichte in antiken Versmaßen, aber durchaus reimend[1]), cf. z. B. seine Historia Theophili metrica c. 1 (p. 1593 Migne):

---

1) Ed. A. Beaugendre, Paris 1708. Ich zitiere nach dem Abdruck bei Migne vol. 171.

quidam magnorum vicedomnus erat meritorum,
Theophilus nomen, tenuit quoque nominis omen.
quippe malum cavit, cultum deitatis amavit etc.

Aber in hohem Alter schrieb er ein aus 10 capitula verschiedenen Inhalts bestehendes Werk (liber decem capitulorum), dessen erstes capitulum handelt 'de apto genere scribendi' (1693 M.):

quae iuvenis scripsi, senior, dum plura retracto,
poenitet, et quaedam vel scripta vel edita nollem,
tum quia materies inhonesta levisque videtur,
tum quia dicendi potuit modus aptior esse.
. . . .

ergo propositum mihi sit, neque ludicra quaedam
scribere nec verbis aures mulcere canoris,
non quod inornate describere seria laudem,
sed ne, quod prius est, neglecto pondere rerum,
dulcisonos numeros concinnaque verba sequamur.
est operosa quidem multisque negata facultas,
ut rerum virtus verborum lege subacta
servetur verbisque canor sub rebus abundet,
quod iugi studio tunc affectare videbar.
sed mihi nunc melius suadet maturior aetas,
quam decet ut facili contenta sit utilitate
utque supervacuum studeat vitare laborem.
est aliud quare puto continuare canoros
versus absurdum, quoniam color unus ubique
nil varium format, sed nec pictura vocatur,
imo litura magis, quia delectare videntes
res variae raraeque solent: fit copia vilis.[1])

1) Cf. auch Gaufredus Malaterra (Benediktinermönch s. XIII Ende), Hist. Sicula ed. Muratori l. c. V. praef. p. 547, wo er die gereimten lateinischen Verse, die er auf Befehl seines Herzogs mache, als *incultiorem poeticam* bezeichnet. Otloh (s. XI, cf. Wattenbach, Deutschlands Geschichtsquellen II[6] 65ff.), Liber metricus de doctrina spiritali (ed. Pez im Thes. anecd. nov. III 2 p. 431ff.) praef. V. 27ff.: *porro quod interdum subiungo consona verba, | quae nunc multorum nimius desiderat usus, | hoc quoque verborum plus ordine convenienti, | insuper antiqua de consuetudine feci, | cum me decrevi certare scholaribus orsis, | quam cuicunque velim per talia dicta placere.* Ferner s. o. S. 722.

Der Verfasser des Ligurinus hat nun, während er seine Verse sonst durchaus nach klassischen Mustern gestaltet[1]), an gewissen Stellen leoninische Reime angewandt: betrachtet man diese Stellen genauer, so findet man, daß sie ohne Ausnahme einen pathetischen Ton zeigen; also hat der Verfasser den Reim durchaus als rhetorisches Hilfsmittel betrachtet und in diesem Sinn angewandt, so wie es allgemein in der Prosa üblich war. Damit man sich davon überzeugen kann, will ich diese Stellen hier anführen.[2]) I 67 ff. in einer Mahnrede an den ältesten Sohn Friedrichs, König Heinrich; III 201 ff. beim Einzug des Königs in Pavia, wo der Dichter selbst vorausschickt: *non est tractabile sensu | eloquiove meo, quae gaudia, quantus ab urbe | occursus populi.* IV 373 ff. in einer sehr gehobenen Stelle mit Sentenzen und Vergleichen:

non tamen emissa tantorum plebe virorum
vel princeps vacuus vel curia sola remansit:
non est magnorum cum paucis vivere regum.
quotlibet emittat, plures tamen aula reservat.
nec princeps latebras nec sol desiderat umbras:
abscondat solem, qui vult abscondere regem.
sive novi veniant seu qui venere recedant,
semper inexhausta celebratur curia turba:
ut mare cum largas mundo disseminet undas,
semper inexhaustis foecundum pullulat undis;

IV 396 ff. in einer Beschreibung des Etschüberganges; 473 ff. in einer durch eine Sentenz eingeleiteten Partie; 520 ff. Schluß einer Rede; VII 206 ff. in einer pathetischen Aufzählung von Völkern; X 567 ff. in einer Beschreibung prächtiger Geschenke

---

1) Es darf wohl als sicher gelten, daß Gunther bei seinen selbstbewußten Versen X 586 ff.

hoc quoque me fame, si desint cetera, solum
conciliare potest, quod iam per multa latentes
secula nec clausis prodire penatibus ausas
Pierides vulgare paro priscumque nitorem
reddere carminibus tardosque citare poetas

gerade auch seine Vermeidung des Reims im Auge hat. Über die Belesenheit des Mannes in der antiken Literatur cf. Pannenborg l. c. XIII (1873) 288.

2) Ich entnehme sie aus Pannenborg l. c. XI 186.

(ebenso II 249 ff.). Es kommen noch hinzu[1]) sog. 'versus caudati', nämlich IV 476 f.

sapiens quod praedicat, hoc est:
principibus, fili, tacitus maledicere noli;
portat avis caeli maledicta latentia regi,

also eine Sentenz; und V 164 ff.

Vvormaciam petiit, medio quae gurgite Rheni
Gallica Germanis opponit rura colonis.
utraque frugiferis tellus uberrima campis,
utraque vinetis exuberat, utraque pomis,
piscibus atque feris et cunctis rebus edendis,

also eine Beschreibung; ferner sog. 'versus collaterales', nämlich III 496 f.

ergone, Roma, tuo legem vis ponere regi?
cum potius regem deceat te subdere legi,

also eine Rede[2]); endlich sog. 'trini salientes', nämlich I 13:

iamque adeo, si quid studio possemus in isto

aus dem Proömium; VII 375:

noster amor regnique labor iustique doloris

aus einer Rede; III 120:

neve velis iterum miseris nos reddere claustris

ebenfalls aus einer Rede.

2. Der Humanismus.

Humanistische Zeugnisse für den rhetorischen Reim.

Da die meisten Humanisten, wie wir sehen werden (unter VIII), in ihrer Unterordnung der Poesie unter die Rhetorik durchaus auf dem Standpunkt des späteren Altertums und des Mittelalters beharrten, so ist es begreiflich, daß viele von ihnen über den rhetorischen Ursprung des Reims instinktiv richtig dachten.[3]) Ein paar dieser Zeugnisse, die ich mir gesammelt habe, will ich hier mitteilen.

---

1) Cf. Pannenborg l. c. IX (1869) 614.

2) Das zweite Beispiel IV 67 f.

gaudet habere viros utrinque ad fraena potentes,
sanguine conspicuos et mundi iura regentes

wird sich einfach aus dem gehobenen Ton erklären.

3) Aber nicht alle, z. B. nicht Petrarca ep. de reb. fam. praef. p. 14 Frac., wo er den Reim aus der sizilianischen Poesie ableitet, auch nicht

Der Verfasser der oben (S. 765, 1) genauer zitierten, noch halb in mittelalterlichen Ideenkreisen sich bewegenden 'Ars dicendi', die zu Köln 1484 gedruckt ist, vermischt das rhetorische und poetische ὁμοιοτέλευτον durchaus. Er behandelt l. XIII tract. VI cap. XII unter den *colores rhetorici* das *similiter desinens*, tadelt dessen zu häufigen Gebrauch in der Prosa, läßt es aber in der gereimten Vulgärpoesie gelten.

Aventinus, Rudimenta grammaticae (1512) ed. in: Johannes Turmairs genannt Aventinus sämtliche Werke herausg. von der K. Akad. d. Wiss. zu München I (1881) 541 ('de differentia rhythmi versusque'): *rhythmus a nostris numerus transfertur, 'ain gereimt ding, das sein mas, weis hat'; habet finem saepius similiter cadentem, collisionem interim observat. Ciceronis exempla: 'quod scis nihil prodest, quod nescis multum obest'. cui simile illud ecclesiasticum: 'ave maris stella, monstra te esse matrem, sumat per te precem etc.' aliud Ciceronis exemplum: 'composite et apte sine sententiis dicere insania est, sententiose sine verborum et ordine et modo infantia'.*

Strebaeus, De verborum electione et collocatione (Basel 1539) l. II c. 7 und 8 (p. 202 ff.) spricht sehr ausführlich darüber. Er geht aus von den bekannten Stellen Ciceros (or. 38 ff. 166 ff.), wo dieser als Charakteristika der Konzinnität die *ἰσόκωλα* mit ὁμοιοτέλευτα angibt, wodurch die *numerositas* erzielt werde. Das könne man, bemerkt der französische Stilistiker, auch an den gereimten Versen der vulgären Poesie erkennen, nur daß in diesen die Vorschrift Ciceros, sparsam mit diesem Kunstmittel

---

Bembo, der die Provenzalen zu seinen 'Erfindern' macht (cf. Op. Venez. 1729, vol. II 16). Cf. auch Giammaria Barbieri, Dell' origine della poesia rimata, ed. Tiraboschi, Modena 1790. Die meisten Humanisten konstatierten bei ihrer prinzipiellen Abneigung gegen den Reim: er sei mitsamt der übrigen Verwahrlosung der Sprache (s. o. S. 770, 1) von Hunnen, Goten und Vandalen nach Italien gebracht, z. B. Giovanni Francesco della Mirandola ep. ad Petrum Bembum de imitatione (1512) in der zitierten Ausgabe Bembos IV 331; ebenso Roger Ascham, The scholemaster (1570) p. 145 ed. Arber (n. 23), wo aber wenigstens vergleichsweise die Rhetorik herangezogen wird: Quintilian habe die Redner seiner Zeit wegen ihrer zu häufigen Anwendung des ὁμοιοτέλευτον getadelt, das sei aber noch nichts gegen den jetzigen Mißbrauch dieses Ornaments in der Poesie, das die Hunnen und Goten mitgebracht hätten. Noch im XVIII. Jh. nannten die französischen Gegner des Reims diesen ein *ornement Gothique*, cf. Goujet, Bibl. franç. III (Paris 1741) 369 f. 376 und Borinski l. c. [o. S. 869, 1] 321, 3.

zu wirtschaften, leider ganz außer acht gelassen werde, wodurch es seine Wirkung völlig verliere. So mußte ein Mann urteilen, der vorher (l. I c. 6) den Nachweis geführt hatte, daß, um eine gute Rede zu schreiben, das beste Mittel die Lektüre der Dichter sei, und der sich daher wundert, daß es Leute gebe, welche die Rhetorik von der Poetik trennten, *quasi eloquentia poemate non egeret.*

Iovita Rapicius Brixianus, De numero oratorio l. V (Köln 1582) 18 f. *cuiusmodi* (sc. *rhythmorum qui e paribus membris similiter vel desinentibus vel cadentibus constant*) *sunt in sacris solennibus notissimi illi:*

Pange lingua gloriosi
Corporis mysterium

et illi:

Recordare, Iesu pie,
Quod sum causa tuae viae.

his oratores aut certe similibus utuntur, ut:

Domus tibi deerat:
At habebas.
Pecunia superabat:
At egebas (Cic. pr. Scaur. 45),

et fere ubicunque paria aut prope paria membra alio denuo membro excipiuntur, quod genus exornationis ἰσόκωλον et πάρισον vocant. ad horum similitudinem fictos arbitror rhythmos istos Gallicae, Siculae et Hetruscae linguae, quos in honorem Petrarca et Dantes Aligerius adduxerunt.

Casaubonus im Kommentar zu Persius (1609) 1, 92 ff., freilich einer von ihm falsch interpretierten Stelle. Die von Persius wegen ihrer Weichlichkeit angeführten Verse

torva Mimalloneis implerunt cornua bombis,
et raptum vitulo caput ablatura superbo
Bassaris et lyncem Maenas flexura corymbis
Euhion ingeminat, reparabilis adsonat echo

würden, meinte er, wegen der ὁμοιοτέλευτα *(Mimalloneis — bombis, vitulo — superbo)* getadelt, ein Irrtum des Casaubonus, wegen dessen sich ein langer Streit entspann, dessen Akten man z. B. bei Gebauer, Anthologicarum dissertationum liber (Leipz. 1733) 283 ff. findet. Persius geht vom Tadel der rhetorischen Antitheta (V. 85 f., s. oben S. 288) unmittelbar über zur Persiflage zeitgenössischer Dichter: Casaubonus sah in den Antitheta ganz richtig jene schillernden Sentenzen, die in die gorgianischen Figuren eingekleidet wurden, und weil nun zufällig in den darauf angeführten Versen sich die genannten ὁμοιοτέλευτα finden, so meinte er, daß der Satiriker gegen ihre Anwendung auch in Versen Front mache. Das gibt ihm nun Gelegenheit, über den Ursprung des Reims in Versen kurz zu handeln: er leitet ihn aus dem rhetorischen σχῆμα her (p. 130f. = p. 95f. ed. Dübner, Leipz. 1833): *commodus atque e vicino transitus est a Gorgianis figuris in prosa ad versuum rhythmos; γοργιάζειν in carmine res vetus, neque enim defuerunt ne inter Graecos quidem vel meliore saeculo, qui eam vanitatem in poemata sua inveherent.* Nachdem er hierfür (mit Unrecht) auf Grund von Plutarch comp. Aristoph. et Menandri c. 1 p. 853 BC einige Beispiele aus Aristophanes angeführt hat, fährt er fort: *sed in comoedia .... utcumque hoc feras; in alio carminis genere odiosa res atque ridicula, utique in iis prorsus intolerabilis, qui grandia scribere aggressi maiestatem heroici carminis puerilibus his figuris infringerent ... Ab hoc autem principio et ridiculo studio τοῦ γοργιάζειν in poematis originem habuerunt versus rhythmici... Hoc solum differunt Gorgiae imitatores in versu ab eiusdem aemulis in soluta oratione, quod hi πτώσεως similitudinem ponebant in fine coli vel clausula periodi, illi modo in coniunctorum versuum ultimis syllabis, modo in quinto semipede eiusdem versus et fine.*

Endlich noch das Zeugnis eines Mannes, bei dem man eine Äußerung in dieser Frage kaum erwartet. Eine der besten älteren Abhandlungen über den Reim stammt von einem Pariser Arzt Renatus Moreau, der in seinen 'Prolegomena in scholam Salernitanam' (1672) fünf Kapitel diesem Thema widmete, weil er nicht dulden wollte, daß seine Kollegen in Salerno medizinische Werke in gereimten Versen verfaßten. Diese fünf Kapitel sind abgedruckt bei Gebauer l. c. (oben S. 881) 341 ff. Er sagt p. 343f.: *rythmi versuum revocari debent ad ὁμοιόπτωτα καὶ ὁμοιοτέλευτα, quae a Quintiliano lib. 9 instit. orat. cadentia similiter, similiter desinentia et eodem modo declinata appellantur. quae quidem figura, si adsit temperies, orationem admodum exornat, alias ut nimium affectata vituperatur. hanc sua aetate exagitavit Lucilius apud Agellium lib. 18 cap. 8* (s. oben S. 384), *in Thucydide irrisit Dionysius Halicarnasseus, in Apuleio, Tertulliano, Afris omnibus posteritas damnavit. fuit autem inprimis oratorum propria, a quibus repsit ad poetas, qui ea in uno aut altero carmine usi feliciter integra tandem opera ingenioso quodam novitatis luxu ducti eo velut flore distinxerunt.*[1])

Ich könnte hier abbrechen, doch beabsichtige ich, das über den Reim Ermittelte in einen größeren Zusammenhang einzureihen. Nachdem wir nämlich an einem deutlichen Beispiel gesehen haben, wie in der Praxis Poesie und Rhetorik sich verbündeten, will ich jetzt zeigen, daß auch in der Theorie die beiden tausend Jahre und länger Hand in Hand gingen.

VIII. Rhetorik und Poesie.[2])

1. Das Altertum.

1. Die allgemeine Anschauung.

Es ist oben (S. 73 ff.) gezeigt worden, daß seit der platonischen Zeit infolge des übermächtigen Einflusses der Sophistik die einzelnen Gattungen der Poesie durch die Rhetorik entweder völlig verdrängt oder so umgestaltet wurden, daß man hinfort statt echter Poesie fast nur mehr Rhetorik in Versen besaß, und zwar ließ sich, wie wir sahen, die stetige Degeneration am deutlichsten an der Tragödie nachweisen. Die Einwirkung der Rhetorik auf die Poesie ist aber, wie hier nachgetragen

---

1) Vgl. außerdem noch: Pierre Fabri, Le grand et vray art de pleine Rethorique (1520) ed. A. Héron, vol. I (Rouen 1889) 169. Antonius Lullus Balearis, De oratione l. VII (Bas. 1558) 417. Thomas Campion, Observations in the art of english poesy (1602) ed. A. Bullen (Lond. 1889) 232. Vaugelas, Remarques sur la langue françoise (1647) ed. Chassang, vol. I (Paris 1880) 374 ff. Tesauro, Dell' arguta et ingeniosa elocutione (Venetia 1663) 120.

2) Eine Behandlung dieses Stoffes fehlt, wie überhaupt eine historisch geordnete Darstellung der poetischen Theorien bisher nur ein frommer Wunsch geblieben ist. Die Dissertation von J. Chr. Winter, De eo quod sibi invicem debent musica poetica et rhetorica artes iucundissimae, Hannover 1764, bricht vor der Behandlung des Verhältnisses der Poesie zur Rhetorik ab, würde auch, nach dem Vorliegenden zu urteilen, nur allgemeines Raisonnement enthalten haben.

werden muß, schon älter: kürzlich hat Diels[1]) darauf hingewiesen und durch ein schlagendes Beispiel erläutert, daß schon Parmenides der Rhetorik auf seine Verse Einfluß eingeräumt hat durch Anwendung gewisser in der heraklitisch-sophistischen Kunstprosa üblicher Wortfiguren.[2]) Der Praxis folgte bald die Theorie. Aristoteles (Rhet. III 2. 1405ª 6) und auch Isokrates (Euag. 9 ff.) haben zwar die beiden Künste noch scharf voneinander geschieden, aber als in der ciceronianischen Zeit von den Dichtern selbst die Frage aufgeworfen und erörtert wurde, *quidnam esset illud quo ipsi differrent ab oratoribus* (Cic. or. 66), da war man in Gefahr, bei der großen Ähnlichkeit die unterscheidenden Merkmale zu übersehen (ib. 68): durch nichts wird das schlagender bewiesen als durch die glänzende Entdeckung Leos (Göttinger Prooemium 1892/3 p. 7 ff.), daß einzelne der veränderten Bildungsgesetze des lateinischen Hexameters seit Catull und Cicero ihre Erklärung aus der Rhetorik finden. Während aber Cicero — wenigstens in der Theorie — noch zu verständig war, den letzten Schritt zu tun[3]), hat nicht viel später Dionysios von Halikarnaß, ein Mann, den die Musen bei seiner Geburt mit zornigen

1) In seiner Ausgabe des Parmenides (Leipz. 1897) 25. 60 f.

2) Hier noch einige weitere Nachträge. Für die Zeit Pindars cf. Ol. 2, 94 ff., wo er an seinen in Sizilien, dem Stammland der Rhetorik, lebenden Rivalen (Simonides und Bakchylides) speziell die Rhetorik zu rügen scheint (λάβροι παγγλωσσίᾳ), aber er hat sie überhaupt ungerecht beurteilt. Für Pindar selbst: die Scholien erklären Pyth. 1, 35 (70) λόγος rhetorisch, aber mit Unrecht (er braucht es so wie Heraklit fr. 23 B., mit dem er sich überhaupt öfters berührt). Für Simonides: v. Wilamowitz, Nachr. d. Ges. d. Wiss. Göttingen 1897, 32. — Daß übrigens in alter Zeit die Dichter σοφισταί hießen (Pind. Isthm. 5[4], 28), weil sie σοφοί waren (v. Christ zu Pind. Ol. 1, 9), mag Männern, die, wie Euripides und Agathon, Sophisten und Dichter in einer Person waren, die Übertragung der rhetorischen Ornamente auf die Poesie erleichtert haben, denn die alte Bezeichnung war damals noch geläufig: [Eur.] Rhes. 924 κλεινῷ σοφιστῇ Θρῃκί d. h. Ὀρφεῖ. — Für die platonische Zeit wäre auch auf Gorg. 502 D hinzuweisen gewesen, für Sophokles auf Kaibels Kommentar zur Elektra (z. B. zu 210. 544. 1229), für Euripides auf v. Wilamowitz zum Herakles p. 86 f. [1]; für Theokrits Enkomion auf Ptolemaios II (17) vgl. Buecheler, Huldigungen für Könige vor Zeiten in: Deutsche Revue 1897 p. 6 f. (des Separatabzugs).

3) Vgl. noch de or. III 27 *poetis est proxima cognatio cum oratoribus.* Bei seinem Lehrer hatte er gelernt, eine längere Stelle der Andria des Terenz nach allen Regeln der Kunst als rhetorisches Musterstück zu zerlegen: de inv. I 33.

Augen angeblickt haben, gewagt, das große *μυστήριον*, wie er es nennt, der Welt zu offenbaren, daß, wie die beste Rede poetisch sei, so die beste Poesie rhetorisch (de comp. verb. 25 f.), und nur dadurch hat er uns einigermaßen versöhnt, daß er zum Beweis eine Perle griechischer Lyrik, das Danaelied des Simonides, überliefert, das ihm eine Probe der 'zivilen Rede eines gebildeten Mannes' ist.[1]) Ein Zeitgenosse Strabons, Alexandros aus Ephesos, war zugleich Rhetor und Dichter (Strab. XIV 642). Die nahe Verwandtschaft beider Künste bezeugt um dieselbe Zeit Ovid in einem Brief an seinen Freund, den Redner und Rhetor Cassius Salanus, den Lehrer des Germanicus (Plin. n. h. XXXIV 47): ex Ponto II 4, 57 ff.

huic (Germanico) *tu cum placeas et vertice sidera tangas,*
scripta tamen profugi vatis habenda putas.
scilicet ingeniis aliqua est concordia iunctis
et servat studii foedera quisque sui.
tu quoque Pieridum studio, studiose, teneris
ingenioque faves, ingeniose, meo.
distat opus nostrum, sed fontibus exit ab isdem,
artis et ingenuae cultor uterque sumus.
thyrsus enim vobis, gestata est laurea nobis,
sed tamen ambobus debet inesse calor.

---

1) Überhaupt sind die alten lyrischen Dichter in der Kaiserzeit wesentlich zu rhetorischen Zwecken wieder hervorgezogen worden: das beweisen sowohl die theoretischen Vorschriften der Rhetoren (z. B. [Menander] περὶ ἐπιδεικτ. III p. 393, 6 ff. Sp., vgl. den Index der Spengelschen Rhetores s. v. Alcaeus Alcman Bacchylides Pindar Sappho Simonides Stesichorus) als auch die Praxis des Dio Chrysostomos, Aristeides, Himerios, Libanios. — Bei dieser Gelegenheit will ich eine hierher gehörige Stelle des Quintilian (X 1, 63) über Alkaios emendieren. Die maßgebende Hs. G hat: *Alcaeus ... in eloquendo quoque brevis et magnificus et dicendi et plerumque orationis similis sed et eius sit et in amores descendit, maioribus tamen aptior.* Daraus wird in den Ausgaben auf Grund der Interpolation einer jungen Hs. (*diligens* für *dicendi*) und einer Konjektur der Kölner Ausgabe jetzt geschrieben: *magnificus et diligens et plerumque oratori similis, sed et lusit.* Nur das letzte Wort ist richtig konjiziert (doch ist vielleicht *lussit* von Quintilian geschrieben, cf. cod. Pal. Verg. Aen. XI 427), aber das übrige ist so zu schreiben *magnificus. et incendit plerumque oratio civili similis*, cf. für *incendit* X 1, 16 und für das übrige Dionys. περὶ μιμ. p. 20 Us. Ἀλκαίου σκόπει ... πρὸ ἁπάντων τὸ τῶν πολιτικῶν ποιημάτων ἦθος· πολλαχοῦ γοῦν τὸ μέτρον τις εἰ περιέλοι, ῥητορείαν ἂν εὕροι πολιτικήν.

utque meis numeris tua dat facundia nervos,
sic venit a nobis in tua verba nitor.
iure igitur studio confinia carmina vestro
et commilitii sacra tuenda putas.

Quintilian X 2, 21 muß sich gegen solche wenden, die in der Poesie *oratores aut declamatores* nachahmen, *in quo magna pars errat.* Fronto schreibt an Marcus als Caesar (ep. III 16 p. 54 N. in der Kritik einer epideiktischen Rede seines Schülers): *quid igitur Ennius egit quem legisti, quid tragoediae ad versum sublimiter faciundum te iuverunt? plerumque enim ad orationem faciendam versus, ad versificandum oratio magis adiuvat.* Maximus Tyrius macht alles Ernstes darauf Anspruch, Poetik zu lehren: diss. VII 8 *παρελήλυθεν εἰς ὑμᾶς, ὦ νέοι, παρασκευὴ λόγων αὕτη πολύχους καὶ πολυμερὴς καὶ πάμφορος...· εἴτε τις ῥηρορείας ἐρᾷ, οὗτος αὐτῷ δρόμος λόγου πρόχειρος καὶ πολυαρκὴς καὶ εὔπορος...., εἴτε τις ποιητικῆς ἐρᾷ, ἡκέτω πορισάμενος ἄλλοθεν τὰ μέτρα μόνον, τὴν δὲ ἄλλην χορηγίαν λαμβανέτω ἐντεῦθεν, τὸ σοβαρόν, τὸ ἐπιφανές, τὸ λαμπρόν, τὸ γόνιμον, τὸ ἔνθεον, τὴν οἰκονομίαν, τὴν δραματουργίαν, τὸ κατὰ τὰς φωνὰς ἀταμίευτον, τὸ κατὰ τὴν ἁρμονίαν ἄπταιστον.* Die Fusion war eine so völlige, daß etwa im II. Jahrh. n. Chr. jemand ein von ihm verfertigtes Epigramm *ῥητορικῆς πόνον* nannte (442 Kaibel). Um das zu verstehen, muß man bedenken, daß die Sophisten jener Zeit die Poesie nicht bloß in der Theorie als ihre Domäne ansahen, sondern auch in der Praxis nicht selten den Pegasus bestiegen: so kann sich Aristeides nicht genug darin tun, von seinen Gedichten zu sprechen[1]), über die freilich die richtende Nachwelt das Todesurteil gesprochen hat; so dichteten im II. Jahrh. die Sophisten Skopelianos, Adrianos, Hippodromos (Philostr. v. soph. I 11, 5. II 10, 5. II 27, 6), im III. Jahrh. Ammonios und Ptolemaios (Porph. v. Plot. 20), im IV. Jahrh. ein Freund des Libanios[2]), bei den Römern z. B. Ti. Sempronius Gracchus, der Freund Ovids, Maternus, Plinius d. J. usw.[3])

---

1) Cf. H. Baumgart, Aelius Aristides (Leipz. 1874) 48 ff.

2) Lib. ep. 321 von einem gewissen Rhetorios: *διὰ πολλῶν μὲν ῥητόρων, οὐκ ἐλαττόνων δὲ ποιητῶν ἀφιγμένος καὶ ὢν ἀγαθὸς καὶ τοῦτο κἀκεῖνο.*

3) Aus späterer Zeit vgl. z. B. Sidon. Ap. ep. IX 13 von dem gallischen Redner Lampridius (cf. ep. VIII 11, 3 v. 22 ff. und § 5): *declamans gemini pondere sub stili | coram discipulis Burdigalensibus,* sowie mehrere der

Σοφιστής wurde die Bezeichnung gleichermaßen für den Rhetor wie den Dichter.[1]) Deklamationen, welche die üblichen Schulthemata in Versen behandeln, sind uns zahlreich erhalten.[2]) Zu vielen Dichtern schrieb man Kommentare, die wesentlich oder ausschließlich das Rhetorische behandelten, so Eustathios auf Grund sehr viel älterer Quellen (deren Material bis in die Zeit des Antisthenes zurückreicht) zu Homer[3]), Aelius Donatus und Eugraphius zu Terenz, Claudius Donatus zu Vergil[4]), aus dessen Äneis man Themata zu rhetorischen Deklamationen nahm.[5]) Ist es da zu verwundern, daß man schließlich im Ernst und mit

---

Professoren in Bordeaux: Auson. 2, 7. 3, 3. 5, 9. 21, 14. 26, 3; Ausonius, Sidonius, Ennodius (cf. seine eignen Bemerkungen p. 395 ff.) selbst und überhaupt die meisten Literaten. Als es Kaiser Constantius mit der Rhetorik nicht glücken wollte, warf er sich aufs Versemachen, aber mit ebensowenig Erfolg: Amm. Marc. XXI 16, 4. An König Chilperich preist Fortunatus carm. IX 1 die *eloquentia* und *poesis*. Für die allgemeine Anschauung bezeichnend ist auch Paulinus Nol. ep. 16, 6, wo er Cicero mit folgenden Worten preist: *omnium poetarum floribus spiras, omnium oratorum fluminibus exundas.* Cf. außerdem Monnard, De Gallorum oratorio ingenio, rhetoribus et rhetoricae scholis (Diss. Bonn 1848) 54 ff.

1) Cf. oben S. 324 f.; für die frühere Zeit (außer S. 884, 2) die Zitate bei Clem. Al. I 329 P. Cf. auch die treffenden Bemerkungen Rohdes, Der gr. Roman 332 ff. W. Schmid, Der Attizismus I 214, 34.

2) Für das Griechische vgl. die berufene ὑπόθεσις des elfjährigen Q. Sulpicius Maximus aus dem J. 94 n. Chr. bei Kaibel epigr. 618; ferner die Anacreontica des Johannes von Gaza (s. VI) ed. Abel (Berlin 1882) 55 ff., darunter eins mit der Überschrift *τίνας ⟨ἂν⟩ εἴποι λόγους ἡ Ἀφροδίτη ζητοῦσα τὸν Ἄδωνιν*, ein anderes *λόγον ὃν ἐπεδείξατο ἐν τῇ ἡμέρᾳ τῶν ῥόδων ἐν τῇ ἑαυτοῦ διατριβῇ*. Manches derart aus dem Lateinischen in der Anthologie (z. B. n. 21 Riese), cf. Teuffel-Schwabe, Gesch. der röm. Lit.[5] § 45, 9. 323, 7. Friedländer, Sittengesch. III[5] (Leipzig 1881) 350. Daher wählten auch umgekehrt die Rhetoren für ihre Deklamationen gern poetische Stoffe: Quint. III 8, 53. Serv. z. Aen. X 18.

3) Cf. G. Lehnert, De scholiis ad Homerum rhetoricis, Diss. Leipz. 1896; übrigens schon Lehrs, De Aristarchi stud. Hom.[3] (Leipz. 1882) 452 f. 466, und über rhetorische Dichterparaphrasen überhaupt derselbe, Die Pindarscholien (Leipz. 1873) 50 ff.

4) Auch Servius benutzte solche Scholien, wie sie dem Claudius Donatus vorlagen (z. B. zur Aen. VI 847 *est rhetoricus locus*), cf. J. Moore, Servius on the tropes and figures of Vergil in: The American Journal of Philol. XII (1891) 157 ff.

5) Cf. Servius zu X 18 *Titianus et Calvus themata omnia de Vergilio elicuerunt et deformarunt ad dicendi usum*; wir haben eine *dictio* des Enno-

Ausführlichkeit die Frage erörterte, ob Vergil ein Redner oder ein Dichter sei?[1])

2. Die Praxis. a. Die Griechen. Daß die Folgen dieser theoretischen Maxime verhängnisvoll waren, ist begreiflich. Bei den Griechen treten sie weniger in Einzelheiten hervor[2]), als in der allgemeinen Tatsache, daß sie nach Theokrit Jahrhunderte lang keinen nennenswerten Dichter gehabt haben: die alles überwuchernde Rhetorik tötete im Verein mit der didaktischen Poetik in stetigem Fortschritt alles, was etwa noch von zarten Reisern echter Poesie in der Lyrik des Herzens oder des Kultus übrig geblieben war. Erst als das gesteigerte religiöse Bedürfnis dem Gefühlsleben einen neuen Inhalt gab, tat sich der Garten der Poesie wieder auf, jedoch nicht mehr vom Quell rein hellenischen Fühlens und Könnens befruchtet: die phantastischen Schöpfungsmythen der späten 'Orphiker', Gnostiker und der verwandten Kreise sind zwar eine in ihrer Art grandiose Poesie[3]), aber von der rein hellenischen einfachen Natürlichkeit und plastischen Realität ist in ihnen

dius 28 p. 505 f. H.: *verba Didonis, cum abeuntem videret Aeneam* (über IV 365 ff.; über dieselben Verse Anth. lat. 255 Riese), cf. auch August. conf. I 17.

1) Cf. außer dem Dialogfragment des Annius Florus (worüber zuletzt R. Hirzel, Der Dialog II 64 f.) Macrob. sat. V 1, 1. Über die Autorität Vergils bei Rhetoren cf. D. Comparetti, Virgilio nel medio evo, übersetzt von H. Dütschke (Leipzig 1875) 32 ff. 64. 122. — Übrigens war ein ähnliches Thema, ob Cicero oder Publilius Syrus 'beredter' gewesen sei, was einige zu gunsten des letzteren entschieden zu haben scheinen (Petron c. 55), der ja auch tatsächlich, wie die scharf zugespitzten Sentenzen beweisen, von der Rhetorik stark beeinflußt war.

2) Für Agathon, Euripides und Kallimachos s. oben S. 832 ff. Auch Theokrit hat, wie Kallimachos, die Anapher sehr oft verwendet, aber mit unvergleichlich größerer Kunst als jener, wofür z. B. das erste Gedicht viele Belege enthält. Dagegen wirtschaftet Apollonios von Rhodos nach homerischem Muster sehr sparsam mit solchen Mitteln: in den 1862 Versen des I. Buches findet sich Anapher nur dreimal in Reden (286 f. 336 f. 418 f.), zweimal in einem Gleichnis (1266 ff.), zweimal sonst (583. 1287), außerdem überhaupt keine rhetorische Wortfigur.

3) Z. B. der oben (S. 862 f.) angeführte Hymnus der Naassener, der an die Großartigkeit Goethescher Phantasie und Sprache in dem Fragment des Ahasver erinnert; ferner der herrliche Mythus (in Hymnenform) vielleicht des Bardesanes von der Seele, erhalten in den syrischen Thomasakten, in englischer Übersetzung bei W. Wright in seiner Ausg. der Apocryphal acts of the apostles II (London 1871) 238 ff., deutsch bei R. Lipsius, Die apokryphen Apostelgesch. I (Braunschw. 1883) 292 ff.

kaum mehr etwas zu spüren: die Glut und Gestaltungslosigkeit orientalischer Phantastik dominiert in ihnen, wie später im Epos des Nonnos; nur die katholisch-christliche Dichtung, z. B. die des Gregor von Nazianz (obgleich auch in ihr den äußerlichen Mitteln der Rhetorik ein großer Spielraum zugestanden wurde), verstand es, mit dem lyrischen Schwung oder der einfachen Tiefe der Gedanken die Gesetze hellenischer Schönheit wieder so weit zu verbinden, als es bei der veränderten Lage der Zeiten überhaupt noch möglich war.

b. Die Lateiner.

In der lateinischen Poesie, deren Produkte quantitativ die der griechischen weit übertreffen, können wir die verderblichen Einflüsse der Rhetorik überall verfolgen. Die Tragödie war hochrhetorisch: man scheute sich nicht, die Fazetien der Kunstprosa reichlich anzubringen: die rhetorischen Homoioteleuta des Ennius, sowie die doppelte Witzelei in dem Vers *Priamo vi vitam evitari* haben wir bereits oben (S. 839) kennen gelernt. An Accius bewunderte man so sehr die rednerischen Agone seiner Tragödien, daß man ihn fragte, warum er nicht als öffentlicher Redner auftrete (Quint. V 13, 43).[1]) Aus Pacuvius führt der Verf. der Schrift an Herennius II 23, 36 ein tolles Stückchen an, in dem der Dichter mit Synonymen unerträglich witzelt[2]); die Beschreibung eines Sturms (V. 411 ff. Ribb.) ist ganz nach der Schablone (s. o. S. 286. 408, 2); seine *contorta exordia* verspottet Lucilius V. 718 L.[3]) Über den Redner und Tragiker C. Titius schreibt Cic. Brut. 167: *huius orationes tantum argutiarum, tantum exemplorum, tantum urbanitatis habent, ut paene Attico stilo scriptae esse videantur. easdem argutias in tragoedias satis quidem ille acute sed parum tragice transtulit.* — In der epischen Poesie eröffnet gleichfalls Ennius den Reigen. Er hat seine Freude an scharf zugespitzten Antithesen: 205 f. V.

quorum virtutei belli fortuna pepercit,
eorundem libertati me parcere certum est,
359 f. *quae neque Dardaniis campis potuere perire*
nec cum capta capi nec cum combusta cremari,

an einem auf Gorgias zurückgehenden Bonmot (s. o. S. 384 f.)

---

1) In den Pragmatica scheint er seine eigne Diktion rhetorisch analysiert zu haben, cf. Rh. Mus. XLIX (1894) 531 ff.

2) Cf. F. Marx in der praef. seiner Ausg. p. 92. 132.

3) Cf. L. Brunel, De tragoedia apud Rom. corrupta (Thes. Par. 1884) 95 ff.

141 f. *volturus in spinis miserum mandebat homonem.*
heu quam crudeli condebat membra sepulcro,

vor allem auch an Wortfiguren, unter denen die oft durch alle Wörter des Verses hindurchgehende Alliteration die größte Rolle spielt (cf. z. B. 4. 9. 113. 311. 452. 471. 478), aber auch der Gleichklang am Ende:

107 *maerentes flentes lacrumantes commiserantes*

(das typische Beispiel der späteren Rhetoren für das ὁμοιόπτωτον) und

412 *si luci si nox si mox si iam data sit frux,*

sowie Wortspielereien:

sat. 32 ff. *nám qui lepidé postulat álterum frustrári*
quom frustrast, frustra illum dicit frustra esse.
nam qui se frustrari quem frustras sentit,
qui frustratur frustrast, si ille non est frustra.

Lucrez hat dagegen, soweit ich mich aus früherer Lektüre des Dichters erinnere, die äußerlichen Mittel der Rhetorik erheblich zurücktreten lassen, z. B. die Alliteration auf eine geringere Anzahl von Worten eines Verses beschränkt und sie nur zur Hebung des Ethos verwendet; Wortspiele, die unserm Geschmack wenig entsprechen, verschmäht auch er nicht, z. B. III 888

nam si in morte malumst malis morsuque ferarum
tractari,

cf. Munro zu I 875 und Heinze zu III 364. Wie ganz anders aber als dieser gewaltige Dichter sein antiker Herausgeber Cicero. Über seine poetischen Versuche, auf die er sich selbst so viel zugute tat[1]), hat, wie man weiß, schon die nachfolgende Generation den Stab gebrochen: *Ciceronem eloquentia sua in carminibus destituit* sagt Cassius Severus bei Seneca contr. praef. III 8. Er hat die kümmerlichen Verse mit den ihm als Redner geläufigen Mittelchen auszuputzen unternommen, aber solche argutiae wie die in den berüchtigten Versen

1) Was ihn dazu veranlaßte, seinen Pegasus zu zäumen, hat ihm ein Humanist richtig nachgefühlt. Melanchthon, Eloquentiae encomium (ed. K. Hartfelder in: Lat. Literaturdenkm. des XV. u. XVI. Jahrh. herausg. von Herrmann und Szamatólski, Heft 4, Berlin 1891) 42 f.: *sensit M. Cicero facundiam versibus scribendis ali eamque ob causam et saepe scripsisse carmen et poetarum perstudiosum fuisse constat*; cf. auch Quint. X 5, 4. 15 f.

o fortunatam natam me consule Romam.
cedant arma togae, concedat laurea laudi

haben ihn ein für alle Male kompromittiert.[1]) Auf die rhetorischen Homoioteleuta, die er in demselben Gedicht verwendete, ist schon oben (S. 839) hingewiesen worden.

Unter den Augusteern hat Vergil mit dem feinen, ihm eignen ästhetischen Takt dem Rhetorischen einen sehr beschränkten Raum angewiesen: daß er es nicht aus Unvermögen tat, zeigen zwei solche Meisterstücke wie die Rede des Turnus XI 378 ff. und vor allem die der Iuno VII 293 ff., für deren indignatio die scharfen (aus Ennius übernommenen) Antithesen: *num capti potuere capi? num incensa cremavit | Troia viros?* wohl angemessen sind. Zwar hat er gelegentlich, z. T. wohl nach Ennius, Argutien an Stellen, wo wir sie nicht erwarten, aber man muß mühsam suchen, bis man sie findet, und vielleicht sind wir Moderne darin zu sensitiv.[2]) Ein spitzes Bonmot seiner Zeit (s. o. S. 284) hat er feinsinnig durch Umschreibung vermieden, wofür ihn Seneca (suas. 2, 20) lobt.[3]) Wie im Charakter so war auch in seiner Poesie Ovid der Widerpart Vergils; man erkennt das besonders deutlich da,

1) Die Humanisten disputierten über diese Verse pro et contra, cf. Erasmus, Dial. Ciceronianus I 984 F. Steph. Doletus, Dial. de imit. Ciceroniana adversus Erasmum pro Longolio (Lugd. 1535) 136 f. Caes. Scaliger, Poetica l. IV c. 41 p. 513. Andr. Schottus, Cic. a calumniis vindicatus (1613), ed. Fabricius (im Anhang zu: Ciceronis filii vita Simone Vallamberto auctore, Hamburg 1730) c. 10 p. 148 ff. Turnebus, Adversaria VII 19. Die dem *fortunatam natam* analoge Spielerei in einem Brief an Brutus (bei Quint. IX 4, 41) *res mihi invisae visae sunt, Brute* wollte Doletus l. c. durch Umstellung beseitigen.

2) Ich meine die Wortspiele: Aen. I 399 *puppesque tuae pubesque tuorum* (worüber cf. Quint. IX 3, 75). II 494 *fit via vi* (ennianisch) IV 238 *parere parabat* (vielleicht ennianisch) 271 *qua spe Libycis teris otia terris* VI 204 *auri aura* X 191 f. *dum canit et maestum musa solatur amorem, | canentem molli pluma duxisse senectam* (wohl nicht gefühlt) Georg. II 328 *avia tum resonant avibus virgulta canoris* (cf. Auct. ad Her. IV 21, 29. Quint. IX 3, 70). Cf. darüber schon G. Vossius, Inst. or. (1606) l. V c. 4 (p. 345 f. der 3. Ausg.). Ferner eine Antithese, wo sie nach unserm (aber nicht nach antikem: cf. Naeke zu Val. Cat. p. 285. 287) Gefühl nicht am Platz ist: III 181 *agnovit se .... novo veterum deceptum errore locorum* (cf. dazu Servius und Conington). — Von R. Braumüller, Über Tropen und Figuren in V.s Äneis ist nur der erste, die Tropen behandelnde Teil erschienen (Progr. des Wilhelmsgymn. Berl. 1877).

3) Vgl. übrigens Leo praef. Senec. trag. p. 155, 10.

wo beide denselben Stoff behandeln, z. B. erzählt Vergil (Aen. III 588 ff.) die Begegnung des Odysseus mit dem Zyklopen wie ein Dichter, Ovid (Met. XIV 167 ff.) wie ein Deklamator, wobei er fast in denselben Schwulst verfällt wie der Grieche Dorion bei Seneca suas. 1, 12. Wie man aus des älteren Seneca Schriften weiß, galt er schon bei seinen Zeitgenossen als Dichter unter den Deklamatoren und als Deklamator unter den Dichtern[1]): die Rhetoren nahmen ihre concetti aus ihm, er aus den Rhetoren und zwar nicht aus den vorsichtigen, sondern den überkühnen (cf. z. B. Sen. contr. II 4, 11 f.). Nichte hübscher als die Anekdote, die Seneca mit Berufung auf Albinovanus Pedo erzählt: Freunde bitten den Ovid, ihm drei Verse bezeichnen zu dürfen, die er aus seinen Gedichten beseitigen solle, er bedingt sich aus, seinerseits drei ausnehmen zu dürfen, die vor dem Angriff jener sicher sein sollten; beide Parteien schreiben die Verse auf und es stellt sich heraus, daß auf den Zetteln beider Parteien dieselben Verse stehen, nämlich:

semibovemque virum semivirumque bovem (a. a. II 24)
et gelidum Borean egelidumque Notum (am. II 11, 10)

(der dritte ist durch eine Lücke im Text des Seneca verloren): „er kannte, fügt Seneca hinzu, seine Fehler, aber er liebte sie". Dasselbe gilt von den meisten seiner Leser in der Kaiserzeit: in einer Zeit, wo Genie die Parole war, mußte der *ingeniosissimus poeta* der Liebling aller sein, wie unter den Prosaikern Seneca der Sohn, der Geistesverwandte Ovids. Wir brauchen einen Kommentar zu Ovid, in dem seine Stoffe mit den uns bekannten Deklamationen verglichen[2]) und seine Verse — inhaltlich und formell — von diesem Gesichtspunkt aus analysiert werden: aus den Rhetoren, die seit Gorgias die Leuchtkugeln ihres Esprits

1) Den ἀγών des Aiax und Ulixes Met. XIII zitiert Quintilian (V 10, 41) zugleich mit dem Streit des Clodius und Milo.

2) Z. B. der Phaethonmythus, der ganz ähnlich behandelt wird in der poetischen Deklamation des Q. Sulpicius Maximus (Kaibel epigr. 618) und von Lukian deor. dial. 25, alle gewiß nach älterer Vorlage, cf. die Anmerkungen Kaibels und G. Lafaye, De poetar. et orat. certaminibus (Paris 1883) 73 ff. Die Kontroverse Senecas II 7 wird von Ovid in den Metamorphosen poetisch behandelt: ich finde die Stelle leider nicht wieder. — Auch Albinovanus Pedo, der Freund Ovids, beschreibt bei Seneca, suas. 1, 15 den Ozean mit denselben Farben wie die dort angeführten Rhetoren.

aufsteigen ließen, kann man viele seiner inventa belegen.[1]) — Die ganze übrige lateinische Poesie der Kaiserzeit, abgesehen von einzelnen Gattungen der christlichen, steht bekanntlich gleichfalls unter dem Zeichen der Rhetorik; manches läßt sich ohne weiteres glossieren aus den von Seneca überlieferten Deklamationen[2]); obwohl für das einzelne noch sehr viel nachzuweisen wäre[3]), gehe ich hier nicht näher darauf ein, wo es genügt, die allgemeine Tatsache festgestellt zu haben.[4])

1) Nur je ein Beispiel für das Inhaltliche und Formelle. Auf das berüchtigte, unendlich oft wiederholte oder variierte Wort des Gorgias von den γύπες ἔμψυχοι τάφοι (s. o. S. 385) kann auch er sich nicht versagen anzuspielen Met. VI 665, wo es von Tereus nach der Verspeisung seines Sohnes Itys heißt: *flet modo seque vocat bustum miserabile nati*; hierüber sagt J. Tollius in seiner Ausgabe der Schrift περὶ ὕψους (Traj. ad Rhen. 1694) 18: *flevisse Calliopen ferunt, cum haec scriberet Ovidius: adeo putide et pueriliter cum patris πάθος tum gentis ἦθος expressisse videbatur.* — Das doppelte ὁμοιοτέλευτον in dem Vers (a. a. I 59):

quot caelum stellas, tot habet tua Roma puellas.

erklärt zwar Puttenham, The art of engl. poesie (1589) 30 (ed. Arber) für zufällig, aber, wie die stark hervorgehobene Antithese zeigt, ist es ebenso beabsichtigt wie bei Senec. Tro. 510 ff.: *fata si miseros iuvant, | habes salutem; fata si vitam negant, | habes sepulchrum,* s. oben S. 310, 1. — Cf. im allgemeinen auch Fr. Aug. Wolf in der Vorrede zu seiner Ausgabe der Marcelliana (Berl. 1802) XXXI f.; dagegen war D. Heinsius ein großer Liebhaber des Ovid, den er in einer Art von Hymnus in Scnutz genommen hat gegen seine Feinde: De tragoediae constitutione (1611) 154 ff. Melanchthon hat ihn als Rhetor gewürdigt: *instruit eloquentiae studiosos omni apparatu oratorio verborum et figurarum*, cf. K. Hartfelder in: Mon. Germ. Paed. VII (1889) 388, 2.

2) So kennt Lucan III 233 die Suasorie bei Sen. suas. 1 (cf. besonders § 3), cf. das Scholion zu jenem Vers; Senec. Agam. 211 bringt ein Bonmot des Latro an, cf. Sen. suas. 2, 19.

3) Mein Schüler St. Glöckner beabsichtigt, dies Thema näher zu behandeln.

4) Feine Bemerkungen darüber bei Muratori, Della perfetta poesia Italiana (Venezia 1848) 428 ff. Eine gute Kritik des sprachlichen Ausdrucks mit reicher Materialsammlung gibt J. Chr. Ernesti, De elocutionis poetarum latinorum veterum luxurie, in: Acta seminarii reg. et societatis philol. Lipsiensis II (1812) 1 ff. Selbst Tibull zeigt gelegentlich rhetorische Beeinflussung: in den Versen I 5, 64 *subicietque manus efficietque viam* und I 4, 4 *non tibi barba nitet, non tibi culta comast* hat er nach der feinen Beobachtung Meyers l. c. (o. S. 867, 1) 1032 gegen seine Gewohnheit den ersten Teil des Pentameters mit einem iambischen Wort geschlossen dem Parallelismus zuliebe. Für Senecas Tragödien cf. außer Heinsius l. c. 191 ff. R. Smith,

2. Das Mittelalter.

Stellung der Poesie im Ma. Eine selbständige Stellung hat die Poesie nach der Theorie des Mittelalters nicht besessen. Insofern es darauf ankam, die Gesetze der Metrik an ihr zu lernen, rechnete man sie zur Grammatik[1]), als Ganzes genommen zur Rhetorik, die man, wie das

---

De arte rhetorica in Senecae tragoediis perspicua, Leipz. 1885, F. Jacobs, 'Seneca' in Sulzers Theorie der schönen Künste, Nachtr. IV (1795) 332 ff., sowie besonders Leo vor seiner Ausgabe p. 147 ff. Über Lucan Balzac, oeuvres II 595 f.; für ihn ist vernichtend, daß ihn Florus stark benutzt hat, wie bewiesen ist von E. Westerburg in: Rhein. Mus. XXXVII (1882) 35 ff.; sein Werk galt bekanntlich im Altertum und Mittelalter für rhetorisierende Geschichtschreibung; nach der Vita (p. 78 f. Reiff) schrieb er in Prosa *in Octavium Sagittam et pro eo* (also Übungsreden über das bei Tac. a. XIII 44 Erzählte). Über Juvenal E. Strube, De rhetorica Iuv. disciplina, Progr. Brandenburg 1875, L. Bergmüller, Quaestiones Iuvenalianae in: Act. sem. Erlang. IV (1886) 395 ff., über Silius: Cellarius, De C. Silio Italico 1694 (in: Cellarii dissertationes academicae ed. Walch [Lips. 1712] 81 f.); Statius, unter den Dichtern der spätern Kaiserzeit der bedeutendste, ist ein Meister in der ἔκφρασις, die man in den Rhetorenschulen lernte: cf. Leo l. c. (oben S. 884) 5 ff. (überhaupt das Wichtigste für diese ganze Frage) und J. Ziehen in: Ber. d. freien deutsch. Hochstiftes zu Frankf. a. M. 1896, 211 ff. In den neuestens beliebten Dissertationen über die 'Figuren' bei diesen Dichtern wird der Stoff viel zu oberflächlich behandelt; hier bleibt noch viel zu tun.

1) Die Metrik figuriert als Teil der Grammatik schon in den uns aus dem Altertum erhaltenen Grammatiken. Cf. ferner Ennodius opusc. 6 p. 407 H., wo die 'Grammatica' sagt: *poetica, iuris peritia, dialectica, arithmetica me utuntur quasi genetrice.* In alten Bibliothekskatalogen stehen Handschriften über Grammatik und Metrik zusammen, z. B. in St. Gallen (s. IX) bei G. Becker, Catal. codd. p. 52, Reichenau (s. IX) ib. 12. 27, Bobbio (s. X) bei Muratori, Antiquit. Ital. III diss. 43. Honorius v. Autun (s. XII) de animae exilio et patria ed. Pez im Thes. anecd. noviss. II (1721) 227 ff.: in der *civitas grammatica* herrschen Donatus und Priscianus, *villae huic subditae sunt libri poetarum, qui in quattuor species dividuntur, scilicet in tragoedias, in comoedias, in satyrica, in lyrica* (was dann näher ausgeführt wird). Verse aus s. XII extr. bei Hauréau in: Not. et extr. des mss. XXIX 2 (1880) 295 f.: *inter artes igitur qui* (sic) *dicuntur trivium | fundatrix grammatica vindicat principium, | quae se solam aestimat artem esse artium. | sub hac chorus militat metrice scribentium.* Abälard introd. ad theologiam l. II, vol. II p. 69 Cousin: *de poeticis figmentis* (d. h. den heidnischen Gedichten), *quos nonnulli libros grammaticae vocare consuerunt, eo quod parvuli ad eruditionem grammaticae lectionis eos legere soliti sint, talia sanctorum sanxit auctoritas.* Eberhardus v. Béthune laborintus (ed. Leyser in: Hist. poet. et poem. med. aev. [Halle 1741] 795 ff.) I v. 253 ff. (p. 808): *grammaticae famu-*

spätere Altertum, ganz allgemein als die *ars bene dicendi* faßte.[1]) Es gibt für den letzteren Zusammenhang eine große Anzahl von Belegen, von denen ich einige anführen will.

---

lans subit ingeniosa poesis, | officii confert ulterioris onus. | explicat haec legem metri, quid pes, docet, addens, | quid tempus, quot sint tempora cuique pedi usw. Zur Rhetorik rechnet auch diesen Teil der Poesie Gregor v. Tours, h. Franc. X 19 *si te in grammaticis docuit* (Martianus) *legere, in dialecticis altercationum propositionis advertere, in rhetoricis genera metrorum agnoscere* etc. Die Beschäftigung mit Prosodie war im Mittelalter eine außerordentlich lebhafte, einen Verstoß gegen sie zu begehen, galt nicht weniger schlimm als ein grammatischer Fehler; wir haben mehrere dieser meist sehr armseligen Traktate, z. B. aus s. IX von einem Mönch Hildemar, ed. Mabillon in: Ann. Ord. S. Ben. II 743 f., von einem Mönch Lambert ib. 744 f., aus s. X von Abbo v. Fleury ib. IV 687, aus s. XII/XIII von einem armen Schulmeister, dem es sehr schlecht geht und der nun in höchst amüsanter Weise auf den die Gesetze der Prosodie vernachlässigenden Klerus schimpft, ed. Ch. Fierville in: Not. et extr. des mss. XXXI 1 (1884) 129 ff., und gewiß viele andere.

1) Cf. V. Le Clerc, Hist. littéraire de la France au XIVe siècle, I (2. Aufl., Paris 1865) 450: *la rhétorique, telle qu'on l'entendait alors, signifiait l'art de bien dire dans tous les genres, soit en prose, soit en vers.* So Eberhardus von Béthune (s. XIII) graecista c. 8 v. 285 (p. 49 ed. Wrobel): *eloquitur resis indeque rethorica,* ib. 17 v. 80 (p. 173): *eloquitur qui rethorice profert sua verba.* Brunetto Latini (s. XIII) li livres dou tresor (ed. Chabaille in: Collection de documents inédits sur l'histoire de France. Sér. I Paris 1863) l. III part. I cap. X p. 481: *La grans partisons de touz parleors est en .ij. manieres, une qui est en prose, et une autre qui est en rime; mais li enseignement de rectorique sont commun andui.* Die Rhetorik ist unter allen artes des Mittelalters von den Neueren am wenigsten bearbeitet, obwohl sie neben der Grammatik eine Hauptrolle im Unterricht spielte; wie ich sehe, verspricht M. Herrmann (Albr. v. Eyb u. die Frühzeit des deutschen Humanismus [Berlin 1893] 175, 1) den „Versuch einer Geschichte der Rhetorik". Daher will ich das von mir gesammelte Material zurückhalten. Ich bemerke nur wegen der im Text meist angewendeten Schreibung *rethor, rethorica,* daß das Mittelalter meist diese Form hat. Sie steht schon s. VII bei Marculfus in den Formularum libri, praef., in Mon. Germ. Legg. V p. 37, 11. Freilich kannte man aus den Handschriften der Autoren auch die antike Schreibung: das zeigen sowohl Schwankungen wie *rhethorica* (s. IX in St. Gallen, in einem vermutlich von Notker geschriebenen Brief, ed. E. Dümmler, Das Formelbuch des Bischofs Salomo [Leipz. 1857] p. 51, 15), *r[h]etor r[h]etoricis rhetoris* (s. XI/XII bei P. Piper, Die Schriften Notkers u. s. Schule I [Freib.-Tübing. 1882] praef. XVI. XX f. cf. p. 860), als auch die Schreibung gelehrter Männer wie Ekkehard IV von St. Gallen († c. 1060), der in seinen von E. Dümmler (in Haupts Z. f. deutsch. Alt. N. F. II) herausgegebenen

Zeugnisse für Rhetorik und Poesie.

Über Gerberts (s. X) Unterrichtsmethode haben wir folgende Notiz bei Richerius, hist. l. III 47: *cum ad rhetoricam suos provehere vellet, id sibi suspectum erat, quod sine locutionum modis, qui in poetis discendi sunt, ad oratoriam artem perveniri non queat. poetas igitur adhibuit, quibus assuescendos arbitrabatur. legit itaque ac docuit Maronem et Statium Terentiumque poetas, Iuvenalem quoque ac Persium Horatiumque satiricos, Lucanum etiam historiographum. quibus assuefactos locutionumque modis compositos ad rhetoricam transduxit.*[1]) — Eine in Versen abgefaßte Rätselsammlung etwa s. X hat die Überschrift Questiones enigmatum rethoricae artis.[2]) — Horaz wird von Petrus Diaconus, dem Bibliothekar von Monte Casino s. XI, *strenuissimus orator* genannt.[3]) — In einer Poetik s. XII[4]) heißt es (v. 93 f.):

perlegat auctores varios, legat et poetriam
rhetoricos flores cupiens et scire sophiam. —

Sehr bezeichnend ist auch der Name, der seit s. XII für gewisse Dichtergilden nachweisbar ist: 'L'escole de Rethorique de Tournay', 'Puy (d. h. podium, Amphitheater) d'escole de rhetorique' zu Doornik in Burgund usw. Von Frankreich und Burgund kam

---

Werken meist *rhetor*, wohl nur zweimal (p. 45 v. 25, p. 62 v. 18) *rethor* schreibt. Interessant ist, daß von den alten Hss. (s. IX und X) des Werkes an Herennius nur der Bernensis fast immer (unter den 8 Stellen nur eine Ausnahme: II 27, 44) *rhet.* hat, alle andern *reth.*, richtig beurteilt von Marx in der Vorrede p. 14. Die Humanisten haben noch lange die mittelalterliche Form fortgepflanzt, z. B. Petrarca (rer. mem. I 2); P. Luder (Antrittsrede in Heidelberg 1456, ed. Wattenbach in: Z. f. d. Gesch. d. Oberrheins XXII 1869 p. 102. 105. 123), J. Locher in seiner Epithoma rhetorices (Freib. 1496) schwanken.

1) Umgekehrt Cicero als Lehrer der Dichter: Alanus de Insulis (s. XII) Anticlaudianus III 3 (vol. 210, 513 Migne).

2) Ed. Mone in seinem Anzeiger f. Kunde d. teutschen Vorzeit VIII (1839) 219 ff. und Haupt in: Ber. d. K. sächs. Ges. d. Wiss. 1850, II 1 ff.

3) De locis sanctis ed. Gamurrini in: Biblioteca dell' accademia storico-giuridica IV (Rom 1887), prol. p. 114. Ebenso wird Plautus *rhetor* genannt von Radulphus Higden (Mönch in Chester † c. 1367) polychronicon l. III c. 40, was A. Graf (dem ich dies Zitat entnehme), Roma nella memoria del m. e. II (Torino 1883) 178 nicht richtig ein Zeichen der Unwissenheit nennt. Ähnlich ist, wenn in den aus s. IX stammenden Glossen zu *vates* Juvenal VI 436 zugeschrieben ist: *poetas rhetores*, cf. E. Lommatzsch in: Fleckeisens Jhb. Suppl. XXII (1896) 443.

4) Ed. Fierville in: Not. et extr. de mss. XXXI 1 (1884) p. 132 ff.

dann diese Einrichtung mit ihrem Namen nach Holland: das sind die berühmten 'Kamers van Rethorica', die vom XV. bis zum Ausgang des XVII. Jahrh. nachweisbar sind, mit ihren Vertretern, den 'Rhetorijkers' 'Rhetrosynen' 'Gesellen van Retorique', am bekanntesten als 'Rederijkers'; über sie hat eine ausführliche Monographie verfaßt G. Schotel, Geschiedenis der Rederijkers in Nederland, 2. Aufl. Rotterdam 1871; über den Namen sagt er I 53 (ich übersetze die Worte ins Deutsche): „Es ist nicht zu verkennen, daß die Rederijk-Kunst in den Werken des XVI. Jh. als Bezeichnung von Dichtkunst vorkommt, und daß unsere alten Dichter, selbst Maerlant, Rhetoren genannt werden, obgleich bei unsern alten Rederijkers Stellen vorkommen, die uns lehren, daß sie unter Rhetorik noch etwas anderes verstanden. So liest man von 'Poesie und Rhetorik', doch auf derselben Seite kommen beide wiederum als gleichbedeutende Worte vor." — Im s. XIII sagt Eberhardus v. Béthune, Graecista c. 7 v. 16 (p. 23 ed. Wrobel), daß *Polyhymnia dat rethoricos* und in demselben Jahrhundert Frate Guidotto da Bologna in seinen Fiore di rettorica[1]) von Vergil, er habe sich angeeignet *tutto il costrutto dello intendimento della Rettorica, e più ne fece chiara dimostranza, sicchè per lui possiamo dire che l'abbiamo, e conoscere la via della ragione e la etimologia dell' arte di Rettorica.* — Dante de vulgari eloquio sive idiomate II 4[2]) *revisentes ergo ea quae dicta sunt recolimus nos eos, qui vulgariter versificantur, plerumque vocasse poetas, quod procul dubio rationabiliter eructare praesumpsimus, quia prorsus poetae sunt, si poesim recte consideremus, quae nihil aliud est quam fictio rethorica in musicaque posita;* daher ist ihm (c. 6 p. 218) die höchste rhetorische Prosa der dictatores auch der einzige der Poesie würdige Stil, und daher analysiert er ep. 11[3]) den Prolog eines Gedichts nach den Regeln der ciceronianischen Rhetorik.[4]) — Aus s. XII und XIII gibt es poetische Metaphrasen der sog. quintilianischen

1) Ediert in: Manuale della letteratura del primo secolo della lingua italiana, compilato da V. Nannucci, ed. 2, vol. II (Firenze 1858) 118.

2) Opere minori di D. Alighieri ed. Fraticelli, sec. ed. (Firenze 1861), vol. II 208.

3) Ib. III 521 f.

4) Die Rhetorik gilt ihm als *soavissima di tutte l'altre scienze, perocchè a ciò principalmente intende*: Convito II c. 14 (III 154 Frat.).

Deklamationen und der Kontroversen Senecas.[1]) — Sehr bezeichnend ist auch folgendes: der einstige Lehrer Petrarcas in der Jurisprudenz, Giovanni d' Andrea in Bologna, hatte in einem Brief an diesen Cicero als Dichter bezeichnet, wofür ihn Petrarca in seiner Antwort zurechtweist (ep. de reb. fam. IV 15 p. 238 f. Frac.). —

Vielleicht noch deutlicher als diese positiven Zeugnisse, die sich leicht vermehren ließen, sprechen zwei Stellen, an denen gegen die übliche Unterordnung der Poesie unter die Rhetorik polemisiert wird. Die eine findet sich bei einem Skribenten, der zeitlich einer von uns noch eben zum Altertum gerechneten Periode angehört, aber in seinem Fühlen und Denken diesem schon ganz entfremdet ist, die zweite stammt aus dem tiefen Mittelalter. Virgilius Maro (etwa s. VII) grammatica p. 16 ff. (ed. Huemer): *nostrae filosophiae artes sunt multae, quarum studia principalia sunt: poema rhetoria grama leporia dialecta geometria et cetera . . . Inter poema et rhetoriam hoc distat, quod poema sui varietate contenta augusta atque obscura est, rhetoria autem sui amoenitate gaudens latitudinem ac pulchritudinem cum quadam metrorum pedum accentuum tonorum syllabarumque magnifica numeratione praepalat. sed multi hoc tempore vim deffendentiamque harumce artium ignorantes in rhetoria poema et in poema rhetoriam agglomunt non habentes in memoria, quid Felix Alexander agnorum magister praeceperit: unaquaeque, inquiens, ars intra suas contineatur metas, ne adulteretur disciplina maiorum et nos aput eos accussare cogatur.* Iohannes Sarisb. (s. XII) metalogicus I 17 (V 46 Giles): *adeo quidem assidet poetica rebus naturalibus, ut eam plerique negaverint grammaticae speciem esse, asserentes eam esse artem per se nec magis ad grammaticam quam ad rhetoricam pertinere, affinem tamen utrique, eo quod cum his habeat praecepta communia.*

3. Der Humanismus.

Zeugnisse für Rhetorik und Poesie. Wie wir in ihm auf allen Gebieten Rudimente aus einer nur äußerlich ganz überwundenen Zeit erkennen (s. oben S. 732 ff.), so auch auf dem Gebiet der poetischen Theorie. Bekanntlich

1) Cf. Fierville l. c. p. 126. 129.

hat selbst Petrarca die Anschauung des Mittelalters (die ihrerseits wieder tief ins Altertum zurückreicht), daß die beste Poesie allegorisch sei, durchaus geteilt und, von ihr befangen, seinen Virgil gelesen. Aber uns geht hier nur die Frage an, inwieweit sich noch in der Zeit des Humanismus eine bis zur Identifikation reichende Gleichstellung der Poesie und Rhetorik nachweisen läßt.

Die Nachwirkung der Scholastik in der Zeit des schon entwickelten Humanismus zeigt sich besonders deutlich in einer Summe des Wissens, die zu Basel 1565 erschien unter dem Titel 'Theatrum vitae humanae'. Der Verfasser ist Theodor Zwinger, geb. zu Basel 1533, ein berühmter Arzt und Polyhistor, auf italienischen und französischen Universitäten gebildet, † 1588. In jenem Werk verarbeitete er die Materialien, die von seinem Stiefvater Lycosthenes (Conrad Wolffhart, geb. 1518 im Elsaß, † 1561 zu Basel, wo er Prediger gewesen war und Grammatik und Dialektik gelehrt hatte) zurückgelassen waren. Es ist wohl die letzte Enzyklopädie des Wissens, verfaßt in Anlehnung an die Specula des Vincentius v. Beauvais, aber dadurch von eignem Interesse, daß sie auf humanistische Grundlage gestellt ist.[1] Nachdem p. 50—62 von der Rhetorik gehandelt ist, folgen p. 62ff. die Poetae, und in einer Vorbemerkung heißt es (p. 62): *nos poeticam, ut et rhetoricam, inter orationis instrumenta multis rationibus referre possumus, sive inter eas artes quae a barbaris sermocinales appellantur. nam cum διὰ τὴν τοῦ ἀκροατοῦ μοχθηρίαν non ornamentis tantum rhetoricis, verum etiam metro poetico uti interdum necesse sit, ut qui veritate ipsa non capiuntur, veritatis organis etiam nolentes ducantur: in eodem genere facultatum et rhetoricam et poeticam statuere oportebit. viderunt hoc veteres, qui non Apollinem modo Musarum principem finxerunt, verum etiam Mercurium ipsum cum Musis assidue versari et lyrae inventorem esse asseruerunt, ut innuerent, rhetoricam fundamenta quoque poetices continere et rhetorem poetis lyram, qua canerent, tradere. quod enim Aristoteles de rhetorica dixit, ἀντίστροφον εἶναι τῇ διαλεκτικῇ, illud idem nos de poetica possumus dicere, ἀντίστροφον εἶναι τῇ ῥητορικῇ . . . poeta a rhe-*

1) Cf. R. v. Liliencron, Über den Inhalt der allgemeinen Bildung in der Zeit der Scholastik (München 1876) 26.

tore ornatum sumit et inventionem, addit de suo fictionem, metrum atque etiam τάξιν. τάξιν dico, quoniam poeta a mediis fere rebus inchoare solet. — Ein dem eben beschriebenen ähnliches Werk ist die 'Margaritha philosophica' des Gregor Reisch (Priors der Karthäuser bei Freiburg i. Br.)[1]), das letzte an das Mittelalter erinnernde Lehrbuch der artes, gedruckt zuerst 1503, dann noch oft wiederholt. In ihm ist dargestellt ein turmartiges Gebäude, dessen verschiedene Stockwerke von den artes liberales und ihren Hauptvertretern gebildet werden. Im zweiten Stock sitzt *Tullius* mit der Unterschrift:

Rethorica.[2]) *Poesis.* —

Der Zusammenhang mit der mittelalterlichen Tradition ist sehr deutlich auch bei dem englischen Dichter Stephen Hawes.[3]) Sein im J. 1506 dem König Heinrich VII. gewidmetes Werk 'The pastime of pleasure' ist ein sehr ausführliches allegorisches Gedicht, aus dem uns die Kapitel 3ff. interessieren, wo der Held Graunde Amoure in die Stadt der Doctrine kommt und dort mit deren sieben Töchtern, den Künsten des Trivium und Quadrivium, Bekanntschaft macht. Am ausführlichsten wird die Rhetorik behandelt (c. 7—14 p. 27ff.), aber es ist zugleich eine Anweisung zur Dichtkunst: beide werden tatsächlich gar nicht geschieden, z. B. handelt c. 8 *of the fyrst* (sc. *part of Rethoryke*), *called invention, and a commendacion of poetes,* und die Rhetorik apostrophiert dort am Schluß die Dichter so:

and eke to prayse you we are gretely bounde,
because our connyng from you so procedeth,
for you therof were fyrst originall ground
and upon your scripture our science ensueth.
your splendent verses our lyghtnes renueth;
and so we ought to laude and magnify
your excellent springes of famous poetry,

---

1) Cf. über dies Werk K. Hartfelder in: Z. f. d. Gesch. d. Oberrheins N. F. V (1890) 170ff. Ich benutze den Druck Straßburg 1508.

2) Aus dieser mittelalterlichen Schreibung scheint zu folgen, daß die Zeichnung älteren Ursprungs ist, denn der Verf. selbst schreibt konstant *rhetorica* und schärft sogar f. 55r ausdrücklich ein, daß ῥ mit *rh* wiederzugeben sei, wofür er gerade *rhetor* anführt.

3) Cf. über ihn das Dictionary of National Biography ed. Stephen-Lee, vol. XXV (London 1891) 188f. Ich zitiere nach der Ausgabe von Th. Wright in: Percy Society vol. XVIII, London 1846.

worauf c. 14, unmittelbar nach Beendigung des Abschnitts über die Rhetorik, eine Empfehlung der Dichter Gower, Chaucer und Lygdate folgt.

Die Universitäten verkörperten im Gegensatz zu den humanistischen Neuerern das reaktionäre Element. Von dem durch die Angriffe der Dunkelmännerbriefe berüchtigten Ortwinus Gratius, Professor in Köln, gibt es eine Anzahl von Reden über die freien Künste, die durch ihre Mischung von scholastischen und humanistischen Tendenzen eigenartiges Interesse haben; sie sind m. W. nur einmal gedruckt: in Köln 1508.[1]) In einer dieser Reden, gehalten *in commendationem poeticae*, heißt es: *nunc quia rhetoricen pro virili laudare contendimus, viri clarissimi, poeticam etiam laudare debemus. est enim oratori coniunctus poeta suntque inter se necessitate quadam et officio constricti, quoniam nulla est poetarum exornatio, nullus lepos, nulla denique studii facultas, quam communem non habeant et vates et rhetor. quae si mixtim divisa forent aut eorum unioni nuncius remissus, non haberet orator circumloquutionem multifarie explicandam et concinnam maiestatem poeta desideraret.* —Daher wundern wir uns nicht, wenn z. B. in einer Studienordnung der Universität Oxford unter 'Rhetorik' stehen außer Aristoteles, Boethius (Top.) und Cicero (de inv.) auch Ovids Metamorphosen und 'Poetria Virgilii'[2]), und wenn ebenda im J. 1513 einem Scholaren der Rhetorik, unter der Bedingung, daß er 100 Gedichte mache, der Dichterlorbeer versprochen wurde.[3]) Ebenso berichtet aus dem Ende des XIV. Jh. von der Wiener Universität J. Aschbach[4]): „An das Studium der

---

1) Titel: Orationes quodlibetice periucunde Ortuini Gracii Daventriensis Colonie bonas litteras docentis etc. Am Schluß: Impressum est hoc opus egregium Colonie per honestum civem Henricum de Muscia. Anno domini MCCCCVIII. Ich benutze das freundlichst zur Verfügung gestellte Exemplar der Kölner Stadtbibliothek.

2) Cf. H. Rashdall, The universities of Europe in the middle ages II 2 (Oxford 1895) 457.

3) Cf. Register of the university of Oxford ed. Boase, I (Oxford 1885) 299, zitiert von Rashdall l. c. 459, 3.

4) Gesch. d. Wien. Univ. im 1. Jh. ihres Bestehens I (Wien 1865) 88, cf. auch II 56, wo mitgeteilt wird, daß i. J. 1497 der berühmte Humanist Conrad Celtes, poeta laureatus, nach Wien berufen wurde für die Professur

lateinischen Sprache reihte sich das der Rhetorik, welche nicht nur die eigentlichen Stil- und Redeübungen, sondern auch die Poesie oder vielmehr die Anleitung zur Dichtkunst in sich schloß.“ In Zaragossa wurde am Anfang des XVII. Jh. in den oberen Klassen der Kollegien unter 'Rhetorik' gelesen Cicero und Vergil.[1])

Noch konservativer als die Universitäten waren die jesuitischen Schulen, worüber schon oben (S. 779, 1) einiges bemerkt wurde. Daher ist in den uns jetzt gesammelt vorliegenden Studienordnungen die Fusion von Poetik und Rhetorik eine völlige. So wird in der Ratio studiorum vom J. 1586 zu den Übungen der *classis rhetorica* bemerkt (bei Pachtler l. c. V 197) *cum rhetores versibus etiam scribendis frequenter vacent, iuvandi videntur prope quotidiana poetae alicuius enarratione, unde depromi possit poeticae imitationis atque locutionis varietas et copia*, und in der für diese Klasse folgenden Stundeneinteilung werden Dichter und Redner ganz promiscue behandelt; so heißt es in dem Lektionsplan des Gymnasiums zu Freiburg i. d. Schweiz vom J. 1623 (l. c. IX 242): *In Rhetorica. M. T. Cic. l. III de Oratore. Ej. Orationum vol. 3. T. Livii Decas III. Georgica Virgilii. Luciani dial. sel. lib. III. Epigrammata Graeca ex anthologiae libris selecta. Iac. Gretseri Prosodia graeca* und in den Lektionsplänen der folgenden Jahre werden unter *Rhetorica* außerdem noch genannt: Euripides (1625), Senecas Tragödien und die Odyssee (1628), Horaz de arte poetica und Vergils Aeneis (1769), und ganz analog an andern Gymnasien; wo aber einmal eine Trennung vorgenommen wird, herrscht völliges Durcheinander: in dem Lektionsplan der Gymnasien der böhmischen Provinz vom J. 1753 (l. c. XVI 46 f.) steht unter Rhetorik Senecas Medea, unter Poesie außer Vergil, Horaz und Martial auch Sallusts Catilina, Cicero de off. I, Cicero pro lege Manilia; ja noch in dem Studienplan von Freiburg i. d. Schw. vom J. 1843 (l. c. XVI 537 ff.)

---

der Poetik und Rhetorik, eine Verbindung, die überhaupt durchaus regulär gewesen zu sein scheint.

1) Cf. D. Vincente de la Fuente, Historia de las universidades, collegios y demas establecimientos de enseñanza en España II (Madrid 1884 f.) 465. Noch heute scheint in Spanien die Verbindung ganz gewöhnlich zu sein, cf. das Diccionario general de bibliografia española por D. Hidalgo VII (Madr. 1881) 301 ff.

werden unter Rhetorik begriffen neben Demosthenes und Cicero auch Sophokles, Vergil, Horaz, Juvenal, Persius sowie Klopstock und eine deutsche poetische Anthologie.[1])

Aber auch die eigentlichen Humanisten haben das Band zwischen Rhetorik und Poesie eher straffer gezogen als gelockert. Das ergab sich aus ihrer ganzen Auffassung von der *eloquentia*, deren beide Teile — prosaische Rede und Poesie[2]) — sie gleichmäßig umfassen wollten; *poeta* nennt sich daher der Humanist auch da, wo er als Rhetor spricht[3]), *poeta* ist überhaupt, wie man z. B. aus den Briefen der Dunkelmänner weiß, gleichbedeutend mit *humanista*, und es war ganz gewöhnlich,

---

1) Eine merkwürdige Einwirkung dieser Theorie auf deutsche Poetiken s. XVII bei Borinski l. c. (o. S. 828, 1) 332f. 340f. — Um das alles zu verstehen, muß man bedenken, daß die Poesie von den Jesuiten ja nicht sowohl ihres Inhalts wegen gelesen wurde und wird, als vielmehr um daraus die Kunst, selbst Verse zu machen, zu lernen. — Ganz bezeichnend sind übrigens kleine Änderungen in den Lektionsplänen verschiedener Zeiten: so werden in der Ratio studiorum von 1832 die Bestimmungen aus dem J. 1599 meist wörtlich wiederholt, aber während es in den Regulae rectoris von 1599 § 11 heißt (l. c. V 270): *videat etiam, ut aliquae a nostris Rhetoricis orationes aut poemata latine vel graece in mensa habeantur*, ist dies in der ratio von 1832 abgeändert, indem die *poemata* fortgelassen werden. Aber wie fest die Tradition wurzelte, zeigt die Antwort der deutschen Provinz vom J. 1830 auf die Anfrage, ob die alte Ratio studiorum geändert werden solle: allerdings seien Änderungen bei der Rhetorik nötig, es sollten nämlich, wie es in der deutschen Provinz üblich sei, das ganze Jahr hindurch Dichter vorgelesen werden, *quod opportunum videtur vel ad ipsam oratoriam facultatem excitandam atque fovendam* (l. c. XVI 438). — Wenn daher J. Sturm, De exercitationibus rhetoricis (Argent. 1575) 31. 57. 89 davor warnt, durch das Nebeneinander der Lektüre von Dichtern und Rednern den Prosastil zu gefährden (cf. auch Ch. Schmidt, Jean Sturm [Straßburg 1855] 271), so scheint er darin sich gegen die jesuitischen Gymnasien zu wenden, von denen er sonst manches übernahm; doch will er keineswegs das Studium der Dichter für den Redner ganz eliminieren, cf. De amissa dicendi ratione (Argent. 1543) f. 30v. Zu derselben Zeit wundert sich der Franzose Strebaeus, De verborum electione et collocatione (Bas. 1530) l. I c. 6 p. 32ff. bei Behandlung des Themas *utri priores legendi, poetae an oratores*, daß kürzlich mehrere aufgetreten seien, *qui poetas abicerent, uni rhetoricae navarent operam, quasi eloquentia poemate non egeret.*

2) Cf. z. B. Salutato ep. 7, vol. II 54f. Rigacci: *eloquentia aut laxis habenis exundat prosaica melodia aut metrorum continuis angustiis coartatur.*

3) Z. B. Albr. von Eyb in seiner Margarita poetica (1472), worüber M. Herrmann l. c. (S. 895, 1) 198ff.

daß man für eine gute Rede von irgend einem Kunstmäcen zum Dichter gekrönt wurde.[1]) Man fuhr daher fort, die alten Dichter rhetorisch auszulegen[2]), im rhetorischen Unterricht Verse machen zu lassen[3]) und die gelehrten Poetiken der ersten Renaissancezeit sind ganz auf rhetorischer Basis aufgebaut.[4]) Das, was alle meinten, hat Erasmus am bündigsten ausgesprochen ep. 112: *mihi semper placuit carmen, quod a prosa, sed optima, non longe recederet ... Me vehementer delectat poema rhetoricum et rhetor poeticus, ut et in oratione soluta carmen agnoscas et in carmine rhetoricam phrasin,* und auch Melanchthon hat sich oft ähnlich geäußert, z. B. Elem. rhet. (1519) im Corp. ref. XIII 496: *ego vero ita statuo, arti-*

1) Z. B. Perotti i. J. 1452, cf. G. Voigt, D. Wiederbel. d. klass. Alt. II³ (Berl. 1893) 134.

2) Cf. Petrarcas Urteile über Vergil bei de Nolhac I. c. (S. 734, 1) 106 ff. Guarino von Verona leitete die Aufgaben der Rhetorik aus einer Vergilstelle ab und sein Sohn Battista behauptete: *in deliberativo praesertim genere Lucani orationes adeo graves, adeo artificiosae sunt, ut nesciam an ab aliquo rhetoricas praeceptiones clarius colligere valeant*: cf. R. Sabbadini, La scuola di Guarino (Catania 1896) 63. Sturm erklärte Vergils Eklogen nach den Vorschriften des Hermogenes, cf. Ioh. Sturmii Nobilitas litterata c. XXII f. u. XXVIII ff. (in: Ioh. Sturmii de inst. scholastica opusc. omnia ed. Fr. Halibauer [Jena 1730] 51 ff. 76 ff.), wo er z. B. den Vergleich gebraucht: *forma fere eadem est: ut inter se duae togae discrepant, quae forma sint eadem consutae, sed altera viridis sit et laetioris coloris, altera nigri et severioris*; derselbe gab im J. 1565 eine poetische Chrestomathie heraus, die er am Rand mit rhetorischen Lemmata versah, cf. J. Veil l. c. (o. S. 802, 3) 111 f. cf. 123. Aeneas Sylvius weist in seinem Tractatus de liberorum educatione (ed. Bas. 1551 p. 984) nach, daß Vergil die *quattuor dicendi genera* besitze.

3) Cf Voigt l. c. I 552 über Guarino. Es war die allgemeine Praxis der Humanisten.

4) So besonders die Scaligers. Er zitiert z. B. einmal eine Periode des Demosthenes als poetisches Beispiel: l. IV c. 37 p. 508 (anderswo sucht er freilich zu scheiden, cf. Borinski l. c. [S. 828, 1] 70 f.). Ähnlich die des Thom. Campanella (= dem vierten Abschnitt seiner Rationalis philosophia, Par. 1638); er konstatiert z. B. p. 90 *esse poeticam rhetoricam quandam figuratam.* Aus einer Wiener Hs. s. XV teilt Mone in seinem Anz. f. Kunde d. teutsch. Vorz. VII (1838) 586 f. ein Stück einer Verslehre mit, worin es heißt: *versificandi perfecta doctrina in duobus consistit, scilicet in arte et in elegantia. ... elegantia rhetoricis praeceptis comparatur.* G. I. Vossius, Inst. or. (1606) IV 1 *elocutio alia oratoria est, alia poetica; quae etsi praeceptis non paucis differant, tamen pluribus conveniunt: quae et ratio est, cur pleraque elocutionis praecepta poetarum quoque exemplis a rhetoribus illustrentur.*

ficium faciendae orationis non valde dissimile esse poeticae, ib. 504: *tanta est inter has cognatas artes similitudo, ut plerique illustriores loci Ciceronis ac Livii, si recte existimemus, poemata iure dici possint*, und eine neue Ausgabe des Terenz empfiehlt er mit den Worten, daß dessen fabulae noch ῥητορικώτεραι seien als die des Aristophanes.[1]) Nach Baco, De dignitate et augmentis scientiarum (1625) II 13 gehört die lyrische, elegische, epigrammatische, satirische Poesie zur Rhetorik, während er als eigentliche Poesie gelten läßt nur die epische, dramatische und didaktisch-allegorische, die er am höchsten stellt.

Wie die humanistischen Stiltheorien der Prosa auf die modernen Sprachen von bedeutendem Einfluß gewesen sind (s. o. S. 780ff.), so auch die der Poesie. In Frankreich hat es am Ausgang des XV. und in den ersten Jahrzehnten des XVI. Jh. eine burgundische Dichterschule gegeben, die sich „die rhetorische“ nannte, deren Mitglieder sich anfeierten als „Meister in der rhetorischen Wissenschaft, vollkommene Fürsten in der Beredsamkeit, wert zu sitzen auf dem Thron der Redner“, die sich unter den Schutz des Merkur, nicht den des Apollo stellten, und den Namen „Poeten“ den verachteten Naturdichtern überließen, die nicht im Besitz der Theorie und der *doulce Rhetoricque* seien[2]); in einem theoretischen Werk jener Zeit 'Le grand et vray art de rethorique' des Pierre Fabri (zuerst 1520) wird neben der Prosa auch die Poesie behandelt.[3]) Auch die englischen

1) Die Stelle bei K. Reinhardstöttner, Spät. Bearb. plaut. Lustsp. (Leipz. 1886) 23.

2) Nach A. Birch-Hirschfeld, Gesch. d. franz. Lit. seit Anf. d. XVI. Jh. I (Stuttg. 1889) 66ff. Wie die 'Rhetoriker' der älteren burgundischen Schule (s. o. S. 896f.), so wirkten auch diese wieder auf die niederländische Poesie, cf. Jonckbloet, Gesch. d. niederl. Lit., deutsch von Berg I (Leipz. 1870) 331 „Die Kammern von Rethorica“.

3) Ed. A. Héron, Rouen 1889f. In dem zweiten Teil, der die Poetik umfaßt, ist er, wie der Herausgeber sagt (cf. auch E. Egger, L'Hellénisme en France I 325f.), abhängig von älteren Werken wie Henry de Croy, L'art et science de Rhethorique pour faire rigmes et ballades u. ä. In dem von L. Delisle publizierten Katalog der Bibl. nat. (Manuscr. lat. et franç. ajoutés aux fonds des nouvelles acquisitions. Partie II. Paris 1891) p. 573 wird eine Handschrift s. XV beschrieben, deren Text so anfängt: *cy commencent les règles de la seconde rettorique, c'est assavoir des choses rimées, lesquelles*

Theoretiker des ausgehenden XVI. Jh. haben den Zusammenhang beider Künste betont, so William Webbe in seinem Discours of english poetrie (1586), dem ältesten systematischen Versuch einer Reform der englischen Dichtkunst nach antikem Muster[1]); Rhetorik und Poesie, sagt er (p. 19), *were by byrth Twyns, by kinde the same, by originall of one descent.*[2]) In Deutschland polemisiert Geiler von Kaisersberg in seinen 1498 gehaltenen Predigten über S. Brants Narrenschiff (ed. Scheible, Stuttg. 1845) 371 gegen die Rhetorik nicht als Kunst der Rede, sondern insofern sie „mit der Poeten gedicht vnd fantaseien befleckt“ werde; so kanzelt er, als „behaftet mit der Schelle der Rhetorik“, alle die ab, die „den Ouidium von der liebkunst vnd der lieb lesen, oder den Propertium vnd Tibullum, welche nicht anders geschrieben haben, dann allein wüste vnd schampare wort“ usw.

Sonderung von Rhetorik und Poesie.

Aber trotzdem dürfen wir sagen, daß die Humanisten das Wesen der Poesie in der Theorie wieder entdeckt haben. Sosehr sie auch lange Zeit in den Anschauungen der Vergangenheit befangen waren oder im Streben nach Eleganz der Form die äußere Glätte höher schätzten als den Inhalt: sie sind es doch gewesen, die den in Vergessenheit geratenen Begriff der

---

sont de pluseurs tailles et de pluseurs fachons, sy comme lais, chans royaux (etc.) . . . *et pluseurs aultres choses descendans de la seconde retthorique, et est ditte seconde rethorique pour cause que la première est prosayque.* Aus dem im J. 1548 erschienenen Werk Sibilets, das sich schon 'Poetik', nicht mehr 'Rhetorik' nennt (cf. Birch-Hirschfeld l. c. 68), finde ich doch noch folgende Worte zitiert (in dem Dictionnaire hist. de l'ancien langage françois par La Curne de Sainte-Palaye s. v. *rethoricien*): I 14 *sont l'orateur et le poete, tant proches et conjoints que semblables et egaux en plusieurs choses, differens principallement en ce que l'un est plus contraint de nombres que l'autre: ce que Macrobe confirme, en ses Saturnales, quant il fait doute, lequel a esté plus grand rethoricien, ou Virgil ou Ciceron.*

1) Ed. in Arbers reprints n. 26 (London 1870).

2) Cf. ferner George Puttenham, The arte of english poesie (1589) = Arber n. 15, p. 25 *The poets were from the beginning the best perswaders and their eloquence the first Rethoricke of the world,* worüber er dann p. 206 ff. ausführlich handelt; überhaupt ist das ganze dritte Buch *The ornament,* wie er selbst sagt, auf rhetorischer Figurenlehre aufgebaut. Ähnlich Philipp Sidney, An apologie for poetrie (1595) = Arber n. 4 p. 69 und Thomas Campion, Observations in the art of english poesy (1602) ed. Bullen (The works of Dr. Th. Campion, London 1889) p. 227.

Naturbegabung und Inspiration des Dichters wiedergefunden, die als das eigenste Gebiet des ποιητής die freie Schöpfung der Phantasie bezeichnet haben: Boccaccio hat die göttliche Mission des Poeten in gar herrlichen Worten gepriesen und in einer polemischen Bemerkung gegen die allgemeine Anschauung Poesie und Rhetorik gesondert[1]), Salutato hat einen Verächter Dantes mit Hinweis auf den dichterischen Enthusiasmus abgefertigt[2]), Lionardo Bruni hat das Grenzgebiet von Poesie und Rhetorik scharf definiert[3]), und wie weiß derselbe Melanchthon, der, wie wir sahen, oft das Wesen der Poesie in die Eloquenz aufgehen läßt, das Genie Homers zu preisen! Seitdem hat sich ihre Verbindung mehr und mehr gelöst[4]); wir sprechen noch wohl von

---

1) De genealogia deorum l. X c. 3 p. 554ff. (der Basler Ausg. 1532), nachdem er die Poesie als Gabe des Himmels gepriesen hat: *dicent forsan* (die Verächter der Poesie), *ut huic a se incognitae detrahant, quo utuntur* (sc. *poetae*) *rhetoricae opus esse, quod ego pro parte non inficiar, habet enim suas inventiones rhethorica; verum apud tegmenta fictionum nullae sunt rhetoricae partes: mera poesis est, quicquid sub velamento componimus et exquiritur exquisite*; durch die letzten Worte freilich, die ähnlich öfters wiederkehren (z. B. c. 10 p. 565f.), zeigt er, daß er so wenig wie Petrarca sich von dem Bann jener verhängnisvollen Theorie einer allegorischen Dichtung freigemacht hat: erst etwa anderthalbhundert Jahre später merkt man auch hierin den Flügelschlag einer neuen Zeit, denn die Dunkelmänner ärgern sich darüber, daß die Humanisten eine allegorische Deutung der Dichter nicht zulassen wollen: ep. obsc. vir. p. 41ff. Böcking.

2) Cf. Voigt l. c. I 386.

3) Dial. de trib. vatibus Florentinis (1401) ed. Wotke (Wien 1889) 26f. *videntur mihi in summo poeta tria esse oportere: fingendi artem, oris elegantiam multarumque rerum scientiam. horum trium primum poetarum praecipuum est, secundum cum oratore, tertium cum philosophis historicisque commune. haec tria si adsunt, nihil est quod amplius in poeta requiratur,* was er an Dante exemplifiziert; cf. auch K. Hartfelder, M. als praecept. Germaniae in: Mon. Germ. Paed. VII (1889) 319f.

4) Gegen ihre Verbindung polemisierten im XVII. Jh. auch G. Vossius, cf. Borinski l. c. (o. S. 828, 1) 203f., und besonders lebhaft Balzac in einem Briefe (Oeuvres II 65): schon die Tatsache, daß Cicero nichts als Dichter geleistet, Vergil eine schlechte Prosa geschrieben habe (nach Sueton), beweise, daß die beiden Künste voneinander zu trennen seien; *poetarum oratorumque ingenia atque naturae oportet contraria propemodum inter se sint. hi enim ratione atque humanitate reguntur, illos furoris afflatus et divinitas quaedam impellit.* Sehr feine Bemerkungen auch bei Fénélon in den Dialogues sur l'éloquence (Paris 1718) 98. — Auch auf den unter humanistischem Einfluß stehenden Universitäten wurde der Zusammenhang

Rhetorik in der Poesie, aber halten sie nicht für erforderlich, meist nicht einmal für wünschenswert[1]), und gestehen der Rhetorik höchstens zu, daß sie, wie in der Theorie bei Lessing, in der Praxis bei den Franzosen und Schiller, eine Dienerin, nicht aber, daß sie die Herrin der Poesie sei.

---

gelöst: in den Statuten der Universität Helmstedt (ed. Fr. Koldewey, Gesch. d. klass. Philol. auf d. Univ. H. [Braunschw. 1895] 195 ff.) sind die Bestimmungen über Rhetorik und Poetik ganz und gar getrennt.

1) Man lese, um den Unterschied antiken und modernen Empfindens besonders deutlich zu empfinden, die Abhandlung G. Hermanns De differentia prosae et poeticae orationis (1803) in seinen Opusc. I 81 ff.

Anhang II.

Über die Geschichte des rhythmischen Satzschlusses.

I. Allgemeine Vorbemerkungen.

Nicht ohne Zögern und Selbstüberwindung betrete ich ein Gebiet, auf dem ich mich deshalb unsicher fühle, weil ich weiß, daß zu seiner genauen Erforschung eine große Zahl von Voruntersuchungen notwendig wäre, zu denen noch kaum die Anfänge vorliegen. Da ich jedoch einzelnes sicher feststellen und künftigen Untersuchungen wenigstens in einer bestimmten Richtung den Weg zeigen zu können glaube, so halte ich es für meine Pflicht, in großen Zügen, die, wie ich ausdrücklich bemerke, nur das Allgemeine im Umriß zeichnen sollen, die Verhältnisse hier darzulegen.

Prinzipien.

Daß der sich aus der Periodisierung ergebende oder vielmehr mit dieser in innigster Wechselwirkung stehende Rhythmus das eigentliche Fundament der gesamten antiken Kunstprosa war, ist in diesem Werk gezeigt worden. Nur durch φύσις und lange ἄσκησις können wir moderne Menschen, für die eine rhythmische Prosa kaum mehr vorhanden ist, das Gefühl hierfür uns zu eigen machen, und zwar, wie bestimmt versichert werden darf, selbst im günstigsten Fall nur bis zu einer gewissen Grenze, über die hinauszukommen keinem von uns gegeben ist, so daß uns allen mehr oder weniger von dem Hauptreiz der Meisterwerke der antiken Prosa verloren geht, ebensowenig wie wir die Pracht der pindarischen Hymnen, des simonideischen Danaeliedes und der tragischen Chorgesänge voll erfassen können. Wenn man also noch hinzunimmt, daß auf diesem Gebiet das meiste dem individuellen Fühlen anheimgegeben ist, so begreift es sich leicht, daß die mannigfachen, von vornherein unsicheren modernen Theorien über das rhythmische Gepräge der antiken Kunstprosa keinen Anspruch auf allgemeine und objektive Gültigkeit machen können. Ich will die Zahl dieser Theorien nicht durch eine neue vermehren, sondern nur einige Postulate aufstellen, die man, wie mir scheint, nicht außer acht lassen darf. 1) Das gesamte Altertum hat den Rhythmus der kunstvollen Prosarede vor allem in den Schlüssen der Kola gefunden, wo er durch die Pausen naturgemäß am deutlichsten hervortrat. Auf sie werden also auch wir unser Hauptaugenmerk zu richten haben.[1]) 2) Für die Erkenntnis von Einzelheiten haben die Analysen der späteren antiken Rhetoren keinen Wert, da in ihnen die falschen metrischen Theorien des Altertums auf die Rhetorik übertragen werden.[2]) 3) Wir müssen die verschiedenen Zeiten auseinander zu halten suchen: denn der Rhythmus des Demosthenes ist majestätisch wie die Brandung des Meeres und das Große an dem gewaltigsten Redner des Altertums ist, daß bei ihm keine bestimmten Gesetze höherer Ordnung[3]) aufgestellt werden können, so wenig wie sich die Woge der Brandung in ihrer Ausdehnung an Länge und Schall gebieten läßt; dagegen gleicht der zierliche und monotone Rhythmus der späteren Schönredner dem kleinlichen Plätschern eines aufgezogenen Wasserfalls: hier ist alles geregelt, hier lassen sich also bestimmte Gesetze aufstellen. 4) Das Einfachste ist, wie überall, auch hier das Wahrste; z. B. genügt ein Blick auf die ungeheuer komplizierten Schemata, die von Gelehrten und

---

1) Zwei Zeugnisse für viele: Hermogenes de id. I 301, 8 *ἡ ἀνάπαυσις ἡ ποιὰ μετὰ τῆς συνθήκης* (Wortstellung) *τῆς ποιᾶς τὸν ῥυθμὸν ἀπεργάζεται.* Cicero de or. III 192 *clausulas diligentius etiam servandas esse arbitror quam superiora, quod in eis maxime perfectio atque absolutio iudicatur. nam versus aeque prima et media et extrema pars attenditur, qui debilitatur, in quacunque est parte titubatum; in oratione autem pauci prima cernunt, postrema plerique, quae quoniam apparent et intelleguntur varianda sunt.* Andere Stellen bei C. Josephy, D. orator. Numerus bei Isokr. u. Demosth. mit Berücksichtigung der Lehren d. alten Rhetoren (Diss. Zürich 1887) 35f.

2) Doch ist Hermogenes, wie in allem, verständiger als Dionys, cf. über ersteren H. Becker, Hermogenis de rhythmo oratorio doctrina, Diss. Münster 1896.

3) Das bekannte, von Blaß entdeckte Kürzengesetz hat — mit den von Blaß selbst zugegebenen Ausnahmen — Gültigkeit.

Ungelehrten kürzlich für Demosthenes aufgestellt sind, um jeden sofort zu überzeugen, daß dies nicht der richtige Weg sein kann.[1])

II. Demosthenes.

Ich will an ein paar beliebigen Stellen der ersten philippischen Rede des Demosthenes zeigen, wie nach meinem Gefühl demosthenische Perioden gelesen werden müssen, um das Ethos und Pathos, das diesen Mann mehr als irgend einen andern griechischen Redner beseelt hat, zum Ausdruck zu bringen. Die Abteilung der Kola ergibt sich mir, da ich Übung darin habe, stets von selbst teils aus dem Sinn, teils aus den Rhythmengeschlechtern: über einzelnes werden andere nach subjektivem Gefühl anders urteilen, aber darauf kommt es auch am wenigsten an. Analyse der or. Phil. I.

6 καὶ γάρ τοι ταύτῃ –́ – –̀ –́ –
χρησάμενος τῇ γνώμῃ –́ ⏑ ⏑ –́ – –́ –
πάντα κατέστραπται, –́ ⏑ ⏑ –̀ –́ –
καὶ ἔχει τὰ μὲν ὡς ἂν ἑλὼν τις ἔχοι πολέμῳ, ⏑ ⏑ –́ ⏑ ⏑ –́ ⏑ ⏑ –́ ⏑ ⏑ –́
τὰ δὲ σύμμαχα καὶ φίλα ποιησάμενος. ⏑ ⏑ –́ ⏑ ⏑ –́ ⏑ ⏑ –́ –́ ⏑ ⏑ ⏑̀
καὶ γὰρ συμμαχεῖν –́ – –́ ⏑ –
καὶ προσέχειν τὸν νοῦν –́ ⏑ ⏑ –́ – –
τούτοις ἐθέλουσιν ἅπαντες, –́ ⏑ ⏑ –́ ⏑ ⏑ –́ ⏑
οὓς ἂν δρῶσι παρεσκευασμένους –́ ⏑ ⏑ –́ ⏑ ⏑ –́ – –́ ⏑ –
καὶ πράττειν ἐθέλοντας ἃ χρή. –́ – –́ ⏑ ⏑ –́ ⏑ ⏑ –
24 καὶ παρακύψαντα (sc. τὰ ξενικὰ) ἐπὶ τὸν τῆς πόλεως πόλεμον –́ ⏑ ⏑ –́ ⏑ ⏑ ⏑
πρὸς Ἀρτάβαζον καὶ πανταχοῖ μᾶλλον οἴχεται πλέοντα[2]), –́ ⏑ –̀ –́ ⏑ –́ ⏑ –́ ⏑ –́ ⏑

1) Die Dissertation von C. Wichmann, De numeris quos adhibuit Demosthenes in oratione Philippica I, Kiel 1892, dürfte nur ihrem Verf. verständlich geworden sein, gleichfalls die von C. Adams, De periodorum formis et successionibus in Demosthenis oratione Chersonesitica, Kiel 1891. — Die von Blaß, De numeris Isocrateis, Kiel 1891 aufgestellte Theorie hat für Demosthenes sicher keine Gültigkeit.

2) πλέοντα, das in dem Zitat bei Priscian fehlt, wird von Blaß ausgelassen: der Rhythmus zeigt, daß es nötig ist.

ὁ δὲ στρατηγὸς[1]) ἀκολουθεῖ, εἰκότως· ⏑́ ⏑ ⏑ – ́ ⏑ ⏑́ – – ́
–́ – –́

{οὐ γὰρ ἔστιν ἄρχειν –́ ⏑ –́ ⏑ –́ –
{μὴ διδόντα μισθόν. –́ ⏑ –́ ⏑ –́ ⏑

28 ἴσως δὲ ταῦτα μὲν ὀρθῶς ἡγεῖσθε λέγεσθαι, –́ ⏑ ⏑ –́ ⏑́
– –́ ⏑ ⏑ –́ –

τὸ δὲ τῶν χρημάτων πόσα καὶ πόθεν ἔσται, –́ ⏑ ⏑ –́ ⏑ ⏑ –́ –
μάλιστα ποθεῖτε ἀκοῦσαι. –́ ⏑ ⏑ –́ ⏑ –́ –
τοῦτο δὴ καὶ περανῶ. –́ ⏑ –́ –́ ⏑ ⏑ –

34 τοῦ πάσχειν αὐτοὶ κακῶς ἔξω γενήσεσθε, –́ ⏑ –́ –́ ⏑
οὐχ ὥσπερ τὸν παρελθόντα χρόνον –́ ⏑ –́ –́ ⏑ ⏑⏑
εἰς Λῆμνον καὶ Ἴμβρον ἐμβαλὼν αἰχμαλώτους πολίτας
–́ ⏑ –́ –́ ⏑ –́ –́ ⏑ –́ –

ὑμετέρους ᾤχετ' ἔχων, –́ ⏑ ⏑ –́ –́ ⏑ ⏑ –́
πρὸς τῷ Γεραιστῷ τὰ πλοῖα συλλαβὼν ἀμύθητα χρήματ
ἐξέλεξε, –́ ⏑ –́ –́ ⏑ –́ ⏑ –́ ⏑ –́ ⏑

τὰ τελευταῖα εἰς Μαραθῶνα ἀπέβη –́ ⏑ ⏑ –́ ⏑ ⏑ –

{καὶ τὴν ἱερὰν ἀπὸ τῆς χώρας –́ ⏑ ⏑ –́ –́ –
{ᾤχετ' ἔχων τριήρη, –́ ⏑ ⏑ –́ ⏑ –́ –

ὑμεῖς δ' οὔτε ταῦτα δύνασθε κωλύειν –́ ⏑ –́ –́ –
οὔτ' εἰς τοὺς χρόνους οὓς ἂν προθῆσθε βοηθεῖν.[2]) –́ ⏑ ⏑ – –

38 τούτων, ὦ ἄνδρες Ἀθηναῖοι, τῶν ἀνεγνωσμένων –́ ⏑ ⏑
–́ –́ – | –́ ⏑ ⏑ –́ ⏑ –

ἀληθῆ μέν ἐστι τὰ πολλά, ὡς οὐκ ἔδει, –́ ⏑ –́ ⏑ ⏑ –́ – –́ ⏑ –
οὐ μὴν ἀλλ' ἴσως οὐχ ἡδέα ἀκούειν. –́ – –́ ⏑ –́ – –́ ⏑ ⏑ – –
ἀλλ' εἰ μέν, ὅσα ἄν τις ὑπερβῇ τῷ λόγῳ, ἵνα μὴ λυπήσῃ,
–́ ⏑ ⏑ –́ – –́ ⏑ – | ⏑ ⏑ –́ – –́ –

καὶ τὰ πράγματα ὑπερβήσεται, –́ ⏑ ⏑ –́ –́ ⏑ –́
δεῖ πρὸς ἡδονὴν δημηγορεῖν· –́ ⏑ –́ ⏑ –́ – –́ ⏑ –
εἰ δ' ἡ τῶν λόγων χάρις, –́ ⏑ –́ ⏑ ⏑
ἂν ᾖ μὴ προσήκουσα, –́ ⏑ –́ –́ ⏑
ἔργῳ ζημία γίγνεται, –́ ⏑ –́ –́ ⏑ –́
αἰσχρόν ἐστι φενακίζειν ἑαυτούς, –́ ⏑ – –
καὶ ἅπαντ' ἀναβαλλομένους ἃ ἂν ᾖ δυσχερῆ –́ ⏑ ⏑ –́ ⏑
⏑ –́ ⏑⏑ –́ –́ ⏑ –́

---

1) ὁ στρατηγὸς δ' ändert Blaß seinem Gesetz zuliebe; aber der Ditrochäus mit aufgelöster erster Länge präludiert dem Creticus, dessen erste Länge gleichfalls aufgelöst ist.

2) Hexametrische Satzschlüsse werden von Demosthenes nicht ängstlich gemieden.

πάντων ὑστερεῖν τῶν ἔργων, –́ ⏑ –́ – –́ –
καὶ μηδὲ τοῦτο δύνασθαι μαθεῖν, –́ ⏑ ⏑ ⊥ –́ ⏑ ⊥
ὅτι δεῖ τοὺς ὀρθῶς πολέμῳ χρωμένους –́ ⏑ ⏑ ⊥ –́ ⏑ ⊥
οὐκ ἀκολουθεῖν τοῖς πράγμασιν, ⏖́ – –́ – –́ ⏑ ⏑
ἀλλ' αὐτοὺς ἔμπροσθεν εἶναι τῶν πραγμάτων, –́ – ⊥ –́ ⏑ ⊥
καὶ τὸν αὐτὸν τρόπον –́ ⏑ ⊥ –́ ⏑ ⏑̀
ὥσπερ τῶν στρατευμάτων –́ – –́ ⏑ –́ ⏑ –
ἀξιώσειέ τις ἂν –́ ⏑ ⊥ –́ ⏑ ⏑ ⏑̀
τὸν στρατηγὸν ἡγεῖσθαι, –́ ⏑ ⊥ –́ –
οὕτω καὶ τῶν πραγμάτων –́ – –́ – –́ ⏑ –
τοὺς βουλευομένους, –́ – –́ ⏑ ⏑ –
ἵν' ἅ ἂν ἐκείνοις δοκῇ, –́ ⏑ ⊥ –́ ⏑ ⊥
ταῦτα πράττηται –́ ⏑ ⊥ –́ –
καὶ μὴ τὰ συμβάντα ἀναγκάζωνται διώκειν. –́ ⏑
41 ταῦτα δ' ἴσως πρότερον μὲν ἐνῆν· –́ ⏑ ⏑ –́ ⏑ ⏑ –́ ⏑ ⏑ –
νῦν δ' ἐπ' αὐτὴν ἥκει τὴν ἀκμήν, –́ – –́ – –́ ⏑ –
ὥστ' οὐκέτ' ἐγχωρεῖ. –́ ⏑ ⊥ –́ –
44 εὑρήσει τὰ σαθρά, ὦ ἄνδρες Ἀθηναῖοι, –́ ⏑ ⏑ ⊥ –́ –
τῶν ἐκείνου πραγμάτων –́ ⏑ –́ – –́ ⏑ –
αὐτὸς ὁ πόλεμος, –́ ⏑ ⏑́ ⏑ ⏑
ἂν ἐπιχειρῶμεν· –́ ⏑ ⏑ ⊥ –́ ⏑
ἂν μέντοι καθώμεθα οἴκοι –́ – –́ ⏑ –́ ⏑ –́ –
λοιδορουμένων ἀκούοντες –́ ⏑ – ⏑ | –́ ⏑ ⊥ –́ ⏑
καὶ αἰτιωμένων ἀλλήλους τῶν λεγόντων –́ ⏑ – ⏑ | –́ – – | –́ ⏑ – –
οὐδέποτ' οὐδὲν ἡμῖν –́ ⏑ ⏑ –́ ⏑ – –
μὴ γένηται τῶν δεόντων. –́ ⏑ – – | –́ ⏑ – –

51 (Schluß der Rede)

ἐγὼ μὲν οὖν οὔτ' ἄλλοτε πώποτε πρὸς χάριν εἱλόμην λέγειν –́ ⏑ ⏑ –́ ⏑ ⏑ –́ ⏑ ⏑ –́ ⏑ –́ ⏑ –
ὅ τι ἂν μὴ καὶ συνοίσειν ὑμῖν πεπεισμένος ὦ, ⏖́ – ⊥ –́ ⏑ ⊥ | –́ – –́ ⏑ –́ ⏑ ⏑ –
νῦν τε ἃ γιγνώσκω πάνθ' ἁπλῶς, –́ ⏑ ⏑ –́ – –́ ⏑ –
οὐδὲν ὑποστειλάμενος πεπαρρησίασμαι. –́ ⏑ ⏑ ⊥ –́ ⏑ ⏑ –́ ⏑ ⊥ | –́ ⏑ – –
ἐβουλόμην δ' ἄν, ὥσπερ ὅτι ὑμῖν συμφέρει –́ – –́ ⏑ –
τὰ βέλτιστα ἀκούειν οἶδα, –́ ⏑ ⏑ –́ –́ ⏑
οὕτως εἰδέναι συνοῖσον –́ ⏑ –́ ⏑ – ⏑
καὶ τῷ τὰ βέλτιστα εἰπόντι· –́ ⏑ ⊥ –́ ⏑

πολλῷ γὰρ ἂν ἥδιον εἶπον. –́ ⏑ ⏑ –́ ⏑ ⏑ –́ ⏑
νῦν δ' ἐπ' ἀδήλοις οὖσι –́ ⏑ ⏑ –́ – –́ ⏑
τοῖς ἀπὸ τούτων ἐμαυτῷ γενησομένοις, –́ ⏑ ⏑ –̀ –́ ⏑ –̀
–́ ⏑ – ⏑ ⏑ –
ὅμως ἐπὶ τῷ συνοίσειν ὑμῖν, ἂν πράξητε, –́ – – – | –́ – – ⏑
ταῦτα πεπεῖσθαι λέγειν αἱροῦμαι. –́ ⏑ ⏑ –̀ –́ ⏑ –́ – –́ –
νικῴη δ' ὅ τι πᾶσιν ὑμῖν μέλλει συνοίσειν. –́ – –́ ⏑ ⏑ –́
⏑ – | –́ – –́ ⏑ – –

So sehr nun, wie gesagt, gerade in der Mannigfaltigkeit der Rhythmen, die bei scheinbarer Regellosigkeit stets wunderbar das Ethos des Gedankens widerspiegeln, die höchste Kunst des Demosthenes liegt, so zeigt doch eine genaue Analyse des einzelnen, daß er gewisse Rhythmengeschlechter in den Klauseln bevorzugt. Es finden sich in der genannten Rede an den Schlüssen der Kola:

1) Der Ditrochäus –́ ⏑ – ⏒ 48mal,
2) Der rhythmisch mit dem Ditrochäus identische[1]) Dispondeus –́ – – ⏓ 59mal,
3) Creticus + Trochäus –́ ⏑ –̀ –́ ⏒ 34mal,
4) Creticus + Creticus –́ ⏑ –̀ –́ ⏑ ⏓̀ 14mal,
5) Choriambus + Trochäus –́ ⏑ ⏑ –̀ –́ ⏒ 48mal[2]),
6) Choriambus + Creticus –́ ⏑ ⏑ –̀ –́ ⏑ ⏓̀ 14mal,
7) Choriambus + Choriambus –́ ⏑ ⏑ –̀ –́ ⏑ ⏑ ⏓̀ 7mal.

Von diesen Rhythmen fallen der choriambische und kretische am meisten ins Ohr, weil sie sich am weitesten von der gewöhnlichen Rede entfernen; Beispiele finden sich in den oben angeführten Stellen genug, vgl. etwa noch für den Choriambus 27 *ἵν' ἦν ὡς ἀληθῶς τῆς πόλεως ἡ δύναμις*, ib. *καὶ οὐ τὸν ἄνδρα μεμφόμενος ταῦτα λέγω*, für den Creticus 47 *τὸν ἀνδραποδιστῶν καὶ λωποδυτῶν θάνατον μᾶλλον αἱροῦνται | τοῦ προσήκοντος* (zweimal hintereinander), 13 *καὶ πόρους | οὕστινας | χρημάτων* (drei Kretiker) und or. 8, 22:

ἀλλὰ βασκαίνομεν –́ ⏑ –̀ –́ ⏑ ⏑̀
καὶ σκοποῦμεν πόθεν –́ ⏑ –̀ –́ ⏑ ⏑̀

1) Daher hintereinander § 2: *ἐπεί τοι εἰ πάνθ' ἃ προσῆκε πραττόντων οὕτως εἶχεν, | οὐδ' ἂν ἐλπὶς ἦν αὐτὰ βελτίω γενέσθαι.* 7 *πᾶσαν ἀφεὶς τὴν εἰρωνείαν | ἕτοιμος πράττειν ὑπάρξῃ.*

2) Darunter 27mal *ὦ ἄνδρες Ἀθηναῖοι.*

καὶ τί μέλλει ποιεῖν –́ ⏑ – –́ ⏑ –

καὶ πάντα τὰ τοιαυτί –́ ⏑ ⏑ – –́ ⏑,

und zwar ist die Form –́ ⏑ – –́ ⏑ besonders wirksam am Schluß des ganzen Satzes, weil durch sie eine κατάληξις βεβηκυῖα bewirkt wird, z. B. 1, 13, wo die sich jagenden Daktylen den Siegeslauf des Philipp prachtvoll malen:

Analyse anderer Stellen.

{τὸ πρῶτον Ἀμφίπολιν λαβών –́ ⏑ –́ ⏑ ⏑ –́ ⏑ –
{μετὰ ταῦτα Πύδναν, –́ ⏑ – ⏑
πάλιν Ποτείδαιαν, –́ ⏑ – –́ ⏑
Μεθώνην αὖθις, –́ – – ⏑
{εἶτα Θετταλίας ἐπέβη· –́ ⏑ –́ ⏑ ⏑ –́ ⏑ ⏑ –
{μετὰ ταῦτα Φερὰς Παγασὰς Μαγνησίαν ⏑ ⏑ –́ ⏑ ⏑
–́ ⏑ ⏑ –́ ⏑ –́ ⏑ –
πάνθ' ὃν ἐβούλετ' εὐτρεπίσας τρόπον, –́ ⏑ ⏑ –́ ⏑ –́
⏑ ⏑ –́ ⏑ ⏑
ᾤχετ' εἰς Θρᾴκην. –́ ⏑ – –́ –

Die Vorliebe des Demosthenes für den Kretiker war im Altertum bekannt. Als das berühmteste Beispiel galt der Anfang der Kranzrede:

πρῶτον μέν, ὦ ἄνδρες Ἀθηναῖοι, –́ ⏑ ⏑ – –́ –
{τοῖς θεοῖς εὔχομαι –́ ⏑ – –́ ⏑ –
{πᾶσι καὶ πάσαις[1]), –́ ⏑ – –́ –

womit Dionys de comp. verb. 25 den kretischen Vers

{Κρησίοις ἐν ῥυθμοῖς –́ ⏑ – –́ ⏑ –
{παῖδα μέλψωμεν –́ ⏑ – –́ ⏑

zusammenstellt. Ein weiteres berühmtes Beispiel stammt aus der dritten philippischen Rede (17):

ὁ γὰρ οἷς ἂν ἐγὼ ληφθείην, –́ ⏑ ⏑ –́ – –́ –
ταῦτα πράττων καὶ κατασκευαζόμενος, –́ ⏑ –́ – –́ ⏑ ⏑ ⏑
οὗτος ἐμοὶ πολεμεῖ, –́ ⏑ ⏑ –́ ⏑ ⏑ –
κἂν μήπω βάλλῃ | μηδὲ τοξεύῃ, –́ – – –́ – | –́ ⏑ – –́ –

1) Die Formel ist sakral, cf. Beispiele aus Eiden bei E. v. Lasaulx in seinen Studien d. klass. Altert. (Regensburg 1854) 190 adn. 68, wozu jetzt noch kommt der Eid Eumenes' I. von Pergamon und seiner Söldner ὄμνυμι θεοὺς πάντας καὶ πάσας (D. Inschr. v. Perg. ed. Fränkel no. 13 Z. 25 u. 53). Auch das Asyndeton war vielleicht in Gebrauch (für sakrales zweigliedriges Asyndeton wichtig A. Körte in: Mitt. d. deutsch. Arch. Inst. in Athen XXI 1896 p. 295), cf. Menander bei Athen. XIV 659 E θεοῖς Ὀλυμπίοις εὐχώμεθα | Ὀλυμπίαισι, πᾶσι πάσαις. Cf. auch Usener, Götternamen (Bonn 1896) 345, 34.

worüber Quintilian IX 4, 63: *Demosthenis severa videtur compositio* τοῖς θεοῖς εὔχομαι πᾶσι καὶ πάσαις *et illa* . . . . . κἂν μήπω βάλλῃ μηδὲ τοξεύῃ. — Daß im Rhythmus des Creticus die zweite Silbe auch durch eine Länge vertreten werden kann, ist rhythmisch selbstverständlich (cf. z. B. Quint. IX 4, 48): am Schluß des zuletzt angeführten Satzes des Demosthenes stehen beide Formen nebeneinander und für πᾶσι καὶ πάσαις tritt πάντας καὶ πάσας ein or. 18, 141:

καλῶ δ' ἐναντίον ὑμῶν, –́ ⏑ –́ ⏑ ⏑ –́ –
ἄνδρες Ἀθηναῖοι, –́ ⏑ ⏑ ⊥ –́ –
τοὺς θεοὺς πάντας καὶ πάσας. –́ ⏑ ⊥ –́ – ⊥ –́ –

Dagegen sind die Längen des Creticus und des mit ihm verbundenen Trochäus bei Demosthenes sehr selten aufgelöst, was sich aus seiner Abneigung gegen die Aufeinanderfolge von mehr als zwei Kürzen erklärt; in der ersten philippischen Rede nur in folgenden Fällen: πάλιν ἀναλήψεσθε ⏑́⏑ ⏑ ⊥ –́ ⏑, ἐχθροὶ καταγελῶσι –́ ⏑ ⏑̀⏑ –́ ⏑, πρότερον προλαμβάνετε –́ ⏑ ⊥ ⏑́⏑ ⏑, τῆς ὑπαρχούσης αὐτῷ δυνάμεως –́ – ⊥ ⏑́⏑ ⏑ ⊥. Die Auflösung im Ditrochäus findet sich nur einmal (bei einem Zahlwort): δώδεκα τάλαντα ⏑́⏑ ⏑ – ⏑.[1])

Spuren vor Demosthenes.

Demosthenes ist nicht der 'Erfinder' des Gesetzes gewesen, daß der Schlußrythmus einer prosaischen Periode und ihrer Teile vorzugsweise auf dem Creticus basiert werden müsse. Aristoteles bezeugt (Rhet. III 8. 1409ª 2 ff.), daß schon Trasymachos, also

1) Um das häufige Nebeneinander des Ditrochäus und der Form –́ ⏑ ⊥ –́ ⏒ rhythmisch zu verstehen, muß man bedenken, daß beide sich sehr nahe kommen, denn über die Wertung des Kretikers heißt es im Schol. Hephaist. p. 77 Gaisf.²: Ἡλιόδωρός φησι κοσμίαν εἶναι τῶν παιωνικῶν τὴν κατὰ πόδα τομήν, ὅπως ἡ ἀνάπαυσις διδοῦσα χρόνον ἐξασήμους τὰς βάσεις ποιῇ καὶ ἰσομερεῖς ὡς τὰς ἄλλας, οἷον· Οὐδὲ τῷ Κυνακάλῳ οὐδὲ τῷ Νυρσύλα, d. h. also: –́ ⏑ – ⏑ –́ ⏑ – ⏑ = –́ ⏑ –, –́ ⏑ – (cf. für die ditrochäische Wertung des Kretikers — natürlich innerhalb der von O. Crusius im Philol. N. F. VII [1894] Ergänzungsheft p. 128 betonten Grenzen — besonders auch das Zeugnis des Aristoxenos bei Choirobosk. exeg. in Hephaist. p. 62 H., Aristeid. Quint. de mus. p. 39 M., Diomed. p. 481 K., sowie die lehrreiche Praxis der junggriechischen dramatischen Lyrik und des Plautus nach Leo, Die plaut. Cantica u. die hellenist. Lyrik [Berlin 1897] 17 f.); man muß daher beim Rezitieren des oratorischen Rhythmus die Stimme auf der zweiten Länge des Kretikers etwas länger ruhen lassen als auf der ersten: –́ ⏑ –̀ –́ ⏒.

der Begründer der Kunstprosa, eine Vorliebe für diesen Fuß gehabt habe. Zwar scheint Aristoteles speziell die aufgelöste Form ⏖́ ⏑ ⊥ (den vierten Päon) im Auge zu haben, aber rhythmisch macht das ja keinen Unterschied, wie auch Cicero in dem Zitat der aristotelischen Stelle (de or. III 183) ausdrücklich hervorhebt. Aristoteles billigt den Gebrauch dieses Rhythmus, da er der Poesie am fernsten stehe; das ist richtig, denn damals waren kretische (päonische) Gesänge schon Antiquitäten.[1])

III. Die spätere griechische Prosa.

Die großartige Kraft und Mannigfaltigkeit der demosthenischen Rhythmen begann mit der allgemeinen Entartung der Beredsamkeit zu schwinden. An die Stelle der Kraft trat Weichlichkeit und Schlaffheit, an die der Mannigfaltigkeit Uniformität. Der daktylische (und also auch choriambische) Rhythmus, durch den Demosthenes solchen Effekt erzielt, trat ganz zurück, ebenso die dispondeische Klausel; dagegen wurde die von Demosthenes gemiedene Aufeinanderfolge von mehr als zwei Kürzen, wodurch der Rhythmus etwas Trällerndes, Trippelndes bekommt, gesucht, ebenso ionischer Rhythmus, der bei Demosthenes schwerlich nachzuweisen sein dürfte. U n t e r d e n K l a u s e l n b e g a n n e n d e r D i t r o c h ä u s u n d d e r C r e t i c u s + C r e t i c u s o d e r + T r o c h ä u s m e h r u n d m e h r z u d o m i n i e r e n u n d a n d e r e z u v e r d r ä n g e n, und zwar wurden die Längen in weit größerem Umfang als es bei Demosthenes (aus dem angegebenen Grunde) der Fall war, aufgelöst.

Die nachdemosthenische Zeit.

Auf dem dargelegten Standpunkt befindet sich die Kompositionsart des H e g e s i a s: ich bitte, die oben (S. 136 f.) analysierten Partien mit den demosthenischen zu vergleichen, um den gewaltigen Unterschied zu fühlen.[2]) In dem wichtigsten Dokument der griechischen Kunstprosa aus dem ersten vorchristlichen

Asianer.

1) Cf. v. Wilamowitz, Commentariolum metricum I (Göttinger Prooemium 1895) 6 ff. — Übrigens tritt –́ ⏑ – –́ ⏓ bei Isokrates sehr zurück, während –́ ⏑ – –́ ⏑ – etwas häufiger ist, cf. K. Peters, De Isocratis studio numerorum (Festschrift Parchim 1883) 14 und Josephy l. c. 86. 97.

2) Ein auf S. 136 untergelaufenes Versehen bitte ich zu berichtigen: *ἡδὺς μὲν γάρ ἐστι* –́ – –́ ⏑ – ⏑ statt der dort stehenden Messung.

Jahrhundert, der Inschrift des Antiochos von Kommagene (S. 140 ff.), sind die genannten Klauseln bereits so sehr die herrschenden, daß man ganze Sätze hintereinander lesen kann, ohne an den Einschnitten der hauptsächlichen Kola ein einziges Mal auf eine andere zu treffen. Z. B. § 2 *ἐγὼ πάντων ἀγαθῶν οὐ μόνον κτῆσιν βεβαιοτάτην ἀλλὰ καὶ ἀπόλαυσιν ἡδίστην* (–́ ⏑ ⊥ –́ –) *ἀνθρώποις ἐνόμισα τὴν εὐσέβειαν* (–́ ⏑ – ⏑), *τὴν αὐτήν τε κρίσιν καὶ δυνάμεως εὐτυχοῦς καὶ χρήσεως μακαριστῆς αἰτίαν ἔσχον* (–́ ⏑ ⊥ –́ ⏑), *παρ' ὅλον τε τὸν βίον ὤφθην ἅπασι βασιλείας ἐμῆς καὶ φύλακα πιστοτάτην καὶ τέρψιν ἀμίμητον ἡγούμενος* (–́ ⏑ ⊥ –́ ⏑ ⏑̀) *τὴν ὁσιότητα* (–́ ⏑ ⏖́ –́ ⏑)· *δι' ἃ καὶ κινδύνους μεγάλους παραδόξως διέφυγον* (⏖́ ⏑ ⊥ ⏖́ ⏑ ⊥) *καὶ πράξεων δυσελπίστων εὐμηχάνως ἐπεκράτησα* (–́ ⏑ ⏖̀ –́ ⏑) *καὶ βίου πολυετοῦς μακαριστῶς ἐπληρώθην* (–́ ⏑ ⊥ –́ –).

Deklamatoren der Kaiserzeit. Polybios und die Attizisten haben natürlich an dieser Entartung nicht teilgenommen, aber was wir an manierierter griechischer Prosa der ersten Jahrhunderte der Kaiserzeit haben, steht unter dem Zeichen der genannten Klauseln. Ein Fragment des Deklamators Artemon bei Seneca suas. 1, 11 lautet: *βουλευόμεθα, εἰ χρὴ περαιοῦσθαι* (–́ ⏑ ⊥ –́ –). *οὐ ταῖς Ἑλλησποντίαις ᾐόσιν ἐφεστῶτες* (⏖́ ⏑ ⊥ –́ ⏑) *οὐδ' ἐπὶ τῷ Παμφυλίῳ πελάγει τὴν ἐμπρόθεσμον καραδοκοῦμεν ἄμπωσιν* (–́ ⏑ ⊥ –́ ⏑)· *οὐδὲ Εὐφράτης τοῦτ' ἔστιν οὐδὲ Ἰνδός* (–́ ⏑ ⊥ –́ ⏑), *ἀλλ' εἴτε γῆς τέρμα* (–́ ⏑ ⊥ –́ ⏑), *εἴτε φύσεως ὅρος* (–́ ⏑ ⏖́ –́ ⏑ ⏑̀), *εἴτε πρεσβύτατον στοιχεῖον* (–́ – – ⏑), *εἴτε γένεσις θεῶν* (–́ ⏑ ⏖̀ –́ ⏑ ⊥), *ἱερώτερόν ἐστιν ἢ κατὰ ναῦς ὕδωρ* (–́ ⏑ ⏑ –́ ⏑ –), also durchgängig mit Ausnahme des Schlusses. Zitate von Historikern bei Lukian de hist. conscr. 22 *ἐλέλιξε μὲν ἡ μηχανή* (–́ ⏑ ⏑ ⊥ –́ ⏑ ⊥), *τὸ τεῖχος δὲ πεσὸν μεγάλως ἐδούπησε* (–́ ⏑ ⏑ –́ ⏑ ⏑ –́ ⏑ ⊥ –́ ⏑). ib. *Ἔδεσσα μὲν δὴ οὕτω τοῖς ὅπλοις περιεσμαραγεῖτο* (–́ ⏑ ⏑ –́ ⏑ ⏑ – ⏑), *καὶ ὄτοβος ἦν καὶ κόναβος ἅπαντα ἐκεῖνα* (–́ ⏑ – ⏑). ib. *ὁ στρατηγὸς ἐμερμήριζεν* (–́ ⏑ ⏑ –́ – –́ ⏑), *ᾧ τρόπῳ μάλιστα προσαγάγοι πρὸς τὸ τεῖχος* (–́ ⏑ – ⏑). Klauseln von Deklamatorenzitaten des Philostratos (s. o. S. 413 ff.): *εἶτα οἴει ἥλιον Ἑσπέρῳ φθονεῖν* (–́ ⏑ ⏑ –́ ⏑ –́ ⏑ –) *ἢ μέλειν αὐτῷ* (–́ ⏑ ⊥ –́ –). — *ἐγγὺς Πλαταιέων νενικήμεθα* (–́ ⏑ ⊥ –́ ⏑ ⊥ –́ ⏑ ⏑̀). — *ἐπέρχεται πόλεμος αἰτίαν οὐκ ἔχων* (–́ ⏑ ⊥ –́ ⏑ ⊥). — *καὶ μετὰ ξίφους μοι λαλεῖς* (–́ ⏑ ⊥ –́ ⏑ ⊥). — *ὑψηλὴν ἆρον, ἄνθρωπε, τὴν δᾷδα* (–́ ⏑ ⊥ –́ ⏑). — *σοὶ μὲν ἄρκτον δίδωμι*

(⊥́ ⏑ – ⏑). — ὅταν ἐγὼ μὴ βλέπωμαι (⊥́ ⏑ – ⏑), sowie das oben (S. 414 f.) aus Philostratos zitierte längere Fragment des Onomarchos; Philostratos selbst in seinen Briefen (s. oben S. 415): ἄπιδε πρὸς τὰς μάχας (⏖́ ⏑ ⊥ ⊥́ ⏑ ⊥), οἱ μὲν πολυτελεῖς καὶ χρυσοῖ τοῖς ὅπλοις (⏖́ ⏑ ⊥ ⊥́ – ⊥ ⊥́ ⏑ ⊥) λείπουσι τὰς τάξεις (⊥́ ⏑ ⊥ ⊥́ –), ἡμεῖς δ' ἀριστεύομεν (⊥́ ⏑ ⊥ ⊥́ ⏑ ⏓). 14 χαῖρε κἂν μὴ θέλῃς (⊥́ ⏑ ⊥ ⊥́ ⏑ ⊥), χαῖρε κἂν μὴ γράφῃς (⊥́ ⏑ ⊥ ⊥́ ⏑ ⊥). Aristides in der nach asianischem Muster verfaßten (s. oben S. 420 f.) Monodie (or. 29, I 421 D.): ὦ δᾷδες, ὑφ' οἵων ἀνδρῶν ἀπέσβητε (⊥́ ⏑ ⊥ ⊥́ ⏑). ὦ δεινὴ καὶ ἀφεγγὴς ἡμέρα, ἡ τὰς φωσφόρους νύκτας ἐξεῖλες (⊥́ ⏑ ⊥ ⊥́ ⏑ ⊥ ⊥́ ⏑). ὦ πῦρ, οἷον ὤφθης Ἐλευσῖνι (⊥́ ⏑ ⊥ ⊥́ ⏑), οἷον ἀνθ' οἵου (⊥́ ⏑ ⊥ ⊥́ –). Favorinus (Pseudo-Dio Chrys. de fort., s. o. S. 422 ff.) hat

die Klausel { ⊥́ ⏑ ⊥ ⊥́ ⏓ 75 mal
⏖́ ⏑ ⊥ ⊥́ ⏓ 7 mal
⊥́ ⏑ ⏖̀ ⊥́ ⏓ 13 mal
⊥́ ⏑ ⊥ ⏖́ ⏓ 3 mal,

die Klausel { ⊥́ ⏑ ⊥ ⊥́ ⏑ ⏓ 26 mal[1])
⊥́ ⏑ ⊥ ⏖́ ⏑ ⊥ 7 mal[2]),

die Klausel ⊥́ ⏑ ⏑ ⊥ ⊥́ ⏓ 16 mal[3]),

die Klausel { ⊥́ ⏑ ⏑ ⊥ ⊥́ ⏑ ⊥ 5 mal[4])
⊥́ ⏑ ⏑ ⊥ ⏖́ ⏑ ⊥ 2 mal
⊥́ ⏑ ⊥ ⊥́ ⏑ ⏑ ⊥ 7 mal[5]),

die Klausel ⊥́ ⏑ ⊥́ ⏓ 30 mal.

Von dem Übermaß der Anwendung der kretischen Klauseln mögen folgende Sätze eine Vorstellung geben:

7 ἧκε δὲ καὶ Ἡρόδοτος ὁ λογοποιὸς εἰς ὑμᾶς (⊥́ ⏑ ⊥ ⊥́ –) λόγους φέρων Ἑλληνικούς (⊥́ ⏑ ⊥́ – ⊥́ ⏑ –)

---

1) Cf. die Wortstellung 6: ὑπὸ μὲν τοῦ θεοῦ βασιλεύς, ὑπὸ δὲ τῶν Ἑλλήνων ἀνηγορεύθη σοφός.

2) Z. B. 40 ἕτεροι δὲ ἑστᾶσι καὶ γιγνώσκονται (⊥́ ⏑ ⊥ ⊥́ –), τὴν δὲ ἐπιγραφὴν ἔχουσιν ἑτέρων (⊥́ ⏑ ⊥ ⏖́ ⏑ ⊥).

3) Z. B. 16 ἀλλ' οὔτε ἀπέδρα (⊥́ ⏑ ⏑ ⊥) οὔτε ἐπεχείρησεν (⊥́ ⏑ ⏑ ⊥ ⊥́ ⏑) οὐθ' ὅλως ἐμέλλησε (⊥́ ⏑ ⊥ – ⏑).

4) Z. B. 34 ὥσπερ ἂν εἴ τις τὸν ἀθλητὴν φαίη καθ' αὑτὸν μὲν εὐτακτεῖν (⊥́ ⏑ ⊥ ⊥́ –), ἐν δὲ τῷ σταδίῳ καὶ παρὰ τὸν ἀγωνοθέτην πλημμελεῖν (⊥́ ⏑ ⏑ ⊥ ⊥́ ⏑ ⊥).

5) Z. B. 24 εἰ δέ τις οὐ Λευκανὸς ὢν (⊥́ ⏑ ⏑ ⊥́ – ⊥́ ⏑ –), ἀλλὰ Ῥωμαῖος (⊥́ ⏑ ⊥ ⊥́ ⏑), οὐδὲ τοῦ πλήθους (⊥́ ⏑ ⊥ ⊥́ –), ἀλλὰ τῶν ἱπποτρόφων (⊥́ ⏑ ⊥ ⊥́ ⏑ ⏑ ⊥).

ἄλλους τε καὶ Κορινθίους (∠ ⏑ ∠ ⏑ ∠ ⏑ –)
οὐδέπω ψευδεῖς. (∠ ⏑ ⊥ ∠ –)
ἀνθ' ὧν ἠξίου παρὰ τῆς πόλεως (∠ ⏑ ∠ ⏑ ⏑ ∠ ⏑ ⏑ –)
μισθὸν ἄρνυσθαι. (∠ ⏑ ⊥ ∠ –)
30 *εἰ τοίνυν οὐδὲν αἰσχρὸν τοῦτό ἐστιν,* (∠ – ⊥ ∠ ⏑)
καίπερ ὂν δεινόν, (∠ ⏑ ⊥ ∠ ⏑)
ὥσπερ οἱ καρποί; (∠ ⏑ ⊥ ∠ –)
39 *ἀλλ' ὦ παρθένε αὐτάγγελε,* (∠ ⏑ ⊥ ∠ ⏑ ⏑̀)
τοῦ μὲν ποιητοῦ ἀκούομεν, (∠ ⏑ ∠ ⏑ ⏑)
σὲ δὲ ζητοῦντες οὐχ εὕρομεν, (∠ ⏑ ⊥ ∠ ⏑ ⏑̀)
οὐδὲ τὸ σῆμα τὸ Μίδου. (∠ ⏑ ⏑ ∠ ⏑ ⏑ ∠ –)
ὕδατα δ' ἐκεῖνα καὶ δένδρα (∠ ⏑ ⊥ ∠ ⏑)
ἔτι μὲν ναεί τε καὶ θάλλει, (∠ ⏑ ⊥ ∠ –)
χρόνῳ δὲ καὶ ταῦτα (∠ ⏑ ⊥ ∠ ⏑)
μετὰ τῶν ἄλλων ἔοικεν ἐπιλείψειν. (∠ ⏑ ⏑̀ ∠ –)

Ehrendekret für Kaiser Gaius aus Assos (Papers of the Amer. school I 50): *ἐπεὶ ἡ κατ' εὐχὴν πᾶσιν ἀνθρώποις ἐλπισθεῖσα* (∠ – ⊥ ∠ ⏑) *Γαίου Καίσαρος Γερμανικοῦ Σεβαστοῦ ἡγεμονία κατήνγελται* (∠ ⏑ ⊥ ∠ –), *οὐδὲν δὲ μέτρον χαρᾶς εὕρηκ[ε]ν ὁ κόσμος* (∠ ⏑ ⏑ – ⏑), *πᾶσα δὲ πόλις καὶ πᾶν ἔθνος ἐπὶ τὴν τοῦ θεοῦ ὄψιν ἔσπευκεν* (∠ ⏑ ⊥ ∠ ⏑), *ὡς ἂν τοῦ ἡδίστου ἀνθρώποις αἰῶνος νῦν ἐνεστῶτος* (∠ ⏑ ⊥ ∠ ⏑), *ἔδοξεν τῇ βουλῇ*, worauf der im üblichen Kurialstil verfaßte Beschluß folgt, ohne eine Spur von Rhythmisierung; dann aber wieder die Eidesablegung: *ὄμνυμεν Δία Σωτῆρα καὶ θεὸν Καίσαρα Σεβαστὸν καὶ τὴν πάτριον ἁγνὴν παρθένον εὐνοήσειν Γαίῳ Καίσαρι Σεβαστῷ καὶ τῷ σύμπαντι οἴκῳ αὐτοῦ, καὶ φίλους τε κρινεῖν οὓς ἂν αὐτὸς προαιρῆται* (∠ ⏑ ⊥ ∠ –) *καὶ ἐχθροὺς οὓς ἂν αὐτὸς προβάλ[λ]ηται* (∠ ⏑ ⊥ ∠ –). *εὐορκοῦσιν μὲν ἡμῖν εὖ εἴη* (∠ – ⊥ ∠ –), *ἐφιορκοῦσιν δὲ τὰ ἐναν[τία]* (∠ ⏑ ⊥ ∠ ⏑ ⏑̀).

Von dem Valentinianer Ptolemaios (s. II) überliefert Epiphanios haer. XXXIII 3 ff. einen Brief an die Flora über den ungleichen Wert einzelner Teile im Gesetz des alten Bundes. Dieser Brief[1]) ist wie in seiner durch die Platonischen Schriften gesättigten Gedankenentwicklung so in seiner Stilisierung meisterhaft. Ein paar beliebig herausgegriffene Partien werden die

1) Ich zitiere nach der Ausgabe des Briefes von A. Hilgenfeld in: Z. f. wiss. Theol. XXIV (1881) 214 ff.

(gelegentlich auch durch die Wortstellung bemerkbare[1])) Rhythmisierung deutlich zeigen. C. 1 *οὗτοι μὲν οὖν ὡς διημαρτήκασι τῆς ἀληθείας* (–́ ⏑ ⊥ –́ –), *δῆλόν σοί ἐστιν ἐκ τῶν εἰρημένων* (–́ – ⊥ –́ ⏑ ⊥). *πεπόνθασι δὲ οὗτοι ἰδίως ἑκάτεροι αὐτῶν* (⏑́⏑́ ⏑ ⊥ –́ –), *οἱ μὲν διὰ τὸ ἀγνοεῖν τὸν τῆς δικαιοσύνης θεόν* (–́ ⏑ –́ ⏑ ⏑ –́ ⏑ ⏑), *οἱ δὲ διὰ τὸ ἀγνοεῖν τὸν τῶν ὅλων πατέρα* (–́ ⏑ ⊥ ⏑́⏑́ ⏑), *ὃς μόνος ἐλθὼν ὁ μόνος εἰδὼς ἐφανέρωσε* (–́ ⏑ ⏑̀ ⏑ –́ ⏑). *περιλείπεται δὲ ἡμῖν ἀξιωθεῖσί τε τῆς* .... (Lücke) *ἀμφοτέρων τούτων ἐκφῆναί σοι καὶ ἀκριβῶσαι αὐτόν τε τὸν νόμον ποταπός τις εἴη* (–́ ⏑ – –), *καὶ τὸν ὑφ' οὗ τέθειται* (–́ ⏑ – –), *τὸν νομοθέτην, τῶν ῥηθησομένων ἡμῖν τὰς ἀποδείξεις ἐκ τῶν τοῦ σωτῆρος ἡμῶν λόγων παριστῶντες* (–́ ⏑ ⊥ –́ ⏑), *δι' ὧν μόνων ἔστιν ἀπταίστως* (–́ ⏑ ⊥ –́ ⏑) *ἐπὶ τὴν κατάληψιν τῶν ὄντων ὁδηγεῖσθαι* (–́ ⏑ ⊥ –́ –). c. 2 (die Ehescheidung sei von Moses nur mit Rücksicht auf die menschliche Schwäche erlaubt worden, denn im Evangelium heißt es, was Gott zusammengefügt habe, solle der Mensch nicht lösen): *ἐπεὶ γὰρ τὴν τοῦ θεοῦ γνώμην φυλάττειν οὐκ ἠδύναντο οὗτοι* (–́ ⏑ ⊥ –́ –) *ἐν τῷ μὴ ἐξεῖναι αὐτοῖς ἐκβάλλειν τὰς γυναῖκας αὐτῶν* (–́ ⏑ – –), *αἷς τινες ἀηδῶς συνῴκουν* (–́ ⏑ – –), *καὶ ἐκινδύνευον ἐκ τούτου ἐκτρέπεσθαι πλέον εἰς ἀδικίαν* (–́ ⏑ ⏑ ⊥ ⏑́⏑́ ⏑ ⊥), *καὶ ἐκ ταύτης εἰς ἀπώλειαν* (–́ ⏑ ⊥ – ⏑), *τὸ ἀηδὲς τοῦτο βουλόμενος ἐκκόψαι αὐτῶν ὁ Μωυσῆς* (–́ ⏑ – –), *δι' οὗ καὶ ἀπόλλεσθαι ἐκινδύνευον* (–́ – – ⏑), *δεύτερόν τινα, ὡς κατὰ περίστασιν ἧττον κακὸν ἀντὶ μείζονος ἀντικαταλλασσόμενος* (–́ ⏑ ⏑ ⊥ –́ ⏑ ⏑ ⏑̀), *τὸν τοῦ ἀποστασίου νόμον ἀφ' ἑαυτοῦ ἐνομοθέτησεν αὐτοῖς* (–́ ⏑ – –), *ἵνα, ἐὰν ἐκεῖνον μὴ δύνωνται φυλάσσειν* (–́ ⏑ – –), *κἂν τοῦτόν γε φυλάξωσι* (–́ ⏑ ⏑ ⊥ –́ ⏑) *καὶ μὴ εἰς ἀδικίας καὶ κακίας ἐκτραπῶσι* (–́ ⏑ – ⏑), *δι' ὧν ἀπώλεια αὐτοῖς ἔμελλε τελευτάτη ἐπακολουθήσειν* (⏑́⏑́ ⏑ ⊥ –́ –). c. 5 (Schluß des Briefes) *ταῦτά σοι, ὦ ἀδελφή μου Φλώρα, δι' ὀλίγων εἰρημένα οὐκ ἠτόνησα* (?) (–́ ⏑ – ⏑) *καὶ τὸ τῆς συντομίας προέγραψα* (–́ – – ⏑). *ἅμα μὲν τὸ προκείμενον ἀποχρώντως ἐξέφηνα* (–́ ⏑ – ⏑), *ἃ καὶ εἰς τὰ ἑξῆς τὰ μέγιστά σοι συμβαλεῖται* (–́ ⏑ – –), *ἐάν γε ὡς καλὴ γῆ καὶ ἀγαθὴ γονίμων σπερμάτων τυχοῦσα* (–́ ⏑ – ⏑) *τὸν*

1) Daher ist auch c. 4 p. 222, 9 mit den meisten Hss. zu lesen (am Schluß eines Kolons) *ὁ ἀπόστολος ἔδειξε Παῦλος* (́ ⏑ – ⏑), nicht *Παῦλος ἔδειξε*.

δι' αὐτῶν καρπὸν ἀναδείξῃς (–́ ⏑ ⏑́⏑ –́ –). Besonders bemerkenswert sind zwei Änderungen, die er am Text der Septuaginta vorgenommen hat:

Leviticus 20, 9 Sept.	Ptolemaios c. 3
ἐὰν δὲ ἄνθρωπος κακῶς εἴπῃ τὸν πατέρα αὐτοῦ ἢ τὴν μητέρα, θανάτῳ θανατούσθω.	*ὁ κακολογῶν πατέρα ἢ μητέρα θανάτῳ τελευτάτω* (–́ ⏑ ⊥ –́ –)
Jesaias 29, 13 Sept.	Ptolemaios c. 2
ἐγγίζει μοι ὁ λαὸς οὗτος ἐν τῷ στόματι αὐτοῦ, καὶ ἐν τοῖς χείλεσιν αὐτῶν τιμῶσίν με, ἡ δὲ καρδία αὐτῶν πόρρω ἀπέχει ἀπ' ἐμοῦ. μάτην δὲ σέβονταί με διδάσκοντες ἐντάλματα ἀνθρώπων καὶ διδασκαλίας.	*ὁ λαὸς οὗτος τοῖς χείλεσί*[1]) *με τιμᾷ, ἡ δὲ καρδία αὐτῶν πόρρω ἀπέχει ἀπ' ἐμοῦ· μάτην δὲ σέβονταί με διδάσκοντες διδασκαλίας, ἐντάλματα ἀνθρώπων* (–́ ⏑ ⊥ –́ –).

Änderung des Gesetzes. Der rhythmische Satzschluß wurde seit etwa 400 n. Chr. durch den akzentuierenden ersetzt. Das berühmte Meyersche Gesetz[2]), nach welchem der durch den Akzent bezeichneten letzten Hebung mindestens zwei nichtakzentuierte Silben vorausgehen müssen, ist in bezug auf seine Anwendung ebenso sicher und für die Fragen niederer und höherer Kritik ebenso epochemachend, wie in bezug auf seinen Ursprung dunkel. Daß ein bestimmter Mann es erfunden haben soll, wie Meyer annimmt, ist nicht wahrscheinlich, wenn man die Zeiten und die analoge Tatsache erwägt, daß auch die rhythmische Poesie sich spontan, aus der Praxis selbst heraus entwickelt hat. Vielleicht führen hier Untersuchungen, wie sie Meyer selbst (p. 14 f.) für nötig erklärt, über etwaige Ansätze zu diesem Gebrauch schon in früherer Zeit weiter. Darüber habe ich kein Urteil[3]), will

---

1) Den Vulgarismus der Vorlage beseitigt er durch Weglassung des instrumentalen *ἐν*.

2) Wilh. Meyer, D. akzentuierte Satzschluß in der griech. Prosa vom IV. bis XVI. Jh., Göttingen 1891.

3) Übrigens beziehen sich auf diesen Satzschluß wohl Chorikios epitaph. Procop. p. 5 Boiss. *οὐ λέξις αὐτὸν ἀλλοτρία ἐλάνθανε τῆς Ἀττικῆς, οὐ νόημα πόρρω πλανώμενον τοῦ σκοποῦ, οὐ συλλαβή τις ἐπιβουλεύουσα τῷ ῥυθμῷ, οὐ συνθήκη τὴν ἐναντίαν ἔχουσα τάξιν τῆς εὐφραινούσης τὰ ὦτα,*

aber bemerken, daß sich die von mir nachgewiesenen beliebten rhythmischen Klauseln mit dem ziemlich streng beobachteten Meyerschen Akzentgesetz vereinigt zu finden scheinen in den Homilien des Proklos (s. V), z. B. in der zweiten Rede auf die h. Maria, vol. 65, 682 f. Migne: *ἀλλ' ἐγεννήθη ἐκ γυναικὸς θεὸς οὐ γυμνὸς καὶ ἄνθρωπος οὐ ψιλός* (⏑́ ⏑ ⏑̀ ⏑́ ⏑). *καὶ πύλην σωτηρίας ὁ τεχθεὶς τὴν πάλαι τὴν ἁμαρτίας ἔδειξε θύραν. ὅπου γὰρ ὁ ὄφις διὰ τῆς παρακοῆς τὸν ἰὸν ἐξέχεεν*[1] (⏑́ ⏑ ⏑̀ ⏑⏑́ ⏑), *ἐκεῖθεν ὁ λόγος διὰ τῆς ὑπακοῆς εἰσελθὼν τὸν ναὸν ἐξωοπλάστησεν* (⏑́ ⏑ ⏑̀ ⏑́ ⏑). *ὅθεν ὁ πρῶτος τῆς ἁμαρτίας Κάϊν προέκυψεν, ἐκεῖθεν ὁ τοῦ γένους λυτρωτὴς Χριστὸς ἀσπόρως ἐβλάστησεν* (⏑́ ⏑ ⏑̀ – ⏑). *ζωὴ γὰρ ἦν τὸ πραγματευόμενον* (⏑́ ⏑ ⏑̀ ⏑⏑́ ⏑). *οὐκ ἐμολύνθη οἰκήσας μήτραν*[1]), *ἥνπερ αὐτὸς ἀνυβρίστως ἐδημιούργησεν* (⏑́ ⏑ ⏑̀ ⏑́ ⏑). *εἰ μὴ γὰρ παρθένος ἔμεινεν ἡ μήτηρ* (⏑́ ⏑ ⏑̀ ⏑́ –), *ψιλὸς ἄνθρωπος ὁ τεχθεὶς καὶ οὐ παράδοξος ὁ τόκος· εἰ δὲ καὶ μετὰ τόκον ἔμεινε παρθένος, πῶς οὐχὶ καὶ θεὸς καὶ μυστήριον ἄφραστον* (⏑⏑́ ⏑ – ⏑); *ἐκεῖνος ἀφράστως ἐγεννήθη* (⏑́ ⏑ ⏑̀ ⏑́ –) *ὁ καὶ τῶν θυρῶν κεκλεισμένων εἰσελθὼν ἀκωλύτως* (⏑́ ⏑ ⏑̀ – –).

IV. Die lateinische Prosa.

Die Resultate der soeben angestellten Untersuchungen sind folgende. 1) Die Größe des Demosthenes in betreff des rhythmischen Baues seiner Perioden beruht darauf, daß er keine bestimmte Theorie befolgt, wie sie ihm von den Neueren angedichtet wird, sondern daß er in wundervoller Mannigfaltigkeit den Rhythmus, speziell den des Satzschlusses, jedesmal ein energisches Abbild des Gedankens sein läßt. 2) Jedoch heben sich bei ihm aus der unerschöpflichen Fülle der satzschließenden Rhythmen folgende als besonders bevorzugt heraus: **Resultate.**

1. ⏑́ ⏓ ⏑̀ ⏑́ ⏓
2. ⏑́ ⏓ ⏑̀ ⏑́ ⏓ ⏑̀
3. ⏑́ ⏑ ⏑ ⏑̀ ⏑́ ⏓
4. ⏑́ ⏑ ⏑ ⏑̀ ⏑́ ⏑ ⏑̀
5. ⏑́ ⏓ – ⏓

und Mich. Psellos or. de Gregorii charact. l. c. (oben S. 5) p. 747 *οὐδὲ εἰς μονοειδῆ ἀπαρτίζει τὸν λόγον ἀνάπαυσιν, ἀλλὰ διαποικίλλει τὰς καταλήξεις.*

1) Verletzung des Meyerschen Gesetzes.

3) Von diesen treten 3 und 4 später ganz zurück, da man die große *ἐνέργεια* der Daktylen (Choriamben) nicht mehr zum Ausdruck bringen konnte oder wollte. Dagegen drängen sich die Formen 1, 2, 5 mehr und mehr hervor, und zwar noch mit der Modifikation, daß einzelne Längen dieser Klauseln aufgelöst werden können, was Demosthenes in seiner prinzipiellen — aus seiner *δεινότης* sich ergebenden — Abneigung gegen Häufung von Kürzen mied. Die am meisten charakteristischen Formen des rhythmischen Satzschlusses der nachdemosthenischen griechischen Kunstprosa sind also:

1a. –́ ⏒ ⊥ –́ ⏒
b. ⏖́ ⏑ ⊥ –́ ⏒
c. –́ ⏑ ⏖̀ –́ ⏒
d. –́ ⏒ ⊥ ⏖́ ⏒
2a. –́ ⏒ ⊥ –́ ⏒ ⏓̀
b. ⏖́ ⏑ ⊥ –́ ⏑ ⏓̀
c. –́ ⏑ ⏖̀ –́ ⏒ ⏓̀
d. –́ ⏒ ⊥ ⏖́ ⏑ ⏓̀
3a. –́ ⏒ –́ ⏒
b. ⏖́ ⏑ –́ ⏒

4) Diese Klauseln sind in der griechischen Kunstprosa zwar ganz besonders bevorzugt worden, aber nie zur ausschließlichen Herrschaft gelangt. Seit c. 400 n. Chr. tritt an die Stelle des rhythmischen Prinzips ein äußerlich akzentuierendes, welches mit jenem nicht zusammenzuhängen scheint.

Geschichte der Entdeckung des Gesetzes.

Es läßt sich nun der Nachweis erbringen, daß diese rhythmischen Satzschlüsse in die lateinische Kunstprosa aufgenommen wurden von dem Moment an, wo diese in die Sphäre des Hellenismus trat, und daß sie in ihr bald zur ausschließlichen Herrschaft gelangten und (mit einer Unterbrechung zu Beginn des Mittelalters) bis zum Ausgang des Mittelalters absolute Geltung erhielten. Bevor ich aber dazu übergehe, diese Entwicklung in großen, allgemeinen Umrissen darzulegen, werde ich die Geschichte der Entdeckung dieser Tatsache mitteilen, damit der Leser wisse, was ich andern verdanke und was ich selbst hinzugetan habe. Man begann am Ende der ganzen Entwicklungsreihe. N. Valois, De arte scribendi epistolas apud Gallicos medii aevi scriptores rhetoresve, Thèse Paris 1880 und Étude sur le rythme des bulles pontificales in: Bibl. de l'École des Chartes XLII (1881) 161 ff. 257 ff., stellte zum erstenmal die Vorschriften der mittelalterlichen Dictatores über den rhythmischen Satzschluß vollständig zusammen, nachdem schon Charles Thurot in seinem berühmten Werk Notices et extraits des divers manuscrits latins pour servir à l'histoire des doctrines grammaticales au moyen âge in: Not. et Extr. des ms. de la bibl. imp. XXII (1868) 480 ff. einiges darüber mitgeteilt hatte, und bewies, daß dessen früheste mittelalterliche Beispiele sich unter dem Pontifikat des Gelasius II (1118—1119) fänden. Einen wichtigen Nachtrag dazu machte L. Duchesne, Note sur l'origine du 'cursus' ou rythme prosaique suivi dans la rédaction des bulles pontificales in: Bibl. de l'École des Chartes L (1889) 161 ff. Im Liber pontificalis wird nämlich berichtet, daß Urban II (1088—1099) den Giovanni Caetani aus M. Cassino in die päpstliche Kanzlei berief: *tunc papa litteratissimus et facundus fratrem Iohannem, virum utique sapientem ac providum sentiens, ordinavit, admovit, suumque cancellarium ex intima deliberatione constituit, ut per eloquentiam sibi a domino traditam antiqui leporis et elegantiae stilum in sede apostolica, iam pene omnem deperditum, sancto dictante spiritu, Iohannes dei gratia reformaret ac Leoninum cursum lucida velocitate reduceret.* Einen weiteren wesentlichen Fortschritt bezeichnet die Abhandlung von L. Couture, Le cursus ou rythme prosaique dans la liturgie et dans la littérature de l'église latine du IIIe siècle à la renaissance in: Compte rendu du congrès scientifique international des catholiques tenu à Paris du 1er au 6 avril 1891, cinquième section p. 103 ff. (wiederholt in: Revue des questions historiques XXVI [1892] 253 ff.). Er wies nämlich nach 1) daß die frühesten Spuren dieses rhythmischen Satzschlusses sich bereits bei Cyprian fänden und von da bis Cassiodor nachweisbar seien, 2) daß er seit Gregor d. Gr. († 601) für vier Jahrhunderte verschwand und erst im XI. Jh. in der kirchlichen Literatur (z. B. bei Peter Damianus) wieder auftauchte, also ein Jahrhundert früher als in der päpstlichen Kanzlei. Diese Gelehrten hatten sich mit der Feststellung der Tatsache begnügt, ohne nach dem Prinzip zu fragen, welches in den verschiedenen Formen der Klausel obwalte: dieses zu erforschen, unternahm zuerst L. Havet, La prose métrique de Symmache et les origines métriques du cursus, Paris 1892. Wenngleich sich das von ihm aufgestellte Prinzip als nicht haltbar erwies, so hatte er doch manches richtig beobachtet, und durch ihn wurde Wilhelm Meyer in der Anzeige des Havetschen Buches in: Götting. gel. Anz. 1893 p. 1 ff. zu eigner Forschung angeregt: das eigentliche Prinzip im wesentlichen richtig gefunden zu haben, ist sein Verdienst.[1]) An ihn knüpfe ich an, und zwar nehme ich für mich folgendes in Anspruch: 1) Die Aufweisung der Zusammenhänge mit der griechischen Literatur, die bei Meyer ganz fehlt[2]), 2) den Nachweis, daß die Klauseln nicht erst, wie Meyer meint, im II. Jahrh. n. Chr. von einem imaginären „Ordner“ „ersonnen“ sind[3]), sondern sich in geschichtlichem Werden vom Beginn der lateinischen Kunstprosa an verfolgen lassen, 3) die Heranziehung von Zeugnissen antiker Rhetoren (Meyer kennt nur das des Terentianus Maurus), 4) die Korrektur einzelner Versehen, die sich mir ohne weiteres eben aus der griechischen Praxis ergab, z. B. der sonderbaren Theorie Meyers von Arten des Kretikers, die er „freie“ (*ănĭmāē, plūrĭmă, ŏpĕră*) und „verschobene“ (*sŭōrŭm, cōnfērtĕ* u. dgl.) nennt.

1. Die Theorie.[4])

Zeugnisse. Cicero de or. III 183 *Aristoteli ordiri placet a superiore paeone, posteriore finire. est autem paeon hic posterior non syllabarum numero, sed aurium mensura, quod est acrius iudicium et certius, par fere cretico qui est ex longa et brevi et longa, ut: 'Quíd petam praesidi aut exsequar? quove nunc* (Ennius trag. 75³ R.).' *a quo numero exorsus est Fannius: 'Si Quirites minas illius.' hunc*

1) Havet hat dann in der Revue de philologie XVII (1893) 33 ff. 141 ff. speziell für Cicero de or. über das Gesetz gesprochen, damals wohl schon mit Kenntnis der Meyerschen Abhandlung.

2) E. Droz, De Frontonis institutione oratoria (Thes. Paris., Besançon 1885) 63 zieht für den Satzschluß bei Fronto p. 21 *omnibus tunc imago patriciis pingebatur insignis* die von Quintilian zitierten Worte des Demosthenes πᾶσι καὶ πάσαις und μηδὲ τοξεύῃ heran: er war also auf dem richtigen Wege. Über E. Müller s. u. S. 930.

3) Meyer p. 25 „Im 2. Jahrh. n. Chr. wird für alle Deklamationspausen der gesprochenen Rede ein bestimmter Tonfall ersonnen“, p. 6 „Der Ordner dieses Schlusses war ein in der Metrik erfahrener Redekünstler“.

4) Ich gebe die Zeugnisse der späten Rhetoren selbstverständlich nur insoweit, als sie selbständigen Wert haben.

ille clausulis aptiorem putat[1]), *quas vult longa plerumque syllaba terminari.* Cf. 193.

Cicero or. 215 *creticus . . . quam commodissime putatur in solutam orationem illigari.* 218 *est quidem paeon, ut inter omnes constat antiquos, Aristotelem Theophrastum Theodectem Ephorum, unus aptissimus orationi orienti vel mediae, putant illi etiam cadenti, quo loco mihi videtur aptior creticus.* ib. 222 bemerkt er zu dem Satz des Crassus '*missos faciant patronos: ipsi prodeant*', er sei einem Senar zu ähnlich; *omnino melius caderet: 'prodeant ipsi'*, also –́ ∪ –̀ –́ –.

Cicero or. 212 f. *insistit ambitus modis pluribus, e quibus unum est secuta Asia maxume, qui dichoreus vocatur, cum duo extremi chorei sunt, id est e singulis longis et brevibus... dichoreus non est ille quidem sua sponte vitiosus in clausulis, sed in orationis numero nihil est tam vitiosum quam si semper est idem. cadit autem per se ipse ille praeclare, quo etiam satietas formidanda est magis.* Es folgt als Beispiel ein Satz einer Rede des C. Papirius Carbo endend mit *comprobavit*, wozu Cicero bemerkt: *hoc dichoreo tantus clamor contionis excitatus est, ut admirabile esset.*

Cicero de rep. bei Rufin de numeris orat. GLK VI 574, 31: *Cicero in dialogis de re publica multa dicit referens Asianos oratores ditrochaeo clausulas terminare.*

Quintilian IX 4, 63 f. Die rhythmische Klausel des Demosthenes πᾶσι καὶ πάσαις = μηδὲ τοξεύῃ (–́ ∪ –̀ –́ –) fände als strenger und gewichtiger Satzausgang Billigung, bei Cicero würde dieselbe Klausel in *balneatori* (Cic. pr. Cael. 62) = *archipiratae* (in Verr. V 70) nur deshalb getadelt, weil es sich um lange Einzelworte handle, die am Schluß prosaischer Sätze so wenig gut gebraucht würden wie am Schluß der Hexameter.

Quintilian IX 4, 105 *dichoreus . . qui placet plerisque.* 107 *creticus et initiis optimus: 'quod precatus a diis immortalibus sum* (Cic. pr. Mur. 1)' *et clausulis: 'in conspectu populi Romani vomere postridie* (Cic. Phil. 2, 63)': ∪́∪ ∪ –̀ –́ ∪ –̀.

Quintilian IX 4, 73 '*esse videatur*' (–́ ∪ ∪̀∪ –́ ∪) *iam nimis frequens*; es sei dieselbe Klausel wie die des Demosthenes πᾶσι

1) So ist das nicht korrekt ausgedrückt. Aristoteles (rhet. III 8) sagt nur, daß am Ende der vierte Päon wegen der schließenden Länge passend sei; daß für ∪́∪ ∪ –̀ auch –́ ∪ –̀ stehen könne, legt erst Cicero hinein: in der Stelle or. 218 hat er das richtiger formuliert.

καὶ πάσαις. Cf. X 2, 18 *noveram quosdam, qui se pulchre expressisse genus illud caelestis huius in dicendo viri* (des Cicero) *sibi viderentur, si in clausula posuissent 'esse videatur'*; cf. Tac. dial. 23.

Quintilian IX 4, 103 *claudet et dichoreus, quo Asiani sunt usi plurimum.*

Gellius I 7, 16 ff.: Cicero habe des Rhythmus wegen in der Rede de imp. Cn. Pomp. 33 einen Satz geschlossen *in praedonum potestatem fuisse* statt *in praedonum potestate fuisse,* und in derselben Rede 30 einen anderen *consilii celeritate explicavit* statt *explicuit.*

Terentianus Maurus V. 1439 ff. (GLK VI 368) vom Kretiker:

optimus pes et melodis et pedestri gloriae:
plurimum orantes decebit, quando paene in ultimo
obtinet sedem beatam, terminet si clausulam
dactylus spondeus imam; nec trochaeum respuo
(bacchicos utrosque fugito), nec repellas tribrachyn.
plenius tractatur istud arte prosa rhetorum,

d. h. also: gut sind –́ ⏑ – –́ ⏑ ⏑̇[1]), –́ ⏑ – –́ –, –́ ⏑ – –́ ⏑, –́ ⏑ – ⏑⏑́ ⏑, schlecht sind: –́ ⏑ –́ ⏑ – – (mehr als zwei Trochäen hintereinander galten als weichlich), –́ ⏑ –́ – – ⏑ (schleppend).

Victorianus de compositione bei Rufinus de num. orat. GLK VI 573, 18: *creticum, qui est ex longa et brevi, si sequatur spondeus vel trochaeus, bonam compositionem facere dicunt, 'quo usque tandem abutere, Catilina, patientia nostra?'*

C. Iulius Victor ars rhet. c. 20 (p. 433 Halm): *cum per totam orationem, tum praecipue in conclusionibus servandus est ordo verborum, moderate in exordio, in media parte leniter, ita ut magis ad numerum tendat quam ipsa numerosa sit. longis syllabis incipiendum potius quam brevibus est . . . . concludere autem aut creticus, ut una syllaba ei supersit, potest, vel duae, quae spondeum vel trochaeum vel iambum pedem faciant, aut tres, quae eundem creticum geminent. cludit et paeon primus, si spondeus ei supersit, et paeon posterior, si una syllaba ei supersit. nec vero ad hanc diligentiam redigimus*

1) Diese Klausel meint er offenbar mit Creticus + Daktylus, denn auf ein daktylisch gemessenes Wort ließ niemand ein Kolon ausgehen, cf. über die Identität des schließenden Daktylus mit dem Kretiker Cic. or. 217 Quint. IX 4, 103. Creticus + Creticus hat er übergangen.

oratorem, ut in structura semper pedes singulos conspiciat et collocet: erit enim maximi res impedimenti et tarditatis; sed exercitatione et discendo auctores optimos ad hanc eandem cursu perveniet, ad quam ratio deducit. cavendum, ne omnes conclusiones eandem formam habeant, quia fastidium creabunt et studium ostentabunt. maxime tamen fugiendum est id vitium, quo in oratione nihil turpius est, cum cessanti numero verba inania non rei augendae sed structurae tantummodo implendae causa subveniant. nec numerosa sint omnia nec dissoluta; nec creticus pes saepius frequentetur, also:

–́ ⏑ – ⏑
–́ ⏑ –̀ –́ ⏓
(–́ ⏑ –́ ⏑ –)
–́ ⏑ –̀ –́ ⏑ –̀
–́ ⏑ ⏑̀⏑ –́ –
⏑́⏑ ⏑ – –

Martianus Capella[1]) V 520 ff. bezeichnet als *bonas (pulchras, elegantes) clausulas* folgende:

–́ ⏑ –̀ – ⏑ *asserat caput legis*
–́ ⏑ –̀ – – *litus eiectis*
–́ ⏑ ⏑̀⏑ – – *litus agitanti*
–́ ⏑ –̀ ⏑́⏑ – *litus Aemiliae*
⏑́⏑ ⏑ ⏑̀⏑ – – *regere animorum*
–́ ⏑ – ⏑ *magna cura*
–́ ⏑ – – *sola curant,*

also nur die uns bekannten; doch verpönt er im Creticus (und im Ditrochäus) die Länge der zweiten Silbe: *fit pessima clausula, si pro trochaeo paenultimo spondeum praelocaveris, ut si dicas . . . 'rupes eiectis'* (für *'litus eiectis'*).[2])

1) Wohl aus ihm Notker bei P. Piper, Die Schriften N.s und seiner Schule I (Freib. 1882) 679 f.

2) Verwirrung in der alten Theorie entstand dadurch, daß man auf die Silbenzahl der die Klausel bildenden Worte Rücksicht nahm (cf. besonders Martianus l. c.) und, wie in der Metrik, nach oft imaginären Versfüßen die Silben abzählte, statt rhythmisch Zusammenhängendes zu verbinden; z. B. sagt Ps. Ascon. in div. p. 108, 4 Or. zu den Worten Ciceros (§ 23) *'cuius ego causa laboro'*, wo der Ditrochäus vorliegt: *inepti sunt homines, qui hanc clausulam notant ut malam, cum sit ex spondeo et baccheo de industria durior ad exprimendam sententiam posita more Ciceronis*, was Cicero, der rhythmisch sprach, gar nicht verstanden hätte. Eine höchst merkwürdige Theorie befolgt Diomedes in dem kleinen Schlußabschnitt seiner Ars, wo er handelt *de qualitate structurae*; die Vermutung Useners (Sitzungsber. d. Bayr. Ak. 1892 p. 642, 3), daß Varro die Quelle sei, ist

2. Die Praxis.

Um von vornherein jeden Zufall auszuschließen, werden wir das Gesetz aufstellen müssen: nur diejenigen Schriftsteller beobachten den rhythmischen Satzschluß, bei denen die ursprünglichen Formen der Klausel (ohne aufgelöste Längen, ohne irrationale Längen für Kürzen), nämlich –́ ⏑ – –́ ⏓, –́ ⏑ – –́ ⏑ ⏓, –́ ⏑ – ⏓, weitaus überwiegen.

Vorciceronianische Zeit.

1. Für die Kunstprosa vor Cicero kann ich auf die oben (S. 172 ff. 177, 1) gegebenen Proben zurückverweisen: ich habe schon dort die Klauseln abgeteilt und ein flüchtiger Blick genügt, um zu erkennen, daß die uns bekannten an Zahl schon damals alle anderen weitaus überragen. — Daß in den Musterbeispielen der Schrift an Herennius der Ditrochäus in den Klauseln eine übermäßige Rolle spielt, hat schon E. Marx in den Prolegomena seiner Ausgabe (Leipz. 1894) 100 f. bemerkt; aber die andern fehlen nicht, vgl. z. B. IV 22, 31 *Tiberium Gracchum rem publicam administrantem prohibuit indigna nex diutius in eo commorari* (–́ ⏑ – –). *Gaio Graccho similis occisio est oblata* (–́ – – ⏑), *quae virum rei publicae amantissimum subito de sinu civitatis eripuit* (–́ ⏑ – ⏖ ⏑). *Saturninum fide captum malorum* (–́ ⏑ – ⏑) *perfidia per scelus vita privavit* (–́ – – ⏑). *tuus, o Druse, sanguis domesticos parietes et vultum parentis aspersit* (–́ ⏑ – –́ ⏑). *Sulpicio qui paulo ante omnia concedebant* (–́ – – –), *eum brevi spatio non modo vivere* (–́ ⏑ – –́ ⏑ ⏑) *sed etiam sepeliri prohibuerunt* (⏖ ⏑ – –).

Cicero.

2. Über die rhythmische Klausel bei Cicero gibt es eine sehr sorgfältige Dissertation von Ernst Müller, De numero Ciceroniano, Berlin 1886.[1]) In meinen unabhängig von ihm geführten Untersuchungen bin ich in allem Wesentlichen

mir wegen der Nennung Catos und des Redners Antonius sehr wahrscheinlich. Was meint aber Cassiodor de inst. div. litt. 15 (vol. 70, 1128 AB Migne), in dem Kapitel, wo er die Abschreiber vor willkürlichen, den Regeln der Kunst zuliebe vorgenommenen Änderungen warnt: *in prosa caput versus heroici finemque non corrigas, id est quinque longas totidemque breves non audeas inprobare; trochaeum triplicem laudabilis neglectus abscondat?*

1) Irrtümlich ist, was M. Seyffert zum Laelius[2] (Leipz. 1876) 1, 3 p. 18 über den Dochmius bei Cicero sagt.

mit ihm zusammengetroffen: ihm gebührt daher das Verdienst, die Frage für Cicero zum ersten Mal[1]) richtig gestellt und gelöst zu haben; ich erwähne auch, daß er meines Wissens der einzige ist, der für das Lateinische die Praxis der Griechen herangezogen hat, indem er die Rhythmen des Hegesias mit denen Ciceros vergleicht (p. 51 ff.). In der Cicero-Literatur scheinen aber diese absolut sicheren Resultate keine Berücksichtigung zu finden, obwohl sie in jedem guten Kommentar verwertet, m. E. auch in die Praxis unserer Schulen eingeführt werden müßten: denn die gewaltige Rhythmenpracht des Demosthenes mag nicht jeder fühlen können, aber bei Cicero liegen die Dinge viel einfacher, und ich denke, daß wir Epigonen uns freuen sollten, auf diesem schwierigen Gebiet sichere Marksteine zu haben, zu wissen, wie Cicero gesprochen hat und wie wir rezitieren sollen, wenn uns nicht — bei bloß grammatisch-logischer, völlig unantiker Rezitation — das Ethos und Pathos verloren gehen soll. Ich werde daher die Untersuchung, so wie ich sie für mich angestellt hatte, darlegen, obwohl es einer eigentlichen Untersuchung kaum bedarf: um das Gefühl des Lesers zu erregen — denn darauf kommt es hauptsächlich an —, werde ich keine Tabellen aufstellen, aus denen man nach dieser Richtung hin nichts lernen kann, sondern einzelne zusammenhängende Stellen ausschreiben und rhythmisch zerlegen. Ich wähle Stücke zunächst dreier Reden, die Cicero auf der Höhe seines Könnens zeigen, und zwar ein Proömium, eine Narratio und eine Conclusio, dann ein Stück der frühesten Rede, endlich eins der letzten. Was die Anzahl der zur Klausel zu rechnenden Füße betrifft, so genügt es, dafür auf Cicero selbst zu verweisen: or. 216 *hos cum in clausulis pedes nomino, non loquor de uno pede extremo: adiungo, quod minimum sit, proximum superiorem, saepe etiam tertium*, was überhaupt die antike Praxis war, der ich durchgängig mich bisher angeschlossen habe und im weiteren anschließen werde. Die von den regulären Klauseln abweichenden bezeichne ich mit *.

1) Für die Bücher De oratore cf. L. Havet in Revue de philologie l. c. (oben S. 926, 1), der Müller nicht kennt. — C. Wüst, De clausula Ciceronis, Diss. Straßburg 1881 ist trotz mancher guter Einzelbeobachtungen verfehlt, J. Schmidt, D. rhythm. Elem. in Cic.s Reden, Wien. St. 1893, 209 ff. ganz pervers.

Or. in Catilinam (Prooemium) I 1 f. *Quo usque tandem abutere, Catilina, patientia nostra* (⊥́ ⏑ ⊥ ⊥́ –)? *quam diu etiam furor iste tuus nos eludet* (⊥́ – – –)? *quem ad finem sese effrenata iactabit audacia* (⊥́ ⏑ ⊥ ⊥́ ⏑ ⏑̓)? *nihilne te nocturnum praesidium Palati* (⊥́ ⏑ – –)[1], *nihil urbis vigiliae* (⊥́ – ⊥ ⏑́⏑ ⏑ ⊥)[2], *nihil timor populi* (⊥́ ⏑ ⊥ ⏑́⏑ –), *nihil concursus bonorum omnium** (⊥́ ⏑ ⊥́ ⏑ ⊥́ ⏑ –)[3], *nihil hic munitissimus habendi senatus locus* (⊥́ ⏑ ⊥ ⊥́ ⏑ ⏑̓), *nihil horum ora voltusque moverunt* (⊥́ ⏑ ⊥ ⊥́ –)? *patere tua consilia non sentis* (⏑́⏑ ⏑ ⊥ ⊥́ ⏑)? *constrictam iam horum omnium scientia tenere coniurationem tuam non vides* (⊥́ ⏑ ⊥ ⊥́ ⏑ ⊥)? *quid proxima, quid superiore nocte egeris, ubi fueris, quos convocaveris, quid consili(i) ceperis* (⊥́ ⏑ ⊥ ⊥́ ⏑ ⏑̓)[4], *quem nostrum ignorare arbitraris* (⊥́ ⏑ – ⏑)? *o tempora, o mores. senatus haec intellegit, consul videt**[5]: *hic tamen vivit* (⊥́ ⏑ ⊥ ⊥́ ⏑). *vivit? immo vero etiam in senatum venit* (⊥́ ⏑ ⊥ ⊥́ ⏑ ⏑̓), *fit publici consili(i) particeps* (⊥́ ⏑ ⊥ ⊥́ ⏑ ⊥), *notat et designat oculis ad caedem unum quemque nostrum* (⊥́ ⏑ – ⏑): *nos autem, fortes viri, satis facere rei publicae videmur* (⊥́ ⏑ – ⏑), *si istius furorem ac tela vitemus* (⊥́ ⏑ ⊥ ⊥́ ⏑). *ad mortem te, Catilina, duci iussu consulis iam pridem oportebat** (⊥́ ⏑ ⏑ ⊥ ⊥́ ⏑)[6], *in te conferri pestem quam tu in nos iam diu machinaris* (⊥́ ⏑ ⊥ ⊥́ ⏑ – ⏑).[7] *an vero vir amplissimus, P. Scipio, pontifex maximus, Ti. Gracchum mediocriter labefactantem statum rei publicae privatus interfecit* (⊥́ – – ⏑): *Catilinam orbem terrae caede atque incendiis vastare cupientem* (⊥́ ⏑ ⏑̀⏑ ⊥́ ⏑) *nos consules perferemus* (⊥́ ⏑ ⊥ ⊥́ ⏑

---

1) Zwar geben die Hss. *Palatii*, daß aber Cicero *Palati* gesprochen und geschrieben hat (wie noch Ovid), ist selbstverständlich; daß diese Formen bei Cicero die allein herrschenden sind, hat Wüst l. c. 79 f. auf Grund anderer Klauseln gut bemerkt, cf. auch or. Phil. 14, 32 *parricidi*.

2) Natürlich sprach Cicero *nihil* einsilbig, cf. auch Wüst l. c. 81.

3) Die τροχαῖοι malen das συντρέχειν.

4) Nur da, wo das κῶλον endet, wendet er die Klausel an, die vorhergehenden κομμάτια sind ἄρρυθμα; das gilt auch für alles Folgende.

5) Eine Art von Senar.

6) Daß Cicero *pridem oportebat* mit Synalöphe sprach (also ⊥́ ⏑ ⊥ ⊥́ ⏑) oder wenigstens sprechen konnte, wenn er wollte, glaube ich jetzt (gegen oben S. 53, 3). Wie weit er seine eigne Theorie darüber (or. 150) befolgte, muß sich genauer feststellen lassen als es von Wüst p. 19 f. geschehen ist.

7) *iam diu* von Halm mit Unrecht getilgt; dem Ditrochäus geht besonders gern ein Creticus vorauf.

– ⏑)? *nam illa nimis antiqua praetereo* (–́ ⏑ –̀ ⏑́⏑ –), *quod C. Servilius Ahala Sp. Maelium novis rebus studentem manu sua occidit* (–́ – – ⏑).[1] *fuit, fuit ista quondam in hac re publica virtus* (–́ ⏑ –̀ –́ –), *ut viri fortes acrioribus suppliciis civem perniciosum quam acerbissimum hostem coercerent* (–́ ⏑ –̀ –́ –).

Or. pro Archia (Narratio) 4 f. *nam ut primum ex pueris excessit Archias atque ab eis artibus quibus aetas puerilis ad humanitatem informari solet* (–́ – –̀ –́ ⏑ ⏑̀), *se ad scribendi studium contulit**, *primum Antiochiae — nam ibi natus est loco nobili* (–́ ⏑ –̀ –́ ⏑ –̀) —, *celebri quondam urbe et copiosa atque eruditissimis hominibus liberalissimisque studiis affluenti* (–́ ⏑ – –), *celeriter antecellere omnibus ingenii gloria contigit* (–́ ⏑ –̀ –́ ⏑ ⏑̀). *post in ceteris Asiae partibus cunctaeque Graeciae sic eius adventus celebrabantur* (⏑́⏑ – – ⏑), *ut famam ingenii exspectatio hominis* (–́ ⏑ –̀ ⏑́⏑ ⏑), *exspectationem ipsius adventus admiratioque superaret* (–́ ⏑ ⏑̀⏑ –́ ⏑). *erat Italia tunc plena Graecarum artium ac disciplinarum* (–́ ⏑ –̀ –́ ⏑) *studiaque haec et in Latio vehementius tum colebantur* (–́ ⏑ –̀ –́ ⏑) *quam nunc eisdem in oppidis et hic Romae propter tranquillitatem rei publicae non neglegebantur* (–́ ⏑ –̀ –́ ⏑). *itaque hunc et Tarentini et Regini et Neapolitani civitate ceterisque praemiis donarunt* (–́ – – –) *et omnes qui aliquid de ingeniis poterant iudicare* (–́ ⏑ – ⏑), *cognitione atque hospitio dignum existimarunt* (–́ ⏑ – –). *hac tanta celebritate famae cum esset iam absentibus notus* (–́ ⏑ –̀ –́ ⏑), *Romam venit Mario consule‿et Catulo* (–́ ⏑ –̀ ⏑́⏑ –).[2] etc.

Or. pro Milone (Conclusio) 103 ff. *quodnam ego concepi tantum scelus aut quod in me tantum facinus admisi* (⏑́⏑ ⏑ –̀ –́ –), *iudices, cum illa indicia communis exitii indagavi patefeci protuli exstinxi* (–́ – – –)? *omnes in me meosque redundant ex fonte illo dolores* (–́ ⏑ – –). *quid me reducem esse voluistis* (–́ ⏑ ⏑̀⏑ –́ –)? *an ut inspectante me expellerentur ei per quos essem restitutus* (–́ ⏑ – ⏑)? *nolite, obsecro vos, acerbiorem mihi pati reditum esse quam fuerit ille ipse discessus* (–́ ⏑ –̀ – ⏑): *nam qui possum putare me restitutum esse* (–́ ⏑ – ⏑), *si distrahar ab his per quos*

1) Eventuell *manu sua‿occidit* (–́ ⏑ –̀ –́ ⏑), cf. S. 932, 6.

2) Hier darf wohl sicher Synalöphe angenommen werden, da es sich 1. um zwei gleiche Vokale handelt und 2. die Wortstellung von selbst auf Absicht hinweist.

restitutus sum (–́ ⏑ –̀ –́ –)? *utinam di immortales fecissent* (–́ – – –) — *pace tua, patria, dixerim**[1]): *metuo enim ne scelerate dicam in te quod pro Milone dicam pie* (–́ ⏑ –̀ –́ ⏑ –̀) — *utinam P. Clodius non modo viveret* (–́ ⏑ –̀ –́ ⏑ ⏑̀), *sed etiam praetor consul dictator esset potius quam hoc spectaculum viderem* (–́ ⏑ – ⏑). *o di immortales* (–́ – – –), *fortem et a vobis, iudices, conservandum virum* (–́ – –̀ –́ ⏑ ⏑̀). '*minime, minime*', *inquit*, '*immo vero poenas ille debitas luerit* (–́ ⏑ –̀ ⏑́⏑ ⏑): *nos subeamus si ita necesse est*[2]) *non debitas* (–́ – –̀ –́ ⏑ –̀)'. *hicine vir patriae natus usquam nisi in patria morietur*[3]) *aut, si forte, pro patria* (–́ ⏑ –̀ ⏑́⏑ –)? *huius vos animi monumenta retinebitis* (–́ ⏑ ⏑̀⏑ –́ ⏑ ⏑̀), *corporis in Italia nullum sepulcrum esse patiemini* (–́ ⏑ ⏑̀⏑ –́ ⏑ –̀)? *hunc sua quisquam sententia ex hac urbe expellet* (–́ ⏑ –̀ –́ ⏑), *quem omnes urbes expulsum a vobis ad se vocabunt* (–́ ⏑ – –)? *o terram illam beatam quae hunc virum exceperit**, *hanc ingratam si eiecerit* (–́ – –̀ –́ ⏑ ⏑̀), *miseram, si amiserit* (–́ – –̀ –́ ⏑ ⏑̀). *sed finis sit, neque enim prae lacrimis iam loqui possum* (–́ ⏑ –̀ – –) *et hic se lacrimis defendi vetat* (–́ – –̀ – ⏑ ⏑̀). *vos oro obtestorque, iudices, ut in sententiis ferendis, quod sentietis, id audeatis* (–́ ⏑ – ⏑). *vestram virtutem iustitiam fidem, mihi credite* (–́ ⏑ –̀ –́ ⏑ ⏑̀), *is maxime probabit* (–́ ⏑ – ⏑), *qui in iudicibus legendis optimum et sapientissimum et fortissimum quemque elegit* (–́ ⏑ –̀ –́ ⏑).

Or. pro Quinctio 1—3 *quae res in civitate duae plurimum possunt* (–́ ⏑ –̀ –́ –), *eae contra nos ambae faciunt in hoc tempore* (–́ ⏑ –̀ –́ ⏑ ⏑̀), *summa gratia et eloquentia**: *quarum alteram, C. Aquili, vereor, alteram metuo* (–́ ⏑ –̀ ⏑́⏑ –): *eloquentia Q. Hortensi ne me dicendo impediat non nihil commoveor* (–́ – –̀ ⏑́⏑ ⏑̀), *gratia Sex. Naevii ne P. Quinctio noceat* (–́ ⏑ –̀ ⏑́⏑ ⏑), *id vero non mediocriter pertimesco* (–́ ⏑ – –). *neque hoc tanto opere quaerendum videretur* (–́ ⏑ –̀ –́ ⏑), *haec summa in illis esse* (–́ – – ⏑), *si in nobis essent saltem mediocria* (–́ – ⏑̀⏑ ⏑́⏑ ⏑): *verum ita res se habet ut ego, qui neque usu satis et ingenio parum possum* (–́ ⏑ –̀ –́ ⏑), *cum patrono disertissimo comparer* (–́ ⏑ –̀

---

1) Schluß eines κόμμα, nicht eines κῶλον.

2) Enklisis.

3) Hier ist keine Pause, denn sonst würde die Klausel hexametrisch sein, was er so gut wie ganz meidet, doch cf. Heindorf zu de nat. deor. p. 114. Zumpt zu Verr. p. 66. Madvig zu de fin.³ 485. A. Eberhard, Lect. Tull. (Progr. Bielefeld 1872) 8 f.

–́ ⏑ ⏓), *P. Quinctius, cuius tenues opes, nullae facultates* (–́ ⏑ –̀ –́ –), *exiguae amicorum copiae sunt* (–́ ⏑ – –), *cum adversario gratiosissimo contendat* (–́ – – ⏑). *illud quoque nobis accedit incommodum* (–́ ⏑ –̀ –́ ⏑ ⏓), *quod M. Iunius qui hanc causam, C. Aquili, aliquotiens apud te egit*, homo et in aliis causis exercitatus* (–́ ⏑ – ⏑) *et in hac multum ac saepe versatus* (–́ ⏑ –̀ –́ ⏓), *hoc tempore abest nova legatione impeditus* (–́ ⏑ – ⏑), *et ad me ventum est qui, ut summa haberem cetera*, temporis quidem certe vix satis habui**[1]), *ut rem tantam, tot controversiis implicatam, possem cognoscere* (–́ – –̀ –́ ⏑ ⏓).

Or. Philipp. 14, 1—3: *si, ut ex litteris quae recitatae sunt, patres conscripti* (–́ – – –), *sceleratissimorum hostium exercitum caesum fusumque cognovi* (–́ ⏑ –̀ –́ –), *sic id quod et omnes maxime optamus* (–́ – – ⏑) *et ex ea victoria quae parta est consecutum arbitramur* (–́ ⏑ – ⏑), *D. Brutum egressum iam Mutina esse cognovissem* (–́ – – ⏑)[2]), *propter cuius periculum ad saga issemus**[3]), *propter eiusdem salutem redeundum ad pristinum vestitum sine ulla dubitatione censerem* (–́ ⏑ –̀ –́ ⏑); *ante vero quam sit ea res quam avidissime civitas exspectat adlata* (–́ ⏑ –̀ –́ ⏑), *laetitia frui satis est maximae praeclarissimaeque pugnae* (–́ ⏑ – –): *reditum ad vestitum confectae victoriae reservate* (–́ ⏑ –̀ –́ ⏑). *confectio autem huius belli est Decimi Bruti salus* (⏑́⏑ – –̀ –́ ⏑ –̀). *quae autem est ista sententia* (–́ ⏑ –̀ –́ ⏑ ⏓), *ut in hodiernum diem vestitus mutetur* (–́ – – ⏑), *deinde cras sagati prodeamus* (–́ ⏑ – ⏑)? *nos vero cum semel ad eum quem cupimus optamusque vestitum redierimus* (⏑́⏑ ⏑ – ⏑)[4]), *id agamus ut eum in perpetuum retineamus* (⏑́⏑ ⏑ – ⏑). *nam hoc quidem cum turpe est tum ne dis quidem immortalibus gratum* (–́ ⏑ –̀ –́ ⏑), *ab eorum aris ad quas togati adierimus* (⏑́⏑ ⏑ – ⏑), *ad saga sumenda discedere* (–́ ⏑ –̀ –́ ⏑ ⏓). *atque animadverto, patres conscripti* (–́ – – –), *quosdam huic favere sententiae* (–́ ⏑ –̀ –́ ⏑ –̀), *quorum ea mens*

---

1) In beiden Fällen bleibt die Stimme in der Schwebe.

2) Bez. *esse cognossem* (–́ ⏑ –̀ –́ ⏑).

3) Der Sinn zeigt, daß hier die Stimme in der Schwebe bleibt, also keine Klausel vorliegt.

4) Wüst p. 81 schließt aus den Klauseln *feceritis* (pr. Mil. 99. Lig. 24), *memineritis* (in Cat. 4, 23) und *proposueritis* (–́ ⏑ ⏑́⏑ –́ ⏑, so, nicht wie Wüst), daß Cicero, wie ja auch aus der Praxis des Catull ganz begreiflich ist, diese Formen noch mit alter Betonung sprach.

idque consilium est (–́ ⏑ – ⏑́⏑ –)[1]), *ut eum videant gloriosissimum illum D. Bruto futurum diem* (–́ ⏑ – –́ ⏑ ⏓), *quo die propter eius salutem redierimus* (⏑́⏑ ⏑ – ⏑), *hunc ei fructum eripere cupiant* (⏑́⏑ ⏑ ⏑́⏑ –)[2]), *ne memoriae posteritatique prodatur* (–́ ⏑ – – ⏑) *propter unius civis periculum populum Romanum ad saga isse**[3]), *propter eiusdem salutem redisse ad togas.**[4]) *tollite hanc: nullam tam pravae sententiae causam reperietis* (⏑́⏑ ⏑ – ⏑). *vos vero, patres conscripti* (–́ – – –), *conservate auctoritatem vestram* (–́ – – ⏑), *manete in sententia**, *tenete vestra memoria* (–́ ⏑ ⏑́⏑ –)[5]), *quod saepe ostendistis* (–́ – – ⏑), *huius totius belli in unius viri fortissimi et maximi vita positum esse discrimen* (–́ ⏑ – – ⏑).

Daß nun bei dieser Praxis Ciceros vieles aus dem Zufall oder, richtiger gesagt, aus dem ingenium der lateinischen Sprache selbst, die — zum deutlichen Abbild ihrer gravitas gegenüber der griechischen — einen großen Überschuß an Längen hat, zu erklären ist, dürfte von vornherein selbstverständlich sein; aber ebenso sicher ist, daß die fast ausnahmslose Befolgung der Regel ein Resultat der Berechnung ist. Selbst wenn wir nicht die für die Lateiner vorbildliche Praxis der Griechen sowie die angeführten Zeugnisse der Rhetoren besäßen, würden wir das aus folgenden drei Tatsachen schließen müssen. Erstens aus der Praxis von Schriftstellern, die sich von dem Gesetz der rhythmischen Klausel emanzipieren; z. B. nehme man eine beliebige Rede bei Livius und vergleiche sie mit Cicero, etwa Liv. XXI 18, 3 ff.: *praeceps vestra, Romani, et prior legatio fuit**, *cum Hannibalem tamquam suo consilio Saguntum oppugnantem deposcebatis* (–́ – – ⏑); *ceterum haec legatio verbis adhuc lenior est, re asperior**. *tunc enim Hannibal et insimulabatur et deposcebatur* (–́ – – ⏑); *nunc ab nobis et confessio culpae exprimitur* (–́ – –

---

1) Wie weit bei *est* Enklisis bez. Synalöphe (cf. F. Leo, Plaut. Forsch. 224 ff.) geht, muß genauer festgestellt werden (cf. auch Wüst p. 41); z. B. sicher pr. Sest. 2 *iis potissimum vox haec serviat, quorum opera et mihi et vobis et populo Romano restituta est* (–́ ⏑ – –: Schluß eines größeren Abschnitts); Phil. 4, 9 *libido flagitiosa, qua Antoniorum oblita est vita* (–́ ⏑ – –́ ⏑: ebenfalls).

2) Oder ist hier eine Aweichung zu konstatieren? Jedenfalls ist der Ditrochäus mit doppelter Auflösung sehr selten.

3) Cf. S. 935, 3.

4) Eventuell (s. o. S. 932, 6) *salutem redisse ad togas* (–́ ⏑ – –́ ⏑ –).

5) Eventuell Abweichung, im κομμάτιον begreiflich.

⏑́⏑) *et ut a confessis res extemplo repetuntur* (–́ – ⏑́⏑ –́ ⏑). *ego autem non privato publicone consilio Saguntum oppugnatum sit quaerendum censeam*, sed utrum iure an iniuria*. nostra enim haec quaestio atque animadversio in civem nostrum est*, quid nostro aut suo fecerit arbitrio*; vobiscum una disceptatio est, licueritne per foedus fieri* (–́ – ⊥ ⏑́⏑ –). *itaque quoniam discerni placet*, quid publico consilio, quid sua sponte imperatores faciant* (–́ – ⏑́ ⏑ –), *nobis vobiscum foedus est a C. Lutatio consule ictum*, in quo cum caveretur utrorumque sociis*, nihil de Saguntinis — necdum enim erant socii vestri* — cautum est*.* Hier sind die Abweichungen von dem Gesetz häufiger als in allen ausgeschriebenen Stellen Ciceros zusammen, und von den der Regel scheinbar entsprechenden Fällen ist kein einziger ganz genau, da im Trochäus und Creticus überall statt der Kürzen Längen stehen, was besonders für letzteren bei Cicero doch nur ganz ausnahmsweise vorkommt. Zweitens aus der Beschaffenheit einzelner Stellen in Ciceros Reden selbst, wo das Gesetz nicht oder nicht streng beobachtet wird; z. B. or. pro Rosc. A. 54 *'exheredare filium voluit'* (–́ ⏑ ⊥ ⏑́⏑ ⏑). *'quam ob causam*?' 'nescio.*' 'exheredavitne'* (–́ ⏑ ⊥ –́ ⏑)? *'non.' 'quis prohibuit?' 'cogitabat'* (–́ ⏑ – ⏑). *cui dixit*? nemini*.* or. pro Deiot. 21 *'cum' inquit 'vomere post cenam te velle dixisses* (–́ ⏑ ⊥ – ⏑), *in balneum te ducere coeperunt*: ibi enim erant insidiae*. at te eadem tua fortuna servavit* (–́ ⏑ ⊥ –́ ⏑): *in cubiculo malle dixisti* (–́ ⏑ ⊥ –́ –).' *di te perduint, fugitive*. ita non modo nequam et improbus, sed fatuus et amens es*. quid? ille signa aenea in insidiis posuerat quae e balneo in cubiculum transferri non possent* (–́ – ⊥ – –)? *habes crimina insidiarum*: nihil enim dixit amplius*. 'horum' inquit 'eram conscius'*.* Hier sind die zahlreichen Ausnahmen offenbar aus dem Gesprächston zu erklären. Drittens aus gesuchten Wortstellungen. Denn wenngleich die Kunst Ciceros wie aller bedeutenden Stilisten des Altertums gerade darin liegt, daß er sie im allgemeinen nicht durch äußerliche Mittel zur Schau stellt, so gibt es doch auch bei ihm Stellen, an denen man, ähnlich wie im Isokrates bei der Hiatvermeidung, an der Wortstellung eine Absichtlichkeit nicht verkennen kann. Ein paar Beispiele, die sich sehr vermehren lassen, mögen das zeigen. Or. pr. Cluent. 199 *uxor generi, noverca fili, filiae pellex* (–́ ⏑ ⊥ –́ –). Or. Philipp. 14, 3 *huius totius belli in unius viri fortissimi* *et maximi vita positum esse discrimen* (–́ ⏑ –̀ – ⏑). 15 *ex quo caedes esset vestrum omnium consecuta* (–́ ⏑ –̀ –́ ⏑ – ⏑). 17 *male enim mecum ageretur, si parum vobis essem sine defensione purgatus* (–́ ⏑ –̀ – ⏑). 20 *huic essem nomini pestiferae pacis inimicus* (–́ ⏑ ⏑̀⏑ –́ ⏑). 23 *grave bellum Octavianum insecutum est* (–́ ⏑ – ⏑): *supplicatio Cinnae nulla victoris* (–́ ⏑ –̀ –́ ⏑). *Cinnae victoriam imperator ultus est Sulla* (–́ ⏑ –̀ – ⏑). 32 *priorum estis sedem et locum consecuti* (–́ ⏑ –̀ –́ ⏑ – –). 3, 30 *qui cum exercitu sit ad dispersionem urbis venire conatus* (–́ ⏑ –̀ –́ ⏑). in Cat. 4, 14 *omnia et provisa et parata et constituta sunt cum mea summa cura atque diligentia tum etiam multo maiore populi Romani ad summum imperium retinendum et ad communes fortunas conservandas voluntate* (–́ ⏑ –̀ –́ ⏑). 16 *qui non tantum quantum audet et quantum potest conferat ad communem salutem voluntatis* (–́ ⏑ –̀ –́ ⏑). pr. Arch. 13 *quantum ceteris ad suas res obeundas, quantum ad festos dies ludorum celebrandos, quantum ad alias voluptates et ad ipsam requiem animi et corporis conceditur temporum* (–́ ⏑ –̀ –́ ⏑ ⏑̆). de or. II 262 *Crassus apud M. Perpernam iudicem pro Aculeone quom diceret:* diese Stellung von *quom* ist altertümlich, für Cicero ungewöhnlich, cf. Rhein. Mus. XLIX (1894) 551. or. 66 *in his tracta quaedam et fluens expetitur, non haec contorta et acris oratio.* Für Inversion von *est, esse, esset* etc. vgl. etwa noch pr. Sest. 3 a. E. 11 a. E. 15 a. E. 31 a. E. 33 a. E 51 öfters. 52 a. E. 59. 62.

Wie sich die relative Anzahl der gesetzmäßigen Klauseln sowie die der Ausnahmen über die einzelnen Reden erstreckt und ob, was ich nicht glaube, zwischen den einzelnen Reden Unterschiede bestehen[1]), muß genauer untersucht werden; die Betrachtung der Schlußworte der ganzen Reden (soweit sie nicht am Ende verstümmelt sind) ergibt folgendes Resultat:

a.	–́ ⏑ –̀ –́ ⏑̄	12
	–́ ⏑ ⏑̀⏑ –́ ⏑̄	6
	⏑́⏑ ⏑ –̀ –́ ⏑̄	3
		21

1) Wüst l. c. und auf ihm fußend O. Guttmann, De Caesar. orat. Tull. gen. dic. (Diss. Greifswald 1883) 52 ff. 75 f. nehmen es an, aber sie gehen eben von falschen Prinzipien aus; cf. dagegen Müller l. c. 37 ff.

b.	–́ ⏑ – ⏓	16
	–́ – – –	2
	⏑́⏑ ⏑ – ⏓	1
		19
c.	–́ ⏑ ⊥ –́ ⏑ ⏓̀	3
	–́ – ⊥ –́ ⏑ ⏓̀	2
	⏑́⏑ ⏑ ⊥ –́ ⏑ ⏓̀	1
	⏑́⏑ – ⊥ –́ ⏑ ⏓̀	3
		9
	Ausnahmen	6.[1]

3. Unter Ciceros Zeitgenossen haben, wie wir wissen (s. o. S. 219, 1. 262), die Attizisten, vor allen Brutus, die rhythmische Komposition der Rede gemißbilligt: von Brutus wird uns im speziellen überliefert (Quint. IX 4, 63), daß ihm die Form –́ ⏑ ⊥ –́ ⏓ unsympathisch war, und von der als asianisch geltenden Form –́ ⏑ – ⏓ dürfen wir es erst recht vermuten (s. auch o. S. 262, 2). Es ist daher bezeichnend, daß Caesar, der Attizist, und sein Anhänger Sallust die rhythmischen Klauseln nicht beobachtet haben. Für Caesar genügt es, auf die kunstvollste Rede des ganzen bellum Gallicum, die des Critognatus VII 77 hinzuweisen; der Anfang lautet: *nihil de eorum sententia dicturus sum, qui turpissimam servitutem deditionis nomine appellant*, neque hos habendos civium loco neque ad concilium adhibendos censeo*. cum his mihi res sit, qui eruptionem probant* (–́ ⏑ ⊥ –́ ⏑ ⊥), *quorum in consilio omnium vestrum consensu pristinae residere virtutis memoria videtur*. animi est ista mollitia non virtus, paulisper inopiam ferre non posse* (–́ ⏑ ⊥ – ⏑). *qui se ultro morti offerant* facilius reperiuntur* (⏑́⏑ ⏑ – ⏑), *quam qui dolorem patienter ferant** usw. Es ist klar, daß hier die regulären Schlüsse, umringt von so vielen Ausnahmen, nicht auf Absicht beruhen. Für Sallust bezeugt Seneca ep. 114, 17 (s. o. S. 202, 1) ausdrücklich das Unrhythmische seiner Komposition; jede seiner Reden bestätigt das, z. B. der Anfang der des C. Cotta (p. 116 f. Jord.):

Caesar

Sallust.

---

1) Verr. act. II l. V *accusare necesse sit*; de imp. Pomp. *praeferre oportere*; de leg. agr. III *evocaverunt, disserant*; pr. Deiot. *clementiae tuae*; Phil. V *nullum haberemus*, IX *sepulcrum datum esset* (hier in einem Gesetzesantrag).

Quirites, multa mihi pericula domi militiaeque, multa advorsa fuere, quorum alia toleravi, partim reppuli deorum auxiliis et virtute mea*: in quis omnibus numquam animus negotio defuit neque decretis labos* (⏑́⏑ – ⊥ ⊥́ ⏑ ⊥). *malae secundaeque res opes, non ingenium mihi mutabant* (⊥́ – – –). *at contra in his miseriis cuncta me cum fortuna deseruere*. praeterea senectus, per se gravis, curam duplicat*, cui misero acta iam aetate ne mortem quidem honestam sperare licet**, also nur Ausnahmen und von den zwei Formen keine regulär. In der Rede Caesars de coni. Catil. 51, die etwa so lang ist wie die oben (S. 932 ff.) aus Cicero gegebenen Proben, kommt die Form ⊥́ ⏑ ⊥ ⊥́ ⏓ kein einziges Mal vor, was, wie ich denke, deutlich genug spricht. Interessant ist das Verhalten des Nepos, des Freundes Ciceros: an Stellen, wo er seiner Diktion einen höheren Schwung zu geben sucht (Reden, Charakteristiken), beobachtet er die Klauseln sehr genau (oft mit starker Verkehrung der natürlichen Wortfolge), an Stellen niederer Gattung vernachlässigt er sie: dafür sind schon oben (S. 208 f.) Beispiele gegeben worden.[1])

Nepos.

4. Über die Autoren der Kaiserzeit habe ich keine systematischen Untersuchungen angestellt, sondern mir nur gelegentlich einzelnes notiert. In den Fragmenten der Deklamatoren bei Seneca merkt man oft die Absicht: z. B. Moschus suas. 1, 2 *tempus est Alexandrum cum orbe et cum sole desinere* (⊥́ ⏑ ⊥ ⏑́⏑ ⏑). *quod noveram, vici* (⊥́ ⏑ ⊥ ⊥́ –); *nunc concupisco quod nescio* (⊥́ ⏓ ⊥ ⊥́ ⏑ ⊥). *quae tam ferae gentes fuerunt* (⊥́ ⏑ – –), *quae non Alexandrum posito genu adorarint* (⊥́ ⏑ ⊥ ⊥́ –)? *qui tam horridi montes* (⊥́ ⏑ ⊥ ⊥́ –), *quorum non iuga victor miles calcaverit* (⊥́ – ⊥ ⊥́ ⏑ ⏑̀)? *ultra Liberi patris trophaea constitimus* (⊥́ ⏑ ⊥ ⏑́⏑ ⏑). *non quaerimus orbem sed amittimus* (⊥́ ⏑ ⊥ ⊥́ ⏑ ⏑̀). *inmensum et humanae intemptatum experientiae pelagus* (⊥́ ⏑ ⊥ ⏑́⏑ ⏑), *totius orbis vinculum terrarumque custodia* (⊥́ ⏑ ⊥ ⊥́ ⏑ ⏑̀), *inagitata remigio vastitas*[2]), *litora modo saeviente fluctu inquieta* (⊥́ ⏑ – ⏑), *modo fugiente deserta* (⊥́ ⏑ ⊥ ⊥́ ⏑);

Deklamatoren.

---

1) In einer im J. 55 v. Chr. gehaltenen Rede des Helvius Mancia (bei Val. Max. VI 2, 8 = Fragm. or. Rom.² p. 328 Meyer) sind die aufeinander folgenden Klauseln *esset occisus, accidisse, trucidatum, occidissent* offenbar beabsichtigt.

2) *remigio* ist alte Konjektur für *remissio*, dem Sinn nach zwingend, aber es wäre die einzige Stelle, wo der reguläre Rhythmus aufgehoben ist.

taetra caligo fluctus premit (–́ ⏕ ⏓ –́ ⏑ ⏑), *et nescio qui quod humanis natura subduxit oculis aeterna nox obruit* (–́ ⏑ ⏓ –́ ⏑ ⏑). In den Worten des Albucius Silus contr. X 3, 3 *dona filiam, si misericors es, deprecanti; si hostis, edicto; si pater, naturae; si iudex, causae; si iratus es, fratri* (–́ ⏑ ⏓ –́ –) ist im letzten Glied *es* nur des Rhythmus wegen wiederholt.[1]) — Für Velleius und Curtius s. o. S. 303. 305. — Sehr sorgfältig hat Seneca der Sohn den rhythmischen Satzschluß beobachtet, was bei ihm deshalb noch besonders deutlich ist, weil er in kleinen Sätzen statt in Perioden schreibt; die *amputatae sententiae et verba ante exspectatum cadentia* Sallusts sind ihm zuwider (ep. 114, 17): was das Gegenteil von letzteren ist, zeigt Cicero or. 199: *cum aures extremum semper exspectent in eoque acquiescant, id vacare numero non oportet.* Aus den Dialogen ist schon oben (S. 311 f.) eine Probe gegeben: hier folge noch eine beliebige Stelle der Briefe[2]): ep. 24, 4 ff. *damnationem suam Rutilius sic tulit tamquam nihil illi molestum aliud esset quam quod male iudicaretur. exilium Metellus fortiter tulit Rutilius etiam libenter: alter ut rediret reipublicae praestitit, alter reditum suum Sullae negavit, cui nihil tunc negabatur. in carcere Socrates disputavit et exire cum essent qui promitterent fugam noluit remansitque, ut duarum rerum gravissimarum hominibus metum demeret, mortis et carceris. Mucius ignibus manum inposuit*; acerbum est uri: quanto acerbius si id te faciente patiaris. vides hominem non eruditum nec ullis praeceptis contra mortem aut dolorem subornatum, militari tantum robore instructum poenas a se inriti conatus exigentem: spectator destillantis in hostili foculo dexterae stetit* nec ante removit nudis ossibus fluentem manum, quam ignis illi ab hoste subductus est. facere aliquid in illis castris felicius potuit nihil fortius. vide quanto acrior sit ad occupanda pericula virtus quam crudelitas ad inroganda: facilius Porsenna Mucio ignovit quod voluerat occidere, quam sibi Mucius quod non occiderat. 'decantatae' inquis 'in omnibus scholis fabulae istae*

Seneca.

---

1) Cf. auch die Fragmente aus einer Kontroversie des Seneca selbst bei Quintil. IX 2, 42 f. — Sehr gekünstelte Wortstellung auch in dem Fragm. des Griechen Hybreas bei Sen. suas. 4, 5.

2) Ich bezeichne von hier an den Rhythmus nur mehr durch gesperrten Druck und interpungiere in den Proben aus Seneca und Plinius nicht in unserer Manier, sondern in antiker, d. h. nach dem Rhythmus.

sunt: iam mihi cum ad contemnendam mortem ventum fuerit Catonem narrabis'. quidni ego narrem ultima illa nocte Platonis librum legentem posito ad caput gladio? duo haec in rebus extremis instrumenta prospexerat, alterum ut vellet mori alterum ut posset*. compositis ergo rebus, utcumque componi fractae atque ultimae poterant, id agendum existimavit, ne cui Catonem aut occidere liceret aut servare contingeret. et stricto gladio, quem usque in illum diem ab omni caede purum servaverat 'nihil' inquit 'egisti fortuna, omnibus conatibus meis obstando. non pro mea adhuc sed pro patriae libertate pugnavi, nec agebam tanta pertinacia ut liber sed ut inter liberos viverem: nunc quoniam deploratae sunt res humani generis Cato deducatur in tutum* usw. Dieselbe Praxis befolgt Plinius d. J., vgl. den Anfang des Panegyricus: *bene ac sapienter patres conscripti maiores instituerunt ut rerum agendarum ita dicendi initium a precationibus capere, quod nihil rite nihil providenter homines sine deorum inmortalium ope consilio honore auspicarentur. qui mos cui potius quam consuli aut quando magis usurpandus colendusque est, quam cum imperio senatus auctoritate reipublicae ad agendas optimo principi gratias excitamur? quod enim praestabilius est aut pulchrius munus deorum, quam castus et sanctus et diis simillimus princeps? ac si adhuc dubium fuisset, forte casuque rectores terris an aliquo numine darentur, principem tamen nostrum liqueret divinitus constitutum. non enim occulta potestate fatorum sed ab Iove ipso coram ac palam repertus est*: electus quippe inter aras et altaria eodemque loci quem deus ille tam manifestus ac praesens quam caelum ac sidera insedit*. quo magis aptum piumque est te Iuppiter optime maxime antea conditorem nunc conservatorem imperii nostri precari, ut mihi digna consule digna senatu digna principe contingat oratio, utque omnibus quae dicentur a me libertas fides veritas constet, tantumque a specie adulationis absit gratiarum actio quantum abest a necessitate.*[1]) Dagegen ignoriert Tacitus, ganz entsprechend seinen sonstigen stilistischen Prinzipien (s. o. S. 332, 2), den Rhythmus der Klausel durchaus, berührt sich also auch darin

Plinius d. J.

Tacitus.

1) Ib. 2 wechselt er deswegen mit *ante* und *antea*: *quare abeant ac recedant voces illae quas metus exprimebat: nihil quale ante dicamus, nihil enim quale antea patimur.* ibid. *quando sit actae* mit ŏ wie seit Properz.

mit Sallust. Florus, der Schönschreiber, beobachtet ihn sorgfältig, s. o. S. 600.

Von den Autoren nach Hadrian[1]), profanen wie christlichen, glaube ich sagen zu können, daß sie alle, soweit sie kunstmäßig haben schreiben wollen, das festgestellte Gesetz befolgen, und zwar werden, wenn ich nicht irre, die Ausnahmen immer seltener. Ich greife aber nur einige wenige aus der ungeheuern Masse heraus. Aus Minucius Felix habe ich schon anderswo[2]) Beispiele angeführt; hier mag noch das Prooemium stehen, wo die Regel nur dann verletzt ist, wenn die Stimme noch in der Schwebe bleibt, also eine eigentliche Klausel nicht vorliegt: *cogitanti mihi et cum animo meo Octavi boni et fidelissimi contubernalis memoriam recensenti tanta dulcedo et adfectio hominis inhaesit*, ut ipse quodammodo mihi viderer in praeterita redire*, non ea quae iam transacta et decursa sunt* recordatione revocare: ita eius contemplatio quantum subtracta est oculis, tantum pectori meo ac paene intimis sensibus inplicata est. nec inmerito decedens vir eximius et sanctus inmensum sui desiderium nobis reliquit, utpote cum et ipse tanto nostri semper amore flagraverit, ut et in ludicris et seriis pari mecum voluntate concineret eadem velle vel nolle: crederes unam mentem in duobus fuisse divisam. sic solus in amoribus conscius, ipse socius in erroribus: et cum discussa caligine de tenebrarum profundo in lucem sapientiae et veritatis emergerem, non respuit comitem, sed quod est gloriosius praecucurrit. itaque cum per universam convictus nostri et familiaritatis aetatem mea cogitatio volveretur, in illo praecipue sermone eius mentis meae resedit intentio, quo Caecilium superstitiosis vanitatibus etiamnunc inhaerentem disputatione gravissima ad veram religionem reformavit.* Tertullian überall da, wo er besonders sorgfältig schreibt, z. B. am Anfang des Werks de pudicitia: *pudicitia flos morum honor corporum decor sexuum, integritas sanguinis fides generis, fundamentum sanctitatis, praeiudicium omnis bonae mentis, quamquam rara*

Minucius.

Tertullian.

---

1) Cf. auch die von Fronto p. 160 N., wie es scheint, aus einer Rede (?) des M. Aurel zitierten Worte: *Tiberis est, Tusce, Tiberis, quem iubes claudi. — Tiber amnis et dominus et fluentium circa regnator undarum:* das letzte Wort ist dem Rhythmus zuliebe gewählt, denn Vergil (Aen. VIII 77), den er nachahmt, sagt: *fluvius regnator aquarum.*

2) Im Greifswalder Prooemium, Ostern 1897 p. 18ff.

nec facile perfecta vixque perpetua, tamen aliquatenus in saeculo morabitur, si natura praestruxerit, si disciplina persuaserit, si censura compresserit, siquidem omne animi bonum aut nascitur aut eruditur aut cogitur, sed ut mala magis vincunt, quod ultimorum temporum ratio͡ est, bona iam nec nasci licet, ita corrupta sunt semina, nec erudiri, ita deserta sunt studia,* Appuleius. *nec cogi, ita exarmata sunt iura.* Bei Appuleius kann man hübsch beobachten, daß er den Rhythmus in gehobenen Partien sehr sorgfältig berücksichtigt, in niederen ihn vernachlässigt; z. B. Met. VI 4 (Gebet der Psyche): *magni Iovis germana et coniuga, sive tu Sami quae insula partu vagituque et alimonia tua gloriatur tenes vetusta delubra, sive celsae Carthaginis quae te virginem vectura leonis caelo commeantem percolit beatas sedes frequentas, sive prope ripas Inachi qui te iam nuptam Tonantis et reginam dearum memorat inclitis Argivorum praesides moenibus, quam cunctus oriens Zygiam veneratur et omnis occidens Lucinam appellat: sis meis extremis casibus Iuno Sospita meque in tantis exantlatis laboribus defessam imminentis periculi metu libera. quod sciam soles praegnatibus periclitantibus ultro subvenire.* Dagegen z. B. I 22 *'meliora' inquam 'ominare et potius responde an intra aedes erum tuum offenderim'*. 'plane' inquit 'sed quae causa quaestionis huius?' 'litteras ei a Corinthio Demea scriptas ad eum reddo'*. 'dum annuntio' inquit 'hic ibidem me opperimino'*.* Daher sind die Florida besonders sorgfältig, z. B. I 1 *ut ferme religiosis viantium mors est, cum aliqui lucus aut aliqui locus sanctus in via oblatus est votum postulare, | pomum adponere, paulisper adsidere: ita mihi ingresso sanctissimam istam civitatem, quamquam oppido festinem, praefanda venia et habenda oratio et inhibenda properatio͡ est.* Der erste christliche Schriftsteller, bei dem die Beobachtung des Gesetzes ungemein pedantisch ist, weil es sich auf die kleinsten Kommata ausgedehnt Cyprian. findet, ist Cyprian; z. B. ep. I 1 *bene admones, Donate carissime: nam et promisisse me memini et reddendi tempestivum prorsus hoc tempus est, cum indulgente vindemia solutus animus in quietem sollemnes ac statas anni fatiscentis indutias sortitur. locus etiam cum die convenit et mulcendis sensibus ac fovendis ad lenes auras blandientis autumni hortorum facies amoena consentit: hic iucundum sermonibus diem ducere et* *studentibus fabulis in divina praecepta conscientiam pectoris* | *erudire. ac ne colloquium nostrum arbiter profanus impediat aut clamor intemperans familiae strepentis obtundat,* | *petamus hanc sedem. dant secessum vicina secreta, ubi dum erratici palmitum lapsus* | *nexibus pendulis* | *per arundines baiulas repunt, viteam porticum frondea tecta fecerunt. bene hic studia in aures damus, et dum in arbores et in vites oblectante prospectu oculos amoenamus, animum simul et auditus instruit et pascit obtutus: quamquam tibi sola nunc gratia, sola cura sermonis est. contemptis voluptariae visionis illecebris in me oculos tuos fixus es: tam aure quam mente* | *totus auditor es* | *et hoc amore quo diligis.* Trotz dieser peinlichen Genauigkeit sagt er gleich darauf: *in iudiciis, in contione, pro rostris opulenta facundia volubili ambitione iactetur: cum vero de domino deo vox est, vocis pura sinceritas non eloquentiae viribus nititur ad fidei argumenta sed rebus. denique accipe non diserta sed fortia, nec ad audientiae popularis illecebram culto sermone fucata, sed ad divinam indulgentiam praedicandam rudi (!) veritate simplicia. accipe quod sentitur antequam discitur, nec per moras temporum longa agnitione colligitur, sed compendio gratiae maturantis hauritur.* Für unser Gefühl ist das besonders empfindlich da, wo er (wie so häufig) Zitate aus der Schrift einfügt, z. B. de or. dom. 9 *quod declarat scripturae divinae fides, et dum docet quomodo oraverint tales, dat exemplum quod imitari in precibus debeamus, ut tales esse possimus: „Tunc ille tres, inquit* (Dan. 3, 51), *quasi ex uno ore hymnum canebant et benedicebant dominum**.“ *loquebantur quasi ex uno ore, et nondum illos Christus docuerat orare. et idcirco orantibus fuit impetrabilis et efficax sermo, quia promerebatur dominum pacifica et simplex et spiritalis oratio. sic et apostolos cum discipulis post ascensum domini invenimus orasse: „erant, inquit* (act. 1, 14), *perseverantes omnes unanimes in oratione cum mulieribus et Maria quae fuerat mater Iesu et fratribus eius**.“ *perseverabant in oratione unanimes, orationis suae et instantiam simul et concordiam declarantes: quia deus, „qui inhabitare facit unanimes in domo* (ps. 57, 7)*,“ *non admittit in divinam et aeternam domum nisi eos apud quos est unanimis oratio.* Wortstellung, Wortgebrauch, ja die Syntax ist bei ihm gelegentlich dadurch stark beeinflußt, doch gehe ich darauf nicht näher

Arnobius. ein.[1]) Arnobius berücksichtigt die Klausel, soviel ich sehe, an allen stärkeren Satzschlüssen, meist auch an den schwächeren[2]), Lactanz. während Lactanz auch darin klassischer ist, daß er sich wie sein Vorbild Cicero nicht sklavisch dem Gesetz unterwirft. Die aus der kaiserlichen Kanzlei hervorgegangenen Schriftstücke Kanzleien s. IV. halten sich genau an das Gesetz, z. B. die schwülstige Vorrede des Edictum Diocletiani a. 301 (CIL VI p. 824): *Fortunam rei publicae nostrae, cui iuxta inmortales deos bellorum memoria quae feliciter gessimus, gratulari licet tranquillo orbis statu et in gremio altissimae quietis locato, etiam pacis bonis probter quam sudore largo lavoratum est, disponi feliciter atque ornari decenter honestum publicum et Romana dignitas maiestasque desiderant, ut nos qui benigno favore numinum aestuantes de praeterito rapinas gentium barbararum ipsarum nationum clade conpressimus, in aeternum fundatam quietem ab intestinis quoque malis saepiamus. etenim si ea quibus nullo sibi fine proposito ardet avaritia desaeviens, qua sine respectu generis humani, non annis modo vel mensibus aut diebus, set paene horis ipsisque momentis ad incrementa sui et augmenta festinant, aliqua continentiae ratio frenaret, vel si fortunae communes aequo animo perpeti possent hanc debachandi licentiam qua pessime in dies eiusmodi sorte lacerantur: dissimulandi forsitam adque reticendi relictus locus videretur, cum detestandam inmanitatem condicionemque miserandam communis animorum patientia temperaret* usw. Ebenso der Brief Constantins an Porfyrius Optatianus, woraus man lernen kann, daß das Gesetz auch für die Kritik wichtig ist[3]), ein inschrift-

1) Interessant müßte eine Untersuchung der pseudocyprianischen Schriften sein; z. B. beobachtet der Vf. von De bono pudicitiae den Satzschluß in Cyprians Sinn, aber bei ihm ist das Gefühl für die Quantität schon abhanden gekommen und er mißt daher im 1. Kapitel einmal nach dem Akzent: *redderé conor* (⊥ ∪ ∪́ ⊥ ∪). Dagegen kennt der Vf. De duplici martyrio das Gesetz überhaupt nicht: begreiflich, denn er ist, wie von F. Lezius in: Neue Jhb. f. deutsche Theol. 1895, 95 ff. 184 ff. glänzend nachgewiesen wurde, Erasmus: die Tradition über den Rhythmus bricht aber, wie wir sehen werden, am Ende des Mittelalters ab.

2) Verfehlt ist K. Stange, De Arnobii oratione: II de clausula Arnobiana, Progr. Saargemünd 1893; er kennt nichts von dem, was früher über solche Dinge geschrieben war.

3) Falsch sind folgende Konjekturen L. Müllers (Porf. Opt. carm., Leipz.

lich erhaltener Brief desselben (CIL III 352, Bruns, Fontes[6] p. 158 f.) und die Erlasse des Codex Theodosianus, z. B. vom J. 380 (cod. Iust. I 1, 1); *cunctos populos, quos clementiae nostrae regit temperamentum, in tali volumus religione versari, quam divinum Petrum apostolum tradidisse Romanis religio usque ad nunc ab ipso insinuata declarat quamque pontificem Damasum sequi claret et Petrum Alexandriae episcopum virum apostolicae sanctitatis, hoc est ut secundum apostolicam disciplinam evangelicamque doctrinam patris et filii et spiritus sancti unam deitatem sub pari maiestate et sub pia trinitate credamus*[1]) usw. Die Praxis des Hieronymus ist wiederum ganz lehrreich: da, wo er spinöse Fragen behandelt, achtet er nicht oder so gut wie nicht auf den Rhythmus, aber sobald seine Rede höheren Schwung nimmt, stellt er sich ein. Man lese z. B. den vierzehnten Brief (I 28 ff. Vall.): bis c. 9 mehr Ausnahmen als der Regel gemäße Klauseln, aber dann beginnt c. 10 der pathetisch-schwülstige Epilog also: *sed quoniam e scopulosis locis enavigavit oratio et inter cavas spumeis fluctibus cautes fragilis in altum cymba processit, expandenda vela sunt ventis et quaestionum scopulis transvadatis laetantium more nautarum epilogi celeuma cantandum est. o desertum Christi floribus vernans. o solitudo, in qua illi nascuntur lapides de quibus in apocalypsi* Hieronymus.

1877 p. 4): *a fructu favoris exclusi sunt* für *exclusit*, wie richtig überliefert ist (Subjekt ist *eloquentia*); *hoc tenere propositum ⟨contigit⟩*, vielmehr: *hoc tenere ⟨contigit⟩ propositum; ut haesitantiam carmini multiplex legis observantia non parĕret:* überliefert ist *repararet*, zu schreiben *pararet* (aus *pa*^ra^*reret*); unnötig die Änderung *elegia cantatast* für das überlieferte *elegia cantata sunt* (ἐλεγεῖον öfters so latinisiert saec. IV). Dagegen wird bestätigt: *ex ea vindicare* für *indicere; conlocutus est ⟨alter⟩*.

1) In der Praefatio zur Urbs Constantinopolitana nova Roma (verfaßt unter Theodosius II 408—450) ed. in: Not. dign. ed. Seeck p. 229, Geogr. min. ed. Riese p. 133 durchgängig, merkwürdigerweise außer dem letzten Wort; dies ebenso in der Epist. Vindiciani comitis archiatrorum ad Valentinian. bei Marcell. Emp. p. 21 ff. Helmr. — Recht bemerkenswert dürfte sein, daß die byzantinische Staatskanzlei in ihren lateinischen, für den Westen bestimmten Schriften das Gesetz nicht kennt, vgl. z. B. die Antwort Justinians auf ein Schreiben des römischen Papstes Cod. Iust. I 1, 8: letzteres ist streng rhythmisiert, erstere absolut nicht. Die Tradition war in Byzanz abgebrochen, da für das Griechische, wie wir sahen, seit ca. 400 n. Chr. ein anderes Gesetz galt.

civitas magni regis extruitur. o eremus familiarius deo gaudens usw.[1]) Augustin ist, wenn ich nicht irre, der erste, der neben der Quantität der Silben auch schon den Akzent in der Klausel berücksichtigt: begreiflich genug, da er selbst von den Afrikanern sagt, sie verständen sich nicht darauf, mit den Ohren die Quantität der Silben zu perzipieren (cf. K. Sittl, D. lokal. Versch. d. lat. Spr. 68), woraufhin er ja auch seinen berühmten Hymnus gegen die Donatisten nur nach dem Akzent geregelt hat. Zum Beweis will ich eine Stelle anführen, die uns auch durch ihren Inhalt gerade hier interessiert. De doctr. Christ. IV 20, 40 f. '*induite dominum Iesum Christum, et carnis providentiam ne feceritis in concupiscentiis*' (Paul ep. ad Rom. 13, 14). *quod si quisquam ita diceret: 'et carnis providentiam ne in concupiscentiis feceritis', sine dubio aures clausula numerosiore mulceret*[2]), *sed gravior interpres etiam ordinem maluit tenere verborum. quomodo autem hoc in graeco elóquio sónet, quo est locutus ápostolus, viderint eius eloquii usque ad ista doctiores: mihi tamen quod nobis eodem verborum ordine interprétatum est, nec ibi videtur currere númerose.*[3]) *sane hunc elocutionis ornatum, qui numerosis fit clausulis, deesse fatendum est auctoribus nostris. quod utrum per interpretes factum sit*[4]) *an, quod magís arbitror, consulto illi haec plausibilia devitarint, affirmare non audeo, quoniam me fateor ignorare. illud tamen scio, quod si quisquam huius numerositatis peritus illorum clausulas eorundem numerorum lege cómponat, quod facillime fit mutatis quibusdam verbis quae tantundem significatione válent vel mutato eorum quae invenerít ordine*[5]), *nihil illorum quae velut magna in scholis grammaticorum aut rhetorum didicit, illis divinis viris defuisse cognoscet et multa reperiet locutionis genera tanti decoris, quae*

1) Es ist doch charakteristisch, daß an der einzigen Stelle der beiden den Epilog bildenden Kapitel, wo die Klausel vernachlässigt ist, die Überlieferung schwankt: c. 11 *exhibebitur cum prole sua Venus*, cf. die adn. crit.

2) Nämlich mit –́ – ⏑́⏑ ⏑. *Concupiscentiis* hat zwar die Form –́ ⏑ – –́ ⏑ –, aber sie durfte nicht aus einem Wort bestehen, was wenigstens für –́ ⏑ – –́ ⏓ nach einigen galt: Quint. IX 4, 65 f. 97: die Praxis ist noch zu untersuchen.

3) *Τῆς σακρὸς πρόνοιαν μὴ ποιεῖσθε εἰς ἐπιθυμίας.*

4) Er hörte wohl nur *factu*.

5) So also machte man es.

quidem et in nostra sed maxime in sua lingua décora sunt, quorum nullum in eis quibus isti inflantur litteris invenitur. sed cavendum est ne divinis gravibusque sententiis, dum additur numerus, pondus detrahatur. nam illa musica disciplina, ubi numerus plenissime dicitur, usque adeo non defuit prophetis nostris, ut vir doctissimus Hieronymus quorundam etiam métra commemoret in hebraea dumtaxat lingua, cuius ut veritatem servaret in verbis, haec inde non transtulit. ego autem ut de sensu meo lóquar, qui mihi quam aliis et quam aliorum est útiqué notior, sicut in meo eloquio, quantum modeste fíeri arbitror, non praetermitto istos numeros clausularum, ita in auctoribus nostris hoc mihi plus placet, quod ibi eos rarissime invenio.[1] In den für das Volk bestimmten Predigten tritt der Akzent womöglich noch stärker hervor, vgl. z. B. serm. 11 (38, 97 f. Migne).

Zeugnisse des Ennodius und Sedulius.

Aus späteren Autoren[2] will ich, da sich aus ihnen für das Prinzip nichts Neues lernen läßt, nur noch auf zwei hinweisen, die von der besprochenen Sache selbst reden. Ennodius ep. I 1 *dum salum quaeris verbis in statione conpositis et incerta liquentis elementi placida oratione describis, dum sermonum cymbam inter loquelae scopulos rector diligens frenas et cursum artificem fabricatus trutinator expendis, pelagus oculis meis, quod aquarum simulabas eloquii, demonstrasti,* und besonders Sedulius in der Vorrede zu seiner Prosabearbeitung des Carmen paschale p. 171 Huemer: *praecepisti, reverende mi domine, paschalis carminis textum ... in rhetoricum me transferre sermonem .....* p. 173 *priores igitur libri, quia versu digesti sunt, nomen paschalis carminis acceperunt, sequentes autem in prosam nulla cursus varietate conversi paschalis designantur operis vocabulo nuncupati.*

---

1) Zum Inhalt vergleiche noch was weiter folgt c. 26, 56: sogar in der niedern Redegattung (*oratio submissa*), deren Zweck nur Belehrung sei, dürfe man nicht jede *suavitas* verbannen, denn *maxime quando adest ei quoddam decus non appetitum sed quodammodo naturale, et nonnulla non iactanticula sed quasi necessaria atque ut ita dicam ipsis rebus extorta numerositas clausularum, tantas acclamationes excitat, ut vix intellegatur esse submissa.*

2) Für Faustus von Reii († c. 500) cf. A. Engelbrecht im Corp. eccl. Vind. XXI p. XXXII; für Caesarius von Arles: C. Arnold, Caesarius v. A. (Leipz. 1894) 85. Für das Konzil zu Bagai i. J. 394 s. o. S. 625 f.

Sedulius muß also nach diesem seinem Selbstzeugnis als Norm für das gelten, was man damals als rhetorische Klausel (*cursus*, s. weiter unten) ansah. Wir sehen aus seiner Praxis, daß in den uns bekannten Klauseln damals die Messung nach dem Akzent schon durchaus legitim war; cf. den Anfang: *paschalibus te dapibus conviva quisquis inpertis, accubitare nostris non dedignatus in tóris, erectum supercilii depone fastigium, si carus advenies ét amicus, nec opus codicis hic requiras artificis sed exigua parvae mensae sollemnia* | *laetus accipiens, contentus adsumens libentius animo saturare quam cíbo* usw., cf. p. 177, 13 *dirigens vía*, 180, 1 *delicta nécaverant.*[1])

Theorie und Praxis des Mittelalters. 5) Für das Mittelalter muß ich auf die Darlegungen der oben (S. 924 ff.) genannten Gelehrten verweisen[2]): abgeschlossen scheint mir die Forschung hier noch keineswegs zu sein. Ob es sich z. B. wirklich bestätigen wird, daß die Tradition von Gregor d. Gr. († 601) bis zum XI. Jh. völlig aufgehoben ist? Innerlich ist derartiges immer höchst unwahrscheinlich und dürfte sich in diesem Fall auch wohl durch Tatsachen widerlegen lassen, z. B. habe ich mir notiert, daß die regulären Klauseln dem Marculfus (s. VII) in seinen Formularum libri (Mon. Germ. Leg. sect. V) noch bekannt sind, daß für die karolingische Zeit Theodulfus, Carm. l. IV 2 (ed. Sirmond Vened. 1728 vol. II 813 ff.) sie zu bezeugen scheint, daß sie Gerbert († 1003) in seinem Brief an Otto III (ep. 154 ed. Par.) beobachtet (aber Otto selbst in seinem Brief = ep. 153 nicht), ebenso Walther Spirensis (s. X) in seiner prosaischen Passio S. Christophori ed. Pez, Thes. anecd. II P. III p. 57 ff. Für diejenigen meiner Leser, denen diese Dinge ferner liegen, bezeichne ich in aller Kürze die Praxis des Mittelalters nach den Vorschriften der Theoretiker (Dictatores):

1) Cursus planus: *nóstris ìnfúnde, largíre cùlpárum, devotiónis àfféctu* etc.; *reficiámur ìn ménte.*

2) Cursus tardus: *dígnos èffíciànt, iudicáta làtínitàs; sacraménta quaè súmpsimùs, vérba pròláta sùnt.*

---

1) Konsonantisches *h* z. B. p. 179, 2 *recondat in horrea.*

2) Cf. ferner noch H. Breßlau, Hdb. d. Urkundenl. I (Leipz. 1889) 588 ff. A. Giry, Manuel de diplomatique (Paris 1894) 454 ff.

3) Cursus velox: *glóriàm pérducámur, actiónibùs érudíta* etc.; *profíciànt ét‿salúte, cérnitùr ét‿in‿térra, spíritùs sáncti‿déus.*

Die beiden ersten Formen sind basiert auf dem Creticus, und zwar sind es die uns seit Demosthenes wohlbekannten Formen ∠ ∪ ⊥ ∠ ⊽ und ∠ ∪ ⊥ ∠ ∪ ⊥, nur daß statt der Quantität der Akzent die Norm bildet, also ´ ~ ` ´ ~ und ´ ~ ` ´ ~ `; die dritte Form ist der ebenfalls auf die griechische Kunstprosa zurückgehende Ditrochäus ∠ ∪ ∠ ⊽, bzw. ´ ~ ´ ~: wann es Gesetz geworden ist, daß dieser dritten Form ein Creticus vorausgehen muß, also ´ ~ ` ´ ~ ´ ~, ist noch genauer zu untersuchen: Cicero liebt es schon (s. o. S. 932, 7).

Aufhebung durch die Humanisten. Wie lange erhielt sich die Tradition? Daß sie durch Dante noch vertreten wird, ist selbstverständlich; aber auch Petrarca zahlt dem Mittelalter noch seinen Tribut, vgl. z. B. seinen Brief an Quintilian (ep. de reb. fam. XXIV 7), der sich über die Akzente entsetzt haben würde: *olim tuum nomen audieram et de tuo áliquid legeram, et mirabar unde tibi nomen ácuminis. sero ingenium tuum novi. oratoriarum institutionum liber heu discerptus et lacer venit ad manus méas* usw. Bei der jüngeren Humanistengeneration erlosch die Tradition bis zu dem Grade[1]), daß Erasmus die von ihm gefälschte Cyprianschrift ohne eine Ahnung von diesem Gesetz verfaßte (s. oben S. 946, 1): ein neuer Beleg für die früher (S. 767) bemerkte Tatsache, daß sie dem mittelalterlichen Latein, damit aber zugleich auch dem Latein als lebender Sprache, den Todesstoß versetzte. Aber in den Kreisen der Scholastiker, die das reaktionäre Element vertraten, erhielt sich die Tradition viel länger: ich war überrascht, sie ausführlich erörtert zu finden in der von humanistischen Ideen nur leise berührten (anonymen) Ars dicendi, die in Köln 1484 gedruckt ist[2]); wer sich einmal mit der Geschichte dieser Klausel genauer beschäftigen will, kann nichts Besseres tun, als die Dar-

---

1) Wenn einige die Form ∠ ∪ ∪∪ ∠ ∪ nach *esse videatur* bevorzugten (cf. R. Sabaddini, La scuola di Guarino [Catania 1896] 75), so taten sie das nicht, weil die mittelalterliche Tradition in ihnen noch lebendig war, sondern auf Grund der Stellen antiker Rhetoren, in denen sie die Vorliebe Ciceros für *esse videatur* bezeugt fanden (s. o. S. 927 f.).

2) Cf. Panzer, Ann. typ. I p. 292 n. 117; vorhanden auf der Kgl. Bibliothek zu Berlin. S. auch o. S. 765, 1.

legungen des Anonymus, die genauesten, die es überhaupt gibt, zugrunde zu legen.

V. Folgerungen für unsere Texte.

Konsequenzen und Postulate.

Die vorgelegte Skizze der Geschichte der rhythmischen Klausel dürfte nicht bloß theoretisch insofern interessant sein, als wir durch sie die Zähigkeit der Tradition für zwei Jahrtausende an einem einfachen Gesetze deutlich beobachten können, sondern sie besitzt auch praktische Bedeutung in mehrfacher Hinsicht. 1) Sie zeigt uns, wie wir antike Kunstprosa rezitieren müssen, wenn wir uns wenigstens in einem Punkt eine Vorstellung von ihrem Ethos machen wollen. 2) Sie lehrt uns, auf welche Partien seines Werks ein Autor durch ihre Beobachtung bzw. Vernachlässigung großes oder geringes Gewicht gelegt hat, sie dient insofern also der Interpretation. 3) Sie wird uns lehren, unsere Texte oft richtiger zu interpungieren als es jetzt geschieht. Ich halte es ferner auch umgekehrt für möglich, daß wir durch eine wissenschaftliche Geschichte der antiken Interpunktion, und zwar nicht bloß der Theorie, sondern auch der Praxis, wozu ja ein dringendes Bedürfnis vorliegt, manches für das Gesetz der rhythmischen Klausel lernen werden: auf Spuren rhythmischer Interpunktion ist im Verlauf dieses Werks gelegentlich hingewiesen, und beim Lesen griechischer Handschriften der byzantinischen Zeit (z. B. des Gregor von Nazianz, wo die Scholien sehr viel auf die Interpunktion hinweisen) wollte es mir gelegentlich scheinen, als ob darin keineswegs eine solche Planlosigkeit herrscht, wie man gewöhnlich annimmt, sondern als ob neben der grammatisch-logischen auch die rhythmische Interpunktion beobachtet wird.[1]) Wenigstens wäre zu wünschen, damit wir darüber Gewißheit erhalten, daß die Herausgeber von

1) In dem oben S. 371, 3 aus einer Hs. saec. X/XI mitgeteilten Stück des Nikephoros ist nach folgenden Worten interpungiert: *πίστιν· γεγηρακέναι, ἐνεικεῖν· ὠδίνων· πράγμασι, παράδοξον· πλάστης· φύσιν· ἀφορμάς, χρόνῳ· ὁσημέραι· τόκους· φέρειν· συγγενείας, ἀνόθευτον· ἀρετή· προκείμενον· ἐπιδόσει, κλίμακα, ἀκρότατον· μελετήσαντι, ἔπαινον· εἰσι· ἀγαθοί· δυνατοί, κατορθώματα· δέ, στόμα· δεσμῷ· ἄλλων, καταλέγεσθαι· μέν, μνήμην· πεῖρα· συχνοῖς, ἦν· προσμαρτυρεῖν· βέβαιον· διηγήσει, εἴδησιν· γλώσσῃ· λογισμῷ· ἀποδύεσθαι· ὑφορώμενον· λόγοι, πεφύκασι· ἀρετήν· κατορθώματα· διάληψιν,*

Texten griechischer und lateinischer Prosaiker sich etwa in der Praefatio kurz auch über die Interpunktion der von ihnen verglichenen Handschriften äußerten. 4) Sie wird für die Kritik nutzbar gemacht werden können, sobald die Praxis des betreffenden Schriftstellers genau ermittelt sein wird: denn bevor das geschehen ist, dürfen Stellen, die dem Gesetz widersprechen, natürlich nicht geändert werden: L. Havet hat in der Revue de philologie l. c. (oben S. 926, 1) mit Cicero de or. einen guten Anfang gemacht, doch sind noch viele Voruntersuchungen nötig, um seine Vorschläge zur Evidenz zu erheben (s. auch o. S. 932, 7. 940, 2. 946, 3. 948, 1).

VI. Terminologie des rhythmischen Satzschlusses.

Zum Schluß noch ein paar Bemerkungen über die Ausdrücke, mit denen man diese Art der kunstmäßigen Komposition bezeichnete.

1. *structura. dictamen.*

In der klassischen Zeit fehlte ein spezieller Ausdruck; erst im IV. Jahrh., als die Befolgung des Gesetzes eine immer strengere wurde, begegnet *structura*: so C. Iulius Victor ars rhet. c. 20 *structura* (Rhet. lat. 433, 20 H.) und 26 (446, 17), Diomedes betitelt den betreffenden Abschnitt seiner Grammatik *de structurae qualitatibus*; die Beschäftigung selbst nannte man *struere*, cf. Victor c. 27 (448, 15): *anxius struendi labor*. — Im Mittelalter war der typische Ausdruck *dictamen*, dessen Verfasser *dictator* hieß; *dictamen* die meisten Belege dafür findet man bei Thurot und Valois in den oben (S. 924 f.) genannten Abhandlungen[1]; ich füge noch eine erst später bekannt gewordene, recht bezeichnende Stelle hinzu: in einer von Ch. Fierville Paris 1884 edierten lateinischen Grammatik des XIII. Jh. (verfaßt in Oberitalien) heißt es fol. 81[r]: *dictamen est ad unamquamque rem congrua et decora locutio; et dicitur dictamen a dicto, as, quod est frequentativum huius verbi dico, cis. nam haec scientia maxime in exercitatione consistit. tria*

συστέλλονται· οὖν, μέγεθος· ἐλπίσαντες, μεγέθει, ἀσθένειαν· λόγους, θαύματι· διό, ἐλπίζουσιν· θαυμαζόμενοι· γνώμης, κρατεῖ, πατρί· ἐπιτρέψαντες· ὑστερίζειν, προσθήσει· μᾶλλον, ἐπανόρθωσιν· ὅθεν, ἐπαφίεμεν· προτάξαντες·

1) Cf. auch Fr. Eckstein, Lat. u. griech. Unterricht (Leipz. 1887) 52 f.

in omni exacuto dictamine requiruntur, scilicet elegantia, compositio et dignitas. elegantia est que facit ut locutio sit congrua, propria et apta. compositio est dictionum comprehensio equabiliter perpolita. . . dignitas est que ordinem exornat et pulchra varietate distinguit.

Der Ursprung dieses Wortes dürfte von allgemeinerem Interesse sein, weshalb ich kurz darauf eingehe. Es war nämlich Sitte zu diktieren und nur in Ausnahmefällen (z. B. in besonders vertraulichen Briefen) selbst zu schreiben: für Regel und Ausnahme lasse ich die mir bekannten griechischen und lateinischen Zeugnisse folgen.

dictare = diktieren, überhaupt.

Der Apostel Paulus hat, wie die bekannten Stellen seiner Briefe beweisen, diktiert, natürlich nicht (wie einige früher annahmen), weil er nicht schreiben konnte[1]), sondern weil es so Sitte war, cf. die Stellen in der Real-Enzykl. f. prot. Theol.[2] s. v. Paulus XI 379. Auch der erste Petrusbrief (s. II) ist diktiert, cf. 5, 12. Den Johannes ließ die Tradition Evangelium und Apokalypse diktieren: acta Ioh. p. XLIV. LIX ed. Zahn (Erlang. 1880). Für Ignatius cf. Lightfoot zu ep. ad Rom. 10, Philadelph. 11. Im allgemeinen: Weizsäcker, D. apost. Zeitalter p. 188.

Origenes nach Eusebios h. e. VI 23, 2 *ταχυγράφοι αὐτῷ πλείους ἢ ζ' τὸν ἀριθμὸν παρῆσαν ὑπαγορεύοντι.*

Iulian diktierte: cf. Liban. or. 17, vol. I 517 R.: *ὦ χεῖρες ὑπογραφέων τῇ τῆς γλώττης εὐμουσίᾳ κρατηθεῖσαι.*

Synesios ep. 23 *δούσης σοὶ τῆς φύσεως οὐ μόνον πρὸς χρείαν ἀλλὰ καὶ πρὸς ἔνδειξιν καὶ φιλοτιμίαν ὑπαγορεύειν ἐπιστολάς.* 16 (an Hypatia) *κλινοπετὴς ὑπηγόρευσα τὴν ἐπιστολήν*: ihr schrieb er also sonst eigenhändig.

Prokopios Gaz. ep. 28 beklagt sich über die undeutliche Schrift eines von der Hand seines Freundes geschriebenen Briefes.

Lucilius nach Hor. s. I 4, 9 f.: *in hora saepe ducentos Ut magnum versus* dictabat *stans pede in uno.*

Nero nach Suet. 52: *venere in manus meas pugillares libellique cum quibusdam notissimis versibus ipsius chirographo scriptis, ut facile appareret non tralatos aut dictante aliquo exceptos, sed*

1) Selbstverständlich ist auch dies oft der Grund gewesen, cf. die Gesta de aperiundo testamento vom J. 474 (Bruns, Fontes[6] p. 281 f.) *in hac cartula testamentum feci idque scribendum dictavi Domitio Iohanni for(ensi), cuique ipse litteras ignorans subter manu propria signum feci.* Solche Fälle gehen uns hier nichts an.

plane quasi a cogitante atque generante exaratos: ita multa et deleta et inducta et superscripta inerant.

Plinius d. Ä. diktierte: cf. Plin. ep. III 5, 15.

Quintilian X 3, 18 ff. wendet sich in ausführlicher Polemik gegen das Diktieren, woraus man sieht, wie verbreitet die Sitte damals war.

Plinius d. J. ep. IX 36, 2 *notarium voco et die admisso quae formaveram dicto: abit rursusque revocatur rursusque dimittitur,* cf. IX 40, 2 u. ö.

M. Aurel diktierte seine Briefe an andere, aber dem Fronto schrieb er eigenhändig, nur selten diktierte er auch für ihn, was er dann ausdrücklich mit seiner Krankheit motiviert: ep. IV 7. 8. V 47 (p. 70. 71. 90 N.). Ebenso Fronto selbst: ep. ad M. Caes. IV 9 (p. 71): *quod quaeris de valetudine mea, iam prius scripseram tibi, me umeri dolore vexatum ita vehementer quidem, ut illam ipsam epistulam, qua id significabam, scribendo dare operam nequirem, sed uterer contra morem nostrum* (hier bricht der Text ab) und V 58 (p. 92): *vexatus sum, domine, nocte diffuso dolore per umerum et cubitum et genu et talum. denique id ipsum tibi mea manu scribere non potui,* cf. p. 99. 133. 149. 222. 230. 232.

Ammianus XV 1, 3 (von Constantius) *a iustitia declinavit ita intemperanter, ut 'aeternitatem meam' aliquotiens subsereret ipse dictando scribendoque propria manu orbis totius se dominum appellaret.* Der ib. 5, 3 erzählte Betrug erklärt sich daraus, daß der Text des Empfehlungsbriefs diktiert und nur die Unterschrift eigenhändig gegeben war.

Hieronymus ep. 21, 42 (an Damasus): *non ambigo, quin inculta tibi nostrae parvitatis videatur oratio; sed saepe causatus sum expoliri non posse sermonem nisi quem propria manus limaverit. itaque ignosce dolentibus oculis, id est ignosce dictanti.* Derselbe ep. 127, 12 *haeret vox et singultus intercipiunt verba dictantis.*

Sidonius und seine Freunde schrieben teils selbst, teils diktierten sie, cf. ep. I 5, 9. III 4, 1. — I 7, 5. V 17, 9 f. IX 9, 8. Für Ennodius cf. den Hartelschen Index s. v. *dictare.*

Karl d. Gr. hat nach der bekannten Tradition nicht schreiben können. Wie das zu beurteilen ist, hat schon Hauck, Kirchengeschichte Deutschlands II 117, 6 richtig bemerkt: „Man muß erwägen, daß das Schreiben eine Kunst war und daß man deshalb ganz allgemein zu diktieren pflegte. So Alkuin (ep. 147),

Benedikt von Aniane (V. Ben. 57 p. 205), selbst ein junger Mönch wie Candidus von Fulda (V. Eigil. 1 p. 217) oder der spätere Bischof Lul von Mainz (Bonif. et Lul. ep. 111 p. 274)."[1]) —

dictare = 'diktieren' gehobener Schriften.

Hauptsächlich diktierte man nun solche Schriften, deren Stil ein gehobener und glänzender sein sollte: das ist sehr bezeichnend, denn die Stimme und das Ohr, diese Träger des Rhythmus, waren auf diese Weise an der Konzeption beteiligt, wie man ja aus demselben Grunde laut zu lesen pflegte (s. o. S. 6):

Dio Chrys. 18, 483 R. an einen Staatsmann, der sich im Reden weiter ausbilden will: *γράφειν μὲν οὖν οὐ συμβουλεύω σοι αὐτῷ ἀλλ' ἢ σφόδρα ἀραιῶς, ἐπιδιδόναι δὲ μᾶλλον· πρῶτον μὲν γὰρ ὁμοιότερος τῷ λέγοντι ὁ ὑπαγορεύων τοῦ γράφοντος, ἔπειτα ἐλάττονι πόνῳ γίγνεται, ἔπειτα δὲ πρὸς δύναμιν μὲν ἧττον συλλαμβάνει τοῦ γράφειν, πρὸς ἕξιν δὲ μᾶλλον.*

Ambrosius ep. I 47 (an Sabinus; 16, 114 f. Migne): *transmisi petitum codicem scriptum apertius atque enodatius, quam ea scriptura est quam dudum direxi, ut legendi facilitate nullum iudicio tuo afferatur impedimentum. nam exemplaris liber non ad speciem sed ad necessitatem scriptus est, non enim dictamus omnia et maxime noctibus, quibus nolumus aliis graves esse ac molesti. tum ea quae dictantur, impetu quodam proruunt et profluo cursu feruntur. nobis autem quibus curae est senilem sermonem familiari usu ad unguem distinguere et lento quodam figere gradu, aptius videtur propriam manum nostro affigere stilo, ut non tam deflare aliquid videamur quam abscondere, neque alterum scribentem erubescamus sed ipsi nobis conscii sine ullo arbitro non solum auribus sed etiam oculis ea ponderemus quae scribimus. velocior est enim lingua quam manus, dicente scriptura 'lingua mea calamus scribae velociter scribentis'* (Psalm. 44, 2)..... *Apostolus quoque Paulus sua scribebat manu sicut ipse ait: 'mea manu scripsi vobis'* (Gal. 6, 11), *ille propter honorificentiam, nos propter verecundiam.*

Otloh, der gelehrte deutsche Mönch s. XI[2]), in der Über-

1) Übrigens hat schon Gesner in seiner Ausgabe des Quintilian (Göttingen 1738) zu X 3, 18 die Tatsache richtig erkannt. — Aus dem späten Mittelalter cf. etwa noch Otto v. Freising, chron. prooem. *qui* (Ragewin) *hanc historiam ex ore nostro subnotavit.*

2) Cf. über ihn Wattenbach, Deutschl. Geschichtsquellen im Ma. II⁶ 65 ff.

sicht über seine Schriftstellerei Mon. Germ. SS. XI 387 ff.: *scripsit idem clericus* (er selbst) . . *quaedam quidem dictando, quaedam autem alio modo, quae scilicet utraque subsequenter pandere volo; sed dictata prius, post haec quoque cetera pandam.* Es folgen nun drei Werke, die er als *dictamina* ansieht: de spiritali doctrina, visiones, de tribus quaestionibus. Er schließt nach der Inhaltsangabe mit den Worten (p. 390, 15) *haec sint dicta de suprascriptis libris, quos in unum componere volui. nunc etiam libet pandere, qua causa studuerim alios libellos scribere.* Wenn man nun die folgenden Schriften mit jenen 3 ersten vergleicht, so sieht man den Unterschied: jene enthalten selbständige Kompositionen, diese sind teils Umarbeitungen von vorliegenden Heiligenviten, teils Predigten, teils eine Art von libri exhortatorii, in denen er im wesentlichen Stellen der Schrift und geeigneter Profanautoren anhäuft zu erbaulichem Zweck (es sind dies: de cursu spiritali bei Pez, Thes. anecd. nov. III 2 p. 259 ff., cf. besonders von c. 4 an; libellus manualis de ammonitione clericorum et laicorum l. c. p. 403 ff.; liber proverbiorum l. c. 485 ff.), teils überhaupt nur Handschriften, die er abgeschrieben hat.

Diese Verhältnisse haben nun gewissermaßen ihren plastischen Ausdruck in der Bedeutungsentwicklung von *dictare* gefunden, das bei späteren Schriftstellern geradezu synonym mit *scribere* (aber nur von Kompositionen in hohem Stil) gebraucht worden ist. *dictare* = *scribere.* Die Stelle, wo es scheinbar zuerst vorkommt, ist auszusondern: Appuleius flor. 16: *poeta fuit hic Polemon . . ., fabulas cum Menandro in scaenam dictavit*, denn hier ist die Emendation Büchelers (Coniect. lat. [Greifswald 1868] 10) *datavit* sicher. Ich finde es zuerst bei Augustin[1]) contra epistulam Parmen. 3, 7, wo Emeritus, ein Bischof von Iulia Caesarea, der Verfasser der sententia des Konzils von Bagai i. J. 394, *dictator illius sententiae* genannt wird, cf. von demselben Augustinus contr. Crescont. III 19, 22 *dictator vel*

1) Der daneben aber auch die ursprüngliche Bedeutung noch kennt, z. B. de doctr. Chr. IV 4 *exercitatio sive scribendi sive dictandi.* Sie ging natürlich nie ganz verloren, cf. etwa noch Aimoinus mon., vita S. Abbonis (abb. Floriacensis, † 1004) bei Mabillon AA. SS. O. S. B. s. VI 1 p. 37: *multum prodesse censebat litterarum studia maximeque dictandi exercitia, quarum ipse perstudiosus existens nullum paene intermittebat tempus, quin legeret scriberet dictaretve.*

dictor illius sententiae. Im V. Jh. ist dieser Gebrauch schon ganz fest, z. B. bei Sidonius, aus dem Savaro in seiner Ausgabe (Paris 1599) die Beispiele zu ep. VIII 6, 2 (*praedicans quod plurimos iuvenum ... vario genere dictandi militandique ipse sim supergressus*) zusammengestellt und durch zahlreiche Stellen späterer Autoren (z. B. Cassiodor) bis auf Aldhelmus[1]) erläutert hat: aus ihm haben ihr wesentliches Material Ferrarius, De ritu sacrarum ecclesiae catholicae concionum (Paris 1664) l. II c. 15 p. 194 und Gesner zu Quintilian (1738) X 3, 18. In dieser Bedeutung ist dann bekanntlich[2]) das Wort in die germanischen Sprachen aufgenommen worden, und zwar hier von Anfang an hauptsächlich für die Bezeichnung der höchsten schriftstellerischen Komposition, der 'Dichtung': nach den obigen (S. 894 ff.) Darlegungen über die engen Beziehungen zwischen Rhetorik und Poesie im Mittelalter ist das ja begreiflich genug. In dieser Bedeutung finde ich es zuerst bei Otfried im Prolog zu seinem Gedicht p. 6 Piper: *causam qua illum (librum) dictare praesumpsi, primitus vobis enarrare curavi*, ib. 9 *quaerit linguae huius* (der deutschen) ... *a dictantibus omoeoteleuton observare*; cf. aus dem späteren Mittelalter etwa noch Hugo von Trimberg (saec. XIII), Registrum multorum auctorum ed. Huemer (in: Sitzungsber. d. Wien. Ak. 1888) V. 68 ff. von Horaz: *qui tres libros etiam fecit principales | duosque dictaverat minus usuales, | epodon videlicet et librum odarum, | quos nostris temporibus credo valere parum.* — Die ältere Generation der Humanisten hat *dictare, dictamen, dictator* noch im mittelalterlichen Sinn gebraucht, z. B. Petrarca sehr häufig (so besonders ep. de reb. fam. XIII 5, s. oben S. 764) und Salutato ep. vol. II p. 54 (Rigacci); erst die jüngere Generation hat wie mit der Sache so mit dem Wort aufgeräumt, cf. das 'Epigramma ad lectores', welches Jac. Locher seiner i. J. 1496 zu Freiburg i. Br. gedruckten Epithoma rhetorices voranschickt:

dictare = 'dichten'.

Aufhebung dieses Gebrauchs.

qui velit orator quis sit dignoscere clarus,
vel qui rhetorices dogmata nosse velit,
hoc legat e puris opus est quod fontibus ortum
atque vetustatis quod monumenta sapit.

1) Stellen aus dem späteren Ma. gibt Ducange s. v.

2) Cf. J. Grimm, Wörterb. d. deutsch. Spr. II 1058 ff. Fr. Kluge, Etym. Wörterb. d. deutsch. Spr.[5] (Straßburg 1894) s. v. 'dichten'.

non est protrito rerum dictamine factum,
sed prisco cultu rhetoris arma parat.
huc diverte pedes, artis doctrina diserte
quem iuvat, eloquii conspicuumque decus

und H. Bebel, Comm. epistolarum conficiendarum (1500) f. VI^{v} in einer Kritik der rethorica eines gewissen Pontius: *nescio profecto, unde haec sartago loquendi venerit in linguas Germanorum, ut omnes fere accipiant dictare pro eo quod est componere et dictamen materiam quae composita sit, cum tamen longe fallant. dictare enim est id dicere, quod alius excipiens notet. Testis Georgius Merula, Domitius Chalderinus et quo nemo ex recentioribus latinitatis observantior Laurentius Valla.*[1])

2. *clausula. cursus.*

Im Altertum hieß das rhythmische Schlußkolon *clausula*, cf. Diomedes p. 300 *oratio est sermo contextus ad clausulam tendens. clausula est conpositio verborum plausibilis structurae exitu terminata.* Dieser Ausdruck geht wahrscheinlich auf die Zeit Varros zurück, cf. Leo im Herm. XXIV (1889) 291 f. *clausula.*

Im Mittelalter wurde der rhythmische Satzschluß *cursus* genannt. Den Grund erkennt man aus folgenden Notizen des XII. und XIII. Jahrh.: Boncompagnus ars dictaminis p. 480[2]): *appositio, que dicitur esse artificiosa dictionum structura, ideo a quibusdam cursus vocatur, quia, cum artificialiter dictiones locantur, currere sonitu delectabili per aures videntur cum beneplacito auditorum.* Hugo Bononiensis rationes dictandi p. 58[3]) *sunt preter hoc duo necessaria, id est coma et cola, sine quibus orator perfecta non utitur eloquentia. est coma divisio videlicet subsequens precedenti non multum inpar positio, quando scilicet distinctione videntur quasi currere.* Ars grammatica s. XIII f. 81^{v}[4]): *cursus est verborum elegantia vocum dulcedinem exhibens audienti; vel cursus* *cursus.*

1) Es ist also Hohn, wenn die Verf. der epistulae obsc. virorum so häufig *dictamen* = Gedicht gebrauchen.

2) Ed. Thurot l. c. (o. S. 925).

3) Ed. Rockinger in: Quellen z. bayr. u. deutsch. Geschichte (München 1863) 47 ff.

4) Ed. Fierville l. c. (o. S. 953).

est verborum compositio lepida et suavis.[1]) Die Bezeichnung geht aber auf viel frühere Zeit zurück, cf. Quintilian IX 4, 70 *quaedam clausulae sunt claudae atque pendentes, si relinquantur, sed sequentibus suscipi ac sustineri solent, eoque facto vitium, quod erat in fine, continuatio emendat. 'non vult populus Romanus obsoletis criminibus accusari Verrem'* (Cic. in Verr. V 117) *durum, si desinas: sed cum est continuatum iis quae sequuntur, quamquam natura ipsa divisa sunt 'nova postulat, inaudita desiderat'* (⏒́ ⏑ ⏒̀ ⏒́ ⏑ ⏑̀), *salvus est cursus.* cf. 106 *omnes hi (pedes), qui in breves excidunt, minus erunt stabiles nec alibi fere satis apti, quam ubi cursus orationis exigitur et clausulis non intersistitur.* Gellius XI 13, 4 *cursus hic et sonus rotundae volubilisque sententiae.*[2]) Der Vorstellung zugrunde liegt der Vergleich der Rede mit einem trabenden Roß, wofür ich oben (S. 33, 3) Beispiele gegeben habe, von denen hier nur eins wiederholt sein mag: Verg. ge. II i. f.

sed nos immensum spatiis confecimus aequor,
et iam tempus equom spumantia solvere frena.

---

1) Cf. außerdem etwa noch Udalricus Babenbergensis, epitoma rhetoricae bei Endlicher, Codd. lat. Vindob., cod. CCLXXXI (saec. XII) p. 165 ff.

2) Aus Autoren des ausgehenden Altertums cf. Auson. prof. Burd. 4, 16. Sidon. ep. IV 3, 9. Ruricius ep. I 4 p. 357, 3 Engelbr.

Register.

Auf die 'Nachträge' ist durch ein den betreffenden Zahlen hinzugefügtes (*N*) verwiesen worden.

Nachträge.

Zu S. 451ff. Vgl. jetzt P. Wendland, Christentum und Hellenismus in ihren literarischen Beziehungen, in den Neuen Jhrb. IX (1902) 1 ff. und: Die hellenistisch-römische Kultur in ihren Beziehungen zu Judentum u. Christentum, Tübingen 1907; R. Reitzenstein, Die hellenistischen Mysterienreligionen, Leipz. 1910; W. Bousset, Kyrios Christos, Göttingen 1913.

Zu S. 454. Die Worte des Paulinus von Nola stammen aus [Paulus] ep. ad Tim. II 3, 7.

Zu S. 456. Die Worte *πορευθέντες μαθητεύσατε πάντα τὰ ἔθνη* (ev. Matth. 28, 19) sind kein integrierender Bestandteil des Evangeliums, aber nach A. Harnack, Mission u. Ausbreit. des Christent. II² (Leipz. 1906) 17 kann der hier ausgesprochene Glaube nicht später als ca. 90 angesetzt werden.

Zu S. 461. 'Glauben' verlangte auch die Stoa: Strab. I 19 a. E. *οὐ γὰρ ὄχλον γε γυναικῶν καὶ παντὸς χυδαίου πλήθους ἐπαγαγεῖν λόγῳ δυνατὸν φιλοσόφῳ καὶ προσκαλέσασθαι πρὸς εὐσέβειαν καὶ ὁσιότητα καὶ πίστιν, ἀλλὰ δεῖ καὶ διὰ δεισιδαιμονίας* e. q. s. Daß er mit *πίστις* recht eigentlich den 'Glauben' meint, zeigt das *πιστεύειν* im vorhergehenden Satz.

Zu S. 467. Über das Bild von den zwei Wegen vgl. A. Brinkmann, Rhein. Mus. LXVI (1911) 616 ff.; J. Alpers, Hercules in bivio, Diss. Götting. 1912, 64.

Zu S. 471, 1. 2. Anlehnung christlicher Symbole an hellenische: vgl. jetzt besonders noch A. Dieterich, Eine Mithrasliturgie, Leipz. 1903.

Zu S. 473. Das Proömium des Johannesevangeliums sucht R. Reitzenstein, Zwei religionsgeschichtl. Fragen, Straßburg 1901 durch Anknüpfung an volkstümliche ägyptisch-griechische Lehre zu erklären (vgl. auch Wendland in der Berl. phil. Woch. 1902, 1324); um so begreiflicher ist dann, daß der Anfang Heraklits auf diese Kreise gewirkt hat. — S. jetzt meinen 'Agnostos Theos' (Leipz. 1913) 348 f.

Zu S. 474, 2. Daß Paulus das Buch der Weisheit kannte und las, bezeichnet E. Grafe, Theolog. Abh. für Weizsäcker (Freiburg 1892) 251 ff. als mindestens höchst wahrscheinlich. Zu entgegengesetztem Ergebnisse gelangt Fr. Focke, Die Entstehung der Weisheit Salomos, Götting. 1913, 113 ff.

Zu S. 475, 1. Die Areopagrede des Paulus habe ich jetzt im Agn. Theos 3 ff. ausführlich analysiert.

Zu S. 476. Über die Apokalyptik habe ich inzwischen genauer gehandelt in der Einleitung meines Kommentars zu Vergils Aeneis VI² (Leipz. 1916).

Zu S. 479. Die Kombinationen Dieterichs über die Aberkios-Inschrift haben sich nicht bewährt.

Zu S. 479 Anm. Unter den Schriftstellern *περὶ κλοπῆς* ist der wichtigste vergessen worden: Porphyrios bei Euseb. pr. ev. X 3 und die von Porphyrios zitierten Schriften. Vgl. jetzt E. Stemplinger, Das Plagiat in der griech. Literatur, Leipz. 1912.

Zu S. 481. Die Bezeichnung der Evangelien im ganzen als *ἀπομνημονεύματα* lehnt ab Harnack, Die Evangelien (in den Preuß. Jahrb. 1904, 209 ff.), läßt sie aber partiell gelten für die ältesten, unsern Evangelien zugrunde liegenden Aufzeichnungen der Urgemeinde über Jesus' Taten und Reden.

Zu S. 482 ff. Den Ausführungen über den Stil des Lukas, insbesondere dem Nachweis, daß er seine Vorlagen gelegentlich stilistisch verfeinerte, haben, soviel ich sehe, auch die Theologen zugestimmt. Einzelnes ließe sich jetzt hinzufügen und noch schärfer formulieren auf Grund der sprachlichen Analyse von P. Wernle, Die synoptische Frage (Freiburg 1899) 18 ff. und Harnack in den Sitzungsber. d. Berl. Ak. 1900, 538 ff. (vgl. H. Diels ebd. 1901, 200) sowie in seiner Schrift: Lukas der Arzt, Leipz. 1906. Über den Stil des Lukas im Evangelium und in den Acta vgl. jetzt auch 'Agn. Theos' passim. Ich möchte auch hier nicht unterlassen, darauf hinzuweisen, daß die von mir (S. 483, 2 und 484, 1) angenommenen Resultate der Untersuchungen A. Gerckes auch die Zustimmung Th. Mommsens gefunden haben in seinem Aufsatz 'Die Rechtsverhältnisse des Apostels Paulus' (in der Zeitschr. f. d. neutest. Wiss. II 1901, 87, 1).

Zu S. 484. Ein typisches Beispiel für die Häufung der obliquen Casus von *αὐτός* findet sich noch ev. Matth. 22, 24 f., eine Stelle, die Blaß in seiner Ausgabe (ev. sec. Matth., Leipz. 1901) infolge seiner Überschätzung der Zitate des Johannes Chrysostomos falsch behandelt hat (vgl. R. Knopf, Wochenschr. f. klass. Phil. 1903, 629). Wer ein spezifisches Judengriechisch leugnet und wie A. Thumb, Die griech. Sprache im Zeitalter des Hellenismus, Straßb. 1901, 180f. die *κοινή* auch stilistisch als Einheit betrachtet, was sie nicht einmal sprachlich ist, wird m. E. den Tatsachen nicht gerecht, die uns nicht bloß die Septuaginta lehren, sondern auch Fragmente von Schriftstellern wie Artapanos und Eupolemos sowie die Evangelisten (und stellenweise auch Paulus); wenn also einige Partien des Lukasevangeliums und der Apostelgeschichte feiner stilisiert sind als andere, so haben wir nicht bloß das Recht, sondern auch die Pflicht, daraus unsere Schlüsse zu ziehen.

Zu S. 487, 1. Für den hellenistischen Gebrauch von *πτῶμα* vgl. Wilamowitz zu Eurip. Her. 1131.

Zu S. 489. Über Dopplungen wie ev. Marc. 6, 39 *συμπόσια συμπόσια* (*secundum contubernia* Hieronymus) vgl. W. Schulze, Graeca Latina (Götting. 1901) 13.

Zu S. 490, 3. Gegen die Annahme, daß in Palästina griechische Sprachkenntnisse verbreitet gewesen seien, auch Thumb a. a. O. (zu S. 484) 105.

Zu S. 491. Über volkstümliche Anreihung mit *καί* (die Lukas durch Periodisierung oft beseitigt) vgl. A. Deißmann, Licht vom Osten[2] (Tübing. 1909) 92f.

Zu S. 492ff. (Paulus). G. Heinrici hat in einem Anhang zur 2. Aufl. seiner 'Erklärung der Korinthierbriefe' (Berl. 1900) auf meine Polemik in dem gleichen Tone geantwortet, in dem sie von mir — zu meinem Bedauern, wie ich gern Veranlassung nehme zu erklären — begonnen worden war. Ich habe mich darüber schon auf privatem Wege mit ihm verständigt, insbesondere auch den mir von ihm vermutungsweise gemachten Vorwurf einer Fälschung zurückgewiesen: die Worte S. 497, 1 „gemeint ist der Hymnus" sind zu streichen, sie beruhten auf einem Irrtume meinerseits, da ich Mullachs Fragm. philos. Graec., nach denen H. zitierte, nicht benutzt (was mir Philologen verzeihen werden) und nachzuschlagen versäumt hatte. Eine Entscheidung darüber, wer von uns beiden die Stellung des Paulus zur hellenischen Literatur richtig beurteilt, überlassen wir füglich anderen; öffentlich haben, soweit mir bekannt geworden, P. Schmiedel, Theol. Rundschau 1901, 507ff., A. Deißmann, ebd. 1902, 65ff. und A. Thumb, Arch. f. Papyrusforsch. II 1903, 409. 420 sich geäußert. — Von Arbeiten, in denen die Stilfragen behandelt worden sind, kenne ich: J. Weiß, Beitr. zur paulin. Rhetorik, in der Festschr. für Bernh. Weiß, Göttingen 1897 (diese Abhandlung war mir schon während des Drucks der 1. Aufl. bekannt geworden und ich hatte dort S. 818 Anm. auf sie verwiesen, weil aus ihr meine Darlegungen zu erweitern waren) und A. Deißmann l. c. (zu S. 491) 168 ff. Über die Figur der 'Klimax' bei Paulus vgl. Reitzenstein a. a. O. (zu 451 ff.) 100. — Stilistisches bei Paulus habe ich inzwischen auch im Agn. Theos wiederholt behandelt.

Zu S. 499, 2. Über den Hebräerbrief vgl. jetzt W. Wrede, Das literarische Rätsel des Hebräerbriefs (Heft 8 der von Bousset u. Gunkel herausgegebenen 'Forschungen'), Göttingen 1906.

Zu S. 510 ff. (Ignatius u. Polykarp): vgl. H. Reinhold, De graecitate patrum apostolicorum etc. Diss. Halle 1898.

Zu S. 518, 1. Die Stelle Galens '*in libro de sententiis Politiae Platonicae*' über die Christen stammt nach K. Kalbfleisch in der Festschr. f. Gomperz (Wien 1902) 96 f. aus der *σύνοψις Πλατωνικῶν διαλόγων*, da nach einer Mitteilung von Philippi an Kalbfleisch das arabische Wort *ǵawâmi* ebensogut durch *synopsis* wie durch *sententiae* übersetzt werden kann.

Zu S. 527. C. Weymann im Hist. Jahrb. d. Görresgesellschaft XIX. (1898) 1001 bemerkt, daß das von Cassiodor zitierte Werk des Augustinus 'de modis locutionum' nur auf dem ungenauen Zitat Cassiodors beruht: gemeint sind die 7 Bücher 'locutionum in heptateuchum'.

Zu S. 541. Für *ὁμιλία* erinnert W. Schmid in Berl. phil. Wochenschr. 1899, 237 daran, daß „schon bei Platon von *λόγοι προσομιλητικοί* (Lehrvorträgen) die Rede ist (Reinhardt, Commentat. in hon. Buecheleri p. 14; vgl. auch Plut. quaest. symp. 743 E, wo Herodes der Rhetor sagt: *ὁμιλητικὸς οὐδὲν ἧττον ἢ δικανικὸς ὁ ῥήτωρ καὶ συμβουλευτικός*)“. Zusammenhänge der christlichen Festpredigten mit den *λόγοι εἰς θεούς* seit der hellenistischen Zeit: Wilamowitz, Herm. XXXV (1900) 21, 2. — Für *ὁμιλία* ∾ *διάλεξις* vgl. noch Moiris p. 203 Pierson: *ὁμιλίαν . . τὴν διάλεξιν . . ., Ἀττικῶς. λαλιάν, Ἑλληνικῶς.* Die *διαλέξεις* des Maximus Tyr. nennt Wilamowitz, Griech. Leseb. II 338, 'Predigten'.

Zu S. 562 ff. (Gregor von Nazianz). Vgl. Th. Sinko, De Gregorii Naz. laudibus Macchabaeorum in: Eos XIII (1907) 1 ff.

Zu S. 572f. (Ausläufer der griech. Kunstprosa in Byzanz). Vgl. F. Großschupf, De Theodori Prodromi in Rhodantho elocutione. Diss. Leipz. 1897 und besonders Krumbacher in den Sitzungsber. d. bayer. Ak. 1896, 583ff. 1897, 371ff. sowie in Athene e Roma I 159ff.

Zu S. 582 (Lactantius). Vgl. R. Pichon, Lactance, Paris 1901, mit der Besprechung Wendlands in der DLZ. 1903, 2427.

Zu S. 588ff. Gegen das 'afrikanische' Latein im Stil auch W. Kroll, Rh. Mus. LII (1897) 569ff. — Für die Neigung, rhetorische Figuren auch auf Inschriften zu verwenden, möchte ich hier zu den S. 627ff. aus CIL. VIII gegebenen Beispielen nachtragen:

591 *Helvia Severa sacerdos cas*
tissima annis LXXXV
vixit iudicio
senuit merito
obit exemplo

(sehr bemerkenswert auch wegen der Absetzung der κόμματα).

726 *iuvenis inter omnia emendatus verecundia incomparabili, moribus et ingenio clarus, omni simplicitate iucundus, semper parentibus carus*

(die beiden letzten κόμματα außer durch das ὁμοιοτέλευτον auch durch die gleiche rhetorische Klausel gebunden). Schwülstig auch 758. 2391. 9048. 15880. — Für die Absetzung der κόμματα fand ich inzwischen ein weiteres hübsches Beispiel. Eine dem Herodes Antipas auf der Insel Kos gesetzte Ehreninschrift lautet (Dittenberger, Orientis graec. inscr. sel. 416):

Ἡρώδην
Ἡρώδου τοῦ βασιλέως υἱόν,
τετράρχην,
Φίλων Ἀγλαοῦ φύσει δὲ Νίκωνος
τὸν αὑτοῦ ξένον καὶ φίλον.

Zu S. 595, 1 a. E. Für das Proömium der Metamorphosen des Appuleius war statt auf Rohde vielmehr auf K. Bürger, Hermes XXIII (1888) 489ff. zu verweisen.

Zu S. 603, 5. Hierzu bemerkt mir F. Jacoby (brieflich): „Sisenna fr. 127 ist falsch aufgefaßt. Es bezeichnet keinen Gegensatz zu seinen fabulae Milesiae, sondern den Gegensatz der annalistischen Komposition (in der Art des Thukydides etc.) zu der Zusammenfassung in größeren sachlichen Abschnitten: vgl. Xenoph. Hell. I. II zu III—VII: erstere *vellicatim*, letztere sachlich gruppiert über Jahre hinaus, oder Diodor-Ephoros: jener hat Ephoros' Darstellung in Jahre 'zerpflückt'."

Zu S. 605. Meine Absicht, den Octavius des Minucius Felix zu kommentieren, habe ich aufgegeben.

Zu S. 606 f. Die Worte des Gregor v. Naz. stammen aus Paulus ep. ad. Cor. II 5, 17.

Zu S. 610. Über *quod* statt acc. c. inf. vgl. auch Leo zu Plaut. As. 52. Kroll a. a. O. (zu S. 588ff.) 589. Jetzt besonders: E. Löfstedt, Philolog. Komm. zur Pereginatio Aetheriae (Uppsala 1911) 116ff.

Zu S. 615. Die hier geforderte Analyse von Tertullians Stil ist inzwischen in musterhafter Weise gegeben worden von H. Hoppe, Syntax u. Stil des T., Leipz. 1903.

Zu S. 621. Bei der von Augustin wegen ihres besonderen Stils notierten Periode Cyprians (ad. Donat. 1) hätte auch auf die überaus starke Rhythmisierung hingewiesen werden müssen: *petámus hanc sedem* (⏑́ ⏑ ⏓ ⏑́ ⏑): *dant secessum vicína secreta* (⏑́ ⏑ ⏓ ⏑́ ⏑), *ubi dum errátici palmitum lapsus* (⏑́ ⏑ ⏓ ⏑́ ⏑ ⏓ –́ –) *péndulis nexibus* (⏑́ ⏑ ⏓ ⏑́ ⏑ ⏓) *per arúndines baiulas reptant* (⏑́ ⏑ ⏓ ⏑́ ⏑ ⏓ –́ –), *víteam porticum* (⏑́ ⏑ ⏓ ⏑́ ⏑ ⏓) *frondea técta fecerunt* (⏑́ ⏑ ⏓ –́ –), eine Illustration von Ciceros (or. 226) Worten über die Manier des Hegesias: *saltat incidens particulas.*

Zu S. 621 ff. Eine bemerkenswerte Äußerung Augustins über schwülstigen Stil in der theologischen Prosa seiner Zeit steht de anima I 3, Migne 44, 476 (Mitteilung von P. Anselm Manser, O. S. B.).

Zu S. 631 ff. Von Gallien kam dieser Stil nach Irland: vgl. Kuno Meyer in der unten zu S. 665ff. genauer zitierten Schrift.

Zu S. 646 oben. Statt 'Theodosius' ist Valentinianus II zu schreiben.

Ebenda. Die Relation des Symmachus ist doch wohl zu hoch bewertet, vgl. Kultur der Gegenwart Teil I Abt. VIII[3] (Leipz. 1912) 488.

Zu S. 646 ff. Über Ammians Sprache ist jetzt am meisten zu lernen aus E. Löfstedt, Beiträge zur Kenntnis d. späteren Latinität, Uppsala 1907; speziell über sein Verhältnis zur griechischen Sprache vgl. H. Schickinger, Die Gräzismen bei Amm. Marc., Progr. Nikolsburg 1897.

Zu S. 659ff. (Die Antike im Mittelalter). Nützliche, mir damals noch unbekannte Literaturnachweise mit einer eignen Skizze gab schon G. Gröber im Grundriß d. roman. Philol. II 1 (1893). Von inzwischen hinzugekommener neuerer Literatur kenne ich: Fr. Novati, L'influsso del pensiero latino sopra la civiltà italiana del medio evo, Milano 1899. J. E. Sandys, A history of classical scholarship, Cambridge 1903, wo das Mittelalter auf S. 429—650 ausführlich behandelt worden ist. M. Roger, L'enseignement des lettres classiques d'Ausone à Alcuin, Paris 1905 (mir nur aus einer sehr günstigen Rezension bekannt). M. Manitius, Geschichte der lat. Lit. des Mittelalters, Münch. 1911. A. Hofmeister, Studien über Otto von Freising II im Neuen Arch. der Ges. f. ältere deutsche Geschichtskunde XXXVII (1912) 64ff. bietet viel wichtiges Material in vortrefflicher Beleuchtung. Die auf S. 660, 1 ausgesprochene Hoffnung einer zusammenfassenden Darstellung durch L. Traube ist zunichte geworden; seine gesammelten Schriften müssen uns das Unvergleichliche, das wir erwarten durften, ersetzen. — J. L. Heiberg weist in seiner Rezension (Nord. tidskrift for filologie VIII 1899/1900, 124f.) auf eine mir unbekannt gebliebene klassizistische Strömung des Mittelalters hin, „die deutlich und in gerader Linie von den Byzantinern Süditaliens bis auf die Hohenstaufen zu verfolgen ist (O. Hartwig im Zentralbl. f. Bibliothekswesen III 1892/3, 161 ff.) und unterwegs einen Nebenarm von den italienischen Normannen zu ihren Stammesgenossen in England entsendet (s. Heiberg, Et mislykket Renaissancetilløb, Kopenh. 1892). Hier erreicht die Richtung in Roger Bacon ihren Gipfel, und auch Johannes Saresberiensis, den der Verf. S. 713ff. nur von Frankreich aus beeinflußt sein läßt, steht mit ihr in Verbindung" (es folgen einige charakteristische Belegstellen aus Roger Bacon).

Zu S. 663f. Für Cassiodors Bestrebungen ist besonders charakteristisch die von ihm beabsichtigte Gründung einer Universität in Rom, an deren Stelle dann Papst Agapetus (535—536) eine theologische Bibliothek treten ließ: vgl. L. Traube, Abh. d. bayr. Ak. d. Wiss., hist. Kl. XXI (1898) 698.

Zu S. 665ff. Für das Verständnis der irischen Kultur als einer Ablegerin der gallischen des 5. Jahrh. hat Zimmer ein schon i. J. 1866 von L. Müller (Jahrb. f. Phil. 93, 389) hervorgezogenes Zeugnis aus einer Leydener Hs. verwertet. Am besten orientiert darüber jetzt der Vortrag von Kuno Meyer, Learning in ancient

Ireland, in: The Irish Review Nov. 1912, S. 449ff. Auch auf die aus Zimmers Nachlaß in den Sitzungsber. d. Berl. Akad. 1909 herausgegebenen fundamentalen kulturgeschichtlichen Untersuchungen sei hingewiesen.

Zu S. 666, 1. Die hier bezeichneten Probleme hat, soweit sie die Schicksale der lateinischen Sprache im Osten bis auf Hadrian betreffen, inzwischen L. Hahn, Rom u. Romanismus (Leipz. 1906) in Angriff genommen. Da zu hoffen ist, daß er die Skizze 'Sprachenkampf im röm. Reich' (Philol. Suppl. X 1907, 675ff.), in der er die Untersuchung provisorisch bis auf Justinian hinabführt, selbst weiter ausführen wird, so gebe ich meinen a. a. O. bezeichneten Plan, das von mir gesammelte Material zu verarbeiten, um so lieber auf, als es noch unvollständig ist. — Für die Schicksale des Griechischen im Westen, ein nach zusammenfassender Behandlung ebenfalls dringend verlangendes Thema, ist mir an Literatur inzwischen weiter bekannt geworden (z. T. durch Mitteilung von Dr. E. Jacobs): Ch. Cuissard, L'étude du Grec à Orléans depuis le IX. siècle jusqu'au milieu du XVIII. s., Orléans 1883. H. Steinacker, Die röm. Kirche u. die griech. Sprachkenntnisse des Frühmittelalters, in der Festschr. f. Gomperz (Wien 1902) 324ff. J. Sandys, Hermathena XII (1903) 428ff.; dort wird S. 432 hingewiesen als auf ein sehr nützliches, aber seltnes Buch vom Abbé Tougard, L'hellénisme dans les écrivains du moyen âge du VII au XII siècle, Paris 1886 bei V. Lecoffre (90 Rue Bonaparte): 'he has the great merit of having carefully gone through all the volumes of Migne's Patrol. lat., which contain the authors of the six centuries VII—XII, and of having recorded almost all the traces of any knowledge of Greek, howewer slight they may be.' M. Manitius, Die Kenntnis des Griechischen im frühen Mittelalter, in: Allg. Zeit., Beilage 1905, Nr. 193. Ein paar sonstige Literaturnachweise bei O. Immisch, Philolog. Studien zu Plato II (Leipz. 1903) 34, 2 sowie bei Gröber a. a. O. (zu S. 659ff.) 121.

Zu S. 670ff. Platons, wenigstens des alten, Stellung zu der Frage nach der relativen Wertschätzung der sog. *ἐγκύκλια μαθήματα* läßt sich genauer bestimmen auf Grund von Ges. VII 809E—818D. Er nennt dort Grammatik (d. h. die aus der Lektüre erworbene Polymathie), Musik, Arithmetik, Geometrie, Astronomie und erklärt eine wenigstens allgemeine, nichtfachmännische Ausbildung in diesen Disziplinen für eine notwendige Vorbedingung. In den Schlußworten (818 D) polemisiert er gegen eine Ansicht, nach der die Kenntnis dieser Disziplinen nicht notwendig sei (*ταῦτ' οὖν δὴ πάντα ὡς μὲν οὐκ ἀναγκαῖά ἐστι μαθήματα τῷ μέλλοντι σχεδὸν ὁτιοῦν τῶν καλλίστων μαθημάτων εἴσεσθαι, πολλὴ καὶ μωρία τοῦ διανοήματος*). Diese von Platon hier scharf bekämpfte Ansicht vertraten später bekanntlich Diogenes der Kyniker (*μουσικῆς τε καὶ γεωμετρικῆς καὶ ἀστρολογίας καὶ τῶν τοιούτων ἀμελεῖν ὡς ἀχρήστων καὶ οὐκ ἀναγκαίων* Diog. L. VI 73) und Zenon (*ἐν ἀρχῇ τῆς Πολιτείας*, Diog. L. VII 32 = fr. 259 v. Arnim); ob sich Platons Polemik also gegen Antisthenes richtete? Platons Ansicht stimmt zu der im Text (S. 671) dargelegten des Isokrates, und die platonische Ansicht wird es also sein, an die Poseidonios anknüpfte (S. 672). Über Philons Beziehungen zu Poseidonios (S. 673) s. jetzt auch M. Apelt, De rationibus quae Philoni cum Posidonio intercedunt (Diss. Jena 1907) 118. K. Gronau, Poseidonios und die jüdisch-christl. Genesisexegese, Leipz. 1914.

Zu S. 690, 1. Ein Katalog aus Murbach vom J. 727 besser als bei Manitius jetzt bei H. Bloch in der Straßburger Festschr. zur 46. Philologen-Vers. 1901, 257 ff. Weitere Literatur über mittelalterliche Klostergeschichte (nach Mitteilung von Dr. E. Jacobs): Ant. Decker, Die Hildeboldsche Manuskriptensammlung des Kölner Domes, in Festschr. der 43. Versamml. deutscher Philol. u. Schulmänner, dargeboten von den höheren Lehranstalten Kölns (Bonn 1895) 215 ff. S. Mercati, Il Catalogo della biblioteca di Pomposa in: Studi e documenti di storia e diritto XVII (Roma 1896) 143 ff. A. Ratti, Le ultime ricende della Biblioteca e dell' Archivio di S. Columbano di Bobbio, Milano 1901. F. Falk, Beiträge zur Rekonstruktion der alten Bibliotheca Fuldensis und Bibliotheca Laureshamensis. Mit einer Beilage: Der Fuldaer Handschriftenkatalog aus dem 16. Jahrh. Neu herausg. u. eingeleitet von Carl Scherer. Leipz. 1902 (Beiheft 26 zum Zentralblatt f. Bibliothekswesen). H Bloch, Ein karolingischer Bibliothekskatalog aus Kloster Murbach, in: Straßburger Festschrift zur 46. Philologenvers. (Straßburg 1901) 257 ff. und dazu P. v. Winterfeld im Neuen Archiv d. Gesellsch. f. ält. deutsche Geschichtskunde XXVII (1902) 527 f.

Zu S. 692 Anm. Zu den Dichtern, deren Erhaltung nächst Italien Frankreich verdankt wird, stellt sich nun auch Plautus: vgl. W. Lindsay, Codex Turnebi of Plautus, Oxford 1898 mit meinen Bemerkungen in den Gött. gel. Anz. 1899, 583 f. — Für die Überlieferung ciceronischer Reden grundlegend jetzt A. Clark, The vetus Cluniacensis of Poggio, Anecd. Oxoniensia, Class. series, Part. X 1905.

Zu S. 695, 3. Die Identität des Festusepitomators Paulus mit dem Langobardenhistoriker wies mit sprachlichen Gründen nach C. Neff, De Paulo Diacono Festi epitomatore, Erlangen 1891.

Zu S. 696, 2. Das von mir vergeblich gesuchte Zitat hat Th. Zielinski (in seiner russisch geschriebenen Rezension) nachgewiesen; es stammt aus einer bei A. Ebert, Allg. Gesch. d. Lit. des Ma. im Abendlande II (Leipz. 1880) 66 zitierten Ekloge des 'Naso' (jetzt in den Poet. aevi Carolini I 1 ed Dümmler, Berl. 1880 p. 385, Vers 25f.); die deutsche Übersetzung dieses Dichters, die ich damals benutzen mußte, ist in der Tat, wie ich vermutete, sehr frei, und was entscheidend ist, der Vers *aurea Roma iterum renovata renascitur orbi* ist, wie Dümmler bemerkt, nur eine Kombination von Calpurn. 1, 42 *aurea secura cum pace renascitur aetas* + Ovid a. a. III 113 *aurea Roma.*

Zu S. 699ff. Über Servatus Lupus vgl. auch Traube, Abh. d. hist. Kl. d. bayer. Ak. d. Wiss. XXI (1898) 727. Wahrscheinlich geht auch unsere deutsche Plautusüberlieferung in letzter Hinsicht auf ihn zurück: vgl. Gött. gel. Anz. a. a. O. (zu S. 692 Anm.).

Zu S. 703, 1. Die mir unverständlich gebliebene *raritas coniunctionum*, die Servatus Lupus an Einharts Stil rühmt, erklärt Th. Zielinski, Philol. N. F. XIV (1901) 1f. aus der von mir selbst S. 716 zitierten Stelle des Johannes Sarisber., wo die *iuncturae dictionum* erwähnt werden, die Bernardus von Chartres in seiner Schule lehrte; „es ist, sagt Zielinski, die horatianische *callida iunctura*, von deren Fortwirken im Ma. man sich auf diese Weise überzeugt.“ Also wohl *raritas* = 'Besonderheit'.

Zu S. 705, 1. Gerbert ep. 130 *empora fas verterunt in nefas* paraphrasiert Verg. g. I 505 *ubi fas versum atque nefas.*

Zu S. 718, 2. Über die Erwähnung Tibulls in einem Briefe des Peter von Blois († 1200) sagt C. Weyman im Hist. Jahrb. d. Görresges. XIX (1898) 1002, sie sei von P. v. Winterfeldt, Schedae crit. in script. et poet. Rom. (Berl. 1895) 8f. ansprechend aus einer irrigen Reminiszenz an den Tullius (Cicero) bei Orientius, commonit. II 7f. erklärt worden.

Zu S. 719. Die Liste der Autoren bei Peter v. Blois ep. 101 ist entlehnt aus Joh. Sarisb., Policrat. VIII 18, und der sagt nicht, daß er sie gelesen habe: R. L. Poole in English historical review, Okt. 1898.

Zu S. 720 Anm. Ob die Pariser Exzerptenhandschrift (Notre-Dame 188) seitdem genauer verwertet worden ist, vermag ich nicht zu sagen; ist es nicht der Fall, so sei der Wunsch, daß es geschehe, hier wiederholt. Ihre genaue Signatur ist nach freundlicher Mitteilung von Dr. E. Jacobs: Bibl. nat. ms. Lat. 17903 (früher: Notre-Dame 188); sie ist kurz beschrieben von L. Delisle, Inventaire des manuscrits latins de Notre-Dame et d'autres fonds conservés à la Bibl. Nat. sous les numéros 16719—18613, S. 73.

Zu S. 724ff. (Schule von Orléans). Vgl. A. Cartellieri, Ein Donaueschinger Briefsteller. Lat. Stilübungen des XII. Jh. aus der Orléansschen Schule, Innsbruck 1898.

Zu S. 724, 3. Über diese Anm. schreibt mir J. E. Sandys aus Cambridge am 19. Juni 1904: „The account by 'Peter of Blois' is now generally discarded. Hallam, Middle ages, ed. XI. vol. III 421 retracted the credence he once gave to this account. Sir Francis Palgrave placed the Chronicles d' 'Ingulphus' in cent. XIII—XIV and the continuation ascribed to 'Peter of Blois' is regarded as equally spurious (see Mullingers History of the University of Cambridge I 66 Note 3)." Hiernach ist die ganze Anmerkung zu streichen.

Zu S. 728ff. Die Schrift 'La bataille des sept arts' liegt jetzt in einer zuverlässigen Ausgabe mit inhaltsreicher Einleitung vor: The battle of the seven arts .... by L. S. Paetow in: Memoirs of the University of California, Vol. 4 No. 1, Berkeley 1914.

Zu S. 732ff. Über die begriffliche und sprachliche Sonderung von Mittelalter und Renaissance: K. Burdach, Sinn und Ursprung der Worte Renaissance u. Reformation, Sitzungsber. d. Berl. Ak 1910, 594ff. und P. Lehmann, Vom Mittelalter u. von der lat. Philologie des Mittelalters, München 1914.

Zu S. 737. Bekanntschaft mit Catull saec. XIII/XIV: L. Schwabe in seiner Ausgabe (Berl. 1886) p. XIV.

Zu S. 748, 2. Grammatisch-metrische Studien im Ma.: S. Huemer, Wien. Stud. VII (1885) 326ff.

Zu S. 755f. Mischung von Prosa und Vers ist für den Mimus erwiesen von H. Reich, Der Mimus I 2 (Berl. 1903) 570f. und durch den Fund in Oxyrhynchos bestätigt worden (vgl. Reich in der DLZ. 1903, 2682). Die Vermutung jedoch, daß unter unseren Laberiusfragmenten auch prosaische seien, die Ribbeck u. a. willkürlich in Verse gebracht hätten (vgl. F. Skutsch in den Studien z. vergl. Lit.-Gesch. VII 1907, 126), hat sich mir bei wiederholter Prüfung der Überlieferung bisher noch nicht bestätigt.

Zu S. 759. Der Prolog der vita S. Eligii (s. VII) ist nach Weyman a. a. O. (zu S. 718, 2) aus der Vorrede des Iuvencus entlehnt.

Zu S. 765, 1. Die Worte des Salutato sind im 2. Abdruck nach einer neueren Ausgabe seiner Briefe angeführt worden: Epistolario di Coluccio Salutati a cura di Francesco Novati III 628 (= Fonti per la storia d'Italia XVII. Roma 1896).

Zu S. 786ff. Der Roman John Lylys liegt jetzt vor in einer neueren Ausgabe von W. Bond, Oxford 1902. Er gibt Bd. I S. 120ff. auch eine Kritik des Stils, aber ohne Kenntnis vorliegender Untersuchung. Dagegen hat ganz kürzlich L. Morsbach, Shakespeare und der Euphuismus in den Nachr. d. Ges. d. Wiss. zu Göttingen 1908, 660ff. eine wichtige Entdeckung gemacht, durch die meine Kombination bestätigt wird: Shakespeare läßt den Brutus in seiner Prosarede (Akt. III Sz. 2) im Lylyschen Antithesenstil sprechen, weil er diesen Stil von Brutus selbst in den Zitaten aus dessen Briefen bei Plutarch (Brut. 2) angewendet fand. Wenn also Brutus beispielsweise schreibt: *αἱ βουλαὶ ὑμῶν ὀλίγωροι, αἱ ὑπουργίαι βραδεῖαι* (nebenbei bemerkt schlecht ohne *μὲν-δὲ*: s. oben S. 25, 3) oder *ἃ εἰ μὲν ἑκόντες ἔδοτε, ὁμολογεῖτε ἀδικεῖν. εἰ δὲ ἄκοντες, ἀποδείξατε τῷ ἐμοὶ ἑκόντες δοῦναι* u. dgl. mehr, und wenn Shakespeare ihn z. B. sagen läßt: *As Caesar loved me, | I weep for him; || as he was fortunate, | I rejoice at it; || as he was valiant, | I honour him,* und viel dgl., so erkennt man die Identität des antiken Antithesenstils mit dem daraus abgeleiteten englischen, muß aber auch das Stilgefühl des großen Dichters bewundern, der aus der ihm allein bekannten englischen Plutarchübersetzung die Stilmanier des Brutus heraushörte. — José Maria Galvez (Prof. aus Santiago di Chile), Guevara in England, Diss. Berlin 1910, hat inzwischen gezeigt, daß der euphuistische Stil schon in der ältesten dieser Übersetzungen vom Jahre 1535 vorkommt. — Weitere Untersuchungen: L. Wendelstein, Beitrag zur Vorgeschichte des Euphuismus, Halle 1902. A. Feuillerat, John Lyly, Cambridge 1910. T. K. Whipple, Isokrates and Euphuismin: Modern Language Review XI (1916)

15ff. 129ff. Letzterer will Isokrates ausgeschaltet wissen; auf den Namen kommt in der Tat nicht viel an, die Sache bleibt bestehen.

Zu S. 810ff. (Über die Geschichte des Reims). Widerspruch gegen meinen Versuch, das Problem zu lösen, hat m. W. nur W. Meyer erhoben in den Carmina Burana (Festschr. zum 150jähr. Jubiläum der Göttinger Gesellschaft, Berlin 1901) 148f. Er bleibt bei seiner Behauptung, daß der Reim in die griechisch-lateinische Poesie aus dem Syrischen eingedrungen sei. Gegenüber dieser Behauptung berief ich mich (S. 828, 1) auf das Urteil meines damaligen Greifswalder Kollegen, des jetzt verstorbenen K. Keßler, eines anerkannten Kenners des Syrischen, der die Meyersche Hypothese abwies. Da Meyer diese auch jetzt, ohne die Gegenargumente zu prüfen, wiederholt hat, so bat ich meinen jetzigen Berliner Kollegen E. Sachau um sein Urteil Er hat mich zur Veröffentlichung folgender Sätze ermächtigt: „Die Ansicht Meyers vom syrischen Ursprung des Reims in der griechisch-lateinischen Poesie halte ich für ganz verfehlt. Für einen Orientalisten würde es eines Beweises hierfür nicht bedürfen.“ Ich erwähne noch, daß auch Wilamowitz in seiner Abhandlung über die Hymnen des Proklos und Synesios in den Sitzungsber. d. Berl. Akad. 1907, 291 nach dem Zitat einer auch von mir verwerteten Stelle aus den Gedichten des Synesios 5, 58ff. so urteilt: „Es wird recht deutlich, daß der Reim nur ein Schmuck der prosaischen Rede ist, die Sinnesglieder absetzt.“ Wie sich das Problem, von einer höheren Warte aus betrachtet, ausnimmt, habe ich inzwischen im Agn. Theos S. 262 angedeutet. Dadurch ist für mich die Diskussion über diesen Gegenstand geschlossen. Da aber Meyer nicht bloß den Reim, sondern überhaupt die „rhythmischen Dichtungsformen“ nach wie vor aus dem Semitischen ableitet (a. a. O.), so sei hier doch darauf hingewiesen, daß zwei sehr genaue Forscher, W. Brandes in seiner aufklärenden Abhandlung über die Anfänge der lat. Rhythmik (Rh. Mus. LXIV 1909, 82ff.) und P. Maas in der Byz. Zeitschr. XVII (1909) 244 unabhängig voneinander und von ganz anderen Betrachtungen als ich ausgehend zu einer bedingungslosen Ablehnung der Meyerschen Hypothese vom Ursprung der griech.-lat. rhythmischen Poesie aus dem Semitischen gelangt sind.

Zu S. 816ff. Über den Unterschied des griechisch-römischen und des semitischen parallelismus membrorum vgl. jetzt Agn. Theos 355ff.

Zu S. 817, 2. Nach Mitteilung meines inzwischen verstorbenen Kollegen H. von Soden scheint das eingeklammerte κῶλον auf Tatian zurückzugehen.

Zu S. 820ff. Den Beispielen für gereimte lateinische Zauberformeln ist hinzuzufügen die Devotion bei R. Wünsch, Rhein. Mus. LV (1900) 247 *occidas collidas neque spiritum illis lerinquas* (=*relinquas*), sowie aus einem Hymnus an Venus carm. epigr. lat. 255 Büch. *satrix servatrix amatrix sacrificatrix*, für griechische ib. 251 ἵνα μὴ νοῶσιν, τί ποιῶσιν. Eine bekannte Formel findet sich stilisiert schon bei Demosthenes 18, 324 ἐξώλεις καὶ προώλεις ἐν γῇ καὶ θαλάττῃ ποιήσατε (ähnlich 19, 172); einer Mysterienformel scheint nachgebildet 18, 259 νεβρίζων καὶ κρατηρίζων, vgl. jetzt auch die von H. Usener, Rh. Mus. LV (1900) 295 behandelte liturgische Formel ὕε κύε ὑπερχύε.

Zu S. 838. Weitere Beispiele für den Reim in quantitierender Poesie: Anth. Pal. VII 469 (Chairemon) ἥσσονα μὲν μοίρᾳ, κρέσσονα δ' εὐλογᾳι. 604, 11 (Paul. Silent.) κάλλεσιν ὁπλοτέρην, ἤθεσι γηραλέην, id. 606, 4. Bemerkenswert ist die sehr starke Verwendung des Homoioteleuton im Anacreonteum 36 (z. B. v. 7ff. δι' ὃν ἡ μέθη λοχεύθη, | δι' ὃν ἡ χάρις ἐτέχθη, | δι' ὃν ἀμπαύεται λύπα, | δι' ὃν εὐνάζετ' ἀνία): das hat der byzantinische Verfasser aus christlichen Hymnen auf seinen Dionysoshymnus übertragen. Eine von Cyriacus in Perinthos gelesene Inschrift (etwa s. VI) bei A. Dieterich, De hymn. Orph. (Marburg 1891) 6: ἐπὰν δ' ὁ Βάκχος εὐάσας πλη[γή]σ[ε]ται, | τότε αἷμα καὶ πῦρ καὶ κόνις μιγήσεται. — Plaut. Bacch. 1094f. (Leo): *Chrysálus med hodie láceravit,* | *Chrysálus me miseram spóliavit:* | *is mé scelus auro usque áttondit* parodiert, wie die ennianischen Beispiele S. 839 zeigen, das tragische Pathos. (Verwandtes Leo in den Analecta Plautina, Götting. Prooemien 1906. 1908, vgl. Gesch. d. röm. Lit. S. 34ff.) Isokola meist mit Homoioteleuta in Ovids Metamorphosen (von der Art wie IX 488f. *quam bene, Caune, tuo poteram nurus esse parenti;* | *quam bene, Caune, meo poteras gener esse parenti*): I 325f. 361f. 470f. 481f. 527f. IV 574f. V 369f. 419f. VI 15f. 327f. 419f. VII 246f. XIII 788ff. 826f. Carm. epigr. lat. 218 Büch. (etwa aus hadrianischer Zeit): *Gaetúla harena prosata,* | *Gaetulo equino consita,* | *cursando flabris compara,* | *aetate abacta virgini* | *Spendusa Lethen incolis,* vgl. 494. 500, 4—6.

Zu S. 842f. Zu den Zeugnissen für das Schwinden der antiken Musik kommt noch Anth. Pal. VII 571 (justinianische Zeit).

Zu S. 847, 1. Belege für *ὑμνεῖν* u. dgl. von Prosa: Krumbacher in Sitzungsber. d. bayer. Ak. d. Wiss. 1896, 587. 594. R. Reitzenstein, Herm. XLVIII (1913) 271. 620. G. Thurau, Singen u. Sagen. Ein Beitrag zur Gesch. des dichterischen Ausdrucks. Berlin 1912.

Zu S. 859f. Über die Vortragsweise der ältesten Hymnen hätte auch auf O. Fleischer, Neumen-Studien I (Leipz. 1895) II (ib. 1897), z. B. I 42ff. 95. 105. 126f. II 45. 50, 2. 113 verwiesen werden müssen, wodurch die Ausführungen im Text bestätigt werden.

Zu S. 862. Bezeichnung der Hymnen als Prosawerke: Krumbacher, Miszellen zu Romanos in Abh. d. bayr. Ak. I. Kl., XXIV. Bd., III. Abt., 1907, S. 114.

Zu S. 862f. Über das Metrum des Hymnus der Naassener: Wilamowitz, Hermes XXXIV (1899) 219, vgl. A. Swoboda in Wiener Stud. XXVII (1905) 299ff. Dieser Hymnus sowie der *ψαλμός* des Valentinos und die Proben aus den Hymnen des Synesios hätten weiter oben bei der quantitierenden Poesie behandelt werden müssen, wie Wilamowitz a. a. O. bemerkt.

Zu S. 865 Anm. Reime, die das Prinzip des *ὁμοιοτέλευτον* durchbrechen, erklärte ich dort für nicht antik. Ich habe auch bis jetzt nicht viel dieser Ansicht widersprechendes Material gefunden; doch vgl. carm. ep. lat. 334 *aemule si qui potes, nostros imitare labores.* | *si malevolus es, geme; si benevolus es, gaude* („litterae infimam aetatem indicant" Bücheler). Höchst auffällig sind die 'leoninischen' Reime in dem carm. epigr. lat. 346 *armiger ecce Jovis Ganymede(m) sustulit alis* (usw. z. B. *inferni—reddi, Ceres—pereuntes, manibus—usus*); die Bemerkungen Büchelers zeigen aber, daß dieses Epigramm einer Fälschung dringend verdächtig ist. Immerhin verlangt die Frage wegen des ersteren, unverdächtigen Epigramms eine erneute Prüfung.

Zu S. 883ff. Über den Einfluß der Rhetorik auf die lat. Poesie vgl. jetzt W. Kroll, Neue Jahrb. IX (1903) 19ff.

Zu S. 887, 2. Rhetorische *θέσεις* in Versen: vgl. noch Properz II 12 mit dem auch von Rothstein zitierten Schulthema bei Quintilian II 4, 26 *quid ita crederetur Cupido puer atque volucer et sagittis ac farce armatus?*

Zu S. 887, 5. (Vergil in den Rhetorenschulen): vgl. Augustinus ep. XVII p. 33 Goldb. *Mantuanus rhetor.*

Zu S. 892, 2. Die Stelle Ovids, in der er das von Seneca contr. II 7 behandelte Thema benutzt, findet sich, wie R. Ehwald, Jahresber. üb. d. Fortschr. d. kl. Altert. XXIX (1901) 173 bemerkt, in den Metam. VII 720ff.

Zu S. 893, 1. Über Ovids Stellung zur Rhetorik vgl. C. Morawski, Ovidiana, Krakau 1903.

Zu S. 893, 3. Die hier angekündigte Behandlung wird von seiten des Genannten nicht erfolgen.

Zu S. 894, 1. Statius' *ἐκφράσεις*: vgl. F. Vollmer in seiner Ausgabe der silvae (Leipz. 1898) 26f.

Zu S. 895, 1. Den Plan, eine Geschichte der Rhetorik im Mittelalter zu schreiben, haben sowohl M. Herrmann wie ich selber aufgegeben in der Erkenntnis, daß die Bewältigung des großenteils noch ungedruckten Materials z. Z. noch unmöglich ist. „Es gehört, schreibt mir M. Herrmann, zu den Aufgaben der 'Gesellschaft für deutsche Erziehungs- und Schulgeschichte', allmählich den Stoff für die Durchführung solcher Arbeiten in größerem Stile bereitzustellen.“ Wer daher Material dieser Art besitzt, das er nicht selbst verarbeiten will, sei, wenn ihm diese Worte zu Gesicht kommen sollten, gebeten, es Prof. Dr. Max Herrmann in Berlin (Augsburgerstr. 34) als einem Mitgliede des Vorstands der genannten Gesellschaft zu senden.

Zu S. 909 ff. (Über die Geschichte des rhythmischen Satzschlusses). Die von mir in den Einleitungsworten zu diesem Abschnitt geforderten Einzeluntersuchungen sind inzwischen in so großer Anzahl erschienen, daß ich von einer Aufzählung um so lieber absehe, als sie in der umfangreichsten Behandlung der ganzen Frage von H. Bornecque, Les clausules métriques latines, Lille 1907 (616 Seiten) auf p. IXff. gegeben worden ist. Soweit ich diese Literatur verfolgt habe, fand ich durch sie meine Darlegungen im Prinzip bestätigt. Als besonders förderlich erschien mir die auf Anregung und unter den Augen von F. Skutsch verfaßte Abhandlung von J. Wolff, De clausulis Ciceronianis (Jahrb. f. Phil. Suppl. XXVI 1901), weil dort die von mir als Ausnahmen von den typischen Formationen bezeichneten Klauseln (z. B. –⏑–⏑–, also ein Dochmius mit Anaklasis; über diese Form auch K. Ziegler, Rh. M. LX 1905, 290ff.), sowie die Synalöphengesetze (vgl. S. 932, 6) genauer untersucht und dadurch meine Darlegungen ergänzt und in Einzelheiten präzisiert worden sind: viele Ausnahmen in den auf S. 932ff. analysierten Stellen kommen durch Zulassung der Synalöphe in Wegfall und z. B. bei Seneca (S. 941f.) alle; da der Leser die nötigen Korrekturen leicht selbst vornehmen wird, habe ich von einer Änderung im Texte abgesehen. Daß auch ich aus den aufsehenmachenden Abhandlungen von Th. Zielinski, Das Klauselgesetz in Ciceros Reden. Grundzüge einer oratorischen Rhythmik (Philologus, Suppl. IX Heft 4, 1904) und: Der konstruktive Rhythmus in Ciceros Reden. Der orator. Rhythmik zweiter Teil. Leipz. 1914, viel gelernt habe, versteht sich von selbst; im übrigen stimme ich der das Bewiesene und das noch Problematische gerecht abwägenden Rezension von E. Kalinka im Allg. Literaturblatt XV (1905) 141ff. sowie dem an wertvollen Einzelheiten reichen Vortrag von F. Skutsch (vgl. Zeitschr. f. d. Gymn.-Wesen LXIII 1909, 69ff.) zu. Dagegen hat der Versuch von Fr. Blaß (Die Rhythmen der attischen Kunstprosa, Leipzig 1901, und: Die Rhythmen der asianischen u. römischen Kunstprosa, Leipz. 1905), die Rhythmen von den κῶλα zu isolieren und überhaupt die antike Theorie zu ignorieren, meines Wissens nur schärfsten Widerspruch erfahren. Der mit großem Material und umfassender Gelehrsamkeit unternommene Versuch von Bornecque a. a. O., die Worteinheiten zugrunde zu legen, steht ebenfalls im Widerspruch mit der von B. übrigens sorgfältig diskutierten antiken Theorie und scheint mir durch seine eigenen Ausführungen auf S. 168. 214. 416ff. nicht empfohlen zu werden; die Gegenschrift gegen Bornecque von J. Dupuis, Le nombre oratoire, Thèse Paris 1907 kenne ich nur aus einem Prospekt; dagegen ist mir als nützlich die Diskussion der Frage durch L. Laurand, Études sur le style des discours de Cicéron (Paris 1907) 143—218 bekannt. Auch Wilh. Meyer a. a. O. (zu S. 810ff.) hat S. 152ff. wieder das Wort ergriffen, allein da er die Literatur über diese Frage seit 1893, dem Erscheinungsjahre seiner auf S. 926 genannten Abhandlung, ignoriert, erübrigt sich eine genauere Prüfung seiner Auffassung. Kroll ist in seiner Ausgabe des ciceronischen Orator (1913) auf alle Fragen genau eingegangen, hat die Klauselgesetze bei der Behandlung des Textes auch praktisch verwertet. Eine nützliche Vereinigung der aus dem Altertum überlieferten 'Testimonia' (nebst einer Auswahl griechischer und lateinischer Texte) bietet A. Clark, Fontes prosae numerosae, Oxford 1909 (vgl. desselben Verfassers Schrift: The cursus in mediaeval and vulgar Latin, Oxford 1910);

dazu eine wichtige Ergänzung aus Augustinus de musica: L. Laurand, La théorie du cursus dans Saint Augustin in: Recherches de science religieuse IV (1913) 569ff.

Zu S. 911ff. In der rhythmischen Analyse der demosthenischen Partien sind ein paar kleinere, das Prinzip nicht berührende Änderungen vorzunehmen. 1) Das Kolon S. 911 (unten)

καὶ παρακύψαντα ἐπὶ τὸν τῆς πόλεως πόλεμον

ist nicht nur in seinen letzten Worten rhythmisch, sondern der Rhythmus geht durch:

–́⏑⏑–̀ –́⏑⏑–̀ –́⏑⏑–́⏑⏑⏓.

2) Das S. 912 (oben) zitierte Kolon

ὁ δὲ στρατηγὸς ἀκολουθεῖ, εἰκότως

enthält nicht, wie Blaß glaubte, eine Verletzung des 'Dreikürzengesetzes', denn nach *στρατηγός* pausierte der Redner offenbar, wie wir ein *παρὰ προσδοκίαν* gebrauchtes Wort durch einen Gedankenstrich abzutrennen pflegen, und daß er auch hinter dem mit grimmiger Ironie gebrauchten *ἀκολουθεῖ* pausierte, um dies Wort möglichst als isolierte Einheit empfinden zu lassen, zeigt der Hiatus; der Rhythmus ist also:

⏑–́⏑–́⏑ | ⏑⏑–́– | –́⏑–̀.

Dadurch erledigt sich das in der Anmerkung zu diesem Kolon Gesagte. 3) Das Kolon S. 913 (unten)

οὐδὲν ὑποστειλάμενος πεπαρρησίασμαι

ist, da nach dem Partizipium, wie stets, eine kleine Rezitationspause ist, so zu rhythmisieren:

–́⏑⏑–̀ –́⏑⏑–̀ | ⏑–́–⏑–́–

(2 *χορ.* + 2 *βακχ.*). Dadurch erleidet die S. 914 gegebene Zusammenstellung der Schlußrhythmen insofern eine kleine Veränderung, als der Ditrochäus 47mal (statt 48mal) anzusetzen ist. — Über den 'Dispondeus' denke ich jetzt, wo mich Erfahrung und Übung belehrt haben, wesentlich anders; ich gedenke darauf in der unten zu S. 952 versprochenen Untersuchung zurückzukommen. — Den Versuch, mich in das Werk K. Zanders, Eurythmia vel compositio rythmica prosae antiquae, I: Eurythmia Demosthenis, Leipz. 1910 einzuarbeiten, habe ich als hoffnungslos aufgeben müssen.

Zu S. 911, 1. Die Theorie von Blaß, De numeris Isocrateis, Kiel 1891 ist von Th. Thalheim, Progr. Hirschberg 1900 widerlegt worden.

Zu S. 916, 1. Über die rhythmische Bedeutung des Kolons –⏑––– vgl. auch Wilamowitz zu Eur. Her.[2] II S. 192 und in den Gött. gel. Anz. 1898, 698.

Zu S. 922. Die hier ausgesprochene Hoffnung, daß der Ursprung des Meyerschen 'Gesetzes' für die Klauseln der spätgriechischen Prosa durch genauere Untersuchungen über die Praxis älterer Autoren aufgehellt werden könnte, beginnt sich zu erfüllen: Wilamowitz, Herm. XXXIV (1899) 214ff. hat eine Art von Vorstufe bei Himerios nachgewiesen; die von W. Meyer a. a. O. (zu 909ff.) 157f. dagegen erhobenen Einwände sind mir unverständlich geblieben, und die prinzipielle Richtigkeit des Wilamowitzschen Nachweises ist (mit einigen Ergänzungen und Modifikationen) ganz kürzlich über jeden Zweifel erhoben worden von Daniel Serruys, Les procédés toniques d'Himérius et les origines du 'cursus' Byzantin (ich kenne nur den Sonderabdruck, vermag Ort und Jahr des Erscheinens nicht anzugeben). Eine Fortsetzung dieser Analysen, die dringend erwünscht ist, wird uns vielleicht eine nähere Einsicht in das Werden auch dieser Stilregel verschaffen (vgl. jetzt auch meine Analyse einer Stelle der hermetischen Schrift *Κόρη κόσμου* Agn. Theos S. 66, 1). Daß sie aus der Praxis der lateinischen Prosa stamme, wie Meyer behauptet (S. 158, vgl. seine Ges. Abh. I Berl. 1905, 19f.), hat sich mir — von dem prinzipiellen Bedenken abgesehen — schon jetzt als Unmöglichkeit erwiesen; dagegen führt vielleicht weiter die von mir S. 923 gemachte Beobachtung in Verbindung mit derjenigen von H. Lietzmann (Fünf Festpredigten Augustins in gereimter Prosa, in: Kleine Texte für theolog. Vorles. u. Übungen, Heft 18, Bonn 1905). Die Klauseln des Ammianus sind von A. M. Harmon, The Clausula in Ammianus Marcellinus (Transactions of the Connecticut Academy 16, New Haven 1910) genau untersucht worden: sie entsprechen denen der spätgriechischen Prosa; C. Clark hat sie in seiner Ausgabe sichtbar zum Ausdruck gebracht.

Zu S. 944. Vgl. den Schluß einer afrikanischen Dedikationsinschrift CIL. VIII 1646 *ob notissimam omnibus in se bonitatem qua in perpetuum est reservatus* (–́⏑–̀–́⏑).

Zu S. 948, 2. Die von Augustinus als *numerosa clausula* bezeichnete in den Worten *concupiscentiis feceritis* möchte ich nicht mehr deuten –́–⏑́⏑⏓, da der Dispondeus noch dazu mit Auflösung der dritten Länge unbedingt nicht eine rhythmische Kadenz genannt werden kann. Es wird vielmehr zu interpretieren sein –́⏑–̀ –́⏑–́⏑ (Ditrochäus mit voraufgehendem Creticus). Die Messung des Conj. perf. mit ī konnte ihm z. B. aus Cicero geläufig sein (vgl. S. 935, 4); es besteht aber m. W. keine Instanz gegen die Möglichkeit, daß sie dauernd üblich bleibt.

Zu S. 952. Hier war von mir nur die Möglichkeit, aus alttradierter Interpunktion Regeln für die antiken Rezitationspausen zu finden, hingewiesen und der Wunsch ausgesprochen worden, daß die Editoren von Texten aus älteren Hss. Angaben über deren Interpunktion machen möchten. Dem ist inzwischen gelegentlich entsprochen worden (z. B. von K. Ziegler in seiner Ausgabe des Firmicus, Leipz. 1907, p. XIVff., vgl. Alfons Müller, Zur Überlieferung der Apologie des Firm. Mat., Tübing. 1908, 33ff. Susan H. Ballou, De clausulis a Flavio Vopisco ... adhibitis, Diss. Gießen 1912, Kap. V 'De interpunctione'). Bevor nicht sichere Kriterien zur Abteilung von *κῶλα* und *κόμματα* aufgestellt sind, müssen alle Versuche, innerhalb der Perioden die Klauseln zu erkennen, notwendigerweise subjektivem Ermessen anheimgestellt und daher Irrtümern ausgesetzt bleiben (vgl. Zielinski, Phil. N. F. XIX 1906, 604ff.). Ich meine inzwischen in den Neumen und in alten, nach *κῶλα* und *κόμματα* abgesetzten Vulgatahandschriften solche sicheren Kriterien gefunden zu haben, möchte aber mit der Veröffentlichung warten, bis ich möglichst viel Material zur Nachprüfung werde vorlegen können. Vgl. Wilamowitz, Griech. Lesebuch II 2 S. 269: „Richtig werden wir erst interpungieren, wenn wir durch genaue und von Phantasmen freie Untersuchung des rednerischen Rhythmus die Punkte kennen gelernt haben, an denen die Stimme inne hielt: das wollte die antike Interpunktion bezeichnen, und es ist das einzig verständige.“ Eine darauf bezügliche Bemerkung steht auch in meinem Komm. zur Aeneis VI² S. 386, 1.

Zu S. 954ff. Die Zeugnisse für die Sitte des Diktierens sind sehr vermehrt worden durch R. Heinze, Hermes XXXIII (1898) 463, 1 und zu Horaz s. I 10, 92. ep. I 10, 49. Über Ambrosius und Paulinus von Nola vgl. P. Reinelt, Studien über die Briefe des hl. Paulinus von Nola (Diss. Breslau 1903) 83f. Für die Scriptores hist. Augustae verweist mich E. Hohl (brieflich) auf das reichhaltige, dort für diese Sitte sich findende Material, darunter besonders bemerkenswert vita Commodi 13, 7, Clodii Albini 2, 2, trig. tyr. 33, 8 (letztere Stelle falsch behandelt von H. Peter, Abh. d. sächs. Ges. 1909, 184, 1).
